·the big book·

Книги
Грегори Дэвида
РОБЕРТСА

♦

ШАНТАРАМ

♦

ТЕНЬ ГОРЫ

♦

Грегори Дэвид РОБЕРТС

ШАНТАРАМ

Санкт-Петербург

УДК 821(94)
ББК 84(8Авс)-44
Р 58

Gregory David Roberts
SHANTARAM

Перевод с английского
Льва Высоцкого, Михаила Абушика

Оформление обложки Ильи Кучмы

Р 58   **Роберц Г. Д.**
        Шантарам : роман / Грегори Дэвид Робертс ; пер. с англ.
        Л. Высоцкого, М. Абушика. — СПб. : Азбука, Азбука-Ат-
        тикус, 2019. — 864 с. — (The Big Book).
        ISBN 978-5-389-01095-6

Представляем читателю один из самых поразительных романов начала XXI века (в 2015 году получивший долгожданное продолжение —
«Тень горы»). Эта преломленная в художественной форме исповедь
человека, который сумел выбраться из бездны и уцелеть, разошлась по
миру тиражом четыре миллиона экземпляров (из них полмиллиона —
в России) и заслужила восторженные сравнения с произведениями
лучших писателей Нового времени, от Мелвилла до Хемингуэя. Подобно автору, герой этого романа много лет скрывался от закона. Лишенный после развода с женой родительских прав, он пристрастился к наркотикам, совершил ряд ограблений и был приговорен австралийским
судом к девятнадцати годам заключения. Бежав на второй год из тюрьмы строгого режима, он добрался до Бомбея, где был фальшивомонетчиком и контрабандистом, торговал оружием и участвовал в разборках
индийской мафии, а также нашел свою настоящую любовь, чтобы вновь
потерять ее, чтобы снова найти...

УДК 821(94)
ББК 84(8Авс)-44

ISBN 978-5-389-01095-6

Это первоклассный роман, произведение высочайшего искусства и исключительной красоты.

Пэт Конрой

После прочтения первого романа Грегори Дэвида Робертса, «Шантарам», собственная жизнь покажется вам пресной... Робертса сравнивали с лучшими писателями, от Мелвилла до Хемингуэя.

Wall Street Journal

Захватывающее чтение... Предельно искренняя книга, такое ощущение, что сам участвуешь в изображаемых событиях. Это настоящая сенсация.

Publishers Weekly

Мастерски написанный готовый киносценарий в форме романа, где под вымышленными именами выведены реальные лица... Он раскрывает нам Индию, которую мало кто знает.

Kirkus Review

Вдохновенное повествование.

People

В высшей степени увлекательный, яркий роман. Перед тобой, как на экране, проходит жизнь во всей своей неприкрашенной красоте, оставляя незабываемое впечатление.

USA Today

«Шантарам» — выдающийся роман... Фабула настолько увлекательна, что сама по себе представляет большую ценность.

New York Times

Превосходно... Широкая панорама жизни, свободное дыхание.

Time Out

В своем романе Робертс описывает то, что сам видел и пережил, но книга выходит за рамки автобиографического жанра. Да не отпугнет вас ее объем: «Шантарам» — одно из самых захватывающих повествований о человеческом искуплении в мировой литературе.

Giant Magazine

Удивительно то, что после всего пережитого Робертс смог вообще что-нибудь написать. Он сумел выбраться из бездны и уцелеть... Его спасением была любовь к людям... Настоящая литература способна изменить жизнь человека. Сила «Шантарама» — в утверждении радости прощения. Надо уметь сопереживать и прощать. Прощение — это путеводная звезда в темноте.

Dayton Daily News

«Шантарам» насыщен колоритным юмором. Чувствуешь пряный аромат хаоса бомбейской жизни во всем его великолепии.

Minneapolis Star Tribune

«Шантарам» поистине эпическое произведение. Это необъятный, не умещающийся ни в какие рамки, непричесанный, неотразимый, неожиданный роман.

The Seattle Times

Если бы меня спросили, о чем эта книга, я ответил бы, что обо всем, обо всем на свете. Грегори Дэвид Робертс сделал для Индии то же, что Лоренс Даррелл для Александрии, Мелвилл для южных морей и Торо для озера Уолден. Он ввел ее в круг вечных тем мировой литературы.

Пэт Конрой

Я никогда не читал столь интересной книги, как «Шантарам», и вряд ли прочту в ближайшем будущем что-нибудь превосходящее ее по широте охвата действительности. Это увлекательная, неотразимая, многогранная история, рассказанная прекрасно поставленным голосом. Подобно шаману — ловцу привидений, Грегори Дэвиду Робертсу удалось уловить самый дух произведений Анри Шарьера, Рохинтона Мистри, Тома Вулфа и Марио Варгаса Льосы, сплавить это все воедино силой своего волшебства и создать уникальный памятник литературы. Рука бога Ганеши выпустила на волю слона, чудовище бегает, выйдя из-под контроля, и тебя невольно охватывает страх за храбреца, вознамерившегося написать роман об Индии. Грегори Дэвид Робертс — гигант, которому эта задача оказалась по плечу, он блистательный гуру и гений, без всякого преувеличения.

Мозес Исегава

Человек, которого «Шантарам» не тронет до глубины души, либо не имеет сердца, либо мертв, либо то и другое одновременно. Я уже много лет не читал ничего с таким наслаждением. «Шантарам» — это «Тысяча и одна ночь» нашего века. Это бесценный подарок для всех, кто любит читать.

Джонатан Кэрролл

«Шантарам» великолепен. И самое главное, он преподает нам урок, показывая, что те, кого мы бросаем в тюрьму, тоже люди. Среди них могут встретиться исключительные личности. И даже гениальные.

Эйлет Уолдман

Робертс побывал в таких краях и заглянул в такие уголки человеческой души, какие большинство из нас могут увидеть разве что в воображении. Вернувшись оттуда, он поведал нам историю, которая проникает в душу и утверждает вечные истины. Робертсу довелось пережить печаль и надежду, лишения и драму жизненной борьбы, жестокость и любовь, и он прекрасно описал все это в своем эпическом произведении, которое от начала до конца проникнуто глубоким смыслом, раскрытым уже в первом абзаце.

Барри Айслер

«Шантарам» абсолютно уникален, дерзок и неистов. Он застигает врасплох человека с самым необузданным воображением.

Elle

«Шантарам» покорил меня с первой же строки. Это потрясающая, трогательная, страшная, великолепная книга, необъятная, как океан.

Detroyt Free Press

Это всеобъемлющий, глубокий роман, населенный персонажами, которые полны жизни. Но самое сильное и отрадное впечатление оставляет описание Бомбея, искренняя любовь Робертса к Индии и населяющим ее людям... Робертс приглашает нас в бомбейские трущобы, опиумные притоны, публичные дома и ночные клубы, говоря: «Заходите, мы с вами».

Washington Post

В Австралии его прозвали Благородным Бандитом, потому что он ни разу никого не убил, сколько бы банков ни ограбил. А после всего он взял и написал этот совершенно прекрасный, поэтичный, аллегорический толстенный роман, который буквально снес мне крышу.

Это поразительный читательский опыт, — по крайней мере, я был поражен до глубины души. Я только что видел первый вариант сценария и уверяю вас: фильм будет выдающийся.

Джонни Депп

Моей матери

Часть первая

ГЛАВА

1

Мне потребовалось много лет и странствий по всему миру, чтобы узнать все то, что я знаю о любви, о судьбе и о выборе, который мы делаем в жизни, но самое главное я понял в тот миг, когда меня, прикованного цепями к стене, избивали. Мой разум кричал, однако и сквозь этот крик я сознавал, что даже в этом распятом, беспомощном состоянии я свободен — я могу ненавидеть своих мучителей или простить их. Свобода, казалось бы, весьма относительная, но, когда ты ощущаешь только приливы и отливы боли, она открывает перед тобой целую вселенную возможностей. И сделанный тобой выбор между ненавистью и прощением может стать историей твоей жизни.

В моем случае это долгая история, заполненная людьми и событиями. Я был революционером, растерявшим свои идеалы в наркотическом тумане, философом, потерявшим самого себя в мире преступности, и поэтом, утратившим свой дар в тюрьме особо строгого режима. Сбежав из этой тюрьмы через стену между двумя пулеметными вышками, я стал самым популярным в стране человеком — ни с кем не искали встречи так настойчиво, как со мной. Удача сопутствовала мне и перенесла меня на край света, в Индию, где я вступил в ряды бомбейских мафиози. Я был торговцем оружием, контрабандистом и фальшивомонетчиком. На трех континентах меня заковывали в кандалы и избивали, я не раз был ранен и умирал от голода. Я побывал на войне и шел в атаку под огнем противника. И я выжил, в то время как люди вокруг меня погибали. Они были по большей части лучше меня, просто жизнь их сбилась с пути и, столкнувшись на одном из крутых поворотов с чьей-то ненавистью, любовью или равнодушием, полетела под откос. Слишком много людей мне пришлось похоронить, и горечь их жизни слилась с моей собственной.

Но начинается моя история не с них и не с мафии, а с моего первого дня в Бомбее. Судьба забросила меня туда, втянув в свою игру. Расклад был удачен для меня: мне выпала встреча с Карлой

11

Саарнен. Стоило мне заглянуть в ее зеленые глаза, и я сразу пошел ва-банк, приняв все условия. Так что моя история, как и все остальное в этой жизни, начинается с женщины, с нового города и с небольшой толики везения.

Первое, на что я обратил внимание в тот первый день в Бомбее, — непривычный запах. Я почувствовал его уже в переходе от самолета к зданию аэровокзала — прежде, чем услышал или увидел что-либо в Индии. Этот запах был приятен и будоражил меня в ту первую минуту в Бомбее, когда я, вырвавшись на свободу, заново вступал в большой мир, но он был мне абсолютно незнаком. Теперь я знаю, что это сладкий, тревожный запах надежды, уничтожающей ненависть, и в то же время кислый, затхлый запах жадности, уничтожающей любовь. Это запах богов и демонов, распадающихся и возрожденных империй и цивилизаций. Это голубой запах кожи океана, ощутимый в любой точке города на семи островах, и кроваво-металлический запах машин. Это запах суеты и покоя, всей жизнедеятельности шестидесяти миллионов животных, больше половины которых — человеческие существа и крысы. Это запах любви и разбитых сердец, борьбы за выживание и жестоких поражений, выковывающих нашу храбрость. Это запах десяти тысяч ресторанов, пяти тысяч храмов, усыпальниц, церквей и мечетей, а также сотен базаров, где торгуют исключительно духами, пряностями, благовониями и свежими цветами. Карла назвала его однажды худшим из самых прекрасных ароматов, и она была, несомненно, права, как она всегда бывает по-своему права в своих оценках. И теперь, когда бы я ни приехал в Бомбей, прежде всего я ощущаю этот запах — он приветствует меня и говорит, что я вернулся домой.

Второе, что сразу же дало о себе знать, — жара. Уже через пять минут после кондиционированной прохлады авиасалона я вдруг почувствовал, что одежда прилипла ко мне. Мое сердце колотилось, отбивая атаки незнакомого климата. Каждый вздох был маленькой победой организма в ожесточенной схватке. Впоследствии я убедился, что этот тропический пот не оставляет тебя ни днем ни ночью, потому что он порожден влажной жарой. Удушающая влажность превращает всех нас в амфибий; в Бомбее ты непрерывно вдыхаешь вместе с воздухом воду и постепенно привыкаешь так жить, и даже находишь в этом удовольствие — или уезжаешь отсюда.

И наконец, люди. Ассамцы, джаты и пенджабцы; уроженцы Раджастхана, Бенгалии и Тамилнада, Пушкара, Кочина и Конарака; брамины, воины и неприкасаемые; индусы, мусульмане, христиане, буддисты, парсы, джайны, анимисты; светлокожие и смуглые, с зелеными, золотисто-карими или черными глазами — все лица и все формы этого ни на что не похожего многообразия, этой несравненной красоты — Индии.

Несколько миллионов бомбейцев плюс миллион приезжих. Два лучших друга контрабандиста — мул и верблюд. Мулы помогают ему переправить товар из страны в страну в обход таможенных застав. Верблюды — простодушные странники. Человек с фальшивым паспортом втирается в их компанию, и они без лишнего шума перевозят его, нарушая границу и сами о том не подозревая.

Тогда все это было мне еще неведомо. Тонкости контрабандного промысла я освоил значительно позже, спустя годы. В тот первый приезд в Индию я действовал чисто инстинктивно, и единственной контрабандой, какую я перевозил, был я сам, моя хрупкая преследуемая свобода. У меня был фальшивый новозеландский паспорт, в котором вместо фотографии прежнего владельца была вклеена моя. Я проделал эту операцию самостоятельно и небезупречно. Рядовую проверку паспорт должен был выдержать, но, если бы у таможенников возникли подозрения и они связались бы с посольством Новой Зеландии, подделка очень быстро раскрылась бы. Поэтому сразу после вылета из Окленда я стал искать в самолете подходящую группу туристов и обнаружил компанию студентов, уже не в первый раз летевших этим рейсом. Расспрашивая их об Индии, я завязал с ними знакомство и пристроился к ним у таможенного контроля в аэропорту. Индийцы решили, что я принадлежу к этой раскрепощенной и бесхитростной братии и ограничились поверхностным досмотром.

Уже в одиночестве я вышел из здания аэропорта, и на меня тут же накинулось жалящее солнце. Ощущение свободы кружило мне голову: еще одна стена преодолена, еще одна граница позади, я могу бежать на все четыре стороны и найти где-нибудь убежище. Прошло уже два года после моего побега из тюрьмы, но жизнь того, кто объявлен вне закона, — непрерывное бегство, и днем и ночью. И хотя я не чувствовал себя по-настоящему свободным — это было мне заказано, — но с надеждой и опасливым возбуждением ожидал встречи с новой страной, где я буду жить с новым паспортом, приобретая новые тревожные складки под серыми глазами на своем молодом лице. Я стоял на пешеходной дорожке под опрокинутой синей чашей пропеченного бомбейского неба, и сердце мое было так же чисто и полно радужных надежд, как раннее утро на овеваемом муссонами Малабарском берегу.

— Сэр! Сэр! — послышался голос позади меня.

Кто-то схватил меня за руку. Я остановился. Все мои боевые мускулы напряглись, но я подавил страх. Только не бежать. Только не поддаваться панике. Я обернулся.

Передо мной стоял маленький человечек в унылой коричневой униформе, держа в руках мою гитару. Он был не просто маленьким, а крошечным, настоящим карликом с испуганно-невинным выражением лица, как у слабоумного.

— Ваша музыка, сэр. Вы забыли свою музыку, да?

Очевидно, я оставил ее у «карусели», где получал свой багаж. Но откуда этот человечек узнал, что гитара моя? Когда я удивленно и с облегчением улыбнулся, он ухмыльнулся мне в ответ с такой полнейшей непосредственностью, какой мы обычно избегаем, боясь показаться простоватыми. Он отдал мне гитару, и я заметил, что между пальцами у него перепонки, как у водоплавающей птицы. Я вытащил из кармана несколько банкнот и протянул ему, но он неуклюже попятился от меня на своих толстых ногах.

— Деньги — нет. Мы здесь должны помогать. Добро пожаловать к Индии, — произнес он и засеменил прочь, затерявшись в человеческом лесу.

Я купил билет до центра у кондуктора Ветеранской автобусной линии. За рулем сидел отставной военнослужащий. Увидев, с какой легкостью взлетают на крышу мой вещмешок и саквояж, точно приземлившись на свободное место среди прочего багажа, я решил оставить гитару при себе. Я пристроился на задней скамейке рядом с двумя длинноволосыми туристами. Автобус быстро наполнялся местными жителями и приезжими, по большей части молодыми и стремившимися тратить как можно меньше.

Когда салон был почти полон, водитель обернулся, обвел нас угрожающим взглядом, пустил изо рта через открытую дверь струю ярко-красного бетельного сока и объявил, что мы немедленно отправляемся:

— *Тхик хайн, чало!* [1]

Двигатель взревел, шестерни со скрежетом сцепились, и мы с устрашающей скоростью рванулись вперед сквозь толпу носильщиков и пешеходов, которые шарахались в стороны, выпархивая из-под колес автобуса в последнюю секунду. Наш кондуктор, ехавший на подножке, поливал их при этом отборной бранью.

Поначалу в город вела широкая современная магистраль, обсаженная деревьями и кустами. Это напоминало чистенький благоустроенный пейзаж вокруг международного аэропорта в моем родном Мельбурне. Убаюканный и ублаготворенный этим сходством, я был ошеломлен, когда дорога внезапно сузилась до предела, — можно было подумать, что этот контраст задуман специально для того, чтобы поразить приезжего. Несколько полос движения слились в одну, деревья исчезли, и вместо них по обеим сторонам дороги появились трущобы, при виде которых у меня кошки заскребли на сердце. Целые акры трущоб уходили вдаль волнистыми черно-коричневыми дюнами, исчезая на горизонте

---

[1] Хорошо, едем! *(хинди)*

14

в жарком мареве. Жалкие лачуги были сооружены из бамбуковых шестов, тростниковых циновок, обрезков пластмассы, бумаги, тряпья. Они прижимались вплотную друг к другу; кое-где между ними извивались узкие проходы. На всем раскинувшемся перед нами пространстве не было видно ни одного строения, которое превышало бы рост человека.

Казалось невероятным, что современный аэропорт с толпой обеспеченных целеустремленных туристов находится всего в нескольких километрах от этой юдоли разбитых и развеянных по ветру чаяний. Первое, что пришло мне в голову, — где-то произошла страшная катастрофа и это лагерь, в котором нашли временное пристанище уцелевшие. Месяцы спустя я понял, что жителей трущоб и вправду можно считать уцелевшими, — их согнали сюда из их деревень нищета, голод, массовые убийства. Каждую неделю в город прибывали пять тысяч беженцев, и так неделя за неделей, год за годом.

По мере того как счетчик водителя накручивал километры, сотни обитателей трущоб становились тысячами и десятками тысяч, и меня буквально крючило внутри. Я стыдился своего здоровья, денег в карманах. Если вы в принципе способны чувствовать такие вещи, то первое неожиданное столкновение с людьми, отверженными миром, будет для вас мучительным обвинением. Я грабил банки и промышлял наркотиками, тюремщики избивали меня так, что кости трещали. В меня не раз всаживали нож, и я всаживал нож в ответ. Я убежал из тюрьмы с крутыми порядками и парнями, перебравшись через крутую стену в самом видном месте. Тем не менее это распахнувшееся до самого горизонта море людского страдания резануло меня по глазам. Я словно напоролся на нож.

Тлеющее внутри меня чувство стыда и вины все больше разгоралось, заставляя сжимать кулаки из-за этой несправедливости. «Что это за правительство, — думал я, — что это за система, которая допускает такое?»

А трущобы все тянулись и тянулись; изредка бросались в глаза составлявшие разительный контраст с ними процветающие предприятия и офисы, а также обшарпанные многоквартирные дома, заселенные теми, кто был чуть побогаче. Но за ними опять простирались трущобы, и их неизбывность вытравила из меня всякую почтительность перед чужой страной. Я с каким-то трепетом стал наблюдать за людьми, жившими в этих бесчисленных развалюхах. Вот женщина наклонилась, чтобы зачесать вперед черную атласную прядь волос. Еще одна купала детей в медном тазу. Мужчина вел трех коз с красными ленточками, привязанными к ошейникам. Другой брился перед растрескавшимся зеркальцем. Повсюду играли дети. Люди тащили ведра с водой, ремонтировали одну из хижин. И все, на кого бы я ни посмотрел, улыбались и смеялись.

Автобус остановился, застряв в пробке, и совсем рядом с моим окном из хижины вышел мужчина. Это был европеец, такой же бледнокожий, как и туристы в нашем автобусе, только вся его одежда состояла из обернутого вокруг торса куска ткани, разрисованного розочками. Мужчина потянулся, зевнул и безотчетно почесал свой голый живот. От него веяло прямо-таки коровьей безмятежностью. Я позавидовал его умиротворенности, как и улыбкам, которыми его приветствовала группа людей, направлявшихся к дороге.

Автобус рывком тронулся с места, и мужчина остался позади. Но встреча с ним кардинально изменила мое восприятие окружающего. Он был таким же иностранцем, как и я, и это позволило мне представить самого себя в этом мире. То, что казалось мне абсолютно чуждым и странным, вдруг стало реальным, вполне возможным и даже захватывающим. Теперь я видел, как трудолюбивы эти люди, сколько старания и энергии во всем, что они делают. Случайный взгляд в ту или иную хижину демонстрировал поразительную чистоту этих нищенских обиталищ: полы без единого пятнышка, блестящую металлическую посуду, составленную аккуратными горками. И наконец я обратил внимание на то, что должен был заметить с самого начала, — эти люди были удивительно красивы: женщины, обмотанные ярко-алыми, голубыми и золотыми тканями, ходившие босиком среди этой тесноты и убожества с терпеливой, почти неземной грацией, белозубые мужчины с миндалевидными глазами и веселые дружелюбные дети с худенькими руками и ногами. Старшие играли вместе с малышами, у многих на коленях сидели их маленькие братья и сестры. И впервые за последние полчаса я улыбнулся.

— Да, жалкое зрелище, — произнес сидевший рядом со мной молодой человек, глядя в окно.

Это был канадец, как можно было понять по пятну в форме кленового листа на его куртке, — высокий, плотного сложения, с бледно-голубыми глазами и каштановыми волосами до плеч. Его товарищ был его уменьшенной копией — они даже одеты были одинаково: застиранные почти до белизны джинсы, мягкие куртки из набивного ситца и сандалии на ногах.

— Что вы говорите?

— Вы здесь впервые? — спросил он, вместо ответа, и, когда я кивнул, сказал: — Я так и думал. Дальше будет немного лучше — меньше трущоб и всего этого. Но действительно хороших мест вы в Бомбее не найдете — самый захудалый город во всей Индии, можете мне поверить.

— Это верно, — заметил канадец поменьше.

— Правда, нам по пути попадется парочка красивых храмов, вполне приличные английские дома с каменными львами, медные уличные фонари и тому подобное. Но это не Индия. Настоящая Индия возле Гималаев, в Манали, или в религиозном центре Варанаси, или на Южном побережье, в Керале. Настоящая Индия не в городах.

— И куда вы направляетесь?

— Мы остановимся в ашраме у раджнишитов[1], в Пуне. Это лучший ашрам во всей стране.

Две пары прозрачных бледно-голубых глаз уставились на меня критически, чуть ли не с обвинением, как свойственно людям, убежденным, что они нашли единственно верный путь.

— А вы задержитесь здесь?

— В Бомбее, вы имеете в виду?

— Да, вы собираетесь остановиться где-нибудь в городе или сегодня же поедете дальше?

— Не знаю пока, — ответил я и отвернулся к окну.

Это было правдой: я не знал, хочу ли я провести в Бомбее какое-то время или сразу двинусь... куда-нибудь. В тот момент мне было все равно, я представлял собой особь, которую Карла назвала как-то самым опасным и самым интересным животным в мире: крутого парня, не имеющего перед собой никакой цели.

— У меня нет определенных планов, — сказал я. — Может быть, побуду в Бомбее недолго.

— А мы переночуем здесь, а утром отправимся в Пуну поездом. Если хотите, мы можем снять номер на троих. Это гораздо дешевле.

Я посмотрел в его бесхитростные голубые глаза. «Пожалуй, поначалу лучше поселиться вместе с ними, — подумал я. — Их подлинные документы и простодушные улыбки послужат прикрытием для моего фальшивого паспорта. Возможно, так будет безопаснее».

— И так будет безопаснее, — добавил он.

— Это точно, — согласился его товарищ.

— Безопаснее? — спросил я небрежным тоном, внутренне насторожившись.

Автобус снизил скорость, пробираясь по узкому ущелью между трех- и четырехэтажными домами. Взад-вперед сновали автомобили, автобусы, грузовики, велосипеды, буйволовые упряжки, мотороллеры и пешеходы, совершая свой целенаправленный танец со сверхъестественным проворством. Сквозь открытые окна

---

[1] *Ашрам* — исходно приют отшельника; часто является также центром религиозного образования; *раджнишизм* — религиозное учение, основанное в 1964 г. Бхагваном Шри Раджнишем (Ошо) и объединяющее постулаты христианства, древнеиндийских и некоторых других религий.

нашего потрепанного автобуса доносились запахи пряностей, благовоний, выхлопных газов и навоза — смесь могучая, но терпимая. Громкие голоса старались перекричать льющуюся со всех сторон экзотическую музыку. Тут и там гигантские афиши рекламировали индийские кинофильмы. Их ненатурально яркие краски струились непрерывным потоком мимо наших окон.

— Намного безопаснее. Бомбей — ловушка для простаков. Здешние уличные мальчишки обдерут вас почище любого жульнического казино.

— Это мегаполис, приятель, — пустился в объяснения низенький канадец. — А они все одинаковы. То же самое в Нью-Йорке, Рио или Париже. Всюду та же грязь и то же безумие. Да вы и сами, наверное, представляете, что такое мегаполис. Когда вы выберетесь из этого города, вы полюбите Индию. Это великая страна, но города все засраны, приходится признать.

— А чертовы отели тоже участвуют в этой обираловке, — добавил высокий. — Вас могут обчистить, пока вы сидите в своем номере и курите травку. Они в сговоре с полицией — и те и другие только и думают, как бы избавить вас от наличности. Поэтому самое надежное — держаться группой, поверьте моему опыту.

— И постарайтесь при первой возможности убраться из города, — сказал низкий. — Мать честная! Смотрите!

Автобус вывернул на широкий бульвар, окаймленный с одной стороны грядой огромных валунов, спускавшихся прямо к бирюзовым океанским волнам. Среди камней приютились грубые закопченные хижины, похожие на почерневшие обломки какого-то старинного корабля, потерпевшего здесь крушение. И эти хижины горели.

— Черт побери! Этот парень поджаривается заживо! — закричал высокий канадец, указывая на мужчину, бежавшего к морю.

Его одежда и волосы были объяты пламенем. Мужчина поскользнулся и тяжело упал среди камней. Женщина с ребенком подбежала к нему и стала сбивать пламя своей одеждой и голыми руками. Их соседи старались погасить пожар в собственных домах или просто стояли и смотрели, как догорают принадлежавшие им хлипкие строения.

— Вы видели? Парню не выжить, это точно.

— Да, черт возьми, ты прав! — выдохнул низенький.

Наш водитель замедлил ход вместе с другими автомобилями, чтобы поглазеть на пожар, но затем вновь нажал на газ и продолжил путь. Ни одна из многочисленных проезжавших машин не остановилась. Обернувшись, я смотрел через заднее стекло автобуса, пока обуглившиеся бугорки хижин не превратились в черные точки, а коричневый дым пожарища не стал затихающим шепотом происшедшего несчастья.

В конце длинного бульвара, тянувшегося вдоль берега моря, мы сделали левый поворот и выехали на широкую улицу, застроенную современными зданиями. У входа в фешенебельные отели стояли под разноцветными тентами швейцары в ливреях. Шикарные рестораны утопали в зелени садов. Сверкали на солнце стеклом и медью фасады авиакомпаний и прочих учреждений. Торговые лотки прятались от палящих лучей под большими зонтами. Шагавшие по улице мужчины носили деловые костюмы западного образца и прочную обувь, женщины были закутаны в дорогие шелка. У всех был озабоченный и полный достоинства вид; в офисы они заходили с серьезными лицами.

Повсюду бросался в глаза контраст между тем, что было мне хорошо знакомо, и непривычным. Повозка, запряженная буйволами, остановилась у светофора рядом с модным спортивным автомобилем. Мужчина присел, чтобы облегчиться, за сомнительным укрытием в виде тарелки спутниковой антенны. Электропогрузчик разгружал товар с древней колымаги на деревянных колесах. Далекое прошлое настойчиво пробивалось сквозь барьеры времени в собственное будущее. Мне это нравилось.

— Мы подъезжаем, — объявил мой сосед. — Центр города совсем рядом. Правда, это не совсем то, что мы обычно понимаем под городским центром, — просто район, где сосредоточены дешевые туристские гостиницы. Он называется Колаба. Ну вот мы и прибыли.

Молодые люди достали из карманов свои паспорта и дорожные чеки и засунули их прямо в штаны. Низенький даже снял часы и запихал их вместе с паспортом, деньгами и прочими ценностями в трусы, став похожим на сумчатое животное. Поймав мой взгляд, он улыбнулся:

— Осторожность не помешает.

Я встал и пробрался к передним дверям. Когда мы остановились, я сошел первым, но увяз в толпе людей, окруживших автобус. Это были посыльные из гостиниц, торговцы наркотиками и прочие уличные зазывалы. Они вопили на ломаном английском, предлагая дешевое жилье и другие услуги. Впереди всех у дверей автобуса был маленький человечек с большой, почти идеально круглой головой, одетый в хлопчатобумажную рубашку и парусиновые брюки. Он заорал на окружающих, чтобы утихомирить их, и обратился ко мне с самой широкой и лучезарной улыбкой, какую мне когда-либо приходилось видеть:

— Доброе утро, знаменитые сэры! Добро пожаловать в Бомбей! Вы нуждаетесь в отличных дешевых отелях, не прав ли я?

Он смотрел мне в глаза, все так же сверкая своей широкой улыбкой. И было в этой улыбке какое-то бьющее через край озорство, более искреннее и восторженное, чем обыкновенная радость, которое проникло мне прямо в сердце. Мы всего лишь секунду

19

смотрели друг на друга, но этого мне было достаточно, чтобы решить: я могу довериться этому маленькому человеку с широкой улыбкой. Это оказалось одним из самых удачных решений в моей жизни, хотя тогда я, конечно, этого еще не знал.

Пассажиры, покидавшие автобус, отбивались от облепившего их роя торговцев и зазывал. Два канадца беспрепятственно проложили себе путь через толпу, одаривая одинаковой широкой улыбкой обе воюющие стороны. Глядя, как ловко они лавируют в гуще людей, я впервые обратил внимание на то, какие это здоровые, энергичные и симпатичные парни, и подумал, что стоит принять их предложение снять общий номер. В их компании я мог быть уверен, что ни у кого и мысли не возникнет о каких-либо побегах из тюрьмы и фальшивых документах.

Человечек схватил меня за рукав и выволок из бушевавшей толпы за автобус. Кондуктор с обезьяньей ловкостью забрался на крышу и скинул мне на руки мой вещмешок и саквояж. Прочие тюки и чемоданы посыпались на мостовую с устрашающим грохотом. Пассажиры кинулись спасать свое имущество, а мой проводник опять отвел меня в сторону на спокойное место.

— Меня зовут Прабакер, — произнес он по-английски с мелодичным акцентом. — А каково твое доброе имя?

— Мое доброе имя Линдсей, — соврал я в соответствии со своим паспортом.

— Я бомбейский гид. Очень отличный бомбейский гид, высший класс. Весь Бомбей я знаю очень хорошо. Ты хочешь увидеть все-все-все. Я точно знаю, где ты найдешь этого больше всего. Я могу показать тебе даже больше, чем все.

Два молодых канадца подошли к нам, преследуемые все той же назойливой бандой оборванных приставал. Прабакер прикрикнул на своих разошедшихся коллег, и те отступили на несколько шагов, пожирая глазами наши пожитки.

— Прежде всего я хочу увидеть приличный и дешевый гостиничный номер, — сказал я.

— Разумеется, сэр! — просиял Прабакер. — Я могу отвести тебя в дешевую гостиницу, и в очень дешевую гостиницу, и в слишком очень дешевую гостиницу, и даже в такую дешевую гостиницу, что никто с нормальным умом никогда там не останавливается.

— Хорошо. Веди нас, Прабакер. Посмотрим, что ты можешь нам предложить.

— Одну минуту, — вмешался высокий канадец. — Вы собираетесь заплатить этому типу? Я хочу сказать, что и без него знаю, где остановиться. Не обижайся, друг, — я уверен, ты прекрасный гид и все такое, но ты нам не нужен.

Я посмотрел на Прабакера. Его большие темно-карие глаза изучали мое лицо с веселым дружелюбием. Я никогда не встречал менее агрессивного человека, чем Прабакер Харре: он был не способен гневно повысить голос или поднять на кого-нибудь руку — я это почувствовал с самых первых минут нашего знакомства.

— А ты что скажешь, Прабакер? — спросил я его с шутливой серьезностью. — Нужен ты мне?

— О да! — вскричал он. — Ты так нуждаешься во мне, что я почти плачу от сочувствия к твоей ситуации! Одному Богу известно, какие ужасные вещи будут с тобой происходить в Бомбее без моего сопровождения твоего тела.

— Я заплачу ему, — сказал я канадцам; пожав плечами, они взяли свои вещи. — Ладно. Пошли, Прабакер.

Я хотел поднять свой вещмешок, но Прабакер тут же ухватился за него.

— Твой багаж носить — это я, — вежливо, но настойчиво произнес он.

— Это ни к чему. Я и сам прекрасно справлюсь.

Широкая улыбка скривилась в умоляющую гримасу.

— Пожалуйста, сэр. Это моя работа. Это мой долг. Я сильный на спине. Без проблем. Ты увидишь.

Все мое нутро восставало против этого.

— Нет-нет...

— Пожалуйста, мистер Линдсей. Это моя честь. Смотри на людей.

Прабакер простер руку, указывая на своих товарищей, которым удалось заполучить клиентов среди пассажиров автобуса. Все они, схватив сумку, чемодан или рюкзак, деловито и решительно уводили свою добычу в нужном им направлении.

— М-да... Ну ладно, — пробормотал я, подчиняясь.

Это была первая из моих капитуляций перед ним, которые в дальнейшем стали характерной чертой наших отношений. Его круглое лицо опять расплылось в улыбке; я помог ему взвалить вещмешок на спину. Ноша была нелегкая. Прабакер пригнулся и, вытянув шею, устремился вперед, тяжело ступая. Я большими шагами быстро догнал его и посмотрел на его напряженное лицо. Я чувствовал себя белым *бваной*[1], использующим туземца как вьючное животное, и это было мерзкое ощущение.

Но маленький индиец смеялся и болтал о Бомбее и достопримечательностях, которые следует посмотреть, указывая время от времени на те, что попадались нам по пути, и приветствуя улыбкой встречных знакомых. К канадцам он обращался с почтительным дружелюбием. И он действительно был силен — гораздо сильнее, чем казалось с первого взгляда. За пятнадцать минут ходьбы до гостиницы он ни разу не остановился и не оступился.

---

[1] *Бвана* — господин *(хинди)*.

Поднявшись на четыре пролета по крутым замшелым ступеням темной лестницы с задней стороны большого здания, чей фасад был обращен к морю, мы оказались в «Индийской гостинице». На каждом из этажей, которые мы проходили, имелись вывески: «Отель Апсара», «Гостиница „Звезда Азии"», «Приморский отель». Как можно было понять, в одном здании разместилось четыре гостиницы, каждая из которых обладала собственным персоналом, фирменным набором услуг и особым стилем.

Мы вчетвером ввалились со своим багажом в маленький холл. За стальной конторкой возле коридора, ведущего к номерам, восседал рослый мускулистый индиец в ослепительно-белой рубашке и черном галстуке.

— Добро пожаловать, — приветствовал он нас, осторожно улыбнувшись и продемонстрировав две ямочки на щеках. — Добро пожаловать, молодые джентльмены.

— Ну и дыра, — пробормотал высокий канадец, оглядывая фанерные перегородки с облупившейся краской.

— Это мистер Ананд, — поспешил представить портье Прабакер. — Лучший менеджер лучшего отеля в Колабе.

— Заткнись, Прабакер, — проворчал мистер Ананд.

Улыбка Прабакера стала еще шире.

— Видишь, какой замечательный менеджер этот мистер Ананд? — прошептал он мне. Затем он обратил свою улыбку к замечательному менеджеру. — Я привел вам три отборных туриста, мистер Ананд. Самые лучшие постояльцы для самого лучшего отеля, вот как!

— Заткнись, я сказал! — рявкнул Ананд.

— Сколько? — спросил низенький канадец.

— Простите? — пробормотал Ананд, продолжая испепелять взглядом Прабакера.

— Один номер, три человека, на одну ночь. Сколько это будет стоить?

— Сто двадцать рупий.

— Что?! — взорвался канадец. — Вы шутите?

— Это слишком много, — поддержал его товарищ. — Пошли отсюда.

— Без проблем, — бросил Ананд. — Можете идти куда-нибудь еще.

Они стали собирать свои пожитки, но Прабакер остановил их с отчаянным криком:

— Нет-нет! Это самый прекраснейший из всех отелей. Пожалуйста, посмотрите в номер! Пожалуйста, мистер Линдсей, только посмотрите в этот восхитительный номер!

На миг воцарилась тишина. Молодые канадцы замешкались на пороге. Ананда вдруг необыкновенно заинтересовало что-то в книге, куда он записывал постояльцев. Прабакер схватил меня за рукав. Я уже успел проникнуться симпатией к моему гиду, и мне импонировала манера, с которой держался Ананд. Он не заискивал перед нами и не уговаривал остаться, предоставив нам самим решать, соглашаться на его условия или нет. Он поднял глаза от журнала и встретился со мной взглядом. Это был прямой и честный взгляд человека, уверенного в себе и с уважением относящегося к другому. Ананд нравился мне все больше.

— Ладно, давайте посмотрим в этот номер, — сказал я.

— Да-да! — засмеялся Прабакер.

— Ну давайте, — согласились канадцы, вздыхая и улыбаясь.

— В конце коридора, — улыбнулся Ананд в ответ, снимая ключ от номера с крючка и кладя его передо мной на конторку вместе с прикрепленным к нему тяжелым латунным номерком. — Последняя комната справа, дружище.

Это была большая комната с тремя кроватями, накрытыми покрывалами, одним окном с видом на море и еще несколькими, выходившими на шумную улицу. При взгляде на крашеные стены, каждая из которых резала глаз своим оттенком зеленого, начинала болеть голова. По углам краска отстала от стен и свисала, закручиваясь спиралью. Потолок был в паутине трещин. Бетонный пол, с уклоном в сторону уличных окон, был неровным и волнистым, на нем выступали бугорки непонятного происхождения. Меблировка состояла, помимо кроватей, из трех маленьких пристенных столиков клееной фанеры и обшарпанного туалетного столика с потрескавшимся зеркалом. Наши предшественники оставили на память о себе оплывшую свечу в бутылке из-под ирландского крем-ликера «Бейлис», вырезанную из календаря и прикрепленную скотчем к стене репродукцию, изображавшую неаполитанскую уличную сценку, и два жалких полуспущенных воздушных шарика, привязанные к решетке вентиляционного отверстия. Интерьер побуждал постояльцев увековечивать на стенах, подобно заключенным тюремной камеры, свои имена и пожелания.

— Я беру номер, — решился я.

— Да! — воскликнул Прабакер и тут же кинулся обратно в холл.

Мои попутчики посмотрели друг на друга и рассмеялись.

— С этим чудаком бесполезно спорить. Он чокнутый, — заявил высокий.

— Да уж, — хмыкнул низкий и, наклонившись, понюхал простыни на одной из кроватей и осторожно сел на нее.

Прабакер вернулся вместе с Анандом, державшим в руках толстую книгу записи постояльцев. Пока мы по очереди вносили в нее сведения о себе, Ананд проверил наши паспорта. Я уплатил за неделю вперед. Ананд вернул паспорта канадцам, а моим стал задумчиво похлопывать себя по щеке.

— Новая Зеландия? — проговорил он.

— Да, и что? — Я нахмурился, гадая, что он мог углядеть или почувствовать.

После того как я по собственному почину сократил двадцатилетний срок своего заключения, Австралия объявила меня в розыск и мое имя числилось в Интерполе среди беглецов. «Что ему известно? — подумал я. — К чему он клонит?»

— Хм... Ну, ладно. Новая Зеландия так Новая Зеландия. Возможно, вы захотите что-нибудь покурить, выпить пива или виски, разменять деньги, нанять девушек, провести время в хорошей компании. Если вам понадобится что-нибудь, скажете мне, *на*?[1]

Он вернул мне паспорт и, бросив грозный взгляд на Прабакера, покинул комнату. Стоявший у дверей гид отшатнулся от него, съежившись и одновременно счастливо улыбаясь.

— Большой человек, замечательный менеджер, — выпалил он после ухода Ананда.

— Прабакер, у вас здесь часто останавливаются новозеландцы?

— Не очень часто, мистер Линдсей. Но они все очень замечательные личности. Смеются, курят, пьют, ночью занимаются сексом с женщинами, а потом опять смеются, курят и пьют.

— Угу. Ты, случайно, не знаешь, где я мог бы достать немного гашиша, Прабакер?

— Я не знаю?! Я могу достать одну *толу*[2], один килограмм, десять килограммов, и я даже знаю, где целый склад гашиша.

— Целый склад мне не нужен. Я просто хочу покурить.

— Так случается, что у меня в кармане есть одна тола, десять граммов лучшего афганского *чараса*[3]. Ты хочешь купить?

— За сколько?

— Двести рупий, — предложил он с надеждой в голосе.

Я подозревал, что он завысил цену по крайней мере вдвое, но даже при этом двести рупий — около двенадцати американских долларов по тогдашнему курсу — составляли одну десятую того, что запрашивали в Австралии. Я дал ему папиросную бумагу и пачку табака:

— Хорошо. Сверни цигарку, я попробую. Если мне понравится гашиш, я куплю.

Мои сокамерники растянулись на двух параллельных кроватях и, когда Прабакер вытащил из кармана порцию гашиша, посмотрели друг на друга с одинаковым выражением, приподняв

---

[1] 1) Нет; 2) да? не так ли? (вопросительный «хвостик» в конце предложения) (*хинди*).

[2] *Тола* — индийская единица веса, равная 13,7 г.

[3] *Чарас* — смесь гашиша и табака.

брови и поджав губы. Они завороженно и боязливо наблюдали за тем, как маленький индиец, встав на колени у туалетного столика, сворачивает самокрутку на его пыльной поверхности.

— Вы уверены, что поступаете разумно, приятель?

— Да, может, они подстроили это нарочно, чтобы обвинить нас в употреблении наркотиков, или что-нибудь вроде этого?

— Я думаю, Прабакеру можно доверять. Вряд ли это ловушка, — ответил я, разворачивая свое походное одеяло и расстилая его на постели возле уличных окон.

На подоконнике была устроена полочка, и я стал выкладывать на нее свои безделушки, сувениры и талисманы — черный камешек, который мне вручил некий малыш в Новой Зеландии, окаменелую раковину улитки, найденную одним из моих друзей, и браслет из когтей ястреба, подаренный другим. Я скрывался от правосудия. У меня не было своего дома и своей страны, и я возил с собой вещи, которые мне дали друзья: огромную аптечку, купленную ими в складчину, рисунки, стихи, раковины, перья. Даже одежду и обувь приобрели для меня они. Здесь не было несущественных мелочей; подоконник стал теперь моим домом, а все эти сувениры — моей родиной.

— Если вы боитесь, парни, то можете выйти погулять или подождать на улице, пока я курю. А потом я позову вас. Просто я обещал своим друзьям, что, попав в Индию, первым делом закурю гашиш и буду при этом думать о них, так что я выполняю обещание. К тому же мне показалось, что портье смотрит на это сквозь пальцы. У нас могут быть неприятности из-за курения в гостинице, Прабакер?

— Курение, выпивка, музыка, танцы, секс в гостинице — без проблем, — заверил нас Прабакер, подняв на миг голову от своего занятия и расплывшись в улыбке. — Все разрешается без проблем. Кроме драк. Драка — это плохие манеры в «Индийской гостинице».

— Вот видите? Без проблем.

— И еще умирание, — добавил Прабакер, задумчиво покрутив круглой головой. — Мистер Ананд не любит, когда здесь умирают.

— Что-что? Что он несет?

— Он что, серьезно? Еще не хватало, черт побери, чтобы кто-нибудь *умирал* тут! Господи Исусе!

— Умирание для вас тоже не проблема, *бабá*[1], — успокоил Прабакер пришедших в смятение канадцев, предлагая им аккуратно свернутую сигарету; высокий канадец взял ее и слегка затянулся. — Не очень много людей умирает здесь, в «Индийской гостинице», и в основном только наркоманы с костлявыми ли-

---

[1] *Бабá* — уважительное обращение.

цами. Для вас с вашими такими прекрасными большими упитанными телами нет проблем.

Он с обезоруживающей улыбкой вручил мне самокрутку. Затянувшись, я отдал сигарету ему, и он с нескрываемым удовольствием затянулся тоже, а затем передал ее канадцам:

— Хороший чарас, да?

— Да, он действительно хорош, — ответил высокий канадец, улыбаясь от души.

С тех пор эта широкая искренняя улыбка ассоциируется у меня с Канадой и ее жителями.

— Беру, — сказал я.

Прабакер передал мне десятиграммовую плитку, я разломил ее на две части и одну из них кинул ближайшему канадцу:

— Держите. Будет чем развлечься завтра в поезде по дороге в Пуну.

— Благодарю, — отозвался он. — Слушай, а ты молоток. Немного сдвинутый, но молоток.

Я вытащил из саквояжа бутылку виски и откупорил ее. Это также было исполнением обещания, данного одной из новозеландских подруг. Она просила меня выпить в память о ней, если мне удастся благополучно добраться до Индии с фальшивым паспортом. Эти маленькие ритуалы — сигарета, виски — были важны для меня. Я был уверен, что навсегда потерял и свою семью, и друзей; что-то подсказывало мне, что я никогда их больше не увижу. Я был один в целом свете, без всякой надежды на возвращение домой, и вся моя прошлая жизнь была заключена в воспоминаниях, талисманах и прочих залогах любви.

Я уже хотел приложиться к бутылке, но, передумав, предложил ее сначала Прабакеру.

— Грандиозное спасибо, мистер Линдсей! — просиял он, округлив глаза от удовольствия. Запрокинув голову, он вылил порцию виски себе в рот, не касаясь губами горлышка. — Это самый наихороший виски, «Джонни Уокер», высший класс. Да...

— Глотни еще, если хочешь.

— Только маленький кусочек, такое спасибо. — Он плеснул еще виски прямо в горло, заметно расширившееся при этом. Сделав паузу, он облизнулся, затем поднял бутылку в третий раз. — Прошу прощения, да-а, большого прощения. Это такой хороший виски, что он производит у меня плохие манеры.

— Послушай, если виски тебе так нравится, можешь оставить бутылку себе. У меня есть еще одна. Я купил их в самолете без пошлины.

— О, благодарю... — ответил Прабакер, но при этом почему-то несколько скис.

— В чем дело? Ты не хочешь виски?

— Хочу-хочу, мистер Линдсей, очень серьезно хочу. Но если б я знал, что это мой виски, а не твой, я не пил бы так щедро.

Канадцы расхохотались.

— Знаешь что, Прабакер, я отдам тебе вторую бутылку, а открытую мы сейчас разопьем. Идет? И вот двести рупий за курево.

Улыбка опять расцвела, и Прабакер, обменяв початую бутылку на целую, нежно прижал ее к груди.

— Но, мистер Линдсей, ты делаешь ошибку. Я говорю, что этот замечательный чарас стоит одну сотню рупий, не две.

— Угу.

— Да, одну сотню рупий только, — произнес он, с решительным видом возвращая мне одну из купюр.

— Хорошо. Знаешь, Прабакер, я ничего не ел в самолете, и неплохо бы теперь пообедать. Ты можешь показать мне какой-нибудь приличный ресторан?

— С несомненной уверенностью, мистер Линдсей, сэр! Я знаю такие отличные рестораны с такой замечательной пищей, что твоему желудку будет прямо плохо от счастья.

— Ты меня убедил, — сказал я, поднимаясь и засовывая в карман паспорт и деньги. — Вы пойдете, парни?

— Что, на улицу? Вы шутите.

— Может, позже. Как-нибудь в другой раз. Но мы будем ждать вашего возвращения и посторожим ваши вещи.

— Хорошо. Как хотите. Я вернусь через пару часов.

Прабакер из вежливости вышел первым, кланяясь и виляя хвостом. Я направился за ним, но прежде, чем я успел закрыть дверь, высокий канадец бросил мне:

— Послушайте... вы поосторожнее там, на улице. Вы ведь здесь ничего не знаете. Никому нельзя доверять. Это не деревня. Индийцы в городе — это... ну, в общем, поберегитесь, ладно?

Ананд спрятал мой паспорт, дорожные чеки и основную часть денег в сейф, выдав мне за все расписку, и я вышел на улицу. Предупреждения канадцев звучали у меня в ушах, как крики чаек над косяками рыбы, мечущими икру на мелководье.

Прабакер привел нас в гостиницу по широкому и довольно пустынному проспекту, который начинался у высокой каменной арки, носившей название Ворота в Индию, и описывал дугу по берегу залива. Однако улица с другой стороны здания была запружена транспортом и народом. Людской гомон, сливаясь с автомобильными гудками, дождем обрушивался на деревянные и металлические крыши окружающих домов.

Сотни людей бродили взад-вперед или стояли группами. По всей длине улицы вплотную друг к другу теснились магазины, рестораны и гостиницы. На тротуаре перед магазинами и ресторанами были устроены небольшие прилавки, за которыми хозяйничали два или три продавца, сидевшие на складных стульях.

Среди них были африканцы, арабы, европейцы, индийцы. Идя по тротуару, вы все время слышали новый язык и новую музыку, каждый ресторан подмешивал в кипящую воздушную смесь свои запахи.

В сплошном потоке машин виднелись повозки, запряженные буйволами, а также ручные тележки, развозившие арбузы и мешки с рисом, прохладительные напитки и вешалки с одеждой, сигареты и глыбы льда. В руках людей мелькали деньги — это был черный рынок валюты, объяснил мне Прабакер. Толстые пачки банкнот передавались и пересчитывались совершенно открыто. На каждом шагу попадались нищие, фокусники и акробаты, заклинатели змей, музыканты и астрологи, хироманты, сутенеры и торговцы наркотиками. Улица была захламлена до предела. Из верхних окон домов то и дело без предупреждения выбрасывали всякую дрянь, на тротуарах и даже на мостовой громоздились кучи отбросов, в которых пировали жирные бесстрашные крысы.

Но что в первую очередь бросалось в глаза, так это невероятное количество покалеченных и больных нищих, демонстрировавших всевозможные болезни, увечья и прочие напасти. Они встречали вас в дверях ресторанов и магазинов, вылавливали на улице, донимая профессионально отработанными жалобными причитаниями. Как и трущобы, впервые увиденные из окна автобуса, это неприкрытое страдание вызывало на моем здоровом, ничем не обезображенном лице краску стыда. Но, пробираясь вслед за Прабакером сквозь толпу, я обратил внимание на другую, не столь уродливую сторону их жизни. В дверях одного из домов группа нищих играла в карты; какой-то слепой уплетал в компании друзей рыбу с рисом; детишки, громко смеясь, по очереди катались вместе с безногим бедняком на его тележке.

По дороге Прабакер искоса бросал на меня взгляды.

— Как тебе нравится наш Бомбей?

— Ужасно нравится, — ответил я, нисколько не покривив душой.

На мой взгляд, город был прекрасен. Он был дик и будоражил воображение. Романтические постройки эпохи британского владычества чередовались с зеркальными башнями современных бизнес-центров. Среди беспорядочного нагромождения убогих жилищ расстилался многокрасочный ковер свежих овощей и шелков. Из каждого магазина и из каждого проезжавшего такси доносилась музыка. Краски слепили глаза, восхитительные ароматы кружили голову. А в глазах людей на этих переполненных улицах улыбки мелькали чаще, чем в каком бы то ни было другом месте, где мне доводилось бывать.

Но главное — Бомбей был свободным городом, пьяняще свободным. Куда ни взгляни, во всем чувствовался непринужденный, ничем не скованный дух, и я невольно откликался на него всем сердцем. Сознавая, что эти мужчины и женщины свободны, я уже не так мучился от неловкости и стыда, которые испытывал при виде трущоб и нищих. Никто не прогонял попрошаек с улицы, никто не выдворял жителей трущоб из их хижин. Какой бы тяжелой ни была их жизнь, они проводили время на тех же проспектах и в тех же садах, что и сильные мира сего. Все они были свободны. Это был свободный город. Я влюбился в него.

Конечно, я чувствовал себя несколько растерянно среди этого переплетения разнонаправленных интересов, на карнавале нуждающихся и алчущих; бесцеремонное попрошайничество и плутовство приводили меня в замешательство. Я не понимал языков, которые слышал. Мне были незнакомы культуры, представленные разнообразными одеяниями, сари, тюрбанами. Я будто смотрел экстравагантную постановку какой-то замысловатой пьесы, не имея понятия о ее содержании. Но хотя все окружающее было непривычным и смущало, оно вместе с тем вызывало у меня непроизвольную радостную улыбку. За мою голову было назначено вознаграждение, за мной гнались, но я испытывал ощущение, что я оторвался от погони, что в данный момент я свободен. Когда ты спасаешься от преследования, каждый день для тебя — целая жизнь. Каждая минута свободы — это отдельная история со счастливым концом.

И я был рад, что со мной Прабакер. Его хорошо знали на улице, самые разные люди сердечно приветствовали его.

— Ты, должно быть, голоден, мистер Линдсей, — заметил Прабакер. — Ты счастливый человек, прошу прощения за такие слова, а счастливый человек всегда имеет хороший аппетит.

— Хм... Насчет аппетита ты прав. Но где же тот ресторан, куда мы направляемся? Если бы я знал, что он так далеко, то захватил бы с собой готовый завтрак, чтобы съесть по дороге.

— Чуть-чуть еще немножко, не очень далеко, — с живостью отозвался он.

— Ну-ну...

— О да! Я отведу тебя в лучший ресторан, с прекраснейшими блюдами Махараштры![1] Ты будешь удовлетворяться без проблем. Все бомбейские гиды вроде меня едят там свою пищу. Это такой хороший ресторан, что он должен платить полиции бакшиш вдвое меньше, чем обычно. Вот какой он хороший!

— Неужели?

— О да! Но сначала позволь мне добыть для тебя индийскую сигарету. И для меня тоже. Сейчас мы должны остановиться.

Он подвел меня к уличному лотку величиной не больше складного карточного столика. На нем были разложены картон-

---

[1] *Махараштра* — индийский штат, административным центром которого является Бомбей.

ные пачки сигарет примерно дюжины сортов. Тут же на большом медном подносе теснились серебряные тарелочки с дроблеными кокосовыми орехами, пряностями и разнообразными пастами неизвестного происхождения. Рядом со столиком стояло ведро с водой, в которой плавали узкие остроконечные листья. Продавец высушивал листья, смазывал их пастой, добавлял смесь измельченных фиников, кокосовых орехов, плодов бетельной пальмы и пряностей и сворачивал это все в маленькие трубочки. Покупатели, толпившиеся возле лотка, расхватывали трубочки по мере их изготовления.

Прабакер протиснулся вплотную к торговцу, выжидая момент, чтобы сделать заказ. Я вытянул шею, наблюдая за ним поверх покупательских голов, передвинулся к краю тротуара и сделал шаг на мостовую. Тут же раздался крик:

— Берегись!

Чьи-то руки схватили меня за локоть и втащили обратно на тротуар, и в этот момент мимо меня со свистом пролетел огромный двухэтажный автобус. Я был бы уже трупом, если бы не эти руки. Я обернулся, чтобы посмотреть на моего спасителя. Это была самая прекрасная из всех женщин, каких я когда-либо видел. Стройная, с черными волосами до плеч и бледной кожей. Она не была высокой, но ее развернутые плечи, прямая спина и вся поза вызывали ощущение уверенной в себе жизненной силы. На ней были шелковые панталоны, завязанные у щиколоток, черные туфли на низком каблуке, свободная хлопчатобумажная блуза и большая шелковая шаль. Концы шали, переброшенные за спину, напоминали раздвоенную ниспадающую волнами гриву. Вся ее одежда переливалась разными оттенками зеленого.

Ироническая улыбка, игравшая в изгибе ее полных губ, выражала все, ради чего мужчина должен любить ее и чего он должен в ней бояться. В этой улыбке была гордость, а в очертаниях ее тонкого носа — спокойная уверенность. Сам не знаю почему, но я сразу почувствовал, что многие принимают ее гордость за высокомерие и путают уверенность с равнодушием. Я этой ошибки не сделал. Мои глаза отправились в свободное плавание без руля и без ветрил по океану, мерцавшему в ее невозмутимом твердом взгляде. Ее большие глаза поражали своей интенсивной зеленью. Такими зелеными бывают деревья в ярких живописных снах. Таким зеленым было бы море, если бы оно могло достичь совершенства.

Она все еще держала меня за локоть. Ее прикосновение было точно таким, каким должно быть прикосновение возлюбленной: знакомым и вместе с тем возбуждающим, как произнесенное шепотом обещание. Мной овладело почти непреодолимое желание прижать ее руку к своему сердцу. Возможно, мне и следовало так сделать. Теперь-то я знаю, что она не стала бы смеяться надо мной, ей это понравилось бы. И хотя мы были совершенно незнакомы, долгих пять секунд мы стояли, глядя друг на друга, а все параллельные миры, все параллельные жизни, которые могли бы существовать, но никогда существовать не будут, крутились вокруг нас. Наконец она произнесла:

— Вам повезло. Еще бы чуть-чуть...

— Да, — улыбнулся я.

Она медленно убрала свою руку. Это был мягкий, естественный жест, но я ощутил разрыв контакта между нами так остро, как будто меня грубо выдернули из глубокого счастливого сна. Я наклонился и посмотрел слева и справа за ее спиной.

— Что там такое?

— Я ищу крылья. Ведь вы мой ангел-спаситель.

— Боюсь, что нет, — ответила она с насмешливой улыбкой, от которой на ее щеках образовались ямочки. — Во мне слишком много от дьявола.

— Неужели так уж много? — усмехнулся я. — Интересно, сколько именно?

Возле лотка стояла группа людей. Один из них — красивый, атлетически сложенный мужчина лет двадцати пяти — окликнул ее:

— Карла, пошли, *йаар*![1]

Обернувшись, она помахала ему, затем протянула мне руку. Ее рукопожатие было крепким, но трудно было сказать, какие чувства оно выражает. Улыбка ее была столь же двусмысленной. Возможно, я понравился ей, но не исключено, что она просто хотела поскорее закончить разговор.

— Вы не ответили на мой вопрос, — сказал я, выпуская ее руку из своей.

— Сколько во мне от дьявола? — спросила она с дразнящей полуулыбкой на губах. — Это очень интимный вопрос. Пожалуй, даже самый интимный из всех, какие мне когда-либо задавали. Но знаете, если вы заглянете как-нибудь в «Леопольд», то, возможно, выясните это.

Подошли ее друзья, и она оставила меня, присоединившись к ним. Это были молодые индийцы, хорошо одетые в соответствии с европейской модой, распространенной у представителей среднего класса. Они то и дело смеялись и дружески тискали друг друга, но ни один из них не прикоснулся к Карле. Казалось, ее окружает аура, одновременно притягательная и недоступная. Я подошел чуть ближе, притворившись, что меня интересует, как

---

[1] *Йаар* (йяр) — дружище, браток *(хинди)*; часто утрачивает это значение и употребляется в конце предложения в качестве междометия («вот», «да-а», «ну» и т. п.).

продавец скручивает листья. Она что-то говорила друзьям, но языка я не понимал. Голос ее на этом языке приобрел какую-то необыкновенную глубину и звучность, от которой волоски у меня на руке затрепетали. Очевидно, это тоже должно было послужить мне предупреждением. Как говорят афганские свахи, «голос — это больше половины любви». Но тогда я не знал этого, и мое сердце кинулось без оглядки в такие дебри, куда даже свахи боятся заглядывать.

— Вот, мистер Линдсей, я взял две сигареты для нас, — сказал Прабакер, подходя ко мне и торжественно вручая одну из них. — Это Индия, страна бедняков. Здесь не надо покупать целую пачку сигарет. Одну сигарету купить достаточно. И спички не надо.

Прабакер потянулся к телеграфному столбу рядом с лотком и снял висевший на крюке дымящийся кусок пенькового жгута. Сдув с конца веревки пепел, он обнажил красную тлеющую сердцевину и прикурил от нее.

— А что это такое он заворачивает в листья, которые все жуют?

— Это называется *пан*[1]. Самый наиболее отличный вкус, и жевание тоже. Все в Бомбее жуют его и плюют, жуют и опять плюют без проблем, днем и ночью. Это для здоровья очень хорошо, много жевать и обильно плевать. Хочешь попробовать? Я достану для тебя.

Я кивнул — не столько потому, что мне так уж хотелось вкусить прелести этого пана, сколько для того, чтобы побыть еще какое-то время возле Карлы. Она держалась очень естественно и явно чувствовала себя как дома на этой улице с ее непостижимыми порядками. То, что приводило меня в недоумение, для нее было, по-видимому, обычным делом. Она заставила меня вспомнить мужчину-иностранца в трущобах, которого я видел из окна автобуса. Казалось, она, как и он, пребывает в полном согласии с этим миром, принадлежит ему. Я позавидовал тому, с какой теплотой относятся к ней окружающие, приняв в свой круг.

Но это было не главное. Я не мог оторвать глаз от ее совершенной красоты. Я глядел на нее, и каждый вздох с трудом вырывался у меня из груди. Сердце словно тисками сдавило. Голос крови подсказывал: «Да, да, да...» В древних санскритских легендах говорится о любви, предопределенной кармой, о существовании связи между душами, которым суждено встретиться, соприкоснуться и найти упоение друг в друге. Согласно легендам,

---

[1] *Пан*, или бетель, — смесь пряностей, измельченных фруктов, орехов и прочих наполнителей, завернутая в лист перечного кустарника и традиционно употребляющаяся в Индии для жевания. Очищает полость рта, освежает дыхание. Пан принято подавать гостям в знак гостеприимства.

суженую узнаешь мгновенно, потому что твоя любовь к ней сквозит в каждом ее жесте, каждой мысли, каждом движении, каждом звуке и каждом чувстве, светящемся в ее глазах. Ты узнаешь ее по крыльям, невидимым для других, а еще потому, что страсть к ней убивает все другие любовные желания.

Те же легенды предупреждают, что такая предопределенная любовь может овладеть только одной из двух душ, соединенных судьбой. Но мудрость судьбы в данном случае противоположна любви. Любовь не умирает в нас именно потому, что она не мудра.

— А, ты смотришь на эту девушку! — воскликнул вернувшийся с паном Прабакер, проследив за моим взглядом. — Ты думаешь, что она красива, на? Ее зовут Карла.

— Ты знаешь ее?!

— О да! Карла — ее все знают, — ответил он таким громким театральным шепотом, что я испугался, как бы она его не услышала. — Ты хочешь познакомиться с ней?

— Познакомиться?

— Я могу поговорить с ней. Ты хочешь, чтобы она была твоим другом?

— Что?!

— О да! Карла мой друг и будет твоим другом тоже, мне кажется. Может быть, ты даже добудешь много денег для своей благородной личности в бизнесе с Карлой. Может быть, вы будете такими хорошими и тесными друзьями, что будете делать вместе много секса и создадите полное удовольствие своим телам. Я уверен, что у вас будет дружеское удовольствие.

Он уже потирал руки в предвкушении этой перспективы. Бетель окрасил его широкую улыбку в красный цвет. Мне пришлось схватить его за руку, чтобы помешать ему обратиться к ней с этими предложениями прямо на улице.

— Нет! Не надо! Ради всего святого, говори тише, Прабакер. Если я захочу поговорить с ней, то подойду к ней сам.

— О, я понял, — произнес Прабакер со смущенным видом. — Вы, иностранцы, называете это эротическим стимулированием, да?

— Нет. Эротическое стимулирование — это другое. Это... но не важно, забудь об этом.

— О, хорошо! Я всегда забываю об эротическом стимулировании. Я индийский парень, а мы, индийские парни, никогда не беспокоимся об эротическом стимулировании. Мы приступаем прямо к прыжкам и пиханиям, да-да!

Он схватил воображаемую женщину и стал пихать ее своими узкими бедрами, обнажив зубы в кроваво-красной улыбке.

— Пожалуйста, прекрати! — бросил я, испуганно оглянувшись на Карлу и ее друзей.

— Как скажете, мистер Линдсей, — вздохнул он, загасив ритмичные колебания бедер. — Но я все же могу сделать мисс Карле хорошее предложение твоей дружбы, если ты хочешь.

— Нет! Спасибо, конечно, но не надо никаких предложений. Я... О господи, давай оставим это. Скажи мне лучше, на каком языке говорит сейчас вон тот человек?

— Он говорит на хинди, мистер Линдсей. Подожди минуту, я скажу тебе, что он говорит.

Он без всякого смущения подошел к группе мужчин, окружавших Карлу, и затесался в их компанию, прислушиваясь к разговору. Никто не обратил на него никакого внимания. Прабакер кивал, смеялся вместе со всеми и спустя несколько минут вернулся ко мне:

— Он рассказывает одну очень смешную историю об инспекторе бомбейской полиции, очень большой и сильной особе в своем районе. Этот инспектор запер у себя в тюрьме одного очень хитрого парня, но этот хитрый парень уговорил этого инспектора отпустить его, потому что он сказал этому инспектору, что у него есть золото и драгоценные камни. А когда этот инспектор отпустил этого хитрого парня, он продал ему немного золота и драгоценных камней. Но это было ненастоящее золото и ненастоящие драгоценные камни. Это были подделки, очень дешевые ненастоящие вещи. И самое большое жульничество, что этот хитрый парень прожил в доме этого инспектора целую неделю до того, как продал ему ненастоящие драгоценности. И ходят большие слухи, что у этого хитрого парня были сексуальные дела с женой инспектора. И теперь этот инспектор такой безумный и такой сердитый, что все убегают, когда видят его.

— Слушай, откуда ты ее знаешь? Она живет здесь?

— Жена инспектора?

— Да нет же! Я говорю об этой девушке, о Карле.

— Знаешь... — протянул он, впервые нахмурившись, — у нас в Бомбее очень много девушек. Мы только пять минут идем от твоей гостиницы и уже видели сотни разных девушек. А еще через пять минут увидим еще несколько сотен. Каждые пять минут новые сотни девушек. А когда пойдем гулять дальше, будут еще сотни, сотни и сотни...

— Сотни девушек, великолепно! — саркастически прервал я его, выкрикнув это чуть громче, чем намеревался. Несколько прохожих оглянулись на меня с открытым возмущением. Я сбавил тон. — Меня не интересуют сотни девушек, Прабакер. Меня интересует... *эта* девушка, понимаешь?

— Хорошо, мистер Линдсей. Я расскажу тебе о ней все. Карла — очень известная бизнесменка в Бомбее. Она здесь очень давно. Пять лет, может быть. У нее есть небольшой дом недалеко. Все знают Карлу.

— А откуда она приехала?

— Наверное, из Германии или откуда-то рядом.

— Но, судя по произношению, она должна быть американкой.

— Да, должна быть, но вместо этого она германка или кто-то вроде германки. А теперь уже скорее даже очень почти индийка. Ты хочешь есть свой обед?

— Да, только подожди еще минуту.

Группа молодых людей распрощалась со знакомыми, стоявшими у лотка, и смешалась с толпой. Карла пошла вместе с ними, выпрямив спину и высоко, чуть ли не вызывающе, подняв голову. Я смотрел ей вслед, пока ее не поглотил людской водоворот, она же ни разу не оглянулась.

— Ты знаешь, где находится «Леопольд»? — спросил я Прабакера, когда мы продолжили свой путь.

— О да! Это замечательное, прекрасное место, бар «Леопольд»! Полный замечательных, прекрасных людей, очень, очень прекрасных. Все виды иностранцев там можно найти, все они делают там хороший бизнес. Сексуальный бизнес, наркотический, валютный, чернорыночный, и с озорными картинками, и контрабандный, и паспортный, и...

— Хорошо, Прабакер, я понял.

— Ты хочешь туда пойти?

— Нет, не сейчас. Может быть, позже. — Я остановился, Прабакер остановился тоже. — Послушай, а как тебя зовут твои друзья? Какое у тебя уменьшительное имя?

— О да, уменьшительное имя у меня тоже есть. Оно называется Прабу.

— Прабу... Мне нравится.

— Оно означает «Сын света» или что-то вроде. Хорошее имя, правда?

— Да, это хорошее имя.

— А твое хорошее имя, мистер Линдсей, не такое хорошее на самом деле, если ты не возражаешь, что я говорю это прямо твоему лицу. Мне не нравится, что оно такое длинное и такое скрипучее для человека с индийской речью.

— Вот как?

— Да, вот так, прости, что говорю. Мне оно не нравится. Нет, совсем нет. Даже если бы оно было Блиндсей, или Миндсей, или Ниндсей...

— Ну что поделаешь, — улыбнулся я. — Какое есть.

— Я думаю, что намного лучше уменьшительное имя — Лин, — предложил он. — Если у тебя нет протестов, я буду называть тебя Лин.

Имя было ничуть не хуже любого другого, под которыми я скрывался после побега, и точно такое же фальшивое. В последние месяцы я уже стал относиться с юмором, как к чему-то неизбежному, к тем новым именам, что мне приходилось принимать в разных местах, и к тем, что мне давали другие. Лин. Сам я никогда не додумался бы до такого сокращения. Но оно звучало правильно — я хочу сказать, что в нем слышалось что-то магическое, некий глас судьбы; я чувствовал, что оно подходит мне так же хорошо, как и скрываемое мной и оставленное в прошлом имя, которое мне дали при рождении и под которым меня упекли на двадцать лет в тюрьму.

Поглядев в большие темные глаза Прабакера, проказливо сверкавшие на его круглом лице, я улыбнулся и кивнул, соглашаясь. Тогда я еще не мог знать, что именно под этим именем, полученным от маленького бомбейского гида, я буду известен тысячам людей от Колабы до Кандагара и от Киншасы до Берлина. Судьба нуждается в посредниках и возводит свои крепости из камней, скрепляя их с помощью подобных случайных соглашений, которым вначале не придают особого значения. Сейчас, оглядываясь назад, я сознаю, что этот момент — казалось бы, несущественный и требовавший, лишь чтобы я ткнул наобум пальцем в «да» или «нет», — на самом деле был поворотным пунктом в моей жизни. Роль, которую я играл под этим именем, Линбаба, и личность, которой я стал, оказались более истинными и соответствующими моей природе, нежели все, чем или кем я был до этого.

— Ладно, пусть будет Лин.

— Очень хорошо! Я такой счастливый, что тебе нравится это имя! И как мое имя означает на хинди «сын света», так и твое тоже имеет очень замечательное и счастливое значение.

— Да? И что же оно означает?

— Оно означает «пенис»! — Прабакер был в восторге, чего, по-видимому, ожидал и от меня.

— Ни хрена себе!.. Да уж, просто потрясающе.

— Оно очень потрясающее и очень осчастливливающее. На самом деле оно не совсем означает это, но звучит похоже на «линг» или «лингам», а это уже и будет «пенис» на хинди.

— Знаешь, давай оставим эту затею, — бросил я, трогаясь с места. — Ты что, смеешься надо мной? Не могу же я ходить повсюду, представляясь так людям! «Здравствуйте, рад с вами познакомиться, я Пенис». Нет уж. Забудь об этом. Придется тебе смириться с Линдсеем.

— Нет-нет! Лин, я правду говорю тебе, это прекрасное имя, очень достойное, очень счастливое — необыкновенно счастливое имя! Люди будут восхищаться, когда услышат его. Пойдем, я покажу тебе. Я хочу отдать эту бутылку виски, которую ты подарил мне, своему другу мистеру Санджаю. Вот, как раз в этой мастерской. Ты только увидь, как ему понравится твое имя.

Сделав еще несколько шагов, мы оказались возле маленькой мастерской. Над открытой дверью была прикреплена написанная от руки вывеска:

РАДИОПОМОЩЬ
Предприятие по электрическому ремонту.
Ремонт и торговля. Владелец Санджай Дешпанде.

Санджай Дешпанде был плотно сбитым человеком пятидесяти с чем-то лет, с шапкой поседевших до белизны волос и белыми кустистыми бровями. Он сидел за массивным деревянным прилавком в окружении поврежденных — не иначе как взрывом — радиоприемников, выпотрошенных плееров и коробок с запасными частями. Прабакер приветствовал его, очень быстро защебетал что-то на хинди и выложил бутылку виски на прилавок. Мистер Дешпанде не глядя пришлепнул бутылку своей мощной пятерней, и та исчезла за прилавком. Из нагрудного кармана рубашки он вытащил пачку индийских банкнот, отсчитал несколько штук и протянул Прабакеру, держа руку ладонью вниз. Прабакер схватил деньги быстрым и плавным движением, как кальмар щупальцами, и сунул в карман. При этом он наконец прекратил щебетать и поманил меня.

— Это мой хороший друг, — объяснил он мистеру Дешпанде, похлопав меня по плечу. — Он из Новой Зеландии.

Мистер Дешпанде что-то буркнул.

— Он как раз сегодня приехал в Бомбей, остановился в «Индийской гостинице».

Мистер Дешпанде буркнул еще раз, изучая меня со слегка враждебным любопытством.

— Его зовут Лин, мистер Линбаба, — сказал Прабакер.

— Как его зовут?

— Лин, — ухмыльнулся Прабакер. — Его имя Линбаба.

Мистер Дешпанде с удивленной улыбкой приподнял свои живописные брови:

— Линбаба́?

— Да-да! — ликовал Прабакер. — Лин. И также он очень прекрасный человек.

Мистер Дешпанде протянул мне руку, я пожал ее. Прабакер потащил меня за рукав к выходу.

— Линбаба! — окликнул меня мистер Дешпанде, когда мы были уже в дверях. — Добро пожаловать в Бомбей. Если у вас есть кассетник, или камера, или какая-нибудь дребезжалка, которые вы хотите продать, приходите ко мне, Санджаю Дешпанде, в «Радиопомощь». Я даю лучшие цены.

Я кивнул, и мы вышли на улицу. Оттащив меня от мастерской на некоторое расстояние, Прабакер остановился:

— Видишь, мистер Лин? Видишь, как ему нравится твое имя?

— Да, вроде бы, — пробормотал я, несколько озадаченный приемом, который оказал мне мистер Дешпанде, а также энтузиазмом Прабакера.

Когда я ближе познакомился с ним и стал ценить его дружбу, я догадался: Прабакер всем сердцем верит, что его улыбка воздействует как на людские сердца, так и на окружающий мир. И он был прав, конечно, но мне потребовалось много времени, чтобы понять это.

— А что значит это «баба» в конце имени? Лин — это понятно. Но почему Линбаба?

— «Баба» — это такое уважительное имя, — усмехнулся Прабакер. — Если поставить «баба» в конце твоего имени или в конце имени какой-нибудь особенной персоны, то это значит, что мы выражаем уважение — как к учителю, или священнику, или очень, очень старому человеку.

— Хм, понятно, — протянул я. — Но знаешь, Прабу, это, в общем-то, дела не меняет. Пенис есть пенис, так что не знаю...

— Но ты же видел, как твое имя понравилось мистеру Санджаю Дешпанде! Смотри, как оно понравится другим людям. Я скажу его им всем прямо сейчас, смотри! Линбаба! Линбаба! Линбаба!

Он вопил во весь голос, адресуясь ко всем встречным.

— Хорошо, Прабу, хорошо. Я верю тебе. Успокойся. — Теперь наступила моя очередь тянуть его вперед за рукав. — И мне казалось, ты хотел выпить виски, что я тебе дал, а не продать.

— Ох да, — вздохнул он. — Я хотел выпить его и уже пил его в уме. Но теперь, Линбаба, на деньги, которые я получил за продажу твоего прекрасного подарка мистеру Санджаю, я могу купить две бутылки очень плохого и замечательно дешевого виски, и еще останется очень много денег, чтобы купить новую красивую красную рубашку, одну толу хорошего чараса, билеты на прекрасный индийский кинофильм с кондиционированным воздухом и еду на два дня. Но подожди, Линбаба, ты не кушаешь свой пан. Ты должен положить его в уголок рта и жевать, а то он станет черствым и плохим для вкуса.

— Хорошо. И как же это сделать? Вот так?

Я сунул за щеку свернутый в трубочку листик, как это делали другие. Через несколько секунд мой рот наполнился сочной ароматной сладостью. Вкус напоминал медовый, но был в то же время острым и пряным. Лиственная обертка начала растворяться, и твердые кусочки измельченного кокосового ореха, фиников и семян смешались со сладким соком.

— Теперь ты должен выплюнуть немного пана, — наставлял меня Прабакер, сосредоточенно следя за тем, как работают мои челюсти. — Это надо сделать вот так, смотри.

Он выпустил изо рта струю красного сока, которая приземлилась в метре от нас, образовав кляксу величиной с ладонь. Это была филигранная работа мастера. Ни капли сока не осталось у него на губах. При напористом поощрении Прабакера я попытался повторить его достижение, но у меня изо рта пошли пузыри, а красная жидкость, проделав слюнявую дорожку на подбородке и на рубашке, смачно шлепнулась на мой правый ботинок.

— Рубашка без проблем, — заявил Прабакер и, нахмурившись, вытащил из кармана носовой платок и стал усердно втирать сок в мою рубашку, отчего пятно отнюдь не стало незаметнее. — Ботинки тоже не проблема. Я их тоже вытру. Но сейчас я должен задать тебе вопрос: ты любишь плавать?

— Плавать? — переспросил я, невольно проглотив пан, остававшийся во рту.

— Да, плавать. Я отведу тебя на пляж Чаупатти, очень замечательный пляж, и там ты можешь жевать и плевать и еще жевать, а потом плевать без костюма и не будешь тратить деньги на стирку.

— Послушай, я хотел спросить насчет экскурсий по городу. Ты ведь работаешь гидом?

— О да, я самый лучший гид в Бомбее и во всей Индии тоже.

— Сколько ты берешь за день?

Он проказливо взглянул на меня, надув щеки, что выражало, как я стал понимать, хитроумие, служившее подкладкой его широкой приветливой улыбки.

— Я беру сто рупий за день.

— О'кей.

— И туристы платят за мой обед.

— Это понятно.

— И за такси тоже туристы платят.

— Да, конечно.

— И за билеты на автобус.

— Разумеется.

— И за чай, если мы пьем его в жаркий день, чтобы освежить свои персоны.

— Да-да.

— И за сексуальных девушек, если мы идем к ним в прохладную ночь, когда мы чувствуем, что у нас набухла большая необходимость в наших...

— Ладно-ладно. Послушай, я заплачу тебе за целую неделю. Я хочу, чтобы ты показал мне Бомбей, объяснил, что тут к чему. Если все пройдет хорошо, в конце недели я заплачу тебе дополнительную премию. Как тебе эта идея?

В его глазах сверкнула улыбка, хотя голос почему-то был угрюмым.

— Это твое хорошее решение, Линбаба. Твое очень хорошее решение.

— Ну, это мы увидим, — рассмеялся я. — И еще я хочу, чтобы ты научил меня кое-каким словам на хинди.

— О да! Я могу научить тебя всему, что захочешь! *Ха* означает «да», *нэхи* — «нет», *пани* — «вода», *кханна* — «еда»...

— Хорошо-хорошо, не все сразу. Ну что, это ресторан? Слава богу, а то я уже умираю от голода.

Я хотел зайти в темный невзрачный ресторанчик, но тут Прабакер остановил меня. Лицо его по какой-то причине вдруг приняло серьезное выражение. Он нахмурился и проглотил комок в горле, как будто не знал, как приступить к делу.

— Прежде, чем мы будем есть эту прекрасную пищу, — произнес он наконец, — и прежде, чем мы... будем заниматься вообще каким-нибудь бизнесом, я должен... мне надо тебе что-то сказать.

— Ну давай...

Вид у него был настолько удрученный, что меня охватили дурные предчувствия.

— Так вот, знаешь... эта тола чараса, которую я продал тебе в гостинице...

— Да?

— Ну, понимаешь... это была цена для бизнеса. Настоящая цена, дружеская, — всего пятьдесят рупий за одну толу афганского чараса. — Он воздел руки кверху, затем уронил их, хлопнув себя по ляжкам. — Я попросил у тебя на пятьдесят рупий больше, чем надо.

— Ясно, — отозвался я спокойно.

С моей точки зрения, это был сущий пустяк, и мне хотелось рассмеяться. Однако для него это, очевидно, было очень важно, и я догадывался, что ему не часто приходится делать такие признания. Впоследствии Прабакер объяснил мне, что как раз в этот момент он решил стать моим другом, а это означало, что он всегда должен быть скрупулезно честен со мной, говоря что-либо или делая. С тех пор он неизменно резал правду-матку мне в глаза, что, конечно, не могло не подкупать, хотя порой и раздражало.

— Ну и что же мы будем делать с этим?

— Я предлагаю вот что, — ответил он очень серьезным тоном. — Мы быстро-быстро выкуриваем весь этот чарас по бизнес-цене, а потом я покупаю для нас новый. И теперь все будет для тебя — и для меня тоже — по дружеской цене. Такая политика будет без проблем?

Я рассмеялся, он засмеялся тоже. Я обнял Прабакера за плечи, и мы окунулись в дышавшую парами и ароматами суету переполненного ресторана.

— Лин, я думаю, я твой очень хороший друг, — заключил Прабакер, счастливо улыбаясь. — Мы с тобой удачные парни, да?

— Все может быть, — отозвался я. — Все может быть.

Несколько часов спустя я лежал в уютно обволакивавшей меня темноте, слушая ритмичное жужжание вращающегося на потолке вентилятора. Я чувствовал усталость, но заснуть не мог. Улица за окном, на которой днем бурлила деловая жизнь, теперь затихла в объятиях ночной духоты под влажным звездным небом. Удивительные и загадочные уличные сценки мелькали у меня перед глазами, как листья на ветру, кровь волновали новые надежды и перспективы, и я, лежа в темноте, не мог сдержать улыбку. Ни один человек в том мире, который я оставил позади, не знал, где я нахожусь. Ни один человек в Бомбее не знал, кто я такой. Я спрятался в промежутке между двумя мирами и чувствовал себя почти в безопасности.

Я подумал о Прабакере и его обещании вернуться утром, чтобы положить начало моему знакомству с городом. «Вернется ли он, — гадал я, — или же, гуляя по улице, я увижу, как он ведет куда-то нового туриста?» Я решил, с безразличной отчужденностью одинокого человека, что если он сдержит слово и придет утром, то можно будет, пожалуй, и вправду подружиться с ним.

Снова и снова мне вспоминалась эта женщина, Карла. Меня удивляло, что ее невозмутимое неулыбчивое лицо так упорно преследует меня. «Если вы заглянете как-нибудь в „Леопольд", то, возможно, выясните это», — сказала она на прощание. Я не знал, приглашение это, вызов или предупреждение. Но что бы это ни значило, я был намерен поймать ее на слове и отыскать там. Не сразу, конечно. Сначала надо было получить хотя бы приблизительное представление о городе, который она, похоже, знала очень хорошо. Я решил, что пойду в «Леопольд» через неделю. А пока поброжу по Бомбею, познакомлюсь с ним.

На периферии моих размышлений, как всегда, вращались по своим постоянным орбитам воспоминания о семье и друзьях. Неотступные. Недосягаемые. Каждую ночь все заполняла безутешная тоска по тому, чем я заплатил за свою свободу, что я потерял. Каждую ночь меня кололи шипы стыда перед моими близкими. Я сознавал, чего стоит моя свобода для людей, которых я любил и которых, я был уверен, никогда больше не увижу.

— Мы могли бы сбить цену, — произнес вдруг высокий канадец из своего темного угла. Его слова прозвучали в жужжащей тишине, как громыхание камней, рассыпанных по металлической крыше. — Надо уговорить этого менеджера сбавить плату за номер. Снизить ее с шести баксов в день до четырех. Это, конечно, не такие уж большие деньги, но так здесь делаются все дела. Надо торговаться с этой публикой по любому поводу. Мы завтра уезжаем, а вы остаетесь здесь. Мы говорили об этом, пока вас не было, потому что мы... ну, вроде как беспокоимся о вас. Тут надо держать марку, приятель. Если не научишься этому и не настроишь себя на этот лад, они высосут из тебя все соки, эти людишки. Индийцев, живущих в городах, ничего, кроме своей корысти, не интересует. Я не хочу сказать, что все они такие. Индия великая страна, иначе мы не приехали бы сюда повторно. Но индийцы не такие, как мы. И они, в общем-то, ожидают того, что мы не будем с ними церемониться. Тут надо уметь настоять на своем.

Насчет платы за комнату он был, конечно, прав. Мы могли бы выгадать один-два доллара в день. Понятно, что, торгуясь, экономишь деньги. Это, как правило, толковый и вполне цивилизованный способ вести дела в Индии.

Но в то же время он был не прав. С годами мы с Анандом подружились. Тот факт, что я отнесся к нему с безотчетным уважением и сразу поверил ему, не пытаясь спорить и выторговать лишний доллар, расположил его ко мне. Впоследствии он не раз говорил мне это. Он знал, точно так же как и мы, что шесть долларов были не такой уж безумной ценой для трех иностранцев. Владельцы гостиницы ежедневно забирали себе четыре доллара с каждого номера — таково было их правило. Доллар-два сверх этого были тем минимумом, который служил зарплатой самого Ананда и трех коридорных, находившихся в его подчинении. В результате маленьких побед, которые удавалось одержать постояльцам над Анандом, он лишался дневного заработка, а они лишались возможности приобрести друга.

В ту первую ночь в Бомбее, закрыв глаза в темной дышащей тишине, я еще не знал всего этого. Я действовал, подчиняясь инстинкту, искушая судьбу. Я не знал, что уже отдал свое сердце этой женщине и этому городу. И, пребывая в счастливом неведении, я погрузился наконец в тихий сон без сновидений.

ГЛАВА 2

Карла появилась в «Леопольде» в обычное время, и, когда она остановилась около соседнего столика перекинуться парой слов с друзьями, я в который раз попытался мысленно подобрать природный эквивалент зеленого пламени в ее глазах. Мне приходили на ум опалы, листва и теплые морские отмели на коралловых островах. Но живые изумруды ее глаз в золотистой солнечной оправе сияли мягче, намного мягче. В конце концов я нашел естественную зелень, идеально соответствовавшую цвету ее прекрасных глаз, но это произошло лишь спустя несколько месяцев после того вечера в «Леопольде». И по непонятной, необъяснимой причине я не сказал ей об этом. Теперь я всем сердцем жалею, что промолчал. Прошлое отражается в нашем сознании сразу двумя зеркалами: одно яркое, в нем видно то, что мы когда-то сказали или сделали, другое темное, заполненное невысказанным и несделанным. Сегодня я понимаю, что с самого начала, в первые недели нашего знакомства — может быть, именно в тот вечер, — я должен был найти слова, чтобы сказать ей главное... чтобы сказать ей, что она мне нравится.

А она мне нравилась, мне нравилось в ней все. Гельвецианская[1] мелодичность ее швейцарско-американского английского и то, как она медленно отбрасывала назад волосы большим и указательным пальцем, когда была чем-нибудь раздражена. Ее проницательные, остро отточенные высказывания и ее манера мягко и непринужденно коснуться пальцами симпатичного ей человека, проходя мимо него или садясь рядом. Мне нравилось, как она подолгу смотрела мне в глаза, не переходя ту грань, когда это могло смутить, а затем улыбалась, смягчая вызов, но не отводила взгляда. Так же прямо она смотрела в глаза всему миру, заставляя его спасовать первым, и это тоже нравилось мне, потому что тогда я относился к миру враждебно. Мир хотел убить меня или поймать. Он хотел засадить меня в ту же клетку, из которой я сбежал потому, что «хорошие парни» в форме охранников, получавшие зарплату за свою работу, приковывали меня к стене и избивали, ломая кости. Возможно, мир был прав, стремясь к этому. Возможно, я и не заслуживал лучшего. Но подавление личности, говорят психологи, вызывает у некоторых людей сопротивление, и я сопротивлялся миру каждую минуту своей жизни.

«Мы с миром разорвали отношения, — сказала мне как-то Карла в первые месяцы нашего знакомства. — Он пытается вновь наладить их, но я не поддаюсь. Наверное, я не умею прощать». Я и сам догадался об этом сразу же. С самой первой минуты я знал, что она очень похожа на меня. Я видел в ней решительность, доходившую почти до жестокости, храбрость, доходившую почти до свирепости, и одинокую яростную жажду любви. Я понимал все это, но не сказал ей ни слова. Я не сказал ей, как она мне нравится. Я будто онемел в те первые годы после побега, был контужен несчастьями, вторгшимися в мою жизнь. Мое сердце пребывало где-то на самой глубине, в тиши. Никто не мог и ничто не могло меня всерьез ранить. Никто не мог и ничто не могло

---

[1] *Гельвеция* — латинское название северо-западной части Швейцарии, населенной в древности гельветами.

сделать меня по-настоящему счастливым. Я был жесток и крут, а это, возможно, самое печальное, что может случиться с человеком.

— Ты становишься завсегдатаем заведения, — пошутила она, присаживаясь за мой столик и взъерошив мои волосы рукой.

Мне страшно нравилось, когда она так делала, — это показывало, что она понимает меня, понимает, что я не обижусь. Мне тогда стукнуло тридцать, я был выше среднего роста, довольно уродлив, широкоплеч, с объемистой грудью и большими руками. У людей не часто возникало желание взъерошить мне волосы.

— Да, пожалуй.

— Как сегодняшняя экскурсия с Прабакером? Интересно было?

— Он возил меня на остров Элефанта, показал пещеры.

— Красивое место, — отозвалась она, глядя на меня, но думая о чем-то своем. — Тебе надо посмотреть пещеры в Аджанте и Эллоре, если представится возможность. Я однажды провела целую ночь в одной из пещер Аджанты. Ездила туда с моим боссом.

— С твоим боссом?

— Да, с боссом.

— Он европеец, твой босс, или индиец?

— Да, собственно, ни то ни другое.

— Расскажи мне о нем.

— Зачем? — спросила она, нахмурившись и посмотрев на меня в упор.

Я сказал это только для того, чтобы продлить разговор, удержать ее возле себя, и настороженность, внезапно ощетинившаяся в ее резком коротком вопросе, удивила меня.

— Да просто так, — улыбнулся я. — Меня интересует, как люди устраиваются здесь на работу, каким образом зарабатывают, вот и все.

— Я встретила его пять лет назад в самолете, когда летела из Цюриха, — ответила она, глядя на свои руки и вроде бы успокоившись. — Он тоже сел там. У меня был билет до Сингапура, но к тому моменту, когда мы приземлились в Бомбее, он уговорил меня сойти вместе с ним и устроиться к нему на работу. Поездка в пещеры — это было... нечто особенное. Он организовал ее для меня, выхлопотав специальное разрешение, и сам отвез меня в Аджанту. Я провела целую ночь одна в огромной пещере с каменными изваяниями Будды и тысячью верещавших летучих мышей. Я чувствовала себя в безопасности — босс выставил охранника у входа в пещеру. Но это было невероятное, фантастическое ощущение. И это помогло мне... трезво взглянуть на вещи. Иногда сердце переворачивается у тебя именно так, как надо, — если ты понимаешь, что я имею в виду.

Я не вполне понимал это, но, когда она вопросительно посмотрела на меня, я кивнул.

— В такие моменты ты осознаешь нечто, чувствуешь что-то абсолютно новое для тебя. И только ты можешь воспринимать это именно таким образом. После той ночи я была уверена, что такого ощущения я не испытаю больше никогда и нигде, кроме Индии. Не могу этого объяснить, но я просто *знала*, что я дома, в безопасности, и что все будет хорошо. И, как видишь, я все еще здесь...

— А чем он занимается?

— Кто?

— Твой босс. Что у него за дело?

— Импорт, — ответила она. — И экспорт.

Она замолчала и, повернув голову, окинула взглядом другие столики.

— Ты не скучаешь по дому?

— По дому?

— Ну да, по твоему прежнему дому, я имею в виду — по Швейцарии?

— Да, в некотором роде. Я выросла в Базеле — ты не был там?

— Нет, я вообще ни разу не был в Европе.

— В таком случае тебе надо съездить туда и обязательно побывать в Базеле. Знаешь, это истинно европейский город. Рейн разделяет его на Большой и Малый Базель, и в них совершенно разный стиль жизни и разные взгляды на нее. Словно живешь в двух городах одновременно. Меня это вполне устраивало когда-то. И в этом месте сходятся три государства, так что в любой момент можешь пересечь границу и прогуляться по Франции или Германии. Можно позавтракать во Франции, пообедать в Швейцарии, а поужинать в Германии, удалившись от города всего на несколько километров. Я скучаю не столько по Швейцарии, сколько по Базелю.

Она внезапно остановилась и посмотрела на меня сквозь пушистые неподкрашенные ресницы:

— Прошу прощения за лекцию по географии.

— Не за что извиняться. Это очень интересно. Продолжай, пожалуйста.

— Знаешь, Лин, — проговорила она медленно, — а ты нравишься мне.

Ее глаза сжигали меня на зеленом огне. Я чуть покраснел — не от смущения, а от стыда за то, что не решился первым сказать «ты мне нравишься», — простые слова, которые она произнесла с такой легкостью.

— В самом деле? — как можно небрежнее отозвался я, стараясь не показать, как много это значит для меня.

Ее губы изогнулись в тонкой улыбке.

— Да. Ты умеешь слушать. Это опасное оружие, потому что против него трудно устоять. Чувствовать, что тебя слушают, — это почти самое лучшее, что есть на свете.

— А что же самое лучшее?

— Ну, это любой скажет. Самое лучшее — это власть.

— Неужели? — рассмеялся я. — А как насчет секса?

— Нет. Оставив в стороне биологию, можно сказать, что главное в сексе — борьба за власть. Потому-то он всех и лихорадит.

Я опять рассмеялся:

— А как же любовь? Очень многие считают, что самое лучшее — любовь, а не власть.

— Они ошибаются, — ответила она с лаконичной непререкаемостью. — Любовь — это нечто противоположное власти. Именно по этой причине мы так боимся ее.

— Карла, дорогая, что за жуткие вещи ты говоришь! — воскликнул подошедший к нам Дидье Леви, садясь рядом с Карлой. — Не иначе как у тебя самые коварные намерения в отношении нашего Лина.

— Ты же не слышал ни слова из нашего разговора, — прожурчала она.

— Мне не надо слышать тебя. Достаточно посмотреть на его лицо. Ты закидала его своими загадками, и у него уже голова идет кругом. Ты забываешь, Карла, что я слишком хорошо тебя знаю. Но это не страшно, Лин, сейчас мы приведем тебя в чувство.

Он подозвал одного из официантов, выкрикнув номер, вышитый на нагрудном кармане его красного пиджака:

— Эй, *чар номер! До батле бир!*[1] Что ты будешь, Карла? Кофе? Эй, *чар номер! Эк кофе аур. Джалди каро!*[2]

Дидье Леви было тридцать пять лет, но из-за мясистых складок и глубоких борозд на пухлом лице, придававших ему потасканный вид, он выглядел намного старше. Бросая вызов влажному климату, он постоянно носил мешковатые полотняные брюки, хлопчатобумажную рубаху и мятый серый шерстяной пиджак спортивного покроя. Его черные волосы, густые и курчавые, всегда были подстрижены точно до воротника рубашки, а щетина на его усталом лице неизменно казалась трехдневной. Говоря по-английски с утрированным акцентом, он то и дело с каким-то вялым ехидством поддевал как друзей, так и незнакомых. Разумеется, не всем нравились его нападки, но люди терпели их, потому что Дидье часто бывал полезен, а порой просто незаменим. Он знал, где можно купить или продать любую вещь и любой то-

[1] Эй, четвертый номер! Две бутылки пива! (смесь *хинди* и *англ.*)
[2] И кофе. Побыстрее! *(хинди)*

вар — от пистолета до драгоценных камней или килограмма белоснежного тайского героина лучшего качества. Иногда он хвастался, что готов почти на любой поступок ради соответствующей денежной суммы — при условии, конечно, что это не создаст слишком серьезной угрозы его жизни и благополучию.

— Мы обсуждали, что́ именно люди считают самым лучшим на свете, — сказала Карла. — Свое мнение на этот счет можешь не высказывать, я его знаю.

— Ну да, ты скажешь, что для меня самое лучшее — деньги, — протянул Дидье ленивым тоном, — и мы оба будем правы. Всякий здравомыслящий человек рано или поздно понимает, что деньги в нашем мире — практически все. Добродетель и возвышенные идеалы, конечно, имеют свою ценность в исторической перспективе, но в повседневной жизни именно деньги позволяют нам перебиваться со дня на день, а их недостаток бросает нас под колеса той же истории. А ты что сказал по этому поводу, Лин?

— Он еще не успел ничего сказать и теперь, в твоем присутствии, уже не будет иметь такой возможности.

— Ну, Карла, не преувеличивай. Так что же это, по-твоему, Лин? Мне было бы очень интересно узнать.

— Ну, если уж ты вынуждаешь меня назвать что-то определенное, то я сказал бы, что это свобода.

— Свобода делать что? — спросил Дидье, усмехнувшись на последнем слове.

— Не знаю. Может быть, всего лишь свобода сказать «нет». Если ты можешь свободно сделать это, то, по существу, тебе больше ничего и не надо.

Прибыли кофе и пиво. Официант шваркнул их на стол с подчеркнутым презрением ко всяким любезностям. Обслуживание в бомбейских магазинах, гостиницах и ресторанах в те годы могло быть каким угодно — от доброжелательной или заискивающей учтивости до холодной или агрессивной грубости. О хамстве официантов «Леопольда» ходили легенды. «Если хочешь, чтобы тебя смешали с грязью, — заметила однажды Карла, — то нигде этого не сделают с таким блеском, как в „Леопольде“».

— Тост! — объявил Дидье, поднимая кружку и чокаясь со мной. — За свободу... пить сколько влезет! Салют!

Отпив полкружки, он удовлетворенно вздохнул всей грудью и прикончил остальное. Пока он наливал себе вторую порцию, к нам подселла еще одна пара. Молодого темноволосого человека звали Модена. Он был угрюмым и неразговорчивым испанцем, обделывавшим разные делишки на черном рынке с туристами из Франции, Италии и Африки. Его спутница, стройная хорошенькая немка по имени Улла, была проституткой и в последнее время позволяла Модене называть себя своей любовницей.

— А, Модена, ты пришел как раз вовремя для *следующего заказа*! — воскликнул Дидье и, перегнувшись через Карлу, хлопнул молодого человека по спине. — Мне виски с содовой, если не возражаешь.

Испанец вздрогнул от шлепка и нахмурился, но подозвал официанта и заказал выпивку. Улла тем временем разговаривала с Карлой на смеси немецкого с английским, отчего самые интересные детали — то ли случайно, то ли не случайно — становились совершенно непонятными.

— Но я же не знала, *на*? Я даже предположить не могла, что он такой *Spinner*![1] Прямо *Verruckt*[2] какой-то, это точно. А вначале он показался мне удивительно честным и порядочным человеком. Или, может, это как раз и было подозрительно, как ты считаешь? Может быть, он выглядел *слишком уж* порядочным? *На джа*[3], не прошло и десяти минут, как он *wollte auf der Klamotten kommen*[4]. Мое лучшее платье! Мне пришлось драться с этим *Sprintficker*[5], чтобы отнять у него платье! *Spritzen wollte er*[6] прямо на мою одежду! *Gibt's ja nicht*[7]. Чуть позже я вышла в ванную, чтобы нюхнуть кокаина, а когда вернулась, то увидела *das er seinen Schwanz ganz tief in einer meiner Schuhe hat!*[8] Можешь себе представить?! В мою туфлю! *Nicht zu fassen*[9].

— Приходится признать, — мягко заметила Карла, — что ненормальные личности прямо липнут к тебе, Улла.

— *Ja, leider*[10]. Что я могу возразить? Я нравлюсь всем ненормальным.

— Не слушай ее, любовь моя, — обратился к ней Дидье утешительным тоном. — Ненормальность часто служит основой самых лучших отношений — да практически всегда, если подумать!

— Дидье, — отозвалась Улла с утонченной любезностью, — я никогда еще не посылала тебя на хер?

— Нет, дорогая! — рассмеялся он. — Но я прощаю тебе эту небольшую забывчивость. И потом, это ведь всегда подразумевается как нечто само собой разумеющееся.

Прибыло виски в четырех стаканах. Официант, взяв медную открывалку, подвешенную на цепочке к его поясу, откупорил бу-

---

[1] Лгун, обманщик *(нем.)*.
[2] Псих, сумасшедший *(нем.)*.
[3] Здесь: ну и вот *(хинди)*.
[4] Ему приглянулись мои тряпки *(нем.)*.
[5] Здесь: импотентом, ублюдком *(нем.)*.
[6] Он хотел спустить *(нем.)*.
[7] Уму непостижимо *(нем.)*.
[8] Что он засунул свой член целиком в мою туфлю! *(нем.)*
[9] В голове не укладывается *(нем.)*.
[10] Увы, да *(нем.)*.

тылки с содовой. Крышки при этом, ударившись об стол, соскочили на пол. Пена залила весь стол, заставив нас отпрянуть и извиваться, спасаясь от нее, а официант хладнокровно набросил на лужу грязную тряпку.

С двух сторон к нам подошли двое мужчин. Один из них хотел поговорить с Дидье, другой — с Моденой. Воспользовавшись моментом, Улла наклонилась ко мне и под столом всунула мне в руку небольшой сверток, в котором прощупывались банкноты. Глаза ее умоляли меня не выдавать ее. Я положил сверток в карман, не поглядев на него.

— Так ты уже решил, сколько ты тут пробудешь? — спросила она меня.

— Да нет пока. Я никуда не спешу.

— Разве тебя никто не ждет? — спросила она, улыбаясь с умелым, но бесстрастным кокетством. — Ты не должен навестить кого-нибудь?

Улла инстинктивно стремилась соблазнить всех мужчин. Она точно так же улыбалась, разговаривая со своими клиентами, друзьями, официантами, даже с Дидье — со всеми, включая своего любовника Модену. Впоследствии мне не раз приходилось слышать, как люди осуждают Уллу — иногда безжалостно — за то, что она флиртует со всеми подряд. Я был не согласен с ними. Когда я узнал ее ближе, у меня сложилось впечатление, что она кокетничает со всем миром потому, что кокетство — единственная форма проявления доброты, какую она знает. Так она пыталась выразить свое хорошее отношение к людям и заставить их — мужчин в первую очередь — хорошо относиться к ней. Она считала, что в мире слишком мало доброты, и не раз говорила об этом. Ее чувства и мысли не были глубокими, но она действовала из лучших побуждений, и трудно было требовать от нее чего-то большего. И к тому же, черт побери, она была красива, а ее улыбка была очень приятной.

— Нет, — ответил я ей, — никто меня не ждет, и мне не надо никого навещать.

— И у тебя нет никакой... *wie soll ich das sagen*[1] — программы? Ты не делаешь каких-нибудь планов?

— Да нет, в общем-то. Я работаю над книгой.

После побега я со временем убедился, что часть правды — а именно тот факт, что я писатель, — может служить мне очень удобным прикрытием. Это было достаточно неопределенно, чтобы оправдать неожиданный отъезд и длительное отсутствие, а когда я объяснял, что «собираю материал», это можно было понимать очень широко и вполне соответствовало тому, чем я зани-

---

[1] Как это сказать? *(нем.)*

мался, — добыванию сведений о тех или иных местах, транспорте, фальшивых паспортах. К тому же это прикрытие оберегало меня от нежелательных расспросов: как только возникала угроза, что я примусь пространно рассуждать о тонкостях писательского ремесла, большинство людей, кроме самых настырных, предпочитали сменить тему.

Я ведь и в самом деле был писателем. Я начал писать в Австралии, когда мне было чуть больше двадцати. Но вскоре после того, как я опубликовал свою первую книгу и начал приобретать некоторую известность, разрушился мой брак, я потерял дочь, лишенный права ее видеть, и загубил свою жизнь, связавшись с наркотиками и преступным миром, попав в тюрьму и сбежав из нее. Но и после побега привычка писать не оставила меня, это было моим естественным времяпрепровождением. Даже в «Леопольде» мои карманы были набиты исписанными клочками бумаги, салфетками, квитанциями и медицинскими рецептами. Я писал не переставая в любом месте и в любых условиях. И теперь я могу подробно рассказать о тех первых днях в Бомбее именно потому, что стоило мне оказаться в одиночестве, как я принимался заносить в тетрадь свои впечатления о встречах с друзьями, разговоры, которые мы вели. Привычка к писательству, можно сказать, спасла меня, приучив к самодисциплине и к регулярному выражению словами всего пережитого за день. Это помогало мне справиться со стыдом и его неразлучным спутником — отчаянием.

— Вот *Scheisse*[1], я не представляю, о чем можно писать в Бомбее. Это нехорошее место, *ja*. Моя подруга Лиза говорит, что когда придумали слова «помойная яма», то имели в виду как раз такое место. Я тоже считаю, что это подходящее название для него. Ты лучше поезжай в какое-нибудь другое место, чтобы писать, например в Раджастхан. Я слышала, что там не помойная яма, в Раджастхане.

— А знаешь, она права, Лин, — заметила Карла. — Здесь не Индия. Здесь собрались люди со всей страны, но Бомбей — это не Индия. Бомбей — отдельный мир. Настоящая Индия далеко отсюда.

— Далеко?

— Да, там, куда не доходит свет.

— Наверное, вы правы, — ответил я, подивившись ее метафоре. — Но пока что мне здесь нравится. Я люблю большие города, а Бомбей — третий по величине город мира.

— Ты уже и говорить стал, как этот твой гид, — насмешливо бросила Карла. — Боюсь, Прабакер учит тебя слишком усердно.

---

[1] Дерьмо (*нем.*).

— Он действительно многому научил меня. Вот уже две недели он забивает мне голову всевозможными фактами и цифрами. И это удивительно, если учесть, что он бросил школу в семь лет и научился читать и писать здесь, на бомбейских улицах.

— Какими фактами и цифрами? — спросила Улла.

— Ну, например, касающимися населения Бомбея. Официально оно составляет одиннадцать миллионов, но Прабу говорит, что у парней, которые заправляют подпольным бизнесом и ведут свой учет, более точные цифры — от тринадцати до пятнадцати миллионов. Здесь говорят на двух сотнях языков и диалектов. На двух сотнях — подумать только! Это все равно что жить в самом центре мира.

Словно желая проиллюстрировать мои слова, Улла стала очень быстро говорить что-то Карле на немецком. Модена подал ей знак, и она поднялась, взяв со стола свой кошелек и сигареты. Неразговорчивый испанец все так же молча вышел из-за стола и направился к арке, ведущей на улицу.

— Мне надо работать, — объявила Улла, обворожительно улыбаясь. — До завтра, Карла. В одиннадцать, *ja*? Лин, может, поужинаем завтра вместе, если ты здесь будешь? Мне этого хотелось бы. Пока! *Tschus!*[1]

Она вышла вслед за Моденой, провожаемая восхищенными плотоядными взглядами всех окружающих мужчин. Дидье в этот момент решил побеседовать со знакомыми, сидевшими за другим столиком. Мы остались с Карлой вдвоем.

— Не стоит слишком полагаться на ее слова, — сказала Карла.

— На какие слова?

— Что она будет ужинать завтра с тобой. Она всегда так говорит.

— Я знаю, — усмехнулся я.

— Она тебе нравится, да?

— Да, нравится. Почему ты улыбаешься? Разве в этом есть что-то забавное?

— В некотором смысле — да. Ты ей тоже нравишься.

Карла помолчала, и я ожидал, что она объяснит сказанное, но она переменила тему:

— Улла дала тебе деньги, американские доллары. Она сообщила мне это по-немецки, чтобы Модена не понял. Ты должен отдать их мне, а она возьмет их завтра, когда мы встретимся в одиннадцать.

— Хорошо. Отдать их прямо сейчас?

— Нет, не здесь. Мне сейчас надо уйти — у меня назначена встреча. Я вернусь примерно через час. Ты можешь дождаться ме-

---

[1] Пока! *(нем.)*

ня? Или, если тебе тоже куда-то надо, прийти сюда через час снова? А потом можешь проводить меня домой, если хочешь.

— О чем речь? Я буду здесь.

Она встала, и я тоже поднялся, чтобы отодвинуть ее стул. Она слегка улыбнулась мне и приподняла одну бровь — не то удивленно, не то насмешливо, а может, это означало и то и другое.

— А насчет Бомбея я не шутила. Тебе вправду надо уехать отсюда.

Я смотрел, как она выходит на улицу и садится на заднее сиденье частного такси, по-видимому ожидавшего ее. Когда автомобиль кремового цвета стал медленно вписываться в вечерний поток машин, из переднего окна с пассажирской стороны высунулась мужская рука, державшая в толстых пальцах зеленые четки и махавшая прохожим, чтобы они уступили дорогу.

Оставшись один, я опять сел, прислонившись спиной к стене, и погрузился в шумную атмосферу «Леопольда». Он был самым большим рестораном в Колабе и одним из самых больших во всем городе. В прямоугольном зале первого этажа могли бы поместиться четыре других обычного размера. Две металлические двери вели к деревянным аркам, откуда открывалась панорама улицы Козуэй, самой оживленной и живописной в этом районе. На втором этаже находился более интимный бар с кондиционерами; его подпирали массивные колонны, разделявшие нижний зал на несколько частей, примерно равных по величине. Вокруг колонн были расставлены столики. К колоннам, так же как и к стенам, было прикреплено множество зеркал, которые служили дополнительным преимуществом заведения, давая посетителям возможность наблюдать за другими украдкой, а то и в открытую. Многие развлекались, любуясь собственным отражением, размноженным сразу в нескольких зеркалах. Короче, в «Леопольде» ты мог вволю разглядывать себя и других, быть объектом наблюдения и наблюдать, как тебя разглядывают.

В зале имелось штук тридцать столиков с крышками из пепельно-жемчужного индийского мрамора. Возле каждого из них стояло не меньше четырех кедровых стульев. Карла называла их шестидесятиминутными сиденьями, потому что они были достаточно неудобными, чтобы отбить у посетителей желание задержаться на более долгий срок. Целый рой вентиляторов с широкими лопастями жужжал под потолком, и люстры из матового стекла медленно и величественно покачивались в струе воздуха. Бордюр красного дерева окаймлял ярко окрашенные стены, окружал окна и двери и служил рамой зеркалам. На столах вдоль одной из стен были навалены в роскошном изобилии фрукты, подававшиеся на десерт или в виде соков, — пау-пау[1], папайя, кремовые яблоки, сладкий лайм, виноград, арбузы, бананы, сантра[2] и четыре сорта манго — если был его сезон. На возвышении за широкой стойкой тикового дерева восседал метрдотель, наблюдавший, подобно капитану на корабельном мостике, за тем, что происходит на палубе. За его спиной был узкий коридор, из которого то и дело вырывались клубы пара и табуны официантов; иногда в конце коридора можно было разглядеть уголок кухни и царивший там кавардак.

Несколько поблекшая, но все же впечатляющая роскошь «Леопольда» приковывала взгляд каждого, кто входил под широкие деревянные арки в этот красочный и блестящий мир. Но самой выдающейся достопримечательностью «Леопольда» могли любоваться лишь его самые незаметные служители: когда ресторан закрывался и уборщики отодвигали в сторону всю мебель, глазам представали во всем их блеске полы. Шестиугольные плитки, расходившиеся лучами от сверкавшего, как солнечный взрыв, центра, образовывали сложный узор, характерный для полов в северных индийских дворцах. И это пышное великолепие пропадало втуне для посетителей, любовавшихся лишь собственными отражениями в зеркалах, и раскрывало свою тайну только босоногим уборщикам, беднейшим и скромнейшим из городских тружеников.

Каждое утро, когда двери ресторана с его вымытыми полами распахивались, наступал час благословенной прохлады, и «Леопольд» был оазисом спокойствия в водовороте городской суеты. Затем вплоть до самого закрытия в полночь он был переполнен как туристами из сотен стран мира, так и местными жителями самых разных национальностей, съезжавшимися сюда со всех концов города для обсуждения своих дел и заключения сделок. Здесь торговали не только наркотиками, валютой, паспортами, золотом и сексом, но и менее осязаемым товаром — назначениями, протекциями, контрактами, сферами влияния. Это была целая система подкупа, игравшая важную роль в развитии индийского бизнеса.

«Леопольд» был неофициальной зоной свободной торговли, а находившийся через дорогу от него бдительный во всех других отношениях полицейский участок Колабы старательно закрывал на это глаза. Деловая жизнь в ресторане подчинялась строго определенным правилам, разделявшим территорию на отдельные участки. Так, индийские проститутки, обвитые гирляндами цве-

---

[1] *Пау-пау* — плоды азимины, кустарникового растения семейства анноновых.

[2] *Сантра* — разновидность апельсина.

тов жасмина и укутанные в многослойные, усыпанные украшениями сари, не имели права находиться в нижнем зале и могли только сопровождать посетителей, направлявшихся в бар на втором этаже. Проститутки европейского происхождения, напротив, допускались лишь в нижнее помещение, где они пытались привлечь внимание мужчин, сидевших за столиками, если не хотели заниматься этим на улице у входа. Сделки с наркотиками и другими контрабандными товарами заключались за столиками совершенно открыто, но передавать товар разрешалось только за пределами ресторана. Поэтому часто можно было наблюдать, как продавец и покупатель, достигнув соглашения, выходили из зала, чтобы совершить обмен, а затем возвращались на свои места. Даже правительственные чиновники и заправилы подпольного бизнеса были обязаны подчиняться этим неписаным законам: соглашения, достигнутые в полутемных кабинках верхнего бара, скреплялись рукопожатиями и наличными лишь на улице, так что никто не мог сказать, что он заключил нелегальную сделку в «Леопольде».

Тонкие линии, столь искусно протянутые в «Леопольде» от легального к нелегальному и разграничивавшие их, продолжались и за его стенами. Уличные торговцы с подчеркнутым пренебрежением к закону продавали подделки под «Лакосту», «Кардена» и «Картье»; водители припаркованных у тротуара такси за умеренную плату отворачивали свое зеркальце, чтобы не видеть, что происходит на заднем сиденье их автомобиля, а полицейские из заведения напротив, прилежно выполнявшие свои обычные обязанности, платили немалые взятки за то, чтобы выполнять их именно на этом весьма прибыльном участке в центре города.

Просиживая вечер за вечером в «Леопольде» и прислушиваясь к разговорам за соседними столиками, я постоянно слышал, как иностранцы, да и многие местные, жалуются на коррупцию, пронизывающую сверху донизу всю общественную жизнь и коммерческую деятельность в Бомбее. За несколько недель, проведенных в городе, я имел возможность убедиться, что их жалобы по большей части справедливы. Однако нет страны, свободной от коррупции. Не придумано такой системы, которая исключала бы незаконный оборот денег. Даже в обществе, проникнутом самыми благородными идеями, привилегированные классы подмазывают колеса, на которых катятся вперед, с помощью подкупа и нелегальных сделок. И во всем мире богатые живут лучше и дольше бедных. «Взяточничество может быть нечестным и честным, — сказал мне однажды Дидье Леви. — Нечестное одинаково во всех странах, а честное — специфическая индийская разновидность». Я улыбнулся, понимая, что он имеет в виду. Индия была открытой и честной страной. Я почувствовал это в первый же день, и мне это очень нравилось. Я инстинктивно старался не осуждать ничего в этом городе, который я все больше любил. Мой инстинкт велел мне наблюдать, участвовать в текущей вокруг меня жизни и радоваться ей. Тогда я еще не мог знать, что в ближайшие месяцы и годы моя свобода и сама жизнь будут зависеть от индийского обычая вовремя отвернуть зеркальце.

— Как! Ты один? — воскликнул вернувшийся Дидье. — *C'est trop!*[1] Находиться здесь одному, дружище, — это неприлично, а право быть неприличным я зарезервировал за собой. Давай выпьем.

Он плюхнулся на стул рядом со мной и подозвал официанта, чтобы заказать выпивку. Я каждый вечер в течение нескольких недель разговаривал с Дидье в «Леопольде», но никогда — наедине. Меня удивило, что он решил присоединиться ко мне, когда рядом не было ни Уллы, ни Карлы, ни кого-либо еще из их компании. Это означало, что он считает меня своим, и я был благодарен ему за это.

Он нетерпеливо барабанил пальцами по столу, пока не прибыло виски, после чего с жадностью опрокинул разом полстакана и лишь затем с облегчением вздохнул и повернулся ко мне, прищурившись и улыбаясь:

— Ты, я вижу, погружен в глубокое раздумье.

— Я думал о «Леопольде» — наблюдал, вникал во все это.

— Жуткое заведение, — обронил он, тряхнув густыми кудрями. — Не могу себе простить, что так люблю его.

Мимо нас прошли двое мужчин в свободных брюках, собранных у щиколоток, и темно-зеленых жилетах поверх доходивших до бедер рубах с длинными рукавами. Дидье смотрел на них очень пристально и, когда они кивнули ему, широко улыбнулся и помахал в ответ. Пара присоединилась к своим друзьям, сидевшим неподалеку от нас.

— Опасные люди, — пробормотал Дидье, глядя все с той же улыбкой им в спину. — Афганцы. Тот, что поменьше, Рафик, торговал книжками на черном рынке.

— Книжками?

— Паспортами. Раньше он был очень большой шишкой, заправлял всей торговлей. Теперь занимается переправкой дешевого героина через Пакистан. Зарабатывает на этом гораздо больше, но зуб на тех, кто выпер его из книжного дела, все же имеет. Тогда положили немало людей — его людей.

Будто услышав его слова — хотя этого никак не могло быть, — афганцы вдруг обернулись и пристально уставились на нас с мрачным видом. Один из сидевших за их столиком наклонился к ним

---

[1] Это уж слишком; так нельзя *(фр.)*.

и проговорил что-то, показав на Дидье, а затем на меня. Оба афганца сосредоточили все внимание на мне, глядя прямо в глаза.

— Да, немало людей положили, — повторил Дидье вполголоса, продолжая широко улыбаться до тех пор, пока парочка не отвернулась от нас. — Я ни за что не стал бы ввязываться в какие-нибудь дела с ними, если бы только они не вели их так блестяще.

Он говорил уголком рта, как заключенный под взглядом охранника. Это выглядело довольно забавно. В австралийских тюрьмах это называлось «открыть боковой клапан», и мне живо вспомнилась моя тюремная камера. Я вновь услышал металлический скрежет ключа в замке, почувствовал запах дешевого дезинфектанта и влажный камень у меня под рукой. Подобные вспышки воспоминаний часто бывают у бывших зэков, копов, солдат, пожарных, водителей «скорой помощи» — у всех тех, кто имеет опыт травмирующих переживаний. Иногда эти вспышки происходят совершенно неожиданно в таких неподходящих местах и ситуациях, что вызывают естественную реакцию в виде идиотского непроизвольного смеха.

— Думаешь, я шучу? — вспыхнул Дидье.

— Нет-нет, вовсе не думаю.

— Все так и было, уверяю тебя. Развязалась небольшая война за передел сфер влияния... Смотри-ка, и победители явились сюда же — Байрам и его ребята. Он иранец. В этом деле он был главным исполнителем, а работает он на Абдула Гани, который, в свою очередь, работает на одного из крупнейших мафиози в этом городе, Абделя Кадер-хана. Они выиграли эту войну и прибрали к рукам всю торговлю паспортами.

Он незаметно кивнул на группу молодых людей в модных джинсах и пиджаках, вошедшую в зал через одну из арок. Прежде чем занять столик у дальней стены, они подошли к метрдотелю, чтобы выразить свое почтение. Главным у них был высокий упитанный мужчина лет тридцати с небольшим. Приподняв полное жизнерадостное лицо над головами своих спутников, он обвел взглядом весь зал, уважительно кивая или дружески улыбаясь знакомым. Когда его взгляд остановился на нашем столике, Дидье приветственно помахал ему.

— Да, кровь... — проговорил он, дружелюбно улыбаясь. — Пройдет немало времени, прежде чем эти паспорта перестанут пахнуть кровью. Меня-то это не касается. В еде я француз, в любви итальянец, а в делах швейцарец — строго блюду нейтралитет. В одном я уверен: из-за этих паспортов будет пролито еще много крови.

Взглянув на меня, он похлопал глазами, словно желая сморгнуть навязчивое видение.

— Похоже, я напился, — проговорил он с приятным удивлением. — Давай закажем еще.

— Заказывай себе. Мне хватит того, что осталось. А сколько стоят эти паспорта?

— От сотни до тысячи. Долларов, разумеется. Хочешь купить?

— Да нет...

— Точно так же говорят «нет» бомбейские дельцы, промышляющие золотом. Их «нет» означает «может быть», и чем категоричнее оно звучит, тем вероятнее «может быть». Когда тебе понадобится паспорт, обращайся ко мне, я добуду его для тебя — за небольшие комиссионные, само собой.

— И много тебе удается заработать здесь... комиссионных?

— Ну... не жалуюсь, — усмехнулся он, поблескивая голубыми глазами, подернутыми розовой алкогольной влагой. — Свожу концы с концами, как говорится, и, когда они сходятся, получаю плату с обоих концов. Вот только что я провернул сделку с двумя кило манальского гашиша. Видишь парочку возле фруктов — парень с длинными белокурыми волосами и девушка в красном? Это итальянские туристы, они хотели купить гашиш. Некий человек, ты мог заметить его на улице — босой, в грязной рубашке, — зарабатывает там свои комиссионные. Он направил их ко мне, а я в свою очередь переправил их Аджаю, который торгует гашишем. Великолепный преступник. Вон, смотри, он сидит вместе с ними, все улыбаются. Сделка состоялась, и моя работа на сегодня закончена. Я свободен!

Он постучал по столу, в очередной раз призывая официанта, но, когда тот принес маленькую бутылочку, Дидье какое-то время сидел, обхватив ее обеими руками и глядя на нее в глубокой задумчивости.

— Сколько ты собираешься пробыть в Бомбее? — спросил он, не глядя на меня.

— Не знаю точно. Забавно, в последние дни все только и спрашивают меня об этом.

— Ты уже прожил здесь дольше обычного. Большинство приезжих стремятся поскорее смыться отсюда.

— Тут еще гид виноват, Прабакер. Ты знаешь его?

— Прабакер Харре? Рот до ушей?

— Да. Он водит меня по городу вот уже несколько недель. Я повидал все храмы, музеи и художественные галереи, а также целую кучу базаров. Но он пообещал, что с завтрашнего дня начнет показывать мне Бомбей с другой стороны — «настоящий город», как он сказал. Он меня заинтриговал, и я решил задержаться ради этого, а там уже будет видно. Я никуда не спешу.

— Это очень грустно, если человек никуда не спешит. Я бы на твоем месте не стал так открыто признаваться в этом, — заявил он, по-прежнему не отрывая взгляда от бутылки. Когда Дидье не улыбался, лицо его становилось отвислым, дряблым, мертвенно-бледным. Он был нездоров, но его нездоровье можно было исправить. — В Марселе есть поговорка: «Человек, который никуда не спешит, никуда не попадает». Я уже восемь лет никуда не спешу.

Внезапно его настроение изменилось. Он плеснул напиток в стакан и поднял его с улыбкой:

— Выпьем за Бомбей, в котором так здорово никуда не спешить! И за цивилизованного полисмена, который берет взятки хоть и вопреки закону, но зато ради порядка. За бакшиш!

— Я не против выпить за это, — отозвался я, звякая своим стаканом о его. — Дидье, а что тебя удерживает в Бомбее?

— Я француз, — ответил он, любуясь жидкостью в стакане. — Кроме того, я гей, иудей и преступник. Примерно в таком порядке. Бомбей — единственный город из всех, что я знаю, где я могу быть во всех четырех ипостасях одновременно.

Мы рассмеялись и выпили. Он окинул взглядом большой зал, и его глаза остановились на группе индийцев, сидевших недалеко от входа. Какое-то время он изучал их, потягивая алкоголь.

— Если ты решил остаться, то выбрал подходящий момент. Наступило время перемен. Больших перемен. Видишь вон тех людей, которые с таким аппетитом уплетают свою еду? Это сайники, наемники Шив Сены[1]. «Люди, выполняющие грязную работу» — так, кажется, звучит ваш милый английский эвфемизм. А твой гид не рассказывал тебе о Сене?

— Да нет, не припоминаю такого.

— Думаю, с его стороны это не случайная забывчивость. Партия Шив Сена — это лицо Бомбея в будущем. А их методы и их *politique*[2], возможно, будущее всего человечества.

— А что у них за политика?

— Ее можно назвать этнической, региональной, языковой. Все люди, говорящие не на нашем языке, — наши враги, — ответил он, скривившись в брезгливой гримасе и загибая пальцы на левой руке. Руки были очень белые, мягкие, а под длинными ногтями по краям было черно от грязи. — Это политика запугивания. Ненавижу всякую политику, а пуще того политиков. Их религия — человеческая жадность. Это возмутительно. Взаимоотношения человека с его жадностью — это сугубо личное дело, ты со-

---

[1] *Шив Сена* («Армия Шивы») — образованная в 1966 г. индуистская националистическая партия. *Сайники* — выпускники военных школ для малоимущих слоев населения, рассматриваются как опора националистического движения.

[2] Политика *(фр.)*.

гласен? На стороне Шив Сены полиция, потому что это партия Махараштры, а большинство рядовых полицейских родом из этого штата. В их руках почти все трущобы, а также профсоюзы и частично пресса. У них есть практически все — кроме денег. Правда, их поддерживают сахарные короли и некоторые торговцы, но настоящие деньги — те, что дает промышленность и черный рынок, — идут парсам и индусам из других городов, а также мусульманам, самым ненавистным из всех. Из-за этих денег и идет борьба, *guerre économique*[1], а раса, язык, религия — это только болтовня. И каждый день они в большей или меньшей степени меняют лицо города. Даже имя сменили — называют его не Бомбей, а Мумбаи. Правда, пока они пользуются старыми городскими картами, но скоро выкинут и их. Ради достижения своей цели они пойдут на все, объединятся с кем угодно. Возможности у них есть. Очень богатые перспективы. Несколько месяцев назад сайники — разумеется, не те, что занимают видные посты, — заключили договор с Рафиком и его афганцами, а также с полицией. Получив деньги и обещание кое-каких привилегий, полиция прикрыла все опиумные курильни в городе, кроме нескольких. Десятки прекрасных салонов, посещавшихся поколениями добропорядочных граждан, за какую-нибудь неделю прекратили свое существование. Навсегда! Меня, в принципе, не интересует ни политический свинарник, ни тем более скотобойня большого бизнеса. Единственное, что превосходит политический бизнес в жестокости и цинизме, — это политика большого бизнеса. Но тут они сообща накинулись на традиционную торговлю опиумом, и это выводит меня из себя. Что такое Бомбей без его *чанду*[2], опиума и опиумных притонов, позвольте спросить? Куда мы катимся? Это просто позор.

Я наблюдал за людьми, о которых говорил Дидье. Они с головой ушли в поглощение пищи. Стол их был уставлен блюдами с рисом, цыплятами и овощами. Все пятеро, не поднимая глаз от тарелок и не разговаривая, сосредоточенно двигали челюстями.

— Мне нравится твоя фраза о политическом бизнесе и о политике большого бизнеса, — усмехнулся я. — Прямо афоризм.

— Увы, друг мой, не могу претендовать на авторство. Я услышал эту фразу от Карлы и с тех пор повторяю ее. За мной числится много грехов — почти все, какие существуют, по правде говоря, — но чужие остроты я никогда не пытался присвоить.

— Это очень благородно с твоей стороны, — улыбнулся я.

— Ну, какие-то пределы все же надо знать, — рассудительно произнес Дидье. — В конце концов, цивилизация складывается из того, что мы запрещаем, а не из того, что мы допускаем.

---

[1] Экономическая война *(фр.)*.
[2] *Чанду* — чай с опиумом *(хинди)*.

Он помолчал, барабаня пальцами по холодному мрамору стола, затем взглянул на меня.

— Вот это уже мое, — заметил он, по-видимому задетый тем, что я не оценил его изречения.

Когда с моей стороны по-прежнему не последовало никакой реакции, он уточнил:

— Эту фразу насчет цивилизации я сам сочинил.

— Чертовски остроумная, — поспешил заверить его я.

— Ну, не преувеличивай, — скромно потупился он.

Наши взгляды встретились, и мы оба расхохотались.

— Прошу прощения за любопытство, но что за резон во всем этом для Рафика? — спросил я. — В закрытии опиумных притонов, я имею в виду. Чего ради он согласился в этом участвовать?

— Согласился? — нахмурился Дидье. — Да это была его собственная затея. На *гараде*, низкокачественном героине, можно зашибить куда больше бабок, чем на опиуме. Теперь всем, кто привык к чанду, пришлось перейти на гарад. А им владеет Рафик. Не всем, конечно. Одному человеку невозможно проконтролировать все потоки наркотиков, поступающих из Афганистана через Пакистан. Тем не менее ему принадлежит значительная часть низкокачественного героина, имеющегося в Бомбее. Это очень большие деньги, друг мой, очень большие деньги.

— А почему политики это поддерживают?

— Видишь ли, — опять принялся бормотать Дидье уголком рта, выдавая государственные секреты, — из Афганистана привозят не только гашиш с героином, но еще оружие, военную технику, взрывчатку. Все это используется, в частности, сикхами в Пенджабе и мусульманскими сепаратистами в Кашмире. В руках бедняков-мусульман, выступающих против Шив Сены, это оружие — большая сила. А если ты держишь под контролем наркотики, то можешь повлиять и на торговлю оружием. Поэтому партия Сены отчаянно борется за контроль над оружием, поступающим в их родной штат Махараштра. Это даст им деньги и власть. Посмотри на столик, что рядом с Рафиком и его головорезами. Видишь троих негров — двоих мужчин и женщину?

— Да. Я еще раньше обратил на нее внимание. Она очень красива.

Молодое женское лицо, с выдающимися скулами, плавно расширяющимся книзу носом и полными губами, было будто выточено из вулканической породы быстрым горным потоком. Прическа ее состояла из множества длинных тонких косичек, в которые были вплетены бусинки. Обмениваясь шутками с друзьями, она смеялась, обнажая крупные, безупречно белые зубы.

— Красива? Ну, не знаю... На мой взгляд, кто в Африке красив, так это мужчины, а женщины просто очень привлекательны. А вот в Европе наоборот. Карла очень красива, я никогда не встречал мужчину-европейца именно такой красоты. Но мы отвлеклись. Что я хотел сказать: эти негры — клиенты Рафика, нигерийцы. Рафик организовал в Лагосе концессию — или, правильнее, дочернюю компанию, которая является составной частью сделки с сайниками. У партии Сены есть свой человек на бомбейской таможне. Так что немалые суммы переходят из рук в руки. В аферу Рафика вовлечено несколько стран: Афганистан, Индия, Нигерия, Пакистан — и самые разные силы: полиция, таможенники, политики. И все это ради власти над нашим обожаемым про́клятым Бомбеем. А началась эта заварушка с закрытия столь дорогих моему сердцу опиумных притонов. Просто трагедия.

— Да, я смотрю, этот Рафик — крутой парень, — произнес я довольно небрежным тоном — возможно, более небрежным, чем намеревался.

— Он афганец, а его страна воюет, дорогой мой. И поэтому он, как говорится, готов на все. Работает он на могущественную мафию Валидлаллы, а его ближайший дружок — Чуха, один из самых опасных людей в Бомбее. Но здесь, в этой части города, реальная власть принадлежит великому владыке Абделю Кадерхану. Он поэт, философ и повелитель криминального мира. Его называют Кадербхай, то есть Кадер Старший Брат. В этом мире есть и другие бароны, у которых больше денег и больше пушек, чем у Кадербхая, — он человек строгих принципов и берется далеко не за всякое прибыльное дело. Но благодаря этим принципам он пользуется очень большим... даже не знаю, как это поточнее сказать по-английски... может быть, аморальным авторитетом. Никто в этом районе Бомбея не обладает такой сильной властью, как он. Многие считают его святым, наделенным сверхъестественными способностями. Я знаком с ним и уверяю тебя, он самый интересный человек из всех, кого я встречал. А это означает, прости за нескромность, что он и в самом деле исключительная личность, потому что мне доводилось встречаться со многими очень интересными людьми.

Дидье сделал паузу, чтобы придать весомость своим словам.

— Послушай, почему ты не пьешь? Терпеть не могу, когда люди тянут и тянут все тот же стакан. Это все равно что надевать гондон, когда онанируешь.

— Понимаешь... — рассмеялся я, — я жду Карлу. Она должна вернуться с минуты на минуту.

— Ах, Карлу... — протянул он ее имя с мягким урчанием. — А кстати, позволь спросить, каковы твои намерения в отношении нашей непостижимой Карлы?

— Что ты имеешь в виду?

— Хотя правильнее, пожалуй, было бы поинтересоваться, каковы ее намерения в отношении тебя, да?

61

Дидье вылил в свой стакан остатки из литровой бутылки и добавил сверху содовой. Он пил непрерывно уже больше часа. В глазах его набухли красные прожилки, как на кулаках у боксера, но взгляд был тверд, движения рук точны.

Неожиданно для самого себя я стал рассказывать ему о своем знакомстве с Карлой:

— Я встретил ее на улице, всего через несколько часов после того, как вылез из самолета. В ней есть что-то такое... Наверное, я и застрял-то в Бомбее в основном из-за нее. Из-за нее и Прабакера. Они оба понравились мне с первого взгляда. Для меня главное — люди. Я предпочел бы жестяной сарай с интересными людьми любому Тадж-Махалу — хоть я и не видел его еще.

— Он протекает, — пренебрежительно отмахнулся Дидье от этого архитектурного чуда. — Ты сказал, с интересными людьми. Карла — интересный человек?

Дидье расхохотался — пронзительно, заливисто, чуть ли не истерично. Затем он размашисто хлопнул меня по спине, расплескав содержимое своего стакана.

— Знаешь, Лин, с тобой можно иметь дело, честное слово! Правда, мое слово вряд ли имеет большой вес в обществе.

Он осушил стакан, со стуком опустил его на стол и вытер коротко подстриженные усики тыльной стороной ладони. Поймав мой непонимающий взгляд, он наклонился, почти вплотную приблизив свое лицо к моему:

— Позволь мне кое-что тебе объяснить. Посмотри вокруг. Сколько человек ты видишь в зале?

— Ну, может быть, шестьдесят или восемьдесят.

— Восемьдесят человек. Греки, немцы, итальянцы, французы, американцы. Туристы со всех концов света. И местные — индийцы, иранцы, арабы, афганцы, негры. Все они едят, пьют, болтают, смеются. Но сколько из них являются по-настоящему сильными личностями, осознают свое назначение, обладают энергией, которая необходима, чтобы руководить жизнью тысяч людей в том месте и в тот исторический момент, в котором они живут? Я тебе скажу сколько: четыре. Четыре человека в этом зале — действительно крупные фигуры, а остальные — такие же, каковы люди повсюду: бессильные, пребывающие в спячке, ничем не примечательные. А когда вернется Карла, к четырем сильным личностям прибавится пятая. Вот что такое Карла, которую ты назвал интересной. Но по выражению твоего лица, мой юный друг, я вижу, что ты ни хрена не понимаешь из того, что я говорю. Я скажу по-другому: Карла — очень хороший друг, но как враг она просто несравненна. Когда пытаешься оценить силу человека, нужно понять, что он собой представляет как друг и как враг. Так вот. Во всем этом городе нет никого, кто был бы более сильным и опасным врагом, чем Карла.

Он испытующе уставился прямо мне в глаза, словно выискивая что-то то в левом, то в правом.

— Ты же понимаешь, о какой силе я говорю. О настоящей. О той, которая может заставить людей сиять, как звезды, а может стереть в порошок. О силе, окруженной тайной, страшной тайной. О власти, позволяющей жить, не испытывая угрызений совести и сожалений. Вот у тебя, Лин, было в жизни что-нибудь такое, что не дает тебе покоя? Случалось тебе совершать поступки, о которых ты сожалеешь?

— Ну конечно...

— Да. Разумеется. И мне тоже... Я сожалею о многом, что я в свое время сделал... или не сделал. А Карла не сожалеет ни о чем. И потому она принадлежит к кучке избранных, обладающих властью над миром. У нее такое же сердце, как у них, а у нас с тобой — не такое. Но, прости, я уже немного пьян, а между тем мои итальянцы собираются уходить. Аджай же не будет ждать долго. Надо забрать свои скромные комиссионные, а потом уже можно будет напиться до победного конца.

Он откинулся на стуле, затем, опершись обеими пухлыми руками о крышку стола, тяжело поднялся и, не говоря больше ни слова, направился в сторону кухни. Я наблюдал за тем, как он лавирует между столиками пружинистой, раскачивающейся походкой опытного выпивохи. Его спортивный пиджак был помят — спинка стула, в которую он упирался, оставила на нем складки; брюки неряшливо обвисали. Лишь спустя какое-то время, познакомившись с Дидье ближе, я понял все значение того факта, что он прожил в Бомбее восемь лет в гуще страстей и преступлений, не нажив ни одного врага и не заняв ни одного доллара, а поначалу я считал его безнадежным пьяницей, хоть и приятным собеседником. В эту ошибку было нетрудно впасть, тем более что он сам всячески способствовал этому.

Первое правило любого подпольного бизнеса: не допускай, чтобы другие знали, что ты думаешь. Дидье дополнил это правило: необходимо знать, что другие думают о тебе. Неопрятная одежда, спутанные курчавые волосы, не расчесанные с тех пор, как они прижимались к подушке предыдущей ночью, даже его пристрастие к алкоголю, намеренно преувеличенное с целью создать видимость неизлечимой привычки, — все это были грани того образа, который он культивировал, разработав до мелочей, как актер свою роль. Он внушал окружающим, что он беспомощен и безвреден, потому что это было прямой противоположностью правде.

В тот момент, однако, я не успел привести в порядок свои мысли относительно личности Дидье и его умопомрачительных откровений, так как вернулась Карла и мы почти сразу же покинули ресторан. Мы проделали долгий путь пешком по набережной, которая проходит от Ворот в Индию до гостиницы Дома радио. Длинный широкий проспект был пуст. Справа от нас за цепочкой платанов тянулись отели и жилые дома. Кое-где в домах горел свет, представляя на обозрение уголок интерьера в обрамлении оконной рамы: скульптуру возле одной из стен, полку с книгами на другой, затянутое дымкой благовоний изображение какого-то индийского божества, украшенное цветами, и сбоку две тонких руки, сложенные в молитвенном заклинании.

Слева открывался простор самой большой в мире гавани; на темной воде поблескивали звездочки сигнальных огней нескольких сотен судов, стоявших на якоре. А еще дальше, на самом горизонте, дрожало сияние прожекторов, установленных на башнях морских нефтяных платформ. Луны на небе не было. Приближалась полночь, но воздух был таким же теплым, как в середине дня. Прилив Аравийского моря время от времени перебрасывал через невысокий каменный парапет клочья поднятой самумом водяной пыли, клубившейся над морской поверхностью до самых берегов Африки.

Мы шли не спеша. Я то и дело поднимал голову к небу, так плотно набитому звездами, что черная сеть ночи, казалось, вот-вот лопнет, не в силах удержать этот сверкающий улов. В заключении ты годами не видишь восходов и заходов солнца, ночного неба. Шестнадцать часов в сутки, всю вторую половину дня и до позднего утра, ты заперт в камере. Лишая тебя свободы, у тебя отнимают и солнце, и луну, и звезды. Тюрьма поистине не царство небесное, и хотя она не ад, в некоторых отношениях приближается к нему.

— Знаешь, ты иногда чересчур старательно демонстрируешь свое умение слушать собеседника.

— Что?.. О, прости, я задумался. — Я поспешил стряхнуть посторонние мысли. — Кстати, чтобы не забыть: вот деньги, которые мне дала Улла.

Она взяла сверток и запихнула в сумочку, не взглянув на него.

— Странно, в общем-то, если вдуматься. Улла сошлась с Моденой, чтобы освободиться от другого человека, который эксплуатировал ее, как рабыню. А теперь она стала в определенном смысле рабыней Модены. Но она его любит и потому стыдится, что ей приходится утаивать от него часть заработка.

— Некоторые люди могут жить только в качестве чьего-то раба или хозяина.

— Если бы только некоторые! — бросила Карла с неожиданной и непонятной горечью. — Вот ты говорил с Дидье о свободе, и он спросил тебя: «Свобода делать что?» А ты ответил: «Свобода сказать „нет“». Забавно, но я подумала, что гораздо важнее иметь возможность сказать «да».

— Кстати, о Дидье, — произнес я небрежным тоном, стремясь отвлечь ее от темы, которая была для нее, по-видимому, тягостна. — Я довольно долго говорил с ним сегодня, пока ждал тебя.

— Думаю, говорил в основном Дидье.

— Ну да. Но я с удовольствием слушал его. У нас с ним еще не было такого интересного разговора.

— Что он тебе рассказал? — резко спросила Карла.

Ее вопрос немного удивил меня. Можно было подумать, есть что-то такое, о чем Дидье не должен был рассказывать мне.

— Он рассказал мне кое-что о посетителях «Леопольда» — афганцах, иранцах и этих... сайниках Шивы, или как там они называются, а также о главарях местной мафии.

Карла скептически фыркнула:

— Не стоит слишком серьезно относиться к тому, что говорит Дидье, особенно если он говорит это серьезным тоном. Он часто судит очень поверхностно. Я однажды сказала ему, что от него не услышишь ничего, кроме недвусмысленностей, и, как ни странно, это ему понравилось. В чем его не упрекнешь, так это в чрезмерной обидчивости.

— Мне казалось, вы с ним друзья, — заметил я, решив, что не стоит передавать Карле того, что Дидье говорил о ней.

— Друзья... Знаешь, иногда я задаю себе вопрос: «А существует ли дружба на самом деле?» Мы знаем друг друга уже много лет и даже жили вместе когда-то. Он тебе об этом не рассказывал?

— Нет.

— Так вот. Жили целый год, когда я только-только приехала в Бомбей. Мы снимали на двоих совершенно невообразимую полуразвалившуюся квартирку в районе порта. Дом буквально рассыпался на глазах. Каждое утро мы смывали с лица мел, оседавший с потолка, а в передней находили вывалившиеся куски штукатурки, кирпичей, дерева и прочих материалов. Пару лет назад во время муссонного шквала здание развалилось-таки и погибли несколько человек. Иногда я забредаю туда и любуюсь небом сквозь дыру в том месте, где была моя спальня. Наверное, можно сказать, что мы с Дидье близки. Но друзья ли мы? Дружба — это своего рода алгебраическое уравнение, которое никому не удается решить. Порой, когда у меня особенно плохое настроение, мне кажется, что друг — это любой, кого ты не презираешь.

Она говорила вполне серьезно. Тем не менее я позволил себе усмехнуться:

— Мне кажется, ты сгущаешь краски.

Она посмотрела на меня, сердито нахмурившись, но затем тоже рассмеялась:

— Возможно. Я устала. Уже несколько ночей не высыпаюсь. И я, пожалуй, была несправедлива к Дидье. Просто иногда он очень меня раздражает. А обо мне он говорил что-нибудь?

— Он сказал, что, по его мнению, ты красива.

— Он так сказал?

— Да. Мы сравнивали красоту людей белой и черной расы, и он сказал: «Карла очень красива».

Карла была польщена и удивленно подняла брови:

— Это очень ценный комплимент, несмотря даже на то, что Дидье ужасный лгун.

— Мне он нравится.

— Чем? — сразу спросила она.

— Ну... не знаю даже. Возможно, своим профессионализмом. Меня привлекают люди, знающие свое дело. И в нем есть какая-то печаль, которая... которую я понимаю. Он напоминает мне кое-кого из моих друзей.

— По крайней мере, он не скрывает своих пороков, — заявила Карла, и я вдруг вспомнил, что Дидье говорил о Карле и ее силе, окутанной тайной. — Пожалуй, мы сходимся с ним прежде всего в том, что оба ненавидим ханжей. Ханжество — это разновидность жестокости. А Дидье не жестокий. Он сумасброден, но не жесток. Теперь он немного угомонился, а было время, когда его необузданные любовные приключения производили фурор в городе — по крайней мере, среди иностранцев, живущих здесь. Однажды его ревнивый любовник, молодой марокканец, гнался за ним с саблей по всей Козуэй. При этом оба были в чем мать родила — очень большой грех в Бомбее. А уж что за зрелище представлял собой при этом Дидье — можешь вообразить. В таком виде он ворвался в полицейский участок Колабы, и они спасли его. Индийцы, вообще-то, очень консервативны в этом отношении, но у Дидье правило — никогда не связываться с местными, и поэтому ему многое прощается. Множество иностранцев приезжают сюда только для того, чтобы завести интрижку с каким-нибудь индийским мальчиком. Их Дидье презирает. Он специализируется по иностранцам. Я не удивилась бы, если бы оказалось, что именно по этой причине он так разоткровенничался с тобой сегодня — пытался произвести на тебя впечатление своим знанием темных сторон бомбейской жизни. О! Привет, киска! Откуда ты взялся?

Худой серый кот, забравшись на парапет, доедал остатки пищи из брошенного кем-то пакета. Он испуганно припал к парапету и оскалился, рыча и жалобно подвывая одновременно. Тем не менее он не убежал, когда Карла погладила его, и вернулся к прерванной трапезе. Это было истощенное и ободранное животное. Одно ухо было кем-то сжевано и выглядело как розовый бутон, на боках и спине виднелись проплешины с незажившими болячками. Я был удивлен тем, что это дикое потрепанное создание позволило Карле погладить себя, и еще больше тем, что у нее возникло такое желание. И уж совсем поразительно было, с каким аппетитом кот пожирал рис с овощами, приправленный очень острым чили.

— Ты только посмотри на него! — ворковала Карла. — Какой красавец!

— Ну уж...

— Но разве тебя не восхищает его храбрость, стремление выжить во что бы то ни стало?

— Боюсь, я не очень люблю котов. Вот собаки — другое дело.

— Нет, ты просто обязан любить котов! Когда все люди будут такими, как коты в два часа дня, мир достигнет совершенства.

Я расхохотался:

— Тебе никогда не говорили, что у тебя весьма оригинальный способ выражаться?

— Что ты хочешь этим сказать? — резко повернулась она ко мне.

Даже в слабом свете уличных фонарей было заметно, что лицо ее покраснело и было чуть ли не сердитым. Я тогда еще не знал, что английский язык был ее страстью, — она изучала его, совершенствовала, упражнялась в письме и в сочинении остроумных афоризмов, которые затем вставляла в свою речь.

— Только то, что сказал. Ты употребляешь очень неординарные фразы и обороты. И они мне нравятся. Очень нравятся. Например, вчера, когда мы говорили о том, что такое истина, Истина с большой буквы, и может ли что-нибудь быть абсолютно истинным. Каждый высказал свою точку зрения — Дидье, Улла, Маурицио, даже Модена. А ты сказала: «Истина — это задира, который ко всем пристает, и все притворяются, что им это нравится». Я чуть не отпал. Ты где-то прочитала эту фразу или она из какой-то пьесы, кинофильма?

— Нет, я придумала ее сама.

— Ну вот видишь, это я и имел в виду. Вряд ли я способен запомнить и точно воспроизвести все, что говорят другие, но этот твой афоризм я наверняка не забуду.

— Ты с этим согласен?

— С тем, что истина — задира и все притворяются, что она им нравится?

— Да.

— Да нет, совсем не согласен. Но оригинальность идеи и то, как ты ее выразила, меня восхищают.

На губах ее появилась полуулыбка, от которой я не мог отвести глаз. Несколько мгновений мы смотрели друг на друга. Она уже хотела отвернуться, и я поспешно спросил, чтобы помешать этому:

— А чем тебе нравится Биарриц?

— Биарриц?

— На днях, позавчера, ты сказала, что Биарриц — одно из твоих любимых мест. Я никогда не был в Биаррице и не имею о нем никакого представления, но мне любопытно, чем он тебя так привлекает.

Она улыбнулась и сморщила нос — не то с удовольствием, не то с досадой.

— Ну что ж, раз ты это запомнил, надо, наверное, тебе рассказать. Как бы это объяснить?.. Думаю, дело прежде всего в океане, в Атлантике. Я особенно люблю Биарриц зимой, когда нет туристов и море принимает такой устрашающий вид, что буквально превращает людей в камни. Они стоят на пустынном берегу, застыв, как каменные изваяния, разбросанные между береговыми скалами, и неотрывно глядят в океанский простор, пригвожденные к месту ужасом, который внушает им океан. Он совсем не похож на другие океаны — ни на теплый Индийский, ни на Тихий. Зимой Атлантический океан безжалостен и жесток. Ты физически ощущаешь, как он призывает тебя, хочет утянуть в глубину. Он так прекрасен, что я не могла удержаться от слез, когда впервые увидела его. И мне хотелось поддаться ему, погрузиться в эти большие сердитые волны. Просто жуть. А люди в Биаррице, я думаю, самые спокойные и терпеливые во всей Европе. Ничто не может вывести их из себя. Это даже немного странно — в большинстве курортных городов жители раздражены и сердиты, море же спокойно. А в Биаррице наоборот.

— Ты не собираешься когда-нибудь вернуться туда — чтобы поселиться?

— Нет, — сразу же ответила она. — Если уж я и уеду когда-нибудь из Бомбея насовсем, то только в Штаты. Там умерли мои родители, там я выросла. И мне хотелось бы вернуться туда когда-нибудь. Пожалуй, Америку я люблю больше всех остальных стран. В людях там, да и во всем, чувствуется какая-то уверенность, открытость и... смелость. Во мне мало американского — по крайней мере, мне так кажется, — но с американцами мне... легко — ну, ты понимаешь, что я хочу сказать, — легче, чем с кем-нибудь еще.

— Расскажи мне о других, — попросил я, чтобы она не замолчала.

— О других? — переспросила Карла, неожиданно нахмурившись.

— Ну да, о компании из «Леопольда». О Летиции, например. Как ты с ней познакомилась?

Она расслабилась, взгляд ее блуждал где-то среди теней на противоположной стороне улицы. Затем в задумчивости она подняла голову к ночному небу. Бледно-голубой свет уличных фонарей таял на ее губах и белках ее больших глаз.

— Летти жила какое-то время в Гоа, — начала Карла. В голосе ее чувствовалась теплота. — Она приехала в Индию с той же двоякой целью, с какой все обычно приезжают, — найти подходящую компанию и духовное обновление. Компанию она нашла, и не одну, и они вполне подходили ей, я думаю. Но вот с духовным обновлением ей не повезло. Она дважды в течение года уезжала в Лондон — и возвращалась обратно в поисках обновления. Это для нее что-то вроде духовного паломничества. Она довольно резко разговаривает, но духовно она, пожалуй, богаче всех нас.

— А на какие средства она живет? Я спрашиваю не из праздного любопытства; я уже говорил, меня интересует, как людям удается устроиться здесь — иностранцам, я имею в виду.

— Она знает толк в драгоценных камнях и ювелирных изделиях и помогает иностранным покупателям, получая за это комиссионные. Эту работу ей нашел Дидье. У него есть знакомства во всех бомбейских кругах.

— Дидье? — Я был порядком удивлен. — Мне показалось, что они ненавидят друг друга, — ну, не то что ненавидят по-настоящему, а просто терпеть друг друга не могут.

— Между ними все время происходят стычки, но на самом деле они, несомненно, друзья. Если бы с одним из них произошло несчастье, для другого это было бы ударом.

— А Маурицио? — спросил я, стараясь, чтобы это прозвучало бесстрастно. Высокий итальянец был очень красив и самоуверен; мне казалось, что он довольно близок с Карлой, и я завидовал ему. — Что ты можешь рассказать о его похождениях?

— Я не знаю всех его похождений, — ответила она, опять нахмурившись. — Знаю только, что родители его умерли, оставив ему кучу денег. Он быстренько их истратил, успев развить в себе своего рода талант тратить деньги.

— Чужие? — спросил я.

Очевидно, в моем вопросе чувствовалось желание получить утвердительный ответ, потому что Карла вместо этого спросила:

— Ты знаешь анекдот про скорпиона и лягушку? Про то, как лягушка соглашается перевезти скорпиона через реку, взяв с него обещание не жалить ее?

— Ну да. На середине реки скорпион жалит-таки лягушку, и, когда она спрашивает, зачем он это сделал, — ведь теперь они оба погибнут, — он отвечает, пожав плечами: «Уж такое я дерьмо. Против собственной природы не попрешь».

— Вот-вот, — кивнула Карла со вздохом. Складка между ее бровями постепенно сгладилась. — Так это про Маурицио. Но когда ты знаешь об этом, то с ним можно иметь дело — просто ты не соглашаешься перевозить его через реку. Надеюсь, ты понимаешь, что я имею в виду.

Я сидел в тюрьме и прекрасно понимал, что она имеет в виду. Кивнув, я спросил ее об Улле и Модене.

— Я люблю Уллу, — ответила она, опять улыбнувшись. — Конечно, она без царя в голове и на нее нельзя положиться, но она мне симпатична. Она жила в Германии, в богатой семье. В юности стала баловаться героином и втянулась. Ее выгнали из дому без всяких средств, и она уехала в Индию вместе с приятелем, таким же наркоманом, к тому же подонком. Он пристроил ее на работу в бордель. Жуткое место. Она его любила и пошла на это ради него. Для него она была готова на все. Такими бывают некоторые женщины. Такой бывает любовь. Да по большей части она именно такой и бывает, как посмотришь вокруг. Твое сердце становится похожим на перегруженную спасательную шлюпку. Чтобы не утонуть, ты выбрасываешь за борт свою гордость и самоуважение, свою независимость. А спустя какое-то время ты начинаешь выбрасывать людей — своих друзей и всех прочих, кого ты знал годами. Но и это не спасает. Шлюпка погружается все глубже, и ты знаешь, что скоро она утонет и ты вместе с ней. Это происходило у меня на глазах с очень многими девушками. Наверное, поэтому я и думать о любви не хочу.

Трудно было понять, говорит ли она отвлеченно о своем душевном состоянии или намекает на наши отношения. В любом случае ее слова были удручающими.

— А что ты скажешь о Кавите? Как она вписывается в эту компанию?

— Кавита — это нечто особенное. Она свободный художник, точнее, писатель. Хочет стать журналисткой, и я думаю, у нее это получится. По крайней мере, я надеюсь на это. Она очень способная, честная, с характером. И к тому же она красива. Согласись, она великолепна.

— Охотно соглашаюсь, — отозвался я, вспомнив ее глаза медового цвета, полные, красиво очерченные губы и длинные выразительные пальцы. — Она очень привлекательна. Но, на мой взгляд, они все привлекательны. Даже в Дидье, несмотря на некоторую помятость, есть что-то байроническое. Летти тоже очень симпатична. Ее глаза всегда смеются, и они совсем как голубой лед, да? Улла, с ее большими глазами и большим ртом на круглом лице, выглядит как куколка. Но это всего лишь хорошенькое кукольное личико. Маурицио красив, как модель с обложки журнала, Модена тоже красив, но по-другому — похож на какого-нибудь тореадора. А ты... ты самая красивая женщина из всех, кого я когда-либо встречал.

Ну вот, я сказал это. Я был потрясен тем, что это признание вырвалось у меня, и в то же время спрашивал себя, поймет ли она, разглядит ли она за всеми моими словами о ее красоте и красоте ее друзей ту боль, которая породила эти слова и которую испытывает всякий некрасивый влюбленный мужчина в те минуты, когда он способен трезво мыслить.

Она рассмеялась — громким счастливым смехом — и, импульсивно схватив меня за руку, потянула вперед по тротуару. И в тот же момент, как продолжение ее заливистого смеха, послышался какой-то стук и дребезжание: нищий инвалид, катившийся на деревянной подставке с колесиками из шарикоподшипников, свернул с пешеходной дорожки, чтобы пересечь улицу. Отталкиваясь руками, он достиг середины пустынного проспекта, где проделал эффектный пируэт и остановился. Подогнутые ножки, тонкие, как у богомола, лежали на этой деревянной подставке величиной со сложенный газетный лист. На нем была надета школьная форма — шорты цвета хаки и зеленовато-голубая рубашка. Хотя ему явно стукнуло двадцать, форма была ему велика.

Карла окликнула его по имени, и мы остановились напротив. Они с Карлой принялись болтать на хинди, а я с удивлением разглядывал руки молодого человека — они были огромны, ладонь по ширине была не меньше его лица. Даже на расстоянии в десять метров были заметны толстые подушечки на его пальцах и всей ладони — как на медвежьих лапах.

— Спокойной ночи! — крикнул он минуту спустя по-английски и прикоснулся правой рукой сначала ко лбу, а потом к сердцу — жест высшей учтивости в Индии; совершив еще один лихой поворот, он покатился, набирая скорость, вниз по улице в сторону Ворот в Индию.

Мы смотрели ему вслед, пока он не скрылся из виду, затем Карла потянула меня за руку, приглашая продолжить путь. Я подчинился, отдавшись во власть ее мелодичного голоса и тихого бормотания морских волн, черного ночного неба и еще более густой черноты ее волос, запаха моря, спящих камней и деревьев и свежего благоухания ее теплой кожи. Я отдался во власть судьбы, связавшей мою жизнь с ее жизнью и с жизнью города. Я проводил ее до дому. Попрощался с ней. Тихо напевая, я шел к своей гостинице сквозь мечтательную дремоту улиц.

ГЛАВА 3

— Так ты говоришь, что на этот раз покажешь мне что-то такое... ну, настоящее?

— Да, баба, там будет много настоящего, — заверил меня Прабакер, — и чего-то такого там тоже очень много. На этот раз ты увидишь настоящий город. Я никогда обычно не вожу туристов в эти места. Им это не нравится, а не нравится, что им это не нравится. А иногда может быть так, что им это слишком сильно нравится, и тогда мне нравится это еще меньше, не прав ли я? Должна быть хорошая голова, чтобы нравились эти вещи, и должно быть хорошее сердце, чтобы они не нравились слишком сильно. Как у тебя, Линбаба. Ты мой хороший друг. Я знал это очень хорошо уже в тот первый день, когда мы пили виски в твоем номере. И теперь со своей хорошей головой и хорошим сердцем ты увидишь весь настоящий Бомбей.

Мы ехали в такси по проспекту Махатмы Ганди мимо фонтана Флоры и вокзала Виктории. В утренние часы поток машин, текущий по этому каменному каньону, разбухал за счет большого количества повозок, на которых индийцы бегом развозили завтраки. Они собирали еду, приготовленную во множестве домов и квартир по всему городу, складывали ее в жестяные судки, называемые *джальпанами* или *тиффинами* (завтраками). Огромные подносы с этими судками грузились на длинные деревянные тележки, в них впрягались по шесть-семь человек и, лавируя среди металлического нагромождения автобусов, грузовиков, мотороллеров и автомобилей, доставляли завтраки в городские учреждения и на предприятия. Как именно это все производилось, знали разве что люди, организовавшие эту службу, — как удавалось полуграмотным индийцам разобраться в сложной системе цифр и специальных разноцветных значков, которыми были помечены судки, как день за днем они перевозили сотни тысяч этих идентичных контейнеров на примитивных колымагах, оси которых были смазаны их по́том, и находили среди миллионов жителей именно того человека, кому они предназначались, и как можно было выполнять эту работу за какие-то центы, а отнюдь не за доллары. По каждой улице города и сквозь каждое бьющееся сердце невидимой рекой текла какая-то таинственная, магическая энергия, и никакая деятельность в Бомбее тех времен — от почтовой службы до уличного попрошайничества — не осуществлялась без участия этого волшебства, связывавшего обыкновенное с невозможным.

— Какой номер этого автобуса, Линбаба? Ну-ка, скажи скорее!

— Секундочку. — Высунувшись из полуоткрытого окна такси, я пытался разобрать причудливые завитушки на корпусе красного двухэтажного автобуса, остановившегося напротив нас. — Вроде бы сто четыре?

— Очень замечательно! Ты хорошо выучил свои цифры на хинди. Теперь у тебя не будет проблем читать номера автобусов и поездов, и карты меню, и цену наркотиков, и другие прекрасные вещи. Теперь скажи мне, что такое *алу палак*?

— Алу палак — это картофель со шпинатом.

— Правильно. Только ты не сказал, что это также хорошая еда. Я очень люблю алу палак. А что такое *фул гоби* и *бхинди*?

— Это... А-а, это цветная капуста с окрой.

— Верно. И опять ты не сказал «хорошая еда». Что такое *беган масала*?

— Ну, это баклажан с приправами.

— Опять верно. Но разве ты не любишь есть баклажаны?

— Люблю-люблю! Баклажан — это тоже хорошая еда.

— На самом деле не очень хорошая. Я не люблю баклажаны, — заметил Прабакер, сморщив нос. — А вот скажи, что я теперь говорю: *чера, мун, дил*?

— Так... не подсказывай... Лицо, рот и сердце. Правильно?

— Очень правильно, без проблем. Я наблюдал, как замечательно ты ешь свою пищу рукой, в лучшем индийском стиле. И как ты учишься просить разные вещи — сколько того, сколько этого, дайте мне две чашки чая, я хочу немного гашиша — и говоришь людям только на хинди. Я видел это все. И я думаю, что ты мой лучший ученик, Линбаба. А я твой лучший учитель, не прав ли я?

— Прав, прав, — рассмеялся я. — Эй, осторожнее!

Мой возглас вернул к жизни нашего водителя, и он успел в последний момент избежать столкновения с буйволовой упряжкой, которая решила сделать разворот прямо перед нами. Дюжий смуглый индиец с ощетинившимися усами, он был, похоже, взбешен той наглостью, с какой я вмешался в его работу, чтобы спасти нашу жизнь. Сразу после того, как мы сели в его машину, водитель пристроил зеркальце над собой таким образом, что в нем не отражалось ничего, кроме моего лица. Теперь, после несостоявшегося столкновения, он бросил на меня разъяренный взгляд и разразился градом ругательств на хинди. Автомобиль он вел так, будто ограбил банк и спасался от погони, и резко крутил баранку влево и вправо, обгоняя другие машины. Его злобная агрессивность распространялась на всех окружающих. Он почти вплотную сближался с автомобилями, едущими впереди на более медленной скорости, и, оглушительно сигналя, проносился мимо, едва не спихивая их с проезжей части. Когда люди сворачивали в сторону, чтобы пропустить нас, наш водитель какое-то время ехал рядом, осыпая их оскорблениями. Затем, наметив впереди очередную жертву, он гнался за ней, чтобы повторить маневр. Время от времени он, открыв дверцу, высовывался на несколько секунд наружу и выплевывал пережеванный пан, не обращая никакого внимания на то, что делается перед нашей грохочущей адской машиной.

— Этот водитель — просто псих, — пробормотал я Прабакеру.

— Вождение у него не очень хорошее, — согласился Прабакер, вцепившийся обеими руками в спинку переднего сиденья, — но зато плевание и поношение замечательные.

— Ради всего святого, скажи ему, чтобы он остановился! — заорал я, когда водитель, прибавив газу, ринулся в гущу транспорта, креня машину влево и вправо при обгоне. — Он отправит нас прямо на кладбище!

— *Банд каро!* — крикнул Прабакер. — Остановись!

Он с чувством прибавил выразительное ругательство, но это лишь подстегнуло водителя. Отжав педаль сцепления до предела, он обернулся к нам, оскалив зубы и сверкая огромными черными глазами, в которых клокотало возмущение.

— *Аррей!*[1] — завопил Прабакер, указывая вытянутой рукой вперед.

Но было слишком поздно. Водитель резко крутанулся обратно и, сжав в руках баранку, ударил по тормозам. Секунду мы продолжали скользить по инерции... затем еще и еще одну... Было слышно, как водитель утробно выдохнул воздух с таким причмокиванием, какое издает глинистое речное дно, когда отрываешь присосавшийся к нему камень. Затем мы с грохотом и треском врезались в автомобиль, притормозивший перед нами для поворота. Нас бросило на спинки передних сидений, и тут же раздались один за другим еще два громоподобных удара — на нас налетели две машины, следовавшие позади.

Звон битого стекла, посыпавшегося на мостовую вместе с осколками хромированной отделки, прозвучал во внезапно наступившей тишине как ломкие металлические аплодисменты. Во время столкновения я ударился головой о дверцу и чувствовал, что из рассеченной брови сочится кровь, но все остальное было вроде бы цело. Я кое-как взобрался обратно на сиденье, и Прабакер тут же кинулся ощупывать меня:

— Лин, у тебя ничего не сломалось? Ты в порядке?

— В порядке, в порядке.

— Ты уверен? Ты точно не навредил себе?

— Нет-нет. Но знаешь, Прабу, — нервно рассмеялся я, испытывая облегчение после пережитого, — каким бы замечательным ни было плевание этого водителя, чаевых от меня он не получит. Ты сам-то цел?

— Нам надо скорее вылезать отсюда! — чуть ли не истерически закричал он, вместо ответа. — Быстро-быстро! Сейчас же!

Дверцу с его стороны заклинило, и, как он ни бился о нее плечом, она не желала открываться. Прабакер потянулся было к дверной ручке с моей стороны, но сразу понял, что это бесполезно: дверца была заблокирована машиной, которая столкнулась

---

[1] Эй; ой! *(хинди)*

с нашей. Он посмотрел на меня, и в его больших выпученных зрачках с белым ободком был такой ужас, что у меня внутри все похолодело. Он опять остервенело набросился на свою дверцу.

Из вязкой мути моих разжиженных мозгов выплыла четкая и недвусмысленная мысль: «ПОЖАР. Он боится пожара». Глядя, как Прабакер даже разевает рот от ужаса, я преисполнился уверенности, что машина вот-вот загорится. А мы замурованы в ней. Заднее окошко во всех бомбейских такси приоткрывается всего на несколько сантиметров, дверцы заклинило, окна не открываются, наш автомобиль того и гляди взорвется, а мы не можем выбраться. Сгорим заживо!

Я посмотрел на водителя, который неуклюже скособочился на своем сиденье, зажатый между дверцей и рулевым колесом. Он не двигался, но стонал. Его согнутая спина с выпирающими позвонками приподнималась и опадала при каждом медленном судорожном вздохе.

Возле окон нашего такси появились лица, послышались возбужденные голоса. Прабакер вертел головой, в панике глядя на людей, лицо его было сведено судорогой страха. Внезапно он перебрался через спинку переднего сиденья и с усилием открыл левую дверцу. Быстро обернувшись ко мне, он схватил меня под мышки и изо всех сил (которых у него оказалось на удивление много) принялся перетаскивать меня через разделявшую нас преграду:

— Сюда, Лин! Лезь сюда! Скорее, скорее!

Я перелез вслед за ним через спинку. Прабакер выбрался наружу, расталкивая столпившихся. Я попытался было освободить тело водителя от прижимавшего его руля, но тут Прабакер вцепился в меня, как хищник в добычу, и, ухватив одной рукой за воротник, а другой прямо за складку кожи на спине, потащил на себя.

— Не трогай его, Лин! — взвыл он. — Не трогай его! Брось его и вылезай сразу же. Скорее!

Он буквально выволок меня из машины сквозь людское заграждение, образовавшееся вокруг нас. Мы уселись в сторонке возле ограды из чугунных копий, над которой нависла бахрома листвы боярышника, и проверили, все ли у нас цело. Порез над моим правым глазом был не так глубок, как я думал. Кровь больше не текла, выделялась только сукровица. Побаливало еще в нескольких местах, но не настолько, чтобы всерьез об этом задумываться. Прабакер прижимал к груди руку — ту самую, которая со столь неодолимой силой вытянула меня из автомобиля. Очевидно, она была повреждена, возле локтя уже виднелась большая припухлость. Было ясно, что нормальный вид рука примет не скоро, но кости вроде бы не были сломаны.

— Похоже, зря ты так паниковал, Прабу, — пробормотал я, улыбаясь и давая ему прикурить.

— Зря паниковал?

— Ну да. Ты в таком страхе тащил меня из машины, и я поверил, что она вот-вот взорвется, но, как видишь, пока ничего не произошло.

— Ах вот что, — протянул он, глядя в пространство перед собой. — Ты думаешь, что я испугался взрыва? Да, испугался, но только не в машине, Лин, а в людях. Посмотри на них, посмотри, что сейчас будет.

Мы поднялись на ноги, чувствуя такую боль в шее и плечах, будто их исхлестали плетьми, и воззрились на четыре покореженных автомобиля метрах в десяти от нас. Вокруг них собралось человек тридцать. Некоторые из них помогали водителям и пассажирам выбраться из машин, остальные, сбившись в кучки, возбужденно размахивали руками и кричали. Люди продолжали сбегаться к месту аварии со всех сторон. К толпе присоединились и водители машин, которые не могли проехать из-за затора. Вскоре здесь было уже пятьдесят, восемьдесят, сто человек.

В центре внимания был хозяин автомобиля, в который мы на полном ходу врезались. Он стоял возле нашего такси и рычал от ярости. Это был человек лет сорока пяти, с полными плечами, в сером костюме «сафари», наверняка сшитом на заказ, дабы вместить его непомерный живот. Его редеющие волосы сбились набок, нагрудный карман пиджака был оторван, на штанине зияла дыра, не хватало одной из сандалий. Взъерошенный вид мужчины в сочетании с выразительной жестикуляцией и непрерывным потоком брани, казалось, завораживал публику и представлял для нее даже более увлекательное зрелище, чем авария. На руке у мужчины был глубокий порез, и, в то время как трагизм происшедшего постепенно заставил толпу затихнуть, он продолжал кричать и, поднеся руку к лицу, измазал кровью и его, и свой серый костюм.

В этот момент несколько человек вынесли на свободное пространство рядом с ним пострадавшую женщину и, разостлав на земле кусок ткани, положили ее. Они крикнули что-то в толпу, и тут же индиец, на котором не было ничего, кроме майки и узкой набедренной повязки, вывез деревянную тележку. Женщину подняли на тележку, обернув ее ноги красным сари. Возможно, это была жена разъяренного водителя — мы этого не знали, — но только он сразу впал в настоящую истерику. Он схватил женщину за плечи и стал трясти ее, а затем дергать за волосы; обратившись к толпе, он театрально раскидывал руки и колотил себя по измазанному кровью лицу. Его жесты были неестественными и преувеличенными, как у актера в пантомиме или немом кино, и казались нелепыми и смешными. Но травмы, полученные людьми, были вполне реальны, как и угрозы, раздававшиеся в растущей толпе.

Как только пострадавшую увезли на импровизированной каталке, мужчина ринулся к нашему такси и распахнул дверцу. Толпа действовала как один слаженный организм. Они в один миг выволокли раненого, почти потерявшего сознание водителя из машины и швырнули его на капот. Он поднял было руки, прося пощады, но сразу десять, двадцать, сорок человек принялись избивать его. Удары посыпались на его лицо, грудь, живот, пах. Ногти рвали и царапали, искромсав его рубашку в клочки и раздрав ему рот с одной стороны чуть ли не до уха.

На это ушли считаные секунды. Глядя на это побоище, я уговаривал себя, что все происходит слишком быстро, чтобы я, сам еще не оправившийся от шока, успел что-либо предпринять. Мы часто называем человека трусом, когда он просто застигнут врасплох, а проявленная храбрость, как правило, означает всего лишь, что он был подготовлен. Кроме того, я, возможно, сделал бы хоть что-нибудь, будь мы в Австралии. «Это не твоя страна, — говорил я себе, — здесь свои нравы и обычаи...»

Но в глубине моего сознания пряталась еще одна мысль, ставшая мне ясной лишь значительно позже: этот человек был грубым, задиристым идиотом, из-за чьей безответственной самоуверенности мы с Прабакером могли погибнуть. У меня в сердце застряла заноза озлобленности, и поэтому я тоже в какой-то степени был соучастником избиения. Как минимум один крик, один удар или пинок можно было отнести на мой счет. Чувствуя себя беспомощным, стыдясь и страшась, я не сделал ничего.

— Нам надо сделать что-нибудь... — все, что я смог пробормотать.

— Ничего не надо сделать, баба, — отвечал Прабакер. — Там и без нас все делают.

— Да нет, я имею в виду... может быть, надо ему помочь?

— Этому парню уже не помочь, — вздохнул он. — Теперь ты сам видишь, Лин. Автомобильная авария в Бомбее — это очень плохое дело. Надо очень, очень быстро вылезать из машины или такси, в котором ты сидишь. У публики нет терпения к таким случаям. Смотри, для этого парня уже все кончено.

Расправа была быстрой и жестокой. Из многочисленных ран на лице и на теле водителя струилась кровь. Перекрывая вой толпы, прозвучала чья-то команда, и человека подняли на плечи и поволокли прочь. Ноги его были вытянуты, руки разведены под прямым углом к туловищу; в таком положении его удерживали десятки рук. Голова несчастного откинулась назад, с нее от нижней челюсти до уха свисал выдранный лоскут теплой влажной кожи. В открытых глазах, видевших мир вверх ногами, стоял страх, смешанный с безумной надеждой. Машины на улице разъехались в стороны, давая проход толпе, и человек медленно исчез вдали, распятый на людских плечах и руках.

— Давай, Лин, пошли. У тебя все хорошо?

— Да... Со мной все в порядке, — пробормотал я, с усилием тронувшись вслед за ним.

Моя былая уверенность в себе растаяла и стекла куда-то в область коленей, мышцы с костями превратились в какую-то аморфную массу. Ноги налились свинцом, их приходилось буквально волочить. Меня потрясло не само насилие. В тюрьме мне приходилось видеть расправы и похуже, совершаемые почти без всякого повода. Просто слишком уж неожиданно рухнули те искусственные подпорки, на которых я поспешил водрузить свое мнимое благополучие. Образ города, сложившийся у меня в течение последних недель, с его базарами, храмами, ресторанами, новыми друзьями, сгорел дотла в огне человеческой ярости.

— А что они сделают с ним? — спросил я.

— Отнесут в полицейский участок, я думаю так. Позади Кроуфордского рынка есть полицейский участок этого района. Может быть, ему повезет и его донесут туда живым. А может быть, нет. У этого парня очень быстрая карма.

— Тебе приходилось видеть такое раньше?

— О, много раз, Линбаба. Иногда я вожу такси моего двоюродного брата Шанту и вижу очень много сердитых публик. Поэтому я так испугался за тебя и за свое доброчувствие тоже.

— Но почему они так неистовствовали?

— Этого никто не знает, Лин, — пожал он плечами, убыстряя шаг.

— Подожди, — остановил я его, положив руку ему на плечо. — Куда ты так спешишь?

— Как — куда? У нас ведь экскурсия.

— Я думал, что теперь ты... отменишь сегодняшнюю экскурсию.

— Почему отменишь? Мы же должны посмотреть что-то такое. Так что давай пойдем, *на*?

— А как же твоя рука? Ты не хочешь показать ее врачу?

— Рука без проблем, Лин. В конце экскурсии у нас будет виски в одном очень ужасном месте, которое я знаю. Это будет очень хорошее лекарство. Пошли, баба.

— Ну ладно, раз ты так считаешь. Но мы же, по-моему, ехали в противоположном направлении?

— Да, и продолжаем ехать в противоположном направлении, — отвечал он несколько нетерпеливо. — Но сначала нам надо пойти только в *этом* направлении! Там на вокзале есть телефон. Я должен сделать звонок своему двоюродному брату, который сейчас работает в ресторане «Солнечный»: он моет посуду. Он хочет найти работу водителя такси для своего брата Суреша, и я должен сказать ему номер такси и имя хозяина того водителя, которого унесли. Раз его унесли, то его хозяину теперь будет нужен новый водитель, и мы должны торопиться, чтобы поймать такой хороший шанс, не прав ли я?

Прабакер позвонил и спустя несколько минут как ни в чем не бывало продолжал свою экскурсию «по темным сторонам города» уже в другом такси. В дальнейшем он никогда не возвращался в разговорах со мной к этому инциденту, а когда я упоминал его, он только пожимал плечами или философски замечал, как нам повезло, что мы не получили серьезных увечий. Для него этот случай значил не больше чем какая-нибудь потасовка в ночном клубе или схватка болельщиков на футбольном матче — обычное дело, на которое не стоит обращать внимания, если только ты не оказался в самой гуще событий.

Для меня же этот внезапный и жестокий взрыв всеобщего негодования, эта ошеломляющая сцена, вид водителя, уплывающего по морю человеческих голов, явились поворотным пунктом. Я вдруг словно прозрел. Я понял, что если хочу остаться в Бомбее, в городе, который я успел полюбить, то я сам должен измениться, я должен участвовать в его жизни. Город не позволит мне быть посторонним беспристрастным наблюдателем. Если я собираюсь жить здесь, то должен быть готов к тому, что он втянет меня в водоворот своего восторга и своей ярости. Я знал, что рано или поздно мне придется сойти с безопасной пешеходной дорожки и смешаться с бурлящей толпой, занять свое место в строю.

И как раз в тот момент, когда я пережил это потрясение, послужившее предзнаменованием и толчком к дальнейшим изменениям, Прабакер стал знакомить меня с темными сторонами бомбейской жизни. Начать он решил с рынка рабов, расположенного недалеко от Донгри, одного из центральных районов, знаменитого своими мечетями, базарами и ресторанами, специализирующимися на блюдах Мегхалаи[1]. Транспортная магистраль постепенно превратилась в улочку, улочка в переулок, а когда он стал слишком узок для автомобиля, мы вышли из него и влились в уличную суету. Чем дальше мы углублялись в закоулки Катилины, тем больше теряли представление о том, какой сегодня день, год или даже век. Вслед за автомобилями исчезли моторроллеры, и воздух стал чище, острее на вкус; бензиновые пары не заглушали больше запаха пряностей и благовоний. Грохот транспорта остался позади, стал слышен естественный уличный шум — дет-

---

[1] *Мегхалая* — штат в восточной части Индии.

ский хор, распевающий строки из Корана в школьном дворе, скрежет камней, которыми женщины перетирали специи на пороге дома, многообещающие выкрики точильщиков ножей, набивальщиков матрасов, печников и прочих ремесленников и торговцев. Все это были сугубо человеческие звуки, производимые голосом и руками.

На одном из перекрестков мы прошли мимо длинной металлической подставки для велосипедов, но даже этот простейший вид транспорта больше не попадался. Все переносили в огромных тюках на голове. В этом старом районе мы были избавлены от обычного для Бомбея бремени — отупляющего натиска солнца: в извилистых улочках было темно и прохладно. Хотя высота зданий не превышала трех-четырех этажей, они почти смыкались над головой, оставляя лишь узкую полоску неба, словно прорисованную голубой краской.

Сами дома были старыми и обветшалыми. Каменные фасады, некогда имевшие великолепный и впечатляющий вид, обсыпались, были покрыты копотью и кое-где залатаны. На них имелось множество балкончиков, так тесно расположенных, что соседи могли передавать друг другу вещи. Заглянув внутрь дома, можно было увидеть некрашеные стены и провисающие лестницы. Многие окна на первых этажах были открыты и служили своего рода магазинчиками, продававшими сладости, сигареты, бакалею, овощи и хозяйственные товары. Водопровод, судя по всему, был примитивным, если вообще был. По пути нам попалось несколько уличных колонок, куда сходились за водой женщины с металлическими и керамическими ведрами. Дома были обмотаны паутиной электрических проводов и кабелей, и даже это достижение современного века представляло собой всего лишь непрочную временную сеть, которую, казалось, можно было смести одним мощным ударом.

Улочки, сужающиеся с каждым поворотом, были словно перенесены из другого века, внешность людей тоже постепенно менялась по мере того, как мы углублялись в этот лабиринт. Встречалось все меньше и меньше хлопчатобумажных рубашек и брюк западного фасона, в которых ходили практически все в городе, и в конце концов эту одежду можно было увидеть только на маленьких детях. Мужчины же щеголяли в традиционных национальных костюмах самой разной расцветки. Они носили длинные шелковые рубахи, спускавшиеся до колен и застегнутые от шеи до талии жемчужными пуговицами, одноцветные или полосатые кафтаны, накидки с капюшонами, напоминающие монашеские одеяния, а также разнообразные белые или украшенные бисером облегающие головные уборы и тюрбаны ярких цветов — желтого, красного, синего. Женщины, по контрасту с невзрачностью самого квартала, были буквально усыпаны украшениями, которые не представляли большой ценности, но зато были искусно и даже вычурно изготовлены. Обращали на себя внимание специфические для каждой касты татуировки на лбу и щеках, на ладонях и запястьях. И не было ни одной женской ноги, чью лодыжку не охватывал бы браслет из витых медных колец с серебряными бубенчиками.

Все эти сотни людей разрядились так, скорее всего, исключительно для собственного удовольствия, а не для того, чтобы поразить фланирующую публику. По-видимому, одеваясь с традиционным шиком, они чувствовали себя увереннее. И еще одно бросалось в глаза: повсюду царила чистота. Стены зданий были в трещинах и пятнах; тесные проходы между ними были запружены народом вперемешку с козами, собаками и курами; осунувшиеся лица прохожих носили отпечаток нищеты, но были чисто вымыты, а улицы содержались в идеальном порядке.

Мы свернули в еще более древние переулки, где двоим трудно было разойтись. Чтобы уступить нам дорогу, встречным приходилось пятиться, вжимаясь в дверные проемы. Проходы были закрыты навесами и тентами, и стояла такая темнота, что дальше нескольких метров ничего не было видно. Я не спускал глаз с Прабакера, боясь, что, потеряв его, не найду дорогу обратно. Мой маленький гид то и дело оборачивался ко мне, чтобы предупредить о каком-нибудь камне или ступеньке под ногами или о выступе на уровне головы. Сосредоточившись на преодолении этих препятствий, я окончательно потерял ориентировку. Зафиксированный у меня в мозгу план города крутился так и сяк, пока не превратился в неразборчивое пятно, и я уже не имел представления, в какой стороне находится море или такие городские достопримечательности, как фонтан Флоры, вокзал Виктория и Кроуфордский рынок. Я чувствовал себя настолько погрузившимся в бесконечный людской поток, в обволакивавшие меня запахи и испарения, которые исходили из всех открытых дверей, что создавалось впечатление, будто я хожу внутри помещений, а не рядом с ними.

В одном из проходов мы наткнулись на лоток, за которым стоял человек в насквозь пропотевшем белом жилете, поджаривавший на сковородке с шипящим маслом какую-то смесь. Единственным источником света ему служили слабые, как в монастырской келье, и жутковатые язычки голубого пламени его керосиновой плитки. Лицо его выражало страдание, стоическое страдание, и привычный подавленный гнев человека, вынужденного заниматься тупым механическим трудом за гроши. Прабакер проследовал мимо него и растаял в темноте. Когда я приблизился к индийцу, он поднял голову, и наши глаза встретились. Вся сила его сверкавшего голубым светом гнева была в этот момент направлена против меня.

Спустя много лет в горах недалеко от осажденного Кандагара афганские партизаны, с которыми я подружился, как-то в течение нескольких часов вели беседу об индийских фильмах и их любимых болливудских звездах. «Индийские актеры — лучшие в мире, — сказал один из них, — потому что индийцы умеют кричать глазами». Взгляд, который бросил на меня тот человек с жаровней в глухом переулке, был именно кричащим, и я встал как вкопанный, будто он ударил меня кулаком в грудь. Мои глаза говорили ему: «Я сожалею. Я сожалею, что тебе приходится делать эту работу. Я сожалею, что твоя жизнь проходит так томительно в этой невыносимой жаре, темноте и безвестности. Я сожалею, что мешаю тебе...»

Не спуская с меня глаз, он схватился за ручку своей сковородки. На миг мое сердце учащенно забилось, и у меня мелькнула нелепая, жуткая мысль, что он собирается плеснуть кипящее масло мне в лицо. Страх погнал меня вперед, и я на деревянных ногах проскользнул мимо индийца, придерживаясь руками за сырую каменную стену. Не успел я сделать и двух шагов, как споткнулся о какую-то неровность плиточной мостовой и упал, сбив с ног еще одного прохожего. Это был пожилой человек, очень худой и слабый. Сквозь грубую ткань накидки я ощутил сплетение прутьев его грудной клетки. Он тяжело повалился и ударился головой о ступеньку перед открытыми дверями. Я неловко поднялся, скользя и оступаясь на шатких камнях, и хотел помочь старику встать тоже, но пожилая женщина, сидевшая на корточках в дверях дома, стала шлепать меня по рукам, давая понять, что моя помощь не требуется. Я извинился по-английски, лихорадочно вспоминая, как это говорится на хинди, — Прабакер ведь учил меня. *«Муджхако афсос хейн»?* Да, кажется, так. Я повторил эти слова трижды, четырежды. В этом темном тесном коридоре между двумя домами они отдавались гулким эхом, как молитва пьяного в пустой церкви.

Старик, скрючившийся возле дверей, тихо простонал. Женщина вытерла его лицо концом своего платка и подняла платок, чтобы продемонстрировать мне яркое пятнышко крови. Она ничего не произнесла, но скривила морщинистое лицо в презрительной гримасе и самим жестом словно говорила мне: «Смотри, олух неотесанный, здоровенный неуклюжий варвар, смотри, что ты наделал...»

Я задыхался от жары; темнота этого странного замкнутого пространства давила на меня, и мне казалось, что только мои руки, которыми я упирался в стены, не дают им обрушиться и похоронить меня под собой. Спотыкаясь, я попятился от двух стариков, затем бросился, не разбирая дороги, прочь по темному туннелю. Внезапно чья-то рука схватила меня за плечо, и я едва не вскрикнул от неожиданности.

— Куда ты так бежишь? — произнес Прабакер, посмеиваясь. — Нам сюда надо. По этому проходу, и в нем надо ходить ногами с краю, потому что в середине очень, очень большая грязь.

Он стоял возле какой-то щели между двумя глухими стенами. Зубы и глаза его слабо поблескивали, но позади него была кромешная тьма. Прабакер повернулся ко мне спиной, подтянул штаны и, расставив ноги и прижимая их к противоположным стенкам, стал продвигаться вперед мелкими шажками. Он ожидал, что я пойду за ним, но я колебался. И лишь когда его несуразная фигура исчезла в темноте, я тоже расставил ноги и потащился следом.

Было так темно, что я не видел Прабакера, хотя и слышал его шаги. Моя нога соскользнула с края и тут же увязла в какой-то вязкой гадости. В нос мне ударила отвратительная вонь. Теперь уж я стал старательно волочить ноги вплотную к стенкам. Внезапно что-то довольно увесистое проскользнуло по земле, коснувшись моей ноги. Секунду спустя еще одно существо, а затем и третье пробежали мимо, перекатываясь своими грузными телами по моим ногам.

— Прабу! — заорал я во весь голос, не зная, как далеко он ушел. — Тут, кроме нас, еще кто-то есть!

— Еще кто-то?

— Да! Какие-то существа все время бегают и наступают мне на ноги! Они тяжелые!

— Здесь только крысы наступают на ноги, Лин. Никаких тяжелых существ здесь нет.

— Крысы?! Ты что, шутишь? Они же размером с бультерьеров! Ну уж и экскурсию ты придумал, приятель!

— Крысы без проблем, Лин, — увещевал меня голос Прабакера из темноты. — Большие крысы — дружественное племя, они не затевают неприятностей человеку. Если он сам не нападает на них. Только одна вещь заставляет их кусаться, царапаться и выделывать тому подобное.

— И что же это за вещь, скажи на милость? — закричал я.

— Крик, баба. Они не любят, когда на них повышают голос.

— Надо же, какие гордые! — перешел я на хриплый шепот. — Но скажи, пожалуйста, долго нам еще идти? Меня уже в дрожь бросает от этого чудного места.

Прабакер внезапно остановился, и я налетел на него, вдавив в какую-то дверь.

— Мы пришли, — прошептал он и стал стучать в дверь, произведя целую серию ударов с паузами разной длины.

Послышался скрип отодвигаемого засова, и дверь распахнулась, ослепив нас неожиданно ярким светом. Прабакер схватил меня за рукав и втащил внутрь:

— Скорее, Лин! Приводить с собой больших крыс не разрешается.

Мы очутились в маленьком помещении с голыми стенами; освещалось оно прямоугольником шелковистого неба высоко над головой. Напротив были другие двери, через которые откуда-то из глубины здания доносились голоса. Но открывший нам громила захлопнул вторую дверь, прислонился к ней спиной и свирепо воззрился на нас, оскалив зубы. Прабакер сразу же стал уговаривать его льстивым тоном, сопровождая речь успокоительными жестами. Громила в ответ мотал головой, повторяя: «Нет, нет, нет».

Он высился перед нами как башня. Я стоял так близко к нему, что меня обдавало горячим воздухом, вырывавшимся из его ноздрей с таким звуком, с каким ветер свищет в расщелинах между скалами на морском берегу. Волосы его были подстрижены очень коротко, открывая взору огромные уши, помятые, как старые боксерские перчатки. Мышцы, заведовавшие мимикой квадратного лица, были, казалось, мощнее, чем у обыкновенного человека на спине. Грудь шириной с мои плечи с каждым вздохом вздымалась над громадным животом и вновь опадала. Тонкие, как кинжальное лезвие, усики подчеркивали его свирепость, и он таращился на меня с такой ничем не замутненной ненавистью, что я невольно взмолился про себя: «Господи, только не заставляй меня драться с ним».

Он поднял обе ладони, давая Прабакеру знак прекратить его вкрадчивую песнь. Руки были огромные, настолько мозолистые и шишковатые, что ими вполне можно было счищать присосавшихся к корпусу танкера моллюсков в сухом доке.

— Он говорит, что нам туда нельзя, — объяснил Прабакер.

— Ну что ж, — сказал я и с непринужденным видом взялся за ручку двери позади гиганта. — По крайней мере, мы не можем упрекнуть себя в том, что не пытались.

— Нет, нет, Лин! — остановил меня Прабакер. — Мы должны договориться с ним.

Громила сложил руки на груди, при этом швы его рубашки цвета хаки тихо затрещали.

— Не думаю, что это продуктивная идея, — криво усмехнулся я.

— Очень продуктивная! — настаивал Прабакер. — Туристов сюда не пускают, как и на другие человеческие рынки, но я сказал ему, что ты не такой турист, как все. Я сказал ему, что ты выучил язык маратхи. Но он мне не верит, и только это наша проблема. Он не верит, что иностранец может говорить на маратхи. Поэтому ты должен поговорить с ним, и тогда он нас пустит.

— Но я знаю не больше двадцати слов на маратхи, Прабу.

— Двадцать слов не проблема, баба. Ты только начни и увидишь. Скажи ему, как тебя зовут.

— Как меня зовут?

— Да, как я тебя учил. Не на хинди, а на маратхи. Скажи ему, давай...

— Хм... *маза нао Лин ахей*, — пробормотал я неуверенно. — Меня зовут Лин.

— *Бапре!* — вскричал неумолимый страж, выпучив глаза. — Боже всемогущий!

Приободрившись, я произнес еще несколько вызубренных фраз:

— *Маза Деш Новая Зеландия ахей. Ата ме Колабала рахелла ахей.* — (Я из Новой Зеландии. Сейчас я живу в Колабе.)

— *Кай гарам мадчуд!* — воскликнул он, впервые улыбнувшись. Буквально это выражение переводится «Какой пылкий извращенец!», но последнее слово употребляется так часто в самых разных ситуациях, что означает, скорее, просто «мошенник».

Громила дружески схватил меня за плечи, едва не раздавив их.

Тут уж я выдал ему все, что знал на маратхи, начиная с самого первого предложения, выученного мною у Прабакера, — «Мне ужасно нравится ваша страна» — и заканчивая просьбой, которую я часто произносил в столовых, хотя в этом укромном уголке она была, пожалуй, не совсем к месту: «Пожалуйста, выключите вентилятор, чтобы я мог спокойно доесть суп».

— Теперь достаточно, баба, — проворковал Прабакер, ухмыляясь во весь рот.

Я замолчал, и стражник разразился очень длинной и цветистой тирадой. Прабакер переводил его слова, кивая и помогая себе красноречивыми жестами:

— Он говорит, что он полицейский в Бомбее и его зовут Винод.

— Он коп?!

— Да-да, Лин. Он полицейский коп.

— Значит, этот рынок находится в ведении полиции?

— Нет-нет. Это для него только побочная работа. Он говорит, что он очень, очень рад познакомиться с тобой... Он говорит, что он впервые видит *гору*[1], умеющего говорить на маратхи... Он говорит, что некоторые иностранцы умеют говорить на хинди, но никакой из них не говорит на маратхи... Он говорит, что маратхи его родной язык. Он родился в Пуне... Он говорит, что в Пуне говорят на очень чистом маратхи и ты должен поехать туда и по-

---

[1] *Гора* — белый человек *(хинди).*

слушать их... Он говорит, что он очень счастлив. Ты для него как родной сын... Он говорит, что ты должен пойти к нему домой, поесть у него и познакомиться с его семьей... Он говорит, что это будет стоить сто рупий...

— Что будет стоить сто рупий?

— Это плата за вход, Лин. Бакшиш. Сто рупий. Заплати ему.

— Да, конечно.

Я достал из кармана пачку банкнот, отсчитал сто рупий и протянул их церберу. Полицейские отличаются удивительной ловкостью в обращении с денежными знаками и с таким мастерством хватают их и прячут, что даже самые опытные мошенники, специализирующиеся на игре в скорлупки, завидуют им. Громила обеими руками пожал мою протянутую руку, смахнул с груди воображаемые крошки, якобы оставшиеся после еды, и с хорошо отработанным невинным видом почесал нос. Деньги при этом, естественно, исчезли. Он открыл дверь и жестом пригласил нас в узкий коридор.

Пройдя с десяток шагов и сделав два крутых поворота, мы оказались в каком-то дворике. Здесь были люди, сидевшие на грубых деревянных скамейках или стоявшие группами по двое-трое. Среди них попадались арабы в свободных хлопчатобумажных одеждах и куфиях[1]. Индийский мальчик переходил от одной группы к другой, разнося черный чай в высоких стаканах. Несколько мужчин посмотрели на нас с Прабакером с любопытством и нахмурились. Когда Прабакер, сияя улыбкой, стал приветственно жестикулировать, они отвернулись, возобновив прерванный разговор. Время от времени тот или иной из них бросал испытующий взгляд на группу детей, сидевших на длинной скамье под изодранным полотняным навесом.

По сравнению с ярко освещенной передней каморкой здесь было сумрачно. Лишь кое-где между натянутыми над головой обрывками холста проглядывало небо. Дворик был окружен голыми стенами, выкрашенными в коричневый и пурпурный цвет. Немногочисленные окна, как можно было видеть сквозь прорехи в холстине, были забиты досками. Этот дворик, похоже, был не запланированной частью всего сооружения, а скорее каким-то архитектурным недоразумением, случайно появившимся в результате многочисленных перестроек окружающих зданий, составляющих этот перенаселенный массив. Пол был устлан как попало керамическими плитками, взятыми из различных ванных комнат и кухонь. Помещение скудно освещалось двумя голыми лампочками, напоминавшими какие-то странные фрукты, висящие на засохшей лозе.

---

[1] *Куфия* — мужской головной убор в виде платка, закрепляемого на голове обручем.

Мы пристроились в свободном уголке, взяли предложенный нам чай и какое-то время цедили его в молчании. Затем Прабакер стал вполголоса рассказывать мне об этом месте, которое он называл человеческим рынком. Дети, сидевшие под изодранным навесом, были рабами. Они прибыли сюда из разных штатов, спасаясь от циклона в Западной Бенгалии, от засухи в Ориссе, от эпидемии холеры в Харьяне, от бесчинств сепаратистов в Пенджабе. Дети бедствия, найденные, завербованные и купленные специальными агентами, они добирались до Бомбея по железной дороге, зачастую проделав путь в несколько сотен километров без сопровождения взрослых.

Мужчины во дворике были либо агентами, либо покупателями. Хотя на первый взгляд они не проявляли особого интереса к детям на скамье, Прабакер объяснил мне, что на самом деле идет оживленная торговля и споры и даже в этот самый момент заключаются сделки.

Дети были маленькие, худые и беззащитные. Двое из них сидели, переплетя руки, еще один обнимал своего товарища, словно защищая его. Все они не спускали глаз с откормленных и разодетых мужчин, следя за выражением на их лицах и за каждым красноречивым жестом их рук с перстнями. Черные детские глаза мерцали, как вода на дне глубокого колодца.

Почему так легко черствеет человеческое сердце? Как мог я находиться в этом месте, видеть этих детей и ничего не сделать, чтобы остановить это? Почему я не сообщил об этой работорговле властям или не прекратил ее сам, раздобыв пистолет? Ответом на этот вопрос, как и на все кардинальные жизненные вопросы, могло служить сразу несколько причин. Я был беглым арестантом, которого разыскивали, за которым гнались, и потому не имел возможности связаться с правительственными чиновниками или полицией. Я был иностранцем в этой своеобразной стране, это была чужая земля, со своей культурой, своим жизненным укладом. Надо было больше знать о ней — по крайней мере, понимать, что говорят эти люди, прежде чем вмешиваться в их дела. И по собственному горькому опыту я знал, что иногда, пытаясь из лучших побуждений исправить что-либо, мы своими действиями лишь усугубляем зло. Если бы, к примеру, я ворвался сюда с оружием и помешал торговле, она просто переместилась бы в какое-нибудь другое укромное место. Это было ясно даже мне, чужаку. А рынок, возникший на новом месте, мог оказаться еще хуже этого. Я ничего не мог предпринять и понимал это.

Но я не понимал тогда, и это не давало мне покоя еще долго после «дня рабов», почему это зрелище не доконало меня. Лишь значительно позже я осознал, что объяснение отчасти кроется в моем тюремном прошлом и в людях, которых я встречал там. Некоторые из них — слишком многие — отсиживали уже четвертый или пятый срок. Чаще всего они начинали с исправительных школ — «школ для мальчиков», как их называли, — или с учебно-исправительных лагерей, и были они в то время не старше этих маленьких рабов-индийцев. Зачастую их били, морили голодом, запирали в одиночке. Некоторые из них — слишком многие — становились жертвой сексуального домогательства. Спросите любого человека, имеющего за плечами длительный срок тюремного заключения, и он скажет вам, что ничто так не ожесточает человеческое сердце, как правоохранительная система.

И хотя это, конечно, неправильно и постыдно, но я был рад тому, что мой прошлый опыт ожесточил мое сердце. Этот камень у меня в груди служил мне единственной защитой от всего того, что я видел и слышал во время этих прабакеровских экскурсий по темным уголкам бомбейской жизни.

Прозвучали чьи-то хлопки, рассыпавшиеся эхом по помещению, и маленькая девочка поднялась со скамьи и стала исполнять танец, напевая. Это была любовная песня из популярного индийского фильма. В последующие годы я слышал ее много раз, сотни раз, и всегда вспоминал эту десятилетнюю девочку и ее удивительно сильный, высокий и тонкий голос. Она качала бедрами и выпячивала несуществующую грудь, по-детски имитируя движения стриптизерки, и покупатели с агентами глядели на нее с интересом.

Прабакер продолжал играть роль Вергилия, объясняя мне тихим голосом все, что происходило в этом аду. Он сказал, что если бы дети не попали на рынок рабов, то неминуемо умерли бы. Вербовщики рыскали с профессиональным мастерством ищеек по местам катастроф, кидаясь из провинции, пострадавшей от засухи, к очагу землетрясения, от землетрясения — к наводнению. Голодающие родители, уже пережившие болезнь и смерть своих детей, благословляли вербовщиков и, ползая на коленях, умоляли их купить сына или дочь, чтобы хоть один ребенок остался в живых.

Мальчикам, продаваемым в рабство, было суждено стать погонщиками верблюдов в Саудовской Аравии, в Кувейте и других странах Персидского залива. Некоторые из них, сказал Прабакер, будут искалечены во время верблюжьих бегов, которые устраиваются на потеху богатым шейхам. Некоторые умрут. Когда мальчики вырастали и становились слишком большими, чтобы участвовать в бегах, их бросали на произвол судьбы. Девочки же работали служанками в богатых домах по всему Ближнему и Среднему Востоку или занимались сексуальным обслуживанием.

Но зато, сказал Прабакер, эти мальчики и девочки были живы. Им повезло. На каждого ребенка, попадавшего на рынок рабов, приходились сотни тех, кто голодал и умирал в страшных мучениях.

Голод, рабство, смерть. Обо всем этом поведал мне тихо журчавший голос Прабакера. Есть истина, которая глубже жизненного опыта. Ее невозможно увидеть глазами или как-то почувствовать. Это истина такого порядка, где рассудок оказывается бессильным, где реальность не поддается восприятию. Мы, как правило, беззащитны перед ее лицом, а познание ее, как и познание любви, иногда достигается столь высокой ценой, какую ни одно сердце не захочет платить по доброй воле. Она далеко не всегда пробуждает в нас любовь к миру, но она удерживает нас от ненависти к нему. И единственный способ познания этой истины — передача ее от сердца к сердцу, как передал ее мне Прабакер, как теперь я передаю ее вам.

ГЛАВА

4

— Ты знаешь тест на «Борсалино»?

— Какой тест?

— На шляпу борсалино. Он позволяет установить, настоящая борсалино перед тобой или жалкая имитация. Ты ведь, надеюсь, знаешь, что такое борсалино?

— Нет, боюсь, что я не в курсе.

— Ах вот как? — протянул Дидье с улыбкой, которая выражала одновременно удивление, лукавство и презрение. Каким-то необъяснимым образом это сочетание делало улыбку неотразимо привлекательной. Подавшись вперед и наклонив голову набок, он произнес, потряхивая своими черными кудряшками, что как бы подчеркивало значительность его слов: — Борсалино — это непревзойденная по качеству принадлежность туалета. Многие полагают, и я в том числе, что более уникального мужского головного убора не существовало за всю историю человечества. — Он описал руками круг над головой, изображая шляпу. — У этой шляпы широкие поля, и изготавливается она из черной или белой кроличьей шерсти.

— Ну и что? — отозвался я вполне дружелюбным, как мне казалось, тоном. — Кроличья шляпа есть кроличья шляпа, что тут особенного?

Дидье пришел в ярость:

— «Что особенного»?! Ну, знаешь, друг мой! Борсалино — это нечто гораздо большее, нежели просто шляпа. Это произведение искусства! Прежде чем выставить ее на продажу, ее расчесывают вручную не меньше десяти тысяч раз. «Борсалино» — это особый элитарный стиль, который в течение многих десятилетий служил отличительным признаком высших кругов итальянской и французской мафии. Само слово «борсалино» стало синонимом мафии, и крутых парней из преступного мира в Милане и Марселе так и называли — «борсалино». Да, в те дни гангстеры обладали несомненным стилем. Они понимали, что если уж ты живешь вне закона и существуешь за счет убийства и ограбления своих ближних, то обязан, по крайней мере, выглядеть элегантно. Ты согласен?

— Да, это, пожалуй, минимум того, что они обязаны были сделать ради общества, — улыбнулся я.

— Разумеется! А теперь, увы, все, на что они способны, — это поза. Никакого стиля! Это характерная черта нашего времени: стиль превращается в позу, вместо того чтобы поза поднималась до стиля.

Он помолчал, дабы я в полной мере оценил его афоризм.

— А тест на шляпу борсалино заключается в том, что ее скатывают в трубочку, очень плотную, и протягивают через обручальное кольцо. Если шляпа при этом не мнется и не теряет своей формы, то, значит, это настоящая борсалино.

— И ты хочешь сказать...

— Да, именно так! — возопил Дидье, грохнув кулаком по столу.

Было восемь часов, мы сидели в «Леопольде» неподалеку от прямоугольной арки, выходившей на Козуэй. Иностранцы за соседним столиком обернулись на шум, но официанты и завсегдатаи не обратили никакого внимания на чудаковатого француза. Дидье уже девять лет ел, пил и разглагольствовал в «Леопольде». Все знали, что существует определенная граница, дальше которой нельзя испытывать его терпение, иначе он становится опасен. Известно было также, что граница эта проложена не в сыпучем песке его собственной жизни, его чувств и убеждений. Она проходила через сердца людей, которых он любил. Если их обижали, причиняли им какой-либо вред, это пробуждало в Дидье холодную и убийственную ярость. А любые слова или поступки, направленные против него самого, — кроме разве что нанесения телесных повреждений — не задевали его и воспринимались с философским спокойствием.

— *Comme ça!*[1] Я это все к тому, что твой маленький друг Прабакер подверг тебя такому же тесту. Скатал тебя в трубочку и пропустил через кольцо, чтобы проверить, настоящий ты «Борсалино» или нет. Именно для этого он и устроил тебе экскурсию по разным непотребным закоулкам этого города.

Я молча потягивал кофе. Конечно, так и было — Прабакер действительно подверг меня испытанию, — но я не хотел уступать Дидье права на открытие этого факта.

---

[1] Вот так! *(фр.)*

Вечерняя толпа туристов из Германии, Швейцарии, Франции, Англии, Норвегии, Америки, Японии и десятка других стран схлынула, уступив место ночной толпе индийцев и экспатриантов, избравших Бомбей своим домом. Местные заявляли свои права на «Леопольд» и другие заведения вроде него — кафе «Мондегар», «Мокамбо», «Свет Азии» — по вечерам, когда туристы прятались в своих отелях.

— Если это было испытание, — сдался я наконец, — то, видимо, я его выдержал. Прабакер пригласил меня в гости к своим родителям, в деревушку на севере штата.

Дидье театрально вздернул брови:

— И надолго?

— Не знаю. Месяца на два. А может, и больше.

— Ну, тогда ты прав, — заключил Дидье. — Твой маленький друг влюбился в тебя.

— По-моему, это все-таки слишком сильное выражение, — нахмурился я.

— Нет-нет, совсем не то, что ты думаешь. Знаешь, здесь надо быть осторожным с этой влюбчивостью. Здесь все не так, как в других местах. Это Индия. Все приезжающие сюда неизбежно влюбляются в кого-нибудь — и обычно неоднократно. Но индийцев в этом никому не переплюнуть. Возможно, твой Прабакер тоже влюбился в тебя. И в этом нет ничего странного. Я уже достаточно долго живу в Бомбее и знаю, что говорю. Индийцы влюбляются очень легко и часто. Именно поэтому всем этим сотням миллионов удается достаточно мирно уживаться друг с другом. Разумеется, они не ангелы. Они так же дерутся, лгут и обманывают, как и все остальные. Но индийцы гораздо лучше, чем все другие народы, умеют любить своих соотечественников.

Дидье раскурил сигарету и стал размахивать ею, как сигнальным флажком, пока официант не заметил его и не кивнул, давая знак, что заказ принят. Когда водка с закуской, приправленной карри, прибыла, Дидье продолжил:

— Индия примерно в шесть раз больше Франции. А населения здесь в двадцать раз больше. В двадцать! Можешь мне поверить, если бы миллиард французов жил в такой скученности, то текли бы реки крови. Низвергались бы водопады! А между тем французы, как всем известно, самая цивилизованная нация в Европе. И даже во всем мире. Так что, будь уверен, без любви Индия прекратила бы существование.

К нам присоединилась Летиция, севшая слева от меня.

— По какому поводу ты сегодня горячишься, мошенник? — приветливо поинтересовалась она. Благодаря ее южнолондонскому акценту последнее слово прозвучало как выстрел.

— Он просто убеждал меня, что французы — самая цивилизованная нация в мире.

— И весь мир это признает, — добавил Дидье.

— Когда вы вырастите на своих виноградниках нового Шекспира, дружище, тогда я, возможно, и соглашусь с тобой, — промурлыкала Летти с улыбкой, которая была столь же теплой, сколь и снисходительной.

— Дорогая моя, пожалуйста, не думай, что я недооцениваю вашего Шекспира, — радостно закудахтал Дидье. — Я очень люблю английский язык — ведь он больше чем наполовину состоит из французских слов.

— *Touché!*[1] — ухмыльнулся я. — Как говорим мы, англичане.

В этот момент к нам подсели Улла с Моденой. Улла была одета для работы: короткое облегающее черное платье с хомутиком на открытой шее, сетчатые чулки и туфли на шпильках. На ее шее и в ушах сверкали ослепительные поддельные бриллианты. Ее наряд был полной противоположностью костюму Летти, состоявшему из парчового жакета бледно-желтого цвета, свободной атласной темно-коричневой юбки-брюк и сапог. Но особенно заметен был контраст — причем удивительный — между их лицами. У Летти был прямой, чарующий, уверенный и иронический взгляд, в котором сквозила тайна, в то время как большие голубые глаза Уллы, при всем ее профессионально-сексуальном антураже, не выражали ничего, кроме наивности, неподдельной бессмысленной наивности.

— Я сегодня запрещаю тебе говорить со мной, Дидье, — сразу же заявила Улла, надув губки. — Я провела три ужасных часа в компании с Федерико, и все по твоей вине.

— Хм! — буркнул Дидье. — Федерико!

— О-о-о, — пропела Летти, умудрившись сделать три звука из одного. — Что случилось с молодым красавчиком Федерико? Улла, дорогуша, поделись с нами сплетней.

— *На джа*, Федерико ударился в религию и чуть не свел меня этим с ума. И все это из-за Дидье.

— Да, — с возмущением подтвердил Дидье. — Федерико нашел Бога, и это настоящая трагедия. Он больше не пьет, не курит, не употребляет наркотиков. И разумеется, никакого секса ни с кем — даже с самим собой. Такой талант пропадает — просто ужасно. Он же был сущим гением развращенности, моим лучшим учеником, моим шедевром! Свихнуться можно. А теперь он решил стать добропорядочным, хорошим человеком — в худшем смысле этого слова.

— Ну что ж, одно приобретаешь, другое теряешь, это неизбежно, — вздохнула Летти с притворным участием. — Не вешай носа, Дидье. Поймаешь в свои сети какую-нибудь другую рыбешку, поджаришь ее и заглотишь.

---

[1] Сдаюсь! *(фр.)*

— Это мне надо сочувствовать, а не Дидье, — проворчала Улла. — Федерико пришел от Дидье такой расстроенный, что просто плакал. *Scheisse! Wirklich!*[1] Целых три часа он рыдал и изливал свой бред насчет новой жизни. В конце концов мне стало очень жалко его, и, когда Модене пришлось вышвырнуть его вместе с его Библиями на улицу, я очень переживала. Это все ты виноват, Дидье, и я не буду прощать тебя дольше, чем обычно.

— У фанатиков, — задумчиво произнес Дидье, не обращая внимания на ее попреки, — почему-то всегда абсолютно стерильный и неподвижный взгляд. Они похожи на людей, которые не мастурбируют, но непрерывно думают об этом.

— Дидье, я обожаю тебя, — выдавила Летти, заикаясь от смеха. — Хоть ты и такой мерзопакостный отвратный тип...

— Нет, ты обожаешь его именно за то, что он такой мерзопакостный отварной тип, — объявила Улла.

— Я сказала «отвратный», дорогая, а не «отварной», — терпеливо поправила ее Летти, еще не оправившаяся от приступа смеха. — Как может живой человек быть мерзопакостным или немерзопакостным отварным типом?

— Я, конечно, не так уж хорошо разбираюсь в ваших английских шутках, — упорствовала Улла, — но, по-моему, он как раз мерзопакостный отварной тип.

— Уверяю вас, — запротестовал Дидье, — что в отварном виде я ничуть не хуже любого другого, так что зря вы так...

В этот момент из вечернего уличного шума вынырнула Карла в сопровождении Маурицио и индийца лет тридцати с небольшим. Маурицио и Модена приставили к нашему столику еще один, и мы заказали выпивку и закуску на восьмерых.

— Лин, Летти, это мой друг Викрам Патель, — представила индийца Карла, дождавшись относительной тишины. — По-моему, только вы двое незнакомы с ним. Недели две назад Викрам вернулся из Дании, где довольно долго отдыхал.

Мы с Летти поздоровались с Викрамом, но мои мысли были заняты Карлой и Маурицио. Он сидел рядом с Карлой, напротив меня, положив руку на спинку ее стула и наклонившись к ней, так что их головы почти соприкасались, когда они говорили.

Красавцы пробуждают в некрасивых мужчинах недоброе чувство — это не ненависть, но нечто большее, чем просто неприязнь. Конечно, это чувство неразумно и ничем не оправдано, но возникает всегда, прячась в тени, отбрасываемой завистью. А когда ты влюбляешься в женщину, оно выползает из тени и заявляет о себе в твоем взгляде. Я смотрел на Маурицио, и со дна души у меня поднималась эта муть. Ровные белые зубы итальянца, его гладкое смуглое лицо и густые черные волосы восстановили меня

---

[1] Буквально! *(нем.)*

против него гораздо быстрее и эффективнее, чем это могли бы сделать какие-либо неприятные черты его характера.

А Карла была прекрасна. Ее волосы, собранные в овальный пучок на затылке, сверкали, как вода, перекатывающаяся через черные речные камни, зеленые глаза светились воодушевлением и радостью жизни. На ней был модный индийский костюм шальвар-камиз — доходившее до колен платье поверх брюк свободного покроя из того же шелка оливкового цвета.

Очнувшись от своих грез, я услышал голос нашего нового друга Викрама:

— Я потрясающе провел там время, *йаар*. В Дании все очень уныло и флегматично, люди очень неестественные. Они так, блин, владеют собой, прямо невозможно поверить. Я пошел в сауну в Копенгагене. Это охренено большое помещение, где моются смешанным составом: мужчины вместе с женщинами и все расхаживают в чем мать родила. Совсем, абсолютно голые, *йаар*. И никто на это не реагирует. Даже глазом не моргнет! Индийские парни такого не вынесли бы. Они бы завелись, это точно.

— А ты завелся, Викрамчик? — вкрадчиво спросила Летти.

— Издеваешься, да? Я был единственный во всей сауне, кто обернулся полотенцем, потому что только у меня одного встал.

— Я не понимаю, что он сказал, — объявила Улла, когда смех утих.

Это была просто констатация факта — она не жаловалась и не просила объяснить.

— Слушайте, я ходил туда три недели ежедневно, *йаар*, — продолжал Викрам. — Я думал, что если проведу там достаточно много времени, то привыкну, как эти супертерпеливые датчане.

— К чему привыкнешь? — спросила Улла.

Викрам запнулся, обалдело посмотрел на нее и повернулся к Летти:

— И никакого толку. Все было бесполезно. Три недели прошло, а мне по-прежнему приходилось обматываться полотенцем. Сколько бы я туда ни ходил, стоило мне увидеть, как эти фиговины прыгают вверх и вниз и мотаются из стороны в сторону, и все во мне так и напрягалось. Что тут можно сказать? Я индиец, и такие места не для меня.

— То же самое испытывают индийские женщины, — заметил Маурицио. — Даже когда занимаешься с ними любовью, невозможно до конца раздеться.

— Ну, это не совсем так, — отозвался Викрам. — С кем проблема, так это с мужчинами. Индийские женщины готовы к переменам, а молоденькие пташки из более-менее зажиточных семей так просто бредят этим, *йаар*. Они все образованные, хотят коротко стричься, носить короткие платья и иметь короткие любовные приключения. Они-то с радостью хватаются за все новое, но их удерживают мужчины. Средний индийский мужчина так же примитивен в сексуальном отношении, как четырнадцатилетний мальчуган.

— Ты будешь мне рассказывать об индийских мужчинах! — пробурчала Летти.

Рассуждения Викрама уже какое-то время слушала вместе со всеми подошедшая к нам Кавита Сингх. С ее модной короткой прической, в джинсах и белой футболке с эмблемой Нью-Йоркского университета, Кавита служила живым примером современных индийских женщин, о которых он говорил. Она выглядела классно.

— Ты такой *чудд*[1], Вик, — бросила она, садясь справа от меня. — Митингуешь тут, а сам ничуть не лучше остальных мужчин. Стоит только посмотреть, как ты третируешь свою сестренку, *йаар*, если она осмелится надеть джинсы и облегающий свитер.

— Слушай, я же сам купил ей этот свитер в Лондоне в прошлом году! — возмутился Викрам.

— И после этого довел ее до слез, когда она надела его на джазовый *ятра*[2], *на*?

— Но я же не думал, что она захочет носить его, выходя из дому, — вяло возразил он под общий хохот и сам рассмеялся громче всех.

Викрам Патель не выделялся из общей массы ни своим ростом, ни сложением, но во всем остальном был далеко незаурядным человеком. Его густые вьющиеся черные волосы обрамляли красивое и умное лицо. Живые и яркие светло-карие глаза над орлиным носом и безукоризненно подстриженными усами *а-ля* Сапата[3] смотрели твердо и уверенно. Все детали его ковбойского костюма — сапоги, штаны, рубашка и кожаный жилет — были черными. За его спиной на кожаном ремешке, обвязанном вокруг горла, свисала плоская черная испанская шляпа-фламенко. Галстук-шнурок с орнаментальным зажимом, пояс из долларовых монет и лента на шляпе сверкали серебром. Он выглядел точь-в-точь как герой итальянского вестерна — откуда он и перенял свой стиль. Викрам был одержим фильмами Серджо Леоне[4] «Однажды на Диком Западе» и «Хороший, плохой, злой». После того как я познакомился с ним ближе и видел, как он сумел завоевать сердце любимой женщины, после того как он плечом к плечу со мной дрался с бандитами, охотившимися на меня,

---

[1] Здесь: болтун, пустобрех *(хинди)*.

[2] *Ятра* — концерт, фестиваль *(хинди)*.

[3] *Эмилиано Сапата* (1879–1919) — деятель мексиканской революции 1910–1917 гг. Носил пышные развесистые усы.

[4] *Серджо Леоне* (1929–1989) — итальянский кинорежиссер, мастер «спагетти-вестерна».

я убедился, что он и сам не уступает ни одному из обожаемых им экранных героев.

А в ту первую встречу в «Леопольде» меня поразило, насколько полно им владеет его ковбойский идеал и с какой непринужденностью Викрам следует ему в своем стиле. «У Викрама что на уме, то и в костюме», — сказала однажды Карла. Это была дружеская шутка, и все так ее и восприняли, но к ней примешивалась и капелька презрения. Я не рассмеялся шутке вместе с остальными. Меня привлекают люди, умеющие, как Викрам, продемонстрировать свою страсть с блеском, их откровенность находит отклик в моем сердце.

— Нет, в самом деле, — продолжал гнуть свое Викрам. — В Копенгагене есть заведение, которое называется «телефонный клуб». Там стоят столики, как в кафе, *йаар*, и у каждого свой номер, написанный светящимися цифрами. Если ты видишь, например, за двенадцатым столиком какую-нибудь привлекательную девчонку, первый класс, то можешь набрать по телефону номер двенадцать и поговорить с ней. Охренная штука, блин. Человек снимает трубку и не знает, с кем разговаривает. Иногда проходит целый час, а ты никак не можешь угадать, кто тебе звонит, потому что все говорят одновременно. И наконец ты называешь номер своего столика. Я завел там отличное знакомство, можете мне поверить. Но если устроить такой клуб здесь, то разговор не продлится и пяти минут. Наши парни не сумеют поддержать его. Они слишком неотесанные, *йаар*. Начнут сквернословить, молоть всякий похабный вздор, все равно что хвастливые пацаны. Это все, что я могу сказать. В Копенгагене люди намного флегматичнее, а нам, в Индии, еще долго надо стараться, чтобы достигнуть такой флегматичности.

— Я думаю, что здесь все-таки становится лучше, — выразила свое мнение Улла. — У меня есть такое чувство, что у Индии хорошее будущее. Я уверена, что будет хорошо — ну, лучше, чем сейчас, и очень многие будут счастливее.

Все как один уставились на нее, не находя слов. Казалось невероятным, что эти мысли высказывает молодая женщина, зарабатывающая тем, что развлекает в постели индийцев, у которых достаточно денег, чтобы заплатить за развлечение. Ее использовали как вещь, над ней издевались, и никто не удивился бы, услышав от нее что-нибудь циничное. Оптимизм — собрат любви и абсолютно подобен ей в трех отношениях: он также не знает никаких преград, также лишен чувства юмора и также застигает тебя врасплох.

— Дорогая моя глупенькая Улла, — скривил губы Дидье, — на самом деле ничего не меняется. Если бы ты поработала официанткой или уборщицей, твое доброжелательное отношение к человечеству быстро испарилось бы и сменилось презрением. Два самых верных способа выработать у себя здоровое отвращение к людям и неверие в их светлое будущее — подавать им еду и убирать после них, причем за ничтожные деньги. Я испробовал оба этих занятия в то жуткое время, когда был вынужден зарабатывать на жизнь собственным трудом. Это было кошмарно. До сих пор пробирает дрожь, как вспомню. Вот тогда-то я и понял, что ничто, по сути, не меняется. И, говоря по правде, я рад этому. Если бы мир стал лучше — или хуже, — я не смог бы делать столько денег.

— Чушь собачья, — заявила Летти. — Все может стать лучше или хуже, гораздо хуже. Спроси тех, кто живет в трущобах. Им-то прекрасно известно, как плохо все может обернуться. Не правда ли, Карла?

Все обратились к Карле. Она помолчала, крутя чашку на блюдце своим длинным указательным пальцем.

— Я думаю, что мы все, каждый из нас, должен заработать свое будущее, — произнесла она медленно. — Точно так же, как и все остальные важные для нас вещи. Если мы сами не заработаем свое будущее, его у нас и не будет. Если мы не трудимся ради него, то мы его не заслуживаем и обречены вечно жить в настоящем. Или, что еще хуже, в прошлом. И возможно, любовь — это один из способов заработать себе будущее.

— А я согласен с Дидье, — сказал Маурицио, запивая еду холодной водой. — Пусть лучше ничего не меняется, меня устраивает то, что есть.

— А ты? — повернулась Карла ко мне.

— Что — я? — улыбнулся я.

— Если бы ты знал с самого начала, что будешь какое-то время по-настоящему счастлив, но затем счастье изменит тебе и это принесет тебе много боли, выбрал бы ты это кратковременное счастье или предпочел бы жить спокойно, не ведая ни счастья, ни печали?

Ее вопрос выбил меня из колеи, и я почувствовал себя неловко под выжидательными взглядами всей компании. У меня было ощущение, что этот вопрос — своего рода испытание; возможно, она уже задавала его остальным, они на него в свое время ответили и теперь ждут, что скажу я. Не знаю, что она хотела услышать от меня, но только сама моя жизнь была ответом. Я сделал свой выбор, когда перелез через тюремную стену.

— Я выбрал бы счастье, — сказал я и был награжден легкой улыбкой Карлы — то ли одобрительной, то ли удивленной. А может быть, в ней было и то и другое.

— А я бы не выбрала, — возразила Улла, нахмурившись. — Ненавижу боль и несчастье, просто не выношу. Я предпочла бы не получить ничего, нежели хотя бы капельку печали. Наверное, поэтому я так люблю спать, *на*? Когда спишь, то не можешь быть по-настоящему печальным. Во сне можно испытывать счастье и страх или сердиться, но почувствовать печаль можно только после того, как совсем проснулся.

— Я согласен с Уллой, — сказал Викрам. — В мире и так, блин, слишком много всякой печали и горя, *йаар*. Потому-то все и ходят как неживые. По крайней мере, я чувствую себя неживым из-за этого, это точно.

— А я... пожалуй... соглашусь с тобой, Лин, — протянула Кавита, но трудно было сказать, действительно ли она разделяет мое мнение, или же в ней просто говорит инстинктивное желание противоречить Викраму. — Если у тебя есть шанс быть по-настоящему счастливым, то надо хвататься за него, чего бы это ни стоило.

Дидье поерзал, недовольный тем оборотом, какой приняла наша беседа.

— Вы все слишком умничаете, — буркнул он.

— Я не умничаю, — тут же уязвленно возразил Викрам.

Дидье приподнял одну бровь:

— Я хочу сказать, что вы чересчур все усложняете. Жизнь на самом деле очень проста. Сначала мы боимся всего вокруг — животных, погоды, деревьев, ночного неба, — всего, кроме других людей. А потом, наоборот, мы боимся других и почти ничего больше. Мы никогда не знаем, почему люди поступают так, а не иначе. Никто не говорит правды. Никто не чувствует себя счастливым, не чувствует себя в безопасности. Все в мире так извращено, что нам остается только одно — выжить. Это худшее, что мы можем сделать, но мы должны выжить. Именно поэтому мы цепляемся за всякие небылицы вроде того, что у нас есть душа, а на небесах сидит Бог, который о ней заботится. Вот так-то.

Он откинулся на стуле и обеими руками подкрутил концы своих дартаньяновских усиков.

— Не уверен, что до конца понял все, что он тут наговорил, — проворчал Викрам, — но почему-то одновременно хочу с ним согласиться и чувствую себя оскорбленным.

Маурицио поднялся, собираясь уходить. Он положил руку Карле на плечо и одарил всех чарующей приветливой улыбкой. Я вынужден был признать, что улыбка неотразима, и в то же время ненавидел его за это.

— Не тушуйся, Викрам, — дружески обратился он к индийцу. — Просто Дидье может говорить только на одну тему — о себе самом.

— Но тут он бессилен: тема слишком интересная, — тут же вставила Карла.

— *Merci*, дорогая, — пробормотал Дидье с легким поклоном в ее сторону.

— *Allora*, Модена. Пошли. Мы, наверно, увидимся с вами попозже в «Президенте», *si*? *Ciao!*[1]

Он поцеловал Карлу в щеку, нацепил свои солнцезащитные очки «Рей-бэн» и прошествовал вместе с Моденой из ресторана, влившись в уличную толпу. Испанец не сказал за весь вечер ни слова и ни разу не улыбнулся, но сейчас, когда они смешались с другими фланирующими прохожими, я заметил, что он с горячностью обращается к Маурицио, потрясая кулаком. Заглядевшись им вслед, я вздрогнул, услышав слова Летти, и почувствовал легкий укол совести, потому что она высказала то, что пряталось, насупившись, в самом дальнем уголке моего сознания.

— Маурицио совсем не так хорошо владеет собой, как кажется, — сердито бросила она.

— Все мужчины не так хорошо владеют собой, как кажется, — отозвалась Карла, с улыбкой накрыв руку Летти своей.

— Ты больше не любишь Маурицио? — спросила Улла.

— Я ненавижу его, — бросила Летти. — Нет, не ненавижу. Скорее презираю. Не могу его видеть.

— Дорогая моя Летиция... — начал было Дидье, но Карла прервала его:

— Не надо сейчас, Дидье. Пусть это уляжется.

— Удивляюсь, как я могла быть такой дурой! — процедила Летти сквозь зубы.

— *На джа*... — медленно произнесла Улла. — Мне не хотелось бы говорить «Я тебя предупреждала», но...

— А почему бы не сказать? — вмешалась Кавита. — Меня шоколадом не корми, но дай уязвить кого-нибудь своим «Я тебя предупреждала». Говорю это Викраму по меньшей мере раз в неделю.

— А мне он нравится, — заметил Викрам. — Вы, наверно, не знаете, но он просто фантастический наездник. В седле — прямо Клинт Иствуд[2], *йаар*. На прошлой неделе я видел его на пляже Чаупатти верхом. Он был там с этой сногсшибательной белокурой цыпочкой из Швеции. Он выглядел в точности как Клинт в «Бродяге высокогорных равнин», честное слово. Смертельный номер, блин.

— Ах, он умеет ездить верхом?! — фыркнула Летти. — Как же я могла так его недооценить? Беру свои слова обратно.

— И потом, у него дома есть первоклассный магнитофон, — продолжал Викрам, явно не замечая настроения Летти. — И отличные записи прямо с итальянских фильмов.

— Ну ладно, с меня хватит! — воскликнула Летти, поднимаясь и хватая сумочку и книгу, принесенную с собой.

---

[1] *Allora* — пошли; *si* — да; *Ciao!* — Пока! (*ит.*)

[2] *Клинт Иствуд* (р. 1930) — американский киноактер и режиссер, прославившийся ролями в вестернах.

Рыжие завитки волос вокруг ее лица в форме сердечка трепетали от возмущения. Бледная кожа, без единой морщинки обтягивавшая ее мягкие черты, в ярком белом освещении ресторана делала ее похожей на разгневанную мраморную Мадонну, и я вспомнил слова Карлы: «Духовно Летти, пожалуй, богаче всех нас».

Тут же вскочил и Викрам:

— Я провожу тебя до гостиницы. Мне в том же направлении.

— Вот как? — бросила Летти, крутанувшись к Викраму так резко, что он захлопал глазами. — И что же это за направление?

— Ну... в общем... любое направление, *йаар*. Я люблю прошвырнуться вечером. Так что... куда ты, туда и я.

— Ну что ж, если тебе это так надо... — проскрежетала Летти, рассыпая голубые искры из глаз. — Карла, любовь моя, мы договорились завтра пить кофе в «Тадже», если не ошибаюсь? Обещаю на этот раз не опаздывать.

— Буду ждать, — отозвалась Карла.

— Счастливо всем! — помахала нам рукой Летти.

— Счастливо! — повторил Викрам, убегая вслед за ней.

— Знаете, что мне нравится в Летиции больше всего? — задумчиво протянул Дидье. — В ней нет абсолютно ничего французского. Наша французская культура настолько распространена и заразительна, что почти в каждом человеке на земле есть что-то от француза. Особенно в женщинах. Почти каждая из них — чуть-чуть француженка. А Летиция — самая нефранцузская женщина из всех, кого я знаю.

— Ты сегодня превзошел самого себя, Дидье, — заметила Кавита. — Что с тобой? Ты влюбился или, наоборот, разлюбил?

Дидье со вздохом посмотрел на свои руки, сложенные на столе одна поверх другой.

— Пожалуй, отчасти и то и другое. У меня сегодня черный день. Федерико — ты ведь знаешь его — обратился к вере. Для меня это тяжелый удар. По правде говоря, его внезапная праведность разбила мне сердце. Но хватит об этом. Вы знаете, в «Джехангире» открылась выставка Имитаз Дхаркер. Ее работы очень чувственны и полны необузданной энергии — в самый раз, чтобы встряхнуться. Кавита, не хочешь сходить со мной?

— Конечно, — улыбнулась девушка. — С удовольствием.

— Я пройдусь с вами до Регал-джанкшн, — сказала Улла, вздохнув. — Мне надо встретиться там с Моденой.

Они встали, попрощались с нами и вышли через арку, но затем Дидье вернулся, и, подойдя ко мне, положил руку мне на плечо, словно ища опору, и произнес с удивительной сердечностью:

— Поезжай с ним, Лин. Поезжай с Прабакером в его деревню. Каждый город на земле хранит в сердце память о деревне. Не поняв, чем живет деревня, ты не поймешь и города. Съезди туда.

Когда вернешься, посмотрим, что Индия сделала с тобой. *Bonne chance!*[1]

Он удалился, оставив меня наедине с Карлой. Когда с нами был Дидье и все остальные, в ресторане было шумно, теперь же вдруг наступила тишина — или, может быть, мне так показалось. Я не решался заговорить, боясь, что мои слова разнесутся эхом по всему залу от одного столика к другому.

— Ты покидаешь нас? — выручила меня Карла.

— Понимаешь, Прабакер пригласил меня съездить с ним в деревню к его родителям, на его родину, как он сказал.

— И ты поедешь?

— Да, наверное, поеду. Он оказал мне этим честь, как я понимаю. Он навещает родителей примерно раз в полгода вот уже девять лет, с тех пор как устроился на работу в Бомбее. Но я первый иностранец, которого он пригласил с собой.

Она подмигнула мне; в уголках ее рта прятался намек на улыбку.

— Возможно, ты и не первый, кого он пригласил, но первый, кто настолько свихнулся, что готов принять его приглашение. Впрочем, это не меняет сути.

— Ты считаешь, что я свихнулся, раз еду вместе с ним?

— Вовсе не поэтому! Во всяком случае, если ты и свихнулся, то в правильную сторону, как и все мы тут. А где его деревня?

— Не знаю точно. Где-то на севере штата. Он сказал, что туда надо добираться поездом, а потом двумя автобусами.

— Дидье прав. Тебе надо ехать. Если ты хочешь обосноваться здесь, в Бомбее, тебе надо сначала пожить какое-то время в деревне. Деревня — это ключ к Индии.

Мы сделали последний заказ проходившему мимо официанту, и спустя несколько минут он принес банановый йогурт для Карлы и чай для меня.

— А сколько времени понадобилось тебе, Карла, чтобы привыкнуть к Бомбею? Ты всегда держишься совершенно естественно, как в своей стихии. Как будто ты прожила здесь всю жизнь.

— Трудно сказать. Бомбей — именно то, что мне требуется. Я поняла это в первый же день, в первый же час, когда приехала сюда. Так что, в общем-то, и привыкать не надо было.

— Забавно, но я тоже сразу почувствовал что-то вроде этого. Уже через час после того, как наш самолет приземлился, у меня появилось ощущение, что это место как раз для меня.

— А полная акклиматизация пришла, я думаю, с языком. Когда мне стали сниться сны на хинди, я поняла, что это теперь мой дом. И тогда все стало на свои места.

---

[1] Успеха! *(фр.)*

— И ты по-прежнему так думаешь? Ты собираешься остаться здесь навсегда?

— Ничто никогда не бывает навсегда, — ответила она медленно, с характерной для нее рассудительностью.

— Ну, ты понимаешь, что я хочу сказать.

— Ну да... Я проживу здесь до тех пор, пока не получу то, что
мне надо. А тогда, возможно, уеду куда-нибудь еще.

— А что тебе надо, Карла?

Она нахмурилась и посмотрела на меня в упор. Это выражение в ее глазах было мне уже знакомо, оно означало: «У тебя, конечно, есть право задать этот вопрос, но нет права непременно
получить на него ответ».

— Мне нужно все, — бросила она, слегка усмехнувшись. —
Однажды я ответила так же одному моему другу, и он сказал, что
секрет успеха в том, чтобы ничего не хотеть и получить то, что
тебе надо.

Спустя некоторое время, пробравшись сквозь толпу на Козуэй
и Стрэнде и пройдя под лиственными сводами пустынных уло-
чек позади Колабского рынка, мы задержались у скамейки под
развесистым вязом, растущим около ее дома.

— У меня сменилась вся система понятий, — вернулся я к нашему разговору в «Леопольде». — Это абсолютно новый угол зрения, новый способ восприятия мира.

— Да, ты прав. Именно так это происходило и у меня.

— Прабакер водил меня в один старый многоквартирный дом
около больницы Святого Георгия, где находится что-то вроде
хосписа. Дом был битком набит безнадежными больными, и все,
что у них осталось, — это место на полу, где можно лечь и умереть. А владелец этого дома, который имеет репутацию чуть ли
не святого, ходил среди умирающих, щупал их и знаками показывал своим помощникам, какие из органов человека жизнеспо-
собны. Это огромное хранилище человеческих органов. За право
умереть в чистом, спокойном месте, а не в придорожной канаве
люди готовы предоставить этому типу свои органы по первому
его требованию. И при этом они смотрят на него со слезами благодарности, чуть ли не с обожанием.

— Еще одно испытание, которому твой друг Прабакер решил
подвергнуть тебя перед отъездом?

— Да, но было кое-что и похуже. И главное, что ты не можешь ничего сделать с этим. Видишь детей, которые... которым
приходится очень несладко, видишь людей в трущобах — он сам
живет в трущобах и водил меня туда... эта постоянная вонь из
открытых уборных, беспросветная нищета, убогость... Они глядят на тебя из дверей своих лачуг, а ты понимаешь, что не в силах им помочь и что им не на что надеяться. Ты не можешь изме-

нить это и вынужден успокаивать себя мыслью, что все могло быть гораздо хуже. Полная беспомощность.

— Знаешь, увидеть своими глазами все несовершенство мира очень полезно, — сказала Карла, помолчав. — И не менее важно иногда понимать, что, каким бы плохим ни было то, что ты видишь, ты не в силах улучшить это. В мире полно гадостей, которые не были бы такими гадкими, если бы кто-то в свое время не постарался исправить их.

— Как-то не хочется верить в это. Я знаю, конечно, что ты права. Очень часто, стремясь исправить что-либо, мы делаем только хуже. Но все же, если мы будем поступать правильно, мир, мне кажется, может измениться к лучшему.

— Между прочим, я сегодня столкнулась на улице с Прабакером. Он велел спросить тебя насчет каких-то водных процедур, так что я спрашиваю, хотя сама не понимаю о чем.

— А, ну да, — рассмеялся я. — Дело в том, что вчера, когда я спускался по лестнице, чтобы встретить около гостиницы Прабакера, мне навстречу попалась вереница индийских парней, тащивших на голове кувшины с водой. Я посторонился, чтобы пропустить их. На улице я увидел большую деревянную бочку на колесах, передвижную цистерну, так сказать. Один из индийцев доставал из бочки воду ведром и разливал ее по кувшинам. Я наблюдал за этим до бесконечности; ожидая Прабакера, парни успели сделать несколько ходок вверх и вниз. Когда Прабакер подошел, я спросил его, что они делают. Он объяснил, что они таскают воду для моего душа. На крыше установлен большой бак, и они наполняют его.

— Ну да, так всегда делается.

— Ты знаешь об этом, теперь и я знаю, но вчера это явилось для меня настоящим откровением. В этой жаре я залезаю под душ не меньше трех раз в день. Мне и в голову не могло прийти, что людям приходится подниматься с кувшинами на шесть лестничных пролетов, чтобы я мог ублажать себя. Я пришел в ужас и сказал Прабакеру, что больше ни за что и никогда не буду принимать душ в этой гостинице.

— А он что ответил?

— Он сказал, что я ничего не понимаю, что это их заработок. Если бы не туристы вроде меня, объяснил он, у этих индийцев не было бы работы. А им ведь надо содержать семью. Он настаивал, что я должен принимать душ три, четыре, пять раз в день.

Карла кивнула.

— Он велел мне посмотреть, как они покатят бочку. И я понял, что он хотел этим сказать. Это были сильные, здоровые парни, и они гордились тем, что занимаются делом, а не попрошайничают и не воруют. Они со своей бочкой влились в поток транспорта, высоко подняв голову и ловя на себе восхищенные взгляды индийских девушек.

— Так ты принимаешь теперь душ?

— Да, трижды в день, — рассмеялся я. — Но я хотел тебя спросить, за что Летти так взъелась на Маурицио?

Она опять посмотрела тяжелым взглядом прямо мне в глаза, уже вторично за этот вечер.

— У Летти налажены связи в Отделе регистрации иностранцев: один из крупных чиновников отдела питает слабость к сапфирам, и Летти поставляет их ему по оптовой цене или даже чуть ниже. И иногда, в обмен на эту... любезность, она имеет возможность помочь кому-нибудь продлить визу — почти бессрочно. Маурицио хотел продлить визу еще на год и притворился, что влюблен в Летти, — фактически соблазнил ее, — а получив, что ему требовалось, он ее бросил.

— Летти ведь твоя подруга...

— Я предупреждала ее. Маурицио не из тех мужчин, в которых можно влюбляться. С ним можно делать все, что угодно, но только не влюбляться.

— И все-таки он тебе нравится? Несмотря на то, что он так поступил с твоей подругой?

— Он поступил именно так, как я от него и ожидала. С его точки зрения, он провернул честную сделку — поухаживал за девушкой в обмен на визу. Со мной ему и в голову не пришло бы выкинуть что-нибудь подобное.

— Он что, боится тебя? — улыбнулся я.

— Да, я думаю, боится. Немножко. И это одна из причин, по которым он мне нравится. Я не смогла бы уважать человека настолько бестолкового, что он не боялся бы меня хоть чуть-чуть.

Она встала, я поднялся тоже. Ее зеленые глаза, повлажневшие в свете уличного фонаря, были драгоценными камнями, будящими желание. Губы приоткрылись в полуулыбке, которая принадлежала только мне одному, — это был мой момент, и мое сердце, неуемный попрошайка у меня в груди, с надеждой встрепенулось.

— Когда ты поедешь завтра с Прабакером в его деревню, — сказала она, — постарайся отдаться этому целиком. Просто... плыви по течению. В Индии надо иногда уступить, чтобы добиться своего.

— У тебя всегда наготове какой-нибудь благоразумный совет, да? — спросил я, усмехнувшись.

— Это не благоразумие, Лин. Благоразумие, на мой взгляд, значительно переоценивают, тогда как оно всего лишь та же рассудочность, из которой вытряхнули всю суть. Я не стремлюсь быть благоразумной. Большинство благоразумных людей, которых я знаю, действуют мне на нервы, но по-настоящему умные люди всегда привлекают меня. Если бы я хотела дать тебе благоразумный совет — чего я не хочу, — то я сказала бы: не напивайся, не кидай деньги на ветер и не влюбляйся в какую-нибудь деревенскую девчонку. Вот это было бы благоразумно. Но я предпочитаю просто разумное и потому рекомендую тебе не противиться ничему, с чем бы ты там ни столкнулся. Ну ладно, я пошла. Разыщи меня, когда вернешься. Мне хочется встретиться с тобой после этого, действительно хочется.

Она поцеловала меня в щеку и направилась к дому. Я подавил в себе желание схватить ее в объятия и прижать свои губы к ее губам. Я смотрел, как она идет; ее темный силуэт был частью самой ночи. Фонарь над дверью ее дома осветил ее теплым желтоватым светом, но мне казалось, что это мои глаза оживили ее тень, что это мое сердце наполнило ее бестелесную оболочку светом и красками любви. В дверях она обернулась, увидела, что я смотрю на нее, и мягко закрыла дверь за собой.

Я был уверен, что этот последний час с ней был моим тестом на «Борсалино». Всю дорогу до своей гостиницы я гадал, выдержал я испытание или нет. И сейчас, спустя много лет, я продолжаю гадать об этом. И по-прежнему не знаю ответа.

ГЛАВА 5

Длинная плоская лента платформы для поездов дальнего следования протянулась в бесконечность под высокими закругленными металлическими небесами вокзала Виктория. Херувимами этих архитектурных небес были голуби, порхавшие с одного карниза на другой в такой вышине, что разглядеть можно было лишь мельтешение каких-то бесплотных небожителей, сотканных из белого света. Огромный вокзал по праву славился великолепием своих башен и фасадов, украшенных замысловатым узором. Но особой, возвышенной красотой отличался его внутренний зал, напоминавший собор. Функциональность сочеталась здесь с художественной фантазией, и вечные ценности искусства приковывали к себе не меньшее внимание, чем сиюминутные заботы.

Целый час я сидел в куче нашего багажа, наваленного в начале платформы, с которой поезда отправлялись на север. Время шло к вечеру, и вокзал был заполнен людьми, их пожитками и разнообразными живыми или недавно умерщвленными сельскохозяйственными животными.

Прабакер уже в пятый раз оставил меня, бросившись в людскую круговерть между двумя соседними составами. Пять минут спустя он в пятый раз вернулся.

— Ради бога, Прабу, посиди спокойно.

— Мне нельзя сидеть спокойно, Лин.

— Ну, тогда пошли на поезд.

— И на поезд нельзя. Еще не наступило время идти на поезд.

— А когда же оно наступит?

— Я думаю, совсем очень недолго, почти скоро... Слушай, слушай!

Прозвучало какое-то объявление. Возможно, на английском. Оно было похоже на сердитое ворчание не вовремя разбуженного пьяного, многократно усиленное и искаженное конусообразными воронками древних громкоговорителей. Напряженное внимание, с каким Прабакер вслушивался в эти раскаты, сменилось выражением крайней муки.

— Давай, Лин! Скорее! Скорее! Нельзя здесь рассиживаться!

— Послушай, Прабу. Я вот уже час сижу здесь, как изваяние Будды, а теперь вдруг ни с того ни с сего надо нестись сломя голову?

— Да, баба. Оставь изваяние. Не до Будды сейчас — да простит меня его святость! Надо быстро-быстро торопиться. Он идет! Мы должны быть готовы! Видишь его? Он приближается!

— Кто приближается?

Прабакер вглядывался в толпу на платформе. Что бы ни значило прозвучавшее объявление, но оно мгновенно сорвало людей с места, и они ринулись к двум поездам, запихивая свои вещи и самих себя в двери и окна. Из этой суматохи вынырнул какой-то человек, шагавший в нашем направлении. Он был огромен — такие гиганты мне до сих пор почти не встречались, — метра два ростом, мускулистый, с длинной густой бородой, покоящейся на мощной груди. На нем была форма бомбейского носильщика — картуз, рубашка и шорты из грубой ткани цвета хаки с красными полосками.

— Он! — сказал Прабакер, глядя на гиганта с восхищением и ужасом. — Сейчас тебе надо идти с этим человеком, Лин.

Носильщик явно привык иметь дело с иностранцами и сразу взял быка за рога, вытянув ко мне обе руки. Я решил, что он хочет обменяться рукопожатием, и протянул ему свою, но он отпихнул ее с таким видом, который не оставлял сомнений, что он относится к подобным глупостям с крайним отвращением. Сунув руки мне под мышки, он приподнял меня и поставил в сторонку, дабы я не путался среди багажа. Когда ты весишь девяносто килограммов, а тебя вдруг без малейшего усилия поднимают в воздух, это приводит в некоторое замешательство, хотя в то же время и бодрит. В тот же момент я решил беспрекословно подчиняться

106

этому носильщику, по возможности не роняя при этом собственного достоинства.

Гигант одной рукой ухватил мой тяжелый рюкзак, другой — сгреб остальные пожитки, а Прабакер тем временем затолкал меня носильщику в тыл и собрал в кулак его форменную рубашку в виде своего рода хвоста.

— Хватайся, Лин, — велел он мне. — Держись за эту самую рубашку и никогда ни за что не отпускай ее. Дай мне глубокое специальное обещание, что ты не отпустишь рубашку.

У него было настолько необычное для него выражение лица — крайне серьезное и озабоченное, что мне оставалось только кивнуть и взяться за рубашку.

— Нет, Лин! Дай обещание словами. Скажи: «Я никогда больше не отпущу эту рубашку». Скорее!

— О господи! Ну хорошо. Я никогда больше не отпущу эту рубашку. Ты удовлетворен?

— До свидания, Лин! — вскричал вдруг Прабакер и, вклинившись в толпу, затерялся в ней.

— То есть как? Куда ты, Прабу? Прабу!

— Ладно, идем, — пророкотал носильщик голосом, который он раздобыл не иначе как в медвежьей берлоге и долго выдерживал в жерле какого-то ржавого старинного орудия.

Он врезался в толчею, таща меня на буксире, высоко задирая могучие колени и пиная ими окружающих. Люди рассыпа́лись перед его коленями во все стороны. Если они не рассыпа́лись сами, их отбрасывало.

Извергая проклятия, угрозы и оскорбления, носильщик прокладывал путь сквозь людскую массу. Вокруг стоял невообразимый шум — я, казалось, кожей ощущал, как вибрирует воздух. Люди вопили так, будто очутились в центре какого-то ужасного катаклизма. Над их головами ревели что-то неразумительное громкоговорители. Со всех сторон раздавались свистки, гудки и звонки.

Мы остановились перед одним из вагонов, который, подобно всем остальным, был заполнен до отказа. Двери были наглухо забиты человеческими ногами, торсами и головами. В изумлении и немалом смущении я прилепился к носильщику, продолжавшему орудовать своими неутомимыми и несокрушимыми коленями с таким же успехом, как и на платформе.

Наше победное шествие прекратилось лишь в самой середине вагона. Я решил, что человеческая масса оказалась здесь слишком плотной даже для этого Джаггернаута[1], и еще крепче вцепился в его рубашку, страшась отстать от него. Он заворочался,

---

[1] *Джаггернаут* — статуя бога Кришны, вывозимая на ежегодном празднестве.

и сквозь несмолкающий рев толпы я вдруг услышал чей-то голос, повторявший, как настойчивое жалобное заклинание: «Сарр... Сарр... Сарр... Сарр...»

Наконец до меня дошло, что голос принадлежит моему носильщику, а слово, которое он повторяет с таким отчаянием, — «сэр». Я не сразу понял это, потому что ко мне давно уже никто так не обращался.

Отпустив его рубашку, я огляделся и увидел Прабакера, распластавшегося на скамейке во всю ее длину. Он с боем прорвался в вагон одним из первых, чтобы занять для нас места, и охранял их всем своим телом. Переплетя ноги вокруг подлокотника со стороны прохода, руками он вцепился в подлокотник с противоположной стороны. С полдюжины мужчин, набившихся в купе, всеми силами старались оторвать его от сиденья. Они тянули и дергали его, таскали за волосы и колотили по лицу. Прабакер не мог защититься от них, но, когда он увидел меня, торжествующая улыбка пробилась на его лице сквозь гримасу боли.

Я в остервенении раскидал мужчин, хватая их за рубашки и отбрасывая в сторону с силой, какую наши руки приобретают в минуты праведного гнева. Прабакер спустил ноги на пол, и я сел рядом с ним. Тут же началась потасовка за третье освободившееся место. Носильщик сгрузил багаж у наших ног. Его лицо, волосы и рубашка были мокрыми от пота. На прощание он кивнул Прабакеру с глубоким уважением. Не менее глубоким было и презрение, сквозившее во взгляде, которым он окинул меня. Затем он стал протискиваться к выходу, понося на чем свет стоит всех, кто попадался на его пути.

— Сколько ты заплатил этому типу?

— Сорок рупий, Лин.

Сорок рупий. Носильщик протащил сквозь толпу весь наш багаж вместе со мной за каких-то два американских доллара.

— Сорок рупий?

— Да, Лин, — вздохнул Прабакер. — Я понимаю, это очень много. Но такие замечательные колени дорого стоят. Они очень хорошо знамениты, его колени. На вокзале был целый конкурс за его колени среди гидов. Но я убедил его помочь нам, потому что я сказал ему, что ты... не знаю, как это правильно будет по-английски... ну, что у тебя не совсем хорошая голова.

— Это называется «умственно отсталый». Ты сказал ему, что я умственно отсталый?

— Нет-нет! — ответил Прабакер, всесторонне обдумав это выражение. — Наверное, надо перевести это как «дурачок».

— Значит, ты сказал ему, что я дурачок, и тогда он согласился перенести наши вещи?

— Да, — ухмыльнулся он. — Но не простой дурачок, а очень, очень-очень большой.

— Понятно...

— Так что он назначил по двадцать рупий за каждое колено, и вот теперь у нас есть хорошие места.

— А с тобой-то все в порядке? — спросил я, сердясь на то, что ему пришлось страдать ради моего удобства.

— Да, баба. Несколько синяков будут у меня на теле, но ничего не сломалось.

— Но какого черта ты затеял всю эту катавасию, скажи на милость? Я дал тебе деньги на билеты. Мы могли бы ехать первым или вторым классом, как цивилизованные люди, а не тесниться здесь.

Прабакер посмотрел на меня с упреком, его большие темно-карие глаза переполняло разочарование. Вытащив из кармана несколько банкнот, он вручил их мне:

— Это сдача за билеты. Любой может купить билеты в первый класс, Лин. Если ты хочешь купить билеты в первый класс, ты можешь сделать это абсолютно сам. Для того чтобы купить билеты в комфортабельный пустой вагон, тебе не нужен бомбейский гид. А вот чтобы достать хорошие места в обычном вагоне, нужен очень отличный бомбейский гид вроде меня, Прабакера Кишана Харре. Это моя работа.

— Ну разумеется, — отозвался я, слегка оттаяв, хотя и не до конца, поскольку чувствовал себя виноватым перед ним. — Но пожалуйста, не надо больше нарываться на избиение ради хороших мест, ладно?

Он сосредоточенно нахмурился, обдумывая мои слова. Наконец обычная широкая улыбка осветила его лицо в полумраке вагона.

— Хорошо, но если избиение будет абсолютно нужно, — выдвинул он свое условие трудового договора, — то я буду кричать очень громко, и ты сможешь быстро спасти меня от синяков. Договорились?

— Договорились, — вздохнул я, и в этот момент состав неожиданно дернулся и стал выползать с вокзала.

Стоило поезду тронуться с места, как все распри и стычки прекратились, и воцарилась атмосфера подчеркнутой любезности и благовоспитанности, сохранявшаяся до самого конца путешествия.

Мужчина, сидевший напротив меня, случайно задел мою ногу своей — самым краешком ступни, я едва заметил это, — но он тут же коснулся рукой моего колена и приставил кончики пальцев правой руки к своей груди — этот индийский жест означает извинение за ненамеренно причиненное неудобство. Точно с таким же уважением, вниманием и заботой обращались друг к другу пассажиры во всем вагоне.

В ту первую вылазку из города я был возмущен столь внезапной показной вежливостью после бешеной драки при посадке. Беспокойство из-за легкого толчка ногой казалось сущим лицемерием после того, как всего несколько минут назад люди были готовы повыбрасывать друг друга из окна.

Но теперь, совершив очень много поездок в переполненных провинциальных поездах, я понимаю, что ожесточенная схватка за место в вагоне и учтивая предупредительность — проявления одной и той же философии, основанной на принципе необходимости. Для посадки на поезд требовалось столько же физических усилий и агрессивности, сколько вежливости и обходительности необходимо было для того, чтобы сделать путешествие в тесноте по возможности приятным. Что необходимо в данный момент? Вот вопрос, который не высказывается, но неизбежно подразумевается в Индии повсюду. Когда я осознал это, мне стали ясны и многие характерные черты индийской общественной жизни, ставившие меня прежде в тупик: и то, что городские власти смотрят сквозь пальцы на неудержимо разрастающиеся трущобы и на обилие попрошаек на улицах; и свобода передвижения, предоставленная коровам на самых оживленных городских магистралях; и необыкновенно сложная бюрократическая система; и откровенный роскошный эскапизм болливудских фильмов; и готовность страны, перегруженной собственными тяготами, принять сотни тысяч тибетских, иранских, афганских, африканских и бангладешских беженцев.

Подлинные лицемеры, понял я, — это те, кто критикует индийские порядки, приехав из благополучной страны, где нет необходимости драться из-за места в вагоне. Даже в ту первую поездку по стране я в глубине души знал, что Дидье был прав, когда сравнивал перенаселенную Индию с Францией. Интуитивно я чувствовал, что если поселить на таком ограниченном пространстве миллиард французов, австралийцев или американцев, то схватка при посадке в поезд будет гораздо ожесточеннее, а отношения между пассажирами в пути — намного прохладнее.

И эта взаимная предупредительность индийских крестьян, коммивояжеров и тех, кто разъезжал в поисках работы или возвращался к своим близким, действительно делала путешествие вполне приемлемым, несмотря на тесноту и все возраставшую жару. Каждый сантиметр свободного пространства, включая большие металлические полки для багажа над нашими головами, был занят сидящими людьми. Те, кто стоял в проходе, по очереди освобождали друг другу место, отведенное на полу для сидения и очищенное от мусора. К каждому пассажиру прижимались по меньшей мере двое других, но никто не жаловался и не ворчал. Я уступил свое место на четыре часа пожилому человеку с копной белых волос. Он был в очках с такими толстыми линзами, какие вставляются в бинокли армейских разведчиков. Мой поступок вызвал возмущенный протест со стороны Прабакера:

— Я так сильно дрался с хорошими людьми за место для тебя, Лин, а ты отдаешь его так запросто, будто выплевываешь пережеванный пан, и стоишь в проходе, да еще прямо на ногах.

— Но послушай, Прабу, это же пожилой человек, я не могу сидеть, когда он стоит рядом.

— Эту проблему очень легко решить, Лин. Ты просто не смотри, как он стоит рядом. Если он стоит — это его дело, а твоего сидячего места это не касается.

— Я так не могу, — возразил я, смущенно посмеиваясь.

Прабакер оглашал свои претензии на весь вагон, с любопытством внимавший ему.

— Шесть синяков и царапин насчитал я на своем туловище, Лин, — хныкал он, взывая не только ко мне, но и ко всей заинтересованной аудитории. Приподняв рубашку и майку, он продемонстрировал нам большую ссадину и наливающийся кровоподтек. — Ради того чтобы этот старик пристроил свою левую ягодицу на сиденье, я приобрел эти серьезные раны. А ради того, чтобы он разместил на скамейке и свою правую ягодицу, я пострадал и с другого бока. Я весь побит и расцарапан ради размещения его двусторонних ягодиц. Это самый позор, Лин, вот что я тебе скажу. Это самый позор.

Он обстоятельно выразил свою горькую мысль на хинди и на английском, пока все без исключения не усвоили ее. Все наши попутчики глядели на меня набычившись и укоризненно качали головой. Но самым негодующим взглядом меня наградил, разумеется, старик, которому я уступил место. Он гневно взирал на меня все четыре часа, пока сидел на моем месте. Когда поезд прибыл на его станцию, он встал и отпустил в мой адрес такое непристойное выражение, что весь вагон покатился от хохота, а двое соседей сочувственно похлопали меня по плечу.

Поезд трясся всю долгую ночь до рассвета, окутавшего нас светом, напоминавшим лепестки роз. Я смотрел и слушал, находясь в полном смысле слова в гуще народных масс, жителей провинциальных городов и деревень. И за эти четырнадцать часов, которые я провел в вагоне для бедных, общаясь с ними без посредства языка, я узнал гораздо больше, чем мог бы узнать за месяц путешествия первым классом.

Больше всего в ту первую поездку меня порадовало, что я наконец-то полностью разобрался во всех нюансах знаменитого индийского покачивания головой. К тому моменту я уже усвоил, что мотание головой из стороны в сторону — самый распространенный жест в Индии — эквивалентно нашему киванию и означает «да». Я научился различать и такие его варианты, как «Я согласен с вами» и «Я не против». В поезде же я узнал, что этот жест повсеместно применяется в качестве приветствия, и это открытие оказалось чрезвычайно полезным.

Большинство людей, входивших в вагон на промежуточных станциях, приветствовали пассажиров покачиванием головы, и неизменно кто-нибудь отвечал им таким же покачиванием. Это не могло быть знаком согласия или подтверждения, потому что ничего еще не было сказано. И я понял, что это был дружелюбный сигнал, означавший «Я мирный человек», «У меня добрые намерения».

Восхищенный этим замечательным жестом, я решил опробовать его. Поезд остановился на какой-то маленькой станции, и к нам присоединился новый пассажир. Когда наши глаза встретились, я улыбнулся ему и слегка покачал головой. Результат превзошел все мои ожидания. Человек расплылся в широчайшей улыбке, которая почти сравнялась с сияющей улыбкой Прабакера, и стал так энергично мотать головой, что я сначала даже испугался, не перестарался ли я. К концу путешествия, однако, я приобрел достаточный опыт и воспроизводил этот жест с такой же непринужденностью, как и другие. Это было первое чисто индийское выражение чувств, которому научилось мое тело, и это путешествие среди тесно сгрудившихся человеческих сердец положило начало постепенному многолетнему преобразованию всей моей жизни.

Мы сошли с поезда в Джалгаоне, окружном центре, гордившемся своими широкими улицами, на которых бурлила городская жизнь и процветала коммерция. Было девять часов, утренний прилив деловой активности сопровождался большим шумом и суетой. С железнодорожных платформ сгружали всевозможные материалы — лес, железо, стекло, пластмассу, ткани. К станции подвозили для отправки в другие города товары местного производства, начиная с гончарных изделий и заканчивая одеждой и сотканными вручную циновками.

Желудок мой заурчал, почувствовав аромат свежей пряной пищи, но Прабакер потащил меня на автобусный вокзал. Вокзал представлял собой большую утрамбованную площадку, на которой столпились десятки автобусов дальнего следования. Мы примерно час мотались от одного автобуса к другому, таская за собой наш объемистый багаж. Я не мог прочитать таблички на хинди и маратхи, прикрепленные на передних и боковых стенках автобусов, а Прабакер, естественно, мог, но почему-то считал необходимым выяснять у каждого водителя лично, куда он направляется.

— Разве ты не можешь просто прочитать, что написано на табличке? — не выдержал я наконец.

— Конечно могу, Лин. На этом автобусе написано «Аурангабад», на том — «Аджанта», на том — «Чалисгаон», на том...

— Ну так почему же надо спрашивать водителя, куда он едет?

— Как «почему»? — изумленно воскликнул он. — Потому что многие надписи неправильные.

— Что значит «неправильные»?

Он положил свой багаж на землю и улыбнулся снисходительно и терпеливо:

— Понимаешь, Лин, некоторые водители ведут свой автобус туда, куда никто не хочет ехать. Это маленькие деревушки, где мало жителей. Поэтому они вывешивают название какого-нибудь более популярного места.

— Ты хочешь сказать, что водитель вывешивает табличку с названием города, куда многие хотят попасть, а на самом деле повезет их совсем в другое место, куда никому не надо?

— Ну да, Лин, — просиял он.

— Но почему?

— Понимаешь, когда к нему сядут люди, которые хотят ехать в популярное место, он постарается уговорить их поехать вместо этого в непопулярное. У него такой бизнес. Это бизнес, Лин.

— Это черт знает что, а не бизнес, — буркнул я.

— Ты должен снизойти к ним симпатией, Лин, к этим водителям. Если они повесят правильную табличку, никто не подойдет к ним поговорить за весь день, и им будет очень одиноко.

— Ну, теперь все понятно, — саркастически бросил я. — Мы болтаемся тут от автобуса к автобусу для того, чтобы водителям не было скучно.

— Я же знал, Лин, что ты поймешь. У тебя очень доброе сердце в твоем туловище.

Наконец мы выбрали один из автобусов, вроде бы направлявшийся в популярное место. Водитель и его помощник расспрашивали всех входящих, куда они едут, и лишь после этого впускали их, позади сажая тех, чей пункт назначения был дальше, остальных ближе к водителю. Проход между сиденьями быстро заполнялся детьми, домашними животными и багажом, который складывался до высоты наших плеч. В конце концов людям пришлось тесниться по трое на скамейках, предназначенных для двоих.

Я сидел у прохода и активно участвовал в воздушной транспортировке грузов поверх загроможденного прохода, передавая спереди назад все, что ехало далеко, — от багажа до детей. Молодой крестьянин, собравшийся было передать мне свои вещи, заколебался, увидев мои серые глаза, но, когда я улыбнулся ему и покачал головой из стороны в сторону, он ухмыльнулся в ответ и доверил мне свой скарб. Вскоре все окружающие улыбались мне и качали головой, и я в ответ мотал и крутил своей, пока автобус не тронулся.

Объявление над головой водителя, написанное большими красными буквами на английском и маратхи, извещало всех, что в автобусе категорически запрещается перевозить больше сорока восьми пассажиров. Но никого, похоже, не беспокоило, что в салон набилось человек семьдесят с двумя или тремя тоннами багажа. Старый «бедфорд» тяжело покачивался на изношенных рессорах, как буксир в штормовую погоду. Его пол, потолок и стены угрожающе скрипели и стонали, а тормоза взвизгивали всякий раз, когда на них нажимала нога водителя. Тем не менее, выехав за город, он ухитрился увеличить скорость до восьмидесяти-девяноста километров в час. Дорога была узкая, с одной стороны она переходила в крутой откос, с другой — постоянно попадались бредущие навстречу нам группы людей и животные; водитель же лихо кидал наш перегруженный ковчег в головокружительную атаку на каждый поворот. Понятно, что скучать по пути было некогда, не говоря уже о том, чтобы соснуть.

За три часа этой рискованной гонки мы взобрались на гребень горного кряжа, за которым простиралось обширное плато, часть Деканского плоскогорья, и спустились с другой стороны в плодородную долину. Возблагодарив Бога за то, что Он сохранил нам жизнь, и в полной мере оценив этот хрупкий дар, мы с Прабакером высадились возле какого-то потрепанного флажка, свисавшего с чахлого деревца. Место было глухое, пыльное и заброшенное. Но не прошло и часа, как появился другой автобус.

— *Гора каун хайн?* — поинтересовался водитель, когда мы вскарабкались на подножку. — Что это за белый?

— *Маза митра ахей*, — отвечал Прабакер, тщетно пытаясь скрыть свою гордость под напускным безразличием. — Это мой друг.

Разговор происходил на маратхи, языке штата Махараштра, столицей которого является Бомбей. В тот момент я не многое понял из этого разговора, но в течение следующих месяцев, проведенных в деревне, я так часто слышал те же самые вопросы и ответы, что выучил большинство их наизусть.

— Что он тут делает?

— Он едет ко мне в гости.

— Откуда он?

— Из Новой Зеландии.

— Из Новой Зеландии?

— Да. Это в Европе, — пояснил Прабакер.

— В этой Новой Зеландии много денег?

— Да, полно. Они там купаются в золоте.

— Он говорит на маратхи?

— Нет.

— А на хинди?

— Тоже нет. Только на английском.

— Только на английском?

— Да.

— Почему?

— В его стране не говорят на хинди.

— Они не умеют говорить на хинди?

— Нет.

— Ни на хинди, ни на маратхи?

— Нет. Только на английском.

— Господи помилуй! Вот идиоты несчастные!

— Да.

— Сколько ему лет?

— Тридцать.

— А выглядит старше.

— Они все так выглядят. Все европейцы на вид старше и сердитее, чем на самом деле. У белых всегда так.

— Он женат?

— Нет.

— Тридцать лет, и не женат? Что с ним такое?

— Он из Европы. Там многие женятся только в старости.

— Вот ненормальные!

— Да.

— А какая у него профессия?

— Он учитель.

— Учитель — это хорошо.

— Да.

— У него есть родители?

— Да.

— А где они?

— На его родине. В Новой Зеландии.

— А почему он не с ними?

— Он путешествует. Знакомится с миром.

— Зачем?

— Все европейцы так делают. Они немного работают, а потом немного ездят в одиночестве, без семьи, пока не состарятся. А тогда они женятся и становятся очень серьезными.

— Вот ненормальные!

— Да.

— Ему, наверно, одиноко без мамы с папой, без жены и детей.

— Да. Но европейцев это не огорчает. Они привыкли быть одинокими.

— Он большой и сильный.

— Да.

— Очень сильный.

— Да.

— Корми его как следует и не забывай давать побольше молока.

— Да.

— Буйволова молока.

— Ну да.

— И следи, чтобы он не научился каким-нибудь нехорошим словам. Не учи его ругательствам. Вокруг полно долбаных засранцев, которые захотят научить его всякому дерьму. Не давай ему водиться с этими долбогрёбами.

— Не дам.

— И не позволяй никому обмануть его. Он на вид не очень-то смышленый. Присматривай за ним.

— Он умнее, чем кажется, но я все равно буду присматривать за ним.

Никого из пассажиров не волновало, что водитель, вместо того чтобы продолжить путь, вот уже минут десять болтает с Прабакером. Возможно, потому, что они говорили громко и все до одного в автобусе могли их слышать. Мало того, водитель и по пути старался поставить всех встречных в известность о необычном пассажире. Завидев на дороге пешехода, он гудком привлекал его внимание и указывал ему пальцем на эту диковину, а затем замедлял ход, чтобы человек мог ее разглядеть и полностью удовлетворить свое любопытство.

Из-за того, что водитель делился удивительной новостью со всеми встречными, путь, который можно было проделать за час, занял целых два, и лишь к вечеру мы достигли пыльного проселка, ведущего к деревушке Сундер. Когда автобус, натужно стеная, укатил, наступила такая тишина, что слышно было ветерок, шелестевший в ушах, подобно сонному шепоту ребенка. Весь последний час мы ехали по необъятным просторам, засаженным кукурузой, среди которой попадались банановые рощи; теперь же мы тащились пешком по грязи меж нескончаемых зарослей просяных культур. Растения уже поднялись во весь свой рост и были выше нашей головы, небо сжалось в узенькую полоску, а дорога впереди и позади нас терялась в сплошной золотисто-зеленой массе, так что мы пробирались словно по лабиринту, отгороженные этой живой стеной от остального мира.

Мне довольно долго не давало покоя какое-то смутное ощущение, никак не поддававшееся осмыслению. Наконец до меня дошло. Нигде не было видно никаких столбов — ни телеграфных, ни высоковольтных, — даже вдали.

— Прабу, в вашей деревне есть электричество?

— Нет, — ухмыльнулся он.

— Совсем нет электричества?

— Нет, ни капельки.

Некоторое время я молчал, отбрасывая мысленно одно за другим все полезные устройства. Электрического освещения нет.

Электрического чайника нет. Телевизора, радио, стереосистемы тоже нет. Никакой музыки. А я даже кассетника с собой не захватил. Как же я буду жить без музыки?

— Как же я буду жить без музыки? — посетовал я вслух, не в силах сдержать разочарования, хоть и понимал, что выгляжу довольно смешно.

— Музыки будет полно, баба! — жизнерадостно откликнулся Прабакер. — Я буду петь. И все остальные будут петь. Петь и петь, без конца.

— Ну, ты меня успокоил.

— И ты тоже будешь петь.

— Нет уж, на меня, пожалуйста, не рассчитывай.

— В деревне все поют, — подчеркнул он, неожиданно посерьезнев.

— Угу.

— Да-да, все.

— Давай решим хоровые проблемы, когда они возникнут. Нам еще далеко до деревни?

— О, совсем почти не очень далеко. А знаешь, теперь у нас в деревне есть вода.

— Что значит «теперь есть вода»?

— Ну, теперь в деревне есть кран.

— Один кран на всю деревню?

— Да, и вода из него идет целый час, с двух до трех каждый день.

— Один час в день?!.

— Да. Обычно. Иногда она идет полчаса, а иногда совсем не идет. Тогда мы лезем в колодец, убираем зелень, которая там выросла, и вода снова без проблем. А! Смотри, вон мой папа.

Впереди нас на неровной, заросшей сорняками дорожке показалась высокая повозка в форме корзины на двух деревянных колесах с металлическими ободами, в которую был впряжен огромный светло-коричневый буйвол с изогнутыми рогами. Колеса были узкими, но высокими и доходили мне до плеч. На упряжной дуге восседал, болтая ногами и покуривая *биди*[1], отец Прабакера.

Кишан Манго Харре уступал в росте даже своему сыну, его седые волосы и усы были очень коротко подстрижены, а на худенькой фигуре заметно выделялся круглый животик. На нем были белый картуз, хлопчатобумажная рубашка и крестьянская набедренная повязка. Хотя ее принято называть повязкой, но это слово не передает естественного и подкупающего изящества этого одеяния. Его можно подобрать кверху, превратив в рабочие шорты, или распустить, и тогда оно становится панталонами, до-

---

[1] *Биди* — самодельные индийские сигареты из необработанного табака, завернутого в лист тембурни.

ходящими до лодыжек. Набедренная повязка очень подвижна и повторяет контуры человеческого тела, бежит ли он или сидит спокойно. В жаркий полдень она улавливает малейшее дуновение ветерка, а ночью защищает от предрассветного холода. Она непритязательна и практична и в то же время привлекательна и приятна. Ганди прославил набедренную повязку на весь мир, когда ездил в Европу с целью добиться независимости Индии от Англии. При всем уважении к Ганди, однако, следует отметить, что, лишь пожив и поработав бок о бок с индийскими крестьянами, ты можешь в полной мере оценить неназойливую и благородную красоту этого простого куска ткани.

Прабакер выпустил из рук поклажу и кинулся к отцу. Отец спрыгнул со своего насеста, и они застенчиво обнялись. Кишан был единственным человеком, чью улыбку можно было сравнить с улыбкой его сына. Она занимала все его лицо от уха до уха, словно навсегда застыв в тот момент, когда человека охватил гомерический хохот. Оба Харре обернулись ко мне, и две гигантские улыбки — отцовская и ее генетическая копия — представляли настолько ошеломляющее зрелище, что я в ответ смог лишь беспомощно ухмыльнуться.

— Лин, это мой отец Кишан Манго Харре. Папа, это мистер Лин. Я так счастлив, так счастлив, что две ваши личности встретились.

Мы обменялись рукопожатием и посмотрели друг другу в глаза. У старшего Харре было такое же абсолютно круглое лицо и такой же вздернутый нос пуговкой, как и у младшего. Но если гладкая и открытая физиономия Прабакера была абсолютно бесхитростной, то лицо его отца было изборождено глубокими морщинами, и на него набегала тень усталости, когда Кишан не улыбался. Он как будто закрывал какие-то двери в свой внутренний мир, оставляя на страже лишь глаза. В нем чувствовалась гордость, но также и печаль, усталость, беспокойство. Мне потребовалось много времени, чтобы понять, что крестьяне повсюду так же горды, печальны, усталы и обеспокоены, потому что все, что есть у тех, кто живет на земле, — это почва и семена для посева. И порой — слишком часто — они не получают от жизни ничего, кроме молчаливой, таинственной и волнующей радости, которой Господь наделяет все, что цветет и растет, дабы помочь человеку преодолеть страх перед угрозой голода и несчастья.

— Мой папа очень удачный человек, — заявил Прабакер гордо, обнимая отца за плечи.

Поскольку я практически не говорил на маратхи, а Кишан совсем не говорил по-английски, Прабакеру приходилось быть переводчиком. Услышав слова сына, Кишан абсолютно естественным грациозным жестом поднял рубашку и, похлопав себя по волосатому животику, произнес какую-то фразу. Глаза его при этом блестели, а улыбка была, на мой взгляд, призывной и плотоядной.

— Что он сказал?

— Он хочет, чтобы ты пошлепал его по животу, — ухмыльнулся Прабакер.

Кишан выжидательно улыбался.

— Ты сочиняешь.

— Нет-нет, Лин, он вправду хочет, чтобы ты пошлепал его по животу.

— Нет.

— Но он действительно этого хочет!

— Скажи ему, что я польщен и что животик у него замечательный, но от пошлепывания я воздержусь.

— Ну совсем немножко, Лин!

— Нет, — сказал я твердо.

Улыбка Кишана стала еще шире; он несколько раз призывно приподнял брови, продолжая держать подол рубашки под мышками.

— Давай, Лин! Всего несколько шлепков. Его животик не кусается.

«В Индии надо иногда уступить, чтобы добиться своего», — сказала Карла. И она была права. Постоянными уступками проникнута вся жизнь в этой стране. Я сдался. Оглянувшись на пустынную дорожку, я протянул руку и пошлепал теплый волосатый животик.

И разумеется, в ту же секунду высокие зеленые колосья рядом с нами раздвинулись и из них высунулись четыре смуглые юные физиономии. Юнцы таращились на нас в изумлении, к которому примешивались испуг и презрение, а также несомненный восторг.

Я медленно, с подчеркнутым достоинством убрал руку. Кишан посмотрел на меня, на зрителей, приподнял одну бровь, и уголки его рта растянулись в самодовольной улыбке прокурора, закончившего свою обвинительную речь.

— Не хочется мешать твоему папе наслаждаться моментом, Прабу, но не пора ли нам двигаться дальше?

— *Чало!* — объявил Кишан, отгадав смысл произнесенной мною фразы. — В путь!

Когда мы забросили в корзину свои пожитки и забрались туда сами, Кишан опять взгромоздился на дугу, приподнял длинную бамбуковую палку с гвоздем на конце и изо всей силы ударил ею буйвола по бедрам.

Повинуясь удару, буйвол напрягся и тяжело тронулся с места. Мы так медленно продвигались вперед, что у меня невольно возник вопрос, почему в повозку решили запрячь именно это животное? Похоже, индийские буйволы, известные как *баиле*, были самыми медленными тягловыми животными в мире. Пешком, даже нога за ногу, я шел бы вдвое быстрее. Молодежь, глазевшая на нас из зарослей, успела убежать далеко вперед, чтобы предупредить деревню о нашем прибытии.

Заросли проса стали перемежаться посадками кукурузы и других злаков, и среди всех этих растений то и дело появлялись все новые лица, одинаково таращившие глаза в полном и откровенном изумлении. Вряд ли оно было бы больше, если бы Прабакер со своим родителем привезли в деревню пойманного ими в лесу и обученного грамоте медведя.

— Они так счастливы! — смеялся Прабакер. — Ты первый человек из заграницы, который совершил визит в нашу деревню за последний двадцать один год. Перед тобой приезжал только один иностранец из Бельгии, двадцать один год назад. Все жители, кому меньше двадцати одного года, никогда не видели живого иностранца. Тот иностранец из Бельгии был хорошим парнем. А ты очень, очень хороший парень, Лин. Люди будут тебя слишком много любить. Ты будешь здесь так счастлив, просто вне себя. Вот увидишь.

Однако у тех, кто наблюдал за мной, прячась среди сельскохозяйственных культур, вид был скорее встревоженный, нежели счастливый. Дабы развеять их тревоги, я решил попрактиковаться в недавно освоенном мною искусстве покачивания головой. Все тут же стали улыбаться, хохотать, мотать головой и послали гонцов вперед рассказать односельчанам о забавном клоуне, который медленно приближается к ним по дороге.

Чтобы буйволу не вздумалось остановиться по пути, отец Прабакера то и дело колошматил его. Каждые несколько минут палка поднималась и звонко хлопала животное по крупу острым гвоздем, выдиравшим из него пучки светло-коричневой шерсти.

Бык никак не реагировал на эти удары и продолжал медленно волочить повозку по тропе. Тем не менее мне было очень жалко его. С каждым ударом мое сочувствие к животному возрастало, и наконец я не выдержал:

— Прабу, сделай одолжение, скажи своему отцу, чтобы он перестал бить быка.

— Чтобы он... перестал бить?!

— Да, пожалуйста, попроси его, чтобы он не бил буйвола.

— Нет, Лин, это невозможно, — рассмеялся Прабакер.

В этот момент палка с гвоздем опять взметнулась в воздух и опустилась со шлепком.

— Я говорю серьезно, Прабу. Пожалуйста, попроси его.

Очередной удар заставил меня передернуться, и страдальческое выражение на моем лице возымело свое действие.

Прабакер неохотно передал мою просьбу отцу. Кишан внимательно выслушал его и разразился неудержимым смехом. Однако, видя, что сын расстроен, он умерил свое хихиканье, а затем совсем его прекратил и засыпал Прабакера вопросами. Тот старался как мог объяснить отцу ситуацию, все больше мрачнея при этом, и наконец обратился ко мне:

— Лин, папа спрашивает, почему ты хочешь, чтобы он перестал бить буйвола?

— Я не хочу, чтобы он причинял ему боль.

Прабакер рассмеялся, а когда он перевел мои слова отцу, тот присоединился к нему. Между приступами смеха они переговаривались, после чего Прабакер снова повернулся ко мне:

— Папа спрашивает, правда ли, что в вашей стране люди едят коров?

— Да, конечно, но...

— Сколько коров вы едите?

— Ну... Мы не всех их съедаем сами, часть мы экспортируем в другие страны.

— Сколько?

— Ну сколько-сколько... Да сотни тысяч, а вместе с овцами — миллионы. Но мы стараемся обходиться с ними гуманно и не мучим их напрасно.

— Папа думает, что нельзя съесть такое большое животное, не причинив ему боли.

После этого он стал объяснять отцу, что я за человек, и рассказал ему о том, как я уступил свое место в поезде старику, как я делился с соседями фруктами и другой едой и как я постоянно раздаю милостыню нищим на улицах.

При этих словах Кишан неожиданно остановил буйвола и, соскочив на землю, разразился серией каких-то команд. Прабакер перевел их мне:

— Папа спросил, везем ли мы подарки для него и для всей семьи? Я сказал ему, что мы везем подарки, и он хочет, чтобы мы отдали ему подарки здесь и сейчас.

— Он хочет, чтобы мы распаковали свой багаж прямо здесь, на дороге?

— Да. Он боится, что, когда мы приедем в Сундер, у тебя будет слишком доброе сердце и ты раздашь подарки всей деревне, а ему ничего не останется. Поэтому он хочет получить их сейчас.

Пришлось подчиниться. Под покровом темнеющего синего неба мы расцветили прогалину меж колышущихся нив излюбленными индийскими красками, разложив желтые, красные и переливчато-синие рубашки, сари и набедренные повязки. После этого мы уложили все в одну сумку вместе с благоухающими кусками мыла, шампунями, духами, благовониями и массажными маслами, а также швейными иглами и английскими булавками. Когда сумка была надежно пристроена рядом с Кишаном Манго Харре среди упряжи, он повез нас дальше, причем колотил безропотного буйвола еще сильнее и чаще, чем до моей попытки вступиться за животное.

Наконец послышались голоса женщин и детей, смех и возбужденные крики, и, сделав последний поворот, мы выехали на широкую и единственную в деревне улицу, усыпанную утрамбованным и чисто подметенным золотистым речным песком. По обеим сторонам улицы тянулись дома, при этом ни один из них не стоял прямо против другого. Сооруженные из бледно-коричневой глины, дома имели круглую форму, круглые окна и изогнутые двери. На крышах высились небольшие купола из переплетенных стеблей трав.

Весть о приезде иностранца распространилась по всей округе, и к двум сотням жителей Сундера присоединилось еще несколько сотен из окрестных деревень. Кишан провез нас сквозь толпу до дверей своего дома. На лице его светилась такая широкая улыбка, что люди при виде ее невольно смеялись в ответ.

Спустившись с повозки и сгрузив свой багаж, мы оказались посреди целого моря шепотов и устремленных на нас взглядов. Затем воцарилась тишина, наполненная лишь дыханием сотен людей, вплотную прижатых друг к другу. Они были так близко, что я чувствовал их дыхание у себя на лице. Шестьсот пар глаз зачарованно глядели на меня. Все молчали. Прабакер, стоявший рядом со мной, наслаждался выпавшей на его долю популярностью, но тоже не без трепета взирал на окружавшую нас завесу изумления и выжидания.

— Вы, наверное, удивляетесь, зачем я созвал вас всех сюда? — произнес я серьезным тоном.

Однако мою шутку не поняли, и тишина еще больше сгустилась; даже шепот стих.

Что можно сказать безбрежной толпе незнакомцев, ожидающих, что ты произнесешь речь, но не способных понять ни слова на твоем языке?

У моих ног лежал вещмешок, в котором я хранил подарок от одного из новозеландских друзей — черно-белый шутовской колпак, снабженный, как полагается, тремя матерчатыми рогами с бубенчиками на конце. Друг был актером и сам изготовил этот колпак для выступления. Он подарил мне его в качестве сувенира, приносящего удачу, в аэропорту, перед самым моим вылетом в Индию, и я сунул его в верхний карман рюкзака.

Иногда поймать удачу — значит оказаться в нужном месте в нужный момент и сделать по наитию именно то, что нужно, и именно так, как нужно. Но для этого необходимо забыть свои амбиции, честолюбивые помыслы и планы и целиком отдаться волшебному судьбоносному моменту.

Вытащив колпак из мешка, я натянул его на голову, завязал тесемки под подбородком и выпрямил руками рога. Люди в первых рядах отпрянули, с испугом втянув воздух. Я улыбнулся и тряхнул головой. Бубенчики зазвенели.

— Почтенная публика! — крикнул я. — Представление начинается!

Эффект был молниеносный. Все как один разразились хохотом. Все женщины, дети и мужчины весело завопили. Один из крестьян робко прикоснулся к моему плечу. Стоящие рядом ребятишки стали хватать меня за руки. Вслед за ними и остальные, кто мог дотянуться, начали похлопывать меня, щупать и гладить. Я поймал взгляд Прабакера. На лице его было такое гордое и радостное выражение, словно Господь услышал его молитвы.

Дав односельчанам вволю насладиться новым аттракционом, он решил утвердить свои хозяйские права на него и стал отгонять наиболее назойливых зрителей. Наконец ему удалось освободить проход к отцовскому дому. Когда мы вошли в темное круглое помещение, толпа стала расходиться, смеясь и болтая.

— Тебе надо помыться, Лин. После такого длинного путешествия ты, наверно, пахнешь очень безрадостно. Пойдем, мои сестры разогрели для тебя воду, и кувшины стоят в ожидании.

Я прошел вслед за ним через низкую арку в маленький дворик позади дома, занавешенный с трех сторон соломенными циновками. Дворик был вымощен плоскими речными камнями, от душевой площадки отходила аккуратная канавка для стока воды. Три больших кувшина с водой выжидательно смотрели на меня. Прабакер дал мне мыльницу и маленький медный ковшик, чтобы поливать себя водой.

Пока он объяснял мне, как пользоваться этим душем, я снял ботинки и рубашку и стянул джинсы.

— Лин!!!

Прабакер одним прыжком преодолел двухметровое расстояние, разделявшее нас, и стал прикрывать меня руками, но, увидев лежавшее на вещмешке полотенце, прыгнул за ним, а затем обратно, издавая при каждом прыжке горестно-испуганный вопль «Ай-ай!». Обмотав меня полотенцем, он в ужасе стал озираться:

— Лин, что ты делаешь?! Ты сошел с ума?

— Как, что делаю? Собираюсь мыться.

— Но не так же! Не так же!

— Что значит «не так же»? Ты велел мне вымыться и привел для этого сюда. А когда я хочу вымыться, ты начинаешь прыгать вокруг, как испуганный кролик. В чем дело?

— Но ты же был голым! На тебе ничего не было!

— Ну да, я всегда так моюсь, — ответил я устало, удивляясь этой непонятной панике. Прабакер между тем метался от одной циновки к другой, заглядывая в щели между ними. — И все так моются.

— Нет-нет! Только не в Индии! — обернулся он ко мне. На лице его было написано полнейшее отчаяние.

— Вы что, моетесь одетыми?

— Да, Лин! В Индии никто никогда не раздевается, даже чтобы помыться. В Индии нельзя быть голым. И тем более совсем без одежды.

— Но как же вы моетесь в таком случае?

— Мы моемся в трусах.

— Ну так в чем же дело? На мне трусы, как видишь.

Я скинул полотенце, чтобы показать ему мои черные жокейские трусики.

— Ай-ай! — опять завопил Прабакер, кидаясь за полотенцем и возвращая его на место. — Вот эта маленькая тряпочка? Это не настоящие трусы, Лин. Это только нижние трусы. Надо, чтобы были верхние трусы.

— Верхние трусы?

— Ну да, такие, как у меня.

Он расстегнул брюки и продемонстрировал мне свои зеленые трусы.

— В Индии мужчины всегда и во всех ситуациях носят под одеждой верхние трусы. Даже в тех ситуациях, когда на них надеты нижние трусы, они надевают сверху верхние. Понимаешь?

— Нет.

— Вот что, ты подожди меня, я принесу тебе верхние трусы для мытья. Но ни за что не снимай полотенца. Пожалуйста! Дай мне слово! Если люди увидят тебя в твоих крошечных трусах, они будут просто буйствовать. Подожди меня!

Он исчез и через несколько минут вернулся с двумя парами красных футбольных трусов.

— Вот, Лин, — сказал он, отдуваясь. — Надеюсь, ты войдешь в эти трусы. Ты такой большой. Это трусы Толстяка Сатиша. Он такой толстый, что, я думаю, трусы тебе подойдут. Я рассказал ему историю, и тогда он дал тебе две штуки. Я сказал ему, что в поезде у тебя был понос и твои верхние трусы пришли в такую неподходящесть, что нам пришлось их выбросить.

— Ты сказал ему, что я обосрался в поезде?

— Ну да, Лин. Не мог же я ему сказать, что у тебя нет верхних трусов!

— Ах, ну да, разумеется.

— Что бы он о тебе подумал?

— Ну спасибо, Прабу, — процедил я сквозь зубы таким сухим тоном, что мог бы, пожалуй, обойтись без полотенца.

— Ну что ты, Лин! Не стоит благодарности. Я твой очень хороший друг и рад тебе помочь. Но обещай мне, что ты не будешь ходить голым по Индии, тем более без всякой одежды.

— Обещаю.

— Я очень рад, что ты обещаешь это. Ты ведь тоже мой хороший друг, правда? Я помоюсь вместе с тобой, будто мы два брата, и покажу тебе, как это надо делать в индийском стиле.

Так что мы помылись вдвоем в душевой его родительского дома. Повторяя все действия вслед за Прабакером, я сначала окатил себя водой из ковшика, затем намылил все тело, в том числе и под трусами. Когда мы вымылись и вытерлись полотенцами, Прабакер показал мне, как надеть набедренную повязку поверх мокрых трусов. Повязка представляла собой большой кусок ткани наподобие индонезийского саронга, который обвязывался вокруг талии и свисал до пят. Прикрывшись таким образом, я снял мокрые трусы и надел вместо них сухие. Именно так, сказал Прабакер, следует принимать ванну, не оскорбляя соседских глаз.

После ванны и роскошного ужина из гороховой похлебки, риса и лепешек домашнего приготовления мы с Прабакером наблюдали, как его родители и сестры распаковывают привезенные нами подарки. Затем мы выпили чая, и я в течение двух часов отвечал на вопросы о себе, о моем доме и семье. Я старался говорить по возможности правдиво, но, понятно, кое-что пришлось опустить, включая тот факт, что я не рассчитывал увидеть когда-либо свой дом и семью снова. Наконец Прабакер объявил, что у него больше нет сил переводить и что мне надо дать отдых тоже.

Во дворе рядом с домом для меня была установлена кровать, изготовленная из кокосовой пальмы и покрытая матрасом из волокон того же дерева. Прабакер сказал, что это кровать его отца и что потребуется не меньше двух дней, чтобы сделать для него такую, которая удовлетворит его. А до тех пор Кишан будет спать на полу рядом с постелью своего сына. Я попытался протестовать, однако мои протесты были пресечены их мягкими, но настойчивыми уговорами. Так что мне пришлось лечь в постель бедного крестьянина, и мой первый день в индийской деревне закончился, как и начался, уступками.

Прабакер сказал, что, по мнению его семьи и соседей, я буду чувствовать себя одиноко в чужом месте, вдали от своих близких и потому они все будут сидеть рядом со мной в темноте, пока я не усну. Ведь люди в моей родной деревне, добавил он, наверняка поступили бы так же, если бы он сам оказался там и скучал по своему дому, разве нет?

Так что все они — Прабакер, его родные и соседи — заняли возле меня круговую оборону в теплой темноте, пахшей корицей. Я думал, что не смогу уснуть, находясь в центре всеобщего внимания, но уже через несколько минут стал уплывать куда-то вдаль на волнах их приглушенных голосов, на мягких и ритмичных волнах, сливавшихся с бездонным морем ярких, шепчущих о чем-то звезд.

Я уже совсем засыпал, когда вдруг почувствовал чью-то руку у себя на плече. Это отец Прабакера по доброте душевной решил успокоить меня и усыпить. Я немедленно и полностью проснулся и погрузился в воспоминания и размышления о моей дочери, о родителях и о брате, о совершенных мною преступлениях и о любви, которую я предал и навсегда потерял.

Наверное, это странно и даже невозможно понять, но вплоть до этого момента я, по существу, не сознавал всей непоправимости того, что я совершил, и безвозвратности той жизни, которую я потерял. Когда я участвовал в вооруженных ограблениях, все мои мысли, чувства и действия были окутаны героиновым туманом, и даже воспоминания о том времени вязнут в нем. Впоследствии, во время суда и трех лет заключения, наркотический дурман развеялся, и я должен был бы, кажется, осознать, что означали мои преступления и мое наказание для меня, для моих близких и для тех, кого я грабил с оружием в руках. Но нет, я ни о чем не мог думать, кроме самого наказания. Даже после побега из тюрьмы, когда я прятался и спасался от преследования, — даже тогда у меня не было полного, окончательного, всеобъемлющего понимания всех действий, событий и их последствий, которые положили начало новой печальной истории моей жизни.

И только там, в ту первую ночь в глухой индийской деревушке, где я плыл на волнах тихого бормотания голосов, видя над собой сияние звезд, только тогда, когда грубая, мозолистая крестьянская рука успокаивающе коснулась моего плеча, я наконец полностью осознал, что́ я сделал и кем я стал, и почувствовал боль, страх и горечь оттого, что я так глупо, так непростительно исковеркал свою жизнь. Мое сердце разрывалось от стыда и от горя. И я вдруг увидел, как много во мне невыплаканных слез и как мало любви. И я понял, как я одинок.

Я не мог, не умел ответить на этот дружеский жест. Моя культура преподала мне уроки неправильного поведения слишком хорошо. Поэтому я лежал не шевелясь, не зная, что мне делать. Но душа не является продуктом культуры. Душа не имеет национальности. Она не различается ни по цвету, ни по акценту, ни по образу жизни. Она вечна и едина. И когда наступает момент истины и печали, душу нельзя успокоить.

Лежа под глядевшими на меня звездами, я стиснул зубы. Я закрыл глаза и отдался во власть сна. Одна из причин, почему мы так жаждем любви и так отчаянно ищем ее, заключается в том, что любовь — единственное лекарство от одиночества, от чувства стыда и печали. Но некоторые чувства так глубоко запрятаны в сердце, что только в полном одиночестве ты и можешь их обнаружить. Некоторые открывающиеся тебе истины о тебе самом настолько болезненны, что, лишь испытывая чувство стыда, ты можешь жить с ними. А некоторые вещи настолько печальны, что только твоя душа может оплакать их.

ГЛАВА

6

Отец Прабакера познакомил меня со всей деревней, но почувствовать себя в ней как дома я смог лишь благодаря матери Прабакера. Жизнь ее, со всеми радостями и горестями, объяла мою так же легко и просто, как ее красная шаль укрывала порой плачущего ребенка, переступившего порог ее дома. История ее жизни, которую я узнавал по частям от разных людей в течение этих месяцев, слилась со многими жизненными историями, в том числе и с моей. А ее любовь, ее желание познать мою душу и полюбить меня изменили всю мою жизнь.

Рукхмабаи Харре было сорок лет, когда я встретил ее впервые; она была в расцвете сил и пользовалась в деревне всеобщим уважением. Когда она, со своей пышной фигурой, стояла рядом с мужем, возвышаясь над ним на две головы, создавалось ложное впечатление, что Бог наделил ее чертами амазонки. Ее черные волосы, блестящие от кокосового масла, ни разу за всю ее жизнь не подстригались и в распущенном виде ниспадали величественной волной до колен. Кожа ее была смугло-золотой, а глаза — цвета янтаря, оправленного в розоватое золото. Белки глаз всегда имели розоватый оттенок, так что казалось, что она только что плакала или вот-вот заплачет. Улыбка ее из-за большой щели между двумя передними зубами имела шаловливый вид, а с серьезным выражением лица Рукхмабаи выглядела, благодаря огромному крючковатому носу, необыкновенно авторитетно. Прабакер унаследовал от нее высокий и широкий лоб, а крутые линии ее скул возвышались, словно горы, с которых ее янтарные глаза внимательно смотрели на мир. У Рукхмабаи был живой ум, с пониманием и глубоким сочувствием откликавшийся на чужое горе. Она не участвовала в перепалках между соседями и вмешивалась только тогда, когда спрашивали ее мнение. При этом ее суждение было, как правило, истиной в последней инстанции. Она пробуждала в мужчинах восхищение и желание, но ее глаза и манера держаться не оставляли сомнений, что всякий, кто недооценит или обидит ее, пожалеет об этом.

Кишан владел землей, а Рукхмабаи управляла их скромным хозяйством, поддерживая силой своей личности высокую репутацию семьи. Ее выдали замуж в шестнадцатилетнем возрасте. Когда я научился с грехом пополам говорить на их языке, она с обезоруживающей откровенностью рассказала мне, как разочарована она была, увидев своего суженого из-за занавески в первый раз — единственный до свадьбы. Прежде всего, он был коротышкой. Кожа его была темнее, чем у нее, — за годы крестьянского труда она стала темно-коричневой, как сама земля, и это не нравилось ей. Его руки были грубыми, речь примитивной, одежда хотя и чистой, но невзрачной. И при этом он был безграмотен, в то время как ее отец возглавлял деревенский совет, *панчаят*, а сама Рукхмабаи умела читать и писать как на маратхи, так и на хинди. Когда она глядела на Кишана в тот первый раз, сердце ее билось так сильно, что она боялась, как бы оно не выболтало ему ее тайные мысли. Ей казалось, что Кишан ей неровня и что она никогда не сможет полюбить его.

И как раз в этот момент Кишан вдруг повернул голову и посмотрел именно туда, где она пряталась. Он никак не мог видеть ее, но взгляд у него был такой, будто он смотрел ей прямо в глаза. А затем он улыбнулся. Она никогда не видела такой широкой сияющей улыбки, полной неотразимого добродушия. Рукхмабаи глядела на эту поразительную улыбку, и странное чувство овладело ею. Она невольно улыбнулась в ответ и почувствовала прилив счастья, безотчетного жизнеутверждающего ликования. «Все будет хорошо, — подсказывало ей сердце. — Все будет хорошо». Она поняла, как понял и я, впервые увидев Прабакера, что человек с такой чистосердечной улыбкой никогда не причинит другому вреда намеренно.

Кишан отвел взгляд, и в комнате словно стало темнее. Рукхмабаи почувствовала, что одного лишь ободряющего сияния его улыбки достаточно, чтобы пробудить в ней любовь к нему. Когда отец объявил ей о помолвке, она не стала возражать, и спустя два месяца после того, как ее обворожила улыбка Кишана, она уже была замужем и вынашивала под сердцем их первого сына, Прабакера.

Отец Кишана выделил молодым два участка плодородной земли, а отец Рукхмабаи добавил третий. Рукхмабаи с самого начала взяла на себя заботу о благополучии их маленького семейного предприятия. Она вела строгий учет всех доходов и расходов, записывая их в обыкновенные школьные тетрадки, которые по мере их накопления связывала и хранила в оцинкованном сундуке.

Она очень осмотрительно участвовала в общих делах, организуемых соседями, и с бережливостью тратила имевшиеся в ее распоряжении средства, благодаря чему их хозяйство не несло больших убытков. Ко времени рождения третьего ребенка Рукхмабаи, в ту пору уже двадцатипятилетней, удалось сделать их состояние самым большим в деревне. У них было пять полей, занятых под товарными культурами, три дойные буйволицы и три быка, две козы, также дававших молоко, и десяток яйценосных кур. На счете в банке лежало достаточно денег, чтобы обеспечить приличным приданым двух дочерей. Рукхмабаи была намерена выдать их за видных людей, чтобы внуки поднялись по общественной лестнице на ступень выше.

Когда Прабакеру исполнилось девять лет, его послали в Бомбей, где он поселился в трущобах и обучался премудростям вождения у своего дяди, шофера такси. Рукхмабаи была преисполнена самых радужных надежд относительно будущего своей семьи. Но тут у нее случился выкидыш, и в течение следующего года еще два. Доктора сказали, что, по всей вероятности, ее матка пострадала при рождении третьего ребенка. Они посоветовали полностью удалить ее. А ведь Рукхмабаи было всего двадцать шесть лет.

В сердце ее образовалась пустота — там, где было приготовлено место для недоношенных детей и тех, что могли появиться в будущем. Два года она была безутешна. Даже волшебная улыбка Кишана, которую он с трудом выдавливал ради нее, не действовала. Отчаявшаяся и убитая горем, она чахла в страдании, ограничив свою деятельность тем минимумом, который требовался для ухода за дочерьми. Смех покинул ее, печаль воцарилась на заброшенных полях.

Душа Рукхмабаи медленно умирала, и, возможно, она так и утонула бы в этой тоске, если бы не событие, угрожавшее существованию всей деревни и вернувшее ее к действительности. В округе появилась вооруженная банда, которая собирала дань с деревенских жителей. Бандиты изрубили своими мачете одного из крестьян соседней деревни и изнасиловали женщину. В деревне Сундер они также убили крестьянина, оказавшего им сопротивление.

Рукхмабаи знала убитого очень хорошо. Он приходился двоюродным братом Кишану и был женат на женщине из родного селения самой Рукхмабаи. На похороны пришли все деревенские жители без исключения — все мужчины, все женщины, все дети. В конце церемонии Рукхмабаи обратилась к односельчанам. Волосы ее были растрепаны, янтарные глаза светились гневом и решимостью. Она пристыдила тех, кто был готов ублаготворить бандитов, призывая сопротивляться им и убивать, если это потребуется для защиты своей жизни и своей земли. Крестьяне были поражены страстным порывом Рукхмабаи, столь неожиданным после двухлетнего горестного оцепенения; ее воинственная речь воодушевила их. Тут же был разработан план антибандитских действий.

Весть о том, что жители деревни Сундер вознамерились оказать им сопротивление, достигла бандитов. Последовали угрозы, стычки и отдельные налеты на деревню. В результате стало ясно, что решительной схватки не миновать. Бандиты прислали ультиматум: или крестьяне соберут к определенному дню солидную дань, или их ждут ужасные последствия.

Люди вооружились серпами, топорами, ножами и палками. Женщин и детей эвакуировали в соседнюю деревню. Оставшиеся на передовой мужчины пребывали в страхе и неуверенности. Некоторые говорили, что это безрассудство и что лучше уплатить дань, чем погибнуть. Родственники крестьян, павших от рук бандитов, стыдили малодушных и подбадривали остальных.

Прошел слух, что к деревне приближается какая-то толпа. Все в испуге и возбуждении попрятались за баррикадами, наспех сооруженными между домами. Они уже готовы были вступить в схватку, но тут оказалось, что к ним прибыло подкрепление. Прослышав о войне с бандитами, Прабакер сколотил в трущобах группу из шести родственников и друзей и отправился вместе с ними на помощь своей семье. Ему было в то время всего пятнадцать лет, а самому старшему из его друзей — восемнадцать, но они жили в одном из наиболее неспокойных районов Бомбея и привыкли к уличным дракам. Среди них был высокий красивый юноша, по имени Раджу, с прической как у кинозвезды. Он прихватил с собой пистолет. Вид столь грозного оружия сразу поднял боевой дух крестьян.

Бандиты с самоуверенным и заносчивым видом неспешно явились в деревню за час до захода солнца. С уст их вожака еще срывались леденящие кровь угрозы, когда навстречу им вышел Раджу, стреляя при каждом третьем шаге из пистолета. Тут же из-за баррикад в бандитов полетели топоры, ножи, серпы, палки и камни. Раджу между тем приближался к ним не останавливаясь, пока не застрелил вожака почти в упор. Тот умер, не успев коснуться земли.

Остальные члены банды разбежались, зализывая раны, и больше крестьяне никогда о них не слышали. Труп вожака они отнесли на полицейский пост района Джамнер, где единодушно показали, что на них напали бандиты, которые в пылу битвы застрелили одного из своих. Имя Раджу ни разу не было упомянуто. Победу над бандитами праздновали два дня, после чего Прабакер с друзьями вернулся в свои трущобы. Сорвиголова Раджу был убит во время драки в баре год спустя. Еще двоих постигла та же участь, а один парень из их компании влюбился в актрису, убил соперника и был осужден на длительный срок.

Когда я выучил маратхи настолько, чтобы понимать крестьян, они поведали мне о легендарной битве во всех подробностях, провели по местам боев и даже разыграли исторические события в лицах, причем молодые исполнители ссорились из-за того, кому из них достанется роль Раджу. Судьба его товарищей, о которой им поведал Прабакер во время своих приездов в деревню, также подробно пересказывалась мне как часть одной большой саги о подвигах героев. И во всех рассказах неизменно упоминалось с гордостью и любовью имя Рукхмабаи Харре, чья зажигательная речь во время похорон дала толчок сопротивлению. Это был первый и последний раз, когда она приняла активное участие в общественной жизни, и односельчане, восхищаясь ее храбростью и силой духа, больше всего радовались тому, что она, преодолев свое горе, вернулась к ним и стала той же сильной, мудрой и жизнерадостной женщиной, какой они ее всегда знали. Никто в этой обыкновенной бедной деревне никогда не сомневался и не забывал, что их самое ценное достояние — это сами жители.

Все это было запечатлено в лице Рукхмабаи. Складки, образовавшиеся у нее под глазами, служили плотинами, не дававшими слезам изливаться. Когда она сидела в одиночестве, задумавшись или поглощенная работой, ее полные красные губы были полураскрыты, словно хотели задать вопрос, не имевший ответа. Раздвоенный подбородок был выпячен вперед с вызовом и решимостью. А на лбу между бровями никогда не исчезала складка, как будто в ней был сконцентрирован весь ее жизненный опыт, говоривший ей, что не бывает безоблачного счастья, богатство не достается даром, а в жизни рано или поздно наступает период скорби и смерти.

Мои добрые отношения с Рукхмабаи установились в первое же утро. Спалось мне на матрасе из кокосового волокна очень хорошо — настолько хорошо, что, когда Рукхмабаи вскоре после рассвета привела во двор буйволиц для дойки, я продолжал громко храпеть. Одна из коров, привлеченная непонятным жужжанием, решила исследовать его происхождение. Я разом проснулся, почувствовав, что меня душит что-то влажное, и, открыв глаза, увидел огромный розовый язык, собиравшийся вторично лизнуть мое лицо. Я с перепугу свалился с постели и откатился как можно дальше.

Рукхмабаи не смогла удержаться от смеха, но это был добрый смех, открытый и дружелюбный. Она протянула мне руку, и я, поднявшись с ее помощью, тоже рассмеялся.

— *Гаэн!* — сказала она, указав на животное. — Буйвол!

Так началось наше словесное общение: я выступал в роли ученика, изучающего иностранный язык.

Взяв стеклянную банку, она склонилась под огромным черным зверем с дугообразными рогами, чтобы надоить молока. Опытным движением она направила струю прямо в банку, и скоро та была полна. Вытерев край банки уголком красного платка, она протянула ее мне.

Я горожанин до мозга костей, родился и вырос в городе с трехмиллионным населением. Любовь к большим городам помогала мне выжить в те долгие годы, когда я скрывался; в городах мне было уютно почти как дома. Я взял в руки банку парного молока, и во мне вдруг проснулось присущее потомственному горожанину боязливое недоверие к деревне. Молоко было теплым, пахло коровой, и в нем, чудилось мне, что-то плавало. Я медлил в нерешительности, чувствуя незримое присутствие Луи Пастера[1], заглядывающего через мое плечо в банку. «Знаете, мсье, на вашем месте я сначала вскипятил бы его...» — слышался мне его голос.

Несколькими большими глотками я прикончил молоко вместе со своими страхами и предубеждениями, стараясь сделать это как можно быстрее. Молоко оказалось совсем не таким плохим, как я ожидал, — оно было густым, с богатым вкусом и оставляло ощущение не только жвачного животного, но и сухих трав. Рукхмабаи схватила у меня банку и хотела наполнить ее снова, но мои умоляющие протесты убедили ее, что я вполне насытился.

После того как мы с Прабакером совершили утренний туалет, умылись и почистили зубы, Рукхмабаи усадила нас за стол и не отходила ни на шаг, пока мы поглощали плотный завтрак. На завтрак подавались *роти*, пресные лепешки, напоминающие блины, которые пеклись ежедневно в смазанном маслом котелке на открытом огне. Внутрь лепешки добавляли топленое масло, приготовленное из буйволового молока, и большую ложку сахарного песка. Лепешку сворачивали трубочкой, которую с трудом можно было обхватить рукой, и ели, запивая горячим сладким чаем с молоком.

Рукхмабаи придирчиво следила за тем, чтобы мы исправно жевали, и тыкала нас пальцем в бок или хлопала по голове и плечам при всяком нашем поползновении сделать паузу и перевести дух. Вовсю работая челюстями, мы исподтишка бросали взгляды на возившихся у плиты сестер Прабакера, надеясь, что хотя бы третья или четвертая из вкуснейших лепешек окажется последней.

Каждый день, проведенный мною в деревне, начинался со стакана молока, за которым следовали умывание и завтрак, состоявший из роти с чаем. После этого я обычно присоединялся к мужчинам, которые трудились на полях, засеянных хлопком, кукурузой, бобами, пшеницей и прочими злаками. Рабочий день делился на две половины примерно по три часа. В перерыве между ними был обед и послеобеденный сон. Обед приносили в разнообраз-

---

[1] *Луи Пастер* (1822–1895) — французский микробиолог и химик. Изучал процессы брожения и предложил метод уничтожения бактерий в молоке и других жидкостях путем нагревания.

ных мисках из нержавеющей стали женщины и дети. Чаще всего это были те же роти, приправленная специями чечевичная похлебка, манговый чатни[1] и сырой репчатый лук в лаймовом соке. Пообедав сообща, мужчины разбредались в поисках прохладного уголка, где можно было бы часок подремать. Затем работа возобновлялась с удвоенной силой, пока старший группы не давал отбой. Все собирались на прогалине между обработанными полями и дружной толпой возвращались в деревню, перебрасываясь по пути шутками.

В самой деревне для мужчин работы было немного. Приготовлением пищи, уборкой, стиркой и прочими хозяйственными делами занимались в основном женщины — как правило, молодые, которыми руководили более старшие. Женщины работали примерно четыре часа в день, так что у них оставалось много времени для общения с детьми. У мужчин рабочая неделя состояла из четырех рабочих дней по шесть часов. Посев и уборка урожая требовали, конечно, дополнительных усилий, но в среднем крестьяне Махараштры проводили за работой меньше времени, чем горожане.

Тем не менее жизнь крестьян была отнюдь не безмятежной. Некоторые после работы на общем поле до изнеможения трудились на собственных участках, пытаясь вырастить на каменистой почве какую-нибудь культуру на продажу — как правило, хлопок. Период дождей часто наступал слишком рано или слишком поздно. Поля затапливало, они подвергались нашествию насекомых или эпидемиям болезней. Женщины не занимались ничем, помимо домашних дел, и все остальные заложенные в них задатки и природные таланты постепенно угасали. Одаренный ребенок, который в городе мог бы проявить свои способности, также не видел ничего, кроме своей деревни, реки и полей. Случалось, подобная жизнь доводила людей до такого отчаяния, что в ночной тишине были слышны чьи-то рыдания.

Несмотря на это, как и обещал Прабакер, вся деревня пела целые дни напролет. Если можно считать, что обилие хорошей пищи, пение, смех и дружеские отношения с соседями — показатели благосостояния и счастья, то крестьяне Махараштры, несомненно, превосходили в этом деревенских жителей на западе. За все шесть месяцев, что я провел в деревне, мне ни разу не приходилось видеть, чтобы кто-либо из крестьян поднял на другого руку или даже повысил голос. Все односельчане Прабакера были исключительно здоровыми и крепкими людьми. К старости они слегка полнели, но толстыми назвать их было нельзя; люди среднего возраста чувствовали себя прекрасно, их глаза ярко блестели; дети были стройными, смышлеными и веселыми.

---

[1] *Чатни* — кисло-сладкая плодовая приправа.

А главное, крестьяне жили с уверенностью в завтрашнем дне, чего я не наблюдал ни в одном городе, — эта уверенность возникает, когда земля и люди, работающие на ней поколение за поколением, становятся одним целым, люди отождествляются с окружающей природой. Города — центры постоянных и необратимых перемен. Символом городской жизни служит тарахтение отбойного молотка, напоминающее звук, который издает гремучая змея перед нападением. Но изменения в деревне повторяются из года в год. То, что утрачивается сегодня, восстанавливается в ходе годичного цикла. То, что земля отдает в этом году, она будет отдавать и в следующем. Все цветущее неизбежно погибает, но затем возрождается вновь.

И когда я прожил в деревне месяца три, эта уверенность в известной степени передалась и мне; Рукхмабаи и ее односельчане поделились со мной частью своего существа и существования, и с тех пор моя жизнь изменилась в корне. В день, когда начался сезон муссонных дождей, я купался в речке вместе с другими молодыми людьми и двумя десятками ребятишек. Темные тучи, вот уже несколько недель появлявшиеся отдельными группами и нахмуренно взиравшие на нас, теперь заполонили все небо от горизонта до горизонта и, казалось, придавливали к земле верхушки деревьев. Воздух был настолько насыщен влагой, что эта перемена, после восьми засушливых месяцев, буквально пьянила людей.

— *Паус алла! С'алла гхурри!* — закричали дети, хватая меня за руки. — Ураган приближается! Пошли домой! — Они указывали на тучи и тянули меня в сторону деревни.

Первые капли дождя застали нас в пути. Спустя несколько секунд они переросли в ливень, спустя несколько минут это был уже водопад. Через час вода лилась с неба сплошным потоком, таким плотным, что дышать на улице можно было, лишь прикрыв рот ладонями и отгородив ими небольшое воздушное пространство.

Сначала крестьяне плясали и дурачились под дождем. Некоторые прихватили из дому мыло и мылись под этим небесным душем. Другие направились в местный храм, чтобы вознести Богу молитвы. Третьи спешили залатать прорехи в крышах домов и углубить канавы, прорытые возле каждой стены. Но в конце концов все, оставив свои занятия, завороженно уставились на плывущую перед их глазами живую, колышущуюся водяную завесу. В дверях каждого дома толпились люди, и каждая вспышка молнии высвечивала застывшие на их лицах изумление и восторг.

За этим многочасовым потопом последовало столь же длительное затишье. Время от времени вылезало солнце, и пар клубами поднимался с нагретой земли. Десять дней повторялось одно и то же: бурное низвержение воды и затем период спокойствия, как будто муссоны испытывали деревню на прочность перед решительным штурмом.

А когда пошел настоящий дождь, то это было целое море в воздухе, лившееся с небес почти безостановочно семь дней и ночей. На седьмой день, когда этот поток немного приутих, я отправился на речку постирать одежду. Потянувшись за мылом, пристроенным мною на береговом камне, я вдруг увидел, что камень ушел под воду. В течение нескольких секунд вода, омывавшая мои ступни, поднялась до самых колен. Я взглянул на катившиеся по реке вздыбленные валы, а они между тем уже плескались о мои бедра.

В недоумении и испуге я выбрался из воды и побрел со своей мокрой одеждой к дому. По дороге я дважды останавливался, наблюдая, как поднимается вода. Она быстро достигла верхней кромки крутых берегов и стала затоплять окружающую равнину, проникая во все поры и уголки. Вспухшая, вышедшая из берегов река неуклонно приближалась к деревне со скоростью неторопливого пешехода. Я в панике побежал, чтобы предупредить жителей.

— Река! Река приближается! — закричал я на ломаном маратхи.

Видя мое смятение, но не вполне понимая его причину, собравшиеся вокруг меня крестьяне решили позвать Прабакера, чтобы выяснить, в чем дело.

— Что с твоим состоянием, Лин? Люди очень беспокоятся за него.

— Река вышла из берегов! Она скоро затопит деревню!

Прабакер улыбнулся:

— Ну что ты, Лин. Такого не будет происходить.

— Да говорю же тебе! Я видел собственными глазами. Эта чертова река уже затопила все берега!

Прабакер перевел мои слова односельчанам. Все развеселились.

— Почему вы смеетесь? — закричал я, совершенно сбитый с толку. — Это же не шутки!

Это еще больше рассмешило их. Они стали хлопать меня по плечам и гладить, успокаивая. Затем толпа под предводительством Прабакера повела меня обратно к реке.

Река между тем была уже в нескольких сотнях метров от деревни и превратилась в целое водохранилище, по которому гуляли беспокойные валы, образуя водовороты. Пока мы стояли, наблюдая эту картину, наша одежда промокла, а река удвоила свой напор и захватывала с каждой секундой все большую территорию.

— Видишь эти палочки, Лин? — спросил Прабакер мерзким, снисходительно-успокоительным тоном, который меня уже немало раздражал. — Это колышки для игры с наводнением. Помнишь, когда их втыкали в землю — Сатиш, Пандей, Нарайан и Бхарат? Помнишь?

Ну да, я помнил. За несколько дней до этого было устроено что-то вроде лотереи. На маленьких клочках бумаги написали имена всех жителей деревни — сто двенадцать имен — и запихнули их все в большой глиняный горшок для воды, называвшийся *матка*. Вытащить из горшка шесть бумажек с именами тех, кто выиграл, было поручено маленькой девочке. Вся деревня, с интересом наблюдавшая за этой операцией, приветствовала счастливчиков аплодисментами.

Шестеро выигравших имели право забить в землю палки длиной чуть больше метра. Такое же право предоставили, без участия в лотерее, троим самым старым жителям деревни. Они выбрали место, и их более молодые односельчане загнали их палки в грунт. К каждому колышку прикрепили флажок с именем человека, закопавшего его, после чего все разошлись по домам.

Я в этот момент сидел неподалеку в тени одного из развесистых деревьев, составляя по фонетическому принципу собственный словарик тех слов языка маратхи, которые я ежедневно слышал в деревне. Занятый своим делом, я не обратил особого внимания на затеянную крестьянами лотерею и не поинтересовался, что она значит.

Теперь же, когда мы коченели под барабанившим по нашим спинам дождем и наблюдали за подкрадывавшимся к нам водным потоком, Прабакер объяснил, что колышки — это игра, которую они устраивают каждый год во время наводнения. Трем старшим жителям деревни и шестерым выигравшим в лотерею предоставлялся шанс угадать, до какого места в этом году доберется вода. Воткнутые в землю колышки отмечали места, предсказанные участниками.

— Смотри вон на тот флажок, — указал Прабакер на колышек, находившийся ближе других к реке. — Вода уже совсем рядом с ним. Сегодня ночью или завтра она затопит его.

Он перевел эти слова крестьянам, и они вытолкали вперед Сатиша, коренастого пастуха. Полузатопленный колышек принадлежал ему, и он, потупившись, смущенно ухмылялся под добродушный смех односельчан.

— А вот до этого флажка вода вряд ли дойдет, — продолжал Прабакер, показав мне ближайший к нам колышек. — Река никогда так далеко не разливалась. Это флажок старого Дипакбхая. Он думал, что потоп в этом году будет очень сильным.

Пришедшие с нами крестьяне утратили интерес к наводнению и побрели или побежали к деревне. Мы остались вдвоем с Прабакером.

— Но откуда ты знаешь, что вода не дойдет до этого колышка?

— Мы живем здесь очень долго, Лин. Деревня Сундер стоит на этом месте две тысячи лет. А следующая деревня, Натинкерра, стоит еще дольше, три тысячи лет. В некоторых деревнях — далеко отсюда — у людей были большие несчастья в период дождей из-за наводнения. Но не у нас, не в Сундере. Наша река никогда не разливалась дальше этого места. В этом году, я думаю, она тоже не пойдет дальше, хотя старый Дипакбхай говорит иначе. Все знают, где река остановится.

Он поднял глаза к небу, поливавшему нас водой:

— Но обычно мы не приходим сюда смотреть на потопные колышки, пока идет дождь. Я уже совсем плаваю в своей одежде, Лин, и если ты не против, то я пойду выжму лишнюю воду из своих костей.

Я стоял не слыша его, зачарованно глядя на толчею черных туч в вышине.

— Лин, а у тебя в стране люди знают, где остановится вода? — спросил Прабакер.

Не дождавшись ответа, он похлопал меня по плечу и пошел домой. Я же смотрел на окружающий насквозь промокший мир и думал о той реке, что течет в каждом из нас, где бы мы ни жили. Это река наших сердец, наших сердечных желаний. Это чистая, глубочайшая истина, показывающая нам, кем мы являемся и чего можем достичь. Всю свою жизнь я провел как в осажденной крепости. Я всегда был готов — слишком хорошо готов — воевать за то, что я любил, и против того, что ненавидел. И в итоге я сам стал олицетворением этой вечной войны, мое истинное «я» было скрыто под угрожающей маской. Как и у многих крутых парней, мое лицо, да и все тело, выражало лишь одно: «Со мной шутки плохи». В конце концов я научился так хорошо выражать эту мысль, что вся моя жизнь превратилась в одно лишь воинственное предупреждение.

Но в деревне эта поза не имела смысла. Местные жители не понимали ее. Они не знали других иностранцев, и им не с чем было сравнивать. Если я был мрачен или даже ожесточен, они смеялись и поощрительно хлопали меня по спине. Они считали меня дружелюбным парнем и не обращали внимания на выражение моего лица. Я был для них человеком, который работает бок о бок с ними, шутит, изображает клоуна с детьми, поет и танцует вместе со всеми и смеется от всей души.

И я думаю, что тогда я действительно смеялся от всей души. Мне выпал шанс преобразиться и, отдавшись течению этой внутренней реки жизни, стать человеком, каким я всегда хотел быть. Всего за три часа до того, как Прабакер объяснил мне суть игры с колышками, я узнал от его матери, что она созвала женщин селения на совещание, чтобы дать мне новое, местное имя, какое носили они все. Поскольку я жил в семье Прабакера, то они решили, что и фамилия моя должна быть такая же, как у них: Харре. Кишан был отцом Прабакера и считался моим приемным отцом, и традиция требовала, чтобы я взял его имя в качестве своего второго. А первое, основное имя Рукхмабаи выбрала для меня, исходя из того соображения, что у меня спокойный и жизнерадостный характер, и остальные женщины согласились с ее выбором. Это имя было Шантарам, что означает «мирный человек» или «человек, которому Бог даровал мирную судьбу».

Эти индийские крестьяне обозначили своими колышками те пределы в моей жизни, где река остановится. Они знали это место во мне и отметили его флажком с моим новым именем: Шантарам Кишан Харре. Не знаю, разглядели ли они это имя в сердце того человека, каким меня считали, или сами поместили его туда, как семя, из которого вырастет древо исполнения желаний. Это не важно. Главное, что именно в тот момент, когда я стоял возле этих потопных колышков, подняв лицо к дождю, окроплявшему меня, как при крещении, во мне родился новый человек, Шантарам. Та более совершенная личность, в которую я, медленно и с большим опозданием, начал превращаться.

ГЛАВА 7

— Это очень прекрасная проститутка, — умоляюще говорил Прабакер. — Она такая пышная, и как раз в самых серьезных и важных местах. Ты будешь такой возбужденный, просто упадешь без чувств от нее.

— Это, конечно, очень соблазнительное предложение, Прабу, — отвечал я, сдерживая смех, — но она меня не интересует. Мы только вчера уехали из деревни, и я ни о чем другом не могу думать. У меня нет... настроения встречаться с этой проституткой.

— Настроение не проблема, баба. Как только начнутся прыжки и кувыркания, твое плохое настроение очень быстро изменится. Раз — и все.

— Возможно, ты прав, но я, пожалуй, все-таки воздержусь.

— Но она такая подопытная! — скулил он. — Парни сказали мне, что только в этой гостинице у нее был сексуальный бизнес много-много раз и со многими-многими сотнями разнообразных мужчин. Я видел ее. Я посмотрел в самую нутрь ее глаз и понял, что она очень большой эксперт в сексуальном бизнесе.

— Мне не нужна проститутка, Прабу, каким бы экспертом она ни была.

— Если бы ты только увидел ее! Ты сразу помешался бы по ней.

— Нет, Прабу, извини.

— Но я пообещал, что ты придешь и посмотришь на нее. Только посмотришь, и все. Она не навредит тебе, если ты только посмотришь.

— Нет и нет.

— Но... я не смогу получить обратно задаток, если ты не пойдешь и не поглядишь немного на нее.

— Ты уплатил задаток?

— Да, Лин.

— За то, чтобы я совокупился с проституткой из этой гостиницы?

— Да, Лин, — вздохнул он и, подняв руки, беспомощно уронил их. — Шесть месяцев в деревне ты провел. Шесть месяцев без всякого сексуального бизнеса. Я размышлял, что ты должен чувствовать большое количество потребности. И теперь задаток не вернется ко мне, если ты не бросишь на нее хотя бы самый крошечный взгляд.

— Хорошо, — вздохнул я, повторив его беспомощный жест. — Придется пойти и взглянуть, чтобы выручить тебя.

Я запер дверь нашего номера, и мы пошли по широкому коридору. Гостиница «Апсара» в Аурангабаде, к северу от Бомбея, была построена больше ста лет назад с расчетом на другую, более пышную эпоху. Просторные номера с высокими потолками имели балконы, выходившие на оживленную улицу; лепные узоры украшали карнизы и потолки. Однако мебель была дешевой и подобранной как попало, а ковровая дорожка в коридоре протерлась до дыр, лохматившихся по краям. Крашеные поверхности шелушились, на стенах виднелись грязные пятна, все было невзрачно и убого. Самая подходящая гостиница, уверял меня Прабакер, чтобы провести счастливую ночь по пути в Бомбей.

Мы остановились у дверей в конце коридора. Прабакер дрожал от возбуждения, глаза его были широко раскрыты.

Я постучал, и дверь почти сразу же отворилась. На пороге стояла женщина, на вид ей перевалило за пятьдесят. Она была одета в красное с желтым сари и злобно взирала на нас. В комнате находились несколько мужчин, на которых, как на крестьянах в деревне Прабакера, были лишь набедренные повязки и белые шапочки. Они сидели на полу и поглощали в большом количестве гороховую похлебку с рисом и роти.

Женщина вышла в коридор, захлопнув дверь за собой. Она сверлила взглядом Прабакера. Он едва доходил ей до плеча и смотрел на нее, как прихвостень какого-нибудь школьного задиры на своего вожака.

— Ты видишь, Лин? — спросил он, не сводя с нее глаз. — Видишь, о чем я тебе говорил?

Я видел перед собой широкое заурядное лицо, с носом картошкой и тонкими, презрительно кривившимися губами, напоминавшими моллюска, которого пошевелили палкой. Лицо и шея были покрыты толстым слоем косметики, как у гейши, что в сочетании с ее свирепым выражением придавало женщине поистине злодейский вид.

— Покажи ему! — обратился к ней Прабакер на маратхи.

В ответ она распахнула сари, представив на обозрение выпирающий пухлый живот. Защемив фунт-другой этой плоти между обрубками-пальцами, она поглядела на меня, приподняв одну бровь в ожидании восхищенного комплимента.

Прабакер издал слабый стон, глаза его еще больше расширились.

Кинув взгляд вдоль коридора, женщина приподняла на несколько сантиметров блузку, продемонстрировав нам свои груди, длинные и болтающиеся, как маятники. Схватив одну из них, она помахала ею у меня перед носом, прищурившись и изогнув брови с каким-то совершенно непостижимым выражением. Первое, что приходило в голову, — это была не то угроза, не то насмешка.

Глаза Прабакера совсем вылезли из орбит; открыв рот, он с шумом втягивал воздух.

Женщина опустила блузку и, резко дернув головой, выбросила вперед длинную черную косу. Ухватив косу обеими руками, она стала выжимать ее пальцами сверху вниз, словно это был наполовину опустошенный тюбик зубной пасты. С конца косы на пол закапало густое кокосовое масло.

— Лин, знаешь что... — выдавил Прабакер, уставившись голодным и чуть ли не испуганным взглядом на капли масла на полу и притоптывая от нетерпения правой ногой. — Если ты не хочешь заниматься с ней сексуальным бизнесом... если ты вправду не хочешь... то я мог бы истратить этот задаток на себя...

— Увидимся в нашем номере, Прабу, — ответил я и, улыбнувшись женщине с полупоклоном, унес с собой ее презрительную и злобную гримасу.

Дожидаясь Прабакера, я решил привести в порядок свой словарь маратхи. Он содержал уже шестьсот единиц повседневной лексики. Узнавая у деревенских жителей новые слова и фразы, я записывал их на клочках бумаги, а потом переносил в большой блокнот. Только я разложил на столе бумажки с самыми новыми, еще не переписанными в блокнот словами, как дверь распахнулась и в комнату ввалился Прабакер. Не говоря ни слова, он прошествовал к своей кровати и завалился на нее лицом кверху.

С тех пор как я оставил его у дверей проститутки, не прошло и десяти минут.

— О Лин! — простонал он, блаженно улыбаясь в потолок. — Я знал это! Я знал, что она сверхподопытная женщина.

Я недоуменно смотрел на него.

— Да! — воскликнул он, садясь на кровати и болтая своими короткими ножками. — Она стоит больших денег. И я тоже сделал ей секс очень, очень хорошо. А теперь пойдем! Будем есть, пить, гулять!

— Ну пошли, если у тебя еще остались силы.

— Сил для этого места не надо, баба! Место, в которое я тебя отведу, — это такое замечательное место, что там часто можно даже сесть, когда пьешь!

Сказано — сделано. Прабакер отвел меня в это замечательное место. Находилось оно примерно в часе ходьбы от гостиницы, далеко за последней автобусной остановкой на окраине города. Заказав выпивку всем присутствующим, мы присоединились к группе замызганных посетителей, занимавших единственную в баре узкую каменную скамью и сосредоточенно напивавшихся. В Австралии такие заведения, не имеющие патента, называют самогонными погребками: в них можно достать алкоголь выше установленной крепости по договорной цене.

Компания состояла из рабочих, крестьян и прослойки правонарушителей разного профиля. Вид у всех был угрюмый и довольно затравленный. Говорили они редко и отрывисто. Опрокинув очередной стакан зловонного самогона, они строили зверскую гримасу и крякали, хрюкали или рычали, каждый на свой лад. Мы с Прабакером, зажав нос, проглотили ядохимикат одним залпом, чтобы не успеть его распробовать, после чего сумели волевым усилием удержать выпитое в желудке. Отдышавшись и подавив сопротивление организма, мы пошли по второму кругу.

Занятие было суровым и безрадостным. В людях чувствовалась напряженность. Некоторым задача оказалась не по плечу, и они сходили с дистанции, потихоньку ускользая. Другие оставались исключительно из чувства солидарности с товарищами по несчастью. Прабакер долго размышлял над пятым стаканом ядовитой жидкости. Я уж подумал, что он хочет признать свое поражение, но он собрал волю в кулак и опорожнил стакан, задыхаясь и орошая свой костюм. Тут один из участников забега вдруг отбросил свой стакан в сторону и, выйдя на середину помещения, фальшиво, но громогласно затянул песню. Мы все бурно выразили свое одобрение, радостно сознавая, что наконец-то мы напились.

Пели все по очереди. Сначала плачущими голосами исполнили национальный гимн, за ним последовали религиозные причитания. Индийские любовные куплеты перемежались протяжными душераздирающими лирическими газелями.

Два дюжих официанта, зная, какая стадия опьянения за этим последует, отставили в сторону подносы с напитками и заняли выжидательный пост на табуретах по обеим сторонам от двери. Широко улыбаясь, кивая нам и покачивая головой, они нежно сжимали в мясистых руках большие деревянные дубинки. Каждого певца публика провожала криками «Браво!» и аплодисментами. Когда наступила моя очередь, я решил исполнить — сам не знаю почему — известную песню группы «Кинкс» «Я так запал на тебя»:

> Да, девочка, запал я на тебя,
> Я так запал, что не могу уснуть...

Опьяненный своей славой, не говоря уже о выпитом, я заставил Прабакера выучить слова, а он, не уступая мне в опьяненности, выучил остальных, так что у нас получился хор:

> Да-да, клянусь, ты девочка что надо,
> Я так запал, что прямо мочи нет...

Мы продолжали горланить на пустынной дороге, ведущей к городу, когда навстречу нам медленно проехал белый «амбассадор». Миновав нас, он развернулся, так же медленно проехал обратно и свернул к обочине, перегородив нам путь. Из автомобиля вышли четверо, водитель остался на своем месте. Самый высокий подошел ко мне и, схватив за рубашку, что-то пролаял на маратхи.

— В ч-чем дело?.. — выдавил я на том же языке.

Сбоку ко мне подскочил еще один из той же четверки и нанес короткий удар, так что голова моя дернулась назад. Тут же я получил еще два удара — по зубам и по носу. Я попятился и, наступив на что-то, почувствовал, что одна нога у меня подгибается. Падая, я видел, как Прабакер кинулся навстречу нападавшим, раскинув руки в попытке остановить их. Собрав все силы, я вскочил на ноги и даже сумел пару раз дать сдачи. Хук слева и удар правым локтем сверху вниз — два лучших приема в любой уличной схватке — получились у меня неплохо. Прабакер упал рядом со мной, вскочил и тут же заработал сокрушительный удар, от которого у него все поплыло перед глазами и он закачался. Я хотел подойти поближе к нему, чтобы защитить его ногами, но опять споткнулся и неловко рухнул. Удары и пинки посыпались на меня со всех сторон. Я прикрылся как мог, а в голове у меня кто-то тихо твердил: «Это мне знакомо... Это мне знакомо...»

Трое навалились на меня, а четвертый опытными пальцами обшарил мои карманы. Пьяный и избитый, я как в тумане различал темные силуэты, склонившиеся надо мной. Тут вдруг послышался голос, умолявший бандитов о чем-то и одновременно поносивший их. Это был голос Прабакера. Он обвинял их в том, что они позорят свою страну и свой народ, грабя и избивая иностранца, гостя их страны, который не сделал им ничего плохого. Говорил он довольно бессвязно, но пламенно и умудрился на одном дыхании обозвать их несчастными трусами и упомянуть Махатму Ганди, Будду, Кришну, мать Терезу и болливудскую звезду Амитаба Баччана[1]. Это подействовало. Главарь приблизился ко мне и опустился на корточки рядом. Я хотел было подняться и вновь вступить в бой, но трое остальных пресекли мои попытки и прижали к земле. «Это мне знакомо... Это мне знакомо...»

Человек, наклонившись, заглянул мне в глаза. Лицо его было жестким и абсолютно ничего не выражало, чем очень напоминало мое собственное. Приподняв мою изодранную рубашку, он сунул что-то под нее. Это были мой паспорт и часы.

Бросив напоследок на Прабакера взгляд, полный безграничной ненависти, бандиты забрались в автомобиль. Двери захлопнулись, и «амбассадор» рванул прочь, обдав нас грязью и градом щебня.

Прабакер прежде всего убедился, что у меня нет серьезных травм, а затем принялся в отчаянии стенать и рвать на себе волосы. Он был безутешен и проклинал себя за то, что повел меня в этот отдаленный бар и допустил, чтобы мы так напились. Он с абсолютной искренностью говорил, что предпочел бы сам получить все синяки, ссадины и кровоподтеки, которые достались мне. И это было понятно: пострадала его профессиональная гордость, репутация лучшего бомбейского гида. А его страстной, безграничной любви к *Бхарат Матаджи*, матери-Индии, был нанесен такой удар, с которым не могли сравниться никакие телесные страдания.

— Только одну вещь надо сделать, Лин, — говорил он, в то время как я склонился над умывальником в просторной, выложенной белым кафелем ванной нашей гостиницы. — Когда мы вернемся в Бомбей, ты должен написать своим родным и своим друзьям телеграмму, чтобы они послали тебе денег, а потом пойти в свое новозеландское посольство и написать жалобу на свои чрезвычайные обстоятельства.

Вытерев лицо, я посмотрел на себя в зеркало. Урон был не таким уж большим. Под глазом расцветал синяк. Нос распух, но не был сломан. Губы были разбиты и тоже распухли, на щеках и подбородке красовались многочисленные ссадины. Все могло обернуться несравненно хуже. Я вырос в неблагополучном районе, где группы парней из рабочих семейств воевали друг с дру-

---

[1] *Амитаб Баччан* (р. 1942) — популярный индийский киноактер.

гом и были беспощадны к одиночкам вроде меня, не желавшим примкнуть ни к одной из них. Ну а потом была тюрьма. Никто не избивал меня так жестоко, как тюремные надзиратели, которым платили за то, чтобы они поддерживали спокойствие и порядок. Именно это вспоминал мой внутренний голос: «Мне это знакомо...» Он вспоминал, как трое или четверо тюремщиков из дисциплинарного подразделения держали меня, в то время как двое-трое других молотили кулаками, дубинками и ногами. Если тебя дубасят люди, которые должны, по идее, быть «хорошими парнями», то чувствуешь себя отвратительно и относишься после этого с пониманием к напавшим на тебя «плохим парням». Когда же «хорошие парни» пристегивают тебя наручниками к стене и начинают по очереди пинать и колошматить, то кажется, что это вся система, весь мир переламывает тебе кости. Каждую ночь нам не давали покоя крики. Крики заключенных, которых избивали.

Глядя в собственные глаза в зеркале, я думал о том, что сказал Прабакер. Он не знал, что я не мог обратиться в новозеландское посольство — и ни в какое другое. Я не мог написать друзьям и родным, потому что полиция следила за ними в надежде именно на эту оплошность с моей стороны. Так что мне неоткуда было ждать помощи или денег. Бандиты отобрали у меня все до последнего цента. Я не мог не оценить всей иронии происшедшего: беглого грабителя ограбили, отобрав все награбленное. Что там говорила Карла перед моим отъездом? Ах да: «Не напивайся».

— У меня нет денег в Новой Зеландии, Прабу, — сказал я ему, когда мы вернулись в свой номер. — У меня нет родных или друзей, которые могли бы помочь, и я не могу обратиться в посольство.

— Нет денег? Совсем?

— Да, совсем.

— И ты не можешь ниоткуда их достать? Ни из какого места?

— Нет, — ответил я, упаковывая свой вещмешок.

— Это очень большая проблема, Лин, если ты простишь, что я говорю это прямо в твое побитое и нацарапанное лицо.

— Я знаю. Как ты думаешь, мы можем загнать мои часы хозяину гостиницы?

— Да, Лин. Я очень уверенно думаю это. Это очень замечательные часы. Но я не так уверенно думаю, что он заплатит большую справедливую цену. В таких делах индийский бизнесмен прячет свою религию в самый задний карман и выдвигает на тебя очень жесткую торговлю.

— Это не важно, — сказал я, застегивая пряжки на рюкзаке. — Главное, чтобы мы могли заплатить за номер и купить билеты на поезд до Бомбея. Упаковывай свои вещи, и пойдем.

— Это очень-очень серьезная проблема, Лин, — продолжал причитать Прабакер, когда мы, закрыв дверь номера, шли по коридору. — Если в Индии нет денег, в этом совсем нет ничего забавного, это точно.

Он нахмурился, сжав губы, и сохранял эту мину до самого Бомбея. Деньги, вырученные за часы, позволили мне не только расплатиться за номер в Аурангабаде и купить билеты на поезд, но и прожить два-три дня в «Индийской гостинице» Бомбея. Закинув пожитки в свой старый номер, я проводил Прабакера до холла, безуспешно пытаясь возродить маленькое чудо его улыбки.

— Оставь все эти неблагополучия под моим присмотром, — произнес он на прощание очень серьезно и торжественно. — Ты увидишь, я сделаю тебе счастливый результат.

Наблюдая, как он спускается по лестнице, я услышал, что портье Ананд обращается ко мне на маратхи.

Я улыбнулся ему, и мы начали беседовать на этом языке. За шесть месяцев, проведенных в деревне, я научился говорить на маратхи, употребляя самые простые повседневные слова и фразы. Мои успехи были весьма скромными, но явно произвели на Ананда впечатление. Спустя несколько минут он позвал других служащих гостиницы и коридорных, чтобы они послушали, как я говорю на их языке. Все они тоже были поражены и восхищены. Им приходилось иметь дело с иностранцами, говорящими на хинди, и даже неплохо, но никто ни разу не видел такого, кто мог изъясняться на их родном и любимом маратхи.

Они закидали меня вопросами о деревне Сундер, о которой никогда не слышали, и мы побеседовали о деревенской жизни, хорошо известной им по их собственному прошлому. Вспоминая свои родные места, все они чуточку идеализировали их. Наговорившись с ними, я вернулся в свой номер, и почти сразу же раздался робкий стук в дверь.

— Простите меня, пожалуйста, за беспокойство, — сказал высокий худой турист, по виду немец или швейцарец, с клочковатой бородкой, прилепившейся к нижнему концу его длинного лица, и русыми волосами, заплетенными в толстую косичку. — Я слышал, как вы разговаривали с портье и коридорными, и понял, что вы живете в Индии уже давно... А мы... *на джа*, мы с моей знакомой приехали только сегодня... Мы хотели бы достать немного гашиша. Может быть... может быть, вы знаете, где можно его купить так, чтобы нас не обманули и не было неприятностей с полицией?

Разумеется, я знал. В тот же день я помог им не только достать гашиш, но и обменять валюту на черном рынке, проследив, чтобы сделка была справедливой. Бородатый немец и его подружка были очень благодарны мне и заплатили комиссионные. Продавцы на черном рынке, друзья и партнеры Прабакера по подпольному бизнесу, были рады, что я привел к ним новых клиентов, и тоже заплатили мне. Я знал, что на улицах Колабы полно иностранцев, нуждающихся в такой же помощи. Так беседа с Анандом и коридорными, случайно подслушанная иностранным туристом, подсказала мне, каким образом я могу заработать себе на жизнь.

Сложнее было с визой. Ананд, прописывая меня в гостинице, предупредил меня, что срок моей визы истек. Все бомбейские гостиницы были обязаны представлять городской администрации списки постояльцев, приехавших из-за рубежа, с указанием паспортных данных и срока их визы. Эти списки назывались «формой С», и полиция проверяла их очень тщательно. Нарушение визового режима считалось в Индии серьезным преступлением. Виновников могли упечь за решетку на два года, а служащие гостиниц, потворствовавшие нарушителям, облагались большими штрафами.

Ананд хмуро объяснил мне ситуацию, прежде чем записать меня в журнал постояльцев, указав фиктивные даты. Он благоволил ко мне, поскольку был родом из Махараштры и встретил в моем лице первого иностранца, с кем мог поговорить на своем родном языке. Он ничего не имел против того, чтобы нарушить один раз правила ради меня, но предупредил, что я должен срочно зайти в Отдел регистрации иностранцев полицейского управления и продлить визу.

Сидя в номере, я взвесил свои шансы. Шансы были невелики, запас наличных и того меньше. И хотя я случайно обнаружил источник дохода в виде посредничества между иностранцами и черным рынком, я не был уверен, что смогу зарабатывать этим достаточно для того, чтобы проживать в гостинице и обедать в ресторанах. И тем более для того, чтобы улететь в какую-нибудь другую страну. К тому же я уже просрочил визу и формально был правонарушителем. Правда, Ананд уверял меня, что в полиции посмотрят на просрочку сквозь пальцы, сочтя, что я допустил ее по невнимательности, но я не хотел рисковать, обратившись в Отдел регистрации. Таким образом, я не мог продлить визу, а без продленной визы не мог жить в гостинице. Выход из этой ловушки мне преграждали, с одной стороны, установленные порядки, а с другой — превратности бесприютной жизни беглеца.

Лежа на постели, я слушал в темноте звуки, доносившиеся с улицы через открытое окно: призывы продавца пана, расхваливавшего свой бесподобный ароматный товар, голос торговца арбузами, разносившийся гулким эхом во влажном вечернем воздухе, лихие выкрики уличного акробата, выделывавшего свои потогонные упражнения перед толпой туристов, и, само собой разумеется, музыку. Интересно, жил ли когда-либо на земле другой народ, любивший музыку так, как ее любят индийцы?

Музыка невольно навевала воспоминания о деревне, которых я старательно избегал. Перед самым нашим отъездом из Сундера жители пригласили меня поселиться у них постоянно, предложили дом и работу. В течение трех последних месяцев я помогал учителю сельской школы, давая уроки разговорного английского. Я поправлял его произношение, отличавшееся сильным местным акцентом. Учитель вместе с деревенским советом особенно настойчиво уговаривал меня остаться. В деревне нашлись и место для меня, и занятие.

Но я не мог туда вернуться. Тогда не мог. В городе можно прожить, зажав свои израненные сердце и душу в кулак, но в деревне они должны открыто светиться в твоих глазах. Я же постоянно, каждый час моей жизни, носил с собой свое преступление и свое наказание. Судьба, которая помогла мне вырваться из тюрьмы на свободу, не позволяла мне свободно жить в мире. И рано или поздно, глядя в мои глаза, люди поймут это. Рано или поздно наступит час расплаты. В течение полугода я выдавал себя за человека, живущего в ладу с миром, и был по-настоящему счастлив там, но душа моя не была чиста. Ради сохранения своей свободы я был способен на многое — может быть, даже на убийство.

Я знал это и понимал, что мое присутствие в деревне оскверняет ее. Каждая обращенная ко мне улыбка была добыта обманом. Когда ты живешь вне закона, в твоем смехе всегда слышится эхо лжи, каждое проявление любви становится отчасти воровством.

В дверь постучали. Я крикнул, что она открыта. Вошел Ананд и сообщил с досадой, что ко мне явился Прабакер с двумя друзьями. Я похлопал Ананда по спине в благодарность за его заботу о моем спокойствии, и мы вышли в холл.

— Лин! — просиял Прабакер, увидев меня. — У меня есть очень хорошая новость для тебя! Это мой друг Джонни Сигар. Он мой очень важный друг в *джхопадпатти* — поселке, где мы живем. А это Раджу. Он помощник мистера Казима Али Хусейна, который у нас в трущобах самый главный.

Я пожал руки обоим. Джонни Сигар был примерно такого же роста и сложения, что и я, то есть крупнее среднего индийца. На вид ему было лет тридцать. У него было умное и открытое, несколько продолговатое лицо. Глаза песочного цвета глядели твердо и уверенно. Над решительным подбородком и выразительным ртом тянулась ниточка аккуратно подстриженных усов. Раджу был лишь чуточку выше Прабакера и еще более худощав, чем он. На его кротком лице застыло печальное выражение, невольно вызывавшее сочувствие. Это была печаль, которая, увы, слишком часто свойственна предельно честным, неподкупным натурам.

Густые брови нависали над его умными темными глазами. Эти внимательные, все понимающие глаза глядели на меня с усталого, преждевременно состарившегося лица — ему, должно быть, было всего лет тридцать пять. Оба индийца понравились мне с первого взгляда.

Мы поговорили некоторое время о деревне Прабакера. Они расспрашивали меня о моих впечатлениях. Интересовало их и мое мнение о Бомбее — что мне нравится в нем больше всего, как я провожу здесь время. Я пригласил их продолжить разговор за чаем в каком-нибудь из ближайших ресторанов или закусочных, но Прабакер отклонил приглашение.

— Нет-нет, Лин, — сказал он, покачав головой. — Нам надо идти. Я просто хотел, чтобы ты познакомился с Джонни и Раджу и чтобы они тоже увидели твою добрую личность. Я думаю, что Джонни хочет сказать тебе одну вещь, не прав ли я? — обратился он к другу, выжидательно раскрыв рот и глаза и подняв руки.

Джонни Сигар нахмурился и ответил ему сердитым взглядом, но затем повернулся ко мне с широкой улыбкой.

— Мы решили, что ты будешь жить с нами, — объявил он. — Ты хороший друг Прабакера. У нас есть для тебя место.

— Да, Лин! — поспешил добавить Прабакер. — Одна семья завтра уезжает, и послезавтра их дом будет свободен для тебя.

— Но я... но я... — ошарашенно выдавил я, испытывая одновременно благодарность за их щедрое приглашение и ужас при мысли о жизни в трущобах.

Я слишком хорошо помнил свой визит туда вместе с Прабакером. Запах из открытых уборных, вопиющая нищета, многотысячный людской муравейник, — на мой взгляд, это был сущий ад, символ самого или почти самого большого несчастья, какое может случиться с человеком в наше время.

— Без проблем, Лин, — рассмеялся Прабакер. — Ты будешь очень счастливым с нами, вот увидишь. Ты знаешь, ты уже сейчас выглядишь как другой человек, правда, а когда проживешь несколько месяцев с нами, то будешь выглядеть совсем так же, как все мы. Все будут думать, что ты уже много-много лет живешь в трущобах. Вот увидишь.

— Это надежное место, — сказал Раджу, прикоснувшись к моей руке. — Ты будешь жить там спокойно, пока не накопишь денег. *Наш* отель бесплатный.

Прабакер и Джонни рассмеялись, и я вместе с ними. Мне передались их оптимизм и уверенность. В трущобах грязь и невообразимая толчея, но там мне не надо будет заполнять «форму С», там я буду свободен. У меня будет время подумать о дальнейшем.

— Ну что ж... Спасибо вам, Прабу, Раджу, Джонни. Я согласен. Я очень вам благодарен.

— Без проблем, — сказал Джонни Сигар, пожимая мне руку и глядя на меня открытым, испытующим взглядом.

Я не знал, что сам Казим Али Хусейн, «главный человек в трущобах», послал Джонни и Раджу, чтобы они посмотрели, что я собой представляю. Думая только о себе и о пугающих условиях трущобной жизни, я по недомыслию принял их приглашение без особого энтузиазма. Я не знал, какую ценность представляет жилье в их поселке и сколько семей ожидает, когда наступит их очередь занять освободившееся помещение. Мне и в голову не могло прийти, что, предлагая мне дом, поступаются интересами какой-то семьи, которой он жизненно необходим. Посылая ко мне своих помощников, Казим Али Хусейн поставил перед Раджу задачу разобраться, смогу ли я жить с ними, а Джонни должен был определить, смогут ли *они* жить со мной. В ту первую встречу я чувствовал только, что сердечное рукопожатие Джонни говорит о возможности будущей дружбы, а в печальной улыбке Раджу видел больше понимания и доверия, чем я заслуживал.

— Хорошо, Лин, — улыбнулся Прабакер. — Послезавтра мы придем, чтобы взять все-все твои вещи и твою благородную личность вместе с ними, ближе к вечеру.

— Хорошо. Спасибо, Прабу. Но постой! А как же наша послезавтрашняя экскурсия?

— А что с нашей послезавтрашней экскурсией?

— Но мы же собирались пойти к Стоячим монахам.

Речь шла о мужском монастыре в пригороде Байкулла, где безумные монахи-фанатики содержали притон для курения гашиша. Несколько месяцев назад мы уже были там с Прабакером, когда он знакомил меня с темными сторонами бомбейской жизни. По пути из деревни я взял с него обещание, что он сводит меня к Стоячим монахам еще раз вместе с Карлой. Она никогда не видела этого монастыря и была чрезвычайно заинтригована теми слухами, которые дошли до нее. Конечно, в тот момент, когда Прабакер с друзьями так гостеприимно пригласил меня к себе, напоминать об экскурсии было несколько бестактно, но мне очень хотелось показать монастырь Карле.

— Без проблем, Лин. Мы сделаем визит к этим Стоячим монахам вместе с мисс Карлой, а потом возьмем твои вещи. Я приду сюда за тобой послезавтра в три часа. Я так рад, Лин, что ты будешь трущобным жителем вместе с нами! Я так рад!

Мы спустились и вышли на улицу. Прабакер, Джонни и Раджу смешались с толпой. Таким образом, мои затруднения были преодолены. У меня появилась возможность заработать немного денег и надежное место, где я мог жить. И мои мысли, словно освободившись от этих забот, направились, петляя по улицам и переулкам, к дому Карлы, к окнам ее квартиры на первом этаже и высоким застекленным дверям, выходившим в мощенный булыжником переулок. Но эти двери были закрыты передо мной, и я безуспешно пытался вызвать в воображении ее образ, ее лицо и глаза. Я вдруг осознал, что, став владельцем убогой каморки в трущобах, я могу потерять ее, что, скорее всего, так и произойдет. Как мне представлялось в тот момент, я слишком низко паду, чтобы встречаться с ней, мой стыд разделит нас не менее безжалостно и непреодолимо, чем тюремная стена.

Вернувшись в свой номер, я лег спать. Переезд в трущобы даст мне время и разрешит проблему с визой, пусть и не совсем так, как хотелось бы. Груз этих забот спал с моих плеч, и к тому же я очень устал, так что должен был бы спать без задних ног. Однако сон мой был беспокойным. Как выразился Дидье во время одного из бесконечных полночных разговоров, во сне наши желания встречаются с нашими страхами. «А когда твое желание и твой страх — одно и то же, — сказал он, — это называется кошмаром».

ГЛАВА

8

Стоячие монахи давали обет ни разу за всю оставшуюся жизнь не присаживаться и не ложиться. Они стояли и днем и ночью, постоянно. Стоя они ели, стоя отправляли естественные потребности. Стоя они молились и пели. Даже спали они стоя, подвешенные на лямках, которые удерживали их в вертикальном положении, не позволяя в то же время упасть.

Лет через пять-десять непрерывного стояния ноги их начинали распухать. Кровь с трудом перемещалась по уставшим сосудам, мышцы утолщались. Ноги раздувались до невероятных размеров, теряли всякую форму и покрывались варикозными язвами. Пальцы едва заметно выступали на распухших, слоновьих ступнях. А затем ноги начинали худеть и худеть, пока не оставались одни кости, покрытые тонкой пленкой кожи с просвечивающими высохшими венами, напоминающими муравьиную тропу.

Боль, которую они испытывали ежеминутно, была мучительной. При каждом нажатии на ступню острые иглы пронзали всю ногу. Из-за этой непрекращающейся пытки монахи не могли стоять спокойно и то и дело переступали с ноги на ногу, раскачиваясь в своем медленном танце, который так же гипнотизировал зрителя, как действуют на кобру руки заклинателя, плетущие на флейте усыпляющую мелодию.

Некоторые из Стоячих монахов давали обет в шестнадцать или семнадцать лет, влекомые призванием, которое побуждает других становиться священниками, раввинами или имамами. Многие отвергали окружающий мир в более старшем возрасте, рассматривая его лишь как подготовку к смерти, одну из ступеней вечного перевоплощения. Немало монахов были в прошлом бизнесменами, безжалостно сметавшими все и вся на своем пути в погоне за удовольствиями, выгодами, властью. Встречались среди них и набожные люди, которые сменили несколько конфессий, все больше ужесточая приносимые ими жертвы, пока в конце концов не присоединялись к секте Стоячих монахов. Попадались в монастыре и преступники — воры, убийцы, члены мафий и даже их главари, — стремившиеся искупить свои грехи бесконечными муками и найти душевный покой.

Курильня представляла собой узкий проход между двумя кирпичными зданиями позади храма. На принадлежавшей храму территории располагались отгороженные от внешнего мира сады, галереи и спальные помещения, куда допускались лишь те, кто дал монашеский обет. Притон имел крышу из железных листов, пол был вымощен каменными плитами. Монахи входили через дверь в дальнем конце коридора, а все остальные — через металлическую калитку со стороны улицы.

Посетители, приехавшие сюда со всех концов страны и принадлежавшие к разным слоям общества, выстраивались вдоль стен. Разумеется, все стояли — садиться в присутствии Стоячих монахов не полагалось. Около входа с улицы над открытой сточной канавкой был устроен кран, где можно было выпить воды или сплюнуть. Монахи переходили от человека к человеку, от одной группы к другой, готовили гашиш в глиняных *чиллумах*[1] и курили вместе с посетителями.

Лица монахов буквально излучали страдание. Рано или поздно каждый из них, пройдя через непрерывные многолетние муки, начинал находить в них священное блаженство. Свет, порожденный мучениями, струился из глаз Стоячих монахов, и мне никогда не встречались люди, чьи лица сияли бы так, как их выстраданные улыбки.

К тому же они всегда были до предела накачаны наркотиком и, пребывая в мире своих неземных грез, имели чрезвычайно величественный вид. Они не употребляли ничего, кроме кашмирского гашиша, лучшего в мире сорта, который изготавливается

---

[1] *Чиллум* — глиняная или стеклянная трубка с раструбом на конце, используемая для курения наркотиков.

из конопли, выращиваемой у подножия Гималаев в Кашмире. Монахи курили его всю свою жизнь, и днем и ночью.

Мы с Карлой и Прабакером стояли у дальней стены коридора. Позади нас была запертая дверь, через которую вошли монахи, а спереди — две шеренги людей, тянувшиеся вдоль стен до самого выхода на улицу. Некоторые мужчины были одеты в европейские костюмы или джинсы, сшитые по авторской модели. Рядом с ними стояли рабочие в набедренных повязках и люди в национальной одежде, прибывшие из самых разных уголков Индии. Среди них были старые и молодые, богатые и бедные. Глаза их то и дело обращались на нас с Карлой, двух бледнолицых иностранцев. Некоторые были явно шокированы тем, что в их ряды затесалась женщина. Но, несмотря на всеобщее любопытство, никто не подошел и не заговорил с нами, их внимание было в основном сосредоточено на Стоячих монахах и гашише. Приглушенные голоса переговаривающихся посетителей сливались с музыкой и обрядовыми песнопениями, лившимися из спрятанных динамиков.

— Ну и как это все тебе? — спросил я.

— Это невероятно! — ответила Карла.

Глаза ее блестели в мягком свете прикрытых абажурами ламп. Она была возбуждена и, возможно, немного нервничала. После курения чараса мышцы ее лица и плеч несколько расслабились, на губах появилась улыбка, но в глазах проскакивали тигриные искорки.

— Это что-то ужасное и священное одновременно, — проговорила она. — И я никак не могу понять, что именно является ужасным, а что — священным. Слово «ужасное», может быть, не совсем подходит, но оно близко к истине.

— Я понимаю, что ты имеешь в виду, — многозначительно кивнул я, довольный тем, что Стоячие монахи произвели на нее впечатление.

Она прожила в Бомбее пять лет и много раз слышала о монастыре, но была здесь впервые. По моему тону можно было подумать, что я тут завсегдатай, на самом же деле опыт у меня был весьма ограниченный. Без Прабакера, с его чарующей улыбкой, нас сюда вообще не впустили бы.

Один из Стоячих монахов подошел к нам вместе с мальчиком-прислужником, державшим серебряный поднос с чарасом, чиллумами и прочими принадлежностями для курения. Другие монахи растянулись по всему коридору и, покачиваясь, распевали молитвы и курили. Тот, что подошел к нам, был высок и худ, но ноги его страшно распухли, на них пульсировали чудовищно разбухшие канаты вен. На осунувшемся лице отчетливо выступали височные кости, а под мощными скулами начинались глубокие впадины щек, переходившие в крепко сжатые голодные челюсти. Огромные глаза светились из-под бровей таким безумством, тоской и любовью, что он вызывал одновременно страх и безмерное сострадание.

Монах приготовил нам чиллумы, покачиваясь из стороны в сторону и улыбаясь отсутствующей улыбкой. Он ни разу не поднял на нас глаз, но улыбался нам, как старый друг, со снисхождением и пониманием. Он стоял так близко ко мне, что я видел каждый прутик его кустистых бровей и слышал прерывистое дыхание. Воздух выходил из его легких с шумом, напоминавшим шелест волн, набегающих на берег. Закончив приготовления, монах посмотрел на меня, и я на миг затерялся в том мире, который открылся мне в его глазах. На какой-то момент я почти почувствовал всю бесконечность его страданий и силу воли, позволявшую ему переносить их. Я почти понял его улыбку, в которой светилось безумство. Я был уверен, что улыбка предназначалась мне, что он хочет, чтобы я понял. И я постарался ответить ему глазами, что я почти чувствую его состояние, почти ощущаю. Затем он поднес чиллум ко рту, раскурил его и передал мне. Возникший на миг контакт с его бесконечной болью стал ослабевать, видение поблекло и растаяло вместе с клубами белого дыма. Монах повернулся и, шатаясь и бормоча молитву, медленно направился в другой конец помещения.

В этот момент пронзительный крик прорезал воздух. Все повернулись ко входу с улицы, откуда крик донесся. Возле железной калитки стоял человек в красном тюрбане, жилете и шелковых шароварах — костюме одного из северных индийских племен — и вопил что было мочи. Прежде чем люди успели понять, в чем дело, и как-то отреагировать, человек выхватил висевшую на поясе саблю и, подняв ее над головой, направился широким шагом вдоль прохода. При этом он смотрел не отрываясь прямо на меня. Что именно он кричал, я не мог разобрать, но намерения его были предельно ясны. Он собирался напасть на меня. Он хотел убить меня.

Люди по сторонам коридора инстинктивно вжались в стены. Стоячие монахи поспешили убраться с его пути. Дверь позади нас была заперта, я был безоружен. Человек приближался к нам, крутя обеими руками саблю над головой. Деваться было некуда, и оставалось только постараться отразить его нападение. Я сделал шаг назад правой ногой и поднял сжатые кулаки, заняв стойку карате. Семь лет обучения восточному единоборству пульсировали в моих руках и ногах. Я не испытывал страха. Как все известные мне ожесточенные люди, я по возможности избегал столкновений, но, если схватка становилась неизбежной, я получал от нее удовольствие.

Но в самый последний момент какой-то человек отделился от стены, перехватил выступавшего церемониальным шагом меченосца поперек туловища и с силой бросил его на пол. Сабля выпала и откатилась к ногам Карлы. Я поднял ее, а наш спаситель прижал нападавшего к полу, вывернув его руку за спину, и одновременно затянул ворот его рубашки на шее, затрудняя дыхание. Гнев и безумие, владевшие воякой, сразу утихли, и он пассивно подчинился более сильному. Несколько человек, очевидно знавших его, подхватили его под руки и вывели на улицу. Затем один из них вернулся, подошел ко мне и, требовательно глядя в глаза, протянул обе руки за саблей. Поколебавшись, я отдал ему саблю, он поклоном попросил у нас извинения и покинул притон.

Все разом возбужденно заговорили. Я с тревогой посмотрел на Карлу. Глаза ее расширились, на губах играла удивленная улыбка, но происшествие явно не выбило ее из колеи. Успокоившись на ее счет, я направился к человеку, выручившему нас. Это был мужчина чуть выше меня, мощного, атлетического сложения. Густые черные волосы, намного длиннее, чем у большинства бомбейцев в те дни, были собраны в косичку на затылке. На нем были черная шелковая рубашка и свободные черные брюки, на ногах черные кожаные сандалии.

Я представился, и он в ответ назвал свое имя: Абдулла Тахери.

— Я твой должник, Абдулла, — сказал я, улыбаясь достаточно учтиво, но с искренней благодарностью.

Он обезоружил человека с саблей с таким убийственным изяществом, что казалось, это далось ему без всяких усилий. Но я понимал, что это ложное впечатление. Я знал, сколько смелости и мастерства для этого требуется и как важно уметь инстинктивно рассчитать все движения. Абдулла Тахери был прирожденным борцом.

— Еще чуть-чуть — и мне пришлось бы плохо, — добавил я.

— Без проблем, — улыбнулся он. — Этот человек был пьян или потерял рассудок.

— В каком бы он ни был состоянии, я твой должник, — повторил я.

— Да брось, — рассмеялся Абдулла, обнажив белые зубы.

Смех его был естествен и исходил из глубины груди, — поистине, он смеялся от всего сердца. Глаза его были такого же цвета, какой приобретает песок у тебя на ладони за несколько минут до того, как солнце опустится за морской горизонт.

— Все равно я хочу, чтобы ты знал, что я тебе благодарен.

— Ладно, — ответил он, хлопнув меня по плечу.

Я вернулся к Карле и Прабакеру. Когда мы выходили, Абдуллы уже не было видно. Улица была пустынна; через несколько минут мы поймали такси. По пути в Колабу Карла не заговаривала со мной, я тоже молчал, расстроенный тем, что моя попытка доставить ей удовольствие закончилась так сумбурно и едва не плачевно. Только Прабакеру ничто не мешало болтать.

— Какое чудесное повезение! — восклицал он, оборачиваясь к нам. — Я так и думал, что этот тип изрубит нас на мелкие кусочки. Некоторым людям нельзя курить чарас, не прав ли я? Некоторые люди становятся слишком сердитыми, когда их мозги расслабляются.

Возле «Леопольда» я вышел из машины вместе с Карлой, попросив Прабакера подождать меня. Волны вечерней гуляющей публики огибали наш островок молчания.

— Ты не зайдешь? — спросила она.

— Нет, — ответил я, жалея, что не выгляжу тем суровым героем, каким я представлялся себе в этой сцене весь день. — Я сейчас возьму свои вещи в «Индийской гостинице» и перееду в трущобы. И знаешь, я не буду появляться в «Леопольде» в ближайшее время, да и в других местах тоже. Мне надо... ну, в общем, стать на ноги... Понимаешь... надо прочно стоять на ногах... А потом... Уф!.. О чем я говорил?

— О своих ногах.

— Ну да, — рассмеялся я. — Надо предпринимать какие-то шаги, с чего-то начать.

— То есть это что-то вроде прощания?

— Да нет... То есть да.

— И при этом ты только-только вернулся из деревни.

— Да, — опять засмеялся я. — Из деревни прямо в трущобы. Гигантский скачок.

— Главное при этом — устоять...

— На ногах. Да. Я понимаю.

— Послушай, если это из-за денег...

— Нет, — выпалил я. — Нет, я хочу этого. Тут не только деньги. Дело в том...

Секунды три я колебался, не поделиться ли с ней своей визовой проблемой. Ее подруга Летти знала кого-то в Отделе регистрации иностранцев. Она помогла с визой Маурицио и, наверное, могла помочь мне. Но я ничего не сказал ей и просто улыбнулся. Если бы я рассказал ей о визе, это вызвало бы вопросы, на которые я не мог ответить. Я был влюблен в Карлу, но не был уверен, что могу ей полностью доверять. Когда живешь вне закона, то доверяешь не всем, кого любишь. Понятно, для тех, кому нечего бояться, справедливо прямо противоположное.

— Дело в том, что мне кажется, это будет интересно. Настоящее приключение. Мне... даже не терпится туда переехать.

— Хорошо, — кивнула она. — Но ты знаешь, где я живу. Заходи, когда представится случай.

— Ну конечно, — заверил я ее, и мы оба улыбнулись, зная, что я не зайду. — Конечно. А ты знаешь, где я буду жить вместе с Прабакером. Так что заходи тоже.

Она взяла меня за руку и, наклонившись, поцеловала в щеку. Затем повернулась, чтобы уйти, но я задержал ее руку в своей.

— Ты не дашь мне на прощание какой-нибудь совет? — спросил я, пытаясь улыбнуться.

— Нет, — ответила она ровным тоном. — Я дала бы тебе совет только в том случае, если бы мне было безразлично, что произойдет с тобой.

Это было кое-что. Не много, конечно, но достаточно, чтобы держаться за это и надеяться. Она ушла. Я смотрел, как она вошла под арку и растворилась в яркой, беспечной и ненадежной атмосфере «Леопольда». Я знал, что дверь в ее мир для меня закрылась — по крайней мере, на какое-то время. Пока я живу в трущобах, это маленькое царство света будет для меня недоступно. Трущобы спрячут и поглотят меня, и я исчезну в них так же бесследно, как если бы этот чокнутый с саблей перерубил меня надвое.

Я забрался в такси и посмотрел на Прабакера, чья улыбка олицетворяла теперь для меня весь мой мир.

— *Тхик хайн. Чало!* — сказал я. — Ну вот и все. Поехали!

Спустя сорок минут мы затормозили напротив трущоб в Кафф-Парейде, рядом с Центром мировой торговли. Контраст между ним и соседствующими лачугами был ошеломляющим. Справа высилось колоссальное современное здание со всеми удобствами, вплоть до воздушных кондиционеров. Три нижних этажа были отведены под магазины, выставлявшие напоказ шелка и бриллианты, ковры и искусные ремесленные изделия. Слева на десять акров раскинулась жалкая нищета, где в семи тысячах крошечных лачуг ютились двадцать пять тысяч самых бедных бомбейцев. Справа сияли неоновые рекламы и фонтаны с подсветкой. Слева не было электричества, водопровода, нормальных туалетов, а главное, уверенности, что весь этот муравейник не будет в любой момент сметен по прихоти тех, кто до поры до времени мирился с его существованием.

Я отвернулся от сверкающих лимузинов, припаркованных у торгового центра, и начал свой путь в трущобы. Недалеко от входа находился открытый туалет, скрытый от глаз высокой травой и тростниковыми циновками. Отвратительная вонь царила повсюду, как будто была одной из составляющих воздуха; мне казалось, что она облепила толстым слоем мою кожу. Задыхаясь, я подавил позыв к рвоте и взглянул на Прабакера. Лицо его померкло, на нем впервые промелькнуло циничное выражение.

— Видишь, Лин, — сказал он, и улыбка его, вместо того чтобы расплыться по всему лицу, уехала куда-то вбок, — видишь, как живут люди?

Однако, после того как мы миновали туалет и подошли к первым домикам, я почувствовал порывы ветра, который долетал с дальнего конца поселка, выходившего широкой дугой к морю. Ветер не разгонял зной и духоту, но туалетное зловоние ослабло. Здесь преобладали запахи кухни, специй, благовоний. На близком расстоянии хижины представляли собой жалкое зрелище. Они были сооружены из кусков пластмассы и картона или тростниковых циновок, натянутых на тонкие бамбуковые шесты, воткнутые в землю. Полом в хижинах служила земля. Кое-где, правда, виднелись бетонные проплешины и островки каменной кладки — остатки домов, некогда стоявших на этом месте, но давным-давно снесенных.

Пока мы шли узким пластиково-тряпочным проулком, по трущобам разнеслась весть, что прибыл иностранец. Сбежалась орава детей, окруживших нас с Прабакером, но вплотную не приближавшихся. Глаза их были круглыми от любопытства и возбуждения. Они перекликались, заходились в нервном смехе и кружились в беспорядочном импровизированном танце.

Изо всех домиков высыпали их обитатели. Десятки и сотни людей толпились в дверях и в проходах между домами. Все они смотрели на меня так озабоченно и хмурились так испытующе, что мне казалось, они хотят испепелить меня своим взглядом. Разумеется, это было не так. Я не понимал тогда, что это просто удивление. Они не могли уразуметь, что за демоны преследуют меня, заставляя бояться того места, которое служило для них убежищем, спасением от несравненно худшего удела, нежели жизнь в трущобах.

И мне ведь тоже, при всех моих страхах перед этим столпотворением и убожеством, было знакомо существование куда более скверное. Настолько скверное, что я бежал от него, перебравшись через тюремную стену и оставив позади все, что я знал, все, что любил, все, чем я был.

— Вот это будет теперь твой дом, Лин! — громко объявил Прабакер, стараясь перекричать детский гомон и останавливаясь перед одной из хижин. — Заходи, познакомься.

Лачуга была такой же, как и все окружавшие ее. Крышей служил лист черной пластмассы, а опорными балками — бамбуковые шесты, связанные бечевкой из кокосового волокна, между которыми были натянуты изготовленные вручную тростниковые циновки. Земляной пол был утрамбован до гладкости ногами предыдущих жильцов. Тонкая фанерная дверь висела на веревочных петлях. Потолок был таким низким, что мне приходилось пригибаться. В комнате можно было сделать четыре шага в длину и два в ширину — совсем как в тюремной камере.

В одном из углов я пристроил свою гитару, в другом поставил портативную аптечку. У меня была пара проволочных вешалок, на которых я развесил в самом высоком углу свою одежду. В это время Прабакер окликнул меня с улицы.

Я вышел и увидел перед собой Прабакера, Джонни Сигара, Раджу и еще несколько человек.

— Это Ананд, твой сосед с одной стороны — с левой, — представил мне Прабакер высокого красивого молодого сикха, чьи длинные волосы были обмотаны желтым шарфом.

Мы обменялись рукопожатием.

— Привет, — сказал я, подивившись силе этого рукопожатия. — Я знаю еще одного Ананда — портье из «Индийской гостиницы».

— Он хороший человек? — спросил Ананд, нахмурившись чуть озадаченно.

— Да. Он мне нравится.

— Это хорошо, — одобрительно произнес Ананд с мальчишеской улыбкой, сводившей на нет всю серьезность его тона. — Значит, мы с тобой уже наполовину друзья, *на*?

— Ананд живет в одном доме с другим холостяком, по имени Рашид, — продолжил церемонию представления Прабакер.

Рашиду было лет тридцать. Всклокоченная борода свисала с его заостренного подбородка. Он устало улыбнулся, обнажив заметно выступающие вперед зубы. При улыбке глаза его щурились, придавая ему хитрый и чуть ли не злобный вид.

— А с другой стороны — наш очень хороший сосед Джитендра. У его жены имя Радха.

Джитендра был приземистым толстяком. Он все время радостно улыбался и энергично потирал свой животик. Его жена Радха в ответ на мой почтительный кивок и улыбку тоже улыбнулась и приветственно прикрыла лицо красным платком, зажав его конец в зубах.

— Знаете, — неожиданно произнес Ананд светским тоном, — мне кажется, начался пожар.

Он приподнялся на носках, защитив глаза рукой от вечернего солнца и вглядываясь в даль поверх черных крыш. Все посмотрели в ту же сторону. Наступила липкая, тревожная тишина. И вдруг в нескольких сотнях метров от нас к небу взметнулся пышный султан оранжевого пламени. Раздался раскатистый взрыв, будто из пулемета прошли стену металлического сарая. Все сломя голову кинулись в том направлении.

Я остался на месте, зачарованно глядя на огонь и поднимавшиеся по спирали клубы дыма. Тем временем отдельные языки пламени слились в сплошную сверкающую стену. Эта красно-желто-оранжевая стена, подгоняемая ветерком с моря, продвигалась все дальше, поглощая все новые и новые хижины. Она приближалась ко мне со скоростью пешехода, испепеляя все на своем пути.

То тут, то там на огненном фронте что-то взрывалось. Я понял, что это керосиновые плитки, содержавшие закачанное под давлением топливо. Последние муссонные дожди прошли несколько недель назад. Трущобы же были ни дать ни взять куча сухих щепок для растопки, и морской ветер беспрепятственно гнал по всей территории огонь, подпитывавшийся топливом и охотившийся на людей.

Я был ошеломлен и, хотя в панику не ударился, решил, что дело гиблое. Вбежав в лачугу, я схватил свои пожитки и выскочил обратно. На пороге я уронил мешок и стал подбирать рассыпавшиеся вещи, но тут увидел группу примерно из двадцати женщин и детей. Они стояли и смотрели на меня. И без слов было понятно, что они думают. В их глазах я читал как по бумаге: «Вот большой, сильный иностранец, и он спасается бегством, в то время как наши мужчины побежали сражаться с огнем».

Пристыженный, я запихнул вещи в мешок, кинул его у ног только что представленной мне соседки Радхи и бросился к центру пожара.

Трущобы разрастаются естественным образом, без определенного плана. Проходы между хижинами, конечно, ведут куда-то, но никакого порядка в их расположении нет. Сделав два-три поворота, я потерял ориентировку, но в этот момент столкнулся с цепочкой мужчин, спешивших на пожар. В противоположном направлении тянулись спасающиеся от огня старики и дети. Некоторые тащили свое имущество — одежду, кухонную утварь, плиты и картонные коробки с документами. У многих из них имелись ожоги, порезы и кровоточащие раны. В воздухе стоял острый, раздражающий запах горящей пластмассы, одежды, топлива, волос и мяса.

Спустя какое-то время я услышал сквозь человеческие крики рев огня. Внезапно какой-то ослепительный огненный шар устремился ко мне из бокового прохода. Шар вопил. Это была объятая пламенем женщина. Она налетела на меня.

Мои волосы, брови и ресницы сразу обгорели, и первым моим побуждением было отскочить в сторону. Но она упала на спину, продолжая кричать и молотить ногами. Я сдернул с себя рубашку, разорвав ее на спине, и, прикрыв ею лицо и руки от огня, кинулся к женщине, пытаясь сбить с нее пламя своей одеждой и телом. Тут подскочили на помощь другие, и я помчался дальше. Женщина была еще в сознании, когда я оставил ее, но в голове у меня стучала мысль: «Для нее все кончено... Она не выживет...»

И вот я оказался прямо перед ужасающей разинутой огненной пастью. Огонь вздымался в высоту на несколько метров. Пожар надвигался дугообразным фронтом, охватывавшим не меньше пятидесяти хижин сразу. Разыгравшиеся порывы ветра бросали вперед, словно в разведку, языки пламени, которые устремлялись к нам, отступали и неожиданно появлялись с другой стороны. В самом огненном котле творился сущий ад — горели хижины, гремели взрывы, стлался ядовитый дым.

Перед наступающим огнем стоял какой-то человек, отдававший распоряжения добровольным пожарным, как полководец, направляющий свои войска на поле боя. Он был высок и худ, с седыми волосами и такой же серебристой остроконечной бородкой. На нем были белая рубашка, белые брюки и сандалии. Шею его обматывал зеленый шарф, а в руках он держал короткую деревянную палку с медным набалдашником. Так я впервые встретился с самым главным человеком в трущобах, Казимом Али Хусейном.

Казим Али разделил людей на две команды: в то время как одна из них старалась притушить огонь, другая сносила стоявшие на пути огня хижины, чтобы лишить его топлива. Приходилось, однако, постепенно отдавать огню все большую территорию, контратакуя, когда он ослабевал. Следя за надвигающимся огненным фронтом, главнокомандующий палкой направлял своих бойцов на наиболее опасные участки.

Когда Казим Али заметил меня с почерневшей рубашкой в руках, в полированной бронзе его глаз промелькнуло удивление, однако он без лишних слов указал мне палкой на огонь. Я с облегчением и гордостью подчинился его приказу и присоединился к одной из групп. В ней же оказался, к моей радости, и Джонни Сигар.

— Все в порядке! — крикнул он, задыхаясь от дыма. Его слова выражали не столько вопрос, сколько желание поддержать меня.

— Все в порядке! — крикнул я в ответ. — Нужна вода!

— Воды больше нет, — ответил он, — цистерна пуста. Новую воду подвезут только завтра. Люди уже израсходовали почти весь свой дневной рацион.

Как я выяснил позже, на каждую хижину, включая и мою, выделялось по два-три ведра воды в день на все нужды: питье, приготовление пищи, мытье, стирку. Людям приходилось гасить огонь водой, которая была нужна им для питья. Многие семьи после этого всю ночь мучились от жажды в ожидании, пока утром не привезут воду.

— Чертов огонь! — ругался Джонни, сбивая пламя мокрой мешковиной. — Ты хочешь погубить меня, ублюдок? Черта с два! Мы уничтожим тебя!

Неожиданно в нашу сторону метнулся большой оранжевый язык. Человек, стоявший рядом со мной, с криком упал, держась за обожженное лицо. Казим Али тут же послал ему на помощь спасательную команду. Схватив освободившийся мешок, я присоединился к Джонни, орудуя одной рукой, а другой защищая лицо.

Мы то и дело оглядывались на Казима Али Хусейна, чтобы получить указания. Конечно, мы не могли рассчитывать на то, что потушим пожар своими мокрыми тряпками. Нашей задачей было задержать его наступление, пока другая команда разрушает ближайшие хижины. Это была героическая работа. Люди приносили в жертву собственные дома ради спасения всего поселка. Чтобы выиграть время, Казим Али перемещал нас по всему фронту, как фигуры на шахматной доске, добиваясь успеха то на одном, то на другом участке.

Очередной порыв ветра атаковал нас и окутал черно-коричневым дымом, полностью скрывшим из виду Казима Али и заставившим нас отступить. Когда дым немного рассеялся, мы увидели зеленый шарф Казима Али, конец которого трепыхал на ветру. Наш командир невозмутимо стоял на месте, оценивая обстановку и рассчитывая следующий шаг. Зеленый шарф развевался над его головой как знамя. Ветер снова переменился, и мы с удвоенной энергией бросились в бой, воодушевленные мужеством и стойкостью этого человека.

Когда все было кончено, мы в последний раз прошлись по всем окружающим закоулкам, проверяя, не осталось ли там раненых и погибших. Затем мы собрались всей группой, чтобы выслушать горькое сообщение о результатах пожара. Погибли двенадцать человек, из них шестеро стариков и четверо детей. Более сотни получили ожоги и травмы, зачастую серьезные. Около шестисот домов было уничтожено — одна десятая всего поселка.

Джонни Сигар переводил мне все, что говорилось. Я слушал, наклонив к нему голову, а смотрел в это время на Казима Али, читавшего траурный список. Переведя взгляд на Джонни, я увидел, что он плачет. К нам сквозь толпу пробился Прабакер, и в этот момент Джонни сказал мне, что погиб Раджу — человек с печальным, честным и дружелюбным лицом, пригласивший меня жить в трущобах. Его больше не было.

— Нам чертовски повезло! — радостно резюмировал Прабакер, когда Казим Али закончил перечислять потери. Лицо Прабакера было покрыто таким толстым слоем копоти, что его глаза и зубы сверкали, как у какого-то сверхъестественного существа. — В прошлом году во время большого пожара сгорела треть всего джхопадпатти. Каждый третий дом — всего больше двух тысяч! *Калас!*[1] И больше сорока человек умерли. Это слишком много, Лин, поверь мне. А в этом году очень удачный пожар. И наши дома уцелели! Да упокой Бхагван[2] душу нашего брата Раджу.

---

[1] Конец *(хинди)*; здесь: полностью.
[2] *Бхагван* — Бог, Всевышний (одно из имен Вишну).

В толпе послышался какой-то шум, и мы увидели, что группа людей протискивается к Казиму Али. Женщина из спасательной команды несла на руках ребенка, которого вытащили из-под дымящихся обломков. Прабакер перевел мне слова окружающих. Загорелись сразу три соседние хижины и, рухнув, погребли под собой одну из семей. По какому-то необъяснимому капризу стихии родители этой маленькой девочки погибли от удушья, а сама она осталась жива. Лицо и тело ее не пострадали, но ноги были сильно обожжены, кожа на них почернела и растрескалась. Девочка кричала от ужаса и боли.

— Скажи им, чтобы они бежали за нами, и помоги мне добраться до моей хижины! — сказал я Прабакеру. — У меня есть лекарство и бинты.

Прабакер не раз видел мою внушительную походную аптечку, содержащую бинты и тампоны, мази и кремы, дезинфицирующие растворы, зонды и хирургические инструменты. Он сразу понял меня и крикнул что-то Казиму Али. Я услышал только, как окружающие повторяют слова «лекарство» и «доктор». Прабакер схватил меня за рукав и потащил в сторону хижины.

Раскрыв аптечку на земле перед хижиной, я обмазал ноги ребенка толстым слоем анестезирующей мази. Она оказала действие немедленно: девочка перестала кричать и лишь плакала, свернувшись на руках взрослого человека.

— Доктор... доктор... — послышалось вокруг.

Тем временем солнце скрылось в водах Аравийского моря, мягкая звездная ночь опустилась на город. Казим Али велел принести несколько ламп, и при их колеблющемся свете мы продолжали трудиться в этом импровизированном лазарете под открытым небом, оказывая помощь пострадавшим. Джонни Сигар и Прабакер выполняли роль медбратьев, санитаров и переводчиков. Наиболее распространенными травмами были ожоги, порезы и глубокие раны, но у многих из-за дыма были повреждены дыхательные пути.

Казим Али Хусейн понаблюдал какое-то время за нами, а затем ушел проследить за возведением временных убежищ для тех, кто остался без крова, распределением оставшихся запасов воды, приготовлением пищи и десятком других дел, которые наверняка затянутся до утра, а то и дольше. Рядом со мной вдруг появилась чашка чая. Его приготовила для меня моя соседка Радха. С того момента, как я приехал в трущобы, у меня во рту не было ни крошки и ни капли, и лучшего чая я не пил за всю свою жизнь. Час спустя она велела мужу и еще двум мужчинам оттащить меня от пострадавших и накормила меня пресными лепешками, рисом и *баджи*[1]. Овощи, приправленные карри и другими

---

[1] *Баджи* — жареные овощи.

специями, были восхитительны, я даже вычистил тарелку куском хлеба.

Уже за полночь муж Радхи Джитендра потянул меня за рукав в мою хижину, где прямо на земле было разостлано одеяло ручной вязки. Раздевшись, я без сил рухнул на него и погрузился в свой первый сон в трущобах.

Когда я открыл глаза через семь часов (мне показалось, через семь минут), то увидел парившее в воздухе надо мной лицо Прабакера. Я поморгал и протер глаза. Это действительно был Прабакер — он сидел на корточках, подперев голову руками. Слева от него на корточках сидел Джонни Сигар, справа — Джитендра.

— Доброе утро, Линбаба! — сказал он, встретившись со мной взглядом. — Ты так громко храпишь, просто потрясающе. Джонни сказал, можно подумать, здесь быка привязали.

Джонни подтвердил это кивком, а Джитендра покачал головой из стороны в сторону.

— Старая Сарабаи знает первоклассное средство для храпения, — сообщил мне Прабакер. — Она может воткнуть тебе в нос очень острый кусочек бамбука длиной как мой палец. И после этого — никакого храпения. *Бас! Калас!*[1]

Я сел на одеяле и потянулся — спина и плечи затекли. Глаза все еще резало после борьбы с огнем, а волосы, казалось, пропитались дымом. Все помещение пронизывали копья утреннего света, проникавшего сквозь дыры в стенах.

— Что ты тут делаешь, Прабу? — спросил я раздраженно. — Давно вы так сидите?

— Не очень давно, Лин. Может быть, около получаса.

— Знаешь, это не очень-то вежливо, — проворчал я. — Сидеть и смотреть, как человек спит.

— Прости, Лин, — ответил он спокойно. — Мы в Индии можем смотреть иногда, как каждый спит. Мы говорим, что лицо, когда оно спит, — друг всего мира.

— Твое лицо такое доброе, когда ты спишь, Лин, — добавил Джонни Сигар. — Я был очень удивлен.

— Не могу вам передать, как много это значит для меня, парни. Стало быть, можно рассчитывать на то, что я буду находить вас здесь каждое утро, просыпаясь?

— Ну, если ты этого действительно очень хочешь, Лин, — согласился Прабакер, вскакивая на ноги. — Сегодня мы просто пришли, чтобы сказать тебе, что твои пациенты готовы.

— Мои... пациенты?

— Да. Посмотри.

Они открыли дверь, и солнце вонзилось в мои воспаленные глаза. Заморгав, я вышел в сверкающее приморское утро и обна-

---

[1] Хватит! Конец! *(хинди)*

ружил возле хижины человек тридцать, если не больше. Они сидели друг за другом на корточках, образуя очередь, хвост которой пропадал где-то за углом.

— Доктор... доктор... — раздались голоса.

— Пошли, — дернул меня за рукав Прабакер.

— Куда?

— Сначала в туалет, — отвечал он жизнерадостно. — Ты ведь должен сделать опорожнение, не прав ли я? Я тебе покажу, как мы делаем опорожнение на длинной бетонной дамбе. Там все мальчики и молодые люди каждое утро делают опорожнение прямо в океан. Просто надо сесть на корточки, чтобы твои ягодицы были направлены в сторону океана. А потом ты помоешь свою добрую личность душем и будет замечательный завтрак. А после этого ты можешь легко привести в порядок своих пациентов. Никаких проблем.

Мы направились вдоль очереди. Тут были молодые и старые люди, мужчины и женщины. Их лица были покрыты ссадинами и синяками, у многих распухли. Почерневшие руки кровоточили и были в волдырях. Некоторые подвязали их, а для ног соорудили что-то вроде шин. Дойдя до поворота, я с ужасом увидел, что очередь там не заканчивается и тянется еще далеко-далеко.

— Но... как же я уйду? — пробормотал я. — Они же ждут...

— Подождать — это не проблема, — отвечал Прабакер беззаботным тоном. — Они и так ждут уже больше часа. Если бы тебя не было с нами, они все равно ждали бы — только неизвестно чего. А ждать неизвестно чего — это убивает сердце человека, не прав ли я? А сейчас они ждут известно чего. Тебя. А ты очень даже известно чего, Лин-Шантарам, если ты простишь, что я говорю так прямо в твое задымленное лицо и торчащие во все стороны волосы. Но сначала ты должен делать опорожнение, потом мыться и завтракать. И пойдем побыстрее, а то там ребята ждут на дамбе, чтобы посмотреть, как ты будешь делать опорожнение.

— Чего они ждут?!

— О да! Они захвачены тобой. Ты для них как киногерой из фильма. Они умирают от нетерпения увидеть, как ты будешь делать свое опорожнение. А потом, после всего этого, ты вернешься и расправишься с пациентами, как всамделишный герой, не прав ли я?

Так я нашел свою нишу в трущобах. «Если твоя судьба не вызывает у тебя смеха, — сказала Карла при одной из наших первых встреч, — значит ты не понял шутки». Еще в юности я прошел курс элементарной диагностики и оказания первой помощи при порезах, ожогах, растяжениях, переломах и прочих несчастных случаях. Впоследствии мне не раз приходилось спасать жизнь наркоманам при передозировке, и я получил прозвище

Док. Сотни людей только так меня и называли, не зная моего имени. Именно поэтому мои друзья в Новой Зеландии и подарили мне на прощание эту походную аптечку. Я был уверен, что все эти факты — приобретение медицинских навыков, прозвище, аптечка, неофициальная лечебная практика в трущобах — выстроились в одну цепочку не случайно.

Это место было будто специально уготовлено для меня. Другой человек, владеющий начатками знаний по медицине, как и я или лучше меня, не совершал бы преступлений, не бежал бы из тюрьмы и не был бы вынужден жить в трущобах. Какой-нибудь преступник, пожелавший скрыться здесь от преследования, не имел бы медицинской подготовки. В то утро я не мог уразуметь смысла этой фатальной цепочки, понять шутку судьбы и посмеяться над ней. Но я чувствовал: то, что я попал в это место и занялся этим делом именно в этот момент, было предопределено судьбой. И это чувство обладало такой силой, что привязывало меня к этому месту, к этой работе, хотя внутренний голос и подсказывал мне, что надо бежать отсюда куда глаза глядят.

Мой первый рабочий день в трущобах начался. Люди приходили ко мне один за другим, сообщали свои имена, дарили улыбки, а я принимал одного за другим, стараясь по мере сил помочь. Занятый своим делом, я даже не заметил, как моя лачуга преобразилась: кто-то принес новую керосиновую лампу, кто-то — металлический ящик, чтобы прятать продукты от крыс; откуда-то появились кастрюли и ножи с вилками, табурет и кувшин для воды — все та же непременная матка.

Когда вечер протянулся алой дугой по небу, я вместе с соседями сел возле своей хижины, чтобы поужинать и побеседовать. Печаль владела всеми сердцами; воспоминания о погибших на время отступали, чтобы нахлынуть, как океанский прилив, с новой силой. Однако та же печаль заставляла уцелевших продолжать борьбу за жизнь. Опаленная земля была расчищена, многие хижины уже восстановлены. И с каждой восстающей из пепла лачугой росла надежда в сердцах людей.

Я посмотрел на Прабакера, который смеялся и шутил во время еды, и вспомнил наш поход в святилище Стоячих монахов. Особенно ярко запечатлелось у меня в памяти нападение сумасшедшего с саблей. В тот самый миг, когда я сделал шаг назад и выставил кулаки, чтобы отразить удар, Прабакер тоже шагнул в сторону и заслонил собой Карлу. Он не был влюблен в нее и не привык махать кулаками, но, в то время как я, подчиняясь первому побуждению, приготовился к драке, он инстинктивно сделал этот шаг.

Если бы Абдулла не остановил этого сумасшедшего и он добрался бы до нас, то именно мне пришлось бы схватиться с ним.

Возможно, я сумел бы спасти нас — мне приходилось драться с противниками, которые были вооружены дубинками и ножами, и я справлялся с ними, — но это не умаляло мужества и геройства, проявленного Прабакером.

Прабакер нравился мне с каждым днем все больше. Я восхищался его неиссякаемым оптимизмом; его широкая улыбка не раз успокаивала меня и согревала; мне всегда и повсюду было хорошо в его обществе. Но в эту минуту, в мой второй вечер в трущобах, когда он перешучивался с Джитендрой, Джонни и другими друзьями, во мне пробудилась настоящая любовь к нему.

Еда была хорошо приготовлена, ее хватило на всех. Где-то было включено радио. Два голоса — прекрасное, почти невыносимо нежное сопрано и ликующий, горделивый тенор — исполняли дуэт из индийского кинофильма. Люди вокруг меня беседовали, поддерживая друг друга улыбками и словами. И я, слушая эту песню любви и этот разговор переживших несчастье и уверенных в будущем людей, почувствовал, что их мир обволакивает меня так же мягко и так же непреодолимо, как прибывающий прилив затопляет камень на берегу.

Часть вторая

ГЛАВА

9

Я сбежал из тюрьмы в полном смысле слова среди бела дня — спустя час после полудня, перебравшись через стену в самом видном месте между двумя пулеметными вышками. Мы действовали в соответствии с тщательно разработанным планом почти до самого конца, но удался он потому, что был дерзок и требовал немалой доли безрассудства. Полный успех был нашей программой-минимум: приступив к выполнению плана, мы сожгли за собой мосты, и в случае неудачи надзиратели дисциплинарного подразделения вряд ли оставили бы нас в живых.

Нас было двое. Товарищем моим был двадцатипятилетний парень с широкой и необузданной натурой, осужденный на пожизненное за убийство. Мы пытались склонить к побегу еще несколько человек — восьмерых самых тертых заключенных из тех, кого мы знали; всем им впаяли по десять и больше лет за преступления с применением насилия. Но все они под тем или иным предлогом отказались участвовать в нашей авантюре. И я не виню их за это. Мы с приятелем были молоды, отсиживали свой первый срок, и, хотя он был у обоих большим, за нами не тянулось криминального следа. А задуманный нами побег был того рода, какой в случае успеха называют героическим, а в случае провала — безумным. Так что в итоге мы остались вдвоем.

Нам повезло, что в это время производился капитальный ремонт двухэтажного здания возле главных ворот, в котором базировалась внутренняя охрана и проводились допросы. Мы работали на уборке строительного мусора во дворе. Все смены охранников, дежуривших на этом участке, видели нас ежедневно и хорошо знали. Когда в день побега мы появились на своем рабочем месте, они, как обычно, понаблюдали за нами какое-то время, а затем оставили в покое. Ремонтируемое здание было пусто — рабочие ушли на обед. На несколько секунд на охранников нашло нечто вроде затмения — мы настолько примелькались им, что стали как бы невидимыми. Этим-то мы и воспользовались.

Проделав дыру в проволочном ограждении стройплощадки, мы взломали дверь пустого здания и поднялись на второй этаж. Внутренние перегородки были снесены, обнажилась структура опорных балок и вертикальных элементов. Голые деревянные ступени лестницы были засыпаны известковой пылью и осколками кирпичей и штукатурки. В потолке на верхнем этаже имелся люк. Встав на мощные плечи своего товарища, я выбил крышку люка и выбрался на чердак. Под одеждой у меня был обмотан вокруг пояса длинный кусок провода. Привязав один конец к балке под крышей, я спустил другой через люк. С помощью этого провода мой напарник поднялся на чердак вслед за мной.

Над нами нависала зигзагообразная крыша. Мы пробрались в самый дальний и узкий угол чердака, где здание смыкалось с наружной стеной тюрьмы. Я решил, что дыру в крыше надо проделать в желобе между двумя балками, надеясь, что так она не будет заметна с пулеметных вышек. На чердаке и повсюду-то было темно, а в этом углу — чернее, чем у негра за пазухой.

Используя зажигалку в качестве фонаря, мы начали долбить двойное деревянное покрытие, за которым уже шло верхнее, жестяное. Из инструментов у нас имелись только большая отвертка, стамеска и ножницы по металлу. Минут пятнадцать мы скребли дерево, резали и рубили и в результате проделали отверстие величиной с человеческий глаз. Посветив зажигалкой, мы разглядели поблескивавшую в глубине отверстия жестяную крышу. Слой дерева был слишком толстым и слишком твердым. С этими инструментами мы провозились бы несколько часов, расширяя дыру до таких размеров, чтобы можно было пролезть в нее.

У нас же в запасе не было нескольких часов — всего, как мы прикинули, минут тридцать или чуть больше до того, как охранники отправятся в свой обычный обход. За это время нам надо было пробиться сквозь деревянное покрытие, затем сквозь жестяное, потом вылезти на крышу и, перебросив через стену провод, спуститься по нему на волю. Наши внутренние часы отсчитывали минуты. Здесь, на чердаке, мы были как в западне. В любую минуту охранники могли заметить поврежденное ограждение, взломанную дверь и выбитый люк, а забравшись на чердак, обнаружили бы и нас.

— Надо вернуться обратно, — прошептал мой товарищ. — Нам не справиться с этой деревяшкой. Надо вернуться и сделать вид, что мы никуда не отлучались.

— Мы не можем вернуться, — ответил я ровным тоном, хотя у меня в голове тоже мелькнула эта мысль. — Они увидят все оставленные нами следы и поймут, что это наших рук дело. Кроме нас, на эту территорию никого не пускают. Если мы вернемся, то «щель» нам обеспечена как минимум на год.

«Щелью» мы называли карцер. В те годы этот карцер был худшим из всех тюремных карцеров в стране. Заключенных там жестоко избивали, как только у охранников появлялось такое желание. А уж после неудавшегося побега через крышу их собственной штаб-квартиры они избивали бы нас с особой жестокостью, и желание это появлялось бы у них даже чаще обычного.

— Так что же, на хрен, нам делать?! — завопил мой товарищ громким шепотом.

Пот ручьями стекал с его лица, а руки у него так взмокли от страха, что он уронил зажигалку.

— Есть два варианта, — сказал я.

— Какие?

— Во-первых, мы можем воспользоваться лестницей, что прикована к стене на первом этаже. Если мы разобьем цепь, приставим лестницу к стене и, забравшись по ней, привяжем сверху провод, то, перекинув провод через стену, можем спуститься по нему, как и собирались.

— Но... нас же заметят! — воскликнул он.

— Да.

— И пристрелят на месте.

— Не обязательно.

— Черт тебя побери! Это же самое открытое место! Объясни, как ты надеешься спастись.

— Я думаю, что одного из нас убьют, а другому, возможно, удастся бежать. Так что тут шансы фифти-фифти.

Помолчав, мы взвесили все «за» и «против».

— Это не вариант, а чистое самоубийство! — выпалил мой товарищ, передернувшись.

— Согласен.

— Ну а второй какой?

— На первом этаже валяется циркулярная пила.

— Да, я заметил.

— С ее помощью можно проделать дыру в деревяшке, а жесть вырезать ножницами.

— Но это ведь будет слышно! — хрипло прошептал он. — Во время работы я слышу даже, как они говорят по своему долбаному телефону. Когда мы включим здесь пилу, будет такой гром, будто вертолет сел на крышу!

— Да, но они могут подумать, что это строители работают.

— Они же знают, что рабочих здесь нет.

— У охранников как раз сейчас смена, заступят новые. Это, конечно, большой риск, но, по-моему, они, услышав шум, все же решат, что это рабочие. Здесь уже несколько недель визжат всякие дрели, пилы и отбойные молотки. С чего вдруг им думать, что это *мы* визжим? Им и в голову не придет, что заключенные могут настолько обнаглеть, чтобы проделывать электропилой дыру рядом с главными воротами. Во всяком случае, ничего лучше я не могу придумать.

— Не хочу быть слишком придирчивым, но в этом здании нет электричества, — проворчал он. — Его отключили на время ремонта. Единственная подключенная розетка находится на стене со стороны двора. Длины провода хватит, но розетка на *наружной* стене.

— Я знаю. Одному из нас придется спуститься, выйти через дверь, которую мы взломали, и воткнуть провод в розетку. Больше ничего не остается.

— И кто же из нас проделает этот фокус?

— Я проделаю.

Я хотел произнести это уверенным и решительным тоном, но порой нам в голову приходят столь невообразимые идеи, что наше тело просто не может в них поверить, так что у меня вместо этого получилось что-то вроде писка.

Я подошел к люку. Ноги от страха и напряжения одеревенели и плохо слушались меня. Я спустился по проводу, а затем по лестнице на первый этаж, волоча провод за собой. У входных дверей я увидел циркулярную пилу. Привязав к ее ручке конец провода, я взбежал с пилой на второй этаж к люку, и мой напарник втащил ее на чердак. После этого я вновь спустился с проводом. Прижавшись к стене у входных дверей, я замер, собираясь с духом. Наконец, дождавшись прилива адреналина, захлестнувшего мое сердце, я распахнул дверь и выскочил во двор.

Охранники, вооруженные пистолетами, были метрах в двадцати от меня. Если бы хоть один из них стоял лицом ко мне, все было бы кончено, но они вертели головой во все стороны, кроме моей. Они прохаживались возле ворот, смеясь какой-то шутке, и не заметили меня. Воткнув провод в розетку, я юркнул обратно в здание, по-собачьи взбежал на четвереньках по лестнице и поднялся по проводу на чердак. Мой друг в темном углу чиркнул зажигалкой. Он уже подсоединил провод к пиле и был готов пустить ее в ход. Взяв у него зажигалку, я стал светить ему. Пила завопила, как реактивный двигатель на стартовой полосе аэродрома. Приятель посмотрел на меня, ухмыляясь до ушей. В глазах его плясало пламя зажигалки. Он погрузил лезвие пилы в древесину. Сделав четыре пропила и чуть не оглушив меня при этом, он проделал отличную дыру, сквозь которую поблескивала жестяная крыша.

Наступила тишина. Мы ждали. В ушах у нас еще звучало угасающее эхо, в груди бешено колотилось сердце. На посту около ворот раздался телефонный звонок, и мы решили, что это конец. Один из охранников подошел к телефону и стал разговаривать с кем-то непринужденным тоном, посмеиваясь. Все было в порядке. Они, несомненно, слышали звук пилы, но сделали то заключение, на которое я и рассчитывал.

Воодушевленный этим успехом, я пробил отверткой дыру в жестяном покрытии. Солнце ворвалось на чердак вестником из свободного мира. Я расширил дыру и прорезал ножницами отверстие с трех сторон. Мы в четыре руки отогнули лист, я высунул голову наружу и убедился, что отверстие находится на дне конусообразного желоба. Лежа в этом желобе, мы не будем видеть охранников на вышке, значит и они не увидят нас.

Но оставалось еще одно дело. Провод был по-прежнему воткнут в розетку во дворе. Он был нужен нам, чтобы спуститься по стене на улицу. Один из нас должен был опять выйти во двор на виду у охранников, вытащить провод из розетки и вернуться на крышу. Поглядев на своего товарища, чье лицо блестело от пота в льющемся сверху потоке солнечного света, я понял, что идти придется мне.

Я опять выждал у выхода во двор, прижавшись к стене и собирая всю свою волю. Дышать было трудно, перед глазами все плыло, меня стало тошнить. Сердце билось в груди, как птица, попавшаяся в силок. В конце концов я понял, что не смогу выйти. И рассудок, и безотчетный страх — все кричало мне: «Не делай этого!» Я не мог.

Оставалось только перерезать провод. Я вытащил стамеску из кармана комбинезона. Она была очень остро наточена, и даже наши попытки продолбить с ее помощью дыру в деревянном перекрытии не затупили ее. Поставив режущую грань на провод в том месте, где он уходил под землю, я уже занес руку, чтобы ударить по рукоятке, но тут мне в голову пришла мысль, что при этом я прерву цепь и это, возможно, приведет в действие сигнал тревоги. Но других вариантов не было. Я просто физически не мог выйти во двор. Я с силой ударил по стамеске. Она прорезала провод и углубилась в деревянный пол. К своему облегчению, я не услышал ни сигнала тревоги, ни голосов приближающихся охранников. Опять обошлось.

Схватив свободный конец провода, я поспешил наверх, на чердак. Мы привязали провод к толстой балке возле проделанного отверстия. Затем мой товарищ полез на крышу. Протиснувшись наполовину, он застрял, не в силах двинуться ни вперед ни назад. Он стал дергаться и молотить ногами, но это не помогало. Он засел основательно.

На чердаке опять воцарилась темнота — его тело наглухо закупорило отверстие. Пошарив в пыли между стропилами, я нашел зажигалку. Я зажег ее и увидел, чтó его задержало. Это был толстый кожаный кисет для табака, изготовленный им в одной из групп по обучению ремеслам. Их организовывали, чтобы занять заключенных в часы досуга. Я велел ему не дергаться и прорезал стамеской дыру в заднем кармане его комбинезона, где лежал кисет. Табак посыпался из кисета мне на руки, и мой освобожденный приятель вылез на крышу. Вслед за ним выбрался и я. Извиваясь как червяки, мы проползли по желобу до зубчатой тюремной стены и, встав на колени, посмотрели вниз. Часовые на вышке вполне могли нас увидеть, но они не глядели в нашу сторону. Человеческая психология превращала этот участок в слепое пятно. Охранники не обращали на него никакого внимания, потому что и представить себе не могли, что кто-нибудь из заключенных свихнется настолько, чтобы перелезать через переднюю стену при свете дня.

Перегнувшись на один миг через стену, мы увидели возле ворот вереницу машин. Это были поставщики различных продуктов, ожидавшие своей очереди. Каждую машину тщательно обыскивали и даже осматривали с помощью фонариков снизу, так что очередь продвигалась медленно. Мы опять укрылись в желобе, чтобы обсудить положение.

— Просто столпотворение, — вздохнул я.

— Все равно надо перелезать прямо сейчас, — заявил товарищ.

— Нет, надо подождать.

— К черту ожидания! Перебрасываем провод и спускаемся.

— Нет, — прошептал я, — там слишком много людей.

— Ну и что?

— Кому-нибудь из них обязательно захочется выступить в героической роли охранника общественного порядка.

— Хрен с ним. Пускай выступает. Мы заткнем ему чирикалку.

— Их там слишком много.

— Хрен с ними со всеми. Мы спрыгнем на них сверху, и они даже не поймут, что это на них навалилось. Схватимся с ними, и — чья возьмет.

— Нет, — сказал я твердо. — Надо дождаться, пока там никого не будет.

И мы стали ждать. Мы ждали целую вечность, двадцать пять минут. Я несколько раз, рискуя быть обнаруженным, подползал к стене, чтобы заглянуть через нее. Наконец, перегнувшись в очередной раз, я увидел, что улица пуста. Я дал сигнал своему товарищу. Он в ту же секунду перемахнул через стену. Я посмотрел вслед ему, ожидая увидеть, как он спускается по проводу, но он уже бегом скрывался в узком переулке напротив. А я был еще в тюрьме.

Я перебрался через вымазанный медным купоросом парапет и ухватился за провод. Упираясь ногами в стену, я посмотрел на пулеметную вышку слева от меня. Охранник разговаривал с кем-то по телефону, жестикулируя свободной рукой. На плече у него висел автомат. Я посмотрел вправо. Та же картина. Охранник с автоматом болтает по телефону. Он улыбался и не проявлял признаков беспокойства. Я был человеком-невидимкой. Я стоял прямо на стене самой надежной тюрьмы в государстве и был невидим.

Оттолкнувшись ногами, я начал спускаться. Но оттого, что руки мои были потными, да и от страха, провод выскользнул у меня из рук, и я стал падать. Стена была очень высокой, и, приземлившись, я, скорее всего, разбился бы насмерть. Я сделал отчаянную попытку ухватиться за провод, и это мне удалось. С адской скоростью я проскользил по проводу на руках, и их словно огнем обожгло — кожу с ладоней сорвало начисто. Затем мой спуск стал медленнее, хотя рукам от этого было не легче. Шлепнувшись на землю, я поднялся и пошатываясь пересек улицу. Я был свободен.

Я бросил последний взгляд на тюрьму. Провод по-прежнему свисал со стены. Охранники по-прежнему разговаривали по телефону. Мимо меня проехал автомобиль. Водитель барабанил пальцами по рулевому колесу в такт звучащей мелодии. Я отвернулся от тюрьмы и направился по переулку в новую жизнь, в которой не было места ничему из того, что я прежде любил.

Когда я с оружием в руках грабил людей, люди боялись меня. За это я был обречен жить в вечном страхе — сначала в ту пору, когда я занимался грабежом, затем в тюрьме и, наконец, после побега. Особенно остро это чувствовалось по ночам — мне казалось, что какой-то тромб страха закупорил мои кровеносные сосуды и дыхательные пути. Ужас, который испытывали передо мной другие, превратился в нескончаемые кошмары, преследовавшие меня в одинокие ночные часы.

Днем, когда мир крутился и хлопотал вокруг меня в те первые бомбейские месяцы, я погружался в водоворот дел, обязанностей и маленьких развлечений. А ночью, когда обитателям трущоб снились сны, я всей кожей ощущал страх. Мое сердце углублялось в темные пещеры воспоминаний. И часто, почти каждую ночь, я бродил по спящему городу. Я заставлял себя не оборачиваться, чтобы не увидеть свисающего со стены провода и пулеметных вышек, которых там не было.

По ночам на улицах было тихо. Начиная с полуночи полиция вводила в городе своего рода комендантский час. Ровно в половине двенадцатого на центральные улицы высыпал целый рой патрульных машин; полицейские заставляли хозяев всех ресторанов, баров и магазинов закрывать свои заведения и разгоняли даже лоточников, торговавших сигаретами и паном, не говоря уже о нищих, наркоманах и проститутках, которые не успели попрятаться по своим углам. Витрины магазинов загораживались стальными ставнями, лотки на рынках и базарах покрывались белым коленкором. В городе воцарялись тишина и пустота, какие трудно было представить себе в дневном шуме и гаме, коловращении людей и сталкивающихся интересов. Ночью Бомбей становился бесшумным, прекрасным и пугающим. Он превращался в дом, населенный привидениями.

После полуночи до двух или трех часов в городе проводились облавы. Группы полицейских в штатском патрулировали пустынные улицы, высматривая преступников, наркоманов, подозрительных прохожих, бездомных и безработных. Бездомным же был каждый второй в Бомбее, и почти все они жили, ели и спали на улице. Буквально повсюду ты наталкивался на спящих людей, укрывшихся от ночной сырости простынями и тонкими одеялами. Одинокие бродяги, семьи и целые группы беженцев, искавшие в мегаполисе спасения от засухи, наводнения или голода, ночевали, скучившись, на каменных пешеходных дорожках и в парадных.

Городской закон воспрещал спать на улице. Полицейские, конечно, следили за соблюдением этого закона, но относились к этой обязанности так же трезво, как и к ловле «ночных бабочек» на улице Десяти Тысяч Шлюх, и применяли дисциплинарные санкции очень выборочно. В частности, санкции не распространялись на святых людей — *садху* и приверженцев других религий. Стариков, больных и покалеченных иногда прогоняли с одного места на другое, но не арестовывали. С душевнобольными, разнообразными эксцентричными личностями и бродячими артистами — музыкантами, акробатами, фокусниками, актерами и укротителями змей — обходились подчас довольно грубо, но затем оставляли в покое. Семьям, особенно с маленькими детьми, обычно выносили предупреждение, чтобы они не задерживались в данном месте дольше чем на несколько дней. Если человек мог предъявить документ, удостоверяющий, что он где-то работает, или хотя бы сообщить адрес своего работодателя, его отпускали на все четыре стороны. При этом людям прилично одетым и способным доказать, что они мало-мальски образованны, удавалось обычно избежать ареста даже в том случае, если они нигде не работали. И разумеется, мог ни о чем не беспокоиться тот, кто был в состоянии дать полицейским взятку.

Таким образом, в группу повышенного риска попадали прежде всего одинокие молодые люди — бездомные, безработные, необразованные и бедные. Каждую ночь по всему городу арестовывали множество парней, которые не могли откупиться или убедить полицейских в своей благонадежности. Иногда их задерживали из-за того, что они подходили по своим внешним данным к описанию разыскиваемых преступников, иногда у них обнаруживали наркотики или краденое. Некоторые были хорошо известны полиции, и их прихватывали вместе с другими на всякий случай. Но многим не везло просто потому, что они были плохо одеты, держались замкнуто и не умели постоять за себя.

У города не было средств, чтобы обзавестись тысячами наручников для всех задержанных; да если бы даже средства и нашлись, полицейские вряд ли стали бы таскать по улицам массу тяжелых цепей. Вместо этого они брали с собой грубый шпагат из конопляного или кокосового волокна, которым привязывали арестованных друг к другу за правую руку. Эта тонкая бечевка служила надежным заменителем наручников, так как полуголодные люди были по большей части слишком слабы и духовно сломлены, чтобы отважиться на побег. Они молча и робко повиновались. Когда набиралась цепочка из пятнадцати-двадцати человек, их отводили под присмотром нескольких патрульных в полицейский участок, где запирали в камерах.

Полицейские в Бомбее оказались справедливее, чем я ожидал, и обладали несомненным мужеством. Они были вооружены лишь тонкими бамбуковыми палками, так называемыми *лати*. Никаких увесистых дубинок, газовых или иных пистолетов у них не было. Мобильными телефонами они тоже не были обеспечены и не могли вызвать подкрепление, столкнувшись с каким-либо затруднением. Транспортных средств для несения патрульной службы не предусматривалось, и полицейские совершали многокилометровые обходы пешком. И хотя им приходилось орудовать своими лати довольно часто, случаев жестокого избиения граждан было гораздо меньше, чем в том современном городе западного мира, где я вырос.

Тем не менее попасть в облаву значило провести много дней, недель или месяцев в одной из тюрем, где условия содержания были такими же плохими, как повсюду в Азии, и караваны связанных цепочкой людей, бредущие после полуночи по улицам, представляли даже более траурное зрелище, чем похоронные процессии.

По ночам я всегда гулял в одиночестве. Мои богатые друзья боялись бедняков. Бедные друзья боялись полицейских. Иностранцы боялись всех и прятались в своих отелях. Я владел улицами с их молчаливой прохладой безраздельно.

Во время одной из этих ночных прогулок, месяца через три после пожара, я забрел на набережную Марин-драйв. Широкий тротуар, тянувшийся вдоль парапета, был пуст и чист. Шестиполосная автомагистраль отделяла его от раскинувшейся от горизонта к горизонту вогнутой дуги, которая предъявляла темным колышущимся морским волнам парадный фасад города: шикарные дома с дорогими квартирами, консульские особняки, первоклассные рестораны и отели.

Движения на набережной практически не было, лишь каждые пятнадцать-двадцать минут медленно проезжала какая-нибудь машина. Почти все окна за проспектом были темны. Резкие порывы холодного ветра приносили с моря чистый соленый воздух. Вокруг стояла тишина. Море шумело сильнее, чем город.

Некоторых моих друзей из трущоб беспокоило, что я гуляю по ночам один. «Не ходи ночью, — говорили они, — ночью в Бомбее опасно». Но я не боялся города. На его улицах я чувствовал себя в безопасности. Какой бы странной и корявой ни была моя жизнь, город вбирал ее в себя вместе с миллионами других, как будто... как будто она принадлежала ему точно так же, как и все остальные.

А дело, которым я занимался, еще больше связывало меня с окружающим миром. Роль врачевателя бедняков целиком поглотила меня. Достав книги по диагностике болезней, я читал их при свете лампы в своей хижине. Я накопил скромный запас лекарств, мазей и перевязочного материала, покупая все это в аптеках на деньги, заработанные на нелегальных сделках с туристами. И даже сколотив приличную сумму, позволявшую мне расстаться с трущобной неблагоустроенностью, я продолжал жить там. Я остался в этой тесной лачуге, хотя мог переехать в квартиру со всеми удобствами. Я позволил втянуть себя в бурлящий водоворот борьбы за существование, которую вели двадцать пять тысяч человек, живших рядом со мной. Я связал свою жизнь с Прабакером, Джонни Сигаром и Казимом Али Хусейном. И хотя я старался не думать о Карле, моя любовь настойчиво впивалась когтями в мое сердце. Я целовал ветер, дувший в ее сторону. Я произносил ее имя, когда был один.

Сидя на парапете, я чувствовал, как прохладный морской бриз омывает мое лицо и грудь, подобно воде, льющейся из глиняного кувшина. Тишину нарушали лишь мое дыхание, сливавшееся с ветром, и плеск волн в трех метрах подо мной. Ударяясь о стенку набережной, они пенились и взмывали вверх, пытаясь дотянуться до меня. «Отдайся им, отдайся. Покончи со всем этим. Всего один прыжок — и умрешь. Это так просто», — твердил голос внутри меня, и, хотя он был не единственным и не самым громким, исходил он из очень глубокого источника — стыда, который душил во мне чувство самоуважения. Люди, носящие в душе стыд, знают этот голос: «Ты предал всех. Ты не имеешь права жить. Без тебя мир станет лучше...» И несмотря на все мои старания слиться с окружающим миром, излечить себя работой в своей клинике, спасти себя наивной верой в свою любовь к Карле, я оставался один на один со своим стыдом и чувствовал себя конченым человеком.

Море внизу плескалось и билось о берег. Всего один прыжок. Я представил себе, как я падаю, как мое тело ударяется о камни и ускользает в холодную глубину. Так просто.

Чья-то рука легла мне на плечо. Она удерживала меня мягко, но достаточно сильно, пригвоздив к месту. Я обернулся, вздрогнув от неожиданности. Позади меня стоял высокий молодой человек. Он не убирал руку, будто прочитав мои мысли.

— Вы ведь мистер Лин, да? Не знаю, помните ли вы меня. Меня зовут Абдулла. Мы встречались в притоне у Стоячих монахов.

— Ну конечно я помню вас, — пробормотал я. — Вы спасли нам жизнь. Вы исчезли тогда так внезапно, что я не успел толком поблагодарить вас.

Он легко улыбнулся и, отпустив мое плечо, прочесал пятерней свои густые черные волосы.

— К чему эти благодарности? Вы ведь сделали бы то же самое для меня в своей стране, не так ли? Пойдемте, там один человек хочет поговорить с вами.

Он указал на машину, стоявшую у тротуара метрах в десяти от нас. Я не слышал, как она подъехала, хотя мотор продолжал работать. Это был «амбассадор», довольно скромная индийская модификация шикарной марки. В машине были двое — водитель и еще кто-то на заднем сиденье.

Абдулла открыл заднюю дверцу. Я заглянул внутрь и увидел при свете уличных фонарей человека лет шестидесяти пяти — семидесяти. У него было сильное, умное худощавое лицо с длинным тонким носом и высокими скулами. Притягивали взгляд янтарные глаза, в которых светилась дружелюбная усмешка и еще что-то неуловимое — может быть, безжалостность, а может быть, любовь. Седые, переходящие в белизну волосы и борода были коротко подстрижены.

— Мистер Лин? — спросил он. Голос был глубокий и звучный, в нем чувствовалась непоколебимая авторитетность. — Очень рад познакомиться с вами. Очень рад. Я слышал о вас немало хорошего. Всегда приятно услышать что-то хорошее о людях, особенно если это говорится об иностранцах, гостях Бомбея. Возможно, вы тоже слышали обо мне. Меня зовут Абдель Кадер-хан.

Еще бы не слышать! В Бомбее не было ни одного человека, не знавшего этого имени. Оно появлялось в газетах еженедельно. Об Абделе Кадер-хане говорили на базарах, в ночных клубах и трущобах. Богатые восхищались им и побаивались. Бедные уважали его и рассказывали о нем легенды. Он проводил знаменитые беседы по вопросам богословия и этики во дворе мечети На-

ГРЕГОРИ ДЭВИД РОБЕРТС

била в Донгри, куда стекались со всего города ученые мужи, представлявшие самые разные науки и конфессии. Он дружил со многими художниками и артистами, бизнесменами и политиками. И он был одним из заправил бомбейской мафии, одним из тех, кто основал систему местных советов, разделившую весь Бомбей на районы, в каждом из которых распоряжался свой совет криминальных баронов. Мне говорили, что эта система оправдывает себя и пользуется популярностью, так как она восстановила порядок и относительное спокойствие в бомбейском преступном мире, издавна раздираемом кровавыми междоусобицами. Это был могущественный, опасный и выдающийся человек.

— Да, сэр, — ответил я и тут же испытал шок оттого, что непроизвольно употребил это слово. Я ненавидел его. В тюремном карцере нас избивали, если мы забывали добавить «сэр», обращаясь к охранникам. — Разумеется, я слышал ваше имя. Люди называют вас Кадербхай.

Добавление «бхай» в конце имени означает «старший брат». Это уважительное и ласковое обращение к человеку. Когда я произнес «Кадербхай», старик улыбнулся и медленно кивнул.

Водитель пристроил свое зеркальце так, чтобы держать меня в поле зрения, и вперил в меня лишенный какого-либо выражения взгляд. С зеркальца свисала ветка цветущего жасмина, и его аромат, после свежего морского воздуха, слегка кружил голову и пьянил. Я будто видел эту сцену со стороны: свою склонившуюся возле открытой дверцы фигуру, наморщенный лоб над поднятыми на Кадербхая глазами, желобок для стока воды на крыше автомобиля, прилепленную на приборной доске полоску бумаги с надписью: БЛАГОДАРЕНИЕ БОГУ, Я ВОЖУ ЭТУ МАШИНУ. Кроме нас, на улице никого не было. Слышны были только урчание двигателя и приглушенный шорох волн.

— Я знаю, что вы работаете доктором в колабских трущобах, — мне сообщили об этом, как только вы поселились там. Иностранцы очень редко изъявляют желание жить в трущобах. К вашему сведению, они принадлежат мне — я владею землей, на которой стоят эти хижины. И мне было приятно узнать, что вы там трудитесь.

Я молчал, пораженный. Оказывается, трущобы, в которых я жил, — эта половина квадратного километра, называемая джхопадпатти, где ютились двадцать пять тысяч человек, — были его собственностью? Я прожил там уже несколько месяцев и не раз слышал имя Кадербхая, но никто не называл его хозяином. «Как может быть, — думал я, — чтобы один человек владел этим поселком и жизнью всех его обитателей?»

— Но я... я не доктор, Кадербхай, — выдавил я.

— Может быть, именно поэтому вы лечите жителей поселка с таким успехом, мистер Лин. Доктора с дипломами не горят же-

180

ланием работать в трущобах. Можно заставить человека не поступать плохо, но нельзя заставить его поступать хорошо, вы согласны? Мы проехали мимо вас, когда вы сидели на парапете, и мой молодой друг Абдулла узнал вас. Я велел водителю развернуть автомобиль и остановиться возле вас. Залезайте, садитесь рядом со мной. Мы съездим кое-куда.

Я колебался.

— Пожалуйста, не беспокойтесь. Я...

— Никакого беспокойства, мистер Лин. Садитесь, садитесь. Наш водитель тоже мой близкий друг, его зовут Назир.

Я забрался на заднее сиденье. Абдулла закрыл за мной дверцу и сел рядом с водителем, который тут же снова поправил свое зеркальце, чтобы держать меня под прицелом. Автомобиль продолжал стоять на месте.

— *Чиллум боно!* — приказал Кадербхай Абдулле. — Приготовь чиллум!

Абдулла достал из кармана куртки трубку с раструбом, положил на сиденье рядом с собой и стал смешивать гашиш и табак. Из смеси он скатал шарик, называвшийся *голи*, насадил его на конец спички и поджег другой спичкой. Запах чараса разбавил заполнявший салон аромат жасмина. Двигатель продолжал тихо урчать. Все остальные молчали.

Спустя три минуты чиллум был готов, и Абдулла протянул его Кадербхаю, чтобы тот сделал первую затяжку, *думм*. Выдохнув дым, Кадербхай передал трубку мне, вслед за мной затянулись Абдулла и Назир, и чиллум пошел по второму кругу. После этого Абдулла быстро вычистил его и опять спрятал в карман.

— *Чало!* — скомандовал Кадер. — Поехали!

Автомобиль медленно двинулся вперед, отражая огни уличных фонарей наклонным ветровым стеклом. Водитель вставил кассету в плеер, вмонтированный в приборную доску. Из динамиков, включенных на полную громкость у нас над головой, полилась надрывная мелодия романтической газели. Гашиш так сильно подействовал на меня, что весь мозг мой, казалось, вибрировал в такт музыке, но лица моих попутчиков были абсолютно бесстрастны.

Ситуация до жути напоминала сотни аналогичных поездок под кайфом в Австралии и Новой Зеландии, где мы с друзьями, накурившись гашиша, точно так же включали музыку и катались по улицам города. Но у нас, как правило, только молодежь развлекалась подобным образом. А здесь мы сидели в компании могущественного мафиози, который был намного старше Абдуллы, Назира и меня. И хотя музыка была привычной, слов песни, исполняемой на неизвестном мне языке, я не понимал. Ощущение было знакомым и вместе с тем тревожащим, как будто я уже в солидном возрасте вернулся на школьный двор, где резвился ребенком, и, несмотря на убаюкивающее действие наркотика, полностью расслабиться я не мог.

Я не имел представления, куда мы направляемся и когда вернемся. Ехали мы в сторону Тардео, то есть совсем не в ту, где были трущобы. Я уже не впервые становился жертвой подобного дружеского похищения — специфического индийского обычая. Мои друзья по трущобам время от времени несколько невразумительно и загадочно приглашали меня сопровождать их неизвестно и куда неизвестно, с какой целью. «Поехали, — говорили они, не считая необходимым объяснять куда и зачем. — Поехали скорее!» Несколько раз я пытался отказаться, но вскоре убедился, что эти незапланированные таинственные поездки всегда оправдывают себя, оказываются чаще всего интересными и приятными, а подчас и полезными. Так что постепенно я привык относиться к этим приглашениям спокойно и принимать их, доверившись своему инстинкту, — точно так же как сегодня. И мне ни разу не пришлось пожалеть об этом.

Когда мы поднялись на пологий холм, за которым находилась мечеть Хаджи Али, Абдулла выключил кассетник и спросил Кадербхая, желает ли он, как обычно, остановиться возле ресторана. Кадер задумчиво посмотрел на меня и кивнул водителю. Он дважды постучал костяшками пальцев по моей руке и приложил большой палец к губам. Жест его означал: «Храни молчание. Смотри, но ничего не говори».

Мы остановились на автомобильной стоянке возле ресторана «Хаджи Али», чуть в стороне от двух десятков припаркованных там машин. Хотя в целом Бомбей после полуночи погружался в сон или, по крайней мере, делал вид, что спит, — кое-где оставались островки, на которых жизнь, с ее звуками и красками, не затухала. Фокус был в том, чтобы знать, где находятся такие островки. Одним из них и был ресторан около святилища Хаджи Али. Здесь каждую ночь собирались сотни людей, чтобы перекусить, побеседовать или просто купить выпивку, сигареты и сладости. До самого утра они подъезжали в такси, в своих машинах или на мотоциклах. Сам ресторан был невелик и всегда переполнен. Большинство посетителей предпочитали есть в своих автомобилях или на свежем воздухе. Из автомобилей разносилась по округе громкая музыка. Люди перекрикивались на хинди, урду, маратхи и английском. Официанты с профессиональной ловкостью скользили между автомобилями с подносами, пакетами и бутылками.

Ресторан явно нарушал все правила комендантского часа, и, по идее, полицейские из участка, расположенного всего в двадцати метрах отсюда, должны были бы прикрыть его. Но свойственный индийцам прагматизм подсказывал им, что у цивилизованных людей в большом современном городе даже по ночам должно быть место, где они могли бы встретиться. Владельцам подобных заведений разрешалось — разумеется, за бакшиш — работать практически всю ночь. Но в отличие от тех, кто обладал соответствующей лицензией, такие бары и рестораны действовали нелегально и были вынуждены иногда создавать видимость законопослушания. Когда какая-нибудь большая шишка — инспектор, сотрудник муниципалитета или, не дай бог, министр — собиралась проехать мимо ресторана «Хаджи Али», полицейских предупреждали об этом по телефону. Тут же все дружно разбегались, машины разъезжались по окрестным переулкам, ресторан тушил огни и временно закрывался. Это нисколько не обескураживало посетителей и даже придавало заведению особый шик, отличавший его от всех остальных, где можно было прозаически поесть без всяких помех. Люди прекрасно понимали, что через каких-нибудь полчаса ресторан откроется снова. Они знали о бакшише и о предупредительных звонках по телефону. Это всех устраивало, все были довольны. «Самое плохое в коррумпированности здешней системы управления, — сказал однажды Дидье, — то, что она действует так безотказно».

Старший официант, молодой махараштриец, поспешил к нашему автомобилю и почтительно кивнул, когда наш водитель сделал заказ. Абдулла вышел из автомобиля и направился к установленному прямо на улице длинному прилавку, около которого толпились люди. Я наблюдал за ним. Он двигался с легкой грацией прирожденного спортсмена. Ростом он был выше окружающих и держался с подчеркнутой, хотя и настороженной, уверенностью. Его черные волосы почти достигали плеч, одежда была неброской — белая шелковая рубашка, черные брюки и мягкие черные туфли, — но она сидела на его мускулистой фигуре идеально, и он носил ее с элегантностью кадрового военного. Ему было, по-видимому, лет двадцать восемь. Когда он повернулся в нашу сторону, я обратил внимание на его красивое лицо и спокойный, твердый взгляд. Я уже имел возможность убедиться, какой силой и ловкостью он обладает, когда он разоружил сумасшедшего с саблей в притоне.

Продавцы за прилавком и многие посетители, узнав Абдуллу, переговаривались с ним и шутили, пока он покупал сигареты и пан. Жесты их стали более выразительными, а голоса более громкими, чем до того, как он подошел. Вокруг него образовалась небольшая толпа, каждый старался прикоснуться к нему. Казалось, все страстно желали добиться его благосклонности или хотя бы обратить на себя его внимание. Но чувствовалась в них и какая-то неуверенность, как будто, несмотря на все шутки и улыбки, они относились к нему с некоторым недоверием и неодобрением. И без сомнения, они побаивались его.

Вернулся официант с подносом и отдал питье и закуску нашему водителю. Он задержался у открытого окна рядом с Кадербхаем, умоляюще глядя на него. Было ясно, что он хочет о чемто поговорить.

— Рамеш, как поживает твой отец? — спросил Кадер. — Он здоров?

— Да, бхай, он здоров, — ответил молодой человек на хинди. — Но у меня... есть одна проблема. — Он нервно подергал себя за кончик уса.

Нахмурившись, Кадербхай изучал его взволнованное лицо.

— Что за проблема, Рамеш?

— Проблема... с моим домовладельцем, бхай. Мне... нам... моей семье грозит выселение. Мы уже и так стали платить ему вдвое больше, но ему все мало... и он обещает выселить нас.

Кадер задумчиво кивнул. Ободренный его молчанием, Рамеш принялся быстро говорить на хинди:

— И он хочет выселить не только нашу семью, бхай, а всех, кто живет в этом доме. Мы пытались уговорить его, делали ему очень выгодные предложения, но он не желает ничего слушать. Под его командой есть несколько *гундас*, и эти гангстеры угрожали нам и даже избили несколько человек. Они избили моего отца. Мне стыдно, бхай, что я не убил на месте этого домовладельца, но я знаю, что моей семье и нашим соседям будет после этого только хуже. Я предлагал моему достопочтенному отцу поговорить с вами, чтобы вы защитили нас, но он слишком гордый. Вы его знаете. И он любит вас, бхай. Он не хочет беспокоить вас своими просьбами. Он будет очень сердит, если узнает, что я обратился к вам. Но когда я увидел вас сегодня, мой господин Кадербхай, я решил... я решил, что сам Бхагван прислал вас сюда. Я... я нижайше прошу вашего прощения...

Он замолчал и проглотил комок в горле. Пальцы его, сжимавшие пустой поднос, побелели.

— Мы разберемся с твоей проблемой, Раму, — медленно произнес Кадербхай. Уменьшительно-ласкательное обращение «Раму» вызвало на лице официанта широкую детскую улыбку. — Зайди ко мне завтра ровно в два часа. Мы обсудим это дело подробнее. Мы поможем тебе, *иншалла*[1]. И не стоит передавать наш разговор твоему отцу, Раму, пока мы не решим этого вопроса.

Казалось, Рамеш сейчас схватит руку Кадера и примется ее целовать, но он только поклонился и стал пятиться, бормоча слова благодарности. Мы принялись за еду. Абдулла и водитель заказали фруктовый салат и кокосовый йогурт и со смаком поеда-

---

[1] Если будет угодно Аллаху *(араб.)*.

ли их. Мы с Кадербхаем взяли только манговый коктейль. Пока мы цедили этот охлажденный напиток, к окошку автомобиля подошел еще один проситель. Это был полицейский, возглавлявший местный участок.

— Большая честь видеть вас здесь, Кадерджи[1], — произнес он, скривив лицо с выражением, которое можно было понять и как льстивую улыбку, и как гримасу боли при внезапном спазме в желудке. Он говорил на хинди с сильным акцентом непонятного происхождения. Спросив Кадербхая о здоровье его семьи, он перешел к делу.

Абдулла поставил свою пустую тарелку на сиденье рядом с собой, а из-под сиденья вытащил какой-то сверток в газетной бумаге и передал его Кадеру. Тот отогнул угол газетного листа, представив на обозрение толстую пачку банкнот достоинством сто рупий, и протянул ее через окно полицейскому. Это было сделано так открыто и даже демонстративно, что стало ясно: он хочет, чтобы все люди в радиусе ста метров видели, что взятка дана и принята.

Полицейский сунул деньги себе под рубашку и, отвернувшись, дважды сплюнул на счастье. Затем он вновь наклонился к окну и стал бормотать на хинди очень быстро и настоятельно. Я уловил слова «тело», «сделка» и что-то вроде «базара воров», но в целом смысл был мне непонятен. Кадер поднял руку, и полицейский замолчал. Абдулла взглянул на Кадера, затем на меня, и на лице его промелькнула мальчишеская ухмылка.

— Пойдемте, мистер Лин, осмотрим мечеть, — сказал он спокойно.

Когда мы выбрались из машины, полицейский громко проворчал:

— Этот гора знает хинди? Бхагван, избави нас от иностранцев!

Мы с Абдуллой нашли место на набережной, где было меньше народу. Мечеть Хаджи Али возвышалась на маленьком островке, куда можно было перейти по каменному перешейку длиной сто тридцать три шага. С рассвета и до заката перешеек был запружен пилигримами и туристами — если только прилив не затоплял его. Ночью мечеть казалась с набережной кораблем, бросившим здесь якорь. Медные фонари, подвешенные на кронштейнах, окрашивали мраморные стены в желтый и зеленый цвет. Закругленные контуры мечети с куполами и арками-слезинками белели при луне, словно паруса этого таинственного судна, а минареты возвышались, как мачты.

Полная блиноподобная луна, которую в трущобах называют скорбящей луной, заливала мечеть своим гипнотическим светом.

---

[1] Окончание -*джи*, как и -*бхай*, добавляется при вежливом обращении.

С моря дул легкий бриз, но воздух был теплым и влажным. Тысячи летучих мышей роились над нашими головами среди натянутых электрических проводов, напоминая музыкальные ноты на нотной бумаге. Маленькая девочка, которой давно полагалось бы спать, все еще торговала гирляндами жасмина. Подойдя к нам, она вручила одну гирлянду Абдулле. Он полез в карман за деньгами, но она, засмеявшись, отвергла их и ушла, распевая песню из популярного индийского фильма.

— Нет более прекрасного свидетельства Божьего промысла, чем щедрость бедняков, — тихо произнес Абдулла. Похоже, он всегда говорил таким тихим и мягким голосом.

— Вы говорите по-английски очень хорошо, — заметил я, искренне восхищенный тем, как красиво он сумел выразить эту нестандартную мысль.

— Да нет, не очень. Просто я знал одну женщину, которая научила меня некоторым словам, — ответил он. Я ожидал продолжения, но он молчал, глядя на море, а затем заговорил о другом: — Скажите, мистер Лин, если бы меня не было тогда в притоне Стоячих монахов, что бы вы сделали, когда этот человек бросился на вас с саблей?

— Я схватился бы с ним.

— Я думаю... — он повернулся ко мне, глядя прямо в глаза, и я вдруг почувствовал, что волосы у меня на голове готовы зашевелиться от необъяснимого страха, — я думаю, что вы погибли бы. Он убил бы вас, и вы сейчас были бы мертвы.

— Нет. Он, конечно, был вооружен, но немолод и ничего не соображал. Я справился бы с ним.

— Возможно, — согласился Абдулла без улыбки. — Возможно, вы справились бы с ним, но если бы вы сумели отвести удар и остаться в живых, то сабля могла бы ранить или убить одного из ваших спутников — девушку или вашего друга-индийца, мне так кажется. Один из вас троих погиб бы.

Я молчал. Безотчетный страх, который я ощутил минуту назад, перерос в явственное чувство тревоги. Мое сердце с шумом гоняло кровь по сосудам. Абдулла говорил о том, как он спас мне жизнь, но в его тоне звучала угроза. Во мне начал закипать гнев. Я напрягся, готовый к сопротивлению, и пристально посмотрел ему в глаза.

Он улыбнулся и положил руку мне на плечо — точно так же, как он сделал это час назад на другой набережной. Охватившее меня ощущение опасности было очень сильным, но исчезло так же быстро, как и возникло. Я тут же забыл о нем — на несколько месяцев.

Обернувшись, я увидел, что полицейский, поклонившись Кадеру, отходит от машины.

— Кадербхай сунул взятку этому копу очень демонстративно, — заметил я.

Абдулла засмеялся, и я вспомнил, что в монастыре он смеялся так же открыто, бесхитростно, абсолютно естественно. Этот смех сразу пробудил во мне симпатию к нему.

— Есть старая персидская поговорка: «Лев должен время от времени рычать, чтобы напоминать коню о его страхе». Этот полицейский создает проблемы на своем участке. Люди не уважают его, и это его расстраивает. Из-за этого он создает еще больше проблем, а люди уважают его еще меньше. Теперь же, увидев, что ему дали такой бакшиш — намного больший, чем получают обычно копы вроде него, — они начнут немножко уважать его. То, что великий Кадербхай заплатил ему так хорошо, произвело на них впечатление. А если люди будут уважать этого полицейского, меньше проблем будет для всех нас. Но все как в поговорке: коп — всего лишь конь, а Кадербхай — лев, и лев прорычал.

— Вы телохранитель Кадербхая?

— Нет-нет! — рассмеялся он. — Господин Абдель Кадер не нуждается в охране. Но я... — Абдулла замолчал, и мы оба посмотрели на седовласого человека в скромном автомобиле. — Но я готов отдать за него жизнь, если вы это имеете в виду. Ради него я готов даже на большее.

— Вряд ли человек может сделать для кого-то больше, чем отдать за него жизнь, — заметил я, усмехнувшись странности этой фразы и серьезности, с какой Абдулла произнес ее.

— Может, может, — ответил он, обняв меня рукой за плечи и ведя обратно к машине. — Человек может сделать для другого гораздо больше.

— Я вижу, вы подружились с нашим Абдуллой, мистер Лин? — спросил Кадербхай, когда мы сели в машину. — Это хорошо. Вы должны стать близкими друзьями. Вы похожи на двух братьев.

Посмотрев друг на друга, мы с Абдуллой недоверчиво рассмеялись. Я был блондином, он — жгучим брюнетом; у меня были серые глаза, у него — карие; он был персом, я — австралийцем. На первый взгляд трудно было найти двух менее похожих людей. Но Кадербхай воспринял наш смех с таким искренним удивлением, что мы поспешили подавить его. Автомобиль тронулся с места, направившись по Бандра-роуд, а я думал о том, что сказал Кадер. Какими бы значительными ни казались нам с Абдуллой внешние различия между нами, возможно, старик был проницательнее нас и его слова содержали долю истины.

Так мы ехали около часа. Наконец на окраинах Бандры автомобиль замедлил ход на одной из улиц возле магазинов и складов и свернул в узкий проулок, темный и пустынный. Когда дверца автомобиля открылась, я услышал музыку и пение.

— Пойдемте, мистер Лин, — сказал Кадербхай, не удосужившись объяснить, куда и зачем он меня приглашает.

Водитель Назир остался возле автомобиля и, прислонившись к капоту, позволил себе наконец расслабиться и развернул обертку пана, который Абдулла купил ему у ресторана «Хаджи Али». Я подумал, что за все это время он не произнес ни слова, и подивился тому, как долго многие индийцы умеют хранить молчание в этом шумном перенаселенном городе.

Мы вошли через широкую каменную арку в длинный коридор и, поднявшись на два лестничных пролета, оказались в просторном помещении, заполненном людьми, дымом и громкой музыкой. Стены этого прямоугольного зала были обтянуты шелком и увешаны коврами. В дальнем его конце имелось небольшое возвышение, где на шелковых подушках сидели четыре музыканта. Вдоль стен были расставлены низкие столики, окруженные удобными подушками. С деревянного потолка свисали бледно-зеленые фонари в форме колокола, отбрасывавшие на пол дрожащие круги золотистого света. От столика к столику сновали официанты, разнося черный чай в высоких стаканах. За некоторыми столиками люди курили кальяны, окрашивавшие воздух жемчужным цветом и наполнявшие его ароматом чараса.

При нашем появлении многие поднялись на ноги, приветствуя Кадербхая. Абдуллу здесь тоже хорошо знали. Несколько человек кивнули ему, помахали рукой или подошли поговорить. В отличие от посетителей «Хаджи Али», здесь к нему относились с теплотой, обнимали и надолго задерживали его руку в своей. Один из присутствующих был мне знаком — Шафик Гусса, или Шафик Сердитый, в чьем подчинении находились все проститутки в районе матросских казарм недалеко от наших трущоб. Еще троих я узнал по газетным фотографиям: известного поэта, крупного суфийского деятеля и болливудскую звезду второй величины.

Среди людей, окруживших Кадербхая, был администратор этого частного клуба, низенький человечек в застегнутом на все пуговицы и тесно обтягивавшем его животик длинном кашмирском жилете. Его лысую голову покрывала белая кружевная шапочка *хаджи* — человека, совершившего паломничество в Мекку. На лбу красовалось темное пятно, какое появляется у некоторых мусульман в результате постоянного контакта с каменным полом во время молитв. Администратор отдал распоряжения, и официанты тотчас принесли еще один столик с подушками и установили его в углу, откуда было хорошо видно сцену.

Мы сели за столик, скрестив ноги, — Абдулла справа от Кадербхая, я слева. Мальчик в шапочке хаджи, афганских шароварах и жилете принес нам миску с рисом, густо приправленным порошковым чили, и блюдо со смесью орехов и сушеных фруктов. Разносчик чая разлил горячий темный напиток из чайника с узким носиком, держа его на высоте около метра и не пролив ни капли. Поставив чай перед нами, он предложил нам кусковой сахар. Я хотел отказаться от сахара, но тут вмешался Абдулла.

— Мистер Лин, — улыбнулся он, — это ведь настоящий персидский чай, и его надо пить так, как это делают в Иране.

Он взял в рот кусочек сахара, зажав его между передними зубами, и стал цедить чай сквозь этот кусочек. Я вслед за ним сделал то же самое, и, хотя из-за растаявшего сахара чай стал более сладким, чем я любил, я был доволен, что познакомился еще с одним народным обычаем.

Кадербхай тоже пил чай сквозь кусочек сахара, отдав дань этой традиции с достоинством и торжественностью, с какими он делал и говорил практически все. Я никогда не встречал человека более величественного, чем он. Глядя, как он слушает Абдуллу, склонив голову, я подумал, что он занял бы главенствующее положение в любом обществе и в любую эпоху и заставил бы окружающих выполнять его распоряжения.

На сцену вышли три певца и расселись перед музыкантами. В зале воцарилась тишина, певцы затянули песню на три голоса, которые оказались настолько мощными, что пробирали слушателя до дрожи; их пение было выразительным, сладостным и страстным. Они не просто пели, но плакали и рыдали; из их закрытых глаз капали на грудь слезы. Слушая их, я испытывал восторг, но одновременно и некоторую неловкость, как будто они раскрывали передо мной свои интимнейшие чувства, свою любовь и печаль.

Исполнив три песни, певцы скрылись за занавесом, выйдя в соседнее помещение. Во время их выступления публика сидела молча, даже не шевелясь, но, стоило им уйти, все разом заговорили, словно желая сбросить колдовские чары. Абдулла поднялся и подошел к группе афганцев за другим столиком.

— Вам понравилось их пение, мистер Лин? — спросил Кадербхай.

— Да, очень. Это просто удивительно. Я никогда не слышал ничего подобного. В их пении столько печали и вместе с тем столько силы. На каком языке они пели? На урду?

— Да. Вы знаете урду?

— Нет, я немного знаю только маратхи и хинди. Я догадался, что это урду, потому что некоторые из моих соседей в трущобах говорят на нем.

— Газели всегда поют на урду, а эти певцы — лучшие их исполнители во всем Бомбее.

— Это любовные песни?

Улыбнувшись, он наклонился ко мне и коснулся моей руки. В Бомбее люди часто прикасались к собеседнику, слегка пожимая или стискивая его руку для большей выразительности. Обитатели трущоб разговаривали так всегда, и мне это нравилось.

— Да, их можно назвать любовными песнями, но это самые лучшие и самые истинные из любовных песен, потому что в них выражается любовь к Богу.

Я молча кивнул, и Кадербхай продолжил:

— Вы христианин?

— Нет, я не верю в Бога.

— В Бога нельзя верить или не верить, — объявил он. — Его можно только познать.

— Ну, тут уж я могу точно сказать, что не познал Его, — рассмеялся я. — И, говоря откровенно, мне кажется, что в Него невозможно поверить — по крайней мере, в бóльшую часть того, что о Нем рассказывают.

— Да, разумеется, Бог невозможен. И это первое доказательство того, что Он существует.

Кадер внимательно смотрел на меня, по-прежнему держа свою руку на моей. «Так, надо быть начеку, — подумал я. — Меня втягивают в один из философских диспутов, которыми он прославился. Это испытание, и не из легких, тут масса подводных камней».

— Вы хотите сказать, что нечто должно существовать потому, что оно невозможно? — спросил я, пустившись на своей утлой лодчонке в плавание по неисследованным водам вслед за его мыслью.

— Совершенно верно.

— Но тогда получается, что не существует того, что возможно?

— Именно! — расплылся он в улыбке. — Я восхищен тем, что вы это понимаете.

— Знаете, — улыбнулся я в ответ, — я произнес эту фразу, но это не значит, что я ее понимаю.

— Я объясню. Ничто не существует таким, каким мы это видим. Ничто из того, что мы видим, не является таким, каким представляется нам. Наши глаза — обманщики. Все, что кажется нам реальным, просто часть иллюзии. Нам кажется, что мы видим существующие вещи, но их нет. Ни вас, ни меня, ни этой комнаты. Ничего.

— И все же я не понимаю. Почему возможные вещи не могут существовать?

— Я скажу по-другому. Силы, создающие все материальное, что, как нам кажется, существует вокруг нас, нельзя измерить, взвесить или даже отнести к тому или иному моменту известного нам времени. Одна из форм, в которых проявляются эти силы, — фотоны света. Для них мельчайшая частица вещества — целая вселенная свободного пространства, а весь наш мир — только пылинка. То, что мы называем Вселенной, — это лишь наша идея, и к тому же не слишком удачная. С точки зрения света, жизнетворного фотона, известная нам Вселенная нереальна. Ничто в ней не реально. Теперь вы понимаете?

— Не совсем. Если все, что представляется нам известным, на самом деле неправильно или нереально, то как мы можем знать, что нам делать, как нам жить, как не сойти с ума?

— Мы обманываем себя, — ответил он, и в его янтарных глазах плясали золотые искорки смеха. — Нормальный человек просто лучше умеет обманывать, чем сумасшедший. Вы с Абдуллой братья. Я знаю это. Ваши глаза лгут, говоря вам, что вы не похожи. И вы верите лжи, потому что так легче.

— И поэтому мы не сходим с ума?

— Да. Позвольте сказать вам, что я вижу в вас своего сына. Я не был женат, и у меня нет детей, но в моей жизни был момент, когда я мог жениться и иметь сына. Это было... Сколько вам лет?

— Тридцать.

— Я так и знал! Тот момент, когда я мог стать отцом, был ровно тридцать лет назад. Но если я скажу вам, что вы мой сын, а я ваш отец, и я это ясно вижу, вы подумаете, что это невозможно. Вы не поверите этому. Вы не увидите той правды, которую вижу я и которая сразу стала ясна мне в тот миг, когда мы впервые встретились несколько часов назад. Вы предпочтете поверить удобной лжи, говорящей, что мы незнакомцы и между нами нет ничего общего. Но судьба — вы знаете, что такое судьба? На урду ее называют *кисмет*, — судьба может сделать с нами все что угодно, кроме двух вещей. Она не может управлять нашей свободной волей и не может лгать. Люди лгут — чаще себе, чем другим, а другим лгут чаще, чем говорят правду. Но судьба не лжет. Это вы понимаете?

Это я понимал. Понимало мое сердце, хотя мой возмущенный разум не хотел соглашаться с его словами. Каким-то непонятным образом этому человеку удалось нащупать во мне эту печаль, пустоту в моей жизни, которую должен был заполнять мой отец. Спасаясь от преследования, я скитался в этой пустоте, испытывая подчас такую тоску по отцовской любви, какая накатывает на целый тюремный корпус заключенных в последние часы перед наступлением нового года.

— Нет, — соврал я. — Прошу меня простить, но я не могу согласиться, что можно сделать вещи реальными, просто поверив в них.

— Я такого не говорил, — возразил он терпеливо. — Я сказал, что реальность, какой она предстает перед вами и перед большинством людей, всего лишь иллюзия. За тем, что видят наши глаза, есть другая реальность, и ее надо почувствовать сердцем. Иного пути нет.

— Понимаете... То, как вы смотрите на вещи, сбивает с толку. Это какое-то... хаотичное восприятие. А вы сами не находите его хаотичным?

Он опять улыбнулся:

— Нелегко посмотреть на мир под правильным углом зрения. Но есть вещи, которые мы можем познать, в которых можем быть уверены. И сделать это не так уж трудно. Позвольте мне продемонстрировать это вам. Для того чтобы познать истину, достаточно закрыть глаза.

— Всего-навсего? — рассмеялся я.

— Да. Все, что нужно сделать, — закрыть глаза. Мы можем, например, познать Бога и печаль. Мы можем познать мечты и любовь. Но все это нереально — в том смысле, какой мы придаем вещам, которые существуют в мире и кажутся реальными. Это нельзя взвесить, измерить или разложить на элементарные частицы в ускорителе. И потому все это возможно.

Моя лодка дала течь, и я решил, что пора выбираться на берег.

— Я никогда не слышал об этом ночном клубе. Таких в Бомбее много?

— Штук пять, — ответил он, с невозмутимой терпеливостью согласившись сменить тему разговора. — Вы считаете, это много?

— Мне кажется, это достаточное количество. Здесь не видно женщин. Они не допускаются?

— Им не запрещено приходить сюда, — нахмурился он, подыскивая точные слова. — Но они не хотят приходить. У них есть свои места, где они собираются, чтобы обсудить свои дела, послушать музыку и пение, а мужчины в свою очередь предпочитают не беспокоить их там.

К нам подошел очень пожилой человек в костюме, известном под названием *курта-паджама* и состоящем из простой холщовой рубахи и тонких мешковатых штанов. Старик сел у ног Кадербхая. Он был худ, согбен и, несомненно, беден. Лицо его было изборождено глубокими морщинами, белые волосы высоко подбриты, как у панка. Коротко, но уважительно кивнув Кадеру, он начал перемешивать табак и гашиш своими узловатыми пальцами. Через несколько минут он протянул Кадеру огромный чиллум, держа наготове спички, чтобы разжечь его.

— Этого человека зовут Омар, — сказал Кадербхай. — Никто в Бомбее не умеет приготовить чиллум лучше его.

Польщенный, Омар расплылся в беззубой улыбке, зажег спичку и дал Кадербхаю прикурить, Затем он передал чиллум мне и, понаблюдав критическим взором за тем, как я с ним обращаюсь, нечленораздельно буркнул что-то одобрительное. После того как мы с Кадером сделали по две затяжки, Омар закурил чиллум сам и прикончил его мощными затяжками, от которых его впалая грудь вздымалась так, что, казалось, вот-вот лопнет. Вытряхнув остатки белого пепла из чиллума, старик пососал его, чтобы высушить. Кадербхай с одобрением кивнул. Несмотря на свой почтенный возраст, Омар легко поднялся на ноги, не касаясь руками пола, и удалился, а в это время на сцену снова вышли певцы.

Вернулся и Абдулла, принесший с собой хрустальную чашу, наполненную ломтиками манго, папайи и арбуза. Аромат фруктов разнесся в воздухе, а сами они таяли у нас во рту. Второе отделение концерта состояло всего из одной песни, но длилась она почти полчаса. Звучала песня очень величественно; в ее основе лежала простая мелодия, которую исполнители украшали импровизированными каденциями. Музыканты аккомпанировали певцам, вовсю наяривая на таблах[1], но лица певцов были бесстрастны, они сидели закрыв глаза и не шевелясь.

Когда певцы закончили выступление, публика, сбросив оцепенение, вновь начала болтать. Абдулла наклонился ко мне:

— Пока мы ехали сюда, мистер Лин, я всю дорогу думал о словах Кадербхая насчет того, что мы братья.

— И я тоже.

— У меня было два брата дома, в Иране, но их обоих убили во время войны с Ираком. Сестра у меня есть, а братьев не осталось. Быть единственным братом — это печально, вы согласны?

Что я мог ответить ему? Мой брат был потерян для меня, как и вся семья.

— Я подумал, что, может быть, Кадербхай сказал правду. Может быть, мы действительно похожи, как братья.

— Возможно.

Он улыбнулся:

— Я решил, что вы мне нравитесь, мистер Лин.

Несмотря на улыбку, это звучало так торжественно, что я не смог удержаться от смеха.

— В таком случае перестань называть меня «мистер Лин», ухо режет.

— Хорошее английское выражение! Совсем отрезает? — усмехнулся он.

— Не совсем, но чувствительно. Короче, давай обращаться друг к другу на «ты».

— Хорошо. Я буду называть тебя Лин, брат Лин. А ты называй меня Абдулла, ладно?

— Ладно.

---

[1] *Табла* — небольшой барабан овальной формы.

— И мы навсегда запомним ночь, когда мы были на концерте Слепых певцов, потому что в эту ночь мы побратались.

— Ты сказал, *слепых* певцов?

— Да. Ты не знал? Это знаменитые Слепые певцы из Нагпура. Их очень любят в Бомбее.

— Они из какого-то специального учреждения?

— Учреждения?

— Ну да, из какой-нибудь школы для слепых или чего-нибудь в этом роде?

— Нет, брат Лин. Раньше они не были слепыми и могли видеть, как и мы. Но однажды в деревушке возле Нагпура было произведено ослепление, и они перестали видеть.

От шума у меня уже начинала болеть голова, а смешанный запах фруктов и чараса, столь приятный поначалу, приелся, и захотелось вдохнуть свежего воздуха.

— Что значит «было произведено ослепление»?

— Ну, понимаешь, в горах около их деревни прятались бандиты, повстанцы, — принялся объяснять мне Абдулла в своей неторопливой, рассудительной манере. — Крестьянам приходилось давать им еду и оказывать разную помощь. У них не было выбора. А потом в деревню пришли солдаты и полицейские и ослепили двадцать человек в назидание крестьянам из других деревень. Такое иногда случается. А певцы даже не были из этой деревни. Они приехали туда, чтобы выступить на празднике. Им не повезло — их ослепили вместе с остальными. Всех их, двадцать мужчин и женщин, привязали на земле и выкололи им глаза острыми бамбуковыми палками. Теперь Слепые певцы поют всюду, по всей Индии, они стали знамениты и разбогатели...

Я слушал его рассказ и не знал, что сказать на это, как отреагировать. Кадербхай рядом со мной разговаривал с молодым афганцем в тюрбане. Молодой человек склонился, чтобы поцеловать руку Кадербхая, и в складках его одежды проглянул пистолет. Вернулся Омар, чтобы приготовить нам еще один чиллум. Он ухмыльнулся мне, обнажив почерневшие от чараса десны, и кивнул.

— Да-да, — прошепелявил он, заглядывая мне в глаза. — Да, да, да.

Певцы опять появились на сцене. Дым поднимался к потолку, завихряясь спиралью вокруг медленно вращавшихся лопастей вентиляторов. И в этом зале, обтянутом зеленым шелком, наполненном музыкой и доверительным бормотанием, началась новая фаза моей жизни. Теперь я знаю наверняка: в жизни человека не раз бывают такие поворотные моменты, дающие начало чему-то новому. Все зависит от удачи, от твоей воли и от судьбы. Таким началом был тот день, когда в деревне Прабакера река вышла из берегов и женщины дали мне имя Шантарам. Теперь я это знаю. И еще одно я понял: все, что я делал и кем я был в Индии до этого концерта Слепых певцов, а может быть, и вся моя предыдущая жизнь, было лишь подготовкой к встрече с Абделем Кадер-ханом. Абдулла стал моим братом, Кадербхай стал моим отцом. К тому моменту, когда я осознал это полностью и разобрался в причинах, я успел в качестве брата и сына побывать на войне, оказался замешанным в убийствах и все в моей жизни изменилось бесповоротно.

Пение прекратилось, и Кадербхай наклонился ко мне. Губы его шевелились, но я не мог разобрать, что он говорит.

— Простите, я не расслышал.

— Я сказал, что чаще всего истину можно найти в музыке, а не в философских трактатах.

— Но что такое истина? — спросил я. Не то чтобы это так уж интересовало меня в тот момент. Я просто хотел поддержать умный разговор.

— Истина в том, что нет хороших или плохих людей. Добро и зло не в людях, а в их поступках. Люди остаются просто людьми, а с добром или злом их связывает то, что они делают — или отказываются делать. Истина в том, что в одном мгновении настоящей любви, в сердце любого человека — и благороднейшего из всех, и самого пропащего — заключена, как в чашечке лотоса, вся жизнь, весь ее смысл, содержание и назначение. Истина в том, что все мы — каждый из нас, каждый атом, каждая галактика и каждая частица материи во Вселенной — движемся к Богу.

Эти его слова остались со мной навсегда. Я и сейчас слышу их. Слепые певцы остались навсегда. Я вижу их. Та ночь, послужившая началом, и те два человека, ставшие моим отцом и братом, остались навсегда. Я помню их. Это легко. Для этого достаточно закрыть глаза.

ГЛАВА 10

Абдулла отнесся к нашему побратимству очень серьезно. Через неделю после концерта Слепых певцов он появился в моей хижине с сумкой, набитой лекарствами, мазями и перевязочными средствами. Там же была металлическая коробочка с хирургическими инструментами. Я просмотрел вместе с ним все принесенное. Он закидал меня вопросами о назначении разных лекарств и о том, сколько их может понадобиться мне в будущем. Выяснив все, что его интересовало, он смахнул пыль с табурета и уселся на него. Некоторое время он молчал, наблюдая, как я раскладываю лекарства на бамбуковой этажерке. Трущобы вокруг нас гомонили, пели и смеялись.

— Ну и где же они, Лин? — спросил он наконец.

— Кто?

— Твои пациенты. Куда они подевались? Я хочу видеть, как мой брат занимается лечением. А какое может быть лечение, если нет больных?

— Видишь ли... сейчас у меня нет пациентов.

— О!.. — вздохнул он разочарованно. Побарабанив пальцами по колену, он спросил: — Хочешь, я приведу тебе пациентов?

Он уже привстал с табурета, и я живо представил себе, как он тащит упирающихся людей ко мне на прием.

— Нет-нет, успокойся. Я вообще не каждый день принимаю больных. И потом, если они видят, что я дома, то сами приходят ко мне, но попозже, часа в два. Так рано они не появляются. С утра, часов до двенадцати, они заняты своими делами. Да я и сам по утрам обычно работаю. Мне же надо добывать деньги.

— А сегодня?

— Сегодня я могу отдохнуть. На прошлой неделе я заработал довольно много, так что на какое-то время хватит.

— А как ты заработал?

Он смотрел на меня с простодушным любопытством, не сознавая, что вопрос может оказаться бестактным и смутить меня.

— Знаешь, Абдулла, невежливо спрашивать иностранцев, как они зарабатывают на жизнь, — ответил я, смеясь.

— Понятно, — улыбнулся он. — Подпольный бизнес.

— Ну, не совсем... Но раз уж ты спрашиваешь, я объясню. Одна француженка хотела купить полкило чараса, и я ей помог. А еще я помог немецкому туристу продать камеру «Кэнон» по выгодной цене. От них обоих я получил комиссионные.

— И сколько? — спросил он, глядя мне в лицо.

Глаза его были бледно-карими, почти золотыми. Такого цвета бывают песчаные дюны в пустыне Тар перед наступлением сезона дождей.

— Около тысячи рупий.

— За каждое из этих дел?

— Нет, за оба вместе.

— Это очень маленькие деньги, брат Лин, — кинул он, презрительно скривив губы и сморщив нос. — Совсем-совсем крошечные.

— Ну, может, для тебя они и крошечные, — пробормотал я, — а я могу прожить на них недели две.

— А сейчас ты, значит, свободен?

— В каком смысле?

— У тебя нет пациентов?

— Нет.

— И свои маленькие комиссионные тебе тоже не надо зарабатывать?

— Нет, не надо.

— Тогда поехали.

— И куда же это?

— Поехали, там увидишь.

Выйдя из хижины, мы столкнулись с Джонни Сигаром, который, по всей вероятности, подслушивал. Он улыбнулся мне, состроил грозную мину Абдулле, затем решил улыбнуться мне вторично, хотя на этот раз к улыбке примешались остатки грозной мины.

— Привет, Джонни. Я уезжаю на некоторое время. Последи, чтобы детишки не копались у меня в лекарствах, ладно? Я сегодня разложил на этажерке кое-какие новые средства, и среди них есть опасные.

Джонни оскорбленно выпятил челюсть:

— Никто ничего не тронет в твоей хижине, Линбаба! О чем ты говоришь? Ты можешь оставить здесь миллион рупий, и он будет цел. Можешь оставить золото. Центральный банк Индии не такое надежное место, как хижина Линбабы.

— Я только хотел сказать...

— Даже алмазы можешь положить здесь. И изумруды. И жемчуга.

— Понятно-понятно, Джонни. Я учту это на будущее.

— Да о чем вообще беспокоиться? — вмешался Абдулла. — Он получает так мало денег, что они никого не могут заинтересовать. Знаешь, сколько он заработал на прошлой неделе?

Джонни, похоже, относился к Абдулле с подозрением. На лице его сохранялась враждебная мина, но любопытство одержало верх.

— Сколько? — спросил он.

— Не вижу смысла говорить об этом сейчас, — проворчал я, боясь, что обсуждение моих крошечных заработков затянется на целый час.

— Тысячу рупий! — сказал Абдулла, плюнув для пущей выразительности.

Взяв Абдуллу за руку, я потащил его по дорожке между хижинами.

— Хорошо, Абдулла. Ты же хотел отвезти меня куда-то. Так поехали, брат.

Мы направились к выходу, но Джонни нагнал нас и, схватив меня за рукав, заставил отойти на два шага назад.

— Господи, Джонни! У меня нет никакого желания беседовать сейчас о моих заработках. Обещаю тебе, что отвечу на все твои вопросы, когда вернусь.

— Нет, Линбаба, я не о заработках, — проскрежетал он скрипучим шепотом. — Я об этом парне, об Абдулле. Ему нельзя доверять. Не занимайся с ним никаким бизнесом!

— Что это значит? В чем дело, Джонни?

— Ну, просто... не занимайся! — Возможно, он добавил бы что-нибудь еще, но Абдулла, обернувшись, окликнул меня, и Джонни с надутым видом отступил и исчез за поворотом.

— Что за проблема? — спросил Абдулла, когда я нагнал его.

— Никаких проблем, — пробормотал я, понимая, что проблема есть. — Совсем никаких.

Абдулла оставил свой мотоцикл у тротуара возле трущоб, поручив группе маленьких оборванцев присмотреть за ним. Самый старший схватил бумажку в десять рупий, которую Абдулла дал им за работу, и вся команда тут же вприпрыжку унеслась. Абдулла завел мотоцикл, я сел на заднее сиденье, и мы в своих тонких рубашках и без всяких шлемов понеслись в потоке транспорта вдоль берега моря в сторону Нариман-Пойнта.

Если вы хоть чуточку разбираетесь в мотоцикле, то можете понять очень многое в человеке по тому, как он ведет его. Абдулла вел мотоцикл инстинктивно, не задумываясь, так же естественно, как передвигал ноги при ходьбе. Ориентироваться в уличном движении ему помогали мастерство и интуиция. Несколько раз он замедлял ход, когда, на мой взгляд, в этом не было необходимости, но сразу после этого другим водителям, не обладавшим такой же интуицией, приходилось резко нажимать на тормоза. Порой он прибавлял газу, хотя казалось, что мы столкнемся с идущим впереди транспортом, но транспорт, словно по волшебству, разъезжался в стороны, и мы захватывали освободившееся пространство. Сначала его манера вождения немного нервировала меня, но вскоре я невольно проникся доверием к нему и успокоился.

Возле пляжа Чаупатти мы свернули с набережной, и сплошная стена высоких домов отрезала доступ прохладному морскому бризу. Вместе с табунами других машин, оставлявших за собой дымный шлейф, мы помчались в сторону Нана-Чоука. Здания в этом районе были возведены в период, когда Бомбей интенсивно развивался как крупный портовый город. Некоторым из них, построенным по строгим геометрическим правилам эпохи британского владычества, было уже двести лет. Многочисленные балконы, узорное обрамление окон и ступенчатые фасады придавали зданиям пышную элегантность, какой не хватало современным домам с их хромом и блеском.

Часть города между Нана-Чоуком и Тардео была известна как район парсов. Поначалу меня удивляло, что в этом огромном мегаполисе, с его многообразием народностей, языков и жизненных укладов, люди стремятся обособиться отдельными группами. Ювелиры торговали на своем ювелирном базаре, а слесари, плотники и прочие ремесленники — на своих; мусульмане жили в мусульманском квартале, а христиане, буддисты, сикхи, парсы и джайны — в своих. Если вы хотели купить или продать золото, надо было идти на базар Завери, где сотни ювелиров пытались перехватить клиентов друг у друга. Если вы решили посетить мечеть, то оказывались в районе, где мечети теснились чуть ли не вплотную друг к другу.

Но вскоре я убедился, что эти границы, как и прочие демаркационные линии в этом городе, с его смешением языков и культур, не так уж строго соблюдаются. В мусульманском квартале встречались и индуистские храмы; на базаре Завери среди сверкающих драгоценностей попадались овощи, и практически возле каждого многоэтажного дома с роскошными квартирами простирались трущобы.

Абдулла остановился около больницы Бхатия, одной из современных клиник, которые содержались за счет благотворительных фондов, основанных парсами. В здании внушительных размеров имелись и комфортабельные палаты для богатых, и бесплатные — для бедняков. Поднявшись на крыльцо, мы вошли в стерильно чистый мраморный вестибюль, где большие вентиляторы нагнетали приятную прохладу. Абдулла поговорил с регистраторшей и повел меня по забитому народом коридору в палату скорой помощи, соседствовавшую с приемным покоем. Обратившись еще несколько раз к санитарам и медсестрам, он наконец нашел того, кого искал, — маленького тщедушного врача, который сидел за столом, заваленным бумагами.

— Доктор Хамид? — спросил Абдулла.

— Да, это я, — раздраженно отозвался доктор, продолжая писать.

— Я от шейха Абделя Кадера. Меня зовут Абдулла.

Доктор сразу перестал писать и, медленно подняв голову, уставился на нас с тревожным любопытством. Такое выражение появляется на лицах прохожих, наблюдающих за уличной дракой.

— Он должен был позвонить вам вчера и предупредить о моем приходе, — напомнил ему Абдулла.

— Да-да, — спохватился доктор и, широко улыбнувшись, поднялся и пожал нам руки. Его рука была очень тонкой и сухой.

— Это мистер Лин, — представил меня Абдулла. — Он доктор в колабских трущобах.

— Нет-нет, — возразил я. — Я совсем не доктор. Меня просто... попросили помочь там. У меня нет медицинского образования и соответствующей подготовки.

— Кадербхай сообщил мне о ваших жалобах на то, что больница Святого Георгия и некоторые другие отказываются принимать пациентов, которых вы им направляете, — сразу перешел Хамид к делу, оставив без внимания мои претензии на скромность, как человек, у которого нет времени на неуместные расшаркивания. Его темно-карие, почти черные, глаза поблескивали за стеклами очков в золоченой оправе.

— Ну да, было такое, — ответил я, удивленный тем, что Кадербхай запомнил мою жалобу и счел необходимым передать ее доктору Хамиду. — Дело в том, что я работаю, так сказать, вслепую. Порой я не знаю, что делать с больными, которые приходят ко мне. Если я не могу установить диагноз или сомневаюсь в нем, то посылаю людей в больницу Святого Георгия — ничего другого мне не остается. Но очень часто они возвращаются, так и не получив помощи ни от врача, ни от медсестры, ни от кого.

— Может быть, они просто симулируют болезнь? — спросил доктор.

— Да нет, что вы! — оскорбился я и за себя, и еще больше за обитателей трущоб. — Какая им в этом выгода? И потом, у них же есть чувство собственного достоинства. Это не попрошайки какие-нибудь.

— Конечно-конечно, — пробормотал он и, сняв очки, потер вмятины, оставленные ими на переносице. — А вы сами не пробовали пойти в больницу и выяснить, почему они их отсылают?

— Да, я ходил туда дважды. Мне сказали, что рады бы помочь, но они и так перегружены работой и что если бы у больных было направление от какого-нибудь врача, обладающего лицензией, то они поставили бы их в очередь на прием. Я не жалуюсь на сотрудников больницы. Понятно, у них и без того забот выше головы. Персонала не хватает, а больных с избытком. Я в своем медпункте принимаю до пятидесяти пациентов в день, а к ним ежедневно приходят шестьсот, а то и тысяча. Да вам и без меня прекрасно известно, как это бывает. Уверен, они делают все, что могут, но еле успевают справиться с пострадавшими от несчастных случаев. Проблема в том, что у моих больных просто нет средств, чтобы заплатить врачу за направление в больницу. Поэтому они обращаются ко мне.

Доктор Хамид приподнял брови, и лицо его опять осветила широкая улыбка.

— Вы сказали «мои больные». Вы уже чувствуете себя индийцем, мистер Лин?

Я рассмеялся и впервые ответил ему на хинди строчкой из песни, звучащей рефреном в популярном кинофильме, который шел тогда во многих кинотеатрах города:

— «Мы стараемся стать лучше в этой жизни».

Доктор тоже засмеялся и даже всплеснул руками в приятном удивлении:

— Знаете, мистер Лин, думаю, я смогу помочь вам. Здесь я дежурю два дня в неделю, а остальное время работаю у себя в кабинете на Четвертой Почтовой улице.

— Я знаю эту улицу. Она очень близко от нас.

— Вот именно. Мы с Кадербхаем договорились, что вы будете посылать пациентов ко мне, а я уже направлю их в больницу Святого Георгия, если это будет необходимо. Мы можем начать прямо с завтрашнего дня, если хотите.

— Конечно хочу! — воскликнул я. — Это просто великолепно! Огромное вам спасибо. Я пока не знаю, как организовать оплату вам, но...

— Не за что меня благодарить, и не беспокойтесь насчет оплаты, — ответил он, взглянув на Абдуллу. — *Ваших* людей я буду принимать бесплатно. Вы не хотите выпить вместе со мной чая? У меня скоро перерыв. Напротив больницы есть ресторанчик. Не могли бы вы подождать меня там? Нам надо обсудить кое-какие подробности.

Мы с Абдуллой прождали его минут двадцать в ресторане, наблюдая через большое окно за тем, как к больничному входу ковыляют бедные пациенты и подъезжают на машинах богатые. Затем появился доктор Хамид, и мы договорились о процедуре направления к нему больных из трущоб.

У всех хороших врачей есть по крайней мере три общих свойства: они умеют наблюдать, они умеют слушать и не умеют заботиться о себе. Хамид был хорошим врачом, и когда, после затянувшегося на целый час обсуждения наших дел, я взглянул на его преждевременные морщины и покрасневшие от недосыпания глаза, то почувствовал неловкость. Он мог бы, если бы захотел, быстро разбогатеть, занявшись частной практикой в Германии, США или Канаде, но он предпочел остаться на родине, зарабатывая гораздо меньше. Он был одним из тысяч и тысяч бомбейских медиков, которые мало получали от жизни, но в своей ежедневной работе достигали очень многого. По сути дела, они обеспечивали выживание города.

Когда мы на мотоцикле вновь затесались в переплетение транспортных цепочек, лихо лавируя среди автобусов, автомобилей, грузовиков, буйволовых повозок, велосипедистов и пешеходов, Абдулла крикнул мне через плечо, что раньше доктор Хамид тоже жил в трущобах. Кадербхай выискивал в трущобах по всему городу одаренных детей и платил за их обучение в частных колледжах, а потом и в высших учебных заведениях. Они становились врачами, медсестрами, учителями, инженерами, юристами. Так больше двадцати лет назад был выбран Кадербхаем и Хамид, и теперь, помогая моим больным, он отдавал свой долг.

— Кадербхай из тех, кто *создает* будущее, — сказал Абдулла, когда мы остановились на перекрестке. — Большинство людей — и мы с тобой, брат мой, — просто ждут, когда будущее наступит. Но Абдель Кадер-хан сначала мечтает о будущем, потом планирует его, а потом строит согласно плану. В этом разница между ним и всеми остальными.

— А как насчет тебя, Абдулла? — заорал я, потому что двигатель взревел и мы опять понеслись вперед. — Тебя Кадербхай тоже запланировал?

Абдулла громко расхохотался.

— Думаю, что да! — крикнул он.

— Алло, мы же едем не в сторону трущоб. Куда ты меня опять везешь?

— Туда, где ты будешь получать лекарства.

— Получать лекарства?

— Кадербхай распорядился, чтобы тебе доставляли лекарства каждую неделю. То, что я привез тебе сегодня, — это первая партия. Мы едем на медицинский черный рынок.

— Черный рынок лекарств? А где это?

— В трущобах прокаженных, — объяснил мне Абдулла деловитым тоном. И, ввинтившись в образовавшуюся между двумя передними машинами щель, засмеялся. — Не беспокойся ни о чем, брат Лин. Оставь это мне. Теперь ты тоже часть плана.

Мне следовало бы прислушаться к этим словам, «теперь ты тоже часть плана», как к сигналу тревоги. Но я не чувствовал никакой тревоги, я был почти счастлив. Эти слова возбуждали меня, впрыскивали адреналин мне в кровь. Совершив побег, я оставил позади свою семью, родину, цивилизацию. Я думал, что моя жизнь закончилась. И вот теперь, проведя несколько лет в изгнании, я вдруг увидел, что бегу не только от старого, но и к новому. Побег принес мне одинокую беспечную свободу отверженного. Подобно всем отверженным, я приветствовал любую опасность, потому что чувство опасности принадлежало к немногим сильным ощущениям, которые помогали мне забыть то, что я потерял. Петляя с Абдуллой на мотоцикле по паутине городских улиц, всматриваясь в теплоту встречного ветра, я так же безоглядно ворвался в свою судьбу, как влюбляются в прекрасную улыбку застенчивой женщины.

Колония прокаженных находилась на окраине города. В Бомбее было несколько специальных лепрозориев, но те, к кому мы ехали, не хотели там жить. В этих заведениях, среди которых имелись как государственные, так и частные, для больных были созданы хорошие условия, за ними ухаживали, пытались их лечить, но там приходилось подчиняться очень строгим правилам, и не всем это было по душе. Самых недисциплинированных изгоняли из лепрозориев, некоторые покидали их сами. В результате несколько десятков прокаженных постоянно жили на воле, участвуя в жизни города.

Необычайная терпимость жителей трущоб, гостеприимно принимавших людей любой расы, касты и социального положения, не распространялась лишь на прокаженных. Районная администрация и уличные комитеты, как правило, не приветствовали их присутствия на своей территории. Их боялись и сторонились, и потому прокаженные жили во временных трущобах, раскидывая свой лагерь за какой-нибудь час на любом свободном пространстве, какое могли найти, и еще быстрее сворачивая его. Иногда они поселялись на несколько недель на участке, где были свалены промышленные отходы, или около одной из городских свалок, распугивая постоянно промышлявших там старьевщиков, и те, естественно, оказывали им сопротивление. В тот день мы с Абдуллой обнаружили их поселение на пустующей полоске земли возле железнодорожного полотна в Кхаре, одном из пригородов Бомбея.

Нам пришлось оставить мотоцикл в стороне и пробираться к лагерю прокаженных тем же путем, каким ходили они сами, — пролезая через дыры в заграждениях и перепрыгивая через канавы. Участок, который они выбрали, служил местом сосредоточения составов, в том числе и тех, что вывозили продукты и промышленные товары из города. Рядом с сортировочной станцией находились административные здания, склады и депо. Вся территория была опутана сетью сходящихся и расходящихся маневровых путей и огорожена по периметру высоким проволочным забором.

Вокруг процветала обеспеченная жизнь благоустроенного пригорода с интенсивным транспортным движением, садами, террасами и базарами. А на безжизненной территории внутри проволочного заграждения царила голая, безжизненная функциональность. Здесь не росли растения, не бегали животные, не ходили люди. Даже составы, на которых не было ни железнодорожных служащих, ни пассажиров, перемещались с одного запасного пути на другой как некие призрачные существа. И здесь расположилась колония прокаженных.

Они захватили небольшой участок свободного пространства между железнодорожными путями и возвели на нем свои жилица, в высоту едва доходившие до моей груди. Издали поселение было похоже на армейский бивак, окутанный дымом костров, на которых готовят пищу. Вблизи перед нами предстало такое убожество, по сравнению с которым хижины в наших трущобах казались прочными комфортабельными постройками. Здешние времянки были сооружены из листов картона и пластмассы, связанных тонкими бечевками и подпертых сучьями и кольями. Все это поселение можно было снести одним махом за какую-то минуту, а между тем оно служило жильем для четырех десятков мужчин, женщин и детей.

Мы совершенно свободно зашли на территорию и направились к одной из центральных хижин. При виде нас люди застывали на месте и провожали нас глазами, но никто не пытался заговорить. Я невольно таращил глаза на здешних жителей, не в силах отвести взгляд. У некоторых из них не было носов, у большинства — пальцев на руках; ноги их были обмотаны окровавленным тряпьем, а кое у кого процесс разложения зашел так далеко, что они были лишены губ или ушей.

Особенно ужасное впечатление производили изувеченные женщины — не знаю даже почему. Может быть, потому, что ты сознавал, сколько они потеряли вместе со своей природной красотой. У многих мужчин был вызывающий и даже лихой вид — своеобразное драчливое уродство, само по себе подкупающее, а женщины держались застенчиво и чуть испуганно. Голод, понятно, не украшал ни тех ни других. Однако у большинства детей не было видно следов болезни, они выглядели вполне здоровыми — разве что были очень истощены. Им приходилось трудиться не покладая рук, поскольку у старших, как правило, нормальных рук не было.

По-видимому, весть о нашем прибытии распространилась по всему лагерю: из лачуги, к которой мы направлялись, выбрался какой-то человек и стоял, поджидая нас. К нему сразу же подбежали двое детей, чтобы поддержать его. Он был крошечного роста, едва доходил мне до пояса. Болезнь безжалостно изуродовала его, начисто уничтожив губы и почти всю нижнюю часть лица и обнажив темную узловатую плоть, на которой выделялись десны с зубами и зиял темный провал на месте носа.

— Абдулла, сын мой, — сказал он на хинди, — как ты поживаешь? Ты завтракал сегодня?

— У меня все хорошо, Ранджитбхай, — почтительно ответил Абдулла. — Я привез гору, который хочет познакомиться с тобой. Мы недавно поели, но чая выпьем с удовольствием.

Дети притащили нам стулья, и мы расселись перед лачугой Ранджита. Вокруг нас собралось несколько человек, кое-кто из них опустился на землю.

— Это Ранджитбхай, — обратился ко мне Абдулла на хинди громким голосом, чтобы всем было слышно. — Он здесь, в колонии прокаженных, царь и бог, председатель клуба *кала топи*.

Кала топи означает на хинди «черная шляпа»; так часто называют воров, потому что в бомбейской тюрьме на Артур-роуд воров заставляют носить шляпы с черными лентами. Я не понял, почему Абдулла употребляет это прозвище по отношению к местным жителям, но все они, включая Ранджита, восприняли его слова с улыбкой и даже повторили их несколько раз.

— Приветствую вас, Ранджитбхай, — произнес я на хинди. — Меня зовут Лин.

— *Ап доктор хайн?* — спросил он. — Вы доктор?

— Нет! — воскликнул я чуть ли не в панике, поскольку их болезнь приводила меня в замешательство, я не имел понятия, как лечить ее, и боялся, что он попросит меня помочь им. И обратился к Абдулле, перейдя на английский: — Скажи ему, что я не доктор, я просто умею оказывать первую помощь, залечивать крысиные укусы, царапины и тому подобные вещи. Объясни ему, что у меня нет необходимой медицинской подготовки и что я ни бельмеса не смыслю в проказе.

— Да, он доктор, — объяснил Ранджитбхаю Абдулла.

— Ну спасибо, братишка! — процедил я сквозь зубы.

Дети принесли нам стаканы с водой и чай в щербатых чашках. Абдулла выпил воду большими глотками. Ранджит запрокинул голову, и один из мальчиков влил воду прямо ему в горло. Я колебался, устрашенный гротескной картиной, которую видел вокруг. У нас в трущобах прокаженных называли «недоумершими», и мой стакан представлялся мне вместилищем всех кошмаров, связанных с этим полуживым состоянием.

Однако Абдулла наверняка отдавал себе отчет в том, что делает, когда пил воду, и я решил, что можно рискнуть. В конце концов, я рисковал ежедневно. После великой авантюры с побегом опасность поджидала меня постоянно. Бесшабашным широким жестом изгнанника, которому нечего терять, я поднес стакан ко рту и опрокинул его. Сорок пар глаз следили за тем, как я пью.

У Ранджита были глаза медового цвета, их заволакивала легкая пелена — очевидно, симптом катаракты в начальной стадии. Он несколько раз окинул меня с ног до головы пристальным взглядом, полным откровенного любопытства.

— Кадербхай сказал мне, что вам нужны лекарства, — медленно проговорил он по-английски.

Зубы Ранджита слегка щелкали, когда он говорил, и, поскольку он не мог помочь себе губами, понять то, что он произносил, было непросто. Ему не давались звуки «б», «ф», «п» и «в», не говоря уже о «м» и «у». К тому же наши губы, произнося те или иные слова, одновременно передают различные оттенки значения, наше настроение, отношение к тому, о чем мы говорим. Этих выразительных средств Ранджит был лишен, как и пальцев, которые могли бы помочь ему изъясниться. Но рядом с ним стоял мальчик — возможно, его сын, — и он, как переводчик, отчетливо повторял слово за словом все сказанное Ранджитом, выдерживая тот же темп и не отставая от него.

— Мы всегда рады помочь господину Абделю Кадеру, — произнесли они на два голоса. — Оказать ему услугу — это честь для меня. Мы можем давать вам много лекарств каждую неделю без всяких проблем. Высококачественные лекарства, вы убедитесь.

Они выкрикнули какое-то имя, и мальчик лет тринадцати пробился через толпу и положил передо мной холщовый сверток. Он развернул холстину, и я увидел широкий ассортимент ампул и пузырьков. Все они были снабжены этикетками и выглядели абсолютно новыми. Среди них были морфина гидрохлорид[1], пенициллин, средства против стафилококковой и стрептококковой инфекций.

— Где они достают все это? — спросил я Абдуллу.

— Крадут, — ответил он на хинди.

— Крадут? Где? Как?

— *Бахут хошияр*, — ответил он. — Очень изобретательно.

— Да, да! — поддержал его целый хор голосов, звучавший очень гордо, без тени иронии, как будто он похвалил какое-то произведение искусства, являющееся продуктом их коллективного творчества.

«Мы хорошие воры», «Мы хитрые воры», — слышалось вокруг.

— А что они делают с этими лекарствами?

— Продают их на черном рынке, — объяснил мне Абдулла на хинди, чтобы его слова были понятны окружающим. — Благодаря лекарствам и другим краденым товарам им удается выжить.

— Но кто же станет покупать лекарства у них, если их можно достать в любой аптеке?

— Какой ты дотошный, брат Лин. Чтобы объяснить тебе это, я должен рассказать целую историю, а она длинная, рассчитанная на две чашки чая. Так что для начала давай возьмем еще по одной.

Окружающие рассмеялись шутке и сгрудились возле нас теснее, чтобы послушать историю. В этот момент пустой товарный вагон прогромыхал сам по себе по ближайшему пути, едва не задевая хижины. Никто не обратил на него внимания. По железнодорожному полотну прошелся рабочий в шортах и форменной

---

[1] *Морфина гидрохлорид* — обезболивающее средство.

206

рубашке защитного цвета, проверяя состояние рельсов. Время от времени он бросал взгляд на поселение прокаженных, но, миновав его, больше ни разу не обернулся. Нам подали чай, и Абдулла приступил к рассказу. Дети сидели на земле, прислонившись к нашим ногам и обнимая друг друга. Одна из девчушек доверчиво обвила руками мою правую ногу.

Абдулла говорил на хинди, употребляя очень простые фразы и повторяя их по-английски, если видел, что я не все понял. Начал он с эпохи британского владычества, когда англичане хозяйничали по всей Индии, от перевала Хайбер до Бенгальского залива. Иностранцы, *ференги*, ставили прокаженных ниже всех остальных слоев населения, сказал он, и они получали какую-либо помощь в последнюю очередь. Очень часто они были лишены лекарств, перевязочных средств, медицинского ухода. В случае голода, наводнения и прочих бедствий они зачастую не имели возможности воспользоваться даже традиционными народными средствами и лечебными травами. И прокаженным приходилось красть то, что они не могли достать иным путем. Постепенно они настолько преуспели в этом деле, что у них появились даже излишки, которые они стали продавать на собственном черном рынке.

По всей Индии, продолжал Абдулла, вечно было неспокойно — то и дело вспыхивали восстания и войны, процветал бандитизм. Кровь лилась рекой. Но гораздо чаще, чем на поле битвы, люди погибали от гнойных ран и эпидемий. Контроль за расходом лекарственных и перевязочных материалов служил важнейшим источником информации для полиции. Все проданное аптеками, клиниками или оптовыми торговцами строго учитывалось, и, когда эти цифры заметно превышали норму, принимались соответствующие меры, сопровождавшиеся арестами и даже убийствами. Предательский след, пахнущий лекарствами, в первую очередь антибиотиками, позволил выловить немало бандитов и повстанцев. А прокаженные на своем черном рынке продавали лекарства всем, не задавая лишних вопросов. Разветвленная сеть их тайных торговых точек существовала в каждом крупном индийском городе. Их клиентами были чаще всего террористы, сепаратисты, нелегалы или просто чересчур заметные преступники.

— Эти люди умирают, — завершил Абдулла свой рассказ цветистой фразой, как я и ожидал, — и они крадут жизнь для себя самих, а потом продают ее и другим умирающим.

Абдулла замолчал, и над нами нависла плотная, увесистая тишина. Все смотрели на меня. Похоже, их интересовало, как я буду реагировать на эту повесть об их печалях и достижениях, о жестоком бойкоте со стороны общества и об их незаменимости в криминальном мире. Дыхание со свистом вырывалось сквозь сжа-

тые зубы из безгубых ртов. Посерьезневшие терпеливые глаза выжидательно уставились на меня.

— Можно... можно мне еще один стакан воды? — спросил я.

По-видимому, я оправдал ожидания, так как все принялись
радостно смеяться. Несколько ребятишек сорвались с места, чтобы принести мне воды, а взрослые похлопывали меня по плечам
и спине.

Ранджитбхай объяснил, что Сунил — мальчик, который принес нам сверток с лекарствами, — будет регулярно привозить
медикаменты мне в трущобы в удобное для меня время. Он попросил меня, прежде чем мы уйдем, посидеть еще некоторое время, чтобы каждый из окружающих мужчин, женщин и детей мог
прикоснуться к моей ноге. Мне казалось, что это унизительно
для людей, и я стал уговаривать его отказаться от этой затеи. Но
он настаивал, а затем с суровым выражением и каким-то ожесто-
ченным блеском в глазах наблюдал, как его люди друг за другом
стучат по моей ноге обрубками пальцев или почерневшими и по-
терявшими форму ногтями.

Час спустя Абдулла высадил меня возле Центра мировой торговли. Он тоже слез с мотоцикла и, импульсивно обхватив меня
руками, сжал в крепком объятии. Я рассмеялся, и он недоуменно воззрился на меня:

— Что в этом смешного?

— Ничего смешного, — успокоил я его. — Просто я не ожидал таких медвежьих объятий.

— Медвежьих объятий? Это такое английское выражение?

— Ну да. Оно означает крепкие объятия, так у нас обнимают-
ся друзья.

— Брат мой, — произнес он с легкой улыбкой, — завтра мы
с Сунилом привезем тебе еще лекарств.

С этими словами он укатил, а я направился к своей хижине.
Я огляделся вокруг, и наш поселок, представлявшийся мне поначалу забытой богом юдолью скорби, теперь показался мне
крепким, жизнестойким маленьким городом безграничных возможностей и сбывающихся надежд. Его жители были сильными
и здоровыми. Войдя в хижину, я закрыл за собой тонкую фанерную дверь, сел и заплакал.

«Страдание, — сказал мне однажды Кадербхай, — это способ
испытать свою любовь, прежде всего любовь к Богу». Я не знал
Бога, говоря его словами, но и как неверующий я не выдержал
испытания в этот день. Я не мог любить Бога — как бы Его ни
звали — и не мог простить Его. Слезы текли у меня из глаз несколько минут, чего со мной не случалось очень давно, и я все еще
сидел, погруженный в отчаяние, когда вдруг открылась дверь, вошел Прабакер и опустился передо мной на корточки.

— От него может быть большая опасность, Лин, — выпалил он без всяких предисловий.

— От кого? О чем ты?

— Об этом парне, Абдулле, который приходил к тебе сегодня. От него может быть очень большая опасность, если знакомиться с ним и особенно если делать какие-то дела с ним также.

— Что ты этим хочешь сказать?

Прабакер помолчал, на его открытом лице явственно выразилась внутренняя борьба.

— Он... убийственный человек, Лин, убийца. Он убивает людей. За деньги. Он гунда, гангстер, и работает на Кадербхая. Все знают это. Все, кроме тебя.

Я сразу же, не задавая больше вопросов и не требуя от Прабакера никаких доказательств, понял, что это правда и что я уже и сам знал это — или, во всяком случае, подозревал. Это было видно по тому, как люди обращались к Абдулле, по шепоту у него за спиной и по страху, с каким многие смотрели на него. Абдулла был похож на самых опасных и лучших людей, с какими я встречался в тюрьме. Так что это должно было — по крайней мере, в какой-то степени — быть правдой.

Я постарался трезво взглянуть на самого Абдуллу и на то, чем он занимается, и определить, каковы должны быть мои отношения с ним. Кадербхай был, несомненно, прав. У нас было много общего. Мы оба были способны применить при необходимости грубую силу и не боялись переступить закон. Мы оба были изгоями, одиночками в мире. Абдулла, как и я, был готов в любой момент умереть за то, что покажется ему достойным этого. Но я никого не убивал. Этим мы отличались друг от друга.

И несмотря ни на что, он мне нравился. Я подумал о том, как уверенно он держался в колонии прокаженных. Несомненно, в значительной степени уверенность и самообладание передались мне от Абдуллы. Рядом с ним я чувствовал себя сильным и ничего не боялся. Он был первым человеком из встреченных мною после побега, кто так действовал на меня. Таких людей называют в тюрьме стопроцентными парнями. Они, не задумываясь, поставят на кон свою жизнь ради друга, встанут плечом к плечу с ним против всего мира.

Эти парни так часто бывают героями книг и фильмов, что мы забываем, как редко они встречаются в жизни. Но я видел таких людей. Это был один из полезных уроков, которые я вынес из тюрьмы. Тюрьма срывает маску с человека. В тюрьме ты не можешь скрыть свою сущность. Ты не можешь притвориться крутым. Ты либо являешься таковым, либо нет, и это видно всем. И я убедился, что, когда на тебя прут с ножом — а со мной это случалось неоднократно — и встает вопрос, кто кого, среди сотен людей найдется один, кто ради дружбы пойдет с тобой до конца.

Тюрьма научила меня распознавать таких людей, и я знал, что Абдулла один из них. Для меня, преследуемого и постоянно готового, отбросив страх, вступить в схватку и умереть, сила, крутой характер и железная воля Абдуллы значили больше, чем все добро и вся истина мира. И в этот момент, сидя в своей хижине, где полосы света прорезали прохладную полутьму, я поклялся, что буду ему верным другом и братом, кем бы он ни был и что бы он ни делал.

Я посмотрел в обеспокоенное лицо Прабакера и улыбнулся ему. Он инстинктивно улыбнулся мне в ответ, и до меня вдруг дошло, что я внушаю ему уверенность и играю в его жизни такую же роль, какую Абдулла стал играть в моей. Дружба — это тоже своего рода лекарство, и рынок, на котором ее можно достать, тоже бывает черным.

— Не волнуйся, — сказал я, положив руку ему на плечо, — все будет в порядке. Все будет хорошо, ничего со мной не случится.

ГЛАВА 11

Дни, когда я занимался лечебной практикой в трущобах и усердно выколачивал комиссионные из туристов с холодными, как драгоценные камни, глазами, разворачивались друг за другом, подобно лепесткам лотоса на восходе солнца. Деньги у меня водились постоянно, порой и немалые. Однажды, спустя несколько недель после моего первого визита к прокаженным, я заключил сделку с группой итальянских туристов, которые хотели перепродать с выгодой для себя наркотики другим туристам в Гоа. Я помог им приобрести четыре кило чараса и две тысячи таблеток мандракса[1]. Мне нравилось иметь дело с итальянцами. Они знали, чего хотят от жизни, а делами занимались со вкусом. И они, как правило, не скупились, понимая, что хорошая работа требует и хорошей оплаты. Комиссионные, полученные за эту сделку, позволили мне жить несколько недель, не думая о деньгах. Работа в трущобах поглощала практически все мое время.

Был конец апреля, до сезона дождей оставалось чуть больше месяца. Обитатели трущоб активно готовились к его наступлению, работая без спешки, но не покладая рук. Все прекрасно знали, каких сюрпризов можно ожидать от затянутого тучами неба. Однако лица светились радостным возбуждением, потому что

---

[1] *Мандракс* — синтетический психотропный препарат.

люди успели соскучиться по дождю за долгие месяцы иссушаю-
щей жары.

Казим Али Хусейн сформировал две бригады, которые помогали нетрудоспособным обитателям трущоб, вдовам, сиротам и
женщинам-одиночкам отремонтировать и укрепить их жилища,
а бригадирами назначил Прабакера и Джонни Сигара. Прабакер
с добровольными помощниками из местных парней выискивал
бамбуковые палки и обрезки пиломатериалов среди куч строительных отбросов рядом с возводившимся по соседству зданием.
Джонни Сигар во главе пиратской банды уличных мальчишек
рыскал по округе в поисках лежащих без присмотра кусков жести, пластика и парусины. Территория вокруг поселка постепенно очищалась от материалов, пригодных для защиты от дождя.
Во время одной из экспедиций банде удалось раздобыть огромный кусок брезента, который, судя по его конфигурации, служил
камуфляжным чехлом боевого танка в войсках. Его хватило, чтобы покрыть девять хижин.

Я работал вместе с группой молодых людей, которым было
поручено расчистить сточные канавы от коряг и прочего мусора
и углубить их в случае необходимости. За несколько месяцев в
них накопилась масса всякой дряни: пластиковых бутылок, кон-
сервных и стеклянных банок — всего, до чего не добрались мусорщики, а крысы не пожелали съесть. Это было довольно грязное
занятие, но я охотно взялся за него, потому что оно позволяло мне заглянуть во все уголки нашего поселка и познакомиться
с сотнями людей, которых иначе я мог никогда не встретить. Эта
работа считалась не менее престижной, чем любая другая, — в трущобах умеют ценить незаметный, но полезный труд, на который
в приличном обществе смотрят с пренебрежением. К тем, кто помогал защитить поселок от приближающихся дождей, относились с особым уважением. Копошась в зловонных канавах, мы
постоянно ловили на себе приветливые улыбки окружающих.

Наш командир Казим Али Хусейн был в курсе всех прово-
дившихся работ. Он руководил людьми ненавязчиво, без всякого апломба, но авторитет его был непререкаем. Инцидент, происшедший в эти дни, лишний раз продемонстрировал это и убедил меня в его мудрости.

Однажды мы собрались в хижине Казима Али, чтобы послушать рассказ его старшего сына о его пребывании в Кувейте. Икбал, молодой человек двадцати четырех лет, с открытым взглядом и застенчивой улыбкой, работал в Кувейте в течение шести
месяцев по контракту. Многие его товарищи горели желанием
узнать у него как можно больше полезного для себя. Где легче
достать выгодную работу? Кого из работодателей предпочесть?
С кем лучше не иметь дела? Нельзя ли как-нибудь принять учас-

тие в сделках между черными рынками Бомбея и стран Персидского залива? Икбалу пришлось ежедневно в течение недели читать в переполненном отцовском доме маленькие импровизированные лекции, делясь своим бесценным опытом. Но в тот день его лекция была прервана раздавшимися неподалеку шумом и криками.

Поспешив на шум, мы обнаружили небольшую толпу, в центре которой насмерть схватились два парня из бригады Прабакера, Фарук и Рагхурам. Икбал и Джонни Сигар разняли дерущихся, а при появлении Казима Али сразу воцарилась тишина.

— В чем дело? — спросил он необычным для него суровым тоном. — Из-за чего вы сцепились?

— Он оскорбил нашего пророка Мухаммеда! — вскричал Фарук.

— А он нанес оскорбление Раме! — парировал Рагхурам.

Толпа опять загомонила, поддерживая спорящих или осыпая их проклятиями соответственно своим религиозным убеждениям. Казим Али дал им минуту на то, чтобы выговориться, затем поднял руки, призывая всех к молчанию.

— Фарук, Рагхурам, — сказал он, — вы же друзья. Вы знаете, что кулаки не разрешат ваш спор и что нет драки хуже, чем между друзьями и добрыми соседями.

— Но я же должен был вступиться за нашего пророка, да хранит его Аллах! — не мог успокоиться Фарук; однако гневный взгляд Казима Али заставил его замолчать и потупиться.

— Я тоже не могу спокойно слушать, когда оскорбляют Раму! — кричал в ответ Рагхурам.

— Этому не может быть оправданий! — загремел Казим Али. — Никакие разногласия между нами не должны разрешаться дракой! Мы бедные люди. У нас достаточно врагов за пределами нашего поселка. Если мы не будем держаться вместе, мы погибнем. Вы, два молодых глупца, нанесли оскорбление всем нашим людям независимо от их веры, и в первую очередь вы унизили меня!

Вокруг собралась уже добрая сотня людей. При этих словах Казима по толпе пробежал ропот. Люди, стоявшие в первых рядах, передавали его слова тем, кто не расслышал их. Фарук и Рагхурам повесили головы. Заявление Казима Али, что они унизили не столько самих себя, сколько его, произвело на них сильное впечатление.

— Вы оба должны быть наказаны за это, — произнес Казим более мягким тоном, когда толпа несколько успокоилась. — Сегодня вечером я посоветуюсь с вашими родителями, какому наказанию вас подвергнуть, а до тех пор вы будете работать на уборке территории вокруг туалета.

В толпе опять стали обсуждать решение Казима Али. Конфликты на религиозной почве обладали потенциальной взрывной силой, и люди были рады, что Казим подошел к этому вопросу с полной серьезностью; многие говорили о дружбе между Фаруком и Рагхурам. Я понимал справедливость высказанной им мысли, что драки между друзьями разного вероисповедания представляют опасность для всего сообщества. Казим между тем снял с шеи длинный зеленый шарф и поднял его вверх, показывая всем:

— Вы отправляетесь на работу, Фарук и Рагхурам. Но перед этим я свяжу вас вот этим шарфом, чтобы вы не забывали, что вы друзья и братья, в то время как туалетная вонь будет напоминать вам об обиде, которую вы нанесли сегодня друг другу.

Встав на колени, он связал правую лодыжку Фарука и левую Рагхурама. Затем он поднялся и повелительно простер руку в сторону туалета. Толпа расступилась, и парни попытались сдвинуться с места, но у них ничего не получалось, пока они не поняли, что им надо обнять друг друга и идти в ногу. Так, ковыляя на трех ногах, они и пошли в указанном направлении.

Глядя на них, люди, только что пребывавшие в напряжении и страхе, стали смеяться и славить мудрость Казима Али. Они хотели высказать это ему самому, но обнаружили, что он уже направился в свою хижину. Я стоял неподалеку от него и заметил, что он улыбается.

Мне еще не раз случалось увидеть его улыбку в эти месяцы. Казим заходил ко мне два-три раза в неделю, чтобы проверить, как идет лечение пациентов, число которых возросло после того, как доктор Хамид стал принимать наших больных. Иногда Казим Али приводил с собой кого-нибудь — мальчика, покусанного крысами, или парня, получившего травму на стройплощадке рядом с нашими трущобами. Спустя некоторое время я понял, что он приводит ко мне тех, кто по той или иной причине не хочет прийти самостоятельно — или по своей природной застенчивости, или потому, что не доверяет иностранцам, или предпочитая традиционные народные средства всем другим видам лечения.

С этими народными средствами все было не так просто. В целом я относился к ним положительно и сам применял иногда аюрведические лекарства[1] вместо современных. Некоторые из народных способов лечения, однако, основывались на чистом суеверии и противоречили не только всем положениям медицинской науки, но и элементарному здравому смыслу. Особенно нелепым казался мне обычай накладывать при сифилисе на верхнюю часть руки жгут из трав разной окраски. Артрит и ревматизм пытались иногда лечить, поднося щипцами раскаленные докрасна угли к ко-

---

[1] *Аюрведа* — древнеиндийская медицина.

ленным или локтевым суставам. Казим Али признался мне по секрету, что не одобряет некоторых крайних средств, но и не запрещает их. Вместо этого он боролся с их применением, поддерживая меня и стараясь почаще посещать, а люди, видя это, следовали его примеру.

Стройное и мускулистое тело Казима Али было туго обтянуто, как рука боксерской перчаткой, смуглой кожей орехового оттенка. Густые, посеребренные сединой волосы он стриг коротко и носил чуть более светлую эспаньолку. Одет он был чаще всего в хлопчатобумажную рубаху и белые брюки западного фасона. Эта простая и недорогая одежда всегда была тщательно выстирана и выглажена, менял он ее не реже двух раз в день. Если бы это был другой человек, не пользовавшийся таким авторитетом, подобную привычку сочли бы чрезмерным щегольством, но Казим Али не вызывал у людей ничего, кроме любви и восхищения. Его безупречно чистые белые одежды воспринимались как символ его духовной и нравственной чистоты и цельности, и в мире непрестанной борьбы за выживание это служило людям моральной поддержкой, в которой они нуждались не меньше, чем в чистой воде из источника.

Свои пятьдесят пять лет Казим носил с небрежной легкостью. Я не раз видел, как он вместе с сыном быстрым шагом тащит на плечах тяжелые ведра с водой из цистерны, не отставая при этом от молодого человека. В своей хижине он садился на тростниковую циновку, не опираясь на руки, — просто скрещивал ноги и опускался, сгибая колени. Он был высоким, красивым человеком, и источником его красоты являлись прежде всего его здоровая, энергичная натура и естественная грация, которые помогали ему мудро руководить людьми и вести их за собой.

Казим Али, с его стройной фигурой и короткими седыми волосами, часто напоминал мне Кадербхая. Впоследствии я узнал, что они не только были знакомы, но и дружили. Но при этом они существенно отличались друг от друга — прежде всего тем, как они завоевывали свой авторитет у людей и как его использовали. Власть Казима покоилась на любви подчиненных ему людей, в то время как Кадербхай добивался ее и удерживал силой своей воли и оружия. Разумеется, Казим Али не мог тягаться с главарем мафии. Какой бы поддержкой трущобных обитателей он ни пользовался, именно Кадербхай изначально одобрил его кандидатуру и обеспечил эту поддержку.

Авторитет Казима ежедневно подвергался проверке — и с успехом выдерживал ее. Он разрешал все возникающие споры, не позволяя им перерасти в серьезные конфликты; он улаживал разногласия, касающиеся собственности и прав на получение тех или иных социальных благ. Многие шагу не могли ступить без его совета — ни устроиться на работу, ни вступить в брак.

У Казима было три жены. Первая из них, Фатима, была моложе его на два года, вторая, Шайла, — на десять лет, а третьей, Наджиме, исполнилось всего двадцать восемь. В первый раз он женился по любви, а во второй и в третий — для того, чтобы поддержать малоимущих вдов, которые иначе вряд ли могли бы найти нового мужа. От этих трех жен у него родилось десять детей — четверо мальчиков и шесть девочек; кроме того, он опекал пятерых детей овдовевших женщин. Чтобы обеспечить женам финансовую независимость, он купил им четыре швейные машины с ножным приводом. Фатима установила машины под полотняным тентом возле их хижины и наняла четырех портных мужского пола для пошива рубашек и брюк.

Доходов этого скромного предприятия не только хватало на оплату труда портных, но еще и оставалась небольшая прибыль, которую делили поровну все три жены. Казим не участвовал в руководстве предприятием и оплачивал все домашние расходы, так что женщины могли распоряжаться вырученными от шитья деньгами по своему усмотрению. Со временем портные поселились в хижинах по соседству с Казимом Али и жили все вместе как одна большая семья из двадцати трех человек, чьей главой был Казим. Жили они дружно и весело, без ссор и недоразумений. Дети играли одной компанией и охотно помогали по дому. Несколько раз в неделю Казим отпирал свою большую гостиную, где проводился поселковый *меджлис* — общее собрание, на котором все жители могли высказывать свои жалобы и вносить предложения.

Конечно, не все проблемы доходили до сведения Казима Али заблаговременно, позволяя ему предотвратить конфликт, и порой ему приходилось брать на себя функции полицейских и судебных органов этого саморегулирующегося сообщества. Однажды, спустя несколько недель после посещения колонии прокаженных, я пил чай перед домом Казима, когда прибежал Джитендра с известием, что один из местных жителей так сильно избивает свою жену, что того и гляди убьет. Казим Али, Джитендра, Ананд, Прабакер и я поспешили по извилистым проходам к хижинам на окраине поселка, выстроившимся в ряд вдоль мангровых зарослей на болоте. Возле одной из них собралась большая толпа; приблизившись, мы услышали доносившиеся из дома жалобные крики и удары.

В первых рядах, у самой хижины, стоял Джонни Сигар. Казим Али направился прямо к нему:

— Что тут происходит?

— Джозеф напился и все утро избивает жену, — бросил Джонни, с возмущением плюнув в сторону хижины.

— Все утро? Сколько именно времени?

— Часа три, а может, и больше. Я сам только что пришел сюда, услышав об этом, и сразу решил послать за вами, Казимбхай.

Казим Али, сурово нахмурившись, посмотрел Джонни в глаза:

— Джозеф уже не впервые избивает свою жену. Почему ты не остановил его?

— Я... — начал было Джонни, но, не выдержав взгляда Казима Али, опустил глаза. Он, казалось, был готов заплакать от отчаяния. — Я не боюсь его! Я не боюсь никого из здешних, вы это знаете! Но она ведь... она ведь его жена...

Обитатели трущоб жили в такой тесноте, что все интимные подробности их жизни, все, что говорилось и делалось, становилось достоянием соседей. И, как это свойственно людям повсюду, они не любили вмешиваться в чужие семейные конфликты, даже если те принимали слишком бурный характер. Казим Али, понимая это, успокаивающе положил руку на плечо Джонни и велел ему немедленно остановить это непотребство. Как раз в этот момент опять послышались пьяная ругань и удары, а за ними душераздирающий вопль.

Мы поспешили к хижине, чтобы утихомирить разбушевавшегося хозяина, но тут дверь распахнулась — и жена Джозефа буквально вывалилась из нее, без сознания распростершись у наших ног. На ней ничего не было. Длинные волосы были спутаны и испачканы кровью; на спине, ягодицах и ногах виднелись синяки, оставленные палкой.

Люди в ужасе попятились. Я понимал, что ее нагота шокировала их не меньше, чем раны на ее теле. Да и мне было не по себе. В те годы нагота воспринималась в Индии как интимнейший секрет, нечто вроде тайной религии. Появиться в общественном месте в обнаженном виде мог разве что святой человек или сумасшедший. Мои друзья по трущобам, женатые уже много лет, говорили с предельной откровенностью, что за все это время ни разу не видели своих жен обнаженными. Поэтому нам до слез было жалко жену Джозефа, всех охватил стыд за ее унижение.

Тут из хижины с диким воплем выскочил, пошатываясь, сам Джозеф. Брюки его были мокрыми от мочи, грязная футболка разорвана, волосы растрепаны. Лицо, измазанное кровью, было перекошено в тупом пьяном озлоблении. В руках он держал бамбуковую палку, которой избивал жену. Он щурился от яркого солнца; затем его бессмысленный взгляд упал на тело жены, лежавшее между ним и толпой, он выругался и замахнулся палкой, чтобы опять ударить ее.

Шок, парализовавший всех в первый момент, сменился взрывом негодования, и мы кинулись вперед, чтобы остановить Джозефа. Как ни странно, первым к нему подскочил Прабакер, и, хотя Джозеф был гораздо крупнее его, он налетел на пьяного и оттолкнул его. Палку у Джозефа отняли, повалили его и прижали к земле. Он дергался и сопротивлялся, с губ его слетали проклятия и ругательства. Несколько женщин приблизились к его жене, причитая, как на похоронах. Покрыв обнаженную желтым шелковым сари, они подняли ее и унесли.

Толпа была готова линчевать Джозефа, но Казим Али сразу же взял дело в свои руки. Он велел людям разойтись или посторониться, а мужчинам, скрутившим Джозефа, приказал так и держать его на земле. Его следующий приказ поверг меня в изумление. Я думал, что он вызовет полицию или, по крайней мере, велит увести Джозефа и запереть, он же спросил, что именно Джозеф пил, и распорядился принести две бутылки того же самого напитка, а также чарас и чиллум. Джонни Сигару он велел приготовить чиллум для курения. Когда две бутылки неочищенного самогона, называвшегося *дару*, были принесены, Казим приказал Прабакеру и Джитендре насильно напоить Джозефа.

Несколько крепких парней окружили Джозефа и протянули ему одну из бутылок. Сначала он смотрел на них с подозрением, затем схватил бутылку и с жадностью сделал большой глоток. Парни поощрительно похлопали его по спине и предложили продолжить. Он выпил еще немного и оттолкнул бутылку, сказав, что ему достаточно. Уговоры молодых людей стали более настойчивыми. Они со смехом поднесли бутылку к его рту и силой заставили выпить еще. Джонни раскурил чиллум и передал его Джозефу. Минут двадцать тот попеременно затягивался дымом и пил, пока голова его не упала на грудь, а сам он не растянулся хладным трупом прямо в грязи.

Понаблюдав за храпящим, люди стали расходиться по домам. Но молодым людям Казим Али велел оставаться возле Джозефа и не спускать с него глаз. Затем он на полчаса удалился, чтобы прочитать утреннюю молитву. Вернувшись, он потребовал чай и воду. Среди тех, кто следил за Джозефом, были Джонни Сигар, Ананд, Рафик, Прабакер и Джитендра, а также дюжий молодой рыбак по имени Виджай и худощавый, но сильный парень, работавший грузчиком, которого из-за его блестящей смуглой кожи прозвали Андхкара, что значит «темнота». Они сидели и беседовали, пока солнце не достигло зенита, окутав всех удушающей влажной жарой.

Я хотел было уйти, но Казим Али попросил меня остаться, и я сел на веранде ближайшего дома под навесом. Сунита, четырехлетняя дочурка Виджая, принесла мне стакан воды, хотя я ее об этом не просил. Я с благодарностью выпил тепловатую воду.

— *Цангли мулги, цангли мулги,* — сказал я ей на маратхи. — Хорошая девочка, хорошая девочка.

Сунита была в восторге оттого, что я ее похвалил, и уставилась на меня с неистовой полуулыбкой-полугримасой. На ней было алое платье с крупной надписью на английском МОИ ЩЕКАСТЫЕ ФИЗИОНОМИИ поперек груди. Я обратил внимание на то, что платье было мало ей и порвано, и сделал мысленную зарубку на память, что надо купить ей и другим детям что-нибудь на барахолке, прозванной «Ателье мод» и занимавшейся распродажей дешевой одежды. Подобные зарубки я делал ежедневно, встречаясь со смышлеными и жизнерадостными поселковыми детишками. Взяв у меня пустой стакан, она потопала домой, твердо ступая своими миниатюрными босыми ножками, на которых позвякивали в такт ходьбе браслеты с бубенчиками. Когда молодые люди напились чая, Казим Али велел им разбудить Джозефа. Они стали грубо расталкивать его и кричать, чтобы он проснулся. Он никак не хотел этого делать, ворочался и сердито огрызался. Наконец он открыл глаза, ошалело потряс головой и раздраженно потребовал воды.

— *Пани нэхи*, — сказал Казим. — Никакой воды.

Парни опять заставили его пить крепкий алкоголь, шутливо, но настойчиво уговаривая его и похлопывая по спине. Раскурили еще один чиллум, все затягивались по очереди с Джозефом. Он по-прежнему требовал воды, но каждый раз получал вместо этого еще один глоток самогона. Выпив треть бутылки, он опять отключился и свалился на бок, подставив лицо под палящие лучи солнца. Никто не стал прикрывать его.

Дав Джозефу поспать пять минут, Казим Али снова велел разбудить его. Джозеф негодующе рычал и бранился заплетающимся языком. Встав на четвереньки, он сделал попытку удрать в свою хижину. Тогда Казим Али вручил Джонни Сигару окровавленную бамбуковую палку и скомандовал:

— Начинайте!

Замахнувшись палкой, Джонни с громким ударом опустил ее на спину Джозефа. Тот взвыл и хотел уползти, но молодые люди заставили его вернуться в центр образованного ими круга. Джонни ударил его еще раз, Джозеф заорал, но молодые люди прикрикнули на него, велев замолчать. Джонни опять замахнулся, и Джозеф, прикрываясь от удара, заморгал, пытаясь сфокусировать свой взгляд.

— Ты знаешь, что ты наделал? — рявкнул Джонни, с силой ударив Джозефа по плечу. — Говори же, пьяная морда, ты знаешь, какую ужасную вещь ты совершил?

— Перестаньте бить меня! — закричал Джозеф. — За что вы меня бьете?

— За то, что ты наделал! — ответил Джонни с очередным ударом.

— А-а-а! — вопил Джозеф. — Что я наделал? Я не сделал ничего плохого!

Виджай взял палку у Джонни и ударил Джозефа по рукам:

— Ты избил свою жену, пьяная скотина, и теперь она, возможно, умрет!

Он передал палку Джитендре, который нанес Джозефу удар по бедрам.

— Она умирает! Ты убийца! Ты убил собственную жену!

Джозеф закрывался от ударов руками, бросая взгляды по сторонам в поисках спасения. Джитендра опять поднял палку над головой:

— Ты бил жену все утро и выбросил ее обнаженной из хижины. Получай же, пьяница! Точно так же ты бил ее. Тебе это нравится, убийца?

Проблеск понимания мелькнул в затуманенном мозгу Джозефа, исказив его лицо гримасой ужаса. Джитендра отдал палку Прабакеру, и со следующим ударом Джозеф разрыдался.

— Нет! — вскричал он. — Это неправда! Я не сделал ничего плохого! О, что со мной будет? Я не хотел ее убивать. Господи боже, что со мной будет? Дайте мне воды! Воды!

— Никакой воды, — сказал Казим Али.

Наступила очередь Андхкары.

— Ты беспокоишься о себе, собака? А как насчет твоей несчастной жены? Что ты думал, когда избивал ее? И это не в первый раз, не так ли? Но теперь этому конец. Ты убил ее и больше уже не будешь никого избивать. Ты подохнешь в тюрьме.

Палка вернулась к Джонни Сигару.

— Ты был очень храбр, когда бил свою жену, которая вдвое меньше тебя, такого бугая! Если ты такой герой, попробуй побить меня! Давай возьми палку и пусти ее в ход против мужчины, ничтожный гунда.

— Воды... — жалобно простонал Джозеф, в слезах скорчившись на земле.

— Никакой воды, — непреклонно бросил Казим Али, и Джозеф опять потерял сознание.

Когда Джозефа растолкали в очередной раз, он пробыл на солнце уже два часа. Он кричал, чтобы ему дали воды, но получал только дару. Он хотел оттолкнуть протянутую бутылку, но жажда была слишком сильной, и он схватил бутылку трясущимися руками. Как только жидкость полилась на его воспаленный язык, Джозеф получил новый удар палкой. Он уронил бутылку; жидкость потекла из его рта по заросшему щетиной подбородку. Джонни поднял бутылку и вылил остатки пьянице на голову. Джозеф вскрикнул и опять хотел убежать на четвереньках, но его вернули. Джитендра, взяв палку, шлепнул ею Джозефа по заду. Джозеф принялся вопить, стонать и рыдать.

Казим Али, сидевший в тени на пороге одной из хижин, подозвал к себе Прабакера и распорядился, чтобы послали за друзьями и родственниками Джозефа, а также родственниками Марии, его жены. Прибывшие сменили уставших молодых людей, и начался новый круг мучений Джозефа. В течение нескольких часов его друзья, соседи и родственники по очереди поносили его и колотили той же палкой, которой он так безжалостно избил жену. Били Джозефа больно, но так, чтобы не нанести серьезных увечий. Наказание было суровым, но не выходило из границ разумного.

Я ушел в свою хижину, несколько раз возвращался, а экзекуция продолжалась. Многие обитатели трущоб, проходившие мимо, останавливались, наблюдая за этой сценой. Люди по желанию вставали в круг карателей и покидали его. Казим Али сидел на том же месте с суровым выражением, не отводя взгляда от происходящего и следя за тем, чтобы наказание вершилось непрерывно, но не было чрезмерным.

Джозеф еще дважды терял сознание. Когда наконец избиение прекратилось, он был сломлен. В нем не осталось ни озлобленности, ни способности сопротивляться. Он рыдал, снова и снова повторяя имя своей жены:

— Мария, Мария, Мария...

Казим Али поднялся и подошел к Джозефу. Наступил момент, ради которого и проделывалось все предыдущее. Казим кивнул Виджаю, и тот принес из ближайшей хижины теплую воду, мыло и два полотенца. Те же люди, которые избивали Джозефа, теперь вымыли его лицо, шею, руки и ноги, причесали его и дали воды. Они впервые за последние часы заговорили с ним ласково, обнимая и похлопывая по плечам. Ему объяснили, что если он раскаивается в своем поступке, то его простят и помогут ему. Все по очереди подходили к нему, чтобы он коснулся их ног. На него надели чистую рубашку и усадили, заботливо поддерживая. Казим Али присел на корточки напротив Джозефа и заглянул в его налитые кровью глаза.

— Твоя жена Мария не умерла, — сказал он мягко.

— Не умерла? — тупо переспросил Джозеф.

— Нет, Джозеф, она очень сильно пострадала, но осталась в живых.

— Господи, благодарю Тебя! — воскликнул он.

— Твои родные и родные твоей жены договорились, как с тобой поступить, — произнес Казим медленно и твердо. — Но прежде всего скажи: ты сожалеешь о том, что ты сделал со своей женой?

— Да, Казимбхай, — заплакал Джозеф. — Я сожалею, я так сожалею...

— Женщины решили, что ты не должен видеть Марию в течение двух месяцев. Она в очень тяжелом состоянии. Ты чуть не убил ее, и ей нужны эти два месяца, чтобы поправиться. Ты же в это время будешь ежедневно работать больше, чем обычно, а заработанные деньги будешь копить. И разумеется, ни капли дару или пива, ни чая, ни молока — ты не будешь пить ничего, кроме воды. Это будет часть твоего наказания. Понятно?

Джозеф слабо помотал головой в знак согласия:

— Понятно, да...

— Ты должен также знать, что мы даем Марии право отказаться от тебя, если она захочет. Если она решит по истечении двух месяцев развестись с тобой, я помогу ей в этом. Но если она останется с тобой, ты отвезешь ее отдохнуть в прохладные горы на те деньги, которые заработаешь за это время. Находясь с женой в горах, ты обдумаешь все, что произошло по твоей вине, и постараешься преодолеть зло в себе. Иншалла, ты сможешь обеспечить счастливое и достойное будущее для себя и своей жены. Так мы постановили. Это все. Теперь иди поешь и ложись спать.

С этими словами Казим Али встал и удалился. Друзья Джозефа помогли ему подняться и проводили домой. Хижину к этому моменту прибрали, все вещи Марии и ее одежду унесли. Джозефу дали гороховой похлебки с рисом. Поев немного, он улегся на свой тонкий матрас. Два его друга, сидя рядом, обмахивали его зелеными бумажными веерами. Джонни Сигар подвесил окровавленную бамбуковую палку на столбе возле хижины Джозефа, чтобы все могли ее видеть. Там она должна была оставаться в течение всего двухмесячного исправительного срока.

В одной из хижин неподалеку включили радио, и мелодия индийской любовной песни поплыла над закоулками и канавами поселка. В другой хижине плакал ребенок. На том месте, где недавно проводилась экзекуция, ковырялись в земле и кудахтали куры. Слышно было, как где-то смеется женщина, играют дети, торговец браслетами зазывает покупателей своей неизменной присказкой: «Браслет — это красота, вся красота мира в браслетах!»

Мир и порядок в трущобах были восстановлены; я направился кривыми проулками в свою хижину. С причала Сассуна возвращались домой рыбаки с корзинами, полными морских запахов. Навстречу им — доказывая, что жизнь в трущобах не обходится без контрастов, — шли продавцы благовоний, наполняя воздух ароматами сандалового дерева, роз, жасмина и пачулей.

Я думал о том, чему стал свидетелем в этот день, о том, как двадцать пять тысяч жителей этого селения-государства сумели организовать свою жизнь без участия полиции и прочих правоохранительных органов, без судебных приговоров и тюрем. Я вспомнил слова, сказанные Казимом Али несколько недель назад, когда Фарук и Рагхурам в наказание за свои грехи работали целый день в туалете, привязанные друг к другу. Вымывшись после работы горячей водой и надев чистые набедренные повязки и рубашки, они предстали перед собранием своих родных, друзей и соседей. Ветер с моря раскачивал уличные фонари, и отблески огня перескакивали из одних глаз в другие, а по тростниковым стенам хижин метались тени. Казим Али огласил решение, вынесенное представителями двух основных индийских религий: в наказание за свою религиозную распрю мусульманин Фарук должен был выучить наизусть одну из индуистских молитв, а Рагхурам — одну из мусульманских.

— Это решение — образец истинного правосудия, — сказал Казим Али в тот вечер, а глаза его цвета древесной коры с теплотой глядели на двух юношей. — Ибо оно справедливо и предполагает прощение проступков. Справедливость будет восстановлена только тогда, когда все почувствуют моральное удовлетворение — даже тот, кто оскорбил нас и должен быть наказан. На примере этих двух мальчиков вы можете видеть, что правосудие — это не только наказание провинившихся, но и попытка спасти их.

Я записал эту маленькую речь Казима Али в свой блокнот и запомнил ее наизусть. Вернувшись к себе в тот день, когда пострадала Мария и был наказан Джозеф, я открыл черную тетрадь, чтобы еще раз прочесть записанное. Где-то неподалеку сестры и подруги Марии ухаживали за ней, стараясь облегчить ее страдания, а Прабакер и Джонни Сигар несли вахту у храпящего тела ее мужа. Вечерние тени все больше удлинялись, пока не слились в сплошную темноту, не принесшую прохлады. Я размышлял, вдыхая воздух, пропитанный пылью и запахами тысяч кухонь. Было так тихо, что я слышал, как пот капает с моего скорбного лица на страницы дневника, орошая, будто слезами, одно слово за другим: «справедливость... прощение... наказание... спасти...».

ГЛАВА 12

Прошла неделя, за ней еще три, за первым месяцем еще четыре. Время от времени, бродя по улицам Колабы по делам своих иностранных клиентов, я встречал Дидье, Викрама и их друзей из «Леопольда». Иногда я видел и Карлу, но ни разу не подошел к ней. Я не хотел смотреть ей в глаза, пока я был беден и жил в трущобах. Бедность и гордость неразлучно сопровождают друг друга, пока одна из них не убьет другую.

С Абдуллой я тоже не виделся вот уже месяц, но он то и дело присылал ко мне необычных, а то и вовсе странных гонцов. Однажды я делал записи за столом в своей хижине, как вдруг меня отвлек от этого занятия такой бешеный лай всех трущобных собак, какого я никогда еще не слышал. В нем были страх и неописуемая ярость. Я отложил ручку, но из хижины не стал выходить. Порой собаки бесновались по ночам, но днем такого еще не случалось. Спокойно заниматься своим делом в этом бедламе было невозможно. К тому же его эпицентр медленно, но верно приближался к моей хижине, и сердце у меня стало биться чаще.

Лучи утреннего солнца, проникавшие внутрь сквозь многочисленные щели в стенах, стали дрожать и колебаться, когда их пересекали тени людей, сновавших мимо хижины. К собачьему хору присоединились взволнованные человеческие голоса. Я огляделся в поисках какого-нибудь средства самозащиты. Единственным подходящим предметом была толстая бамбуковая палка. Я схватил ее. Тем временем лай и крики достигли моих дверей.

Я распахнул тонкую фанерную дверь, и палка выпала у меня из рук. В полуметре от меня стоял на задних лапах огромный бурый медведь. Зверь возвышался надо мной, заполняя дверной проем своей могучей косматой шерстью. Стоял он твердо и уверенно, передние лапы болтались на уровне моих плеч.

Собаки буквально сходили с ума. Не решаясь приблизиться к зверю, они давали выход своей ярости, набрасываясь друг на друга. Медведь же не обращал никакого внимания ни на собак, ни на возбужденную толпу людей. Наклонившись ко мне, он стал всматриваться в мое лицо большими глазами цвета топаза. Взгляд их был вполне разумным. Медведь зарычал, но это был не угрожающий рык, а раскатистое урчание, которое показалось мне более вразумительным, чем хаос, царивший у меня в голове, и действовало, как ни странно, успокаивающе. Мой страх сразу улетучился. Стоя почти вплотную к медведю, я чувствовал, как его урчание волнами отражается от моей груди. Зверь еще ближе наклонился ко мне, его морда была всего в нескольких сантиметрах от моего лица. Слюна стекала из его пасти по влажному черному подбородку. Медведь не замышлял против меня ничего плохого. Не знаю почему, но я был в этом уверен. В глазах его читалось что-то совсем иное. В этот напряженный момент он словно хотел поведать мне взглядом свою печаль, не разбавленную рассудочностью, глубокую и чистую. Это длилось всего несколько секунд, но мне казалось, что гораздо дольше, и, главное, я не хотел, чтобы это прекращалось.

Собаки заходились в лае, прыгая вокруг медведя, но слишком боялись его, чтобы нападать. Медведь медленно и тяжело обернулся, а затем резко метнулся в их сторону, замахнувшись лапой. Собак как ветром сдуло. Мальчишки, обрадовавшись представившейся возможности, стали швырять в них камни и палки.

Медведь раскачивался из стороны в сторону, обозревая толпу скорбным взглядом. Теперь я мог рассмотреть его толком и заметил кожаный ошейник с острыми шипами. К ошейнику были прикреплены две цепи, концы которых держали в руках два циркача-дрессировщика. На них были ярко-синие, резавшие глаз жилеты, брюки и тюрбаны. Даже грудь и лицо у них были выкрашены в синий цвет, как и ошейник с цепями. Медведь опять повернулся ко мне. И тут один из дрессировщиков неожиданно заговорил со мной:

— Вы ведь мистер Лин, я размышляю?

Медведь наклонил голову набок, словно его тоже интересовал этот вопрос.

— Да! — опередили меня сразу несколько человек из толпы. — Это мистер Лин! Это Линбаба!

Я растерянно стоял в дверях своей хижины, не зная, что предпринять. Люди кричали и веселились. Несколько самых храбрых ребятишек подобрались так близко к медведю, что могли достать его рукой, но их матери с испуганным смехом тут же оттащили их подальше.

— Мы ваши друзья, — сказал один из дрессировщиков на хинди, сверкнув ослепительно-белой улыбкой на синем фоне. — Мы принесли вам сообщение.

Второй вытащил из кармана помятый желтый конверт и показал его мне.

— Сообщение? — выдавил я.

— Да, важное сообщение для вас, сэр, — подтвердил первый. — Но сначала вы должны сделать что-то. Вы должны сделать *вачан*, и тогда вы получите сообщение. Большой, хороший вачан. Он вам очень понравится.

Я все-таки говорил на хинди не слишком хорошо и не имел представления, что такое вачан. Я приблизился к дрессировщикам, обойдя медведя стороной. Толпа оказалась гораздо больше, чем я думал. Многие повторяли таинственное слово «вачан». Люди гомонили на нескольких языках, собаки надрывались, дети кричали и кидались камнями в собак. Со стороны можно было подумать, что у нас вспыхнул небольшой локальный бунт.

Ветер вздымал пыльные смерчи на каменных дорожках, и, хотя мы находились в центре современного города, вся сцена с бамбуковыми хижинами и гудящей волнующейся толпой напоминала какую-нибудь забытую богом деревню в долине на краю света. Не менее фантастически выглядели и циркачи. На их груди и руках перекатывались под синей кожей крепкие мускулы; штаны были украшены серебряными бубенчиками и кружочками, а также кисточками из красного и желтого шелка. Длинные волосы были разделены на пряди толщиной с два пальца, обвитые серебряной спиралью.

Неожиданно чья-то лапа легла мне на плечо. Я так и подпрыгнул, но это оказался Прабакер. Его широкая улыбка на этот раз приобрела сверхъестественные размеры, глаза светились счастьем.

— Мы такие удачные, что ты живешь с нами, Лин! Ты всегда приносишь нам самые необыкновенные приключения.

— Этого приключения я не приносил, Прабу. Я даже не понимаю, что они говорят и что им от меня надо.

— У них есть сообщение для тебя. Но сначала должен быть вачан — заявление, поступок. И еще это будет обязательный сюрприз или подвох.

— Подвох?

— Ну да. Это ведь английское слово? Оно означает такое... возмездие за то, что ты поступаешь хорошо. — Прабакер был горд, что может поделиться со мной своими познаниями в английском языке. Он всегда выбирал для этого самый неподходящий момент.

— Я знаю, что означает слово «подвох», Прабу. Но я не знаю, что это за ребята и от кого у них сообщение для меня.

Прабакер, обратившись к дрессировщикам, стал тараторить что-то на хинди, очень довольный, что играет такую заметную роль в разворачивающихся событиях. Те отвечали ему так же быстро, объясняя цель своего прихода. Я не многое понял из их объяснений, но люди, находящиеся поблизости, принялись хохотать. Медведю тем временем надоело стоять на задних лапах, он опустился на все четыре и стал обнюхивать мои ноги.

— Что они сказали?

— Они не хотят говорить, кто послал сообщение, Лин, — ответил Прабакер, подавив рвущийся из его груди смех. — Это большой секрет. Им дали приказ передать тебе сообщение, но не давать объяснений, зато сказать о подвохе.

— Да что это за подвох такой?

— Ты должен обняться с медведем.

— Что-что?

— Обняться с медведем. Ты должен обнять его и тесно прижаться к нему. Вот так. — Он обнял меня и прижал голову к моей груди.

Толпа приветствовала этот жест аплодисментами, дрессировщики одобрительно завопили, и даже медведь опять поднялся на задние лапы и изобразил что-то вроде джиги с притопыванием. Мой растерянный вид и явное отсутствие всякого энтузиазма с моей стороны развеселили публику еще больше.

— Ну уж нет, — покачал я головой.

— Да, Лин, да! — смеялся Прабакер.

— Да ты что, шутишь, что ли?

— *Таклиф нэхи*, — вмешался один из дрессировщиков. — Никаких проблем. Это не опасно. Кано очень дружественный медведь. Он самый дружественный медведь во всей Индии. Он очень любит людей.

Он подошел к медведю и скомандовал что-то на хинди. Тот выпрямился во весь свой рост, и дрессировщик обнял его. Медведь тоже обнял его своими лапами и стал покачиваться вперед и назад. Через несколько секунд он расцепил свои объятия, и дрессировщик с сияющей улыбкой поклонился беснующейся от восторга публике.

— Я не стану этого делать, — сказал я.

— Лин, пожалуйста, обними медведя, — умолял меня Прабакер, давясь от смеха.

— У меня нет обыкновения обниматься с медведями.

— Ну, Лин! Ты разве не хочешь узнать это сообщение?

— Нет.

— Может быть, оно важное.

— Меня это не интересует.

— Может быть, тебе понравится обниматься с медведем.

— Не может.

— Ну хочешь, я обниму тебя еще раз для тренировки?

— Спасибо за предложение, но не стоит.

— Ну пожалуйста, Лин, обними медведя! — не сдавался Прабакер, призывая людей в толпе поддержать его.

К этому моменту возле моей хижины собралось уже несколько сотен человек; дети залезали на крыши окружающих домов с риском проломить их.

— Об-ни-ми! Об-ни-ми! — скандировала публика.

Посмотрев на смеющиеся лица окружающих, я понял, что деваться мне некуда. Сделав шаг вперед, я не без внутренней дрожи прижался к лохматой шерсти медведя Кано. Под шерстью он оказался удивительно мягким, почти пухлым. Но толстые передние лапы состояли из железных мускулов. Когда они сомкнулись на моей спине, я почувствовал их поистине нечеловеческую силу и понял, что значит быть абсолютно беспомощным.

В голове у меня промелькнула пугающая мысль: Кано может переломить мой позвоночник с такой же легкостью, с какой я ломаю карандаш. В утробе медведя, к которой я прижимался ухом, раздавалось урчание. Меня обволакивала смесь запахов мокрого мха, детского шерстяного одеяла и чего-то еще, напоминающего новые кожаные туфли. Совсем немного ощущался также резкий аммиачный запах, какой издает свежая кость, когда ее пилят.

Шум толпы отодвинулся куда-то вдаль. Мне было тепло в объятиях Кано, который покачивался из стороны в сторону. Шерсть его оказалась мягкой, кожа под ней была в складках, как на загривке собаки. Утонув в этой шерсти, я покачивался вместе со зверем, и мне казалось, что я плыву, а может быть, плавно падаю с большой высоты, погружаясь в невыразимый покой и предвкушая блаженство.

Кто-то потряс меня за плечо, и я, очнувшись, увидел, что стою на коленях. Кано, выпустив меня из своих объятий, неторопливо ковылял прочь по проходу в сопровождении своих хозяев, толпы вопящих ребятишек и разъяренных собак.

— С тобой все в порядке, Линбаба?

— Да, все замечательно. Просто у меня, наверное, голова закружилась.

— Кано обнимал тебя очень хорошо, да? Вот сообщение тебе.

Я прошел в свою хижину и сел за столик, сооруженный из упаковочных ящиков. Внутри мятого конверта был лист такой же желтой бумаги с машинописным текстом на английском языке. Я подозревал, что его печатали профессиональные составители писем, обосновавшиеся на Писательской улице. Записка была от Абдуллы.

Дорогой брат!

Салям алейкум. Ты сказал, что у тебя дома самые хорошие и дружеские объятия — медвежьи. Мне кажется, это довольно странный обычай, но, поскольку у нас в Бомбее медведей мало, тебе, наверное, очень одиноко здесь. Поэтому я посылаю тебе медведя, чтобы ты с ним обнялся. Надеюсь, ты будешь им доволен. Я занят одним делом и здоров, благодарение Богу. Скоро я закончу это дело и вернусь в Бомбей, иншалла. Боже, храни тебя и твоего брата тоже.

Абдулла Тахери

Прабакер, стоя рядом со мной, читал письмо вслух по складам.

— Ага, это письмо от Абдуллы, про которого я не должен тебе говорить, что он делает всякие нехорошие вещи. А он продолжает делать их, хотя я не говорю тебе об этом.

— Прабу, читать чужие письма нехорошо.

— Ну да, нехорошо. Делать что-то нехорошо — значит делать что-то, даже если люди говорят нам не делать это, да?

— Что это за парни с медведем? Откуда они? — спросил я его.

— Они ходят всюду с танцующим медведем и так зарабатывают. Сначала они были в Уттар-Прадеше, на севере нашей матери-Индии, потом пошли по всей Индии и вот сейчас пришли в Бомбей и поселились в джхопадпатти в районе Нейви-Нагар. Ты хочешь, чтобы я отвел тебя туда?

— Нет, — проговорил я, перечитав записку еще раз. — Не сейчас. Может быть, как-нибудь позже.

Подойдя к открытой двери, Прабакер остановился на пороге, склонив набок свою круглую голову. Я положил письмо в карман и посмотрел на Прабакера. Похоже, он хотел мне что-то сказать — брови его были сосредоточенно сведены, — но, видимо, передумал и лишь улыбнулся, пожав плечами.

— Больные придут к тебе сегодня?

— Наверное, придут несколько человек, попозже.

— Ну ладно... Мы увидимся за обедом, да?

— Конечно.

— Ты не хочешь... чтобы я сделал для тебя что-нибудь?

— Нет, спасибо.

— Может быть, ты хочешь, чтобы мой сосед — не сам сосед, его жена постирала твою рубашку?

— Постирала мою рубашку?

— Ну да. Она пахнет, как медведи. Ты пахнешь, как медведь, Линбаба.

— Ну и пусть, — рассмеялся я. — Мне это даже нравится.

— Ну ладно, я пойду. Я пойду, чтобы водить такси моего двоюродного брата Шанту.

— Очень хорошо.

— Ну ладно тогда. Я пойду.

Он ушел, и я остался один, окруженный шумом трущобной жизни: расхваливали свой товар лоточники, играли дети, смеялись женщины, искаженно ревела музыка из репродукторов, включенных на полную громкость. В эту какофонию вливались звуки, издаваемые разнообразными животными. В связи с приближением сезона дождей многие бродячие артисты, вроде моих новых друзей с медведем, искали убежища в городских трущобах. В наших поселились заклинатели змей, многочисленные специалисты по разведению попугаев и певчих птиц и группа с мартышками. Привели также лошадей, которые обычно паслись на большом лугу возле матросских казарм; их хозяева соорудили для них в трущобах некое подобие конюшен. В изобилии имелись у нас козы, овцы и свиньи, куры, волы и буйволы, а также один слон и один верблюд. Наш поселок стал настоящим Ноевым ковчегом, где все эти животные спасались от грядущего потопа.

Жители трущоб не возражали против животных, признавая их право на убежище, но их присутствие порождало целый ряд проблем. В первую же ночь после прибытия к нам одна из мартышек сбежала от своих хозяев. Поскакав по крышам, проказница забралась в хижину, где остановились заклинатели змей со своими питомцами. Кобры содержались в плетеных корзинах, закрытых бамбуковыми крышками, которые были придавлены большими камнями, чтобы змеи не выбрались. Мартышка сбросила камень с одной корзины и сняла крышку. Увидев там трех змей, она взлетела на крышу хижины и стала вопить, разбудив заклинателей. Они сразу подняли тревогу.

— *Сап алла! Сап алла! Сап!* — кричали они. — Змеи идут! Змеи!

В джхопаднатти началось сущее светопреставление. Полупроснувшиеся люди с керосиновыми фонарями и пылающими факелами колотили чем попало по всему, что мелькало в тени, — как правило, это были ноги других охотников. Несколько непрочных хижин рухнуло, не выдержав натиска метавшихся толп. В конце концов Казиму Али удалось навести относительный порядок. Собрав всех заклинателей, он разделил их на две бригады, которые стали прочесывать территорию, пока не нашли беглянок и не вернули их в корзину.

Мартышки владели множеством полезных навыков и, помимо всего прочего, были воришками высшей квалификации. Наш поселок, подобно всем трущобам, был зоной свободного воровства. Двери не запирались; никаких укромных мест, куда можно было бы спрятать вещи, не имелось — просто рай для хвостатых грабителей. Каждый день их хозяева в смущении раскладывали на столе перед своей хижиной разнообразные предметы домашнего обихода, сами собой оказавшиеся в их владении. Особенно полюбились мартышкам стеклянные и медные браслеты, которые носили почти все девочки в трущобах. Дрессировщики накупили мартышкам целую кучу безделушек, их мохнатые лапы были унизаны дешевыми колечками, но это не помогало: мартышки были не в силах преодолеть свою страсть к похищению чужой бижутерии.

Казим Али решил, что надо привязать к каждой мартышке по колокольчику, который предупреждал бы об их приближении. Но эти создания с поразительной изобретательностью научились избавляться от колокольчиков или заглушать их звон. Однажды я видел, как в сумерках мимо моей хижины прошествовали на задних лапах, воровато оглядываясь, две мартышки. Одной из них удалось каким-то образом скинуть колокольчик со своей шеи, и она придерживала двумя передними лапами колокольчик на шее своей подруги, чтобы тот не звенел. Тем не менее теперь большинство мартышек звоном давали знать о своих недостойных намерениях, и уровень обезьяньей преступности в трущобах заметно снизился.

Помимо этих странствующих артистов, наш поселок привлекал в качестве укрытия — пусть и не очень надежного — также людей, живших на окружающих улицах. Их называли уличными поселенцами, так как они устраивались на любом кусочке незанятой земли, а то и прямо на тротуаре, если при этом оставалось место и для пешеходов. Из всех бомбейских бездомных они жили в худших условиях. С наступлением сезона дождей положение их становилось угрожающим, и многие из них искали спасения в трущобах.

Они были родом из самых разных уголков Индии — ассамцы и тамилы, карнатаканцы и гуджаратцы, беженцы из Тривандрама, Биканера и Конарака. На период дождей пять тысяч этих бездомных затискивались во все щели и без того переполненного поселка. Много места занимали магазины, складские помещения и клетки с животными, туалеты и проходы между хижинами, так что на каждого человека оставалось не больше двух квадратных метров жилой площади.

Возросшая теснота создавала дополнительные неудобства и определенную напряженность в отношениях между людьми, но в целом к этим непрошеным гостям относились терпимо. Мне ни разу не приходилось слышать, чтобы кто-нибудь из постоянных жителей выказывал неудовольствие и предлагал им убраться куда-нибудь подальше. Единственная серьезная проблема, связанная с присутствием уличных поселенцев, возникла за пределами поселка. Обычно они покупали все, что им требовалось, — яйца, молоко, чай, сигареты, овощи, керосин, детскую одежду — в магазинах, разбросанных по всей округе. Деньги, вырученные за продажу этих товаров, составляли важную статью дохода торговцев. Переселяясь с улицы в трущобы, люди, как правило, делали все закупки в десятках магазинчиков, расположенных в самом поселке, которым удавалось всеми легальными и нелегальными способами добывать почти все, что можно было найти в любом городском торговом центре. Они торговали едой, одеждой, алкоголем, гашишем, керосином и даже электроприборами. Трущобы были в целом самодостаточной хозяйственной единицей, и, согласно оценке Джонни Сигара, главного экономического советника Казима Али, на каждую рупию, оставленную жителями трущоб в городских магазинах, приходилось двадцать, потраченных в джхопадпатти.

Понятно, городским торговцам не нравилось резкое сокращение их товарооборота и процветание трущобных магазинчиков. Чем больше уличных поселенцев перемещалось в трущобы, тем больше возрастало недовольство торговцев. Объединившись с местными землевладельцами, торговцами недвижимостью и всеми, кого не устраивало разрастание трущоб, они наняли две банды головорезов, которые препятствовали поставкам товаров в наши магазины. Бандиты нападали на владельцев магазинов, когда те перевозили с рынков тележки с рыбой, овощами или одеждой, портили товар, а то и избивали их самих.

Мне случалось оказывать медицинскую помощь местным жителям, подвергшимся нападению. Бандиты предупредили, что будут обливать людей кислотой. Обращаться в полицию было бесполезно — подкупленные полицейские смотрели на эти бесчинства сквозь пальцы, и обитателям трущоб пришлось разработать собственные меры защиты. Казим Али сформировал детские бригады для наблюдения за внешними границами поселка, а также несколько батальонов крепких молодых людей, которые сопровождали закупщиков.

Между ними и наемниками-головорезами уже произошло несколько столкновений, и все понимали, что с наступлением сезона дождей их будет еще больше. Напряжение росло. Тем не менее война, развязанная городскими торговцами, не обескуражила владельцев наших магазинчиков. Их популярность лишь возросла, они стали чуть ли не героями и развернули торговлю по типу предпраздничной, расширив ассортимент товаров и снизив цены. Наш поселок был живым организмом и в ответ на внешнюю угрозу вырабатывал защитные тела: возросшую солидарность, мужество и удивительную любовь, возникающую в экстремальных ситуациях, которую мы обычно связываем с инстинктом выживания. Если бы поселок перестал существовать, у людей не осталось бы ничего, им некуда было бы идти.

Одним из молодых людей, пострадавших при нападении на наш торговый караван, был рабочий с соседней стройплощадки, по имени Нареш. Ему было девятнадцать лет. В тот момент, когда мои друзья и соседи пошли провожать Кано и его хозяев и я на какое-то время остался в своей хижине в одиночестве, Нареш резко постучал в мою дверь и, не дожидаясь приглашения, вошел.

— Привет, Линбаба, — поздоровался он по-английски. — Говорят, ты тут обнимаешься с медведями.

— Привет, Нареш. Как твоя рука? Хочешь, чтобы я осмотрел ее?

— Да, если у тебя есть время, — перешел он на свой родной маратхи. — У меня перерыв в работе, но минут через пятнадцать-двадцать мне надо вернуться. Если ты сейчас занят, то я приду в другой раз.

— Нет, я не занят. Проходи, садись.

У Нареша была рана на предплечье, нанесенная опасной бритвой, какой пользуются брадобреи. Порез был неглубоким и быстро затянулся бы, если бы не влажность и грязь на его рабочем месте, создававшие угрозу инфекции. Марлевая повязка, которую я ему наложил всего два дня назад, была испачкана и пропиталась по́том. Сняв марлю, я положил ее в полиэтиленовый мешок, чтобы позже сжечь на каком-нибудь костре.

Рана начала заживать, но шрам был ярко-красным, местами желтовато-белым. Прокаженные дали мне десятилитровую банку антисептического средства, применяющегося при операциях. Я прополоскал им руки и промыл рану, довольно сильно втирая антисептик, пока не удалил все следы белого гноя. Это было, по всей вероятности, больно, но Нареш терпел, не издавая ни звука. Когда рана подсохла, я посыпал ее антисептическим порошком, наложил марлевый тампон и перевязал.

— Прабакер сказал мне, что тебя на днях едва не забрала полиция, — составил я с некоторым трудом фразу на маратхи, не отрываясь от дела.

— У Прабакера есть досадная привычка рассказывать всем правду, — нахмурился Нареш.

— Ну, сейчас ты сам сказал мне ее, — заметил я, и мы рассмеялись.

Как и все махараштрийцы, Нареш был пленен тем, что я умею говорить на их родном языке, и, подобно всем им, в беседе со мной он старался говорить медленно и отчетливо. На мой взгляд, между маратхи и английским не было ничего общего — ни однокоренных слов, ни сходных грамматических форм, которые встречаются, к примеру, в английском и немецком или итальянском. Но для меня трудности изучения языка уменьшались, поскольку его носители, польщенные тем, что я стремлюсь овладеть им, всячески мне в этом содействовали.

— Если ты будешь и дальше заниматься воровством вместе с Асифом и его шайкой, то тебя рано или поздно поймают, — сказал я уже более серьезным тоном.

— Я знаю, но надеюсь, что Господь на моей стороне и убережет меня от этого. Я ведь ворую не для себя, а для сестры и потому молюсь Богу, чтобы Он защитил меня. Она должна скоро выйти замуж, а у нас не хватает денег на приданое, которое мы обещали. Я старший сын и отвечаю за это.

Нареш был умным, трудолюбивым и мужественным парнем и обожал маленьких детей. Его хижина была не намного больше моей, а он жил в ней вместе с родителями и шестью братьями и сестрами. Спать ему приходилось прямо на земле рядом с хижиной, чтобы внутри могли разместиться все остальные. Я заходил несколько раз к нему домой. Все его личные вещи можно было уложить в одну небольшую сумку: комплект рабочей одежды, одна пара приличных брюк и одна рубашка для особых случаев и посещения церкви, сборник буддистских стихотворений, несколько фотографий и туалетные принадлежности. Больше у него не было ничего. Каждую рупию, заработанную честным трудом или воровством, он отдавал матери, а если ему нужны были деньги на мелкие расходы, он просил их у нее. Он не курил, не пил и не играл в азартные игры. Не имея ни денег, ни реальных перспектив на ближайшее будущее, он не завел даже подружки — и почти не надеялся завести. Единственное развлечение, какое он себе позволял, — посещение дешевого кинотеатра раз в неделю вместе с товарищами по работе. Несмотря на это, он был, как правило, жизнерадостен и полон оптимизма. Иногда, возвращаясь с ночной прогулки, я видел его спящим возле своей хижины, с усталой улыбкой на губах.

— А ты, Нареш? — спросил я, закрепляя повязку на его руке. — Когда ты сам женишься?

Он встал, сгибая и разгибая руку, чтобы ослабить давление плотной повязки.

— После того как Пунам выйдет замуж, надо будет выдать еще двух сестер, прежде чем очередь дойдет до меня, — ответил он, улыбаясь и покачивая головой. — Беднякам приходится сначала искать женихов, а потом уже невест. Идиотизм, правда? *Амчи Мумбаи, Мумбаи амчи!* — крикнул он. — Это наш Бомбей, Бомбей наш!

Он ушел, не поблагодарив меня, подобно большинству моих пациентов. Но я знал, что в ближайшее время он либо пригласит меня к себе домой на обед, либо принесет мне в подарок фрукты или какие-нибудь необычные благовония. Я привык к тому, что здешние жители выражают свою благодарность делами, а не словами.

Когда Нареш вышел от меня с чистой повязкой на руке, еще несколько человек, увидев это, явились друг за другом ко мне на прием с крысиными укусами, воспалениями, инфекционной сыпью или стригущим лишаем. Все они болтали со мной, делясь сплетнями и слухами, которые крутились в закоулках поселка вместе с непременными столбами пыли.

Последней из пациенток была пожилая женщина, пришедшая в сопровождении племянницы. Она жаловалась на боль в левой стороне груди. Но присущая всем индийцам крайняя застенчивость существенно затрудняла процедуру осмотра. Пришлось попросить племянницу пригласить ко мне в хижину еще двух ее подруг. Подруги держали на весу простыню, отгородив ею пациентку от меня. Племянница встала сбоку, так чтобы видеть и меня и тетю. Я прикасался к самому себе в разных местах, а племянница повторяла мои жесты на теткином теле.

— Здесь болит? — спрашивал я, дотронувшись до груди повыше соска.

Девушка тыкала пальцем в тетю за простыней и повторяла мой вопрос.

— Нет.

— А здесь?

— И здесь нет.

— А в этом месте?

ГРЕГОРИ ДЭВИД РОБЕРТС

— Да, здесь болит.

— А выше? Ниже?

— Нет, только здесь.

С помощью этой пантомимы мне в конце концов удалось установить, что в груди у женщины имеются два болезненных очага и что она испытывает боль, когда глубоко вздыхает или поднимает тяжести. Я написал записку доктору Хамиду, изложив свой предположительный диагноз. Не успел я объяснить девушке, что она должна проводить свою тетю к доктору Хамиду и передать ему мою записку, как услышал голос:

— А знаешь, бедность сказывается на тебе неплохо. Если ты обнищаешь вконец, то, наверное, станешь просто неотразим.

Обернувшись, я в крайнем изумлении увидел Карлу, которая стояла, прислонившись к дверному косяку и сложив руки на груди. Уголки ее рта загибались кверху в иронической полуулыбке. Она была в зеленом платье с длинными рукавами поверх зеленых брюк свободного покроя, темно-зеленая шаль покрывала ее плечи. Ее черные волосы были распущены, отсвечивая на солнце медью. Зелень теплого мелководья в сонной лагуне плескалась в ее глазах. Это было чуть ли не излишество красоты — как гряда облаков в блеске летнего заката.

— И давно ты здесь стоишь? — спросил я со смехом.

— Достаточно, чтобы ознакомиться с твоей удивительной системой лечения колдовством на расстоянии. Или в тебе открылись телепатические способности?

— Индийские женщины становятся очень упрямыми, когда заходит речь о том, чтобы позволить постороннему мужчине коснуться ее груди, — объяснил я, когда пациентка и три девушки гуськом проплыли в дверь мимо Карлы.

— Не бывает людей без недостатков, как сказал бы Дидье, — протянула она с едва заметной усмешкой. — Он скучает по тебе, кстати, и просил передать привет. По правде говоря, все наши в «Леопольде» скучают по тебе. Тебя практически не видно с тех пор, как ты отдался служению Красному Кресту.

Я был рад, что Дидье и другие помнят обо мне, но посмотреть Карле в глаза не осмеливался. Пока я был занят делом в трущобах и не видел никого из них, я чувствовал себя спокойно и уверенно. Но когда я встречал друзей за пределами нашего поселка, какая-то частичка меня стыдливо съеживалась. «Страх и чувство вины — это два демона, преследующие богатых людей», — сказал мне Кадер однажды. Не знаю, насколько он был прав и верил ли в это сам или просто хотел, чтобы так было, но что касается бедных, то тут я знал по собственному опыту, что их демоны — отчаяние и чувство унижения.

— Заходи, садись. Сейчас я приберусь.

234

Она села на табурет, а я взял полиэтиленовый мешок с использованными тампонами и бинтами и сгреб в него мусор со стола. Затем я вымыл руки спиртом и убрал медикаменты на этажерку.

Карла оглядела хижину критическим взором. Посмотрев на свое жилье ее глазами, я увидел, какая это жалкая развалюха. Я жил один, и она казалась мне просторной по сравнению с переполненными соседскими лачугами. В присутствии Карлы она выглядела тесной и убогой.

Голый земляной пол растрескался, на нем образовались волнистые неровности. В стенах зияли дыры с мой кулак, через которые моя личная жизнь вливалась в общий котел с жизнью, бурлившей в трущобах. В данный момент все дыры были заткнуты детскими физиономиями, глазевшими на нас с Карлой и наглядно демонстрировавшими этот факт. Тростниковая крыша провисла и в некоторых местах прохудилась. Вся моя кухонная утварь состояла из керосиновой плитки с одной горелкой, двух чашек, двух металлических тарелок, ножа, вилки, ложки и нескольких банок со специями. Все это было сложено в картонной коробке в углу. Еды не было совсем — я покупал продукты на один прием. В глиняном кувшине хранилась вода. Но это была трущобная вода, и я не решался предложить ее Карле. Меблировка была представлена шкафчиком для медикаментов, маленьким столиком, стулом и табуреткой. Когда мне дали все это, я был безмерно рад, потому что во многих хижинах и такого не было. Теперь же я замечал трещины в деревянной мебели, пятна плесени по углам, прорехи в тростниковых циновках, зашитые проволокой или бечевкой.

Я посмотрел на Карлу, сидевшую на табурете и выпускавшую сигаретный дым уголком рта, и настроение у меня испортилось. Я чуть ли не злился на нее за то, что она заставила меня ощутить всю убогость обстановки, в которой я жил.

— Как видишь, похвастаться мне особенно нечем...

— Все это нормально, — сказала она, догадавшись, что я ощущаю. — Я жила целый год в такой же хижине в Гоа. И была счастлива. Не проходит и дня, чтобы я не вспоминала, как хорошо мне было там. Иногда я думаю, что величина нашего счастья обратно пропорциональна величине нашего жилища.

Говоря это, она изогнула дугой одну бровь, как бы приглашая меня согласиться с ней и ответить в том же духе, и сразу все встало на свои места, мое настроение вошло в норму. Я понял, что это лишь мне хочется, чтобы мое скромное жилище выглядело больше, светлее, приятнее для глаза, а ее оно вполне устраивает. Она просто осматривала его, не вынося суждения, все понимая — в том числе и мои чувства.

В хижину ввалился мой двенадцатилетний сосед Сатиш, неся под мышкой двухлетнюю сестренку. Встав рядом с Карлой, он без всякого стеснения принялся разглядывать ее. Она глядела на него с таким же любопытством, и меня поразило, как они похожи в этот момент — индийский мальчишка и европейская женщина. У обоих были черные, как ночное небо, волосы и полные выразительные губы, и, хотя глаза Карлы светились зеленью морской волны, а его отливали темной бронзой, в них было одинаковое заинтересованное и чуть ироническое выражение.

— Сатиш, *чай боно*, — сказал я ему. — Приготовь чай.

Он кинул мне быструю улыбку и выбежал из хижины. Насколько мне было известно, Карла была первой иностранной леди, какую он видел в трущобах. Он был взволнован тем, что может услужить ей. Я знал, что он будет еще несколько недель рассказывать своим друзьям об этом.

— Послушай, как ты меня нашла? Как тебе удалось сюда проникнуть? — спросил я Карлу.

— Как удалось проникнуть? — нахмурилась она. — А что, разве тебя запрещено посещать?

— Нет, конечно, — рассмеялся я. — Но это очень необычно. У меня редко бывают гости.

— Я просто свернула сюда с улицы и спросила первого встречного, где ты живешь.

— И он сказал?

— Не сразу. Они тут очень бдительно тебя охраняют. Сначала они отвели меня к твоему другу Прабакеру, а он уже проводил сюда.

— Прабакер?

— Да, Лин, ты звал меня? — просунул голову в дверь мой подслушивавший друг.

— Мне казалось, что ты собирался водить такси, — проговорил я, свирепо нахмурившись, что, как я знал, чрезвычайно веселило его.

— Да, такси моего двоюродного брата Шанту, — ответил он, ухмыляясь. — Я водил его, но сейчас его водит мой двоюродный брат Пракаш, а у меня два часа обед. Я был у Джонни Сигара, его доме, и пришли люди с мисс Карлой, а она захотела увидеть тебя, и я пришел сюда. Это все хорошо, да?

— Да, это все хорошо, — вздохнул я.

Вернулся Сатиш с подносом, на котором было три чашки горячего сладкого чая. Он роздал нам чашки, вскрыл пакет с четырьмя печенинами «Парле Глюко» и церемонно вручил нам по штуке. Я думал, что он съест четвертую сам, но он положил ее на ладонь, старательно провел посредине черту грязным ногтем большого пальца и разломил печенину на две части. Приложив их друг к другу, он выбрал ту, которая оказалась чуточку больше, и отдал ее Карле, а вторую вручил сестренке. Девочка принялась с восторгом грызть печенье, усевшись на пороге.

Я сидел на стуле с прямой спинкой, а Сатиш пристроился на корточках передо мной, прислонившись плечом к моему колену. Подобное открытое проявление благосклонности было совершенно необычно для Сатиша, и я надеялся, что Карла заметит это и оценит.

Мы допили чай, Сатиш собрал пустые чашки и, не говоря ни слова, пошел домой. В дверях он посмотрел на Карлу долгим взглядом сквозь свои длинные ресницы, улыбнулся ей, взял за руку сестренку и увел с собой.

— Симпатичный малыш, — заметила Карла.

— Да. Сын моих соседей. Ты явно что-то всколыхнула в нем. Обычно он очень застенчив. Так что же все-таки привело тебя в мою скромную обитель?

— Я просто проходила мимо и решила зайти, — ответила она небрежным тоном, разглядывая детские физиономии в дырах моей хижины.

Было слышно, как детишки допрашивают Сатиша: «Кто это такая? Это жена Линбабы?»

— Просто проходила мимо? А не может так быть, что тебе хотелось навестить меня?

— Эй, мистер, не искушайте судьбу, — шутливо бросила она.

— Ничего не могу с этим поделать. Это у меня в крови. Все мои предки были искусителями судьбы. Не воспринимай это как что-то личное.

— Я все воспринимаю как личное. Именно из этого и складывается личность. И если ты развязался со своими пациентами, то я приглашаю тебя на ланч.

— Понимаешь, меня уже пригласили на ланч...

— О, прошу прощения. В таком случае...

— Нет-нет, ты тоже можешь туда пойти, если хочешь. Пригласили не меня одного. Это скорее даже что-то вроде праздничного обеда. Мне очень хотелось бы, чтобы ты... была нашим гостем. Я думаю, тебе там понравится. Скажи, Прабу, ей ведь понравится там?

— У нас будет очень замечательный ланч! — откликнулся Прабакер. — Я уже давно держу для себя совсем пустой желудок, чтобы наполнить его там побольше, вот какая будет там пища. Вам так она понравится, что люди подумают, будто у вас будущий ребенок под платьем.

— Ну что ж... — протянула Карла и взглянула на меня. — У твоего друга Прабакера просто дар убеждать людей.

— Видела бы ты его отца! — сокрушенно покачал я головой.

Прабакер гордо выпятил грудь и покачал головой гораздо энергичнее меня.

— Так куда же мы идем?

— В Небесную деревню, — ответил я.

— Что-то я о такой деревне не слыхала, — нахмурилась Карла.

Мы с Прабакером рассмеялись, и складка между ее бровями сдвинулась с еще большим подозрением.

— Ты и не могла о ней слышать, но я уверен, что она тебе понравится. Слушай, может, ты пойдешь вперед с Прабакером, а я умоюсь, переоденусь и через пару минут догоню вас?

— Хорошо, — сказала она.

Наши глаза встретились, и она задержала взгляд, выжидательно глядя на меня. Я не понял, чтó она хотела сказать этим взглядом, и тогда она сделала шаг ко мне и быстро поцеловала в губы. Собственно говоря, это был легкий и импульсивный дружеский поцелуй, но я убедил себя, что он означает нечто большее. Она вышла с Прабакером, а я сделал полный оборот на одной ноге и шепотом издал торжествующий вопль. Подняв голову, я увидел глядящие на меня со стен хихикающие детские рожицы. Я состроил им страшную козу, они стали хихикать еще громче и передразнивать меня, крутясь на одной ноге. Две минуты спустя я понесся вслед за Карлой и Прабакером, вытряхивая остатки воды из прически и на ходу засовывая чистую рубашку в штаны.

Наши трущобы, как и многие другие в Бомбее, выросли рядом со строительной площадкой — в данном случае это были две тридцатипятиэтажные башни Центра мировой торговли, возводившиеся на берегу бухты Бэк-Бея. Мастеровые и рабочие, занятые на строительстве, жили, как правило, в маленьких хижинах в непосредственной близости от него. Компании, строившие здания, были обязаны обеспечить их жильем, так как многие квалифицированные рабочие приехали из дальних мест в поисках занятия по специальности. Да и большинство строителей-бомбейцев не имели своих домов и селились там, где работали. Многие из них и устраивались-то на тяжелые и подчас опасные работы только для того, чтобы иметь крышу над головой.

Закон, обязывающий строительные компании создавать эти поселения, был им на руку, так как при этом рабочим не надо было тратить время на дорогу и, живя все вместе, они становились как бы одним племенем, чьим вождем был владелец компании. Семьи тех, кто трудился на строительстве, служили резервом рабочей силы, который в случае необходимости можно было использовать без лишних проволочек. К тому же, собрав все семь тысяч человек в одном месте, легче было их контролировать.

Таким образом, при закладке Центра мировой торговли рядом с ним была размечена территория, разделенная на триста с лишним участков. Каждый человек, принятый на работу, получал один из участков, а также деньги на покупку материалов для строительства дома: бамбуковых шестов, тростниковых циновок, конопляного волокна, обрезков пиломатериалов. Рабочие сами строили свое жилище с помощью родных и друзей. Хижины разрастались вокруг стройплощадки как некая довольно слабая корневая система будущих башен торгового центра. Под землей были устроены вместительные водосборники для обеспечения водой жителей поселка, на земле между участками укатывались пешеходные дорожки. И наконец, поселок огородили высоким забором из колючей проволоки, чтобы посторонние не могли самовольно селиться на его территории.

Тем не менее самовольные поселенцы тут же стали появляться вокруг поселка строителей — их привлекало большое количество свежей воды и тот факт, что рабочим, регулярно получающим зарплату, надо было как-то ее тратить. Первыми были владельцы чайных, а также бакалейных лавок, которые сооружались около самого забора, так что рабочие могли приобретать у них продукты прямо сквозь проволочное заграждение, не покидая своей территории. За ними последовали овощные лавки, маленькие ресторанчики и швейные мастерские, а затем игорные заведения и магазинчики, торгующие алкоголем и чарасом. Постепенно весь поселок оброс по периметру магазинами и развлекательными заведениями, а вокруг них стали разрастаться вплоть до самого залива нелегальные трущобы, которые возводились бездомными, прибывавшими в возрастающих количествах. В проволочном заграждении образовывалось все больше дыр; сквозь них нелегалы проникали к строителям за водой или в гости, а рабочие выбирались со своей территории за покупками или для того, чтобы навестить новых друзей.

Нелегальные трущобы росли хаотично, без всякого плана, в отличие от поселка, основанного строительной компанией. Со временем на каждого «законного» жителя стало приходиться по восемь нелегальных, границы между двумя жилыми массивами практически стерлись, и они слились в одно двадцатипятитысячное поселение.

Несмотря на то что бомбейский муниципалитет объявил несанкционированные трущобы вне закона, а строительная компания не поощряла контактов между рабочими и самозванцами, все двадцать пять тысяч человек считали себя единым коллективом с неразрывными внутренними связями, общим хозяйством и общими устремлениями. Возведенный между ними забор, как и все заборы в мире, рассматривался как нечто условное и необязательное. Жить на официальной территории рабочим разрешалось только со своими ближайшими родственниками, и многие приглашали более дальних поселиться на неофициальной. Дети рабочих и нелегалов водили общие компании; между молодыми людьми с разных сторон забора часто заключались браки. Вместе отмечали праздники, совместными усилиями боролись со стихийными бедствиями, поскольку пожары, наводнения и эпидемии уж подавно не признают заграждений из колючей проволоки.

Мы с Карлой и Прабакером пролезли через дыру в заборе на территорию легального поселка в сопровождении целого выводка детей в свежевыстиранных платьях и футболках. Все они хорошо знали не только Прабакера, но и меня. Я залечивал многим детям порезы, ссадины и крысиные укусы, а рабочие, не желая быть отстраненными от работы из-за незначительных травм, зачастую предпочитали обращаться ко мне, а не в медпункт строительной компании.

— Я смотрю, тебя тут все знают, — заметила Карла, когда меня уже в пятый раз остановили, чтобы поговорить. — Ты что, выдвигаешь свою кандидатуру на пост мэра этого поселка?

— Боже упаси. Терпеть не могу политики и политиков. Политик — это тот, кто обещает построить мост там, где нет никакой реки.

— Неплохо, — одобрила Карла. Глаза ее смеялись.

— К сожалению, это сказал не я, а Амитаб Баччан.

— Сам Большой «Б»?

— Да. Ты что, смотришь болливудские фильмы?

— Конечно. Почему бы и нет?

— Не знаю... Просто мне казалось, что они не для тебя.

Она ничего не ответила. Молчание затянулось. Наконец она прервала его:

— Тебя здесь действительно многие знают — и любят.

Я нахмурился с непритворным удивлением. Мне не приходило в голову, что жители трущоб могут *любить* меня. Я знал, конечно, что некоторые из них — Прабакер, Джонни Сигар, даже сам Казим Али Хусейн — считают меня своим другом, а многие относятся с уважением. Но дружеские отношения и уважение — это одно, а любовь — совсем другое.

— Ну, сегодня особый день, — улыбнулся я, желая сменить тему. — Люди много лет боролись за то, чтобы открыть в поселке свою начальную школу. Здесь около восьми сотен ребятишек младшего школьного возраста, а все школы в округе переполнены и не могут принять их. Уже и учителей нашли, и место для строительства, а администрация все ставила палки в колеса.

— Из-за того, что это трущобы?

— Да. Они боятся, что школа придаст им легальный статус. Официально трущобы не признаны, их как бы не существует.

— Мы — несуществующие люди, — вставил Прабакер. — Это несуществующие дома, в которых мы не живем.

— А теперь у нас есть и несуществующая школа, — подхватил я. — Муниципалитет в конце концов пошел на компромисс. Он разрешил открыть даже две временные школы, но они будут закрыты, когда строительство закончится.

— А когда это произойдет?

— Эти башни строят уже пять лет и будут строить еще как минимум три года. А что будет с трущобами после этого, никому не известно. Теоретически они должны быть снесены.

— И все это исчезнет? — спросила Карла, окинув взглядом поселок.

— Все исчезнет, — вздохнул Прабакер.

— Но сегодня у людей большой день. Кампания за открытие школы была затяжной и порой перерастала в военную. Теперь жители трущоб победили и хотят это отпраздновать. Кроме того, у одного из рабочих с пятью дочерьми наконец родился сын, и он пригласил всех по этому случаю на ланч, который устраивает еще до праздника.

— Да, в Небесную деревню! — засмеялся Прабакер.

— Но где это? — спросила Карла.

— Прямо здесь, у тебя над головой, — ответил я, указав вверх.

Мы дошли до стройплощадки, и мегалитические башни-близнецы нависли над нами. Железобетонные стены были возведены уже на три четверти, но окна и двери еще не вставляли, электроарматуру не монтировали, водопровод и канализацию не подводили. Не было ни огоньков, ни облицовки, ни каких-либо иных деталей отделки, способных оживить две серые громады. Они заглатывали свет, гасили его и накапливали, становясь хранилищами теней. Сотни пустых оконных проемов зияли, как входы в пещеры, в совокупности похожие на поперечное сечение муравейника, по которому сновали люди. До нас доносилась прерывистая, бьющая по нервам музыка строительного самоутверждения: раздраженное ворчание генераторов, немилосердный металлический лязг молотков, назойливый визг дрелей и шлифовальных инструментов.

Вереницы женщин в сари и с подносами на голове вились по стройплощадке, подтаскивая гравий к бетономешалкам с разинутой прожорливой пастью. Моим западным глазам эти плавно покачивающиеся женские фигуры в красных, синих, зеленых и желтых шелках казались крайне несообразными на грубом фоне грохочущей стройки. Однако, наблюдая их месяц за месяцем, я убедился, что труд их поистине незаменим. Они переносили на своих стройных спинах огромное количество камней, стали и цемента. На верхних этажах еще не было бетонных стен, но каркас из вертикальных стоек, поперечных балок и ферм уже был возведен, и даже там, на высоте тридцати пяти этажей, женщины работали бок о бок с мужчинами. Большинство этих людей приехали из глухих деревень, но ни одному бомбейцу не доводилось увидеть панораму города, которая представала перед ними, — ведь Центр мировой торговли должен был стать самым высоким сооружением в мегаполисе.

— И самым высоким во всей Индии, — заявил Прабакер с гордостью собственника, руками показывая высоту здания.

Он жил в трущобах на нелегальных основаниях и не имел никакого отношения к строительству, но был горд так, будто это он спроектировал башни.

— Ну, по крайней мере, в Бомбее, — уточнил я. — Тебе повезло: сверху открывается потрясающий вид. Ланч будет на двадцать третьем этаже.

— Вон там?! — воскликнула Карла с испугом.

— Без проблем, мисс Карла. Мы не пойдем пешком на это здание. Мы поедем первым классом, вот в этом лифте.

Прабакер указал на грузовую платформу, подвешенную на толстых тросах и курсирующую вверх и вниз вдоль наружной стены здания. В данный момент платформа, дергаясь и грохоча, поднимала какое-то оборудование и людей.

— Блеск! — восхитилась Карла. — Там, наверно, чувствуешь себя как на седьмом небе.

— Да, я тоже чувствую там как на небе, мисс Карла! — согласился Прабакер с широчайшей из своих улыбок и потянул Карлу за рукав к подъемнику. — Пойдемте займем очередь на лифт. Это очень красивые здания, да?

— Не знаю... — пробормотала она мне, когда мы вслед за Прабакером направились к платформе. — Они похожи на памятник чему-то умершему. И чему-то крайне непопулярному... Человеческому духу, например.

Рабочие, управлявшие подъемником, с очень важным видом проинструктировали нас, как следует себя вести на этом виде транспорта. Мы поднялись на качающуюся платформу, где, кроме нас, было еще несколько мужчин и женщин, а также тачка, загруженная инструментами, и несколько бочонков с заклепками. Оператор дважды пронзительно свистнул в металлический свисток и рычагом привел в действие электрогенератор. Мотор взревел, платформа затряслась, мы ухватились за специальные ручки для паникеров, прикрепленные к вертикальным стойкам, и платформа со стоном двинулась вверх. С трех сторон на уровне пояса ее огораживал трубчатый поручень. Через несколько секунд мы были уже на высоте пятидесяти... восьмидесяти... ста метров.

— Тебе нравится? — прокричал я.

— Это грандиозно! — откликнулась Карла, сверкнув глазами. — И страшно до жути.

— Ты боишься высоты?

— Только когда нахожусь на ней. Надеюсь, ты заказал столик в этом поднебесном ресторане? А вообще-то, тебе не кажется, что сначала надо построить дом, а потом уже устраивать в нем званые обеды?

— Они работают на верхних этажах и обычно поднимаются туда пешком, а платформа используется только для материалов и оборудования. Каждый день им приходится совершать подъем на высоту тридцати этажей, и местами он довольно опасен. Поэтому многие рабочие предпочитают почти никогда не спускаться на землю, так и живут на верхотуре. Работают, едят и спят там. Оборудовали кухни, развели домашних животных — молочных коз, кур-несушек. У них там что-то вроде промежуточного лагеря альпинистов на Эвересте.

— То есть небесная деревня в буквальном смысле?

— Вот именно.

Платформа остановилась на двадцать третьем этаже, и мы ступили на бетонный пол, из которого торчали, наподобие сорняков, гроздья стальных штырей и проволоки. Перед нами простиралось обширное пространство с равномерно расположенными опорными колоннами; между ними кое-где виднелись темные пещеры, а сверху нависал бетонный потолок, украшенный гирляндами кабелей и проводов. Все поверхности были однотонного серого цвета, и фигуры людей и животных выделялись на их фоне необычайно ярко. Большой участок вокруг одной из колонн был огорожен прутьями и бамбуковыми шестами — это был загон для скота, устланный соломой и мешковиной в качестве подстилки. Козы, куры, кошки и собаки спали на подстилке или кормились рассыпанными здесь же объедками. Возле другой колонны были сложены свернутые матрасы и одеяла, служившие постелью для людей. Около третьей на циновках были разбросаны игрушки — тут находилась детская площадка.

Приблизившись к группе людей, мы увидели, что на разостланных чистых циновках накрыт роскошный стол. Тарелками служили огромные листья банана. Бригада женщин раскладывала на них рис, сдобренный шафраном, картофель со шпинатом, жареные овощи, хлебцы и прочую еду. Целая батарея керосинок выстроилась неподалеку, на них готовилось еще что-то. Вымыв руки в баке с водой, мы уселись на циновки между Джонни Сигаром и Кишором, другом Прабакера. Еда, щедро приправленная чили и карри, была намного вкуснее, чем в любом ресторане города. В соответствии с обычаем женщины накрыли для себя отдельный стол рядом с мужским. Карла была единственной женщиной среди двух десятков мужчин.

— Нравится вам наш банкет? — спросил Джонни у Карлы после первой смены блюд.

— Да, ужасно нравится, — ответила она. — Чертовски вкусная еда и совершенно уникальная обстановка!

— А вот и наш свежеиспеченный папочка! — сказал Джонни. — Дилип, иди сюда. Познакомься с мисс Карлой, она друг Лина.

Дилип склонился перед Карлой в традиционном приветствии, сложив ладони перед собой, а затем со смущенной улыбкой отошел, чтобы проследить за приготовлением чая на двух больших плитках. Он работал на стройке такелажником. Начальство дало ему выходной день, чтобы он мог отпраздновать знаменательное событие с родными и друзьями. Его хижина стояла очень близко от моей, но по другую сторону проволочного заграждения.

Позади женского банкетного стола и плиток с чайниками два человека соскребали со стены слово САПНА, которое кто-то написал на ней краской большими английскими буквами.

— Что это за надпись? — спросил я Джонни. — В последнее время я натыкаюсь на нее повсюду.

— Это плохая надпись, Линбаба, — ответил он, перекрестившись. — Это имя одного вора, гунды. Это очень плохой человек. Он совершает преступления по всему городу — вламывается в дома, крадет вещи и даже убивает людей.

— Убивает? — переспросила Карла. Она нахмурилась и плотно сжала губы.

— Да! — подтвердил Джонни. — Сначала он писал угрозы на рекламных щитах, на стенах, а теперь дошло уже до убийств, хладнокровных кровавых убийств. Только сегодня ночью у себя дома были убиты два человека.

— Он ненормальный, этот Сапна, — даже имя взял женское, — бросил Джитендра.

Это был довольно существенный момент. Слово *сапна* означало «мечта» и было также довольно распространенным женским именем.

— Не такой уж совсем ненормальный, — живо, но довольно мрачно возразил Прабакер. — Он говорит, что он король воров и будет вести войну, чтобы помочь бедным, а богатых будет убивать. Конечно, это ненормально, но многие люди, у которых в голове вроде бы все в порядке, будут согласны с такой ненормальностью.

— А кто он такой? — спросил я.

— Никто этого не знает, Лин, — ответил Кишор на протяжном американском варианте английского, перенятом у туристов. — Многие люди рассказывают о нем, но ни один, с кем я разговаривал, не видел его. Говорят, что он сын богатого человека из Дели и что отец лишил его наследства. А некоторые люди говорят, что он дьявол. Еще некоторые думают, что это не один человек, а целая организация. Тут вокруг развешено очень много листков, которые учат воров и бедняков из джхопадпатти совершать всякие дикие поступки. Как сказал Джонни, уже убили двух человек. Имя Сапна пишут по всему Бомбею. Копы расспрашивают всех подряд. Похоже, они напуганы.

— Богатые тоже напуганы, — прибавил Прабакер. — Эти два парня, которым не повезло сегодня ночью, были богатые. Этот Сапна пишет свое имя английскими буквами, а не на хинди. Он образованный. Но вот кто написал это имя здесь, в этом месте? Тут все время люди, они работают и спят здесь, и никто из них не видел, как это написали. Какое-то образованное привидение! Так что, может, он и ненормальный, но соображает хорошо, раз сумел так напугать богачей.

— Все равно он *магачуд, пагал!* — в сердцах плюнул Джонни. — Ублюдок, сумасшедший! Он сущая напасть, этот Сапна, и напасть эта будет наша, потому что беднякам вроде нас ничего не разрешается иметь, кроме напастей.

— Давайте сменим тему, — предложил я, увидев, что Карла побледнела, а глаза ее стали большими, по-видимому от страха. — Ты плохо себя чувствуешь?

— Нет, все в порядке, — быстро откликнулась она. — Наверное, этот подъемник все же подействовал на меня сильнее, чем я думала.

— Прошу прощения за неприятности, мисс Карла, — сочувственно нахмурился Прабакер. — Теперь мы будем говорить только о радостных вещах — не будем упоминать ни убийства, ни трупы, ни кровь, которая рекой залила весь дом...

— Вот именно, Прабакер, хватит этих подробностей! — осадил я его сердито.

Несколько молодых женщин подошли к нам, чтобы убрать банановые листья из-под съеденных блюд, и роздали тарелки со сладким десертом. Они разглядывали Карлу с откровенным любопытством.

— У нее слишком худые ноги, — сказала одна из них на хинди. — Их видно через брюки.

— А ступни слишком большие, — добавила другая.

— А вот волосы у нее очень мягкие и красивые, черного индийского цвета.

— А глаза как вонючий сорняк![1] — презрительно фыркнула первая.

— Вы поосторожнее, сестренки, — заметил я на том же языке, усмехнувшись. — Моя знакомая знает хинди и понимает все, что вы говорите.

---

[1] Stink-weed (*англ.*) — одно из сленговых названий марихуаны.

Женщины восприняли мое замечание скептически, но смутились и стали переговариваться. Одна из них наклонилась к Карле и всмотрелась в ее лицо, а затем громко спросила, действительно ли она понимает их язык.

— Возможно, у меня слишком тонкие ноги и слишком большие ступни, — бегло ответила Карла на хинди, — но со слухом у меня все в порядке.

Женщины восторженно завизжали, столпились вокруг Карлы и уговорили ее перейти за их стол. Наблюдая за ней, я удивлялся, с какой непринужденностью она держится в их компании. Она была самой красивой женщиной из всех, кого я встречал когда-либо. Это была красота пустыни на восходе солнца; я не мог отвести от нее глаз, меня охватывал трепет, я лишался дара речи и едва дышал.

Глядя на нее в этой Небесной деревне, я не мог простить себе, что так долго избегал встречи с ней. Меня поражало, что индийским девушкам так хочется прикоснуться к ней, погладить по волосам, взять за руку. Мне она представлялась замкнутой и чуть ли не холодной. А эти девушки, едва успев познакомиться, казалось, сблизились с ней теснее, чем я после целого года дружеских отношений. Я вспомнил быстрый импульсивный поцелуй, который она подарила мне в моей хижине, запах корицы и жасмина, исходивший от ее волос, ощущение ее губ, напоминающих сладкие виноградины, налившиеся соком под летним солнцем.

Подали чай, и я, взяв свой стакан, подошел к одному из больших оконных проемов, обращенных в сторону трущоб. Подо мной вплоть до самого залива расстилалось лоскутное одеяло из бесчисленных хижин. Узкие проходы, наполовину скрытые нависавшими над ними неровными крышами, казались скорее туннелями, нежели улочками. Тут и там поднимался легкий дымок от разожженных плит, и ленивый бриз, дувший в сторону моря, подхватывал его и разносил клочья над разбросанными по заливу рыбачьими лодками, с которых ловили рыбу в мутных прибрежных водах.

Дальше от берега, за трущобами, высились многоквартирные дома, в которых жили достаточно богатые люди. С моего наблюдательного пункта были видны роскошные сады с пальмами и вьющимися растениями на крышах домов, а на других крышах — миниатюрные хижины, принадлежащие прислуге богатых жильцов. На стенах домов, даже самых новых, разрослись грибки и плесень. Мне в последнее время стали казаться привлекательными распад и увядание, затронувшие даже самые величественные сооружения Бомбея, та печать упадка, какой было отмечено всякое блестящее начинание в этом городе.

— Да, вид красивый, — тихо произнесла подошедшая ко мне Карла.

— Иногда я прихожу сюда по ночам, когда все спят, а мне хочется побыть одному, — ответил я ей так же тихо. — Это одно из моих любимых мест.

Мы помолчали, наблюдая за воронами, кружившими над трущобами.

— А ты где любишь бывать в одиночестве?

— Я не люблю одиночества, — ответила она ровным тоном и, обернувшись ко мне, увидела выражение моего лица. — А в чем дело?

— Да просто я удивлен. Я всегда думал, что тебе должно быть хорошо одной. Ты представлялась мне не то что нелюдимой, но немного в стороне от других, выше окружающего.

— Выстрел мимо цели, — улыбнулась она. — Скорее я ниже окружающего, а не выше.

— Вау, это уже второй раз!

— Что — второй раз?

— Ты уже вторично так улыбаешься сегодня. Только что ты улыбалась, разговаривая с девушками, и я подумал, что впервые вижу у тебя такую широкую улыбку.

— Я часто улыбаюсь, — возразила она.

— Да, но не так. Не подумай, что я упрекаю тебя. Мне это нравится. Человек может быть очень привлекательным, когда не улыбается. Во всяком случае, если он откровенно хмурится, то это лучше фальшивой улыбки. У тебя, на мой взгляд, при этом очень искренний вид, такое впечатление, что ты в ладу с миром. Ну, словом, тебе это как-то идет. А точнее, я думал, что идет, пока не увидел твою улыбку сегодня.

— Я часто улыбаюсь, — повторила Карла, нахмурившись, в то время как сквозь ее плотно сжатые губы пробивалась улыбка.

Мы опять замолчали, глядя друг на друга. Глаза ее были как зеленая вода у морского рифа, в них плясали солнечные зайчики, а смотрела она с такой сосредоточенностью, какая говорит обычно об испытываемом страдании, или напряженной работе ума, или о том и другом одновременно. Свежий ветер шевелил ее рассыпанные по плечам волосы — такие же черные с коричневым отливом, что и ее брови с длинными ресницами. Ненакрашенные губы были нежного розового цвета, и, когда они приоткрывались, между ровными белыми зубами виднелся кончик языка. Сложив руки на груди, она прислонилась к боковой стенке будущего окна. Порывы ветра трепали шелк ее платья, то обрисовывая, то пряча ее фигуру в складках.

— А над чем вы с женщинами так весело смеялись?

Она приподняла одну бровь со знакомой сардонической полуулыбкой:

— Это что, для поддержания разговора?

— Возможно, — рассмеялся я. — Я почему-то сегодня нервничаю в твоем присутствии. Прошу прощения.

— Не за что. Это скорее даже комплимент — нам обоим. Но если ты действительно хочешь знать, по какому поводу мы смеялись, то могу сказать: в основном по поводу тебя.

— Меня?

— Да. Они рассказали мне, как ты обнимался с медведем.

— Ах вот что! Да, это, наверно, было и впрямь смешно.

— Одна из женщин изобразила, какое у тебя было выражение перед тем, как ты обнял его. Но особенно веселились они, пытаясь отгадать, почему ты это сделал. Все по очереди высказывали свое мнение. Радха — она, кажется, твоя соседка?..

— Да, она мать Сатиша.

— Так вот, Радха предположила, что тебе было жалко медведя. Это всех страшно насмешило.

— Представляю, — сухо бросил я. — А что предположила ты?

— Я сказала: возможно, ты сделал это потому, что тебе все интересно и ты все хочешь испытать на себе.

— Вот забавно! Одна моя знакомая говорила мне когда-то то же самое — что я нравлюсь ей потому, что всем интересуюсь. Позже она призналась мне, что по той же причине она меня и бросила.

На самом деле та знакомая сказала, что я всем интересуюсь, но ничем не увлекаюсь всерьез. Я до сих пор вспоминал это, до сих пор это причиняло мне боль и до сих пор было правдой.

— Ты не... интересуешься *мной* настолько, чтобы помочь мне в одном деле? — спросила Карла совсем другим тоном, очень серьезно и взвешенно.

«Так вот почему она пришла ко мне, — подумал я. — Ей нужно от меня что-то». Моя уязвленная гордость зашипела и выгнула спину озлобленной кошкой. Она не соскучилась по мне — я просто понадобился ей. Но она пришла ко мне и хотела попросить о чем-то меня, а не кого-нибудь еще. Это утешало. Поглядев в ее серьезные зеленые глаза, я понял, что ей не часто приходится просить о помощи. И еще я чувствовал, что в этом деле сошлось очень многое — может быть, слишком многое.

— Конечно, — ответил я, стараясь не слишком затягивать паузу. — Что за дело?

Она проглотила комок в горле вместе со своим нежеланием обращаться ко мне с просьбой и проговорила, торопливо выбрасывая слова:

— У меня есть подруга, ее зовут Лиза. Она оказалась в отчаянном положении. Она работает в одном месте... в публичном доме, вместе с другими девушками-иностранками. Связалась с этим по необходимости, а теперь влезла в долги, очень большие, и хозяйка этого заведения не отпускает ее. Я хочу помочь ей выбраться оттуда.

— У меня есть немного...

— Проблема не в деньгах. У меня есть деньги. Проблема в том, что хозяйка очень ценит Лизу и не отпустит ее, сколько бы мы ни заплатили. Я знаю эту мадам очень хорошо. Это стало для нее делом принципа, а деньги не играют роли. Она возненавидела Лизу за то, что та красивая, живая девушка и умеет постоять за себя. Она хочет погубить ее, доконать мало-помалу. Она ее ни за что не отпустит.

— Ты хочешь увезти ее силой?

— Не совсем.

— Я знаю ребят, которые не боятся пустить в ход кулаки, — сказал я, имея в виду Абдуллу Тахери и его дружков. — Они могли бы помочь.

— Нет, у меня тоже есть друзья, которым ничего не стоит вытащить Лизу оттуда. Но прислужники мадам обязательно разыщут ее и отомстят. Очень быстро и просто — обольют кислотой, и все. Лиза будет не первой, кому плеснут в лицо кислоту из-за того, что она не поладила с мадам Жу. Этим нельзя рисковать. Надо сделать так, чтобы она оставила Лизу в покое навсегда.

Я чувствовал, что Карла говорит мне не всю правду, что за этим кроется что-то еще.

— Ты сказала, мадам Жу?

— Да. Ты слышал о ней?

— Кое-что, — кивнул я. — И не знаю, чему из этого можно верить. Послушать, так там творится что-то невероятное, сплошная грязь...

— Ну, насчет невероятного я не знаю... Но грязи там выше головы, можешь мне поверить.

Не могу сказать, чтобы это меня успокоило.

— А почему она не может просто убежать? Сесть на самолет и — поминай как звали. Откуда она приехала?

— Из Америки. Понимаешь, если бы я могла уговорить ее уехать в Америку, никаких проблем не было бы. Но она не хочет уезжать. Лиза ни за что и никогда не покинет Бомбей. Она пристрастилась к наркотикам. Но основная причина не в этом — причина в ее прошлом, из-за которого она не может вернуться. Я пыталась уговорить ее, но без толку. Она не поедет — и все тут. И знаешь, я ее отчасти понимаю. У меня тоже остались в прошлом вещи, с которыми я не хотела бы сталкиваться снова, к которым я ни за что не вернусь.

— У тебя есть план, как вытащить ее оттуда?

— Да. Я хочу, чтобы ты притворился сотрудником американского посольства. Я уже продумала все детали. Тебе почти ничего не надо будет делать. Говорить буду я. Мы скажем ей, что отец Лизы — большая шишка в Штатах и имеет связи в правительстве, а тебе поручили взять ее из этого заведения и присматривать за ней. Я передам это мадам Жу еще до того, как ты появишься у нее.

— Все это выглядит довольно сомнительно. Думаешь, план сработает?

Прежде чем ответить, она вытащила из кармана несколько сигарет «биди», подожгла две из них с одного конца с помощью зажигалки и дала мне одну, а сама глубоко затянулась другой.

— Думаю, да. Ничего лучшего мне не пришло в голову. Я обсудила этот план с Лизой, и ей тоже кажется, что он удастся. Если мадам Жу получит свои деньги, а главное, поверит, что ты из посольства и у нее будут неприятности, если она заупрямится, то, я думаю, она оставит Лизу в покое. Я понимаю, тут слишком много «если». Многое зависит от тебя.

— А также от того, легко ли обмануть эту мадам. Думаешь, мне она поверит?

— Надо действовать очень аккуратно. Она не столько умна, сколько хитра, но вовсе не дура.

— И ты считаешь, что у меня это получится?

— Ты сможешь изобразить американский акцент? — спросила она, усмехнувшись.

— Ну, когда-то я выступал на сцене. В прошлой жизни.

— Так это здорово! — воскликнула она, прикоснувшись к моей руке.

Моя нагретая солнцем кожа почувствовала прохладу ее длинных тонких пальцев.

— Не знаю... — пробормотал я. — Слишком большая ответственность. Если наша авантюра сорвется и что-нибудь случится с этой девушкой или с тобой...

— Это моя подруга и моя идея, так что и ответственность вся на мне.

— Я чувствовал бы себя гораздо увереннее, если бы можно было просто вломиться туда силой. В этой затее с посольством столько подводных камней...

— Я не просила бы тебя помочь, Лин, если бы не была уверена в своем плане и в том, что ты способен его осуществить.

Она замолчала, ожидая моего ответа. Я с ним не торопился, хотя сразу знал, какой он будет. Она, очевидно, думала, что я размышляю над ее планом, взвешивая все «за» и «против», я же на самом деле пытался понять, почему я соглашаюсь на это. Ради нее? Всерьез ли я увлечен или просто заинтересован? Почему я обнимался с медведем?

Я улыбнулся:

— И когда мы это проделаем?

Она улыбнулась в ответ:

— Дня через два. Мне надо подготовить почву.

Она отбросила окурок и сделала шаг ко мне. Я приготовился к поцелую, но в это время вся толпа со встревоженными криками подбежала к окнам, окружив нас. Прабакер был позади меня и просунул голову мне под мышку, оказавшись между мной и Карлой.

— Муниципалитет! — воскликнул он. — Смотрите!

— Что случилось? — недоумевала Карла. Голос ее потонул в общем шуме.

— Люди, присланные муниципалитетом, собираются снести часть хижин! — прокричал я ей в ухо. — Они делают это примерно раз в месяц. Так они пытаются бороться с ростом трущоб.

Мы увидели, как с улицы на участок земли перед нашими трущобами заезжают шесть больших полицейских грузовиков. Кузова их были затянуты брезентом, но мы знали, что под ним в каждой машине скрываются по двадцать или больше полицейских. Вслед за шестью машинами подъехала грузовая платформа с рабочими и оборудованием, которая остановилась возле самых хижин. Из грузовиков посыпались полицейские, построившиеся в две шеренги. Муниципальные рабочие, жившие по большей части также в трущобах, спрыгнули с платформы и приступили к своему разрушительному труду. У каждого из них была веревка с кошкой на конце. Рабочий забрасывал кошку на крышу хижины и, зацепившись крюком за какой-нибудь выступ, тянул веревку на себя, пока крыша не съезжала на землю. Обитатели хижины едва успевали схватить самое важное: детей, деньги, документы. Все остальное обрушивалось и перемешивалось, превращаясь в хлам: керосиновые плитки и кухонная посуда, сумки и постели, одежда и детские игрушки. Люди в панике разбегались. Полиция останавливала их и направляла некоторых молодых людей к ожидавшим их грузовикам.

Стоявшие рядом с нами наблюдали за этой сценой в молчании. С этой высоты нам было хорошо видно все происходящее, но даже самые громкие звуки не долетали до нас. Это бесшумное методичное уничтожение жилищ действовало на всех особенно угнетающе. Внезапно в этой жуткой тишине меня поразило стонущее завывание ветра, на которое до сих пор я не обращал внимания. И я знал, что на всех этажах здания, выше и ниже нас, у окон также стоят люди в молчаливом созерцании.

Хотя рабочие знали, что их дома в легальном поселке никто не тронет, все работы на стройке прекратились. Все понимали, что по завершении строительства наступит очередь и их жилищ. Ежемесячный ритуал будет повторен в последний раз, и тогда уже все хижины до единой будут опустошены и сожжены, а их место займет автостоянка для лимузинов.

На лицах окружающих были сочувствие и страх. В глазах некоторых людей читался также стыд за невольные мысли, которые возникают у многих из нас в ответ на притеснения со стороны властей: «Слава богу... Слава богу, это не моя хижина...»

— Какая удача, Линбаба! Твоя хижина уцелела, и моя тоже! — вскричал Прабакер, когда полицейские и муниципальные рабочие наконец расселись по своим машинам и уехали.

Они пропахали дорожку сто метров длиной и десять шириной в северо-восточном углу нелегального поселка. Было снесено примерно шестьдесят домов, больше двухсот человек лишились крова. Вся операция заняла от силы двадцать минут.

— Куда же они теперь денутся? — тихо спросила Карла.

— Завтра же возведут новые хижины на прежнем месте. Через месяц муниципалитет опять снесет их дома — или такие же на другом участке, и они будут отстраиваться заново. Но все равно это большая потеря. Все их вещи пропали. Придется покупать новые, а также строительный материал. А человек десять арестовали, и мы не увидим их несколько месяцев.

— Даже не знаю, что пугает меня больше, — сказала она. — Бесчинство, которое творят с людьми, или то, что они воспринимают это как должное.

Почти все остальные отошли от окна, но мы с Карлой по-прежнему стояли, прижавшись друг к другу, как и тогда, когда на нас напирала толпа. Моя рука лежала у нее на плечах. Далеко внизу люди копошились среди останков своих жилищ. Уже сооружались из брезента и пластика временные убежища для стариков и детей. Карла повернула голову ко мне, и я поцеловал ее.

Упругая арка ее губ размягчилась при соприкосновении с моими — плоть поддалась плоти. И в этом была такая печальная нежность, что секунду или две я парил где-то в воздухе на крыльях невыразимой любви. Я представлял себе Карлу опытной, ожесточенной и чуть ли не холодной женщиной, но в этом поцелуе была неприкрытая беспомощность. Его ласковая мягкость буквально потрясла меня, и я первый отстранился.

— Прости... Я не хотел, — пробормотал я.

— Все в порядке, — улыбнулась она и откинула голову, упираясь руками мне в грудь. — Но боюсь, что мы заставили ревновать одну из девушек.

— Какую из девушек?

— Ты хочешь сказать, что у тебя здесь нет девушки?

— Нет, конечно, — нахмурился я.

— Я же знала, что Дидье нельзя слушать. Это его идея. Он уверен, что у тебя здесь есть подружка и потому-то ты тут и живешь. Он говорит, это единственная причина, по которой иностранец может добровольно поселиться в трущобах.

— Нет у меня никакой подружки, Карла, — ни здесь, ни где-нибудь еще. Я *тебя* люблю.

— Нет! — выкрикнула она, словно пощечину влепила.

— Я ничего не могу с этим поделать. Уже давно...

— Прекрати! — прервала она меня опять. — Ты не можешь! Не можешь! О боже, как я ненавижу любовь!

— Любовь нельзя ненавидеть, Карла, — увещевал я ее мягко, пытаясь ослабить напряжение, в котором она пребывала.

— Может быть, и нельзя, но осточертеть она абсолютно точно может. Любить кого-нибудь — это такая самонадеянность! Вокруг и так слишком много любви. Мир переполнен ею. Иногда я думаю, что рай — это место, где все счастливы потому, что никто никого не любит.

Ветер закинул волосы ей на лицо, она убрала их назад обеими руками и застыла в таком положении, растопырив пальцы надо лбом и глядя в землю.

— Куда, на хрен, подевался старый добрый бессмысленный секс без всяких побочных эффектов? — прошелестела она плотно сжатыми губами.

Это был, собственно говоря, не вопрос, но я все равно ответил:

— Я не исключаю этого — как запасной вариант, так сказать.

— Послушай, я не хочу никого любить, — не успокаивалась она, хотя говорила уже мягче. Глаза ее встретились с моими. — И не хочу, чтобы кто-нибудь любил меня. Для меня эти романтические истории плохо заканчиваются.

— Вряд ли найдется человек, для кого любовь — одно лишь безоблачное счастье.

— Вот-вот, и я о том же.

— Но когда это случается, у тебя нет выбора. Не думаю, чтобы кто-нибудь влюблялся по собственному желанию. И я не хочу принуждать тебя к чему-либо. Я просто люблю тебя, и все. Давно уже. И надо было наконец об этом сказать. Это не значит, что ты должна что-нибудь делать в связи с этим, да и я тоже.

— И все равно я... Не знаю. Просто я... Господи! Но ты мне ужасно нравишься, и я счастлива из-за этого. Я буду по уши полна этим чувством к тебе, Лин, если этого достаточно.

Взгляд ее был честен, но я знал, что она о многом умалчивает. Взгляд был храбр, и все же она боялась. Когда я расслабился и улыбнулся ей, она рассмеялась. Я засмеялся тоже.

— Тебе достаточно этого на данный момент?

— Да, — соврал я. — Конечно.

Но, подобно людям в сотнях футов под нами, я уже собирал обломки в своем сердце и возводил новый дом на руинах.

ГЛАВА

13

Хотя лишь немногие могли похвастаться тем, что видели мадам Жу собственными глазами, именно она, уверяла меня Карла, служила главной приманкой для всех, кто посещал ее так называемый Дворец. Клиентами ее были богатые люди: крупные бизнесмены, политики, гангстеры. Дворец предлагал им девушек-иностранок — индийские девушки никогда не работали здесь, — а также разнообразные хитроумные средства удовлетворения их самых необузданных сексуальных фантазий. Дикие и невообразимые развлечения, изобретенные самой мадам Жу, обсуждались шепотом по всему городу, но благодаря влиятельным покровителям и крупным взяткам Дворец мог не бояться ни облав, ни даже сколько-нибудь пристального внимания со стороны полиции. В Бомбее было немало надежных заведений, предоставлявших аналогичные услуги, но ни одно из них не пользовалось такой популярностью, как Дворец, потому что в нем находилась мадам Жу. Мужчин влекли сюда не столько профессиональное мастерство и привлекательность девушек, сколько недоступная тайна — невидимая красота самой мадам.

Говорили, что она русская, но этот факт, как и все остальные подробности личной жизни мадам Жу, проверить было невозможно. Все считали ее русской, потому что это был самый упорный из слухов. Точно известно было лишь то, что она появилась в Нью-Дели в шестидесятые годы, которые в этом городе были не менее бурными, чем в большинстве западных столиц. Новая половина города праздновала свое тридцатилетие, а старая — трехсотлетие. Большинство источников сходилось на том, что мадам Жу в то время было двадцать девять лет. Существовала легенда, согласно которой она была любовницей одного из офицеров КГБ, решившего использовать ее редкую красоту для вербовки крупных деятелей Индийского национального конгресса. Партия конгресса руководила Индией в те годы и не имела соперников ни в одном из избирательных округов. Многие преданные сторонники партии — и даже ее враги — полагали, что конгресс будет править Индией не меньше сотни лет. Поэтому прибрать к рукам партийных деятелей значило прибрать к рукам Индию.

В слухах, касавшихся пребывания мадам Жу в Дели, фигурировали скандалы, самоубийства и устранение политических противников. По словам Карлы, ей приходилось слышать уйму противоречивых версий одного и того же события от разных людей, и в результате она стала подозревать, что правда, какой бы она ни была, их не интересует. Мадам Жу превратилась в некий собирательный образ — ее жизнь и ее личность обросли всевозможными измышлениями сплетников и их собственными навязчивыми идеями. Одни говорили о колоссальном состоянии, вложенном в драгоценности, которые она держит в пыльном мешке, другие авторитетно заявляли о ее пристрастии к наркотикам, третьи шушукались о сатанинских обрядах и каннибализме.

— О ней говорят самые невероятные вещи, и многие из них, я думаю, просто выдумки, но в итоге остается главное: она опасна, — поделилась со мной Карла. — Хитра и опасна.

— Угу.

— Я не шучу. Ты не должен ее недооценивать. Когда она переехала шесть лет назад из Дели в Бомбей, за ней потянулся шлейф трупов. В ее Дворце в Дели были обнаружены два человека с перерезанным горлом — инспектор полиции и другая, не менее важная персона. Следствие зашло в тупик, когда один из свидетелей обвинения бесследно исчез, а другой был найден повесившимся на пороге своего дома. Не прошло и полугода после открытия ее заведения в Бомбее, как неподалеку от него произошло еще одно убийство, и очень многие связывали его с мадам Жу. Но она насобирала столько компрометирующего материала на самых разных людей — включая тех, что на самом верху, — что ее предпочитают не трогать. Она может делать почти все, что ей вздумается, потому что знает: ей все сойдет с рук. Так что если ты не хочешь с ней связываться, то у тебя еще есть время отказаться.

Мы сидели в одном из летающих по всему Бомбею «шмелей» — желтом с черным такси-«фиате» — и пробивались в южном направлении сквозь транспортный затор на Стальном базаре. Между автомобилями и автобусами лавировали сотни деревянных повозок, в загруженном виде превосходящих по своим габаритам любой автомобиль. В каждую из них было впряжено по шесть босоногих индийцев. На центральных улицах Стального базара было сосредоточено бесчисленное множество маленьких и не очень маленьких магазинов, торговавших разнообразной металлической утварью — от керосиновых плиток до кухонных раковин, — а также всевозможной продукцией из чугуна и листового металла, необходимой строителям и декораторам. Магазины выставляли на обозрение множество отполированных до блеска изделий, расположив их так искусно и оригинально, что туристы, как правило, не могли удержаться от того, чтобы не запечатлеть их на фотопленке. Позади этого гламурного коммерческого фасада прятались закоулки, где рабочие производили всю эту заманчивую красоту в черных от копоти печах, получая за это не доллары, а центы.

Окна машины были открыты, но мы не ощущали никакого ветерка, медленно продвигаясь по закупоренной транспортом и пышущей жаром городской артерии. По дороге мы заехали к Карле домой, где я сменил свои джинсы и футболку на черные брюки строгого покроя, накрахмаленную белую рубашку и выходные туфли. Вдобавок и галстук повязал.

— Больше всего в данный момент мне хочется скинуть с себя эти тряпки, — проворчал я.

— Они тебе не нравятся? — спросила Карла со зловредным блеском в глазах.

— Ужасное ощущение. Все чешется сверху донизу.

— Ты привыкнешь к ним.

— Надеюсь, мы не разобьемся. Страшно даже представить, как будет выглядеть мой труп в этом облачении.

— Одежда смотрится на тебе очень хорошо.

— Поскорей бы уж все это закончилось.

— Сколько капризов из-за костюма! — промурлыкала она, изогнув губы в ухмылке. Ее акцент ужасно мне нравился и казался самым интересным в мире, он придавал каждому ее слову какую-то закругленную звонкость, от которой меня прямо в дрожь бросало. Речь ее была по-итальянски музыкальной, пронизанной американским юмором и мироощущением, по форме немецкой, а по окраске индийской. — Такая разборчивость говорит о суетности и чрезмерном тщеславии, знаешь ли.

— Я не разборчив, я просто терпеть не могу любые тряпки.

— Наоборот, ты очень любишь их, придаешь одежде слишком большое значение.

— Здрасте! У меня всей одежды-то — одна пара джинсов, пара ботинок, одна рубашка, две футболки и две набедренные повязки. Весь мой гардероб умещается на одном гвозде в моей хижине.

— Вот-вот. Ты придаешь одежде такое большое значение, что не можешь носить ничего, кроме нескольких вещей, которые кажутся тебе единственно достойными.

Я поворочал шеей в тесном неудобном воротнике.

— Вряд ли можно назвать эти вещи достойными, Карла. Кстати, почему это у тебя дома столько мужской одежды? Гораздо больше, чем у меня.

— Два последних парня, жившие со мной, позабыли в спешке.

— Так спешили, что даже одежду оставили?

— Да.

— Куда же, интересно, они так торопились?

— Один из них скрывался от полиции. Он нарушил столько законов, что вряд ли хочет, чтобы я рассказывала об этом.

— Ты его выгнала?

— Нет, — ответила она ровным тоном, в котором, однако, сквозило такое сожаление, что я не стал больше расспрашивать ее о нем.

— А другой? — спросил я.

— Тебе незачем это знать.

Мне очень хотелось это знать, но она решительно отвернулась, уставившись в окно, и было ясно, что настаивать бесполезно. Я слышал, что Карла жила когда-то с неким Ахмедом, афганцем. Подробностей мне не рассказывали, и я решил, что Карла рассталась с ним несколько лет назад. Весь последний год, с тех пор как мы познакомились, она жила одна, и только сейчас я понял, что мое впечатление о ней сложилось под влиянием этого факта. Вопреки ее заявлению, что она не любит одиночества, я считал ее одной из тех женщин, кто никогда не живет вместе с другими людьми — самое большее, позволяет остаться у нее на ночь.

Я смотрел на ее повернутый ко мне затылок, на кусочек профиля, на едва заметную грудь под зеленой шалью и на длинные тонкие пальцы, молитвенно сложенные на коленях, и не мог вообразить ее живущей с кем-либо. Завтрак вдвоем, голые спины, ванно-туалетные шумы, дрязги, домашние хлопоты полусемейной жизни — все это было не для нее. Мне легче было представить в такой обстановке ее приятеля Ахмеда, которого я в жизни не видел, а она в моем воображении всегда была одна и самодостаточна.

Минут пять мы сидели в молчании, только счетчик водителя отбивал свой ритм. Оранжевый флажок на приборной доске говорил о том, что водитель, подобно многим в Бомбее, родом из Уттар-Прадеша, большого густонаселенного штата на северо-востоке Индии. Мы медленно ползли в потоке транспорта, что позволяло ему сколько угодно разглядывать нас в зеркальце заднего вида. Он был явно заинтригован. Карла дала ему указания на беглом хинди, в подробностях объяснив, как подъехать ко Дворцу. Мы были иностранцами, но вели себя как местные. Он решил испытать нас.

— Гребаная толкучка! — пробормотал он на уличном хинди под нос себе самому, но глаза его при этом внимательно следили за нами. — У этого сраного города сегодня настоящий запор!

— Может, двадцать рупий послужат хорошим слабительным? — откликнулась Карла на таком же хинди. — У тебя что, почасовая оплата, приятель? Ты не можешь двигаться поживее?

— Слушаюсь, мисс! — в восторге откликнулся водитель по-английски и стал энергично протискиваться сквозь скопление транспорта.

— Так что же все-таки случилось с ним? — спросил я.

— С кем?

— С парнем, с которым ты жила и который не нарушал законов.

— Он умер, если тебе так уж надо это знать, — процедила сквозь зубы.

— А... от чего?

— Говорят, что отравился.

— *Говорят?*

— Да, говорят, — вздохнула она и принялась разглядывать толпу на улице.

Мы помолчали несколько секунд, на большее меня не хватило.

— А... кому из них принадлежал прикид, что на мне? Нарушителю законов или умершему?

— Умершему.

— Ясно...

— Я купила костюм, чтобы похоронить его в нем.

— Вот блин!

— В чем дело? — резко повернулась она ко мне, нахмурившись.

— Да ни в чем, только не забудь потом дать мне адрес твоей химчистки.

— Я не хоронила приятеля в нем. Он не понадобился.

— Понятно...

— Я же сказала, тут нет ничего интересного для тебя.

— Да-да, конечно, — пробормотал я, чувствуя в глубине души эгоистическое облегчение оттого, что ее бывшего любовника больше не существует и он мне не помеха. Я был тогда еще молод и не понимал, что умершие любовники как раз и являются самыми опасными соперниками. — Не хочу показаться слишком капризным, Карла, но согласись, когда едешь на довольно опасное дело в похоронном одеянии умершего человека, то невольно начинаешь мандражировать.

— Ты слишком суеверен.

— Да нет.

— Да да.

— Я *не* суеверен!

— Разумеется, ты суеверен! — сказала она, впервые улыбнувшись мне с тех пор, как мы взяли такси. — Все люди суеверны.

— Не хочу спорить с тобой. Это может принести неудачу.

— Вот-вот, — засмеялась она. — Не волнуйся, все пройдет как надо. Смотри, вот твои визитные карточки. Мадам Жу коллекционирует их и обязательно попросит карточку у тебя. И будет хранить ее на тот случай, если ты ей вдруг понадобишься. Но если до этого дойдет, то выяснится, что ты давно уже вернулся в Америку.

Карточки были изготовлены из жемчужно-белой бумаги на тканевой основе, на них плавным курсивом была сделана черная выпуклая надпись. Она гласила, что Гилберт Паркер служит вторым секретарем посольства Соединенных Штатов Америки.

— Гилберт! — пробурчал я.

— Да, а что?

— Мало того что в случае аварии я погибну в этом идиотском костюме, так люди к тому же будут думать, что меня звали Гилберт! Это уж совсем ни в какие ворота не лезет.

— Что поделать, некоторое время тебе придется побыть Гилбертом. Кстати, в посольстве действительно работает некий Гилберт Паркер, но его командировка в Бомбей заканчивается как раз сегодня. Именно поэтому мы его и выбрали. Так что тут комар носа не подточит. Но не думаю, что мадам Жу будет проверять твою личность. В крайнем случае позвонит в посольство по телефону, да и то вряд ли. Если она захочет связаться с тобой впоследствии, то сделает это через меня. В прошлом году у нее были неприятности с британским посольством, и это обошлось ей в круглую сумму. А несколько месяцев назад был скандал с одним немецким дипломатом. Ей пришлось подмазывать очень многих, чтобы замять это дело. Сотрудники посольств — единственные, кто может крупно насолить ей, так что она не будет слишком настырной. Просто держись с ней вежливо и твердо. И скажи пару фраз на хинди. Это будет выглядеть естественно и предупредит возможные подозрения по поводу твоего акцента. Кстати, это одна из причин, почему я выбрала для этой роли именно тебя. Ты очень неплохо поднатыркался говорить на хинди, прожив здесь всего год.

— Четырнадцать месяцев, — поправил я ее ревниво. — Два месяца после приезда, шесть месяцев в Прабакеровой деревне и почти шесть месяцев в трущобах. Всего четырнадцать.

— О, прошу прощения. Четырнадцать.

— Я думал, что мадам Жу ни с кем не встречается, — продолжал я болтать, надеясь прогнать какое-то растерянное, страдальческое выражение с ее лица. — Ты говорила, что она живет затворницей.

— Да, в целом так и есть, но тут все не так просто, — мягко объяснила Карла. Глаза ее затуманили какие-то воспоминания, и она с видимым усилием вернулась в наше такси. — Она живет на верхнем этаже, и там у нее есть все, что может ей понадобиться. Мадам Жу никогда не выходит из дому. Двое слуг покупают ей еду, одежду и все прочее. Во Дворце целый лабиринт скрытых коридоров и лестниц, и она может перемещаться по всему зданию, не попадаясь посетителям на глаза. А сама при этом имеет возможность наблюдать за ними через двусторонние зеркала и решетки вентиляционных отверстий. Она любит делать это. Иногда она даже разговаривает с людьми через эти экраны. Она видит собеседника, а он ее — нет.

— Так видел ее хоть один человек своими глазами?

— Ее фотограф.

— У нее свой фотограф?

— Да. Она снимается каждый месяц и иногда дарит фотографии посетителям в знак своей благосклонности.

— Все это довольно странно, — пробормотал я.

Я не испытывал особого интереса к личности мадам Жу, но хотел, чтобы Карла продолжала говорить. Я смотрел, как ее ярко-розовые губы, которые я целовал несколько дней назад, формируют слова, и это казалось мне высшим духовным самовыражением совершенной плоти. Если бы она читала газету с новостями месячной давности, я с таким же восхищением следил бы за ее лицом, ее глазами и губами.

— А почему она так себя ведет? — спросил я.

— Как именно?

— Почему она прячется от посетителей?

— Вряд ли кто-нибудь может дать тебе определенный ответ на этот вопрос. — Карла вытащила две сигареты «биди», раскурила их и протянула одну мне. Руки ее слегка дрожали. — Относительно этого, как и всего остального, связанного с мадам Жу, ходят самые разные и невероятные слухи. Некоторые говорят, что ее лицо было изуродовано в какой-то катастрофе. А фотографии якобы тщательно ретушируют, чтобы скрыть шрамы. Другие утверждают, что у нее проказа или какая-нибудь другая подобная болезнь. А один из моих друзей считает, что мадам Жу вообще не существует, что ее выдумали для того, чтобы скрыть имя истинного владельца заведения и то, что происходит за его стенами.

— А ты сама как считаешь?

— Я... я разговаривала с ней через решетку. Мне кажется, она настолько тщеславна, патологически тщеславна, что ненавидит саму себя за то, что стареет. Я думаю, она не может вынести мысль, что она несовершенна. Многие — просто удивительно, как много людей, — утверждают, что она была очень красива. На фотографиях ей можно дать лет двадцать семь — тридцать. Никаких морщин, никаких мешков под глазами. Каждый волосок на своем месте. Очевидно, она настолько влюблена в себя, что не может допустить, чтобы другие видели, как она выглядит на самом деле. Я думаю, она немножко тронулась от любви к самой себе, и, даже если она доживет до девяноста лет, на фотографиях ей будет по-прежнему тридцать.

— Откуда ты столько о ней знаешь? — спросил я. — Как ты с ней познакомилась?

— Я работаю посредником.

— Это мне мало что говорит.

— А сколько ты хочешь знать?

Ответить на этот вопрос можно было очень просто: «Я люблю тебя и хочу знать о тебе все», но в голосе ее слышалось раздражение, в глазах был холод, и я предпочел не настаивать.

— Я не хочу совать нос в твои дела, Карла. Я не знал, что это такая щекотливая тема. Мы знакомы уже больше года — хотя и не видимся постоянно, — и я ни разу не спрашивал тебя, чем ты занимаешься. По-моему, это не говорит о моем чрезмерном любопытстве.

— Я свожу людей, которые нужны друг другу, — ответила она, немного оттаяв. — И слежу за тем, чтобы люди получили за свои деньги то, что им требуется. Я должна также обеспечить, чтобы они были предрасположены к заключению сделок. Некоторые из них — довольно многие, кстати, — изъявляют желание посетить Дворец мадам Жу. Просто удивительно, какое любопытство она пробуждает в людях. Она опасна. И по-моему, совершенно ненормальна. Но люди готовы на все, лишь бы встретиться с ней.

— А почему, как ты думаешь?

Она устало вздохнула:

— Не знаю. Дело тут не только в сексе. Конечно, у нее работают самые красивые девушки в Бомбее и она обучает их самым изощренным трюкам, но люди стремились бы к ней, даже если бы у нее не было всех этих красоток. Не знаю почему. Я доставляла немало клиентов к мадам Жу, и некоторым даже удавалось поговорить с ней через экран, как и мне, но все равно не понимаю. Они покидают Дворец с таким видом, будто были на аудиенции у Жанны д’Арк. Она их вдохновляет. Но меня — нисколько. Меня всегда бросало в дрожь от нее.

— Она тебе не очень-то нравится?

— Гораздо хуже, Лин. Я ненавижу ее. Ненавижу настолько, что желаю ей смерти.

Тут наступила моя очередь уйти в себя. Обернувшись молчанием, как шарфом, я смотрел на живописную уличную суету, проплывавшую за окном мимо ее мягко очерченного профиля. По правде говоря, тайна мадам Жу не слишком волновала меня. В тот момент я интересовался ею постольку, поскольку должен был выполнить просьбу Карлы. Я любил эту прекрасную швейцарку, сидевшую рядом со мной, и она сама по себе представляла немалую тайну. И вот эта тайна меня действительно занимала. Меня интересовало, как она попала в Бомбей, каким боком соприкасалась с этой жуткой мадам Жу и почему никогда не рассказывала о себе. Но как бы ни хотелось мне знать о ней абсолютно все, я не мог приставать к ней с вопросами. Я не имел права требовать от нее полной откровенности, потому что не открывал ей собственных секретов. Я соврал ей, сказав, что я родом из Новой Зеландии и у меня нет близких. Даже моего настоящего имени она не знала. Я был влюблен в нее, но чувствовал себя связанным этой ложью по рукам и ногам. Она целовала меня, и это было прекрасно. Искренне и прекрасно. Но что означал этот поцелуй: начало чего-то или конец? Я всей душой надеялся, что дело, в связи с которым мы ехали в этом такси, сблизит нас, разобьет стену между нами, возведенную из секретов и обманов.

Я сознавал всю сложность задачи, которую мне предстояло выполнить, как и то, что наш обман может раскрыться и мне придется вызволять Лизу из Дворца силой. Я был готов к этому. Под рубашкой у меня был за поясом нож в кожаных ножнах, с длинным и острым лезвием. Вооруженный им, я мог справиться с двумя противниками. В тюрьме мне приходилось участвовать в поножовщине. Нож — старое и примитивное оружие, но в руках человека, который умеет с ним обращаться и не боится воткнуть его в своего ближнего, он уступает по эффективности в ближнем бою разве что пистолету. Сидя в такси, я без лишних эмоций внутренне готовился к схватке, прокручивая в уме целый кровавый боевик. Левая рука у меня должна быть свободной, чтобы иметь возможность вывести или вытащить Карлу с Лизой из Дворца, а правой я должен буду пробить нам путь сквозь любые заслоны. Я не испытывал страха. Я знал, что, если придется драться, я буду бить, резать и колоть не задумываясь.

Таксисту удалось наконец выбраться из пробки; нырнув под эстакаду, он увеличил скорость на более широких улицах. Ветерок принес нам благословенную прохладу, и наши взмокшие от пота волосы тут же высохли. Карла выбросила окурок «биди» в окно и стала рыться в своей лакированной кожаной сумке на длинном ремне. Наконец она вытащила пачку сигарет, концы которых были конусообразно скручены. Она раскурила одну из них.

— Мне надо встряхнуться, — сказала она, глубоко затянувшись.

Аромат свежего гашиша заполнил салон. Сделав несколько затяжек, она протянула сигарету мне.

— Думаешь, это поможет?

— Может быть, и нет.

Кашмирский гашиш был крепким. Он сразу начал оказывать действие, и я почувствовал, как расслабляются мышцы шеи, плеч и живота. Водитель демонстративно втянул носом воздух и пристроил свое зеркальце так, чтобы лучше видеть то, что происходит у него на заднем сиденье. Я отдал сигарету Карле. Она затянулась еще пару раз и предложила ее водителю.

— *Чарас пита?* — спросила она. — Вы курите чарас?

— *Ха, мунта!* — рассмеялся он, с радостью беря сигарету. — Еще бы! — Выкурив сигарету до половины, он вернул ее нам. — *Ачха-а чарас!* Высший класс! У меня есть американская музыка, диско. Классное американское диско. Вам понравится слушать.

Он вставил кассету в плеер и включил его на полную громкость. Через несколько секунд динамики у нас над головой оглушили нас песней «Следж систерз» «Мы одна семья». Карла радостно загудела. Водитель убрал звук и спросил, нравится ли нам музыка. Карла в ответ опять одобрительно прогудела и дала ему сигарету. Он вернул звук, доведя его до максимума. Мы курили и подпевали, а за окном проносились тысячелетия — от босоногих мальчишек на повозке, запряженной буйволами, до бизнесменов, выбирающих себе новый компьютер.

Подъехав ко Дворцу, водитель затормозил возле открытой чайной напротив и, ткнув в ее сторону большим пальцем, сказал Карле, что будет ждать ее в этом месте. Я достаточно хорошо изучил бомбейских таксистов и понимал, что предложение подождать продиктовано особым отношением водителя к Карле, а не желанием заработать лишнюю рупию. Она ему явно понравилась. Мне уже не в первый раз приходилось наблюдать, как быстро Карле удается околдовать людей. Конечно, она была молода и красива, но покорила водителя она прежде всего своим беглым хинди и тем, как именно она на нем говорила. В Германии таксист тоже был бы приятно удивлен тем, что иностранец говорит на его языке, и, возможно, даже сказал бы об этом. А может быть, и ничего не сказал бы. То же самое могло бы произойти во Франции, в Америке или Австралии. Но на индийца это производит неизгладимое впечатление, и, если ему вдобавок понравится в тебе еще что-то — твои глаза, улыбка или то, как ты реагируешь на подошедшего нищего, — ты сразу станешь для него своим человеком. Он будет готов из кожи вон вылезти, чтобы угодить тебе, пойдет на риск ради тебя, может даже совершить что-нибудь опасное и противозаконное. Если ты дашь ему адрес, не внушающий доверия, вроде этого Дворца, он будет ждать тебя — хотя бы для того, чтобы убедиться, что с тобой ничего не случилось. Ты можешь выйти спустя час и не обратить на него никакого внимания, а он улыбнется и уедет, вполне удовлетворенный. Подобное происходило со мной несколько раз в Бомбее, но никогда — в других городах. Это одна из пяти сотен причин, по которым я люблю индийцев, — если уж ты им понравился, они пойдут за тобой не задумываясь и до конца. Карла уплатила водителю за проезд, добавила чаевые и сказала, чтобы он не ждал нас. Но мы оба знали, что он будет ждать.

Дворец был внушительным трехэтажным сооружением с тремя фасадами. Окна, выходящие на улицу, были забраны узорной чугунной решеткой, выкованной в форме листьев аканта. Здание было старше большинства соседних и реставрировано в первозданном виде, с сохранением всех оригинальных архитектурных и декоративных деталей. На тяжелых каменных архитравах над дверями и окнами красовались высеченные пятиконечные звезды. Подобная тщательная отделка фасадов, некогда широко распространенная в городских постройках, ныне стала практически утерянным искусством. С правой стороны Дворца его огибала галерея; при оформлении углов каменщики превзошли самих себя, огранив каждый второй камень от земли до самой крыши по типу бриллианта. По всей ширине третьего этажа тянулся застекленный балкон, занавешенный бамбуковыми жалюзи. Стены здания были серыми, двери черными. К моему удивлению, дверь сама открылась, когда Карла прикоснулась к ней, и мы вошли.

Мы оказались в длинном прохладном коридоре. Здесь было темнее, чем на улице, мягкий свет исходил от светильников из рифленого стекла в форме лилий. Стены были оклеены обоями — редкий случай в Бомбее с его влажным климатом; на них повторялся цветочный орнамент в духе Уильяма Морриса[1], выполненный в оливково-зеленых и телесно-розовых тонах. Воздух был насыщен запахом цветов и благовоний; по обеим сторонам коридора виднелись закрытые двери, за которыми стояла могильная тишина, словно стены в комнатах были обиты войлоком.

У входа нас встретил высокий худой человек. Он стоял, опустив руки и сцепив их перед собой. Его тонкие темно-каштановые волосы были стянуты назад и заплетены в длинную косу, доходившую ему до бедер. Бледное лицо было безбровым, но зато ресницы были такими густыми, что я подумал, не накладные ли они. От углов рта к заостренному кончику подбородка тянулся узор в виде каких-то завитушек. На нем были черная шелковая курта-паджама и открытые пластиковые сандалии.

— Привет, Раджан, — поздоровалась с ним Карла ледяным тоном.

— *Рам-Рам*[2], мисс Карла, — ответил он традиционным индусским приветствием, которое у него прозвучало как ехидное шипение. — Мадам примет вас сразу же. Поднимайтесь прямо наверх. Вы знаете дорогу. Я принесу прохладительные напитки.

---

[1] *Уильям Моррис* (1834–1896) — английский художник, писатель, общественный деятель, близкий к прерафаэлитам. В художественном творчестве большое внимание уделял декоративно-прикладному искусству, предвосхищавшему стиль модерн.

[2] Привет тебе; да пребудет милость Рамы с тобой *(хинди)*.

Он сделал шаг в сторону и жестом пригласил нас подняться по лестнице, начинавшейся в конце коридора. Пальцы его протянутой руки были испачканы хной. Таких длинных пальцев я не видел больше ни у кого. Проходя мимо него, я заметил, что узоры на его подбородке были вытатуированы.

— У Раджана страшноватый вид, — пробормотал я, когда мы с Карлой удалились на достаточное расстояние.

— Он один из двух камердинеров и телохранителей мадам Жу. Евнух, кастрат. И гораздо страшнее, чем кажется на первый взгляд, — прошептала она, несколько озадачив меня.

Мы поднялись на второй этаж по широкой лестнице с перилами и балясинами из тикового дерева; наши шаги заглушала толстая ковровая дорожка. На стенах висели портреты маслом и фотографии в рамках. У меня возникло ощущение, будто в доме есть и живые люди, прячущиеся, затаив дыхание, за закрытыми дверями, но они не давали о себе знать. Стояла глубокая тишина.

— Тихо как в склепе, — заметил я, когда мы остановились перед одной из дверей.

— Время сиесты, от двух до пяти. Но сейчас даже тише, чем обычно, потому что она ожидает тебя. Ты готов?

— Да, вроде бы. Готов.

— Тогда вперед.

Дважды постучав в дверь, она повернула ручку, и мы вошли в маленькое квадратное помещение. В нем не было ничего, кроме ковра на полу, кремовых кружевных занавесок на окнах и двух больших плоских подушек. Сквозь занавески в комнату проникал рассеянный предвечерний полусвет. Голые стены были выкрашены рыжевато-коричневой краской, в одной из них прямо над плинтусом была вмонтирована металлическая решетка размером примерно метр на метр. Мы опустились на подушки, стоя на коленях перед решеткой, как на исповеди.

— Я недовольна тобой, Карла, — произнес голос, заставивший меня вздрогнуть.

Я вгляделся в решетку, но помещение за нею не было освещено, и рассмотреть что-либо было невозможно. Мадам Жу была невидима в своем укрытии.

— А я не люблю, когда что-то вызывает мое недовольство, — продолжал голос.

— Довольство — это миф! — сердито бросила Карла. — Оно придумано для того, чтобы заставить нас покупать вещи.

Мадам Жу засмеялась. Это был булькающий смех человека с нездоровыми бронхами. Это был смех, который выискивал все смешное и убивал его на месте.

— Ах, Карла, Карла, мне тебя не хватает. Но ты избегаешь моего общества. Я уж и не помню, когда в последний раз видела тебя. Я все-таки думаю, что ты обвиняешь меня в том, что случилось с Ахмедом и Кристиной, хоть ты и уверяешь, что это не так. Могу ли я поверить, что ты не держишь на меня зла, когда ты пренебрегаешь мной так безжалостно? А теперь ты хочешь отобрать у меня мою любимицу.

— Это ее отец хочет взять ее, мадам, — ответила Карла уже более мягким тоном.

— Ну да, ну да, *отец*...

Она произнесла это слово так, будто это было смертельное оскорбление. Ее голос обдирал кожу, как терка. Чтобы приобрести такой голос, надо выкурить очень много сигарет и пыхтеть при этом самым злобным образом.

— Ваш напиток, мисс Карла, — раздался голос Раджана у меня над ухом, и я чуть не подскочил от неожиданности.

Он подкрался сзади абсолютно беззвучно. Раджан поставил поднос на пол между нами, и на секунду я заглянул в мерцающую черноту его глаз. Лицо его было бесстрастным, но в глазах явственно сквозила холодная и беспредельная ненависть. Я был озадачен и загипнотизирован этой ненавистью и испытывал непонятное смущение.

— Это твой американец, — произнесла мадам Жу, вернув меня к действительности.

— Да, мадам. Его зовут Гилберт Паркер. Он работник посольства, но здесь он, разумеется, неофициально.

— Разумеется. Отдайте Раджану вашу визитную карточку, мистер Паркер.

Это был приказ. Я вынул из кармана одну из карточек и вручил ее Раджану. Он взял ее двумя пальцами за края, словно боялся подцепить какую-нибудь заразу, попятился из комнаты и закрыл за собой дверь.

— Мистер Паркер, Карла не сообщила мне по телефону — вы давно в Бомбее? — спросила мадам Жу, перейдя на хинди.

— Не очень давно, мадам Жу.

— Вы говорите на хинди очень неплохо. Примите мои комплименты.

— Хинди прекрасный язык, — ответил я фразой, которую Прабакер в свое время заставил меня выучить наизусть. — Это язык музыки и поэзии.

— А также язык любви и денег, — захихикала она алчно. — Вы влюблены в кого-нибудь, мистер Паркер?

Я заранее пытался угадать, о чем она меня спросит, и продумал ответы, но этого вопроса я не ожидал. И, как назло, в данный момент это был самый щекотливый из всех возможных вопросов. Я взглянул на Карлу, но она опустила взгляд на свои руки, и помощи от нее ждать не приходилось. Трудно было сказать, что именно имела в виду мадам Жу. Она даже не спросила, женат я или холост, состою с кем-нибудь в связи или, может быть, помолвлен.

— Влюблен? — переспросил я, и на хинди это слово прозвучало как какое-то магическое заклинание.

— Да. Я имею в виду романтическую любовь, когда вашему сердцу грезится женское лицо, а душе — ее тело. Любовь, мистер Паркер. Испытываете ли вы такую любовь?

— Да.

Не знаю, почему я так ответил. Вероятно, сказалось ощущение, что я исповедуюсь на коленях перед этой решеткой.

— Это очень печально, дорогой мой мистер Паркер. И влюблены вы, конечно, в Карлу. Именно поэтому она уговорила вас выполнить ее маленькую просьбу.

— Уверяю вас...

— Нет, это *я вас* уверяю, мистер Паркер. Конечно, возможно, что отец Лизы и вправду чахнет по своей дочери и может задействовать кое-какие рычаги. Но я абсолютно уверена, что это Карла уговорила вас ввязаться в это дело. Я знаю мою дорогую Карлу и ее методы. Не стройте иллюзий насчет того, что она тоже полюбит вас и сдержит хоть одно из данных вам обещаний. Ничего, кроме горя, эта любовь вам не принесет. Она никогда не полюбит вас. Я говорю вам это по-дружески, мистер Паркер, в виде маленького одолжения.

— Не хочу показаться грубым, — пробормотал я, сжав зубы, — но мы пришли сюда для того, чтобы поговорить о Лизе Картер.

— Да, конечно. Но если я отпущу свою Лизу с вами, где она будет жить?

— Я... я не знаю этого точно.

— Вы не знаете?

— Нет. Я...

— Она будет жить... — начала Карла.

— Заткнись, Карла! — рявкнула мадам Жу. — Я спрашиваю Паркера.

— Где она будет жить, я не знаю, — ответил я твердо. — Полагаю, она сама решит.

Последовала долгая пауза. Мне становилось все труднее говорить на хинди. Я чувствовал себя крайне неуверенно. Она задала мне три вопроса, и на два из них я не смог дать внятного ответа. Карла, мой гид в этом противоестественном мире, казалось, заблудилась в нем так же, как и я. Мадам Жу грубо прикрикнула на нее, велев заткнуться, и Карла проглотила это со смирением, какого я никогда не видел в ней и даже не подозревал, что такое возможно. Взяв стакан, я отпил из него *нимбу пани*[1]. В охлаж-

---

[1] *Нимбу пани* — сок с минеральной или содовой водой.

денный лаймовый сок было добавлено что-то острое, напоминающее по вкусу красный перец. За решеткой шевельнулась какая-то тень, послышался шепот. Я подумал, не Раджан ли там с нею. Разобрать что-либо было невозможно.

Наконец мадам заговорила:

— Вы можете взять Лизу с собой, мистер Влюбленный Паркер. Но если она решит вернуться сюда, больше я ее уже не отпущу, так и знайте. Если она вернется, то останется здесь навсегда и всякое вмешательство с вашей стороны будет крайне нежелательно. Разумеется, вы можете приходить ко мне в качестве гостя, когда пожелаете, и получить редкое удовольствие. Я буду рада видеть, как вы... *отдыхаете*. Не исключено, что вы вспомните мое приглашение, когда Карла отделается от вас. А пока усвойте: если Лиза вернется, она будет моей. Этот вопрос закрыт раз и навсегда.

— Да-да, я понимаю. Благодарю вас, мадам.

Я чувствовал огромное облегчение. Эта аудиенция измотала меня вконец. Но мы победили. Подругу Карлы отпускали с нами.

Мадам Жу начала что-то быстро говорить уже на другом языке — похоже, на немецком. Он звучал резко и угрожающе, но тогда я совсем не знал немецкого, и, возможно, смысл слов был не таким грубым, как их звучание. Карла время от времени отвечала «ja» или «natürlich nicht»[1], но этим ее участие в разговоре практически исчерпывалось. Стоя на коленях, она покачивалась из стороны в сторону; руки ее были сложены, глаза закрыты. И неожиданно она заплакала. Слезы стекали с ее ресниц одна за другой, как бусинки на четках. Некоторые женщины плачут легко, их слезы напоминают капли благоуханного дождя, случившегося в солнечную погоду, а лицо после этого выглядит чисто вымытым, ясным и чуть ли не сияющим. Другие же плачут трудно и мучительно, теряя при этом всю свою красоту. Карла была одной из таких женщин. Она страдала, лицо ее скривилось от боли.

За решеткой продолжал звучать прокуренный голос, выхаркивающий свистящие и шипящие звуки и скрипящие слова. Карла качалась и рыдала в полном молчании. Она открыла рот, но, не издав ни звука, снова закрыла его. Капелька пота стекла с ее виска по щеке. Еще несколько капель появились на верхней губе и растворились в слезах. Затем внезапно наступила тишина, за решеткой не ощущалось никаких признаков человеческого присутствия. Собрав всю свою волю и сжав зубы с такой силой, что ее челюсти побелели, а все тело задрожало, Карла провела руками по лицу и прекратила плакать.

---

[1] Разумеется, нет *(нем.)*.

Она сидела совершенно неподвижно. Затем она протянула руку и коснулась меня. Рука ее легла на мое бедро и стала мягко и равномерно поглаживать его — так нежно, как будто успокаивала испуганное животное. Она неотрывно глядела мне в глаза, но я не мог понять, то ли она хочет сообщить мне что-то, то ли спрашивает. Она дышала глубоко и быстро, глаза ее в полутемной комнате казались почти черными.

Я был в полной растерянности. Не понимая немецкого, я не имел представления, о чем говорил голос за решеткой. Я хотел бы утешить Карлу, но я не знал, по какой причине она плакала, и к тому же за нами, по всей вероятности, следили. Я встал и помог подняться ей. На один момент она приникла головой к моей груди. Я положил руки ей на плечи, чтобы она успокоилась и обрела твердость духа. В этот момент дверь открылась и вошел Раджан.

— Она готова! — прошипел он.

Карла поправила брюки на коленях, подобрала свою сумочку и прошла мимо меня к дверям.

— Пошли, аудиенция окончена, — сказала она.

Мой взгляд задержался на вмятинах, оставленных ее коленями на парчовой подушке. Я чувствовал себя уставшим, был рассержен и сбит с толку. Повернувшись, я увидел, что Карла и Раджан с нетерпением ждут меня в дверях. Идя вслед за ними по коридору, я чувствовал, как во мне с каждым шагом нарастают гнев и возмущение.

Раджан подвел нас к комнате в самом конце коридора. Дверь была открыта. Комнату украшали большие киноафиши: Лорен Бэколл в сцене из «Иметь и не иметь», Пьер Анджели в фильме «Кто-то там наверху любит меня» и Шон Янг[1] в «Бегущем по лезвию бритвы». На большой кровати в центре комнаты сидела молодая, очень красивая женщина с густыми и длинными белокурыми волосами, которые сворачивались спиралью в пышные локоны. Ее глаза, расставленные необыкновенно широко, были небесно-голубого цвета, кожа — безупречно-розовой, губы были накрашены темно-красной помадой. У ее ног, обутых в золоченые туфельки, лежали наготове чемодан и косметичка.

— Что-то вы, на хрен, очень долго. Я уж прямо извелась тут. — Она говорила низким и звучным голосом с калифорнийским акцентом.

— Гилберту надо было переодеться, — ответила Карла, к которой вернулась ее обычная уверенность. — Ну и на улицах пробки... К чему тебе эти подробности?

— Гилберт? — Ее нос презрительно сморщился.

— Это долго объяснять, — ответил я без улыбки. — Вы готовы?

---

[1] *Лорен Бэколл* (р. 1924), *Пьер Анджели* (1932–1971), *Шон Янг* (р. 1959) — американские киноактрисы.

269

— Я не знаю, — ответила она, глядя на Карлу.

— Вы не знаете?

— А пошел-ка ты знаешь куда, приятель? — взорвалась она, накинувшись на меня с такой яростью, что я не заметил, как она напугана. — И вообще, какое тебе дело до всего этого?

В нас таится особая разновидность гнева, которую мы приберегаем для тех, кто огрызается, когда мы хотим сделать им добро. Именно эта разновидность начала нарастать во мне, и я сжал челюсти, чтобы не выпустить ее наружу.

— Так вы идете или нет?

— Она согласна? — спросила Лиза у Карлы.

Обе женщины посмотрели на Раджана, а затем на зеркало, висевшее на стене. По выражению их лиц я догадался, что мадам Жу подсматривает за нами и подслушивает.

— Да-да. Она сказала, что вы можете идти с нами, — ответил я ей, надеясь, что она не станет критиковать мой несовершенный американский акцент.

— Это правда? Без обмана?

— Без обмана, — сказала Карла.

Девушка быстро встала и схватила свои вещи:

— Чего же тогда мы ждем? Двигаем отсюда, ко всем чертям, пока эта... не передумала.

Когда мы выходили на улицу, Раджан сунул мне в руку большой запечатанный конверт. Он опять посмотрел мне в глаза долгим взглядом, исполненным непонятной злобы, и закрыл за нами дверь. Я догнал Карлу и, взяв за плечи, повернул к себе:

— Что все это значит?

— Что ты имеешь в виду? — спросила она, пытаясь улыбнуться. — У нас получилось. Мы вытащили Лизу оттуда.

— Я не об этом. Я насчет тех игр, в которые играла мадам Жу с тобой и со мной, а также твоих рыданий. Что это значит?

Она взглянула на Лизу, которая стояла в нетерпении, прикрыв глаза рукой от солнца, хотя оно в этот час было не таким уж и ярким, а затем перевела усталый и недоуменный взгляд на меня:

— Неужели так уж необходимо говорить об этом прямо здесь, на улице?

— Никакой необходимости! — ответила Лиза за меня.

— Я не с вами разговариваю! — огрызнулся я, не спуская глаз с Карлы.

— Со мной ты здесь тоже разговаривать не будешь, — твердо заявила она. — Не здесь и не сейчас. Пошли.

— Что это все значит? — не унимался я.

— Ты переволновался, Лин.

— Переволновался?! — чуть ли не заорал я, доказывая, что она права.

Я злился на то, что она так мало рассказала мне и так плохо подготовила к этой встрече. Я был обижен, что она не доверяет мне настолько, чтобы раскрыть всю правду.

— Это смешно! — воскликнул я. — Это поистине смешно!

— Кто этот безмозглый червяк? — спросила Лиза.

— Заткнись, Лиза! — бросила Карла точно так же, как только что мадам Жу ей самой.

И реакция Лизы была такой же, как у Карлы, — она покорно умолкла и замкнулась в себе.

— Я не могу говорить об этом здесь, Лин, — сказала Карла, глядя на меня с невольной досадой и разочарованием.

Редко бывают взгляды, которые колют больнее, чем тот, каким она меня наградила. Прохожие останавливались, открыто глазея на нас и прислушиваясь.

— Слушай, я же вижу, что за всем этим кроется гораздо больше, чем ты мне рассказывала. Что связывает тебя с этой мадам? Откуда она знает о нас с тобой? Предполагалось, что я сотрудник посольства, а она вдруг принялась болтать о том, что я влюблен в тебя. Не понимаю. И кто эти Ахмед и Кристина? Что с ними случилось? Что она имела в виду? То ты держишься независимо и уверенно, то вдруг рассыпаешься на части, когда эта психованная мадам начинает безостановочно молоть что-то на немецком или не знаю каком.

— Это был швейцарский вариант немецкого, — процедила она сквозь зубы, начиная злиться.

— Швейцарский, китайский — какая разница? Я хочу знать, что происходит. Я хочу помочь тебе. Но для этого я должен знать... ну, на чем я стою.

К зевакам присоединились еще несколько человек. Трое парней, обняв друг друга за плечи, таращились на нас с наглым любопытством. В пяти метрах от нас возле своей машины стоял водитель такси, доставивший нас сюда. Он наблюдал за нами, улыбаясь и обмахиваясь носовым платком. Он был гораздо выше ростом, чем я думал; его худая фигура была облачена в белую рубашку и брюки. Карла посмотрела на него через плечо. Водитель промокнул усы своим красным платком, затем обвязал его наподобие шарфа вокруг шеи. Он улыбнулся Карле, сверкнув крепкими белыми зубами.

— Ты стоишь на тротуаре прямо перед Дворцом, — сказала Карла сердито и печально. В данный момент она была сильнее меня, и я почти ненавидел ее за это. — А я сажусь в это такси. А куда я еду — это не твое дело.

Она направилась к автомобилю. Когда они садились, я услышал, как Лиза спросила:

— Где ты откопала этого кретина?

Водитель приветствовал их радостным покачиванием головы. Проезжая мимо меня, они смеялись; до меня долетели слова песни «Автострада любви»[1]. Мое распаленное воображение на миг нарисовало мне картину, на которой вся троица развлекалась в обнаженном виде. Я понимал, что это смешно, но червячок ревности у меня в мозгу не унимался и стал дергать за нить времени и судьбы, связывающую меня с Карлой. Тут я вспомнил, что оставил у Карлы в квартире свою одежду и ботинки.

— Эй! — крикнул я вдогонку удаляющемуся такси. — А моя одежда? Карла!

— Мистер Лин?

Рядом со мной стоял какой-то человек. Лицо его казалось смутно знакомым, но я не мог вспомнить, кто это такой.

— Да. В чем дело?

— Абдель Кадер хочет видеть вас, мистер Лин.

Имя Кадера встряхнуло мою память. Это был Назир, шофер Кадербхая. Неподалеку был припаркован белый автомобиль.

— А откуда вы... Как вы здесь оказались?

— Он просил вас приехать сразу. Я отвезу вас. — Он указал на автомобиль и сделал два шага в его сторону, ожидая, что я последую за ним.

— Вряд ли я смогу, Назир. У меня был тяжелый день. Скажите Кадербхаю, что я...

— Он сказал, чтобы вы приехали сразу, — угрюмо прервал меня Назир.

По его виду можно было подумать, что он намерен в случае чего затащить меня в свой автомобиль силой. Я в тот момент был так сердит и растерян, что и в самом деле готов был вступить с ним в драку. «Может, так оно будет и лучше, — подумал я, — сцеплюсь с ним сейчас и разделаюсь со всем этим раз и навсегда». Но Назир, страдальчески скривившись, проговорил с необычной для него любезностью:

— Кадербхай сказал «приезжайте, пожалуйста». Да, именно так. Он сказал: «Пожалуйста, приезжайте, мистер Лин».

Слово «пожалуйста» звучало в устах Назира фальшиво. Было ясно, что, с его точки зрения, господин Абдель Кадер-хан просто отдает приказания, которые немедленно всеми исполняются. Но ему велели передать это мне как просьбу, а не как команду, и он, очевидно, выучил только что произнесенную английскую фразу наизусть. Я представил себе, как он едет по городу, повторяя про себя фразу и испытывая при этом такое отвращение, словно это отрывок из молитвы, обращенной к чужому богу. Но как бы он ни относился к этим словам, на меня они оказали свое действие, и на его лице выразилось облегчение, когда я улыбнулся, сдаваясь.

---

[1] «Freeway of Love» (1985) — песня соул-певицы Ареты Франклин.

— Хорошо, Назир, — вздохнул я. — Едем к Кадербхаю.

Он начал открывать заднюю дверцу автомобиля, но я предпочел сесть спереди. Как только мы отъехали, он включил радио на полную громкость — возможно, для того, чтобы не разговаривать со мной. Конверт, который мне вручил Раджан, был все еще у меня в руках. Я осмотрел его. Величиной с небольшой журнал, он был изготовлен из дорогой розовой бумаги. Надписан он не был. Я надорвал конверт и вытащил черно-белую фотографию. На ней я увидел полуосвещенную комнату, набитую безделушками и украшениями разных эпох и культур. Посреди этого сознающего свою ценность нагромождения в кресле, напоминающем трон, сидела женщина в необычайно длинном вечернем платье, ниспадающем на пол и полностью скрывающем ее ноги. Одна ее рука покоилась на ручке кресла, другой она не то царственно помахивала кому-то, не то небрежным жестом просила кого-то удалиться. У нее была изысканная прическа; темные волосы завивались локонами с обеих сторон круглого и полноватого лица. Миндалевидные глаза смотрели прямо в камеру с несколько невротическим испугом и возмущением. Рот у нее был крошечный, упрямо надутые губы подтягивали к себе кожу слабого подбородка.

И это красивая женщина? Мне так не казалось. А уж то, что было написано на этом лице, и подавно не могло внушить расположения: высокомерие, злоба, испуг, испорченность, эгоизм. Фотография со всей несомненностью демонстрировала эти черты характера и намекала, что имеются и худшие. Но было и еще кое-что на фотографии, даже более отталкивающее и пугающее, чем неприятное лицо, — надпись, сделанная красными печатными буквами по нижнему краю: ТЕПЕРЬ МАДАМ ЖУ ДОВОЛЬНА.

ГЛАВА

14

— Входите, мистер Лин, входите. Нет, садитесь здесь, пожалуйста. Мы ожидали вас.

Абдель Кадер указал мне на место слева от себя. Я скинул обувь у порога, где уже валялось несколько пар туфель и сандалий, и сел на роскошную, обтянутую парчой подушку. Помещение было просторным — восемь человек, рассевшихся вокруг низкого мраморного стола, заняли лишь один из его углов. Пол был устлан гладкими пятиугольными керамическими плитками кремового цвета. В углу, где мы сидели, его покрывал квадратный исфаханский ковер. Стены и сводчатый потолок, выложенные сине-белой мозаикой, создавали иллюзию неба с облаками. Две открытые арки вели из комнаты в широкие коридоры. Три окна с низкими подоконниками выходили во двор, засаженный пальмами. Окна обрамляли фигурные колонны; сходясь наверху, они образовывали купол, на котором было написано что-то по-арабски. Со двора доносился плеск каскадного фонтана.

Это была великолепная комната, оформленная со строгим вкусом. Помимо мраморного столика и подушек, мебели в ней не было. Единственным украшением служило висевшее в раме изображение Каабы в Мекке. Камень был написан черной краской на фоне фольги. Мужчины, сидевшие или полулежавшие на подушках, чувствовали себя, по-видимому, вполне комфортно в этом скромном интерьере — при желании они могли подобрать себе сколь угодно пышную обстановку, так как представляли всю силу и могущество небольшой криминальной империи.

— Вам удалось освежиться, мистер Лин? — спросил Кадербхай.

По дороге Назир остановил машину возле мечети Набила в Донгри и показал мне большую ванную комнату, оснащенную всем необходимым. Там я смог вымыть руки и лицо — Бомбей в те дни буквально утопал в изобильной грязи. Причиной были не только жара и непрестанная влажность, но и тучи пыли и копоти, которые ветер гонял по городу в течение восьми засушливых месяцев в году и осаждал на все доступные ему поверхности. Когда я вытирал лицо платком после получасовой прогулки, он становился черным.

— Да, благодарю вас. Я чувствовал себя усталым во время поездки, но ваше гостеприимство в сочетании с современными сантехническими удобствами оживили меня, — ответил я на хинди, постаравшись не просто сообщить необходимую информацию, но и сделать это по возможности с юмором.

Мы не сознаем, насколько приятно говорить на родном языке, пока нам не приходится продираться через дебри чужого. Когда Кадербхай заговорил со мной на английском, я вздохнул с большим облегчением.

— Пожалуйста, говорите по-английски, мистер Лин. Я очень рад, что вы осваиваете наши языки, но сегодня мы хотим попрактиковаться в вашем. Все мы в той или иной степени можем говорить, читать и писать по-английски. Что касается меня, то в юности я обучался не только хинди и урду, но и английскому. Порой даже мысли приходят мне в голову сначала на английском, а уже потом на других языках. Мой дорогой друг Абдул, сидящий рядом с вами, называет английский своим первым языком, и все мы, независимо от степени владения английским, рады всякой возможности усовершенствовать свои навыки. Для нас это очень важно. Одна из причин, почему я пригласил вас сегодня, заключается в том, что мы хотели бы насладиться беседой с человеком, для которого английский язык является родным. Мы собираемся здесь каждый месяц и проводим дискуссии на разные темы... Но сначала я должен представить вам своих друзей.

Кадербхай ласково коснулся массивной руки сидевшего справа от него пожилого человека плотного сложения. На нем был надет афганский национальный костюм, состоявший из зеленых панталон и длинной кофты.

— Это Собхан Махмуд, — сказал Кадербхай. — После того как я представлю всех, мы будем обращаться друг к другу просто по имени, поскольку мы все здесь близкие друзья, — хорошо, Лин?

Собхан приветственно покачал мне седой головой, вперив в меня вопрошающий взгляд, в котором сверкала сталь. Возможно, он хотел убедиться, что я понимаю, какую честь мне оказывают, разрешая обращаться к ним по имени.

— Полный улыбающийся человек рядом с ним — это мой старый друг из Пешавара Абдул Гани. За ним сидит Халед Ансари, уроженец Палестины. Его сосед Раджубхай родом из священного города Варанаси. Вы там не были? Нет еще? Вы обязательно должны найти время и посетить этот город.

Раджубхай, лысый коренастый человек с аккуратно подстриженными седыми усиками, улыбнулся мне и сложил руки в молчаливом приветствии. Глаза его выглядывали из-за купола сложенных рук жестко и настороженно.

— Рядом с нашим дорогим Раджу, — продолжал церемонию представления Кадербхай, — расположился Кеки Дорабджи, приехавший в Бомбей с Занзибара двадцать лет назад вместе с другими индийскими парсами, которым пришлось покинуть остров из-за всплеска национализма.

Дорабджи, очень высокий и худой человек лет пятидесяти пяти, обратил на меня свои темные глаза. На его лице застыло выражение глубокой меланхолии, побудившее меня ответить ему ободряющей улыбкой.

— Следующим по кругу идет Фарид. Он самый молодой из нас и единственный махараштриец. Фарид родился в Бомбее, куда его семья переехала из Гуджарата. И наконец, рядом с вами сидит Маджид, который родился в Тегеране, но живет в Бомбее уже больше двадцати лет.

Молодой слуга внес поднос со стаканами и с серебряным кувшином с черным чаем. Он обошел всех по кругу, начав с Кадербхая и закончив мной, затем вышел и тут же вернулся, поставил на стол две чаши с *ладу* и *барфи*[1] и удалился.

---

[1] *Ладу* — печенье с цукатами; *барфи* — лакомство из замороженного молока с сахаром и миндалем или другими наполнителями.

Сразу же после этого в комнату вошли еще три человека, усевшиеся на другом ковре неподалеку от нас. Кхадербхай представил их мне как Эндрю Феррейру из Гоа, Салмана Мустана и Санджая Кумара из Бомбея, однако в дальнейшем они не принимали участия в общем разговоре. По-видимому, это были молодые гангстеры, стоявшие на иерархической лестнице ступенькой ниже остальных и приглашенные в качестве слушателей. Они внимали старейшинам и сосредоточенно наблюдали за ними. Время от времени они поглядывали на меня с одобрительной угрюмостью, хорошо знакомой мне по тюремной жизни. Они решали, можно ли мне доверять, и прикидывали, с чисто академическим интересом, трудно ли меня убить, не имея пистолета в руках.

— Лин, мы обычно выбираем для наших дискуссий какую-нибудь определенную тему, — обратился ко мне Абдул Гани на том четком английском, какой отличает дикторов Би-би-си, — но сначала нам хотелось бы узнать ваше мнение вот об этом.

Наклонившись, он подтолкнул ко мне лежавшую на столе большую листовку, свернутую трубочкой. Я развернул ее и прочитал четыре абзаца текста, набранного крупным жирным шрифтом.

САПНА

Люди Бомбея, слушайте голос своего Короля. Ваша мечта осуществилась, и пришел я, Сапна, Король вашей мечты, Король крови. Ваш час настал, дети мои, и цепи вашего страдания будут сброшены. Я пришел. Я — закон. Моя первая заповедь — откройте глаза. Я хочу, чтобы вы увидели, как вы голодаете, в то время как они выбрасывают недоеденную пищу. Я хочу, чтобы вы увидели, в каком тряпье вы ходите, в то время как они кутаются в шелка. Я хочу, чтобы вы увидели, что живете в сточной канаве, в то время как они — во дворцах из мрамора и золота. Моя вторая заповедь — убейте их всех. Будьте при этом неукротимы и беспощадны. Сделайте это во имя мое. Я Сапна. Я — закон.

Остальное было в таком же духе. В первый момент это заявление показалось мне нелепым, и я хотел уже улыбнуться, но тут увидел устремленные на меня в полном молчании озабоченные взгляды и поспешно преобразовал улыбку в гримасу. Им было явно не до шуток. Не зная, чего именно Гани ждет от меня, и пытаясь выиграть время, я прочитал эту безумную напыщенную прокламацию еще раз и вспомнил, что кто-то написал «Сапна» в Небесной деревне, на двадцать третьем этаже торгового центра, а Прабакер и Джонни рассказывали о том, что именем Сапны были совершены зверские убийства. Все смотрели на меня в мрачном ожидании. Атмосфера становилась угрожающей. Я почувствовал, как волосы у меня на руке встали дыбом, а по позвоночнику проползла гусеница холодного пота.

— Так что же, Лин?

— А?

— Что вы думаете об этом?

В комнате стояла такая тишина, что я услышал, как глотаю комок, застрявший в горле. Они хотели, чтобы я высказал свое мнение, и рассчитывали, что оно будет ценным.

— Даже не знаю, что сказать. Это выглядит так абсурдно, так бессмысленно, что трудно отнестись к этому серьезно.

Маджид хрюкнул и громко прокашлялся. Из-под его насупленных колючих бровей меня сверлили колючие черные глаза.

— Если считать, что взрезать человека от паха до горла, раскидать его органы по всему дому и полить всё его кровью — это серьезно, то надо и отнестись к этому серьезно.

— А Сапна совершил это?

— Его приспешники совершили это, Лин, — ответил Абдул Гани. — И еще по крайней мере шесть убийств за последний месяц. Некоторые из них были еще более отталкивающими.

— Я слышал разговоры об этом Сапне, но полагал, что это выдумки, что-то вроде легенды. Мне не встречалось сообщений об этом в газетах, а я читаю их ежедневно.

— Это дело засекречено, и расследование ведется очень осторожно, — объяснил Кадербхай. — Правительство и полиция попросили газеты сообщить об этих убийствах как о рядовых, не связанных между собой. Но мы знаем, что их совершили сторонники Сапны, потому что его имя было написано кровью на стенах и на полу. И в то время как сами убийства были зверскими, у жертв не было украдено ничего ценного. В данный момент этого Сапны официально как бы не существует. Но это вопрос времени, и скоро все узнают о нем и о том, что творится от его имени.

— И вы... не знаете, кто это?

— Он нас очень интересует, Лин, — ответил Кадербхай. — Что вы думаете об этой прокламации? Она была развешена на многих рынках и жилищах бедняков. И составлена на английском, как видите. На вашем языке.

В этих словах слышался оттенок осуждения, и, хотя я не имел никакого отношения к этому Сапне и практически ничего не знал о нем, я покраснел, как краснеют абсолютно невиновные люди, подозреваемые в преступлении.

— Не знаю... Не вижу, как я могу помочь вам.

— Ну-ну, Лин, — прожурчал Абдул Гани. — У вас ведь должно было сложиться какое-то впечатление от прочитанного, должны были возникнуть какие-то мысли. Не смущайтесь, просто скажите, что вам пришло в голову. Это вас ни к чему не обязывает.

— Ну... — начал я неохотно, — первое, что приходит в голову: этот Сапна — или тот, кто составлял прокламацию, — возможно, христианин.

— Христианин?! — рассмеялся Халед.

Это был человек лет тридцати пяти, с короткими черными волосами и глазами темно-карего цвета. Большой шрам тянулся плавной дугой от его левого уха к углу рта, и вся левая половина лица была парализована. В темных волосах проглядывала преждевременная седина. Лицо выдавало в нем человека умного и чувствительного, но смотреть на него было неприятно — и не столько из-за шрама, сколько из-за гнева и ненависти, запечатленных в его чертах.

— Но христиане, — отсмеявшись, продолжил он, — вроде бы должны любить своих врагов, а не выпускать из них кишки!

— Дай ему договорить, — улыбнулся Кадербхай. — Продолжайте, Лин. Что заставляет вас думать, что Сапна христианин?

— Я не сказал, что считаю Сапну христианином, но тот, кто писал это, использует христианскую фразеологию. Вот, например, в первой части: «Я пришел» и дальше: «Сделайте это во имя мое». Это взято из Библии. И в третьей части: «Я — истина в их мире лжи, я свет во тьме их жадности, мой кровавый путь — ваша свобода» — тут он пересказывает Библию своими словами. Дальше: «Я Путь, я Истина, я Свет» — это можно найти в Библии[1]. А предложение в конце: «Блаженны убийцы, ибо они крадут жизни во имя меня» — это перифраз Нагорной проповеди[2]. Возможно, тут есть и другие параллели с Библией, просто я при первом чтении их не заметил. Но в этой прокламации все извращено. Такое впечатление, что тот, кто ее писал, надергал кусков из Библии и перевернул их с ног на голову.

— Как это — с ног на голову? Объясните, пожалуйста, — попросил Маджид.

— Я хочу сказать, что это не согласуется с идеями, выраженными в Библии. Язык тут библейский, а смысл — противоположный.

Я мог бы развивать эту тему и дальше, но Абдул Гани остановил меня:

— Спасибо, Лин. Вы нам очень помогли. Но хватит уже об этом типе с его безумствами. Я бы с удовольствием не затрагивал эту неприятную тему, но меня попросил об этом Кадер, а его желание для меня — приказ. Пора начинать нашу дискуссию. Давайте перекурим и поговорим о других вещах. Согласно нашему обычаю гость первым раскуривает кальян, так что приступайте, пожалуйста.

---

[1] См. Евангелие от Иоанна: «Я свет миру; кто последует за Мною, тот не будет ходить во тьме, но будет иметь свет жизни» (Ин. 8: 12) или: «Я есмь путь и истина и жизнь...» (Ин. 14: 6).

[2] В частности, в Евангелии от Матфея: «Блаженны нищие духом, ибо их есть Царство Небесное»; «Блаженны плачущие, ибо они утешатся» и др. (Мф. 5: 3–4).

Фарид поднялся и поставил рядом со столом огромный, изысканно украшенный кальян с шестью патрубками. Раздав курительные трубки, он опустился на корточки возле кальяна, держа наготове несколько спичек. Все закрыли свои трубки большим пальцем, и, когда Фарид зажег спички над чашей в форме тюльпана, я раскурил кальян. В нем была смесь гашиша и марихуаны, которую называют *ганга-джамуна* в честь двух священных рек, Ганга и Джамуны. Смесь действовала очень эффективно, а дым поступал под сильным напором, и почти сразу же глаза у меня налились кровью, все стало передо мной расплываться; мне казалось, что лица окружающих смещаются в разные стороны, а движения их замедляются. Карла называла такое состояние «льюис-кэрролловским». «Я так накачалась, — говорила она, — у меня прямо Льюис Кэрролл перед глазами». Из трубки поступало столько дыма, что я невольно проглотил его, и он вышел обратно с отрыжкой. Я перекрыл свою трубку и наблюдал за тем, как по очереди в замедленном темпе затягиваются другие. Лицо у меня было словно из пластилина; на нем сама собой расцвела глуповатая довольная улыбка, и я стал ее прогонять, но тут оказалось, что опять наступила моя очередь.

Все относились к этому занятию чрезвычайно серьезно. Никто не разговаривал, не улыбался и не смеялся. Курильщики сидели, не глядя на других, с бесстрастным скучающим выражением, какое бывает у людей, поднимающихся в лифте на сорок седьмой этаж в компании незнакомцев.

Наконец Фарид убрал кальян в сторону и принялся вычищать чашку, наполненную пеплом.

— А теперь, Лин, — сказал Кадербхай, поощрительно улыбаясь, — вы, как наш гость, должны предложить тему для дискуссии. Это тоже наш обычай. Как правило, мы выбираем какую-нибудь религиозную тему, но это не обязательно. О чем вы хотели бы поговорить?

— П-поговорить? — пробормотал я, пытаясь вытряхнуть из головы застрявший там рисунок ковра у меня под ногами, который мешал мне нормально видеть окружающее.

— Да, Лин. Предложите тему для разговора. Ну, например, жизнь и смерть, любовь и ненависть, преданность и предательство, — объяснил Абдул Гани. Он расслабленно помахивал своей полной рукой, изображая в воздухе соответствующие антонимические пары. — У нас здесь нечто вроде дискуссионного клуба. Мы встречаемся по крайней мере раз в месяц и, покончив с деловыми и личными вопросами, беседуем на всякие философские и тому подобные темы. Так мы развлекаемся. А сегодня у нас в гостях англичанин, и он должен дать нам тему для дискуссии на английском языке.

— Я, вообще-то, не англичанин.

— Не англичанин? А кто же? — потребовал Маджид. Из нахмуренной складки между его бровями на меня таращилось тяжелое подозрение.

Это был хороший вопрос. Согласно фальшивому паспорту, спрятанному в моем рюкзаке в трущобах, я был гражданином Новой Зеландии. На визитных карточках у меня в кармане было написано, что я Гилберт Паркер из Соединенных Штатов Америки. Крестьяне деревни Сундер сделали из меня индийца Шантарама. В трущобах меня звали Линбабой. А у себя на родине я был известен как лицо на фотографии, помещенной под шапкой «Разыскивается». «Но могу ли я теперь считать Австралию моей родиной? — спросил я себя. — И есть ли у меня родина вообще?»

И, задав себе этот вопрос, я понял, что уже знаю ответ. Если родина — это страна, которую мы любим всем сердцем, то моей родиной была Индия. Но для нее я был таким же перемещенным лицом, не имеющим подданства, как и тысячи афганцев, персов и других людей, которые бежали в эту страну и сожгли за собой мосты, одним из тех изгнанников, которые в надежде на будущее закопали свое прошлое в почве собственной жизни.

— Я австралиец, — ответил я, впервые за все время пребывания в Индии признав этот факт.

Мой внутренний голос подсказывал мне, что Кадербхая лучше не обманывать. Но мне самому, как ни странно, это показалось более фальшивым, чем все мои вымышленные имена и национальности.

— Оч-чень интересно, — откликнулся Абдул Гани, приподняв одну бровь и многозначительно кивнув Кадербхаю. — Так какую же тему вы выбрали, Лин?

— Любую тему? — спросил я, пытаясь выиграть время.

— Да, какая вам нравится. На прошлой неделе мы обсуждали тему патриотизма — обязательства человека перед Господом и перед своей страной. Тема весьма интересная. А что вы предложите нам сегодня?

— Ну... в этом листке Сапны мне попалась фраза «наше страдание — наша религия» — что-то вроде этого. И при этом я вспомнил, как несколько дней назад, когда в наши трущобы в очередной раз нагрянула полиция и разрушила много хижин, одна из женщин, наблюдавших за этим, сказала, если не ошибаюсь: «Наш долг — трудиться и страдать». Она сказала это спокойно, без возмущения, словно принимала это как нечто само собой разумеющееся. Но мне такое отношение непонятно, и я не думаю, что когда-нибудь соглашусь с ним. Что, если поговорить об этом? Отчего люди страдают? Почему плохие люди страдают гораздо меньше хороших? Я не имею в виду себя — почти все свои страдания я навлек на себя сам. И один Господь знает, сколько страданий я принес другим. Но все равно со многим тут я не могу смириться — особенно с мучениями людей в трущобах. Так что, может быть, взять в качестве темы страдание?

Я ждал ответа, испытывая неловкость. Мое предложение было встречено молчанием, но наконец я был вознагражден одобрительной улыбкой Кадербхая.

— Это хорошая тема, Лин. Я знал, что вы не обманете наших ожиданий. Маджидбхай, я прошу тебя первым высказаться по этому вопросу.

Маджид прочистил горло, мрачно усмехнулся, почесал большим и указательным пальцем кустистые брови и начал свою речь с уверенным видом человека, привыкшего излагать свои взгляды перед аудиторией:

— Значит, страдание... Я думаю, что страдание — дело нашего выбора. Я думаю, не обязательно испытывать страдание из-за чего бы то ни было, если ты достаточно силен, чтобы преодолеть его. Человек с сильной волей настолько владеет своими чувствами, что почти невозможно заставить его страдать. Когда же мы страдаем — от боли или чего-либо еще, — то это значит, что мы не владеем собой. Так что, на мой взгляд, страдание — это слабость.

— *Ачха-чха*, — проговорил Кадербхай, дважды употребив на хинди слово «хорошо», что примерно соответствует английскому «ну-ну» или «так-так». — Интересная точка зрения, но позволь задать тебе вопрос: откуда человек берет силу?

— Откуда берет силу?.. — пробурчал Маджид. — Ну, я думаю, это всем понятно... Или ты не согласен?

— Да нет, в общем, согласен, но скажи мне, дружище, разве наша сила не рождается отчасти в страдании? Трудности и страдания закаляют нас, не так ли? И я думаю, что человек, который не боролся с трудностями и не страдал по-настоящему, не так силен, как тот, кто много страдал. Так что мы должны страдать, чтобы стать сильными. А если, как ты говоришь, мы должны быть слабыми, чтобы страдать, то получается, что мы должны быть слабыми, чтобы стать сильными. Что скажешь?

— М-да... — ответил Маджид, улыбнувшись. — Возможно, в этом что-то есть и ты отчасти прав, но все равно я считаю, что страдание — это вопрос силы и слабости.

— Я не во всем согласен с нашим братом Маджидом, — вступил в разговор Абдул Гани, — но мне кажется, что человек действительно может обладать силой, позволяющей ему бороться со страданием. Это, по-моему, бесспорно.

— А в чем он черпает эту силу и как борется со страданием? — спросил Кадербхай.

— По-видимому, у разных людей это происходит по-разному, но, возможно, лишь тогда, когда мы взрослеем и становимся зрелыми людьми, преодолев детскую чувствительность. И взрослеть — это отчасти как раз и значит научиться бороться со страданием. Вырастая, мы теряем иллюзии и осознаем, что счастье бывает редко и быстро проходит. Это нас ранит, и чем сильнее, тем больше мы страдаем. Можно сказать, что страдание — это своего рода гнев. Мы возмущаемся несправедливостью судьбы, причиняющей нам боль. И вот это-то возмущение и гнев мы и называем страданием. Отсюда же, кстати, возникает и роковой удел героя.

— Опять этот «роковой удел»! О чем бы мы ни заговорили, ты все сводишь к этому! — сердито проворчал Маджид, не поддаваясь на самодовольную улыбку своего дородного соседа.

— У Абдула есть пунктик, Лин, — объяснил мне Халед, суровый палестинец. — Он полагает, что судьба наградила некоторых людей качествами, например необычайной храбростью, заставляющими их совершать безрассудные поступки. Он называет это роковым уделом героя и считает, что такие люди испытывают потребность вести за собой других на бой и сеют вокруг хаос и смерть. Возможно, Абдул и прав, но он так часто твердит об этом, что уже достал нас всех.

— Оставив в стороне вопрос о роковом уделе, позволь мне задать тебе один вопрос, Абдул, — сказал Кадербхай. — Есть ли, на твой взгляд, разница между страданием, которое мы сами испытываем, и тем, которому мы подвергаем других?

— Конечно, — ответил Абдул. — К чему ты клонишь?

— К тому, что если существует по меньшей мере два разных страдания — одно из них мы испытываем сами, а другому подвергаем окружающих, — то, значит, оба они не могут быть гневом, о котором ты говорил. Разве не так? Так чем же являются эти два вида страдания, по-твоему?

— Ха!.. — воскликнул Абдул Гани. — Кадер, старая лиса, ты опять загнал меня в угол. Ты сразу чуешь, когда я привожу довод только для того, чтобы победить в споре, *на*? И ловишь меня на этом как раз в тот момент, когда я уже поздравляю себя с победой. Но подожди, я обдумаю этот вопрос и приведу тебе какой-нибудь неоспоримый аргумент!

Схватив с блюда кусок сладкого барфи, он кинул его в рот и с довольным видом стал жевать.

— А ты что скажешь по этому поводу, Халед? — ткнул он в сторону соседа толстым пальцем, измазанным в сладости.

— Я знаю, что страдание — вещь вполне реальная, — спокойно ответил Халед, сжав зубы. — И испытывает его только тот, кого бьют кнутом, а не тот, кто этот кнут держит.

— Халед, дорогой мой, — простонал Абдул Гани, — ты на десять с лишним лет моложе меня, и я люблю тебя не меньше, чем любил бы младшего брата, но ты говоришь такие мрачные вещи, что из-за них пропадет все удовольствие, полученное нами от этого замечательного чараса.

— Если бы ты родился и вырос в Палестине, то знал бы, что некоторые люди рождаются для того, чтобы страдать. Они страдают постоянно, страдание не отпускает их ни на секунду. Ты знал бы, откуда происходит настоящее страдание, — оттуда же, откуда происходят любовь, свобода, гордость. И там же эти чувства и идеалы умирают. Страдание никогда не прекращается, мы просто делаем вид, что не страдаем, для того чтобы наши дети не плакали во сне.

Он разгневанно посмотрел на свои руки, словно это были два поверженных заклятых врага, просящие пощады. В комнате воцарилась гнетущая тишина, и все взоры невольно обратились на Кадера. Но он сидел молча, скрестив ноги, выпрямив спину и слегка покачиваясь, словно отмерял необходимое количество уважительной задумчивости. Наконец он кивнул Фариду, призывая его высказаться.

— Я думаю, что наш брат Халед по-своему прав, — тихо и чуть смущенно начал Фарид. Он взглянул большими темно-карими глазами на Кадербхая и, когда тот заинтересованно и поощрительно кивнул, продолжил: — Я думаю, что счастье — тоже реальная, истинная вещь, но мы из-за него становимся неразумными. Счастье — это такая странная и могущественная вещь, что мы из-за него заболеваем, как из-за каких-нибудь микробов. А страдание излечивает нас от этого, от избытка счастья. Как это говорится? «Бхари вазан...»?

Кадербхай напомнил ему эту фразу на хинди и перевел ее на английский язык очень тонко и поэтично: «Бремя счастья может облегчить лишь бальзам страдания». Даже сквозь наркотический туман мне было видно, что он владеет английским гораздо лучше, чем продемонстрировал мне в нашу первую встречу, — очевидно, тогда он предпочел не раскрываться до конца.

— Да-да, именно это я и хотел сказать. Без страдания счастье раздавило бы нас.

— Это очень интересная мысль, Фарид, — заметил Кадербхай, и молодой индиец вспыхнул от этой похвалы.

Я почувствовал легкий укол зависти. Благосклонная улыбка Кадера давала ощущение счастья не менее эффективно, чем одурманивающая смесь в кальяне. Меня охватило непреодолимое желание быть сыном Абделя Кадер-хана, заслужить его благодатную похвалу. В моем сердце была пустота, не занятая отцом, и там начал вырисовываться образ Кадербхая. Высокие скулы и короткая серебристая бородка, чувственные губы и глубоко посаженные янтарные глаза стали для меня идеальным воплощением отца.

Оглядываясь на этот момент в прошлом и вспоминая, как жаждал я любить Кадера, с какой готовностью схватился за возможность служить ему, как верный сын отцу, я задаюсь вопросом, не были ли мои чувства в значительной мере порождены тем фактом, что он обладал столь сильной властью в этом городе — его городе? Нигде я не чувствовал себя в такой безопасности, как в его обществе. Я надеялся, что, погрузившись в реку его жизни, я смою тюремный запах, собью со следа ищеек, гнавшихся за мною. Тысячу раз в течение всех этих лет я спрашивал себя, полюбил бы я его так же быстро и так же преданно, если бы он был беден и беспомощен, или нет?

Сидя под небесным куполом этой комнаты и завидуя Фариду, заслужившему похвалу, я понимал, что, хотя Кадербхай первым заговорил о том, что хочет сделать меня приемным сыном, на самом деле это я сделал его моим приемным отцом. И в течение всей этой дискуссии тихий голос во мне произносил как молитву и заклинание: «Отец мой, отец мой...»

— Ты, похоже, не разделяешь энтузиазма, с каким мы все пользуемся возможностью поговорить на английском языке, дядюшка Собхан? — обратился Кадербхай к суровому седовласому старику, сидевшему справа от него. — Если ты не возражаешь, я скажу за тебя. Я знаю, что ты думаешь: Коран учит нас, что причиной нашего страдания являются наши грехи и проступки, не так ли?

Собхан согласно покивал, поблескивая глазами, угнездившимися под кустиками седых бровей. Казалось, его позабавило, что Кадербхай угадал его позицию по данному вопросу.

— Ты сказал бы, что, живя в соответствии с принципами, которые проповедует священный Коран, добрый мусульманин изгоняет страдание из своей жизни и после смерти его ожидает блаженство на небесах.

— Мы все знаем, что думает дядюшка Собхан, — нетерпеливо прервал его Абдул Гани. — Никто из нас не станет оспаривать твои убеждения, Собханджи, но все же позволь мне заметить, что ты порой заходишь в них слишком далеко, на? Я помню, как ты побил бамбуковой палкой молодого Махмуда за то, что он заплакал, когда умерла его мать. Разумеется, нам не следует противиться воле Аллаха, но проявлять те или иные чувства только естественно, не так ли? Но оставим это; что меня действительно интересует, так это твое мнение, Кадер. Пожалуйста, скажи нам, что ты думаешь о страдании.

Несколько мгновений, пока Кадербхай собирался с мыслями, все молчали в ожидании и даже не шевелились. У каждого из присутствующих имелась своя точка зрения, которую он высказал более или менее красноречиво, но было ясно, что последнее слово всегда остается за Кадербхаем. Я чувствовал, что если собравшимся здесь зададут когда-нибудь вопрос о страдании еще раз, то они ответят в том же ключе, а может быть, и теми же словами, которые произнесет сейчас хозяин. Выражение его лица было бесстрастным, глаза скромно потуплены, но он, несомненно, сознавал, какое благоговение вызывает у других. Я подумал, что это должно льстить его самолюбию, ибо он был далеко не бесчувственным человеком. Когда я узнал его ближе, то убедился, что он всегда живо интересуется мнением других о нем и понимает, какое воздействие оказывает на них его харизма. И к кому бы он ни обращался — кроме Бога, — его речи были продуманным спектаклем. Кадер мечтал ни больше ни меньше как изменить мир. Он никогда ничего не говорил и не делал случайно, импульсивно; все, даже смирение в его голосе в тот момент, было точно рассчитанной деталью общего плана.

— Прежде всего мне хотелось бы сделать общее замечание, а потом уже развить его более подробно. Никто из вас не возражает против этого? Хорошо. Общее замечание заключается в том, что, по моему мнению, страдание — это способ проверить нашу любовь. Всякое страдание — и самое незначительное, и невыносимое — в некотором смысле есть испытание нашей любви. И почти всегда это испытание нашей любви к Богу. Таково мое первое утверждение. Не хочет ли кто-нибудь обсудить его, прежде чем я продолжу?

Я посмотрел на окружающих. Некоторые улыбались, предвидя, что он скажет, другие согласно кивали, третьи сосредоточенно нахмурились. Но обсуждать сказанное никто вроде бы не стремился, все ждали продолжения.

— Хорошо, тогда рассмотрим это более обстоятельно. Священный Коран учит нас, что все вещи в мире, включая даже противоположности, связаны друг с другом. Мне думается, что, говоря о страдании, надо учитывать два момента, связанные с болью и удовольствием. Первый момент: боль и страдание взаимосвязаны, но не являются одним и тем же. Боль можно испытывать, не страдая, а страдание возможно без чувства боли. Вы согласны с этим?

Окинув взглядом внимательные лица, он убедился, что все согласны.

— Разница между ними, как мне представляется, заключается в следующем: все, чему нас учит боль, — например, тот факт, что огонь обжигает и может быть опасен, — всегда индивидуально, принадлежит нам одним, а то, что мы познаем в страдании, объединяет нас со всем человечеством. Если, испытывая боль, мы не страдаем, значит мы не узнаем ничего нового об окружающем мире. Боль без страдания — как победа без борьбы. Она не позволяет нам постичь то, что делает нас сильнее, лучше, ближе к Богу.

Все покивали в знак согласия.

— А как насчет удовольствия? — спросил Абдул Гани и, увидев, что кое-кто слегка усмехается при этом, добавил: — А что такого? Разве у человека не может быть абсолютно здорового, чисто научного интереса к удовольствию?

— Что касается удовольствия, — продолжил Кадер, — то тут, мне кажется, дело обстоит примерно так же, как, по словам Лина, этот Сапна обошелся с Библией. Страдание и счастье абсолютно одинаковы, но прямо противоположны. Одно — зеркальное отражение другого, не имеет смысла и не существует без него.

— Прошу прощения, я не понимаю этого, — робко произнес Фарид, густо покраснев. — Не могли бы вы объяснить это, пожалуйста?

— Возьмем в качестве примера мою руку, — мягко ответил ему Кадербхай. — Я могу вытянуть пальцы и показать тебе ладонь или положить ее тебе на плечо. Назовем это счастьем. Но я могу также сжать пальцы в кулак, и это будет страданием. Два этих жеста различны внешне, неодинаковы по своим возможностям и противоположны по смыслу, но рука в обоих случаях одна и та же. Страдание — это счастье с обратным знаком.

Еще два часа после этого все высказывали свои соображения, обсасывая тему со всех сторон и споря друг с другом. Опять курили гашиш. Дважды подавали чай. Абдул Гани растворил в своем чае таблетку черного опиума и выпил его с привычной гримасой.

Маджид в ходе дискуссии несколько видоизменил свою позицию, согласившись, что страдание не всегда является признаком слабости, но по-прежнему настаивал, что мы силой воли можем закалить себя и бороться с ним. А сила воли, по его словам, приобретается благодаря строгой самодисциплине — своего рода добровольному страданию. Фарид проиллюстрировал на примерах из жизни друзей свое понимание страдания как противоядия избыточному счастью. Старый Собхан прошептал несколько фраз на урду, и Кадербхай перевел сказанное: есть вещи, которые не дано понять простым смертным, их может постичь только Бог, и страдание, возможно, одно из них. Кеки Дорабджи подчеркнул, что во Вселенной, согласно религиозным представлениям парсов, происходит непрерывная борьба противоположностей — света с темнотой, жары с холодом, страдания с удовольствием, и одно не может существовать без другого. Раджубхай добавил, что страдание — это состояние непросвещенной души, замкнутой внутри своей кармы. Палестинец Халед упрямо молчал, несмотря на все старания Абдула Гани разговорить его. Абдул сделал несколько попыток, поддразнивая и подначивая Халеда, но в конце концов плюнул, раздосадованный своей неудачей.

Что касается самого Абдула Гани, то из всей компании он был самым разговорчивым и располагающим к себе. Халед вызывал у меня интерес, но в нем, похоже, накопилось слишком много гнева. Маджид служил раньше в иранской армии. Он был, судя по всему, прямым и храбрым человеком, но чересчур упрощенно смотрел на мир и на людей. Собхан Махмуд был, безусловно, очень набожен и настолько пропитался антисептическим религиозным духом, что ему не хватало гибкости. Фарид был чистосердечен, скромен и великодушен, но я подозревал, что он склонен поддаваться чужому влиянию. Кеки был хмур и необщителен, а Раджубхай относился ко мне с явным подозрением, доходившим почти до грубости. Абдул Гани был единственным, кто проявил чувство юмора и громко смеялся. Он держался одинаково фамильярно как с более молодыми, так и со старшими и развалился на подушках, в то время как остальные сидели более или менее прямо. Он прерывал говорящих и бросал реплики, он больше всех ел, пил и курил. К Кадербхаю он обращался с особой теплотой, но без подчеркнутой почтительности, и было ясно, что они близкие друзья.

Кадербхай комментировал чужие высказывания, задавал вопросы, но к своему тезису больше не возвращался. Я чувствовал усталость и молчал, слушая других и пассивно плывя по течению, довольный тем, что никто не требует, чтобы я тоже излагал свои взгляды.

Завершив дискуссию, Кадербхай проводил меня до дверей, выходивших на улицу рядом с мечетью Набила, и остановил там, взяв за руку. Он сказал, что рад моему визиту и надеется, что мне понравилось. Затем он спросил, не могу ли я навестить его на следующий день, так как он хочет попросить меня об одной услуге. Удивленный и польщенный, я, не раздумывая, согласился и пообещал вернуться утром. Идя по ночному городу, я почти не думал об этом обещании.

Вместо этого я мысленно перебирал идеи, высказанные группой философствующих мафиози. Мне вспомнилась другая дискуссия, похожая на эту, в которой я участвовал в тюрьме. Хотя народ там был по большей части малообразованный — а может быть, как раз поэтому, — они страшно любили рассуждать на отвлеченные темы. Они не называли это философией и даже не знали толком, что это за штука, но предметом обсуждения служили именно философские проблемы морали и этики, смысла и цели.

День у меня выдался длинный, и вечер не короче. В моем брючном кармане была фотография мадам Жу, в голове различные концепции страдания, а на ногах тесные туфли, подаренные Карлой своему любовнику на похороны. Но чаще всего мне приходила в голову австралийская тюрьма, где воры и убийцы, которых я называл друзьями, страстно спорили об истине, любви и добродетели. «Вспоминают ли они меня хоть изредка? — подумал я. — Наверное, я для них как сон наяву, сон о побеге и свободе. Интересно, что они сказали бы по поводу страдания?»

Кадербхай, безусловно, старался произвести на нас впечатление своими хитроумными высказываниями, расширявшими границы здравого смысла, как и художественным совершенством их оформления. Его определения — «страдание — это счастье с обратным знаком» — были острыми и цепкими и впивались в память, как рыболовные крючки. Но истинное понимание страдания, которое испытываешь в жизни пересохшим испуганным ртом, крылось не в умствованиях Кадербхая. Истину высказал палестинец Халед Ансари, и я был с ним согласен. Он лучше всех выразил простыми, безыскусными словами то, что знают все заключенные, да и вообще все люди, прожившие достаточно долго: страдание всегда связано с потерей. В молодости мы думаем, что страдание нам причиняют другие, но с возрастом, когда те или иные стальные двери захлопываются за нами, мы понимаем, что настоящее страдание — сознавать, что ты безвозвратно потерял что-то.

Чувствуя себя маленьким, одиноким и заброшенным, я на ощупь, по памяти пробирался домой темными закоулками нашего поселка. Сделав последний поворот, я увидел около своей хижины человека с фонарем. Оказалось, что это Джозеф, пьяница, избивший жену. Рядом с ним была маленькая девочка с растрепанными, спутанными волосами, а в тени за его спиной я разглядел Прабакера.

— Что случилось? — прошептал я. — Почему вы здесь так поздно?

— Привет, Линбаба. Ты переоделся в очень красивую одежду. — Улыбка Прабакера желтой луной плавала в слабом свете фонаря. — И мне очень нравятся твои туфли — такие чистые и блестящие. Ты пришел как раз вовремя. Джозеф делает доброе дело. Он хочет, чтобы у каждого на его собственной двери был знак удачи. Он перестал быть пьяницей, работает сверхурочно и зарабатывает дополнительные деньги, которые уплатил, чтобы помочь нам всем с удачей.

— С какой удачей?

— Посмотри на эту девочку, на ее руку. — Он взял девочку за запястье и приподнял ее руку, но свет был слабым, и я не понял, что я должен был увидеть. — Смотри, у нее только четыре пальца на руке! Это знак очень большой удачи.

Наконец я увидел. Указательный и средний палец на ее руке срослись в один. Ладонь была синей, а Джозеф держал блюдечко с синей краской. Девочка макала руку в краску и делала отпечаток на дверях хижин, чтобы защитить их обитателей от всяческого зла, которое может навлечь на них дурной глаз. Деформированная рука девочки была, по мнению суеверных жителей трущоб, признаком особого Божеского благоволения. Девочка шлепнула ладошкой по моей хлипкой двери, и Джозеф, одобрительно кивнув, повел ее дальше.

— Я помогаю этому, прежде избивавшему свою жену и пившему слишком много дару, Джозефу, — информировал меня Прабакер свистящим театральным шепотом, который разносился метров на двадцать. — Ты нуждаешься в чем-нибудь от меня, пока я не ушел?

— Нет, спасибо. Спокойной ночи, Прабу.

— *Шуб ратри*, — ответил он. — Спокойной ночи. Посмотри хороший сон обо мне, ладно?

Он хотел уйти, но я остановил его:

— Послушай, Прабу!

— Да, Лин?

— Скажи мне, что такое, по-твоему, страдание? Что это значит, когда люди страдают?

Прабакер оглянулся на Джозефа, удалявшегося по кривой улочке с тлеющим в лампе червячком. Затем он внимательно посмотрел на меня. Хотя он стоял вплотную ко мне, я видел только его глаза и зубы.

— Ты хорошо себя чувствуешь, Лин?

— Да, вполне, — рассмеялся я.

— Ты выпил слишком много дару, как этот пьяница Джозеф раньше?

— Нет-нет. Послушай, ты же всегда все мне объясняешь. Мы сегодня говорили о страдании, и мне интересно, что ты о нем думаешь.

— Но это же легко: страдание — это когда ты голоден, не прав ли я? Голод по чему-нибудь — это страдание. А когда нет голода ни по чему, нет страдания. Это же все знают.

— Да, наверное. Ну, спокойной ночи.

— Спокойной ночи, Лин.

Он пошел, напевая, уверенный, что разбуженные его песней люди не будут на него в претензии. Он знал, что они послушают его одну минуту и опять уснут с улыбкой, потому что он поет о любви.

ГЛАВА

15

— Проснись, Лин! Эй, Линбаба, ты должен быстро-быстро проснуться!

Открыв один глаз, я увидел, что надо мной висит воздушный шарик, на котором нарисовано лицо Джонни Сигара. Я закрыл глаз:

— Чтоб ты провалился, Джонни!

— Я тебя тоже приветствую, — захихикал он, — но тебе надо вставать.

— Ты нехороший человек, Джонни. Злой и нехороший. Уйди.

— У одного парня травма, Лин. Нам нужны твои медицинские средства. И твоя медицинская личность тоже.

— Еще даже не рассвело, — простонал я. — Всего два часа. Скажи ему, чтобы он пришел утром, когда я высплюсь и буду нормальным человеком.

— Хорошо, я скажу ему, и он уйдет, хотя ты должен знать, что кровь у него течет очень быстро. Но если тебе все равно надо продолжать спать, я прогоню его собственным шлепанцем, если он сам не уйдет.

Я уже снова начал погружаться в большой сонный океан, но слово «кровь» заставило меня вынырнуть обратно. Я сел, моргая и чувствуя, что одна нога у меня отнялась. Моя постель, как почти у всех в трущобах, состояла из одеяла, сложенного вдвое и разостланного на утрамбованном земляном полу. Для желающих имелись матрасы, набитые капковой ватой, но никто ими не пользовался, потому что они занимали слишком много места и служили идеальной средой обитания для вшей, блох и прочих паразитов, а крысы их просто обожали. Я уже много месяцев спал на голом полу и вполне привык к этому, но на костях у меня было не слишком много жира и мяса, и по утрам они, как правило, болели.

Джонни держал фонарь у моего лица. Оттолкнув его в сторону, я увидел, что в дверях сидит на корточках еще один человек, вытянув руку перед собой. На руке была большая рана, из которой довольно интенсивно капала кровь в подставленное ведро. Еще не вполне проснувшись, я тупо уставился на желтую пластмассовую посудину. Человек принес ведро с собой, чтобы не испачкать кровью пол в моей хижине, и это почему-то произвело на меня даже большее впечатление, чем сама рана.

— Простите за беспокойство, мистер Лин, — проговорил молодой человек.

— Это Амир, — проворчал Джонни, громко шлепнув молодого человека по затылку. — Он такой глупый парень. Теперь он просит прощения за беспокойство. А о чем он думал раньше? Мне и вправду надо было взять шлепанец и побить его.

— Ну и рана! — Глубокий порез начинался у плеча и заканчивался почти у самого локтя. Большой кусок кожи свисал с одной стороны наподобие лацкана пальто. — Ее надо зашивать. Надо отвести его в больницу, Джонни.

— Больница *найя*![1] — завопил Амир. — *Нэхи*, баба!

Джонни двинул ему по уху:

— Заткнись, болван! Он не хочет в больницу, Лин. Он наглый гунда и боится полиции. Скажи, болван, ты боишься полиции, *на*?

— Джонни, перестань колотить его. Это не поможет. Как это произошло?

— В драке. Его банда дралась с другой бандой. Они дерутся саблями и ножами, эти уличные бандиты, и вот результат.

— Это они начали! — оправдывался Амир. — Они дразнили наших женщин. — (Выражение «дразнить женщин» означало различные виды сексуального домогательства — от оскорбительных реплик до физических действий.) — Мы говорили им, чтобы они прекратили это. Наши дамы не могли ходить свободно. Только поэтому мы с ними и подрались.

Джонни поднял свою боксерскую ладонь, призывая Амира к молчанию, и хотел заодно двинуть ему еще раз, но, видя, что я сердито нахмурился, сдержал себя.

— Ты думаешь, что это позволяет тебе драться саблями и ножами, болван? Твоя мама будет очень рада, если женщин перестанут дразнить, а тебя искромсают на мелкие кусочки, *на*? Она будет просто счастлива! А теперь Линбаба должен чинить и зашивать твою руку. Позорник, вот ты кто!

— Подожди, Джонни. Я не могу зашить ему руку. Рана слишком большая и грязная.

— Но у тебя же есть иголки и нитки в твоем медицинском ящике, Лин.

Он был прав. В аптечке имелись иглы для наложения швов и шелковый кетгут. Но я никогда еще не пользовался ими.

— Я не умею зашивать, Джонни. Тут нужен специалист — доктор или медсестра.

— Я же сказал, Лин. Он не пойдет к доктору. Я уже пробовал заставить его. Один парень из другой банды был ранен еще сильнее, чем этот болван. Может быть, он даже умрет, и этим займется полиция, а она будет задавать всякие вопросы. Поэтому Амир боится идти к доктору или в больницу.

---

[1] *Найя* — не надо *(хинди)*.

— Дайте мне иголку и нитку, я зашью сам, — сказал Амир, судорожно сглотнув.

В его широко раскрытых глазах были страх и решимость. Я только сейчас обратил внимание на то, как он молод: лет шестнадцать-семнадцать, не больше. На нем были спортивные туфли «Пума», джинсы и баскетбольная майка с номером 23 на груди. Все это изготавливалось в Индии по западным образцам и было в моде среди его сверстников, выросших в трущобах. В животе у этих парней было пусто, а в головах — каша из заимствованных чужеземных идеалов: вместо еды они покупали одежду, в которой, как им казалось, они выглядели не хуже уверенных в себе иностранцев с обложек журналов и из кино.

За шесть месяцев, что я прожил в трущобах, я ни разу не встречался с этим мальчишкой, хотя он был одним из многих тысяч, живущих в радиусе пятисот метров от моей хижины. А некоторые, в частности Прабакер и Джонни Сигар, были, казалось, знакомы со всеми, и меня поражало, что они в подробностях знают жизнь всех этих тысяч людей. Но еще более удивительным было то, что они беспокоились и заботились о них. Я подумал, не является ли Амир родственником Джонни. Когда мальчишка предложил зашить рану самостоятельно, Джонни молча кивнул мне, подразумевая: «Да, он такой, он сделает это сам». Амира между тем пробрала дрожь, когда он представил себе, как игла впивается в его плоть, а губы его издали беззвучный стон.

— Ну ладно-ладно, — сдался я. — Я зашью его рану. Но это будет больно — у меня нет обезболивающих средств.

— Больно! — прогремел Джонни радостно. — Больно — это не проблема, Лин. Это хорошо, что тебе будет больно, *чутиа*[1]. Надо, чтобы у тебя в мозгах стало больно, вот что!

Я посадил Амира на свою постель, прикрыв его плечи еще одним одеялом. Достав керосиновую плитку из ящика, я накачал ее, разжег и поставил на нее кастрюлю с водой. Джонни отправился к кому-то из соседей за чаем. Я наскоро вымыл лицо и руки в темноте возле хижины. Когда вода вскипела, я налил немного на тарелку, а в кастрюлю бросил две иглы, чтобы стерилизовать их. Промыв рану теплой мыльной водой и антисептиком, я высушил ее с помощью чистой марли. Затем я туго перебинтовал руку и оставил повязку на десять минут, надеясь, что края немного сойдутся и зашивать будет легче.

Амир по моему настоянию выпил две большие кружки сладкого чая, чтобы предупредить шок, симптомы которого уже начали проявляться. Он был напуган, но спокоен. Он доверял мне. Он не знал, что я делал подобную операцию всего раз в жизни и при обстоятельствах, до смешного похожих на нынешние. Тогда

---

[1] *Чутиа* — неотесанный грубиян, грязный проходимец и т. п. *(хинди)*.

человека ранил ножом в драке его сокамерник. Спор между дерущимися был таким образом разрешен, и вопрос был для них закрыт, но, если бы раненый обратился в тюремный лазарет за помощью, его поместили бы в изолятор в целях защиты. Для некоторых заключенных — растлителей малолетних, стукачей — это было порой единственное место, где они могли уцелеть. Другие, которых отправляли в изолятор против их воли, рассматривали это как Божье наказание. Их могли заподозрить в тех же грехах, да и очутиться в компании этих презренных подонков им не улыбалось. Поэтому раненый обратился ко мне. Я зашил его рану нитками для вышивания с помощью кожевенной иглы. Рана зажила, но остался уродливый неровный шов. И теперь, помня о том случае, я чувствовал себя неуверенно. Робкая доверчивая улыбка Амира не облегчала мою задачу. «Люди всегда приносят нам вред своим доверием, — сказала мне как-то Карла. — Больше всего ты навредишь человеку, которому симпатизируешь, в том случае, если полностью доверишься ему».

Я выпил чая, выкурил сигарету и приступил к работе. Джонни стоял в дверях, безуспешно пытаясь отогнать нескольких любопытствующих соседей с детьми. Игла была изогнутой и очень тонкой. Очевидно, ее надо было держать каким-то пинцетом, но у меня под рукой такового не было — я одолжил свой соседям для починки швейной машинки. Пришлось заталкивать иглу в кожу и вытаскивать ее пальцами. Это было неудобно, игла скользила, и первые несколько стежков получились у меня довольно неаккуратными. Амир морщился и очень изобретательно гримасничал, но молчал. После пятого или шестого стежка я приноровился, и работа пошла более споро, хотя Амиру от этого легче не стало.

Человеческая кожа более упруга и прочна, чем кажется. Сшивать ее нетрудно, она не рвется, когда протягиваешь нить. Но игла, какой бы тонкой и острой она ни была, остается чужеродным человеку предметом, и если вы не привыкли к такой работе, то каждый раз, всаживая иглу в человеческое тело, испытываете психологический дискомфорт. Несмотря на ночную прохладу, я вспотел. По мере того как работа продвигалась, Амир все больше приободрялся, во мне же нарастали напряжение и усталость.

— Надо было настоять, чтобы он пошел в больницу! — не выдержал я. — Это не работа, а смех!

— Ты очень хорошо зашиваешь его, Лин, — возразил Джонни. — Ты мог бы сшить замечательную рубашку.

— Совсем не так хорошо, как надо. У него останется большой шрам. Не знаю, какого черта я взялся за это.

— У тебя, наверно, проблемы с туалетом, Лин?

— Что-что?

— Ты плохо ходишь в туалет? У тебя трудное опорожнение?

— Господи помилуй, Джонни, что ты несешь?!.

— У тебя плохое настроение, Лин. Обычно оно совсем не такое. Может быть, проблема с трудным опорожнением, я думаю?

— Нет! — простонал я.

— А-а, тогда, наверно, с чересчур частым опорожнением?

— В прошлом месяце у него три дня было очень частое опорожнение, — вступила в разговор одна из соседок в дверях. — Муж говорил, что Линбаба ходил опорожняться три или четыре раза каждый день, а потом еще три или четыре раза ночью.

— Да-да! — подхватил другой сосед. — Я помню. Он такую боль при этом испытывал и такие рожи строил, *йаар*! Можно было подумать, что он ребенка рожает. И это было очень жидкое опорожнение, громкое и быстрое — все равно как пушка выстреливает в День независимости. Бабах! Вот как! Я порекомендовал ему пить *чанду* и опорожнение стало густым, и цвет получился хороший.

— Это хорошая мысль, — одобрил Джонни. — Пойдите приготовьте чай чанду, чтобы у Линбабы улучшилось опорожнение.

— Не надо мне никакого чая! — взорвался я. — У меня нет проблем с опорожнением! Я вообще не успел еще произвести какое-либо опорожнение. Я просто до смерти хочу спать. Оставьте меня в покое, ради всего святого! Ну вот. Я закончил. С рукой, надеюсь, все будет в порядке, Амир. Но тебе надо сделать укол против столбняка.

— Не надо, Линбаба. Я уже делал укол три месяца назад, после последней драки.

Я промыл рану еще раз и засыпал ее обеззараживающим порошком. Наложив поверх всех двадцати шести стежков свободную повязку, я велел Амиру не мочить ее и прийти ко мне через день на проверку. Он попытался всунуть мне деньги, но я не взял их. Никто в трущобах не платил мне за лечение. Но тут я отказался не только из принципа, но и потому, что испытывал совершенно необъяснимую злость — на Амира, на Джонни, на самого себя. Я приказал Амиру убираться на все четыре стороны, и он, прикоснувшись к моей ступне, задом выбрался из хижины, получив на прощание еще один подзатыльник от Джонни.

Не успел я убрать хижину после операции, как ворвался Прабакер и, схватив меня за рубашку, стал куда-то тащить.

— Как хорошо, что ты не спишь, Линбаба! — воскликнул он, с трудом переводя дыхание. — Мы не потратим время на то, чтобы разбудить тебя. Пошли скорее!

— Куда еще, черт побери?! Оставь меня, Прабу, мне надо что-то сделать с этим беспорядком.

— Некогда делать беспорядок, баба. Пошли скорее, пожалуйста, и никаких проблем.

— Еще какие проблемы! Я никуда не пойду, пока ты не объяснишь мне, в чем дело. Это мое последнее слово.

— Ты абсолютно обязательно должен пойти, Лин! — настаивал он, продолжая тянуть меня за рубашку. — Твой друг попал в тюрьму! Ты должен ему помочь.

Выскочив из хижины, мы по узким, утопающим в темноте трущобным закоулкам выбрались на транспортную магистраль. Возле отеля «Президент» мы поймали такси и помчались по пустынным и молчаливым улицам мимо колонии парсов, причала Сассуна и Колабского рынка. Прабакер остановил такси около полицейского управления Колабы, прямо напротив «Леопольда». Ресторан в этот час был, естественно, закрыт, металлические ставни спускались до самой земли. Он казался неестественно тихим, как будто, затаившись, обделывал какие-то темные делишки.

Мы с Прабакером прошли через ворота во двор полицейского участка. Сердце мое билось учащенно, но внешне я был спокоен. Все здешние копы говорили на маратхи — это было непременное условие приема на работу, — и я понимал, что мое знание языка будет для них приятным сюрпризом и оградит меня от лишних вопросов — если у них нет особых причин подозревать меня. Тем не менее я вступил на вражескую территорию и мысленно заталкивал тяжелый сундук с запертым в нем страхом в самый дальний угол своего чердака.

У подножия длинной металлической лестницы Прабакер тихо объяснил что-то *хавалдару*, полицейскому констеблю. Тот кивнул и отошел в сторону. Прабакер кивнул мне, и мы поднялись на площадку второго этажа, где уперлись в тяжелую железную дверь с окошком, забранным решеткой. За ней появилось лицо полицейского, которое повело большими карими глазами влево и вправо, после чего дверь открылась. Мы вошли в помещение, служившее своего рода приемной, в которой стояли письменный стол, металлический стул и бамбуковая кушетка. Открывший нам полицейский был в эту ночь дежурным по участку. Перекинувшись парой слов с Прабакером, он грозно уставился на меня. Это был высокий человек, с выпирающим брюшком и свирепо ощетинившимися усами, тронутыми сединой. За его спиной был дверной проем, перекрытый висевшей на петлях решеткой. Из-за решетки на нас с крайним любопытством взирали с десяток арестованных. Стражник, повернувшись к ним спиной, протянул руку.

— Он хочет, чтобы ты... — начал Прабакер.

— Знаю, — прервал я его, залезая в карман джинсов. — Чтобы я дал бакшиш. Сколько?

— Пятьдесят рупий, — сказал Прабакер, широко улыбаясь полицейскому.

Зацапав бумажку, коп подошел к решетке. Мы последовали за ним. С другой стороны решетки, несмотря на поздний час, уже собралась толпа. Люди оживленно переговаривались, пока полицейский не заставил их замолчать, пронзая одного за другим своим грозным взглядом. Затем он подозвал меня. Толпа за решеткой расступилась, и передо мной появились две фантастические фигуры. Это были синекожие дрессировщики медведя Кано, которых Абдулла присылал вместе с ним к нам в трущобы. Схватившись за прутья решетки, они стали так быстро и возбужденно тараторить, что я успевал улавливать не больше одного слова из четырех или пяти.

— В чем дело, Прабакер? — спросил я, тщетно пытаясь что-нибудь понять.

Когда он сказал мне, что мой друг попал в тюрьму, я решил, что речь идет об Абдулле, и теперь искал его глазами позади толпы арестантов.

— Вот же твои друзья, Лин, — сказал Прабакер. — Ты разве не помнишь? Они приводили Кано, чтобы ты мог с ним обняться.

— Разумеется, я помню их. Ты притащил меня сюда, чтобы я повидался с ними?

Прабакер поморгал, затем посмотрел на лица дрессировщиков и полицейского.

— Да, Лин, — ответил он спокойно. — Эти люди хотели поговорить с тобой. Ты... ты хочешь сейчас уйти?

— Да нет, я просто... Не имеет значения. Но что им нужно от меня? Я не могу разобрать, что они говорят.

Прабакер попросил их объяснить, чего они хотят, и они стали громко и взволнованно рассказывать свою историю, вцепившись в решетку, как будто это был спасательный плот в открытом море.

Прабакер велел им успокоиться и говорить медленнее, а сам стал переводить мне их слова:

— Они говорят, что остановились около Нейви-Нагара и встретили там других дрессировщиков еще с одним медведем, очень худым и печальным. Они говорят, что эти дрессировщики обращаются со своим медведем без всякого уважения, они бьют его хлыстом, и медведь плачет, потому что ему больно.

Дрессировщики опять разразились длинной взволнованной тирадой. Прабакер кивал, слушая их, и открыл рот, приготовившись переводить. Толпа любопытных арестантов возрастала. За решеткой начинался коридор, с одной стороны которого располагались зарешеченные окна, с другой — помещения для заключенных, откуда они в данный момент и высыпали. У решетки скопилось не меньше сотни человек, завороженно слушавших рассказ дрессировщиков.

— Эти дрессировщики били своего медведя очень сильно, — переводил Прабакер, — и не переставали бить его, даже когда он плакал. А ведь знаешь, это был медведь-девочка!

В толпе у решетки при этом сообщении послышались возгласы, исполненные гнева и сочувствия медведю.

— Тогда наши дрессировщики стали очень расстроенные из-за этих других дрессировщиков, которые били медведя. Они пошли к ним и сказали, что не надо бить никаких медведей. Но те дрессировщики были очень плохими и сердитыми. Было много крика, толкания и нехороших обзывательств. Те дрессировщики обозвали наших разгнездяями. Наши обозвали тех раздолбаями. Плохие дрессировщики обозвали наших размандяями. Наши обозвали их долбогрёбами. Те обзывали наших и растакими и рассякими, а наши тоже говорили тем много разных ругательств...

— Ясно, Прабакер, давай ближе к делу.

— Хорошо, Лин, — сказал он, внимательно слушая дрессировщиков.

В переводе наступила длительная пауза.

— Ну так что же они говорят? — не выдержал я.

— Продолжают называть разные ругательства и обзывательства, — ответил Прабакер, беспомощно пожав плечами. — И знаешь, там есть среди них очень замечательные. Перевести их тебе?

— Не надо.

— Ладно, — сказал он наконец. — В конце кто-то позвал полицию, и после этого началась большая драка.

Он опять замолчал, слушая, как развивались события дальше. Посмотрев на охранника, я увидел, что он внимает этой саге с не меньшим интересом, чем остальные. При этом он жевал пан, и колючки его усов прыгали вверх и вниз, подчеркивая особо примечательные моменты. Внезапно арестанты взорвались восторженным ревом в связи с тем оборотом, какой приняли события; охранник вторил им с таким же восторгом.

— Сначала в этой большой драке побеждали плохие дрессировщики. Это была настоящая битва, Лин, совсем как в «Махабхарате». У тех нехороших парней были друзья, которые тоже сражались кулаками, ногами и шлепанцами. И тут медведь Кано очень огорчился. Как раз перед тем, как пришла полиция, он тоже стал драться, чтобы помочь своим дрессирующим его друзьям. И драка очень быстро кончилась. Он покидал тех парней налево и направо. Кано очень хороший бойцовый медведь. Он побил этих плохих дрессировщиков и всех их друзей и дал им большую взбучку.

— И тут этих синих парней арестовали, — закончил я за него.

— Печально говорить, но так, Лин. Их арестовали и обвинили в разрушении покоя.

— Ясно. Давай поговорим с копом.

Мы втроем отошли к голому металлическому столу. Люди за решеткой напрягали слух, пытаясь разобрать, о чем мы говорим.

— Как будет на хинди «поручительство», Прабу? Выясни у него, не могут ли они освободить этих парней под поручительство.

Когда Прабакер спросил дежурного об этом, тот покачал головой и сказал, что это исключено.

— Тогда, может быть, мы заплатим штраф? — спросил я на маратхи; под «штрафом» повсеместно подразумевалась взятка полицейскому.

Дежурный улыбнулся, но опять покачал головой. Во время драки пострадал полицейский, объяснил он, и от него ничего не зависит.

Бессильно пожав плечами, я сказал дрессировщикам, что не могу освободить их ни под поручительство, ни за взятку. В ответ они затараторили на хинди так быстро и неразборчиво, что я совсем ничего не понял.

— Нет, Лин! — расплылся в улыбке Прабакер. — Они не беспокоятся о себе. Они беспокоятся о Кано! Он тоже арестован, и они очень тревожатся об их медведе. Они хотят, чтобы ты позаботился о нем.

— Медведь тоже арестован? — спросил я полицейского на маратхи.

— Джи, ха! — ответил он, гордо встопорщив усы. — Да, сэр! Медведь находится под стражей на первом этаже.

Я посмотрел на Прабакера, он пожал плечами.

— Может быть, нам посмотреть на медведя? — предположил он.

— Я думаю, мы обязаны посмотреть на медведя! — ответил я.

Мы спустились на первый этаж, где нас провели к другим камерам, находившимся под теми, где содержались арестованные. Здешний охранник отпер нам одну из дверей, и мы увидели Кано, сидевшего в темной и пустой камере. В одном из углов в полу была проделана дыра, служившая туалетом. Медведь был в наморднике; его шею и лапы обмотали цепями, тянувшимися к оконной решетке. Он сидел, привалившись спиной к стене и вытянув перед собой задние лапы. Выражение у него было растерянное и очень печальное — вряд ли можно было как-либо иначе описать то, что было написано у него на морде. Он издал протяжный душераздирающий вздох.

Обернувшись к стоявшему позади меня Прабакеру, чтобы задать ему вопрос, я увидел, что лицо его скривилось и он плачет. Не успел я и рта раскрыть, как он направился к медведю, оттолкнув охранника, пытавшегося ему помешать. Подойдя к Кано с распростертыми объятиями, он прижался к нему, положив голову ему на плечо, и стал ласково гладить его косматую шерсть, что-то утешительно приговаривая. Я обменялся взглядом с охранником. Тот вытаращил глаза и ошеломленно покачивал головой. Прабакер явно произвел на него впечатление.

— Я первый сделал это, — неожиданно для себя самого похвастался я на маратхи. — Несколько недель назад. Я первый обнимался с медведем.

Охранник презрительно скривил губы:

— Ну да, рассказывайте!

— Прабакер! — позвал я своего друга. — Кончай обниматься, надо что-нибудь сделать с этим.

Он оторвался от медведя и подошел ко мне, утирая слезы ладонью. Вид у него был настолько несчастный, что я обнял его за плечи, чтобы утешить.

— Лин, это ничего, что я пропах медведями?

— Это нормально, — успокоил я его. — Давай попробуем что-нибудь предпринять.

Мы еще минут десять беседовали с разными полицейскими, но в итоге так и не смогли уговорить их выпустить медведя и его хозяев. Поднявшись на второй этаж, мы сообщили об этом дрессировщикам. Они опять стали оживленно болтать с Прабакером.

— Они знают, что мы не можем помочь им освободиться, — пояснил мне Прабакер. — Они хотят быть в той камере, где сидит Кано. Они боятся, что ему одиноко. Он с самого детства не провел ни одной ночи в одиночестве. Они беспокоятся, что ему будет страшно. Он будет плохо спать и увидит плохие сны. И он будет плакать, потому что он один. И еще ему стыдно сидеть в тюрьме, потому что он очень примерный гражданин. Они только хотят, чтобы их посадили вместе с Кано, и они составили бы ему хорошую компанию.

Один из дрессировщиков обеспокоенно смотрел мне в глаза, пока Прабакер объяснял мне все это. Он был явно в смятении, на лице его было страдальческое выражение. Он все время твердил одну и ту же фразу, полагая, что при частом повторении она станет мне понятнее. Неожиданно Прабакер опять разразился слезами. Он рыдал как ребенок, вцепившись в решетку.

— В чем дело? Что он говорит, Прабу?

— Он говорит: «Человек должен любить своего медведя», Лин. Да, именно это он говорит. Человек должен любить своего медведя.

На этот раз переговоры с полицейскими прошли более успешно, поскольку они могли выполнить нашу просьбу, не нарушая данных им указаний. Прабакер развернулся во всю силу своего актерского таланта, с подкупающей страстностью то возмущаясь, то умоляя их. Наконец мы договорились с усатым охранником о бакшише в две сотни рупий, что приблизительно соответствовало двенадцати долларам, и он выпустил дрессировщиков из-за решетки. Мы все гуськом спустились на первый этаж, и здешний охранник отпер камеру с медведем. Услышав голоса своих хозяев, Кано вскочил на задние лапы, но цепи потянули его вниз, и он плюхнулся на все четыре, радостно мотая головой из стороны в сторону и скребя лапой пол. Когда дрессировщики подбежали к нему, он стал совать нос им под мышки и в их длинные волосы и с наслаждением вдыхать знакомый запах, сопя и урча от радости. Синие дрессировщики, со своей стороны, обнимали и гладили его, затем попытались ослабить обматывавшие его цепи. За этим занятием мы их и оставили. Стальная дверь камеры захлопнулась, отозвавшись гулким эхом среди каменных стен и дрожью в моем позвоночнике.

— Это замечательное дело ты сделал сегодня, Линбаба, — изливался Прабакер. — Человек должен любить своего медведя — вот что сказали эти дрессирующие парни, а ты помог им в этом. Это твой очень-очень благородный поступок.

Наше такси по-прежнему стояло на Козуэй. Мы разбудили водителя, и Прабакер уселся рядом со мной на заднем сиденье, очень довольный, что может прокатиться в качестве пассажира, а не вести машину, как обычно. Такси тронулось с места, и я заметил, что Прабакер пристально смотрит на меня. Я отвернулся. Спустя какое-то время, взглянув на него, я увидел, что он по-прежнему не сводит с меня глаз. Он помотал головой, прижал руку к сердцу, и на лице его расцвела объемлющая весь мир улыбка.

— Ну что? — спросил я раздраженно, хотя внутренне улыбался, потому что устоять против его улыбки было невозможно.

— Человек... — начал он благоговейно.

— Ох, хватит уже, Прабу!

— ...должен любить своего медведя, — закончил он, бия себя в грудь и мотая головой.

— Господи, спаси нас и помилуй! — простонал я и отвернулся опять, наблюдая за тем, как улица за окном неуклюже потягивается и стряхивает с себя сон.

Войдя в трущобы, мы расстались. Прабакер сказал, что ему пора завтракать, и отправился в чайную Кумара. Он пребывал в радостном возбуждении. Наше приключение с Кано подарило ему новую захватывающую историю, в которой он сам играл важную роль, и он хотел поделиться ею с Парвати, одной из двух хорошеньких дочерей Кумара. Он не говорил со мной о Парвати, но однажды я видел, как он разговаривает с ней, и понял, что он влюбился. Ухаживание, с точки зрения Прабакера, заключалось в том, чтобы приносить любимой девушке не цветы и конфеты, а истории о своих похождениях в большом мире, где он сражался с чудовищными несправедливостями и с демонами соблазна. Он сообщал ей о сенсационных происшествиях, пересказывал сплетни и выдавал секреты. Он раскрывал перед ней свое храброе сердце и изливал свое проказливое и вместе с тем благоговейное отношение к миру, которое порождало его смех и его всеобъемлющую улыбку. Направляясь к чайной, он мотал головой и разводил руками, репетируя церемонию подношения подарка.

Я пошел к себе по трущобным закоулкам, пробуждавшимся в предрассветном сумраке и бормочущим что-то со сна. Фигуры, завернутые в цветные шали, возникали в полутьме и исчезали за углом. Тут и там клубились облачка дыма, и аромат поджаривавшихся лепешек и завариваемого чая смешивался с запахами смазанных кокосовым маслом волос, сандалового мыла и пропитанного камфарным маслом белья. Сонные лица улыбались мне, люди приветствовали меня на шести разных языках и благословляли от имени шести разных богов. Я вошел в свою хижину и любовно воззрился на ее уютную невзрачность. Возвращаться домой всегда приятно.

Я прибрал в хижине и присоединился к процессии мужчин, направлявшихся на бетонный мол. Вернувшись, я обнаружил, что соседи принесли два ведра горячей воды, чтобы я мог принять ванну. У меня редко хватало терпения заняться нудной и длительной процедурой последовательного нагревания нескольких кастрюль воды на керосиновой плитке, и я предпочитал мыться холодной водой, что было не так роскошно, но зато просто. Зная это, соседи иногда нагревали воду для меня. Это была не пустячная услуга. Вода была одной из самых больших ценностей в трущобах; ее приходилось носить из общей цистерны, находившейся на территории легального поселка, метрах в трехстах от колючей проволоки. Кран открывали всего два раза в день, и около него выстраивалась очередь в сотни людей, так что каждое ведро доставалось с боем. Принесенную воду надо было нагревать в небольших кастрюльках на керосиновой плитке, затрачивая совсем не дешевое топливо. Делая это для меня, люди не ожидали взамен ничего, даже слова «спасибо». Возможно, эту горячую воду принесли родные Амира в благодарность за зашитую мной руку. А может быть, ее доставил кто-то из моих ближайших соседей или из тех шестерых, что столпились вокруг моей лачуги, наблюдая, как я принимаю ванну. Мне еженедельно оказывали те или иные скромные анонимные услуги.

Подобная бескорыстная помощь в немалой мере служила основой существования трущоб; обыденная и порой незначительная, она способствовала их выживанию. Когда соседские дети плакали, мы успокаивали их, как своих собственных; мы поправляли покосившуюся доску на крыше, проходя мимо, или затягивали ослабший узел веревки, которая скрепляла строение. Мы помогали друг другу, не ожидая, когда об этом попросят, как будто были членами одного племени или большой семьи, живущей во дворце из нескольких тысяч комнат-лачуг.

Казим Али Хусейн пригласил меня позавтракать с ним. Мы пили сладкий чай с гвоздикой и ели роти с топленым маслом и сахаром, свернутые наподобие вафель. Прокаженные Ранджита привезли накануне очередную партию медикаментов, а поскольку я весь день отсутствовал, они оставили их у Казима Али. Мы вместе разобрали доставленное. Казим не знал английского и просил меня объяснить ему назначение различных капсул, таблеток и мазей. С нами сидел один из его сыновей, Айюб, который на крошечных листочках бумаги писал на урду название и назначение каждого лекарства, а затем прикреплял листочки скотчем к соответствующему пузырьку или коробочке. Я тогда еще не знал о решении Казима Али сделать Айюба моим помощником: мальчик должен был изучить как можно лучше лекарства и способы их употребления, чтобы заменить меня, когда я покину трущобы, — а это, как был уверен Казим Али, рано или поздно произойдет.

Было уже одиннадцать, когда я добрался до дома Карлы около Колабского рынка. На мой стук никто не открыл, и соседи сказали мне, что Карла ушла час назад, а когда вернется — неизвестно. Я был раздосадован. Мне хотелось поскорее снять принадлежащий ей парадный костюм, в котором я чувствовал себя неуютно, и влезть в свои старые джинсы. Я не преувеличивал, говоря ей, что у меня только две футболки и рубашка, одна пара джинсов и ботинок. В данный момент у меня в хижине висели только две набедренные повязки — я надевал их, когда спал, мылся или стирал джинсы. Я мог бы купить одежду в нашем «Ателье мод» — футболка, джинсы и спортивные туфли обошлись бы мне там максимум в пять долларов, — но я хотел свою одежду, к которой привык. Я нацарапал жалобу на листке бумаги и оставил ее Карле, а сам отправился на встречу с Кадербхаем.

Особняк на Мохаммед-Али-роуд казался пустым. Все шесть створок парадных дверей были раскрыты, открывая взгляду просторный мраморный вестибюль. Тысячи людей проходили мимо ежечасно, но дом был слишком хорошо известен, и они старались не проявлять откровенного любопытства ни к нему, ни к молодому человеку, стучавшему по одной из зеленых створок, чтобы сообщить о своем приходе. На стук вышел хмурый Назир и с оттенком враждебности в голосе велел мне сменить мою обувь на домашние шлепанцы. После этого он повел меня по длинному коридору с высоким потолком в направлении, противоположном тому, в каком я шел накануне на философский диспут. Миновав несколько закрытых дверей и сделав два поворота, мы вышли во внутренний дворик.

В середине его сквозь большое овальное отверстие было видно голубое небо. Дворик был вымощен крупными квадратными плитами махараштрийского мрамора и окружен колоннадой. В нем был разбит сад с пятью высокими стройными пальмами, цветущими кустарниками и другими растениями, а также с фонтаном, чей плеск было слышно вчера из помещения, где мы философствовали. Это было круглое мраморное сооружение в метр высотой и около четырех метров в диаметре, в центре его возвышалась большая необработанная каменная глыба. Вода била, казалось, из самой сердцевины камня. Поднимаясь на небольшую высоту, струи изгибались, воспроизводя форму лилии, и, мягко опадая на гладкую поверхность камня, стекали в бассейн. Рядом с фонтаном в роскошном плетеном кресле читал книгу Кадербхай. При моем появлении он отложил ее на стеклянную крышку небольшого столика.

— *Салям алейкум*, мистер Лин, — улыбнулся он. — Мир вам.

— *Ва алейкум салям. Ап кайсе хайн?* — ответил я. — И вам мир. Как себя чувствуете, господин?

— Спасибо, хорошо. Под полуденным солнцем по городу бегают разве что бешеные собаки и англичане, я же предпочитаю прохладу своего скромного садика.

— Не такого уж и скромного, Кадербхай.

— Вы считаете, что он слишком нескромный?

— Нет-нет, — возразил я поспешно, потому что именно так и думал; я невольно вспомнил, что это ему принадлежат наши трущобы, где двадцать пять тысяч человек толкутся на голой пыльной земле, лишенной после восьмимесячной засухи даже намека на зелень, а скудные запасы воды хранятся почти все время под замком. — Это самое красивое место в Бомбее из всех, что я видел. Находясь на улице, трудно представить, что здесь такая красота.

Он молча разглядывал меня несколько секунд, словно оценивая ширину и глубину моего вранья, затем указал мне на маленький табурет — единственное имевшееся здесь сиденье, помимо его кресла.

— Садитесь, пожалуйста, мистер Лин. Вы завтракали?

— Да, благодарю вас.

— Позвольте предложить вам хотя бы чая. Назир! *Идхар-ао!*[1] — крикнул он, вспугнув пару голубей, клевавших крошки у его ног.

---

[1] Иди сюда! *(хинди)*

Птицы устремились к вошедшему Назиру. Они, похоже, не боялись его и даже узнавали; следуя за ним, как прирученные зверята, они снова опустились на пол.

— *Чай боно*[1], Назир! — скомандовал Кадербхай.

Он обращался к водителю повелительно, но не грубо, и я догадывался, что только такой тон устраивал Назира и признавался им. Суровый афганец молча удалился, голуби устремились вслед за ним прямо в дом.

— Кадербхай, я хочу сказать одну вещь, прежде чем мы... будем говорить о чем-либо еще, — произнес я спокойно. — О Сапне.

При этих словах он резко поднял голову:

— Я слушаю.

— Сегодня ночью я много думал об этом и о том, как вы вчера попросили меня... помочь вам, и у меня в связи с этим возникает небольшое затруднение.

Он улыбнулся и насмешливо приподнял одну бровь, но ничего не сказал, так что мне оставалось только продолжить:

— Возможно, я не очень хорошо изъясняюсь, но я испытываю некоторую неловкость. Что бы этот тип ни натворил, я не хочу оказаться... ну, кем-то вроде копа. Я не считаю для себя возможным сотрудничать с полицией, даже косвенно. У нас дома помогать полиции означает доносить на ближнего. Я, конечно, прошу прощения. Я понимаю, что этот Сапна убивает людей. Если вы собираетесь остановить его, то я готов помочь как могу. Но вам, а не копам. С ними я не хочу иметь ничего общего. Если же вы выступите против этой банды, кто бы они ни были, действуя независимо от полиции, то я буду рад участвовать в этом, можете на меня рассчитывать.

— Это все, что вы хотели сказать?

— Да... пожалуй.

— Очень хорошо, мистер Лин. — Он изучал меня с каменным лицом, но в глазах его плясали не вполне понятные мне веселые искорки. — Думаю, что могу успокоить вас на этот счет. Я довольно часто оказываю полицейским, так сказать, финансовую помощь, но никогда не сотрудничаю с ними. Что же касается Сапны, то этот вопрос для меня сугубо личный, и если вы узнаете что-либо об этой одиозной фигуре, то прошу вас не сообщать об этом никому, кроме меня, — ни тем господам, с которыми вы встречались здесь вчера, ни кому-либо другому. Договорились?

— Да, конечно.

— Больше вы ничего не хотите добавить?

— Да нет...

— Замечательно. Тогда к делу. У меня сегодня очень мало времени, так что перейду прямо к сути. Услуга, о которой я хочу

---

[1] Подай чай *(хинди)*.

304

вас попросить, заключается в том, чтобы научить одного маленького мальчика, по имени Тарик, английскому языку. Я не говорю, конечно, о владении языком в совершенстве, просто хочется, чтобы он повысил свои знания и обладал некоторыми преимуществами, когда будет поступать в какое-либо учебное заведение.

— Я буду рад помочь, — ответил я удивленно, но не обескураженно. Я чувствовал, что способен обучить мальчика основам языка, на котором писал каждый день. — Не знаю только, насколько хорошим учителем я буду. Наверняка нашлось бы немало более компетентных преподавателей, но я с удовольствием попробую свои силы в этом. Вы хотите, чтобы я приходил сюда учить его?

Он посмотрел на меня с благожелательной, чуть ли не ласковой снисходительностью:

— Разумеется, он будет жить у вас. Я хочу, чтобы он непрерывно был в контакте с вами в течение десяти-двенадцати недель, чтобы он жил у вас, ел с вами, спал в вашем доме и сопровождал вас повсюду. Я хочу, чтобы он не просто заучил английские фразы, а усвоил английский образ мыслей, постоянно находясь в вашем обществе.

— Но... но я ведь не англичанин, — пробормотал я ошарашенно.

— Это не важно. В вас достаточно много английского. Вы иностранец, и я хочу, чтобы он понял, как живет иностранец.

Голова моя шла кругом, мысли прыгали и порхали, как голуби, которых он спугнул своим голосом. Я искал предлога, чтобы отказаться. То, чего он хотел, было немыслимо.

— Но вы же знаете, что я живу в трущобах, в совершенно неподходящих условиях. Хижина у меня очень маленькая, в ней практически ничего нет. Он там будет очень стеснен. Там грязно, вокруг полно народу... И где он будет спать?

— Я имею представление о ваших жизненных условиях, мистер Лин! — ответил он довольно резко. — Я хочу именно этого — чтобы он увидел, как живут в трущобах. Скажите честно, разве вам не кажется, что мальчик усвоит очень хороший урок, живя в джхопадпатти? Разве не будет ему полезно пообщаться с самыми бедными людьми в городе?

Разумеется, в этом я был с ним согласен. На мой взгляд, любому ребенку, и прежде всего из богатой семьи, было бы очень полезно познать жизнь в трущобах.

— Да, вы, конечно, правы. Я думаю, очень важно увидеть собственными глазами, как люди живут там. Но понимаете, для меня это очень большая ответственность. Я не так уж хорошо слежу за собой и не уверен, что смогу как следует присматривать за мальчиком.

Назир принес чай и приготовленный им чиллум.

— Вот и наш чай. Давайте сначала покурим, если не возражаете.

Мы закурили чиллум. Назир, присев на корточки, курил вместе с нами. Когда Кадербхай запыхтел глиняной трубкой, Назир выдал мне целую серию кивков, ужимок и подмигиваний, которые, по-видимому, означали: «Смотри, как курит хозяин, как он великолепен, какой он большой человек, — мы с тобой никогда такими не станем, и нам очень повезло, что мы присутствуем здесь».

Назир был на голову ниже меня, но, по-видимому, на несколько килограммов тяжелее. Шея у него была поистине бычья, и казалось, что его мощные плечи поднимаются до самых ушей. Могучие руки распирали рукава свободной рубашки и по толщине почти не уступали бедрам. На широком, вечно нахмуренном лице отчетливо проглядывали три изогнутые линии, похожие на сержантские лычки. Первая из них состояла из бровей, сходившихся на переносице, и спускавшейся между ними до уровня глаз своенравной угрюмой складки. Вторая начиналась в углублениях у крыльев носа и охватывала дугой всю нижнюю челюсть. Третья, безнадежная и упрямая, была образована ртом, напоминавшим перевернутую подкову, знак невезения, прибитый судьбой у порога его жизни.

Через его смуглый лоб тянулась темно-красная борозда большого шрама. Темные глаза метались в глубоких впадинах, словно ища спасения. Уши выглядели так, будто их основательно пожевал какой-то зверь. Но самым примечательным был его нос, инструмент чрезвычайно большой и свисавший так величественно, словно имел какое-то более высокое предназначение, нежели вдыхание воздуха и запахов. В тот первый период нашего знакомства внешность Назира представлялась мне уродливой — не столько из-за каких-то неправильностей в лице, сколько из-за его мрачного выражения. Мне казалось, я никогда не видел физиономии, столь категорически отвергавшей даже намек на улыбку.

Мне уже в третий раз передали чиллум. Дым был горячим, с неприятным привкусом. Затянувшись, я сказал, что табак закончился. Назир выхватил чиллум у меня из рук и стал настойчиво пыхтеть им, выпустив облачко грязно-коричневого дыма. Затем он постучал черенком по ладони, вытряхнув на нее остатки белого пепла, и демонстративно сдул его на пол около моих ног. После этого он угрожающе прокашлялся и покинул нас.

— Похоже, я не очень-то нравлюсь Назиру, — заметил я.

Кадербхай неожиданно расхохотался — звонко, по-юношески. Это был подкупающий смех и настолько заразительный, что мне тоже захотелось рассмеяться, хоть я и не видел особых причин для этого.

— А вам нравится Назир? — спросил он.

— Да нет, в общем-то, — ответил я, и мы оба засмеялись еще веселее.

— Вы не хотите учить Тарика английскому, потому что боитесь ответственности, — сказал Кадербхай, отсмеявшись.

— Ну... не совсем так. Хотя нет, именно так. Дело в том... — я умоляюще посмотрел в его золотистые глаза, — дело в том, что я боюсь не справиться. Это действительно слишком большая ответственность. Я не смогу.

Он улыбнулся и коснулся моей руки:

— Я понимаю. Вы беспокоитесь. Это естественно. Вы боитесь, что с Тариком может что-нибудь случиться. И еще вы боитесь потерять свою свободу, возможность ходить куда хотите и делать что хотите. Это тоже естественно.

— Да, — пробормотал я с облегчением.

Он понимал, что я чувствую, видел, что я не смогу выполнить его просьбу, и не хотел настаивать. Сидя рядом с ним на низком табурете и глядя на него снизу вверх, я испытывал некоторую скованность. И одновременно меня охватило исключительно теплое чувство к нему, порожденное, казалось, именно нашим неравенством. Это была любовь вассала к своему господину, одно из самых сильных и загадочных человеческих чувств.

— Хорошо. Мое решение будет таким, Лин. Вы возьмете Тарика с собой на два дня. Если через сорок восемь часов вы решите, что не в состоянии жить с ним, то приведете его обратно, и я больше не буду поднимать этот вопрос. Но я уверен, что мой племянник не доставит вам хлопот. Он очень хороший мальчик.

— Ваш... племянник?

— Да, четвертый сын моей младшей сестры Фаришты. Ему одиннадцать лет. Он немножко знает английский и свободно говорит на хинди, пушту, урду и маратхи. Он низковат для своего возраста, но здоров и крепок.

— Но ваш племянник... — начал я, но Кадербхай прервал меня:

— Если вы решите, что сможете выполнить мою просьбу, то мой друг Казим Али Хусейн, которого вы хорошо знаете, окажет вам всяческую помощь. Он распорядится, чтобы несколько семейств в джхопадпатти, включая его собственную, взяли часть забот о мальчике на себя и предоставили ему в случае необходимости место, где он мог бы спать, помимо вашей хижины. Помощников у вас будет достаточно. Я хочу, чтобы Тарик познакомился с тяжелой жизнью бедняков, но больше всего хочу, чтобы у него был учитель-англичанин. Для меня это значит очень много. В детстве я...

Он замолчал, глядя на каменную глыбу в фонтане. В глазах его мелькали отблески жидкости, струящейся по камню. Затем в них появилось сумрачное выражение, как тень от тучи, наплывающая на пологие холмы в солнечный день.

— Итак, сорок восемь часов, — вздохнул он, возвращаясь к действительности. — Если вы после этого приведете мальчика обратно, мое мнение о вас не изменится к худшему. А сейчас вам пора познакомиться с ним.

Кадербхай указал рукой на аркаду за моей спиной, и, обернувшись, я увидел, что мальчик уже стоит там. Он и вправду был очень низеньким. Кадербхай сказал, что ему одиннадцать лет, но на вид ему можно было дать не больше восьми. На нем были чистая выглаженная курта-паджама и кожаные сандалии, в руках он держал миткалевый узелок. Он глядел на меня с таким несчастным и недоверчивым выражением, что, казалось, вот-вот расплачется. Кадербхай подозвал мальчика, и он приблизился, обойдя меня по дуге и встав с другой стороны дядиного кресла. Чем ближе он подходил, тем несчастнее был у него вид. Кадербхай сказал ему что-то быстро и строго на урду, указывая на меня рукой. Тарик подошел ко мне и протянул руку.

— Здравствуйте очень хорошо, — произнес он, сделав большие глаза, в которых были страх и отчаяние.

Его маленькая ручка утонула в моей ладони. Нет ничего, что ощущалось бы более уместным в твоей руке, придавало бы столько уверенности и пробуждало бы такое сильное инстинктивное желание оказать покровительство и защитить, как рука ребенка.

— Здравствуй, Тарик, — ответил я, невольно улыбнувшись.

В глазах его мелькнула было улыбка, полная надежды, но сомнение тут же притушило ее. Он посмотрел на своего дядю жалобно и совершенно безнадежно, так широко растянув сжатые губы, что даже крылья его носа побелели.

Кадербхай ответил ему твердым ободряющим взглядом, затем встал и опять окликнул Назира.

— Прошу простить меня, мистер Лин. Меня зовут срочные дела. Итак, жду вас через два дня, если вы будете неудовлетворены, *на*? Назир проводит вас.

Он повернулся, не поглядев на мальчика, и удалился под арку. Тарик и я смотрели ему вслед, и оба чувствовали себя покинутыми и преданными. Назир проводил нас до дверей. Пока я переобувался, он встал на колени перед мальчиком и прижал его к груди с удивительной и порывистой нежностью. Тарик прильнул к Назиру, схватившись за его волосы, и тому пришлось с некоторым усилием оторвать ребенка от себя. Когда мы выходили на улицу, Назир кинул на меня красноречивый взгляд, в котором читалось недвусмысленное предупреждение: «Если что-нибудь случится с мальчиком, ты ответишь за это», — и отвернулся.

Минуту спустя мы уже были на улице возле мечети Набила, растерянно держась за руки, подавленные силой личности, толкнувшей нас друг к другу против нашей воли. Тарику ничего не оставалось, как повиноваться, но в моей неспособности возразить Кадербхаю проявилось несомненное малодушие. Я сознавал, что капитулировал слишком легко. Недовольство собой быстро переросло в фарисейство. «Как мог он так поступить с ребенком? — спрашивал я себя. — Отдать собственного племянника чужому человеку! Неужели он не видел, как не хочет этого мальчик? Это бессердечное пренебрежение правами и чувствами ребенка. Только тот, для кого все остальные — игрушки в его руках, мог отдать ребенка человеку вроде меня».

Негодуя на свое слабоволие — «Почему я позволил ему принудить меня к этому?» — и кипя от эгоистической злобы, я тащил Тарика за собой, быстро шагая по запруженной народом улице. В тот момент, когда мы проходили мимо мечети, муэдзин стал созывать с минарета народ на молитву:

> *Аллах ху акбар, Аллах ху акбар,*
> *Аллах ху акбар, Аллах ху акбар,*
> *Аш-хаду ан-ла ила ха-илалла,*
> *Аш-хаду ан-ла ила ха-илалла.*
> (Бог велик, Бог велик,
> Я свидетельствую, что нет Бога, кроме Бога...)

Тарик повис на мне, вынудив остановиться, и указал на мечеть и на башню, с которой раздавался усиленный динамиками призыв муэдзина. Я покачал головой и сказал, что у нас нет времени. Но он уперся обеими ногами и потянул меня ко входу. Я объяснил ему на хинди, а затем и на маратхи, что я не мусульманин и не желаю посещать мечеть. Однако он так исступленно продолжал тянуть меня, что от напряжения вены выступили у него на висках. В конце концов он вырвался от меня и, взбежав по ступенькам, сбросил у входа сандалии и исчез в дверях прежде, чем я успел его остановить.

Я в расстройстве колебался перед большой аркой входа. Я знал, что не только представители других конфессий, но и неверующие имеют право заходить в мечеть — либо для того, чтобы помолиться или предаться размышлениям, либо просто полюбоваться архитектурой и убранством. Но знал я и то, что мусульмане считают себя притесняемым меньшинством в городе, где преобладает индуистская вера. Жестокие схватки между приверженцами различных религий случались довольно часто. Прабакер рассказывал мне, что однажды стычка между воинственными индусами и мусульманами произошла как раз около этой мечети.

Я не знал, что делать. Наверняка в мечети были другие выходы, и если мальчик захочет убежать от меня, то я вряд ли смогу этому помешать. Сердце мое билось от страха, что придется вернуться к Кадербхаю и признаться ему, что я потерял его племянника, не отойдя от его дома и ста метров.

Я уже решил войти в мечеть и поискать мальчика, но тут увидел его. Тарик пересекал справа налево огромный, богато украшенный изразцами вестибюль. Его голова, руки и ноги были мокрыми, — по-видимому, он поспешно умылся. Пройдя чуть дальше, я увидел, что он встал на колени позади группы мужчин и тоже начал молиться.

Выйдя на улицу, я сел на какую-то тележку и закурил. К моему облегчению, Тарик появился через несколько минут, схватил свои сандалии и подошел ко мне. Стоя рядом, он поднял глаза к моему лицу, наполовину нахмурившись, наполовину улыбаясь, как умеют только дети, когда они счастливы и напуганы одновременно.

— *Зухр! Зухр!*[1] — произнес он, давая понять, что это был час полдневной молитвы. Голос его при этом был удивительно твердым для ребенка. — Я благодарил Бога. А ты благодаришь Бога, Линбаба?

Опустившись на одно колено, я крепко схватил его за руки. Тарик поморщился, но я продолжал держать его. Я был сердит и понимал, что выражение лица у меня ожесточенное, если не жестокое.

— Никогда больше не делай этого! — рявкнул я на хинди. — Не смей убегать от меня!

Он нахмурился, глядя на меня испуганно, но не покорно. Затем его лицо напряглось, на нем появилась маска, с помощью которой мы пытаемся удержать слезы. Глаза его наполнились слезами, одна из них скатилась по щеке. Я поднялся и отошел от него на шаг. Несколько мужчин и женщин остановились поблизости, наблюдая за нами — пока без особой тревоги. Я протянул мальчику руку. Он неохотно взял ее, и мы направились к ближайшей стоянке такси.

Оглянувшись через плечо, я увидел, что люди смотрят нам вслед. Во мне бурлила гремучая смесь эмоций, главной из которых была злость, в основном на самого себя. Я остановился, Тарик остановился тоже. Я сделал несколько вдохов, чтобы успокоиться. Мальчик стоял, наклонив голову набок и внимательно глядя на меня.

— Я сожалею, что рассердился на тебя, Тарик, — сказал я спокойно. — Этого не повторится. Но прошу тебя, пожалуйста, не убегай от меня больше. Я очень испугался и встревожился.

---

[1] Придите, собирайтесь! (*урду*)

Мальчик расплылся в улыбке — впервые с тех пор, как мы встретились. Я поразился тому, насколько она похожа на сияющий лунный диск Прабакера.

— Господи, спаси меня и помилуй! — взмолился я всем своим естеством. — Только не это. Одного Прабакера мне вполне хватит.

— Да! Замечательное о'кей! — согласился Тарик, тряся меня за руку с энтузиазмом спортсмена на тренажере. — Господи, спаси тебя и меня, всегда-всегда!

ГЛАВА

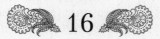

16

— Когда она вернется?

— Откуда я знаю? Может, и скоро. Она просила подождать.

— Хм... подождать. Поздно уже, малышу спать пора.

— Твое дело, приятель. Мне без разницы. Она просила — я передала.

Я посмотрел на Тарика. Он не выглядел усталым, но я знал, что скоро его сморит сон. Я решил, что ему не мешает отдохнуть, прежде чем мы двинемся к нам в трущобы. Скинув туфли, мы вошли в дом Карлы и закрыли дверь за собой. В большом старомодном холодильнике я нашел бутылку воды. Выпив воды, Тарик опустился на груду подушек и стал перелистывать журнал «Индия тудей».

Лиза сидела в спальне Карлы на постели, подтянув колени к подбородку. Кроме красной шелковой пижамной куртки, на ней ничего не было. Виднелся хвостик белокурых лобковых волос, и я оглянулся, чтобы убедиться, что мальчик не может заглянуть в комнату. В руках она сжимала бутылку виски «Джек Дэниелс». Ее длинные вьющиеся волосы были небрежно собраны в пучок, съехавший на сторону. Она глядела на меня оценивающе, сощурив один глаз и напоминая стрелка, примеривающегося к мишени.

— А где ты раздобыл этого малыша?

Я оседлал стул, положив руки на его прямую спинку.

— Он достался мне как бы в наследство. Я его взял в виде одолжения.

— Одолжения? — Она произнесла это слово так, будто это было название какой-то заразной болезни.

— Ну да. Мой друг попросил меня обучить его английскому.

— А почему же он сидит тут, а не учит английский дома?

— Я должен держать его при себе, чтобы он в это время обучался разговорному языку.

— Держать при себе? Все время? Куда бы ты ни пошел?

— Да, так мы договорились. Но я надеюсь, что через пару дней отправлю его обратно. Сам не знаю, почему я согласился взять его с собой.

Она громко расхохоталась. Из-за того что она пребывала в таком состоянии, смех звучал неестественно и грубо, но сам по себе он был полнозвучным, с богатыми модуляциями и в других условиях, вероятно, производил бы приятное впечатление. Она глотнула виски из горлышка, запрокинув голову и обнажив одну округлую грудь.

— Я не люблю детей, — изрекла она гордым тоном, каким могла бы объявить о том, что получила какую-нибудь почетную премию.

Затем сделала еще один большой глоток. Бутылка была наполовину пуста. Я понял, что скоро ее напыщенная связная речь сменится невнятным бормотанием, потерей ориентации и соображения.

— Слушай, я пришел только за моей одеждой, — проговорил я, осматривая комнату в поисках своих вещей. — Я возьму ее и вернусь повидать Карлу как-нибудь в другой раз.

— У меня предложение к тебе, Гилберт.

— Меня зовут Лин, — поправил я ее, хотя это имя было такое же вымышленное.

— У меня предложение, Лин. Я скажу тебе, где твоя одежда, если ты согласишься переодеться прямо здесь, у меня на глазах.

Отношения между нами не сложились с самого начала, и теперь мы смотрели друг на друга с колючей враждебностью, которая иной раз ничуть не хуже, а то и лучше взаимной симпатии.

— Ну предположим, ты выдержишь это зрелище, — протянул я, невольно усмехнувшись. — Мне-то что за радость в этом?

Она опять расхохоталась, на этот раз более искренне и естественно:

— Нет, а ты ничего, Лин. Ты не принесешь мне воды? Чем больше я глотаю этого пойла, тем больше пить хочется.

По дороге в кухню я проверил, что делает Тарик. Мальчик уснул, откинув голову на подушки и открыв рот. Одна рука была сложена под подбородком, в другой он все еще держал журнал. Я взял у него журнал и накрыл мальчика легкой вязаной шалью, висевшей на стенном крючке. Тарик спал довольно крепко и не пошевелился. В кухне я взял бутылку воды из холодильника, нашел два стакана и вернулся в спальню.

— Малыш уснул, — сказал я, отдав ей стакан. — Пусть отдохнет. Если он сам не проснется, я разбужу его чуть позже.

— Садись. — Она похлопала по постели рядом с собой.

Я сел и налил себе воды. Она смотрела, как я пью, поверх своего стакана.

— Хорошая вода, — сказала она после непродолжительного молчания. — Ты заметил, что здесь хорошая вода? По-настоящему хорошая. Я хочу сказать, ожидаешь, что это будет какое-нибудь дерьмо, поскольку здесь Бомбей, Индия и так далее, а на деле она гораздо лучше, чем лошадиная моча с химическим привкусом, что льется из крана у нас дома.

— А где у нас дом?

— Какая, на хрен, разница? — Увидев, что я досадливо поморщился, она добавила: — Не лезь в бутылку. Я ничего не строю из себя. Я серьезно говорю — какая разница? Я никогда туда больше не поеду, а ты тем более.

— Да уж наверное.

— Черт, ну и жарища! Терпеть не могу это время года, перед самым сезоном дождей. Такая погода сводит меня с ума. Тебя не сводит? Мне уже четвертый раз приходится переносить ее здесь. Прожив тут какое-то время, начинаешь отсчитывать годы по этим сезонам. Дидье здесь уже девятый сезон дождей. Можешь представить? Девять поганых сезонов. А ты?

— У меня второй, и я жду его с нетерпением. Обожаю дождь, хоть он и превращает наши трущобы в болото.

— Карла сказала мне, что ты живешь в трущобах. Не знаю, как ты это выносишь, — вонь, толчея, все живут друг у друга на голове. Меня никакими коврижками не заманишь в такое место.

— Это не так плохо, как кажется, — как и все остальное в этой жизни.

Она склонила голову на плечо и посмотрела на меня с непонятным выражением. Глаза ее сверкали чуть ли не призывно, а губы презрительно кривились.

— Ты все-таки забавный парень, Лин. Так откуда у тебя этот мальчишка?

— Я уже сказал тебе.

— Хороший малыш?

— Ты же вроде бы не любишь детей.

— Да, не люблю. Они такие... невинные. А на самом деле нет. Они точно знают, что им надо, и не успокоятся, пока не получат этого. Отвратительно. Все самые мерзкие люди, которых я знаю, — точь-в-точь большие дети. Меня от них трясет и живот сводит.

Возможно, от детей ее желудок и сводило, но прокисшее виски, похоже, не оказывало на него вредного воздействия. Опять запрокинув бутылку, она отпила из нее не меньше четверти медленными глотками. «Доза получена, — подумал я, — это ее доконает». Она вытерла губы ладонью и улыбнулась, но улыбка получилась кривой, а ее большие ярко-голубые глаза с зеленоватым оттенком безуспешно пытались сфокусироваться. Она теряла над собой контроль, и маска озлобленности и раздражения начала спадать, открывая удивительно беззащитное молодое лицо. Нижняя челюсть, выдвинутая вперед с боязливой агрессивностью, вернулась в нормальное положение, придав лицу мягкое и дружелюбное выражение. Щеки ее были круглыми и румяными, кончик носа с плавными очертаниями слегка вздернут. Она была двадцатичетырехлетней женщиной с лицом молодой девушки, без угрюмых складок и прочих неприглядных следов, какие оставляют многочисленные компромиссы и нелегкие решения. Учитывая все, что рассказала о ней Карла, и то, откуда мы ее вытащили, можно было не сомневаться, что жизнь обошлась с ней круче, чем со многими, но это никак не отразилось на ее внешности.

Она предложила мне бутылку, я взял ее и глотнул из горлышка. Я задержал бутылку у себя и, когда Лиза отвернулась, поставил ее на пол подальше от нее. Она раскурила сигарету и стала возиться с пучком на голове, высвобождая волосы, пока длинные локоны не упали ей на плечо. Когда она подняла руку, пола пижамной куртки откинулась, обнажив бледную поросль в подмышечной впадине.

Никаких наркотиков в комнате не было видно, но ее зрачки размером с булавочную головку говорили о том, что она приняла героин или что-то еще. Смесь виски с наркотиком начала действовать, и она стала быстро отключаться, привалившись в неловкой позе к спинке кровати и с шумом дыша полуоткрытым ртом. С отвисшей нижней губы стекла тонкая струйка слюны, перемешанной с виски.

И несмотря на это, она была красива. Я подумал, что она, очевидно, будет красива всегда — даже в те моменты, когда будет уродлива. У нее было большое миловидное пустое лицо чирлидерши с футбольного матча, какое рекламщики неизменно используют для того, чтобы продать что-нибудь никудышное и никому не нужное.

— Почему ты ничего не расскажешь мне об этом малыше? Какой он?

— По-моему, он религиозный фанатик, — сказал я ей доверительно, оглянувшись с улыбкой на спящего мальчика. — Он трижды останавливал меня сегодня, чтобы произнести свои молитвы. Не знаю уж, много ли пользы от этого его душе, но на желудок он пожаловаться не может. Ест так, будто ему дадут приз за скорость. Я никак не мог вытащить его из ресторана. Мы провели там больше двух часов, и он умял все, что было в меню, — от лапши и жареной рыбы до желе и мороженого. Поэтому мы так и задержались, иначе давно уже были бы дома. Боюсь, что за два дня, пока он будет у меня, я разорюсь. Он ест больше, чем я.

— Ты знаешь, как умер Ганнибал?

— Кто-кто?

— Ну, Ганнибал, тот тип со слонами. Ты что, совсем не знаешь истории? Он перешел со слонами через Альпы, чтобы напасть на римлян.

— Я знаю, о ком ты говоришь! — огрызнулся я, раздраженный этим *non sequitur*[1].

— И как он умер? — потребовала она. Ее речь и жесты были грубовато-преувеличенными, как у всех пьяных.

— Не знаю.

— Ха! — саркастически бросила она. — Знаешь, да не все?

— Да, всего я не знаю, — согласился я.

Наступила продолжительная пауза. Она бессмысленно смотрела на меня. Казалось, мысли выпархивают одна за другой из ее голубых глаз, кружась в воздухе, как снежинки под куполом зимнего неба.

— Ну так как же он умер? — спросил я.

— Кто умер? — спросила она недоуменно.

— Ганнибал. Ты хотела рассказать мне о его смерти.

— Ах этот! Ну, он провел тридцать тысяч своих дружков через Альпы в Италию и дрался там с римлянами лет шестнадцать. Представляешь! Шестнадцать паршивых лет! И ни разу за все это время римляне его не побили. Ни разу! Ну, потом там было много всякого дерьма, и в конце концов он вернулся к себе на родину, где стал большой шишкой — героем войны и всякое такое. Но римляне не простили ему, что он так их обделал, и с помощью политики подстроили, чтобы его собственный народ пошел против него и выгнал его. Ты слушаешь что-нибудь из того, что я говорю?

— Конечно.

— Не знаю, чего ради я тут разоряюсь и трачу время на тебя. Я могла бы провести его в гораздо лучшем обществе. Я могла бы быть в компании с кем только захочу. С кем угодно!

Сигарета в ее руках догорала. Я подставил пепельницу и вытащил окурок из ее пальцев. Она этого, похоже, даже не заметила.

— Хорошо. Итак, римляне подстроили так, что народ Ганнибала выгнал его. И что дальше? — спросил я, искренне заинтересовавшись судьбой карфагенского полководца.

— Не выгнал. Отправил в ссылку, — сварливо поправила она меня.

---

[1] Реплика, логически не связанная с предыдущей *(лат.)*.

— Отправил в ссылку. И что? Как он умер?

Лиза внезапно подняла голову с подушки и вперила в меня нетвердый, но явственно злобный взгляд.

— И что такого особенного в Карле, а? — гневно выкрикнула она. — Я красивее ее! Посмотри, у меня соски лучше! — Она распахнула пижамную куртку и неловко коснулась груди. — Как они тебе?

— Да, они... очень симпатичны.

— Симпатичны?! Они бесподобны, вот что! Это само совершенство! Прикоснись, попробуй!

Она проворно схватила мою руку и положила ее к себе на бедро. Бедро было теплым, гладким и мягким. Нет ничего мягче и приятнее на ощупь, чем кожа на женских бедрах. Никакой цветок, никакие перья и никакая ткань не сравнятся с этим бархатным шепотом женской плоти. При всех своих различиях в других отношениях, все женщины — молодые и старые, толстые и худые, красивые и некрасивые — обладают этим достоинством. Именно желание прикоснуться к женским бедрам и служит основной причиной того, что мужчина жаждет обладать женщиной и часто убеждает себя, что обладает ею.

— Карла рассказала тебе, чем я занималась во Дворце, что я там выделывала? — спросила она с непонятной враждебностью, переместив мою руку на небольшой волосатый холмик меж ее ног. — Мадам Жу заставляла нас играть в разные игры. Они там очень изобретательны по части игр. Карла не рассказывала тебе о них? «Всади вслепую», например? Клиенту завязывают глаза, и если он отгадает, в кого из нас он всаживает член, то получит приз. Руками щупать нас в это время нельзя, разумеется. А о «Кресле» она тоже не рассказывала? Очень популярная игра. Одна девушка становится на колени и упирается в пол руками, другая ложится спиной на ее спину, и их связывают вместе. Клиент же может трахать то одну, то другую по своему выбору. Как тебе это? Не возбуждает? Клиенты, которых добывала Карла, заводились при этом на полную катушку. Карла очень деловая женщина, ты знаешь это? Я что, я просто работала там и получала за это деньги. А она придумывала все это, все эти грязные штучки, от которых... тошно становилось. Карла готова сделать что угодно, чтобы добиться своего. Голова у нее настроена по-деловому, да и сердце тоже...

Она держала мою руку обеими своими, водила ею по всему своему телу и терлась о нее губами. Затем она подняла колени, раздвинув ноги, прижала мою руку к половым губам, большим, набухшим, влажным, и погрузила два моих пальца в темную жаркую глубину.

— Ты чувствуешь? — спросила она, обнажив сжатые зубы в мрачной ухмылке. — Чувствуешь, какие мышцы? Это достигается долгими тренировками и практикой — упражняешься часами, месяцами. Мадам Жу заставляла нас садиться на корточки и хватать этим местом карандаш — крепко, как рукой. Я так наловчилась делать это, что могла написать письмо этой хреновиной. Чувствуешь, какая хватка? Нигде и ни у кого не найдешь ничего подобного. Карле далеко до меня, это я точно знаю. Да что с тобой? Ты не хочешь меня трахнуть? Ты что, педераст какой-нибудь?..

Она по-прежнему не отпускала мою руку, но напряженная ухмылка исчезла, и она отвернула голову:

— Меня... кажется... сейчас вырвет.

Я освободил руку от ее железной хватки, встал и направился в ванную. Намочив полотенце холодной водой, я взял большой таз и вернулся в спальню. Она лежала на спине, неуклюже распростершись и прижав руки к животу. Я придал ей более удобное положение, накрыл тонким одеялом и положил на лоб свернутое полотенце. Она пошевелилась, но сопротивляться не пыталась. Вид у нее был теперь не столько сердитый, сколько болезненный.

— Он покончил с собой, этот Ганнибал, — проговорила она тихо, не открывая глаз. — Они хотели отправить его в Рим, чтобы его судили там, и он покончил с собой. Как тебе это нравится? После всех этих лет, этих слонов и великих сражений он взял и убил себя. И все это правда, Карла рассказала мне это. Карла всегда говорит правду... даже когда врет... Черт, я люблю эту бабу. Знаешь, она все-таки вытащила меня из этой клоаки... Да, и ты ведь тоже... И она помогает мне теперь очиститься от всего этого, Лин... то есть Гилберт. Мне надо очиститься, да... Я люблю ее...

Она спала. Я понаблюдал за ней некоторое время, чтобы убедиться, что ей не станет плохо и она не проснется опять, но она погрузилась в глубокий сон. Я проведал Тарика. Он тоже крепко спал, и я решил не будить его. Я испытывал волнующее удовольствие оттого, что остался один, окруженный тишиной и спокойствием. В этом многомиллионном городе, где половина жителей были бездомными, критерием богатства и власти была возможность уединения, которое приобретается лишь за деньги, и одиночества, которого мог добиться лишь тот, кто обладал властью. Бедняки почти никогда не оставались в одиночестве в Бомбее, а я был бедняком.

Ни звука не долетало с улицы в комнаты, наполненные дыханием. Я двигался по квартире совершенно свободно, никто за мной не наблюдал. Благодаря двум спящим, женщине и ребенку, тишина была особенно приятна, а покой казался нерушимым. Это пробуждало во мне благостные фантазии. Когда-то такая жизнь была мне знакома: тогда женщина и спящий ребенок были моими, а я был мужем и отцом.

Я остановился возле письменного стола Карлы, заваленного бумагами. Посетившая меня на один миг фантазия о мирной семейной жизни съежилась и рассыпалась. В действительности моя семейная жизнь была разрушена и я потерял своего ребенка, свою дочь. В действительности Лиза и Тарик ничего для меня не значили и я ничего не значил для них. В действительности никому и нигде до меня не было дела. Находясь в гуще людей и мечтая об уединении, я, по сути, всегда и везде был один. Хуже того, мое бегство и добровольное изгнание опустошили меня, выкачали до вакуума и ободрали догола. Я потерял семью, друзей юности, родину и свою культуру — все то, что сформировало меня, сделало личностью. И, как это случается со всеми изгнанниками, чем дальше я бежал, чем большего успеха добивался, тем меньше во мне оставалось от самого себя.

Правда, для нескольких человек я был не совсем чужим — для нескольких новых друзей моей зарождающейся новой личности. У меня был Прабакер, маленький гид, влюбленный в жизнь. Были Джонни Сигар, Казим Али, Джитендра и его жена Радха — герои хаоса, которые пытались спасти разваливающийся город с помощью бамбуковых подпорок и упрямо любили своих ближних, как бы низко те ни пали, как бы ни были сломлены и неприглядны. У меня были Кадербхай и Абдулла, Дидье и Карла. Стоя перед зеркалом и глядя в свои ожесточенные глаза, я думал о них всех и спрашивал себя, что сблизило их со мной? Почему именно они? Чем они отличались от других? Такая разношерстная компания — самые богатые и самые обездоленные, образованные и безграмотные, праведники и преступники, старые и молодые. По-видимому, единственное, что их всех объединяло, — это способность заставить меня почувствовать... хоть что-то.

На столе лежала толстая тетрадь в кожаном переплете. Я открыл ее. Это был дневник Карлы, заполненный ее изящным почерком. Сознавая, что мне не следовало бы этого делать, я перелистал тетрадь, вторгаясь в ее потаенные мысли. Собственно говоря, это нельзя было назвать дневником в обычном понимании. Не было проставлено дат, не было отчетов о том, что она сделала за день, с кем встречалась. Вместо этого там содержались выдержки из романов и иных текстов с указанием автора и ее собственными комментариями и критическими замечаниями. Среди них было много стихов — из собраний сочинений, отдельных сборников и даже газет; под ними стояло имя автора и источник.

Имелись и ее собственные стихи, переписанные по нескольку раз с добавлением новой строчки, исправлением той или иной фразы. Некоторые слова в цитатах были помечены звездочками, и тут же были даны их словарные значения, в совокупности составлявшие своего рода словарь необычных или не вполне понятных слов. Встречались отдельные отрывки, записанные как поток сознания и раскрывавшие, что она думала и чувствовала в тот день. Часто упоминались друзья и другие люди, но всегда без имен — просто «он» или «она».

На одной из страниц мне попалась загадочная и пугающая запись:

ВОПРОС: Что сделает Сапна?
ОТВЕТ: Сапна убьет нас всех.

Я читал и перечитывал эти строчки, и сердце у меня билось учащенно. Несомненно, имелся в виду тот самый человек, чьи сподручные совершили чудовищные убийства, о которых говорили Абдул Гани и Маджид, за кем охотились и полиция, и мафия. И из этой надписи следовало, что Карла знает что-то о нем — может быть, даже знает, кто это такой. Я задумался, что бы это значило и не угрожает ли ей опасность.

Я внимательно просмотрел несколько страниц, предшествующих этой записи, и несколько последующих, но больше ничего ни о Сапне, ни о какой-либо связи Карлы с ним не нашел. Но зато на предпоследней странице был отрывок, несомненно касавшийся меня:

Он хотел сказать, что любит меня. Почему я остановила его? Неужели я стыжусь того, что это может быть правдой? Вид оттуда был удивительный, просто невероятный. Мы были так высоко, что воздушные змеи, которых запускали дети, летали где-то далеко внизу. Он сказал, что я не улыбаюсь. Меня радует, что он сказал это. Интересно почему?

Ниже были приписаны еще три строки:

Не знаю, что меня пугает больше:
сила, которая подавляет нас,
или бесконечное терпение, с которым мы к этому относимся.

Я очень хорошо помнил, как она произнесла эту фразу там, на стройке, когда часть хижин была стерта с лица земли. Как и многие ее высказывания, это содержало мысли, прочно засевшие в моей памяти. Меня удивило и даже, пожалуй, немного шокировало, что она не только запомнила эту фразу, но и записала ее в тетрадь, чуть улучшив ее и придав ей афористическую закругленность. Очевидно, она собиралась использовать ее при случае в разговоре.

Последней записью в дневнике было сочиненное Карлой стихотворение. Поскольку оно находилось на странице, следовавшей за отрывком обо мне, и поскольку мне этого очень хотелось, я решил, что и стихотворение посвящено мне — или, по крайней мере, отчасти порождено чувствами, которые она ко мне испытывала. Я знал, что на самом деле это не так, но любви обычно нет дела до того, что мы знаем, а что нет и что является истиной.

> Чтобы никто не мог найти нас по следам,
> я укрыла их своими волосами.
> Солнце село на острове нашего уединения,
> взошла ночь,
> проглотив эхо.
> Мы выброшены на берег в переплетении мерцаний,
> нашептываемых свечами в наши спины.
> Твои глаза надо мной
> боялись обещаний, которые я могла сдержать,
> меньше сожалея о высказанной правде,
> чем о лжи, которой мы не сказали,
> я проникла в самую глубину,
> чтобы сразиться с прошлым ради тебя.
> Теперь мы оба знаем,
> что печаль — это семя любви.
> Теперь мы оба знаем, что я буду жить
> и умру за эту любовь.

Не отходя от стола, я взял ручку и переписал эти строки на листок бумаги. Сложив листок с украденным стихотворением, я засунул его в свой бумажник, закрыл тетрадь и оставил ее на столе в том же положении, в каком она была.

Я подошел к книжному стеллажу. В заглавиях книг мне хотелось найти ключ к душе женщины, которая выбрала их и читала. Небольшая библиотека, уместившаяся на четырех полках, была на удивление эклектична. Здесь стояли труды по истории Древней Греции, по философии и космологии, книги о поэзии и драме. Переведенная на итальянский «Пармская обитель» Стендаля соседствовала с «Мадам Бовари» на французском, произведения Томаса Манна и Шиллера на языке оригинала — с книгами Джуны Барнс[1] и Вирджинии Вулф на родном языке этих писательниц. Я взял «Песни Мальдорора» Изидора Дюкасса[2]. Уголки многих страниц были загнуты, поля пестрели примечаниями, сделанными почерком Карлы. Немецкий перевод «Мертвых душ» Гоголя

---

[1] *Джуна Барнс* (1892–1982) — американская писательница-авангардистка.

[2] *Изидор Дюкасс* — настоящее имя французского поэта и писателя уругвайского происхождения Лотреамона (1846–1870). «Песни Мальдорора» — его скандально знаменитая книга, ставшая через полвека своего рода библией сюрреалистов.

также изобиловал ее комментариями. Она поглощала, пожирала книги, они были все в следах и шрамах, оставленных ее рукой.

Половину одной из полок занимали штук двадцать таких же тетрадей, как и та, что лежала на столе. Я перелистал одну из них. Только сейчас я обратил внимание на то, что все записи в тетрадях сделаны на английском языке. Карла родилась в Швейцарии и, как я знал, бегло говорила по-немецки и по-французски. Однако свои самые сокровенные мысли и чувства она излагала на английском. Я с радостью ухватился за этот факт, говоря себе, что это очень обнадеживающий знак. Когда она разговаривала сама с собой, раскрывала свое сердце, она пользовалась моим родным языком.

Я походил по квартире, рассматривая вещи, которыми она окружила себя в своем жилище. На стене висела написанная маслом картина, изображавшая женщин у реки, несущих на голове глиняные кувшины с водой; за ними тянулась стайка детей с кувшинами поменьше. На одной из полок на видном месте красовалась вырезанная из красного дерева фигура богини Дурги[1]. Она была окружена подставками для благовоний, а также бессмертниками и другими засушенными цветами. Я их тоже очень любил, но в городе, где было полно дешевых живых цветов, они встречались нечасто. Имелась у нее также коллекция находок: огромная пальмовая ветвь на стене, раковины и речные камни в большом пустом аквариуме, сломанная прялка, увешанная медными храмовыми колокольчиками.

Самым ярким пятном в квартире была ее одежда, хранившаяся не в шкафу, а на открытой вешалке и разделенная на две группы. Слева висели нарядные вязаные костюмы с длинными узкими юбками и вечерние платья, среди которых выделялось облегающее серебристое платье до пят, с открытой спиной. Справа были собраны шелковые брюки свободного покроя, легкие шарфы, хлопчатобумажные блузки с длинными рукавами.

Под вешалкой была выставлена в ряд обувь — дюжины две пар. В конце ряда пристроились мои туфли, начищенные и зашнурованные. Ее туфли выглядели такими маленькими рядом с моими, что я, не удержавшись, взял одну из них в руки. Она была изготовлена в Милане из темно-зеленой кожи; сбоку была пришита красивая пряжка, петля от которой огибала низкий каблук. Туфли были дорогими и очень элегантными, но каблук с одной стороны стоптался, а кожа кое-где потерлась. Несколько белых царапин было замазано зеленым фломастером, чуть отличавшимся от кожи по оттенку.

---

[1] *Дурга* — богиня-воительница, одна из главных фигур индуистского пантеона.

Позади туфель я нашел полиэтиленовый пакет со своей одеждой — выстиранной и аккуратно сложенной. Я отнес ее в ванную и переоделся. Затем я сунул голову под кран с холодной водой и держал ее там не меньше минуты. Надев старые джинсы и удобные ботинки и взлохматив волосы на привычный манер, я сразу почувствовал себя свежее и бодрее.

Я вернулся в спальню проверить, как там Лиза. Она спала с умиротворенным видом и неуверенной улыбкой на губах. Я подоткнул простыню под матрас, чтобы женщина не скатилась с кровати, и включил на минимальную скорость вентилятор над ее головой. На окнах были решетки, входная дверь без ключа не открывалась, так что можно было со спокойной совестью оставить ее в квартире. Я постоял рядом с Лизой, наблюдая, как поднимается и опускается ее спящая грудь, и размышляя, написать Карле записку или не надо. Я решил не писать — пусть она поломает голову над тем, что я делал и о чем думал в ее доме. Снятую с себя похоронную одежду ее мертвого любовника я сложил в полиэтиленовый пакет, чтобы взять с собой. Я намеревался постирать ее и вернуть через несколько дней — будет повод увидеться с нею.

Я хотел уже разбудить Тарика, чтобы идти домой, но, обернувшись, увидел, что он стоит в дверях, сжимая в руках свою наплечную сумку. Лицо у него было заспанное, в глазах обида и обвинение.

— Ты хочешь бросить меня?

— Нет, — засмеялся я. — Но, по правде говоря, здесь тебе жилось бы гораздо лучше. Мой дом и сравнить нельзя с этим.

Он нахмурился, пытаясь понять мой английский и все еще не вполне веря мне.

— Ты готов?

— Да, готов, — буркнул он, помотав головой.

Подумав о туалете в трущобах и об отсутствии воды, я посоветовал ему посетить туалет и хорошенько умыть лицо и руки в ванной. После этого я дал ему стакан молока и кусок кекса, найденный на кухне. Мы вышли на пустынную улицу и закрыли дверь, защелкнув замок за собой. Тарик огляделся, запоминая ориентиры и мысленно составляя по ним карту этого места. Когда мы отправились в путь, он держался рядом со мной, но на некотором расстоянии.

Мы шли по мостовой, потому что на тротуарах то и дело попадались спящие бездомные. Движения на улице практически не было, лишь изредка проезжал полицейский джип или такси. Все учреждения и магазины были закрыты, и в очень немногих окнах горел свет. Луна, почти идеально круглая, пряталась время от времени за проплывавшими низко над землей плотными облаками, предвестниками сезона дождей. С каждым днем их число возрастало и они все больше распухали; оставалось совсем немного времени до того, как они заполонят все небо и начнется дождь, повсеместно и навечно.

Добрались мы довольно быстро и через полчаса уже вышли на широкую дорогу, окаймлявшую восточную окраину нашего поселка. Тарик не заговаривал со мной по пути, я тоже упрямо молчал, думая о том, как мне поладить с мальчиком, чувствуя на своих плечах груз ответственности за него и опасаясь, что он будет большой обузой. По левую руку от нас простирался пустырь размером с футбольное поле, который женщины, дети и старики использовали в качестве туалета. На нем ничего не росло, земля за восемь месяцев засухи растрескалась и была покрыта толстым слоем пыли. Справа начиналась территория стройки, ее граница в некоторых местах была обозначена штабелями досок, стальных решеток и других материалов. Дорогу нам освещали только немногочисленные лампочки, свисавшие с натянутых над стройплощадкой проводов; метрах в пятистах впереди мерцали одиночные огоньки керосиновых ламп в трущобах.

С наступлением темноты многие справляли нужду на дороге, боясь крыс и змей, водившихся на пустыре, поэтому мы шли по тянувшейся сбоку от дороги узкой извилистой тропинке. По какому-то удивительному негласному уговору она всегда была чистой, и жители, возвращавшиеся в трущобы поздно вечером, могли идти уверенно, не боясь вляпаться во что-нибудь неподобающее. Тропинка изобиловала неожиданными резкими поворотами и глубокими рытвинами, но я часто гулял по ночам и хорошо изучил ее, так что велел Тарику идти за мной след в след, что он послушно и делал.

Другим недостатком тропинки была постоянная вонь, для посторонних совершенно невыносимая. Я-то привык к ней и даже воспринимал, подобно всем обитателям трущоб, как что-то родное и близкое. Она сигнализировала, что ты благополучно добрался домой, под защиту коллективного убожества, избежав опасностей, подстерегающих бедняков на чистых и красивых городских улицах. Но я помнил, как мне чуть не стало худо от этой вони при первом посещении трущоб, какой подсознательный страх внушала мне она, проникая не только в легкие, но, казалось, даже в поры кожи.

Поэтому я хорошо представлял себе, что чувствует Тарик, как он страдает и боится. Однако я не сказал ничего, чтобы успокоить его, и подавил в себе порыв взять его за руку. Я не хотел, чтобы этот мальчик жил со мной, и был в ярости на самого себя из-за того, что мне не хватило смелости отказать Кадербхаю. Я сознательно делал все, чтобы Тарику было плохо, чтобы он испугался и почувствовал себя несчастным и в результате уговорил бы своего дядю взять его обратно.

Напряженную, садистскую тишину внезапно нарушил яростный собачий лай. Его подхватили другие собаки, их было все больше. Я остановился, и Тарик налетел на меня сзади. Собаки находились на пустыре совсем недалеко от нас. Я не мог разглядеть их в темноте, но чувствовал, что их очень много. Я посмотрел в сторону хижин, прикидывая, сколько до них осталось, и тут завывание собак достигло крещендо, а из темноты на нас рысью вылетела целая собачья стая.

Двадцать, тридцать, сорок взбесившихся собак надвигались на нас широкой дугой, отрезав нам путь к трущобам. Я сознавал, что мы в крайней опасности. Днем бездомные собаки боялись людей и держались подобострастно, но по ночам сбивались в дикие озлобленные стаи. Их агрессивность и свирепость были хорошо известны жителям всех городских трущоб и внушали страх. Они часто набрасывались на людей. Мне почти ежедневно приходилось принимать пациентов с крысиными и собачьими укусами. Однажды собаки напали на окраине трущоб на пьяного, и он до сих пор находился на излечении в больнице. А всего месяц назад на этом самом месте собаки насмерть загрызли маленького мальчика. Они разорвали его на куски и растащили их по такой большой территории, что на их поиски ушел целый день.

На узкой тропинке мы были как в западне. Собаки окружили нас, заходясь в истошном лае, оглушительном и устрашающем. Самые дерзкие подбирались к нам все ближе и ближе. Было ясно, что остаются секунды до того, как они бросятся на нас. А трущобы были еще слишком далеко. Возможно, одному мне удалось бы добежать до них, получив несколько укусов, но Тарик пробежал бы максимум сто метров, а потом они настигли бы его. Недалеко от нас находился штабель досок и прочих строительных материалов, которые можно было использовать как оружие. К тому же там висел фонарь и видимость была хорошей. Я велел Тарику приготовиться бежать по моей команде. Убедившись, что он меня понял, я швырнул полиэтиленовый пакет с одеждой, которую мне давала Карла, в самую гущу стаи. Собаки тут же набросились на пакет, раздирая его в клочки, огрызаясь и кусая друг друга.

— Давай, Тарик, давай! — крикнул я, толкнув мальчика вперед и обернувшись, чтобы прикрыть его.

Борьба за пакет так захватила собак, что на несколько мгновений они забыли о нас. Я кинулся к груде деревянных обломков и успел схватить крепкую бамбуковую палку прежде, чем собаки, устав от драки за бесполезную добычу, оставили пакет и снова устремились к нам.

Увидев палку у меня в руках, они приостановились в некотором удалении. Но их было много, слишком много. Мне еще никогда не приходилось видеть такой большой стаи. Собственный оглушительный вой раззадоривал животных, и наиболее разъяренные стали бросаться вперед, делая ложные выпады. Я поднял тяжелую палку и велел Тарику забраться ко мне на спину. Он тут же вскарабкался мне на закорки и крепко обнял меня за шею худыми ручонками. Собаки подобрались ближе. Одна из них, крупнее остальных, подскочила ко мне с оскаленной пастью, намереваясь схватить за ногу. Я изо всей силы ударил ее, но попал не по морде, как хотел, а по спине. Взвыв от боли, зверь отскочил в сторону. Битва началась.

Собаки нападали друг за другом слева, справа, спереди. Я размахивал палкой, чтобы отогнать их. Если бы мне удалось ранить, а еще лучше убить одну из собак, то это могло бы напугать остальных, однако ни один из моих ударов не был настолько сокрушительным, чтобы отпугнуть их надолго. Казалось, они поняли, что палка может нанести им ощутимый удар, но не может убить, и это придало им смелости.

Кольцо собак неумолимо сжималось вокруг нас. Атаки становились все чаще. Через десять минут после начала схватки я весь вспотел и начал уставать. Я понимал, что скоро моя реакция замедлится и какой-нибудь из собак удастся подскочить ко мне и вцепиться в ногу или руку. А когда они почуют запах крови, их злоба перерастет в настоящее исступление, которое будет сильнее страха. Надежды на то, что кто-нибудь в трущобах, услышав этот истошный лай, прибежит к нам на помощь, было мало. Мне самому неоднократно приходилось слышать по ночам подобный лай на окраинах поселка, и всякий раз, проснувшись, я переворачивался на другой бок и снова засыпал.

Большой черный пес — очевидно, вожак стаи — сделал двойной ложный выпад. Я повернулся к нему слишком резко и, споткнувшись о выставленную палку, упал. Я не раз слышал от людей, что в экстремальных условиях — при аварии или внезапной опасности — возникает ощущение, что время растягивается и все происходит как при замедленном прокручивании киноленты. Теперь я имел возможность убедиться в этом на собственном опыте. Между тем моментом, когда я споткнулся, и тем, когда приземлился, прошла целая вечность. Я видел, как отступающий черный пес притормаживает и поворачивается к нам опять, как его передние лапы при этом скребут землю и упираются в нее, ища точку опоры для прыжка. В его глазах мелькнула почти человеческая жестокая радость, когда он увидел мою слабость и возможность скорой расправы. Я заметил, как остальные собаки, разом застыв на какую-то секунду, стали подбираться к нам мелкими шажками. Я успел удивиться их несообразительности и неоправданности этого промедления в тот момент, когда я без-защитен. Я успел почувствовать, как острые камни на тропинке сдирают кожу у меня на локте, успел испугаться, как бы в этой пыли мне не занести в ранку инфекцию, и подумать, насколько смешны подобные соображения перед лицом несравненно большей и непосредственной опасности, надвигающейся на нас со всех сторон.

Я похолодел от страха за Тарика, бедного ребенка, которого навязали на мою шею против его воли. Руки его разжались, и я увидел, как он упал вместе со мной, но тут же с кошачьей ловкостью вскочил на ноги. Затем все его тело напряглось в отчаянном храбром порыве, и, подстегиваемый гневом, он вскрикнул, схватил какую-то деревяшку и с силой обрушил ее на морду черного пса. Он нанес животному чувствительную рану, и жалобный визг пса перекрыл вой всей стаи.

— Аллах ху акбар! Аллах ху акбар![1] — вопил Тарик.

Он чуть присел, приготовившись к обороне, и оскалился, как дикий зверь. В эти долгие секунды обостренного восприятия я видел, как он колошматит собак палкой, защищая нас обоих, и слезы невольно брызнули у меня из глаз. Я заметил проступающие через рубашку позвонки и полусогнутые маленькие колени. Весь его облик излучал поразительное мужество. Слезы, выступившие у меня на глазах, были порождены любовью и гордостью за него, гордостью отца за своего сына. В этот момент я любил его всем сердцем. Когда я вскочил на ноги и время, вырвавшись из клейкой ловушки страха и обреченности, вновь ускорилось, у меня в мозгу снова и снова звучали строчки из стихотворения, написанного Карлой: «Я умру за эту любовь, я умру за эту любовь...»

Тарик на время вывел из строя вожака, и тот спрятался за других собак, которые явно растерялись. Однако постепенно вой стал усиливаться, хотя теперь он приобрел оттенок волнения и беспокойства. Казалось, собаки изнемогают от желания расправиться с нами и горюют оттого, что это им никак не удается. У меня появилась слабая надежда, что если они не доберутся до нас в течение ближайшего времени, то в своем разочаровании набросятся друг на друга. Но тут они без всякого предупреждения опять набросились на нас.

Они нападали группами по две-три сразу с двух сторон. Мы с мальчиком, стоя бок о бок и спина к спине, отчаянно отбивались палками. Собак обуяла жажда крови. Получая удары, они отскакивали на секунду-другую, а затем снова кидались на нас. Нас окружали оскаленные клыки, вой и рычание. Я повернулся

---

[1] Здесь: С нами великий Аллах! (*урду*)

к Тарику, помогая ему справиться с тремя или четырьмя решительно настроенными зверюгами, и в этот момент одна из собак, изловчившись, заскочила мне за спину и вцепилась в лодыжку. Кожаный ботинок защитил ногу, и я тут же отогнал собаку, но понимал, что долго нам не продержаться. Мы были уже почти прижаты к штабелю, и дальше отступать было некуда. Вся свора рычала и бесновалась в двух метрах от нас. И вдруг у нас за спиной послышалось какое-то другое рычание, треск и хруст досок, рассыпавшихся под тяжестью существа, прыгнувшего на них. В первый момент я решил, что одной из собак удалось забраться на штабель, но, резко обернувшись, чтобы отразить нападение, увидел фигуру в черном, которая, перелетев через наши головы, приземлилась в самой гуще щелкающих челюстей. Это был Абдулла.

Он бешено крутился, нанося удары налево и направо. С гибкостью и силой прирожденного бойца, он высоко подпрыгивал, согнув ноги, и снова приземлялся. Его движения были плавными и экономными, но быстрыми и точными. Это была пугающая и восхитительная расчетливость змеи и скорпиона, безупречная и смертоносная. Абдулла был вооружен толстым металлическим прутом больше метра длиной и держал его двумя руками, как меч. Но не его грозное оружие, раздробившее череп двум собакам, и даже не его сверхъестественная ловкость вселили ужас в стаю, обратив ее в бегство, а тот факт, что он сам напал на них, в то время как мы оборонялись; он был уверен в победе, тогда как мы сражались за то, чтобы уцелеть.

Все закончилось очень быстро. Оглушительный лай и визг в один миг сменились тишиной. Абдулла обернулся к нам, держа металлический прут на плече, как самурайский меч. Улыбка, осветившая его мужественное молодое лицо, была подобна лунному свету, сияющему на белых стенах мечети Хаджи Али.

Когда мы пили горячий и сладкий черный чай, Абдулла объяснил, что он ждал нас в хижине и услышал собачий лай. Он нутром почуял, что что-то не так, и решил проверить. После того как мы обсудили приключение во всех деталях и вдоволь наговорились, я приготовил нам три постели на голом полу, и мы улеглись.

Абдулла и Тарик уснули сразу, но ко мне сон не шел. Я лежал в темноте, пахнущей благовониями, дымом сигарет «биди» и керосином, и мысленно перебирал события последних дней, придирчиво просеивая их сквозь сито сомнения. Эти дни, мне казалось, оставили после себя гораздо более значительный след, чем несколько предыдущих месяцев. Мадам Жу, Карла, встречи с Кадербхаем, Сапна. Я чувствовал себя во власти людей, которые были сильнее меня — или, по крайней мере, таинственнее. Какое-то течение подхватило меня и неудержимо влекло к неясной мне чужой цели, к чужой судьбе. Я чувствовал, что все это не случайно. Я был уверен, что к этому таинственному замыслу можно подобрать ключ, но я не мог отыскать его в мешанине лиц, слов, событий. Усеянная тучами ночь, казалось, была наполнена знаками и предзнаменованиями, словно сама судьба предостерегала меня, что надо идти вперед, или бросала вызов, побуждая остаться.

Тарик внезапно проснулся и рывком сел, всматриваясь в темноту. Мои глаза привыкли к ней, и я заметил страх, промелькнувший на его бледном лице и сменившийся печалью и решимостью. Он посмотрел на спящего Абдуллу, затем на меня. Бесшумно встав, он подтянул свой матрас к моему и, свернувшись калачиком под тонким одеялом, прижался к моему боку. Я вытянул руку, и он положил на нее голову. Волосы его пахли солнцем.

Наконец усталость взяла свое, оттеснив мои сомнения и недоумения, и на очистившемся пространстве полусна я вдруг ясно увидел, что объединяет моих новых друзей — Кадербхая, Карлу, Абдуллу, Прабакера и всех других. Они все, мы все родились в других местах и были чужаками в этом городе. Все мы были изгнанниками, пережившими бурю и выброшенными на берег бомбейских островов. Нас объединяли узы изгнанничества, родство обездоленных, одиноких и заблудших душ.

И, поняв это, я осознал, как несправедливо я обошелся вначале с Тариком, который был таким же чужаком в этой грубой и жестокой части города. Мне было стыдно за свой холодный эгоизм, заставивший меня забыть о жалости. Пораженный мужеством этого одинокого маленького мальчика, я слушал его сонное дыхание, и боль моего сердца вобрала его в себя. Иногда мы любим одной лишь надеждой. Иногда мы плачем всем, кроме слез. И в конечном счете все, что у нас остается, — любовь и связанные с ней обязательства, все, что нам остается, — тесно прижаться друг к другу и ждать утра.

Часть третья

ГЛАВА

17

— Миром управляют миллион злодеев, десять миллионов тупиц и сто миллионов трусов, — объявил Абдул Гани на своем безупречном оксфордском английском, слизывая с коротких толстых пальцев прилипшие к ним крошки медового кекса. — Злодеи — это те, кто у власти: богачи, политики и церковные иерархи. Их правление разжигает в людях жадность и ведет мир к разрушению.

Он помолчал, вглядываясь в фонтан, шепчущий что-то под дождем во дворике Абделя Кадер-хана, будто черпал вдохновение в мокром блестящем камне. Затем он вытянул руку, ухватил еще один кекс и заглотил его целиком. Двигая челюстями, он с извиняющимся видом улыбнулся мне, словно говоря: «Я знаю, что мне не следовало бы этого делать, но не могу удержаться».

— Их всего миллион во всем мире, настоящих злодеев, очень богатых и могущественных, от чьих решений все зависит. Тупицы — это военные и полицейские, на которых опирается власть злодеев. Они служат в армиях двенадцати ведущих государств мира и в полиции тех же государств и еще двух десятков стран. Из них лишь десять миллионов обладают действительной силой, с которой приходится считаться. Конечно, они храбры, но глупы, потому что жертвуют своей жизнью ради правительств и политических движений, использующих их в собственных целях как пешки. Правительства в конце концов всегда предают их, бросают на произвол судьбы и губят. Ни с кем нации не обходятся с таким позорным пренебрежением, как с героями войны.

Дождь заливал сад и плиточный пол в открытом дворике с такой интенсивностью, словно по небу текла река, которая обрывалась в этом месте водопадом. Тем не менее фонтан упорно продолжал выбрасывать свои бессильные струи навстречу льющемуся сверху потоку. Мы сидели под защитой окружающей дворик галереи, в тепле и сухости — не считая пропитанного влагой воздуха, — потягивали чай и наблюдали за этим потопом.

— А сто миллионов трусов, — продолжал Абдул Гани, защемив в толстых пальцах ручку своей чашки, — это бюрократы, газетчики и прочая пишущая братия. Они поддерживают правление злодеев, закрывая глаза на то, как они правят. Среди них главы тех или иных департаментов, секретари всевозможных комитетов, президенты компаний. Менеджеры, чиновники, мэры, судейские крючки. Они всегда оправдываются тем, что лишь выполняют свою работу, подчиняясь приказам: от них, мол, ничего не зависит, и если не они, то кто-нибудь другой будет делать то же самое. Эти сто миллионов трусов знают, что происходит, но никак этому не препятствуют и спокойно подписывают бумаги, приговаривающие человека к расстрелу или обрекающие целый миллион на медленное умирание от голода.

Абдул замолчал, разглядывая мандалу, сплетенную венами на тыльной стороне его ладони. Затем, вернувшись к действительности, он посмотрел на меня с мягкой, доброжелательной улыбкой.

— Вот так все и происходит, — заключил он. — Миллион злодеев, десять миллионов тупиц и сто миллионов трусов заправляют миром, а нам, шести миллиардам простых смертных, остается только делать, что нам прикажут.

Он засмеялся и хлопнул себя по ляжке. Это был смех от души, какой ни за что не уймется, пока его не поддержат, и я невольно поддержал его.

— А знаешь, что это значит, мой мальчик? — спросил он, когда смех отпустил его.

— Надеюсь, это вы мне объясните.

— Эта группа, представленная одним, десятью и ста миллионами, определяет всю мировую политику. Маркс был не прав. Классы тут ни при чем, потому что все классы находятся в подчинении у этой горстки людей. Именно благодаря ее усилиям создаются империи и вспыхивают восстания. Именно она породила нашу цивилизацию и взращивала ее последние десять тысяч лет. Это она строила пирамиды, затевала ваши Крестовые походы и провоцировала непрестанные войны. И только она в силах установить прочный мир.

— Это не *мои* Крестовые походы, но я понимаю, что вы имеете в виду.

— Ты любишь его? — спросил он, так резко сменив тему, что я смешался; он всегда, почти во всех разговорах неожиданно перескакивал с одной темы на другую, причем делал это настолько хитро, что даже после того, как я достаточно хорошо изучил его и знал, что в любой момент можно ожидать подобных сюрпризов, они все равно застигали меня врасплох. — Ты любишь Кадербхая?

— Люблю ли?.. Странный вопрос, — рассмеялся я.

— Он всегда отзывается о тебе с большой любовью, Лин.

Я нахмурился, избегая его проницательного взгляда. Мне, конечно, было очень лестно слышать, что Кадербхай вспоминает меня с теплотой, но я не хотел признаваться даже себе самому, как много значит для меня его похвала. Меня охватили противоречивые чувства — любовь и подозрительность, восхищение и досада, — как всегда бывало, когда я думал о Кадербхае или находился в его обществе. Результатом сложения этих эмоций было раздражение, дававшее о себе знать в моих глазах и в моем голосе.

— Как вы думаете, долго нам еще придется ждать? — спросил я, посмотрев на закрытые двери личных покоев Кадербхая. — У меня назначена встреча с немецкими туристами.

Абдул оставил без внимания мой вопрос и наклонился ко мне через разделявший нас маленький столик.

— Ты должен любить его, — прошептал он мне тоном обольстителя. — Знаешь, почему я люблю Абделя Кадера всем сердцем?

Его лицо было так близко к моему, что я мог разглядеть мелкие красные вены в белках его глаз. Они тянулись к радужной оболочке, как пальцы, поддерживающие золотистый рыже-коричневый диск. Под глазами набухли тяжелые мешки, создававшие впечатление, что внутренне он погружен в неизбывную печаль. Он был смешлив и любил побалагурить, но эти постоянно висевшие под глазами мешки были похожи на резервуары для хранения еще не выплаканных слез.

Мы уже полчаса ждали возвращения Кадербхая. Когда я привел к нему Тарика, он сердечно приветствовал меня и сразу же удалился вместе с мальчиком на молитву, оставив меня в компании Абдула Гани. В доме стояла полная тишина, если не считать шума падающего дождя и фырканья выбивавшегося из сил фонтана. Парочка голубей сидела, прижавшись друг к другу, в противоположном конце дворика.

Мы с Абдулом молча смотрели друг на друга. Я не ответил на его вопрос. Хотел ли я знать, почему он любит Кадербхая? Конечно хотел. Я был писателем, и меня интересовало все. Но у меня не было желания подыгрывать Гани в его викторине с вопросами и ответами. Я не понимал, что его грызет и к чему он клонит.

— Я люблю его потому, мой мальчик, что он для всех нас в этом городе как спасительная гавань. Тысячи людей находят в ней пристанище, связав с ним свою судьбу. Я люблю его за то, что он поставил перед собой задачу преобразовать мир, в то время как другие даже не задумываются об этом. Меня беспокоит, что он тратит на это столько времени, сил и средств, и я часто спорю с ним по этому поводу, но меня восхищает его преданность своей мечте. А больше всего я люблю его за то, что он — единственный из всех, кого я встречал, и единственный из всех, кого ты когда-либо встретишь, — знает ответ на три главных жизненных вопроса.

— А их всего три? — не сдержавшись, спросил я с иронией.

— Да, — ответил он невозмутимо. — «Откуда мы взялись?», «Почему мы здесь оказались?» и «Куда мы идем?». Это три важнейших вопроса. Если ты любишь его, мой юный друг, он поделится с тобой этим секретом. Он скажет тебе, в чем смысл жизни. И, слушая его, ты поймешь: то, что он говорит, — истинная правда. Никто другой не даст тебе ответа на эти вопросы. Это я знаю точно. Я изъездил всю землю вдоль и поперек и задавал эти вопросы многим великим мыслителям. До того как я встретил Абделя Кадер-хана и связал свою судьбу с ним, я потратил целое состояние — несколько состояний — на то, чтобы побеседовать с прославленными пророками, религиозными мыслителями и учеными. Но никто из них не смог ответить на эти вопросы. А Кадербхай смог. И с тех пор я полюбил его как брата, как моего брата по духу. С тех пор и до этой самой минуты я служу ему. И тебе он тоже скажет. Он раскроет тебе тайну, объяснит смысл жизни!

Голос Гани вносил новую, неизвестную мне струю в несущее меня мощное течение широкой реки этого города с его пятнадцатью миллионами жизней. В его каштановой шевелюре проглядывала седина, виски же были совершенно белыми. Усы, тоже скорее седые, нежели каштановые, нависали над красиво очерченными, почти женскими губами. На шее мерцало золото тяжелой цепи, и золотые искорки в глазах казались его отражением. Мы глядели друг на друга в томительной тишине, и его глаза с красным ободком вдруг стали наполняться слезами.

Я не мог сомневаться в искренности его чувств, но и понять их до конца был не в состоянии. В этот момент позади нас открылась дверь, и на круглом лице Гани опять появилась обычная маска шутливой приветливости. Обернувшись, мы увидели Кадербхая с Тариком.

— Лин, — сказал Кадербхай, положив руки мальчику на плечи, — Тарик рассказал мне обо всем, чему научился у вас в трущобах за эти три месяца.

Да, три месяца. Сначала я был уверен, что не выдержу и трех дней. А теперь, когда эти месяцы пролетели так быстро, я скрепя сердце возвращал малыша его дяде. Я был уверен, что буду скучать по нему. Тарик был хорошим мальчиком, и я знал, что он вырастет очень хорошим человеком — таким, каким я хотел стать когда-то, но не смог.

— Он мог бы научиться у нас еще многому, если бы вы не велели ему вернуться домой, — ответил я, не сумев сдержать легкого упрека в голосе.

Я усматривал жестокий произвол в том, как он сначала без всякого предупреждения посадил мне на шею мальчика, а затем так же неожиданно отобрал его.

— Тарик прошел двухгодичный курс обучения в исламской школе, а теперь с твоей помощью усовершенствовал свои знания в английском. Ему пора поступать в колледж, и я думаю, что он подготовлен к этому очень неплохо.

Тон Кадербхая был мягким и терпеливым. Ласковая и чуть насмешливая улыбка в его глазах держала меня в его власти так же крепко, как он держал за плечи мальчика, стоявшего перед ним с серьезным и торжественным видом.

— Знаешь, Лин, у нас есть пуштунская поговорка. Смысл ее в том, что невозможно стать мужчиной, пока не отдашь с готовностью и беззаветно свою любовь ребенку. А хорошим человеком можно стать только после того, как ребенок точно так же всем сердцем полюбит тебя.

— Тарик очень хороший мальчик, — сказал я, поднимаясь, чтобы уйти. — Мне будет его не хватать.

И в этом я не был исключением. Тарик стал любимцем Казима Али Хусейна. Глава нашего поселка часто навещал мальчика и приглашал совершить вместе с ним ежедневный обход трущоб. Джитендра и Радха прямо-таки избаловали его своей любовью. Джонни Сигар и Прабакер добродушно поддразнивали Тарика и брали его с собой по выходным на матчи по крикету. Даже Абдулла привязался к нему. После «ночи диких собак» он приходил к Тарику дважды в неделю и учил его драться палкой, шарфом и голыми руками. В эти месяцы я не раз видел их за этим занятием на узкой песчаной полосе у самой воды, где их силуэты метались на фоне морского горизонта, как фигуры театра теней.

Я пожал мальчику руку на прощание и посмотрел в его серьезные и честные черные глаза. В этот момент передо мной, как на экране, проплыли сцены нашей жизни за последние три месяца. Я вспомнил его первую драку с одним из мальчишек в трущобах. Тот парень был намного крупнее Тарика и сбил его с ног, но Тарик, поднявшись, одним своим взглядом заставил его отступить. Мальчишка был пристыжен, пал духом и расплакался. Тарик обнял его и стал утешать, и это положило начало их тесной дружбе. Я вспомнил, с каким энтузиазмом Тарик занимался со мной английским языком и помогал другим детям, которые тоже стали посещать наши уроки. Мне припомнилось, как он вместе со всеми сражался с потопом во время сезона дождей, роя палками и голыми руками дренажную канаву в каменистой земле. А однажды, когда я корпел над своими записками в хижине, он заглянул ко мне, приоткрыв дверь. «Что тебе, Тарик?» — спросил я раздраженно, а он ответил: «О, прости! Ты хочешь быть в одиночестве?»

Выйдя из дома Абделя Кадер-хана, я отправился пешком в долгий обратный путь в трущобы, испытывая ощущение, что мир, в котором я живу, уменьшился в размерах. Он замкнулся вокруг меня, и я сам стал без мальчика как-то менее значителен, потерял свою ценность. В отеле недалеко от мечети Набила я встретился с немецкими туристами — молодоженами, впервые приехавшими на субконтинент. Они хотели сэкономить, обменяв немецкие марки на черном рынке, а затем, купив гашиш, взять его с собой в поездку по стране. Это была достойная, счастливая пара, бесхитростная и великодушная; их привлекало духовное богатство Индии. Я поменял им деньги за комиссионные и помог приобрести гашиш. Они были очень благодарны мне и хотели заплатить больше, чем мы договаривались. Я отказался взять лишние деньги — уговор, как говорится, дороже, но принял их приглашение покурить с ними. Я приготовил чиллум, который для нас, жителей Бомбея, работающих на его улицах, был не слишком крепким, но они даже к такой дозе не привыкли и вскоре уснули. Закрыв за собой дверь их номера, я вышел на улицу, погруженную в полуденную дремоту.

По Мохаммед-Али-роуд я прошел до проспекта Махатмы Ганди и по нему до пересечения с Козуэй. Я мог бы сесть на автобус или взять такси, которые во множестве сновали вокруг, но я предпочитал пройтись пешком. Я любил эту дорогу — от Чор-базара мимо Кроуфордского рынка, вокзала Виктории, фонтана Флоры, Форта и площади Регал-Сёркл к причалу Сассуна и Центру мировой торговли на берегу бухты Бэк-Бея в другом конце Колабы. Я ходил этим путем тысячи раз и неизменно видел что-то новое, захватывающее и вдохновляющее. Около кинотеатра «Регал» я задержался, разглядывая афиши включенных в репертуар фильмов, и в этот миг услышал, что кто-то зовет меня:

— Линбаба! Эй, Лин!

Из окошка черно-желтого такси мне махал Прабакер. Подойдя, я поздоровался с ним и его кузеном Шанту, сидевшим за рулем.

— Мы едем домой. Прыгай в машину, мы довезем тебя.

— Спасибо, Прабу, но я пройдусь пешком. Мне надо заглянуть кое-куда по дороге.

— Хорошо, Лин, но только не задерживайся на очень большое время, как ты иногда делаешь, если ты простишь, что я говорю это твоему лицу. Сегодня ведь особенный день, не прав ли я?

Я помахал вслед машине, уплывающей в потоке транспорта, как вдруг совсем рядом со мной раздался визг тормозов и громовой удар, заставившие меня отпрыгнуть в сторону. «Амбассадор» хотел обогнать медленно ехавший автомобиль и столкнулся с тяжелой деревянной повозкой, которая врезалась в такси.

Авария была серьезная. Индиец, толкавший повозку, сильно пострадал. Он был прочно пристегнут к повозке ремнями, тело его при столкновении проделало сальто в воздухе, и он ударился головой о мостовую. Одна рука его была вывернута назад под таким неестественным углом, что смотреть на нее было страшно; под коленом торчал обломанный конец берцовой кости. А ремни, с помощью которых он ежедневно таскал свою тележку по всему городу, затянулись на его груди и шее и грозили задушить его.

Я кинулся к нему вместе с другими и, вытащив нож из ножен, висевших у меня сзади на поясе, быстро, но с максимальной осторожностью перерезал ремни и освободил человека из западни, в которую он попал. Лет шестидесяти на вид, он был строен и силен. Пульс у него был учащенный, но вполне ощутимый и ритмичный — нормальный кровоток, позволявший надеяться на лучшее. Дыхательные пути не были задеты — он дышал свободно. Приоткрыв его глаза руками, я увидел, что зрачки реагируют на свет. Человек был в шоке, но сознания не потерял.

Вместе с тремя другими прохожими я поднял его и переложил на тротуар. Левая рука его беспомощно висела. Я осторожно согнул ее в локте и попросил у окружающих носовые платки. Связав четыре платка за углы, я соорудил из них нечто вроде перевязи. Затем я стал осматривать сломанную ногу, но в это время со стороны «амбассадора» донеслись яростные крики и ругань. Я выпрямился.

Человек десять-двенадцать старались вытащить водителя из машины. Это был настоящий гигант: больше шести футов ростом, раза в полтора тяжелее меня и вдвое шире в груди. Он уперся обеими ногами в пол автомобиля и одной рукой в крышу, другой рукой он вцепился в рулевое колесо. Провозившись с ним безрезультатно минуту-другую, разъяренная толпа занялась пассажиром на заднем сиденье. Он был тоже широкоплеч и приземист, но далеко не так мощен, как водитель. Толпа выволокла его из автомобиля и, прижав к боковой стенке, начала избивать. Человек закрывался руками, но царапавших его пальцев и молотивших кулаков было слишком много. Оба они, и водитель и пассажир, были африканцами — возможно, из Нигерии.

Я сразу вспомнил, какое потрясение я пережил полтора года назад, впервые увидев подобную сцену в тот день, когда Прабакер повез меня знакомиться с темными сторонами бомбейской жизни. Я помнил, каким беспомощным трусом я себя ощущал, глядя, как толпа уносит избитого водителя. Тогда я говорил себе, что это чужой город, чужая культура и чужие разборки. Но теперь, спустя восемнадцать месяцев, индийская культура стала моей. Это был мой участок, на котором я зарабатывал на нелегальных сделках. Даже некоторые люди в этой толпе были мне знакомы. Я не мог допустить, чтобы это случилось в моем присутствии вторично, даже не попытавшись оказать помощь.

Стараясь перекричать толпу, я подбежал к ней и стал оттаскивать людей от нигерийца.

— Братья! Братья! Не бейте его! Не убивайте человека! — кричал я на хинди.

Толпа разбушевалась не на шутку. Мне удалось отбросить кое-кого в сторону. Руки у меня были сильные, и людям волей-неволей приходилось считаться с этим. Но их уже обуяла жажда убийства, и они снова бросились в атаку. На меня обрушились их кулаки и цепкие пальцы. Однако в конце концов я все-таки пробился к нигерийцу и загородил его своим телом. Прижавшись спиной к автомобилю, он сжал кулаки, отбиваясь от нападавших. Лицо его было залито кровью. На изодранной рубашке тоже алели свежие кровавые пятна. Глаза были широко открыты и побелели от страха, он тяжело дышал. Но челюсть его была воинственно выдвинута вперед, зубы оскалены. Он был бойцом и приготовился драться до конца.

Я встал рядом с ним лицом к толпе. Выставив ладони вперед, я пытался успокоить людей, взывал к ним и уговаривал.

Поначалу, кинувшись на выручку к негру, я думал, что толпа прислушается к моим увещеваниям. Люди опомнятся, и камни сами собой выпадут из их опустившихся рук. Пристыженные и покоренные моей бесстрашной речью, они разойдутся, смущенно потупив глаза. И даже сейчас, спустя много времени, я иногда сожалею о том, что мой голос и мои глаза не тронули их сердец и что их ненависть, униженная и обличенная, не растаяла в воздухе. На деле же колебания, овладевшие людьми на какую-то секунду, тут же были сметены ревущей, кипящей, шипящей и вопящей яростью, и нам пришлось собрать все силы, чтобы отстоять свою жизнь.

Забавно, что большое количество желающих принять участие в экзекуции оказалось нам только на руку. Мы были зажаты в углу между автомобилем и повозкой, и напиравшим друг на друга людям негде было развернуться. Не все их удары достигали цели, а некоторые даже доставались соседям.

К тому же постепенно страсти и вправду немного улеглись — людям по-прежнему хотелось поколотить нас, но стремления непременно убить нас больше не было. Мне уже приходилось встречаться с нежеланием убивать, возникающим у толпы в подобных ситуациях. Я не могу объяснить его. Как будто в коллективном разуме людей пробуждается некая общая совесть, и, если найти нужные слова в нужный момент, можно усмирить ненависть к жертве. Как будто, дойдя до критического предела, толпа хочет, чтобы ее остановили, не дали ей совершить худшее. И в тот момент, когда люди пребывают в нерешительности, одного голоса — или кулака — может оказаться достаточно для предотвращения надвигающейся катастрофы. Мне случалось видеть это в тюрьме, где группа заключенных, собиравшихся изнасиловать своего товарища, послушалась человека, взывавшего к их совести. Я сталкивался с этим на войне, где голос разума оказывался сильнее ненависти, побуждавшей к издевательству над захваченным в плен врагом. Не исключено, что я столкнулся с этим и в тот день, когда мы с нигерийцем сдерживали натиск толпы. Возможно, сама необычность ситуации — белый человек, гора, умоляет на хинди пощадить двух негров — удержала людей от убийства.

Неожиданно автомобиль, к которому мы были прижаты, подал признаки жизни. Гиганту-водителю удалось завести двигатель, и мы спиной почувствовали, как машина стала медленно пятиться, выбираясь из ловушки. Мы с новой силой стали отпихивать наседавших на нас людей, отрывать от себя цепляющиеся руки. Водитель, перегнувшись через спинку, открыл заднюю дверцу, и мы друг за другом запрыгнули в машину. Людской напор сам собой захлопнул дверцу за нами. Несколько десятков рук били, стучали и колотили по корпусу автомобиля. Водитель начал медленно отъезжать от места аварии. На нас обрушился целый град снарядов — стаканы, коробки из-под продуктов, туфли. Но мы были уже свободны и удалялись с возрастающей скоростью, глядя через заднее стекло, не преследуют ли нас.

— Хасан Обиква, — сказал сидевший рядом со мной пассажир, протягивая мне руку.

— Лин Форд, — ответил я, пожимая его руку, и только сейчас заметил, сколько на ней золота.

Все пальцы были унизаны кольцами, на некоторых сверкали бело-голубым светом бриллианты. На запястье болтались золотые часы «Ролекс», тоже инкрустированные бриллиантами.

— А это Рахим, — кивнул мой сосед на водителя.

Тот оглянулся на меня с широкой ухмылкой, закатил глаза, благодаря Бога за спасение, и вернулся к своим обязанностям.

— Вы спасли мне жизнь, — сказал Хасан Обиква, мрачно усмехнувшись. — Нам обоим. Эта толпа не успокоилась бы, пока не прикончила бы нас.

— Нам повезло, — ответил я, глядя в его пышущее здоровьем красивое лицо; оно нравилось мне все больше.

Прежде всего обращали на себя внимание глаза и губы. Большие, чрезвычайно широко расставленные глаза создавали впечатление, что на тебя смотрит какая-то рептилия. Великолепные, красиво очерченные губы были такими полными, словно предназначались для другой, более крупной головы. Ровные передние зубы были белыми, все задние — золотыми. Изящные изгибы крыльев носа открывали раструб ноздрей, и казалось, что он постоянно принюхивается к каким-то приятным одурманивающим запахам. В левом ухе под короткими черными волосами висело массивное золотое кольцо, заметно выделявшееся на фоне иссиня-черной кожи толстой шеи.

Рубашка Хасана была изодрана, ссадины и синяки украшали его лицо и все открытые участки тела. Но глаза его блестели радостным возбуждением. Нападение толпы не выбило его из колеи, как, впрочем, и меня. И мне и ему приходилось бывать и не в таких переделках, мы оба поняли это с первого взгляда. Встречаясь в дальнейшем, ни один из нас даже не упоминал об этом инциденте. Поглядев в его блестящие глаза, я почувствовал, что мое лицо расплывается в ответной улыбке.

— Нам просто чертовски повезло!

— Да, блин, это точно! — согласился он, сокрушенно хохотнув, затем стянул «Ролекс» с запястья и поднес часы к уху, чтобы проверить, идут ли они. Убедившись, что идут, он опять надел их и обратился ко мне: — Да, нам повезло, но я все равно у вас в долгу, и в немалом. Долг такого рода важнее всех прочих обязательств человека. Вы обязаны позволить мне отплатить вам.

— Я не отказался бы от денег, — сказал я.

Водитель через свое зеркальце обменялся взглядом с Хасаном.

— Но... этот долг нельзя отдать деньгами, — возразил Хасан.

— Деньги нужны не мне, а тому индийцу с тележкой, которого вы сбили, и водителю такси. Я хочу передать их этим людям. Обстановка на Регал-Сёркл еще не скоро войдет в норму, народ будет какое-то время взбудоражен, а это мой участок, я здесь работаю. Если вы дадите денег для пострадавших, мы будем в расчете.

Хасан засмеялся и шлепнул меня по колену. Это был хороший смех — откровенно насмешливый, но великодушный и понимающий.

— Не беспокойтесь, — сказал он, широко улыбаясь. — Это не мой участок, но даже здесь я пользуюсь определенным влиянием. Я позабочусь о том, чтобы пострадавший индиец получил достаточно денег.

— А другой?

— Какой другой? — не понял он.

— Водитель такси.

— А, ну да, и он тоже.

Наступило молчание. Я ощущал повисшее в воздухе недоумение. Глядя на улицу за окном, я чувствовал на себе его вопросительный взгляд.

— Я... люблю водителей такси, — объяснил я, повернувшись к нему.

— Угу, — кивнул он.

— И я знаю, как они живут.

— Да-да.

— Такси довольно сильно повреждено, и это будет стоить немало водителю и его семье.

— Это понятно.

— Так когда вы это сделаете? — спросил я.

— Сделаю что?

— Когда вы заплатите этому индийцу с тележкой и водителю?

— А! — усмехнулся Хасан Обиква и опять обменялся взглядом со своим шофером. Тот пожал могучими плечами и усмехнулся. — Завтра. Это будет не поздно?

— Нет, — ответил я, гадая, что именно означают эти усмешки. — Просто мне нужно это знать, прежде чем я буду говорить с ними. Дело не в деньгах. Я могу и сам оплатить им ущерб, я уже думал об этом. Дело в том, что некоторых из этих людей я знаю и мне надо восстановить отношения с ними. Поэтому я хочу выяснить, дадите вы им деньги или нет. Если нет, то дам я. Вот и все.

Было похоже, что моя просьба вызвала какие-то осложнения. Я пожалел, что высказал ее, и начал потихоньку закипать. Но тут он протянул мне свою руку.

— Даю слово, — произнес он торжественно, и мы обменялись рукопожатием.

Мы опять замолчали, и спустя пару минут я постучал водителя по плечу.

— Я сойду здесь, — сказал я.

Возможно, я произнес это более сухо, чем намеревался.

Машина остановилась у обочины в нескольких кварталах от наших трущоб. Я хотел выйти, но Хасан схватил меня за запястье. Хватка была железной, и секунду-две я размышлял о том, какой же она может быть у могучего Рахима.

— Пожалуйста, запомните мое имя: Хасан Обиква. Я живу в африканском гетто в Андхери. Там все меня знают. Я готов сделать для вас все, если понадобится. Я хочу отдать свой долг, Лин Форд. Вот номер моего телефона. Звоните в любое время дня и ночи.

Я взял карточку, на которой было только его имя и номер телефона, и пожал его руку. Кивнув Рахиму, я вылез из автомобиля.

— Спасибо, Лин! — крикнул мне Хасан через открытое окно. — Иншалла, мы скоро встретимся.

«Амбассадор» отъехал, и я направился в трущобы, разглядывая по пути карточку с позолоченной надписью. Миновав Центр мировой торговли, я ступил на территорию поселка, вспоминая, как всегда, свое первое посещение этого благословенного и проклятого уголка Бомбея.

Когда я проходил мимо чайной Кумара, мне навстречу выскочил Прабакер. На нем были надеты желтая шелковая рубашка, черные брюки и черные с красным лакированные туфли на платформе, с высоким каблуком. На шее был повязан алый шелковый платок.

— Лин! — Он устремился ко мне, пошатываясь на неровном грунте на своих платформах. Доковыляв, он ухватился за меня — отчасти в виде дружеского приветствия, отчасти для того, чтобы не упасть. — Там в твоей хижине сидит один человек, он твой знакомый и ждет тебя. Но подожди одну минуту, пожалуйста. Что у тебя случилось на лице? И на рубашке? Ты подрался с каким-то нехорошим человеком? *Аррей!* Какой-то нехороший человек сильно поколотил тебя. Если хочешь, я пойду с тобой и скажу ему, что он *баинчуд*[1].

— Ничего страшного, Прабу. Все в порядке, — пробормотал я, шагая в сторону своей хижины. — Ты не знаешь, кто это?

— Кто... кто? Человек, который побил твое лицо?

— Да нет, разумеется. Я имею в виду, кто ждет меня в хижине? Ты его знаешь?

— Да, Лин, — ответил он и, споткнувшись, ухватился за мой рукав.

Какое-то время мы шли в молчании. То и дело нас приветствовали, приглашали выпить чая, перекусить или перекурить.

— Ну так что?

— Так что «что»?

— Так кто это? Кто там в моей хижине?

— О! — рассмеялся он. — Прости, Лин. Я думал, ты хочешь сюрприза, и поэтому не сказал тебе сразу.

— Раз ты сказал мне, что кто-то ждет меня, так это уже не сюрприз.

— Ну как же! — возразил он. — Ты же не знаешь, кто это такой, — значит, сюрприз. А сюрприз — вещь приятная. Если бы ты не знал совсем, что там кто-то сидит, то вошел бы и испугался. А испуг — это уже вещь неприятная. Он похож на сюрприз, только ты не готов к нему.

— Ну, спасибо в таком случае за предупреждение, — произнес я иронически, хотя с таким же успехом мог бы и не иронизировать — Прабакер не уловил иронии.

Он, со своей стороны, мог бы меня и не предупреждать — пока я шел к своей хижине, еще несколько человек сообщили мне новость: «Привет, Линбаба! Там в твоем доме тебя ждет какой-то го́ра!»

Дойдя до хижины, я увидел Дидье, который сидел на табурете у открытых дверей и обмахивался журналом.

---

[1] *Баинчуд* — ублюдок, раздолбай (*неприст., хинди*).

— Это Дидье, — представил его Прабакер, радостно ухмыляясь.

— Спасибо, что познакомил, Прабу. — Дидье поднялся, и мы обменялись рукопожатием. — Да, это действительно сюрприз, и очень приятный.

— Мне тоже приятно видеть тебя, дружище. — Дидье улыбнулся, мужественно борясь с гнетущей жарой. — Хотя, должен признаться, было бы еще приятнее, если бы вид у тебя был не такой «потасканный», как выразилась бы Летти.

— Не обращай внимания. Так, маленькое недоразумение. Подожди минуту, я только умоюсь.

Я снял разорванную окровавленную рубашку и налил в ведро воды из глиняного кувшина. Стоя на специальной каменной площадке возле хижины, я умылся до пояса. Мимо меня прошли несколько соседей, одобрительно улыбаясь. Искусство умывания заключалось в том, чтобы не истратить ни одной лишней капли воды и не развести грязь. Я овладел этим искусством, как и сотней других вещей, благодаря которым я приобщился к жизни обитателей трущоб, полной любви и надежды, к их борьбе с судьбой.

— Хочешь чая? — спросил я Дидье, надевая чистую белую рубашку. — Мы можем сходить в чайную Кумара.

— Я только что выпил одну чашку, — ответил Прабакер. — Но ради дружбы можно выпить еще одну, не прав ли я?

В чайной Прабакер сел за столик вместе с нами. Чайная, сооруженная на месте пяти бывших хижин, была просторной, но сильно обветшала. Крыша была сложена из листов пластмассы; около одной из стен находился прилавок, переделанный из старого комода; скамейками для посетителей служили доски, уложенные на столбики кирпичей. Все это было заимствовано с соседней стройки. Кумар вел непрестанную войну с посетителями, стремившимися умыкнуть доски и кирпичи для собственных строительных нужд.

Кумар подошел к нам, чтобы лично принять заказ. Согласно установившемуся в трущобах этикету, чем больше человек зарабатывал, тем непригляднее он должен был выглядеть, и вид у Кумара был более расхристанным и оборванным, чем у беднейших из его клиентов. Он пододвинул нам вместо столика решетчатый упаковочный ящик, осмотрел его, критически прищурившись, смахнул пыль грязной промасленной тряпкой и сунул ее за пазуху.

— У кого действительно жуткий вид, так это у тебя, — сказал я Дидье, когда Кумар удалился, чтобы приготовить нам чай. — Не иначе как у тебя очередное любовное приключение.

Дидье усмехнулся, встряхнул черными кудрями и поднял руки ладонями кверху.

— Я очень устал, это верно, — вздохнул он с притворной, но очень правдоподобной жалостью к себе. — Ты даже представить не можешь, какие фантастические усилия требуются для того, чтобы совратить простого индийского человека. И чем он проще, тем труднее задача. Я просто из сил выбиваюсь, пытаясь обучить мошенничеству людей, у которых нет абсолютно никаких задатков для этого.

— Боюсь, научив их, ты сам себя накажешь, — обронил я.

— Ну, до этого еще далеко, — задумчиво протянул он. — А ты, друг мой, выглядишь замечательно. Правда, немножко не хватает... как бы это сказать? — лоска, какой придается человеку знанием света. И я пришел, чтобы заполнить этот пробел. Я сообщу тебе все последние новости и изложу все сплетни. Ты ведь знаешь разницу между новостью и сплетней, надеюсь? Новость сообщает тебе о том, чтó люди делали. А сплетня говорит, какое удовольствие они от этого получили.

Мы оба рассмеялись, но громче всех расхохотался Прабакер. Люди в чайной обернулись к нему с удивлением.

— Итак, с чего начать? Ага, знаю. Наступление Викрама на Летицию развивается с удивительной предсказуемостью. Если сначала она не выносила его...

— По-моему, «не выносила» — слишком сильное выражение и не соответствует действительности, — возразил я.

— Да, пожалуй, ты прав. Кого наша милая английская роза действительно не выносит, так это меня — уж это можно сказать со всей определенностью. А к Викраму она не испытывала столь горячих чувств. Наверное, можно сказать, что он ее раздражал.

— Да, это будет точнее, — согласился я.

— *Et bien*[1], если сначала он раздражал ее, то постепенно его преданность и настойчивые романтические ухаживания заставили ее относиться к нему с неким... дружеским отвращением, — пожалуй, иначе это не назовешь.

Мы опять засмеялись, а Прабакер стал шлепать себя по ляжкам и ухать столь громогласно, что окружающие уставились на него в полном изумлении. Мы с Дидье тоже недоуменно посмотрели на него. Он отвечал нам проказливой улыбкой, но при этом стрелял глазами куда-то влево. Взглянув в том же направлении, я увидел Парвати, готовившую еду на кухне. Ее толстая черная коса была канатом, по которому мужчина мог взобраться на небеса. Ее маленькая фигурка — Парвати была крошечной, даже ниже Прабакера, — была его желанной целью. Ее глаза, обращенные на нас, полыхали черным огнем.

Но над головой Парвати полыхали глаза Нандиты, ее матери. Это была женщина внушительного вида, раза в три превосхо-

---

[1] Ну что же *(фр.)*.

дившая своими габаритами каждую из двух дочерей. В ее гневном взгляде причудливо сочетались желание содрать с нас побольше и презрение к мужскому полу. Я улыбнулся ей и покачал головой. Ее ответная улыбка напоминала злобный оскал воинов народности маори, который они демонстрируют врагам для их устрашения.

— Последним подвигом Викрама, — продолжал Дидье, — было укрощение лошади, взятой напрокат на пляже Чаупатти, и исполнение верхом на ней серенады под окном Летиции на Мариндрайв.

— Это принесло ему успех?

— Увы, *non*[1]. Когда Викрам дошел до самой трогательной части серенады, лошадь от избытка чувств оставила на тротуаре солидную порцию *merde*[2], что вызвало большое неудовольствие всех соседей Летиции, которое они выразили, забросав Викрама гнилыми объедками. Как было отмечено, наиболее весомыми и точно нацеленными были снаряды, пущенные самой Летицией.

— *C'est l'amour*[3], — вздохнул я.

— Именно! — тут же согласился Дидье. — Гнилье и *merde* — *c'est l'amour*. Боюсь, если так дело пойдет и дальше, мне придется вмешаться. Викрам глупеет от любви, а уж кого Летти действительно терпеть не может, так это глупцов. А вот у Маурицио дела идут гораздо успешнее. Он прокручивает какие-то сделки вместе с Моденой и, как говорится, при деньгах. Маурицио становится известным дельцом в Колабе.

Я сделал каменное лицо, но в голове у меня заворочались ревнивые мысли о красавчике Маурицио, опьяненном успехом. Опять пошел дождь, и в окно было видно, как люди спасаются от него и перепрыгивают через лужи, задрав штаны и сари.

— Не далее как вчера, — сказал Дидье, осторожно переливая чай из чашки на блюдце, как делали все в трущобах, — Модена прибыл в «Леопольд» в собственной машине с шофером, а Маурицио щеголял «Ролексом» за десять тысяч долларов. Однако... — Он замолчал, отпивая чай с блюдечка.

— Что «однако»? — нетерпеливо спросил я.

— Однако в их сделках слишком много риска. Маурицио часто ведет себя в делах... непорядочно. Если он наступит на мозоль людям, которых лучше не трогать, — это может плохо кончиться.

— А ты сам? — сменил я тему разговора, боясь выдать свое злорадство по поводу угрозы, нависшей над Маурицио. — Разве ты не заигрываешь с опасностью? Я слышал, твой новый знако-

---

[1] Нет *(фр.)*.
[2] Здесь: навоз *(фр.)*.
[3] Такова любовь *(фр.)*.

мый — сущая марионетка. Летти говорит также, что у него взрывной характер и вывести его из себя ничего не стоит.

— Да нет, — отмахнулся Дидье. — Он не опасен. Но на нервы он действует, а это гораздо хуже, *n'est-ce pas*?[1] Легче ужиться с опасным человеком, чем с тем, кто тебя раздражает.

Прабакер сходил к прилавку купить три сигареты «биди» и, держа все три в одной руке, поджег их одной спичкой. Отдав нам с Дидье по штуке, он сел на свое место, пуская дым с довольным видом.

— Еще одна новость: Кавита сменила работу, перешла в «Нундей». Пишет теперь для газеты большие тематические статьи, а от этого, говорят, недалеко и до поста редактора отдела. На это место было много кандидатов, но победила Кавита, и она на седьмом небе.

— Мне нравится Кавита, — бросил я импульсивно.

— А знаешь, — протянул Дидье, глядя на тлеющий кончик своей «биди», и посмотрел на меня, искренне удивляясь собственным словам, — и мне тоже.

Мы снова рассмеялись, и я намеренно толкнул Прабакера в бок. Парвати наблюдала за нами тлеющим уголком глаза.

— Послушай, — спросил я, — тебе что-нибудь говорит это имя?

Я вытащил из кармана рубашки белую с золотом визитную карточку и протянул ее Дидье. На мысль о Хасане Обикве меня натолкнуло упоминание нового «Ролекса» Маурицио.

— Ну еще бы! — отозвался Дидье. — Этот «Борсалино» известен очень широко. Его называют Похитителем трупов.

— Полезное знакомство, — заметил я, криво усмехнувшись.

Прабакер опять зашелся смехом, но на этот раз я положил руку ему на плечо, чтобы успокоить его.

— Говорят, когда Хасан Обиква похищает чье-нибудь тело, его даже сам черт не сыщет. Никто больше никогда его не видит. *Jamais!*[2] А ты откуда его знаешь? И откуда карточка?

— Ну, я тут случайно повстречался с ним, — ответил я, пряча карточку в карман.

— Будь осторожен, дружище, — бросил Дидье, явно задетый тем, что я не захотел посвятить его в детали моего знакомства с Хасаном. — В своем гетто этот Обиква настоящий король, черный король. А ты ведь знаешь старую поговорку: «Если король враг — это плохо, если друг — еще хуже, а уж если родственник — пиши пропало».

В это время к нам подошла группа молодых рабочих со стройки. Почти все они жили в поселке строительной компании и все

---

[1] Не правда ли? *(фр.)*
[2] Никогда *(фр.)*.

без исключения приходили ко мне в клинику в течение последнего года залечивать раны, полученные на работе. Это был день получки, и они находились в приподнятом настроении, какое возникает у молодого трудяги, располагающего пачкой денег. Они по очереди поздоровались со мной за руку и заказали нам троим еще по чашке чая с пирожными. После общения с ними на лице у меня появилась такая же довольная улыбка, как у них.

— Эта работа на благо общества, похоже, очень тебе подходит, — заметил Дидье с лукавой улыбкой. — Ты полон жизни и выглядишь просто замечательно — если не обращать внимания на синяки и царапины. Я думаю, Лин, в глубине души ты очень большая бяка. Только вконец испорченная личность может так расцвести от общественно полезного труда. Хорошего человека такая работа измочалила бы и повергла бы в уныние.

— Ну, значит, так и есть, Дидье, — сказал я, по-прежнему улыбаясь. — Карла говорила, что когда ты видишь что-то плохое в людях, то обычно бываешь прав.

— Ты мне льстишь, дружище. Так и возгордиться недолго.

Неожиданно прямо за стенкой чайной загрохотали барабаны. За ними визгливо вступили флейты и трубы. Как музыка, так и музыканты были мне хорошо знакомы. Это была одна из бравурных популярных мелодий, регулярно исполнявшихся нашим оркестром во время праздников и торжеств. Мы все вышли на открытую террасу чайной. Прабакер забрался на скамейку, чтобы смотреть поверх голов столпившихся людей.

— Что это за парад? — спросил Дидье, кивнув на толпу, шествовавшую мимо чайной.

— Это Джозеф! — воскликнул Прабакер. — Джозеф и Мария. Смотрите, вон они идут!

Действительно, к нам приближались медленным торжественным шагом Джозеф и Мария в окружении родственников и друзей. Перед ними буйствовала целая орава ребятишек, танцующих с необузданным, чуть ли не истеричным воодушевлением. Некоторые из них имитировали движения кинозвезд в танцевальных сценах их любимых фильмов, другие отчебучивали танцы собственного изобретения или совершали акробатические прыжки.

Слушая оркестр, глядя на детей и думая о Тарике, по которому я успел соскучиться, я вспомнил случай, происшедший со мной в тюрьме, в замкнутом мире, существующем отдельно от большого. Меня перевели из одной камеры в другую, что было в порядке вещей, и я обнаружил на новом месте крошечного мышонка. Это существо каждую ночь проникало в помещение через сломанную решетку вентиляционного отверстия. В одиночной камере у тебя вырабатываются два полезных свойства: терпение и настойчивость в достижении цели. Применив эти свойства, я с помощью маленьких кусочков еды за несколько недель приручил мышонка, и он стал есть прямо из рук. Когда меня перевели на новое место, я рассказал о мышонке своему сокамернику, который до этого казался мне нормальным человеком. На следующее утро он пригласил меня посмотреть на мышонка. Он поймал доверчивое существо и распял его головой вниз на кресте, изготовленном им из сломанной линейки. Рассказывая мне, как сопротивлялся мышонок, когда он привязывал его за шею ниткой, заключенный смеялся. Его удивило, как трудно оказалось загнать канцелярские кнопки в дергающиеся лапки.

После этого случая меня долго мучил по ночам вопрос: бывают ли когда-либо оправданными наши поступки? Что бы мы ни делали, даже с лучшими намерениями, мы нарушаем естественный ход вещей и рискуем навлечь какое-либо несчастье, которого не случилось бы без нашего вмешательства. Я вспомнил слова Карлы о том, что зло бывает порождено стараниями людей изменить что-то к лучшему.

Я посмотрел на детишек, подражавших танцорам в кино и прыгавших, как храмовые обезьянки. Среди них были и те, кого я учил говорить, читать и писать по-английски. За три месяца они усвоили кое-какие языковые навыки, и некоторые даже стали входить в контакт с иностранными туристами, выполняя те или иные поручения. Я спрашивал себя, не были ли эти дети такими же мышатами, приучившимися есть с руки? Не воспользуется ли судьба их доверчивой невинностью и не постигнет ли их горькая участь, которой они избежали бы, если бы я не вмешался в их жизнь? Какие несчастья и душевные травмы ожидают Тарика только потому, что я подружился с ним и научил его коечему?

— Джозеф избил свою жену, — объяснил Прабакер, когда пара приблизилась к нам. — А теперь видите, какой праздник!

— Если они устраивают такие парады всякий раз, когда муж избивает жену, то представляю, какое будет гулянье, если когонибудь убьют! — отозвался Дидье, изумленно вздернув брови.

— Он зверски избил ее, когда был пьян, — проорал я ему в ухо, стараясь перекричать шум и гвалт, — и за это был сурово наказан не только ее родственниками, но и всеми жителями трущоб!

— Я тоже самостоятельно побил его очень хорошо палкой! — похвастался Прабакер в радостном возбуждении.

— Но в последние месяцы он не пил, усердно работал и сделал много полезного для всего поселка, — продолжал я. — Это было частью его наказания, а для него также способом вернуть себе уважение соседей. Пару месяцев назад жена простила его. Теперь они вместе накопили некоторую сумму, позволяющую им уехать на время и отдохнуть.

— Ну что ж, людям случалось праздновать вещи и похуже, — резюмировал Дидье, слегка извиваясь всем телом в такт барабанам и флейтам заклинателей змей. — Да, чуть не забыл. Относительно этого Хасана Обиквы существует одна примета, о которой ты должен знать.

— Я не верю в приметы! — прокричал я под завывание дудок и барабанный бой.

— Не смеши меня! — отозвался он. — Все люди суеверны и верят в приметы.

— Это фраза Карлы.

Он нахмурился, сжав губы и напрягая память:

— Да?

— Да-да. Это ее слова.

— Удивительно, — пробормотал он. — Я был уверен, что это мое. А ты точно знаешь?

— Да, я слышал это от нее.

— Ну ладно, как бы то ни было, примета заключается в том, что человек, который при знакомстве с Хасаном называет свое имя, впоследствии непременно становится его клиентом — либо живым, либо мертвым. Поэтому никто не представляется ему при первой встрече. Надеюсь, ты не сказал ему, как тебя зовут?

Толпа вокруг нас взревела еще громче, когда Джозеф и Мария приблизились. Я обратил внимание на сияющую, храбрую и полную надежды улыбку Марии и пристыженный, но решительный вид Джозефа. Она похорошела, коротко подстриженные волосы были уложены в красивую модную прическу, гармонировавшую с платьем современного покроя. Джозеф заметно похудел, стал стройнее, здоровее на вид и привлекательнее. На нем были голубая рубашка и новые брюки. Муж с женой шагали, прижавшись друг к другу и сцепив пальцы всех своих четырех рук. За ними шли их родственники, растянув голубую шаль, в которую окружающие бросали монетки и записки с пожеланиями.

Прабакер не мог усидеть на месте. Соскочив со скамьи, он присоединился к людям, дергавшимся и корчившимся в танце. Шатаясь и спотыкаясь на своих платформах, он тем не менее выбрался в центр круга, разведя руки в стороны, чтобы не потерять равновесия, как человек, переходящий по камням через ручей. Он смеялся, вихляя бедрами и кружась в своей желтой рубашке. Бурлящая лавина, катившая к выходу из трущоб, захлестнула и Дидье. Он удалялся от меня, изящно покачиваясь под музыку, пока не стали видны лишь его белые руки, воздетые над темными курчавыми волосами.

Девушки горстями бросали в толпу лепестки хризантем, которые взлетали вверх сверкающими белыми гроздьями и осыпали всех нас. Проходя мимо чайной, Джозеф посмотрел мне прямо в лицо. Глаза его горели под нахмуренными бровями, но на губах играла счастливая улыбка. Он дважды кивнул мне и отвел взгляд.

Джозеф, конечно, не мог знать этого, но своим простым кивком он ответил на вопрос, мучивший меня и отзывавшийся в мозгу тупой болью сомнения с тех самых пор, как я бежал из тюрьмы. Джозеф был спасен, об этом говорил его взгляд и его кивок. Он был охвачен лихорадкой возродившегося человека, в которой смешивались стыд и торжество. Эти чувства взаимосвязаны: стыд придает торжеству смысл, а торжество служит вознаграждением стыду. Мы все спасли Джозефа, сначала став свидетелями его стыда, а затем разделив с ним его торжество. И произошло это благодаря тому, что мы действовали, мы вмешались в его жизнь, ибо спасение невозможно без любви.

«Что более характерно для человека, — спросила меня однажды Карла, — жестокость или способность ее стыдиться?» В тот момент мне казалось, что этот вопрос затрагивает самые основы человеческого бытия, но теперь, когда я стал мудрее и привык к одиночеству, я знаю, что главным в человеке является не жестокость и не стыд, а способность прощать. Если бы человечество не умело прощать, то быстро истребило бы себя в непрерывной вендетте. Без умения прощать не было бы истории. Без надежды на прощение не было бы искусства, ибо каждое произведение искусства — это в некотором смысле акт прощения. Без этой мечты не было бы любви, ибо каждый акт любви — это в некотором смысле обещание прощения. Мы живем потому, что умеем любить, а любим потому, что умеем прощать.

Барабанный бой затихал, танцоры удалялись от нас, крутясь и извиваясь в такт музыке; их раскачивающиеся головы были похожи на поле подсолнухов, колышущихся на ветру. Когда от музыки осталось только эхо у нас в ушах, на улочках поселка возобновилась обычная жизнь с ее ежедневными и ежеминутными заботами. Люди вновь обратились к своим обычным делам, своим нуждам, своим надеждам и бесхитростным попыткам перехитрить нелегкую судьбу. И на какое-то недолгое время мир вокруг нас стал лучше, покорился сердцам и улыбкам, которые были почти так же девственны и чисты, как обсыпавшие нас лепестки цветов, прилипавшие к лицу, словно застывшие белые слезы.

ГЛАВА 18

Каменистый берег образовывал длинную дугу, начинавшуюся слева от наших трущоб, у мангрового болота, и тянувшуюся вдоль глубокой воды с барашками волн до Нариман-Пойнта. Сезон дождей был в полном разгаре, но в данный момент черно-серый воздушный океан, изломанный молниями, воду не извергал. Стая болотных птиц спикировала на мелководье и спряталась в зарослях стройного дрожащего тростника. Рыбачьи лодки сворачивали сети на взъерошенной поверхности залива. Дети бултыхались в воде или играли на усыпанном галькой берегу среди больших валунов. Роскошные жилые дома-башни теснились плечом к плечу, образуя золотой полумесяц по всему берегу вплоть до района консульств на мысу. Во дворах этих домов и на окружающих лужайках гуляли и дышали воздухом богачи. Издали, от наших трущоб, белые рубашки мужчин и многоцветные сари женщин казались бусинками, нанизанными на черную нитку асфальтовых дорожек. Воздух на этой скалистой окраине поселка был чистым и прохладным. Здесь все было объято тишиной, поглощавшей случайные звуки. Этот район назывался Бэк-Бей. Самое подходящее место для человека, спасающегося от преследования и желающего произвести переучет духовных и материальных ценностей в момент, отягощенный дурными предзнаменованиями.

Я сидел в одиночестве на большом плоском камне и курил сигарету. В те дни я курил потому, что мне, как и всем курящим в мире, хотелось умереть не меньше, чем жить.

Неожиданно солнце раздвинуло насыщенные влагой облака, и на несколько мгновений окна домов на противоположном конце дуги вспыхнули ослепительным золотом. Затем дождевые тучи перегруппировались по всему горизонту и, наползая друг на друга, сбились плотной массой, заслонив сияющее окошко, так что небо с серыми волнами облаков стало неотличимо от волнующегося моря.

Я прикурил еще одну сигарету от старой, думая о любви и сексе. Дидье, который не выпытывал у своих друзей никаких секретов, кроме интимных, заставил меня признаться, что после приезда в Индию я ни разу ни с кем не занимался любовью. Сначала он лишь раскрыл рот от ужаса, затем сказал: «Знаешь, дружище, это слишком большой перерыв между двумя рюмками. Мне кажется, тебе просто необходимо как следует надраться, и срочно». Он был прав, конечно: чем дольше длился период воздержания, тем большее значение я придавал сексу. В трущобах я был окружен прекрасными индийскими девушками и женщинами, которые пробуждали во мне целые симфонии вдохновения. Но я не позволял своим глазам и мыслям заходить слишком далеко в этом направлении — это перечеркнуло бы все, что я делал как врач, и уничтожило бы ту личность, какой я здесь стал. Но мне предоставлялась возможность заняться сексом с иностранными туристками, с которыми я встречался почти ежедневно. Немки, француженки и итальянки не раз приглашали меня покурить у них в номере после завершения нашей сделки с травкой или гашишем. Понятно, что предполагалось не одно лишь курение. Соблазн был велик, иногда я удерживался от него ценой тяжких мучений. Но я не мог прогнать мысли о Карле. Где-то в глубине моего сознания у меня возникало интуитивное ощущение (не знаю, что его порождало — любовь, страх или просто здравый смысл), но только я был абсолютно уверен, что, если я не буду ее ждать, я ее не получу.

Я не мог объяснить эту любовь ни Карле, ни кому-либо еще, включая себя самого. Я никогда не верил в любовь с первого взгляда, пока она не настигла меня. Когда это произошло, у меня было такое чувство, будто во мне каким-то образом изменился каждый атом, я будто получил заряд света и тепла. Один вид ее сделал меня совсем другим человеком. И вся жизнь моя с тех пор, казалось, была подчинена этой любви. В каждом мелодичном звуке, принесенном ветром, мне чудился ее голос. Ежедневно перед моим мысленным взором вспыхивало ее сияющее лицо. Иногда воспоминания о ней вызывали у меня страстное желание коснуться ее, поцеловать, вдохнуть на миг запах ее черных волос, слегка напоминающий корицу. Это желание раздирало мое сердце и мешало дышать. Тяжелые серые тучи, перегруженные дождем, теснились над городом, над моей головой и казались мне воплощением мучившей меня любви. Даже в мангровых деревьях трепетало мое желание. А по ночам, слишком часто, в моих беспокойных снах ворочались морские валы, наполненные вожделением, пока утром не всходило солнце, излучавшее любовь к ней.

Но она сказала, что не любит меня и не хочет, чтобы я любил ее. Дидье, пытаясь помочь спасти меня, предупреждал, что ничто не заставляет человека так мучительно горевать, как половина большой любви, которой не суждено воссоединиться с другой половиной. Он был прав, конечно, — до некоторой степени. Но я не мог расстаться со своей надеждой и подчинялся инстинкту, повелевавшему мне ждать.

И еще одна любовь не давала мне покоя — моя сыновняя любовь к Кадербхаю, господину Абделю Кадер-хану. Его друг Абдул Гани назвал его спасительной гаванью, в которой находят убежище жизни тысяч людей. Похоже, и моя была среди них. Я не вполне понимал, каким именно образом судьба связала мою жизнь с ним, но и освободиться от его влияния не мог. Когда Абдул говорил о своих поисках истины и ответов на три главных жизненных вопроса, он, не ведая того, описал мое стремление найти кого-то или что-то, кому или во что можно поверить. Я шел тем же мучительным, заковыристым путем к вере. Но всякий раз, когда я знакомился с новым вероучением и встречал нового гуру, оказывалось, что вероучение неубедительно, а гуру несовершенен. Все вероучения требовали, чтобы я пошел на компромисс. Все учителя требовали, чтобы я закрывал глаза на те или иные несовершенства. И вот теперь появился Абдель Кадер-хан, иронически взиравший на мои подозрения своими медовыми глазами. «Можно ли ему верить? — спрашивал я себя. — Нашел ли я в нем своего Учителя?»

— Красиво, правда? — спросил Джонни Сигар, садясь рядом со мной и глядя на темное, нетерпеливо ворочавшееся море.

— Да, — согласился я, предложив ему сигарету.

— Может быть, наша жизнь началась в океане, — произнес он тихо. — Четыре тысячи миллионов лет назад. В каком-нибудь глубоком, теплом месте, около подводного вулкана.

Я посмотрел на него с удивлением.

— И почти все это время все живые существа были водными, жили в море. А потом, несколько миллионов лет назад, а может, и немного раньше, — трудно сказать, все же давно это было — живые существа выбрались и на сушу.

Я недоуменно хмурился и одновременно улыбался. Я даже дышать старался потише, чтобы не нарушить задумчивость, овладевшую Джонни.

— Но можно сказать, что, после того как мы покинули море, прожив в нем много миллионов лет, мы как бы взяли океан с собой. Когда женщина собирается родить ребенка, у нее внутри имеется вода, в которой ребенок растет. Эта вода почти точно такая же, как вода в море. И примерно такая же соленая. Женщина устраивает в своем теле маленький океан. И это не все. Наша кровь и наш пот тоже соленые, примерно такие же соленые, как морская вода. Мы носим океаны внутри, в своей крови и в поту. И когда мы плачем, наши слезы — это тоже океан.

Он замолчал, и я наконец смог задать занимавший меня вопрос:

— Откуда, скажи на милость, ты все это узнал?

Возможно, вопрос прозвучал слишком резко.

— Прочитал в книге. — Он взглянул на меня смущенно и чуть обеспокоенно своими смелыми карими глазами. — А что? Это не так? Я сказал что-нибудь неправильно? Эта книга у меня дома. Я могу дать ее тебе.

— Нет-нет, все правильно, все, наверное, так и есть...

Я молчал, разозлившись на себя самого. Несмотря на то что я хорошо знал своих соседей по трущобам, несмотря на то что я был у них в неоплатном долгу — они приняли меня к себе, предложили свою дружбу и ежедневно помогали мне всем, чем могли, — я оказался самоуверенным ханжой. Меня удивило то, что рассказал мне Джонни, потому что я поддался глубоко укоренившемуся предубеждению, говорившему, что они не могут знать таких вещей. В глубине души я считал их невежественными — хотя и знал, что это не так, — просто потому, что они были бедны.

— Лин! Лин! — вдруг раздался испуганный крик. К нам торопливо пробирался между камнями Джитендра. — Моя жена! Радха! Ей плохо!

— Что случилось?

— У нее понос и лихорадка. Она вся горячая. И ее рвет, — выпалил Джитендра, задыхаясь. — Она плохо выглядит, очень плохо.

— Пошли, — бросил я и стал прыгать с камня на камень, пока не добрался до каменистой тропинки, ведущей в трущобы.

Радха лежала на тонком одеяле в своей хижине. Она скорчилась от боли; волосы ее были мокрыми от пота, как и ее розовое сари. В хижине было не продохнуть. Чандрика, мать Джитендры, пыталась ухаживать за Радхой, но та из-за лихорадки не могла справиться с позывами своего организма. Не успели мы войти, как у нее опять началась сильная рвота, а затем и понос.

— Когда это началось?

— Два дня назад, — ответил Джитендра. В глазах его было отчаяние.

— Два дня назад?!

— Тебя не было, ты ушел куда-то с туристами, вернулся очень поздно. А вчера вечером ты был у Казима Али. Сегодня тоже рано ушел. Я сначала думал, что она что-нибудь съела и это просто понос. Но ей очень плохо, Линбаба. Я три раза пытался отвезти ее в больницу, но они не взяли ее.

— Конечно, ее надо положить в больницу, — сказал я решительно. — Это очень серьезно, Джиту.

— Но они же не хотят брать ее, Линбаба! — жалобно возопил Джитендра. Слезы катились по его круглым щекам. — Слишком много народу. Мы пробыли там сегодня шесть часов! Шесть часов ждали на улице вместе с другими больными. В конце концов Радха стала умолять, чтобы я отвез ее обратно домой. Ей было стыдно находиться там в таком виде. Мы только что вернулись, и я пошел искать тебя, Линбаба. Больше мне ничего не оставалось. Я очень беспокоюсь за нее!

Я велел им вылить воду из глиняного кувшина, вымыть кувшин как следует, набрать свежей воды, прокипятить ее в течение десяти минут и только после этого использовать для питья. Вместе с Джитендрой и Джонни мы пошли в мою хижину, где я взял таблетки глюкозы и смесь парацетамола с кодеином, с помощью которой я надеялся сбить лихорадку Радхи и ослабить боль. Не успел Джитендра выйти с лекарствами, как ворвался Прабакер и вцепился в меня с выражением крайней муки на лице:

— Лин! Лин! Парвати очень плохо! Пожалуйста, пойдем скорее!

Девушку терзали боли в желудке. Она то сворачивалась клубком, держась за живот, то выпрямлялась, выгнув спину в конвульсиях и раскинув руки и ноги. Температура у Парвати была очень высокой, кожа скользкой от пота. Ее также мучили рвота и понос, и в пустой чайной стояла такая вонь, что ее родители и сестра старались дышать через платок. Кумар и Нандита Патак, разумеется, пытались помочь своей дочери, но были бессильны, и их охватило отчаяние. Они были так подавлены и испуганы, что соблюдение приличий отошло на второй план, и они позволили мне осмотреть девушку в тонкой нижней рубашке, обнажавшей ее плечи и значительную часть груди.

Сестра Парвати Сита в ужасе забилась в угол хижины. Ее хорошенькое лицо было искажено страхом. Она понимала, что Парвати страдает не от случайной болезни.

Джонни Сигар обратился к ней на хинди. Тон его был резким, чуть ли не грубым. Он упрекнул ее в трусости и предупредил, что жизнь сестры находится в ее руках. Постепенно его голос заставил девушку выбраться из дебрей ее темного страха. Она подняла голову и посмотрела на Джонни, словно впервые увидев его. Затем, не поднимаясь на ноги, она подползла к Парвати и вытерла ей рот мокрым полотенцем, вступив, по зову Джонни Сигара, в борьбу за жизнь своей сестры.

Холера. К вечеру обнаружилось десять случаев серьезного заболевания, еще у двенадцати человек проявлялись симптомы болезни. К утру число заболевших возросло до шестидесяти, а людей с симптомами — до сотни. В полдень нас постигла первая утрата. Умерла Радха.

Отдел здравоохранения бомбейского муниципалитета прислал к нам своего чиновника. Это был усталый человек лет сорока с небольшим, по имени Сандип Джиоти. Его умные, полные сочувствия глаза были примерно такого же бронзового оттенка, что и его блестящая от пота кожа. Волосы его то и дело рассыпались, и он поправлял их пятерней с длинными пальцами. На шее у него болталась маска, которую он натягивал всякий раз, заходя в хижину или встречаясь с больным. После того как он совершил инспекционный осмотр поселка, мы вместе с доктором Хамидом, Казимом Али Хусейном и Прабакером обсудили результаты, стоя около моей хижины.

— Мы проанализируем все взятые образцы, — сказал Сандип Джиоти, кивнув на своего ассистента, который держал в руках чемоданчик с пробирками, содержащими образцы крови, слюны и кала заболевших. — Но и без того ясно, что вы правы, Хамид. Это уже тринадцатый очаг холеры на участке от Колабы до Кандивли. Очаги пока в основном небольшие, но в Тхане очень серьезный случай — ежедневно болезнь поражает до сотни человек. Все больницы переполнены. Но могло быть и хуже, учитывая, что сейчас сезон дождей. Есть надежда, что мы сумеем ограничить эпидемию пятнадцатью-двадцатью очагами инфекции.

Я ждал, что Казим Али или доктор Хамид скажет что-нибудь по этому поводу, но они лишь угрюмо кивнули. Тогда я взял инициативу в свои руки:

— Этих людей надо отправить в больницу.

— Послушайте, — ответил Сандип Джиоти, глубоко вздохнув и оглядываясь вокруг. — Самых тяжелых больных мы можем взять, я об этом позабочусь. Но госпитализировать всех просто невозможно. Я не хочу обещать вам невыполнимого. Та же самая картина в десяти других трущобных поселках. Я посетил их все, и всюду ко мне обращаются с той же просьбой. Вам придется сражаться с эпидемией на месте, своими силами. Другого выхода нет.

— Вы что, с ума сошли?! — взорвался я, чувствуя, как от страха у меня подводит живот. — Мы уже потеряли сегодня утром мою соседку Радху. Здесь тридцать тысяч человек. Как мы можем сражаться с холерой сами? Это просто смешно! Вы же отдел *здравоохранения*, черт побери!

Сандип Джиоти молча смотрел, как его помощник упаковывает чемоданчик с образцами, затем обернулся ко мне. В его покрасневших глазах была злость. Он и сам был расстроен тем, что его отдел не может помочь жителям трущоб, и ему не доставляло никакого удовольствия выслушивать брань по этому поводу, тем более от иностранца. Если бы он не знал, что я живу и работаю в трущобах, что люди относятся ко мне с уважением и надеждой, он просто послал бы меня подальше. Все эти мысли промелькнули на его усталом красивом лице и сменились терпеливой, почти ласковой улыбкой. Он опять запустил пятерню в свои непокорные волосы.

— Послушайте, я не нуждаюсь в наставлениях иностранца, приехавшего из богатой страны, относительно того, как мне следует заботиться о здоровье своих сограждан. Я понимаю, вы растеряны, и Хамид говорит, что вы проводите в трущобах большую работу, но я постоянно имею дело с подобными случаями по всему штату. Население Махараштры составляет сто миллионов человек, и мы заботимся о них всех как можем.

— Да, конечно, простите меня, — вздохнул я, прикоснувшись к его руке. — Я не хотел обвинить в чем-нибудь лично вас. Просто я... не знаю, что мне с этим делать, и... наверное, я боюсь.

— Почему вы живете здесь? Вы ведь можете уехать.

Вопрос был довольно резким и неожиданным, и я растерялся:

— Не знаю... Я... я люблю этот город. Почему *вы*, например, не уезжаете из него?

Он пристально посмотрел мне в глаза, затем опять мягко улыбнулся.

— Что вы *можете* для нас сделать? — спросил доктор Хамид.

— Боюсь, не слишком много. — Заметив ужас у меня в глазах, он издал глубокий вздох усталости, накопившейся в его сердце. — Я распоряжусь, чтобы к вам направили бригаду добровольных помощников, обладающих соответствующими навыками. Мне очень хотелось бы сделать для вас больше, поверьте. Но я уверен, да, уверен, что вы справитесь с этим. Это не так страшно, как вам сейчас кажется. Вы уже вступили в борьбу вполне успешно. Где вам удалось достать соль?

— Я принес, — поспешно бросил Хамид, так как соль для восстановительного раствора была нелегально доставлена прокаженными.

— Когда я сообщил доктору о холере, он дал нам соль и объяснил, как ее надо употреблять, — сказал я. — Но беда в том, что у некоторых больных она не удерживается в организме.

Метод восстановления водно-солевого баланса был изобретен ученым Джоном Роде, который работал в Республике Бангладеш в конце 1960-х — начале 1970-х годов вместе с местными врачами и специалистами ЮНИСЕФ[1]. Он составил рецепт физиологического раствора, содержащего дистиллированную воду, сахар, поваренную соль и некоторые другие минеральные добавки в строго определенной пропорции. Как известно, люди, зараженные холерным вибрионом, умирают от обезвоживания, вода интенсивно покидает их тело вместе со рвотой и испражнениями. Джону Роде удалось установить, что водный раствор сахара и соли помогает больным сохранить воду в организме и справиться с болезнью. Прокаженные Ранджита по просьбе доктора Хамида снабдили нас несколькими ящиками флаконов этого раствора. Но я не знал, сколько раствора нам понадобится и могут ли они дать еще.

— Сколько-то соли мы отправим вам при первой возможности вместе с бригадой помощников, — сказал Сандип Джиоти. — Правда, запасы этой соли в городе уже на пределе, но я позабочусь о том, чтобы вам доставили ее в первую очередь. Желаю вам успеха.

В мрачном молчании мы смотрели вслед Сандипу Джиоти с его ассистентом. Все мы испытывали страх.

Казим Али Хусейн взял ситуацию под свой контроль. Свой дом он объявил штабом по борьбе с эпидемией. Там собралось около двадцати жителей поселка, чтобы составить план действий. Холера имеет водное происхождение. Бактерия попадает с водой в тонкий кишечник и вызывает лихорадку, рвоту и понос, в результате которых происходит обезвоживание организма и человек умирает. Мы решили произвести обеззараживание воды, начиная с общей цистерны и заканчивая каждым ведром и горшком во всех семи тысячах хижин. Достав огромную пачку денег,

---

[1] *ЮНИСЕФ* — Детский фонд Организации Объединенных Наций.

толщиной с колено, Казим Али передал ее Джонни Сигару, велев купить на них таблетки для очистки воды и прочие необходимые лекарства.

Из-за дождей в поселке образовалось множество луж и ручейков, которые тоже служили средой, где размножались бактерии. Было решено вырыть во всех ключевых точках на территории поселка неглубокие траншеи и наполнить их дезинфицирующим раствором. Каждый человек, следующий мимо, должен был пройти по этой траншее, погрузившись по щиколотку в раствор. Кроме того, решили расставить повсюду пластмассовые ведра для отходов и снабдить каждую семью антисептическим мылом, а в чайных и закусочных устроить походные кухни, где готовили бы прокипяченные и проваренные блюда и стерилизовали бы посуду. Была организована бригада, которая должна была вывозить умерших на тележках в больничный морг. В мою задачу входило проследить за употреблением солевого раствора и в случае необходимости приготовить его самостоятельно.

Намеченные мероприятия представляли собой нелегкую и трудоемкую задачу, но все собравшиеся единогласно поддержали их. В экстремальных, критических ситуациях людям свойственно проявлять свои лучшие качества, которые в спокойные и благополучные моменты обычно глубоко запрятаны. Наши добродетели формируются несчастьями, которые мы переживаем. Но я вступил в борьбу с холерой, движимый не столько добродетелью, сколько стыдом. Моя соседка Радха находилась в тяжелом состоянии в течение двух дней перед смертью, а я даже не знал об этом. У меня было чувство, что мое тщеславие и самомнение тоже послужили причиной распространения болезни. Конечно, я понимал, что эпидемия разразилась не потому, что я что-то сделал или чего-то не сделал, она рано или поздно охватила бы трущобы независимо от меня. Тем не менее я не мог отделаться от ощущения, что мое самодовольство сделало меня соучастником несчастья.

Всего неделю назад я отпраздновал выпивкой с танцами тот факт, что за целый день никто из жителей трущоб ко мне не обратился. Ни одна женщина, ни один мужчина, ни один ребенок не нуждались в моей помощи. Если девять месяцев назад, когда открылась моя «клиника», ко мне стояли очереди в несколько сотен человек, то теперь не было никого. И я пил с Прабакером в этот день, торжествуя, будто это я излечил весь поселок от недугов и болезней. Теперь же, когда я спешил по размокшим дорожкам от одного больного к другому, это торжество не могло не казаться мне тщеславным и глупым. Меня грызло также чувство вины перед Радхой: она умирала, а я в это время, заведя полезное знакомство с туристами, отмечал это событие в их пятизвездочном отеле; она металась и извивалась от боли на сыром земляном полу, а я заказывал в номер закуски и мороженое.

Я поспешил в свою «клинику». Вокруг было пусто. Прабакер ухаживал за Парвати. Джонни Сигар во главе своей команды разыскивал умерших и вывозил их тела. Только Джитендра сидел на земле возле своей хижины, закрыв лицо руками и отдавшись своему горю. Я поручил ему закупить кое-какие лекарства и поискать в аптеках соль для раствора. Он медленно побрел в сторону улицы, а я глядел ему вслед, охваченный беспокойством за него и еще большим — за его сына Сатиша, который тоже заболел. И тут я увидел, что ко мне направляется какая-то женщина. Прежде чем я успел разглядеть, кто это, сердце уже подсказало мне: Карла.

На ней был костюм шальвар-камиз — самое красивое одеяние в мире после сари. Костюм был цвета зеленой морской волны: длинное платье темного оттенка, шаровары, стянутые у щиколоток, — более светлого. На шею она повязала желтый шарф, концы которого, переливавшиеся целой палитрой оттенков, спускались по индийской моде вдоль спины. Черные волосы были туго стянуты назад и завязаны узлом на затылке. Благодаря этой прическе еще больше выделялись ее глаза — зеленые, как вода в мелкой лагуне, где медленные волны тихо плещут на золотом песке, — а также черные брови и рот идеальной формы. Губы ее напоминали мягкие очертания барханов в пустыне на закате дня, или пенистые гребни набегающих на берег и сталкивающихся друг с другом волн, или сложенные в любовном танце крылья птиц. Она приближалась ко мне по кривому закоулку, как штормовой ветер, гуляющий в кронах деревьев на берегу.

— Что ты здесь делаешь?

— Уроки хороших манер пошли тебе на пользу, я вижу, — протянула она в типично американской манере и, выгнув бровь, саркастически усмехнулась.

— У нас холера.

— Я знаю. Дидье сказал мне — он встретил одного из твоих здешних друзей.

— Так зачем же ты пришла?

— Я пришла помочь тебе.

— Помочь? В чем? — простонал я раздраженно, так как беспокоился за нее.

— В том, что ты делаешь. Я хочу помочь своим ближним. Разве ты не этим здесь занимаешься?

— Уходи. Тебе нельзя оставаться. Здесь слишком опасно. Люди погибают один за другим, и неизвестно, что будет дальше.

— Я никуда не уйду, — спокойно заявила она, решительно глядя на меня. Ее большие глаза горели неукротимым зеленым пламенем. Никогда еще она не была так прекрасна. — Мне не безразлично, что с тобой происходит, и я хочу быть рядом. Чем мне заняться?

— Это смешно! — вздохнул я, беспомощно взъерошив рукой волосы. — Это просто-напросто глупо.

— Послушай, — сказала она с удивившей меня широкой улыбкой. — Почему ты думаешь, что только тебе надо спасать свою душу? Просто спокойно скажи, что мне делать.

Помощь мне действительно была нужна — и не только конкретная, по ухаживанию за больными, но и психологическая, которая позволила бы мне справиться с сомнениями, страхом и стыдом, сдавливавшими мне горло и грудь. У храбрости есть любопытная черта, придающая ей особую ценность. Черта эта заключается в том, что гораздо легче быть храбрым, когда надо выручать кого-то другого, чем в тех случаях, когда надо спасать себя самого. И к тому же я ведь любил Карлу. В то время как я пытался прогнать ее ради ее безопасности, мое неуемное сердце, призвав на помощь мои глаза, умоляло ее остаться.

— Ну, дел тут хватает. Только, ради бога, будь осторожна. И при первом же подозрении, что у тебя... не все в порядке, ты прыгаешь в такси и отправляешься к моему знакомому доктору Хамиду. Договорились?

Она протянула мне длинную тонкую руку. Рукопожатие было крепким и уверенным.

— Договорились, — сказала она. — С чего начнем?

Мы начали с обхода трущоб, навещая больных и раздавая им упаковки с солевым раствором. К этому моменту уже больше сотни людей проявляли симптомы холеры, и у половины из них болезнь зашла далеко. Мы не могли задерживаться у каждого больше чем на несколько минут, и все равно обход занял у нас двадцать часов. Все это время мы не прерывали работы, питаясь лишь бульоном и сладким чаем из стерилизованных чашек. Только вечером следующего дня мы впервые имели возможность съесть что-то горячее. Хотя мы устали до чертиков, мы заставили себя проглотить роти и овощи. Подкрепив свои силы таким образом, мы отправились по второму кругу, заходя к наиболее тяжелым больным.

Работа была крайне неприятной. Слово «холера» происходит от греческого слова *kholera* — «диарея». Диарея при холере отличается крайне отвратительным запахом, к которому невозможно привыкнуть. Каждый раз, когда мы заходили в хижину к больному, к горлу подступала тошнота. Иногда это приводило-таки к рвоте, после чего позывы к ней становились еще сильнее.

Карла держалась со всеми очень мягко и доброжелательно, особенно с детьми, и ей удавалось вдохнуть в людей надежду.

Она сохранила чувство юмора, несмотря на вонь и бесконечную возню как с больными, так и с грязью, накапливавшейся в темных сырых хибарах, несмотря на болезнь и смерть, несмотря на страх за самих себя, охватывавший нас из-за того, что эпидемия, казалось, принимала все больший размах. И после сорока часов без сна она улыбалась мне всякий раз, когда я обращал на нее свой голодный взгляд. Я любил ее и продолжал бы любить, если бы она была ленивой, трусливой, скупой или злобной. Но она была деятельной, храброй, щедрой и великодушной. Она умела работать и была настоящим другом. В эти часы, заполненные страхом, страданиями и смертью, я обнаружил в женщине, которую я любил всем сердцем, много достоинств, неведомых мне прежде.

На вторую ночь, в три часа, я настоял на том, что нам надо немного поспать, чтобы не свалиться от изнеможения. Мы направились в мою хижину по пустынным темным улочкам поселка. Луны не было, но черный купол неба был испещрен ослепительными точками звездочек. В том месте, где сходились три улочки и проход расширялся, я остановился и поднял руку, дав Карле знак соблюдать тишину. Слышался какой-то слабый скребущий звук, как будто шуршала тафта или целлофан, который сминают в комок. В темноте было непонятно, откуда доносится этот звук, но он становился все громче и ближе. Я, не оборачиваясь, схватил Карлу рукой, прижав ее к своей спине, и стал вертеть головой, чтобы определить местонахождение источника звука. И тут они появились. Крысы.

— Не двигайся! — предупредил я Карлу хриплым шепотом и прижал ее к себе как можно теснее. — Если будешь абсолютно неподвижна, они решат, что ты неодушевленный предмет, а если пошевельнешься, они набросятся.

Их были сотни, затем тысячи. Черные волны пищащих существ накатывались на нас и скользили мимо наших ног, как бурлящая река. Они были огромные, крупнее котов, жирные и скользкие. Они текли непрерывным потоком по две или три в ряд и терлись о наши ноги сначала на уровне лодыжек, затем голеней, затем уже коленей, спеша вперед по спине других крыс, натыкаясь на меня с разбегу в своей безумной гонке. Миновав нас, они устремлялись в канализационные ходы, ведущие к многоквартирным домам на другой стороне проспекта. Это был их обычный маршрут: каждую ночь они возвращались с ближайших рынков домой через наши трущобы. Казалось, многотысячное черное полчище щелкающих челюстями крыс окружает нас уже минут десять, хотя на самом деле это не могло длиться так долго. Наконец они исчезли. В проулке, очищенном от всего мусора, воцарилась тишина.

Карла стояла разинув рот.

— Что это было, черт побери? — выдавила она.

— Эти очаровательные создания путешествуют тут каждую ночь примерно в этот час. Никто не протестует, потому что они по дороге подбирают все отходы, а людей не трогают, если те находятся внутри хижин или даже спят спокойно на улице в сторонке. Но если ты попадешься им на пути и ударишься в панику, они просто-напросто повалят тебя и подберут вместе со всем остальным хламом.

— Да-а, Лин, не могу не сказать тебе комплимент, — протянула Карла уже довольно спокойным тоном, хотя в ее распахнутых глазах еще метались остатки страха. — Что-что, а развлечь девушку ты умеешь.

Едва живые от усталости и пережитых треволнений, мы поплелись, обнявшись, в мою хижину-«клинику». Я разостлал одеяло на земляном полу, свернул еще несколько нам под голову, и мы улеглись. Я обнял ее. Моросящий дождь негромко стучал по полотняному навесу у нас над головой. Спящий неподалеку от нас человек выкрикнул что-то, и резкий нечленораздельный звук, перескакивая из одного сна в другой, достиг окраины поселка, где его подхватили воем бездомные собаки. Мы так устали, что не могли сразу уснуть; наши тела, прижавшиеся друг к другу, были напряжены от желания. Чтобы отвлечься, Карла неторопливо рассказала мне, эпизод за эпизодом, историю своей жизни.

Она родилась в Базеле и была единственным ребенком в семье. Мать ее была наполовину швейцарка, наполовину итальянка, а отец — швед. Отец был художником, мать пела. Она обладала колоратурным сопрано. Раннее детство Карла вспоминала как самый счастливый период своей жизни. Молодая пара пользовалась известностью в художественных кругах, в их доме встречались поэты, музыканты, актеры, художники и другие люди искусства, жившие в этом городе-космополите. Карла еще в детстве научилась бегло говорить на четырех языках и с удовольствием распевала вместе с матерью ее любимые арии. В мастерской отца она наблюдала, как он колдует над пустым холстом, оживляя его всеми формами и оттенками своих страстей.

Однажды Иша Сааранен не вернулся со своей персональной выставки в Германии. Полиция сообщила Анне с Карлой, что его машина перевернулась во время снежного бурана и он погиб. За какой-нибудь год горе отняло у Анны ее красоту, ее голос, а затем и жизнь. Она приняла летальную дозу снотворного. Карла осталась одна.

У Анны был брат, переселившийся в Америку. Осиротевшей девочке исполнилось всего десять лет, когда она стояла рядом с этим незнакомцем у могилы матери, а затем поехала вместе с ним в Сан-Франциско, чтобы жить в его семье. Марио Пацелли выглядел как настоящий медведь и имел широкую и щедрую душу.

Он относился к Карле с искренним уважением, добротой и любовью и не проводил никаких различий между нею и собственными детьми. Он говорил Карле, что любит ее и надеется, что и она когда-нибудь подарит ему часть той любви, которую она испытывала к своим родителям и хранила в сердце.

Но она не успела подарить ему свою любовь. Через три года после того, как Марио привез ее в Америку, он погиб в горах на восхождении. Воспитанием Карлы занялась вдова Марио Пенелопа. Тетя Пенни ревниво относилась к красоте девочки и ее острому независимому уму — качествам, которых были лишены трое ее собственных детей. Чем больше Карла выделялась на их фоне, тем больше ненавидела ее тетка. «Наша ненависть бывает особенно низкой, злобной и жестокой, когда она несправедлива», — сказал однажды Дидье. Тетя Пенни лишала Карлу самого необходимого, постоянно оскорбляла ее, наказывала без всяких оснований — разве что не выгоняла на улицу.

Карла была вынуждена сама заботиться о себе и по вечерам после школы работала в местном ресторане, а по выходным сидела в качестве няньки с детьми. Как-то жарким летним вечером отец ребенка, которого она нянчила, в одиночестве вернулся довольно рано из гостей, где порядком наклюкался. Он был красив, нравился Карле, и порой ей в голову забредали разные фантазии, связанные с ним. Когда он подошел к ней в этот знойный вечер, ей было приятно его внимание, несмотря на окружавшие его винные пары и несколько остекленевший взгляд. Он прикоснулся к ее плечу, она улыбнулась в ответ. После этого она не улыбалась очень долго.

Никто, кроме Карлы, не считал это изнасилованием. Мужчина сказал, что она сама спровоцировала его, тетка Карлы приняла его сторону. Пятнадцатилетнюю сироту выгнали из дому, и на этом ее связь с родственниками прервалась. Она переехала в Лос-Анджелес, где устроилась на работу и сняла квартиру на двоих с подругой. После изнасилования Карле стала недоступна любовь, основанная на доверии. Она любила своих друзей, часто сочувствовала людям, находила радость в сексе, но была не способна на романтическую любовь, которая верит в постоянство сердца любимого.

Она работала, копила деньги и ходила в вечернюю школу. Она мечтала поступить в университет — любой, в любой стране — и изучать английскую и немецкую литературу. Но из-за того, что слишком многое в ее юной жизни было сломано, из-за того, что она потеряла родных, которых любила, она не находила себе места — не смогла закончить формальное образование, не могла подолгу выполнять одну и ту же работу. Она занялась самообразованием, читая все, что придавало ей сил, вселяло какую-то надежду.

— А потом?

— А потом я оказалась однажды в самолете, летевшем в Сингапур, где встретила индийского бизнесмена, и с тех пор моя жизнь... изменилась навсегда.

Она издала глубокий вздох — то ли от избытка чувств, то ли от усталости.

— Я рад, что ты рассказала мне.

— Что рассказала? — резко спросила она, нахмурившись.

— Ну как что... о своей жизни.

Она расслабилась.

— Не стоит говорить об этом, — бросила она, слегка улыбнувшись.

— Нет, я серьезно. Я очень рад и благодарен тебе за то, что ты наконец доверяешь мне настолько, чтобы рассказать о себе.

— И я серьезно, — отозвалась она, все так же улыбаясь. — Не стоит говорить об этом с посторонними. Не пересказывай ничего и никому. Хорошо?

— Хорошо.

Мы помолчали. Где-то заплакал ребенок, и мать стала успокаивать его, издав серию маловразумительных звуков, нежных и в то же время раздраженных.

— Почему ты проводишь так много времени в «Леопольде»? — спросил я.

— А что? — спросила она сонным голосом.

— Да ничего. Просто это меня немного удивляет.

Она рассмеялась, не открывая рта и дыша носом. Голова ее лежала на моей руке. В темноте ее лицо выглядело как комбинация отдельных мягко изогнутых линий, а глаза мерцали как черные жемчужины.

— Я хочу сказать, что все остальные — Дидье, Модена, Улла и даже Летти с Викрамом — вписываются в обстановку. А ты нет.

— Я думаю, что они... вписываются благодаря мне, пусть даже я сама не вписываюсь вместе с ними, — ответила она со вздохом.

— Расскажи мне об Ахмеде, — попросил я, — и Кристине.

Она молчала очень долго, и я уже решил, что она уснула. Но тут она заговорила — таким ровным и бесстрастным тоном, будто давала показания в суде:

— Ахмед был моим другом. Лучшим другом какое-то время, почти братом, какого у меня никогда не было. Он был родом из Афганистана, там его ранили на войне. В Бомбей он приехал, чтобы прийти в себя, — как и я, в общем-то. Ранение у него было очень тяжелое, он так и не оправился до конца. Мы стали близкими друзьями, — наверное, можно сказать, что мы поддерживали друг друга. Он окончил университет в Кабуле, занимался естественными науками и прекрасно говорил по-английски. Мы беседовали с ним о книгах, философии, музыке, искусстве и кулинарии. Он был очень добрым, замечательным парнем...

— Но с ним что-то случилось, — подсказал я.

— Да, — ответила она, коротко хохотнув. — Он влюбился в Кристину — вот что с ним случилось. Она была одной из девушек мадам Жу, итальянкой — очень красивой жгучей брюнеткой. Я даже сама представила ее Ахмеду как-то вечером, когда она зашла в «Леопольд» вместе с Уллой. Они работали вместе.

— Улла тоже работала во Дворце?

— Улла была одной из самых популярных девушек, какие работали у мадам Жу когда-либо. Потом она оставила Дворец. У Маурицио имелись знакомые в немецком консульстве, он хотел заключить с одним из немцев какую-то сделку и обнаружил, что этот немец по уши влюбился в Уллу. Уплатив собственные деньги, Маурицио с помощью сотрудников консульства выкупил Уллу у мадам Жу и заставил ее кружить голову этому немцу до тех пор, пока не добился от него всего, что ему было нужно. А затем он, как говорится, кинул его, так что тот остался у разбитого корыта. В результате немец застрелился, а Маурицио послал Уллу на панель, чтобы она отработала затраченные им деньги.

— Знаешь, Маурицио вызывает у меня все большее и большее отвращение.

— Да, конечно, это была грязная сделка. Но Улла, по крайней мере, вырвалась из лап мадам Жу, а Маурицио доказал, что это в принципе возможно. До нее это не удавалось никому, а если удавалось, то они получали порцию кислоты в лицо. После этого Кристина тоже захотела покинуть Дворец. Но если с Уллой мадам была вынуждена расстаться, то уж Кристину она не соглашалась отпускать ни за какие коврижки. Ахмед сходил по Кристине с ума и однажды отправился во Дворец, чтобы договориться с мадам Жу. Сначала предполагалось, что я пойду вместе с ним, — я была знакома с мадам, так как по поручению моего босса водила во Дворец разных бизнесменов, которые оставляли там кучу денег, — ты знаешь об этом. Я думала, что она прислушается к моей просьбе. Но в последний момент меня... послали выполнить одно важное дело, связанное с моей работой. Я не могла отказаться. Ахмед пошел во Дворец один. На следующий день их тела — его и Кристины — обнаружили в автомобиле в нескольких кварталах от Дворца. Полицейские сказали, что они приняли яд, как Ромео и Джульетта.

— Ты думаешь, что их убила мадам Жу, и винишь себя за это?

— Ну да, что-то вроде того.

— И именно об этом она говорила тогда через решетку, когда мы приехали за Лизой? Поэтому ты плакала?

— Если уж тебе так необходимо все знать, — ответила она тихим, совершенно безжизненным голосом, — то она рассказала, что она сделала с ними перед тем, как убить, как она издевалась над ними, пока они не умерли.

Я заткнулся и лежал, слушая, как мой нос впускает и выпускает воздух в такт ее дыханию. Глаза ее открывались все реже и все медленнее.

— А ты? — спросила она сонно. — Я поведала тебе свою историю. Когда ты расскажешь о себе?

Я выдержал паузу, надеясь, что дождливая тишина усыпит ее. Я понимал, что она рассказала мне не все и что в нарисованной ею картине не хватает некоторых существенных деталей. А в деталях, как известно, как раз и прячется дьявол. Я хорошо знал собственных дьяволов, как и места, где они скрываются. Но она тем не менее подарила мне целый сундук драгоценностей. За этот час полусонного бормотания она раскрыла мне больше, чем за все долгие предыдущие месяцы. Такие откровения служат для влюбленных звездами, по которым они ориентируются в океане желания. А самые яркие из звезд — это твои печали и разочарования. Твое страдание — самый ценный дар, какой ты можешь поднести любимому человеку. Печали, о которых она мне поведала, заняли прочное место на моем звездном небосклоне.

Где-то в ночи Джитендра оплакивал свою жену. Прабакер сидел рядом с Парвати, отирая пот с ее лица своим красным шарфом. Лежа на ворохе одеял в объятиях усталости и ее глубокого сна, чувствуя вокруг болезнь и надежду, смерть и сопротивление ей, я поднес податливый завиток спящих пальцев Карлы к губам и навсегда отдал ей свое сердце.

ГЛАВА
19

Холера унесла жизни девяти человек. Шестеро из них были маленькими детьми. Сатиш, единственный сын Джитендры, выжил, но два его близких друга умерли. Оба они увлеченно занимались со мной английским языком. Дети, шедшие вместе со взрослыми за увитыми гирляндами цветов катафалками, на которых везли маленькие тела, плакали так горько, что прохожие останавливались, чтобы произнести молитву, и слезы наворачивались у них на глаза. Парвати справилась с болезнью; Прабакер две недели непрерывно ухаживал за ней и даже ночевал около ее хижины под навесом, который он соорудил из листа пластмассы. Место

Парвати в отцовской чайной заняла ее сестра Сита; всякий раз, когда на горизонте появлялся Джонни Сигар, ее глаза медленно следовали за ним, как тень крадущегося леопарда.

Карла провела в трущобах шесть самых тяжелых дней и несколько раз заходила в течение следующих недель. Когда количество заболевших перестало возрастать, а у тяжелых больных миновал кризис, я принял трехведерную ванну, переоделся в чистое и отправился на поиски туристов. Денег у меня почти не осталось. Дождь наяривал вовсю, многие части города затопило, и страдали от этого не только промышлявшие на улицах торговцы, гиды, сутенеры, акробаты, нищие и дельцы черного рынка, но и владельцы магазинов, оказавшихся под водой.

Конкурентная борьба за туристские доллары велась в Колабе активно и будила творческое воображение. Торговцы на Йеменистрит выставляли кинжалы с ручками в форме сокола и куски ткани с вышитыми цитатами из Корана. Высокие красавцы из Сомали предлагали браслеты, изготовленные из расплющенных серебряных монет. Художники из Ориссы демонстрировали изображения Тадж-Махала на высушенных и спрессованных листьях папайи. Нигерийцы торговали витыми тростями из резного черного дерева, внутри которых были спрятаны стилеты. Беженцы из Ирана взвешивали полированные аметисты на медных весах, прикрепленных к ветвям деревьев. Торговцы барабанами из Уттар-Прадеша, нацепив на себя шесть или семь своих изделий, разыгрывали оглушительные импровизированные концерты, стоило потенциальному покупателю посмотреть в их сторону. Беженцы из Афганистана продавали огромные декоративные серебряные кольца с выгравированными на них пуштунскими изречениями и вправленными аметистами размером с голубиное яйцо.

В этом коммерческом коловращении участвовали и те, кто обслуживал как большой бизнес, так и уличных торговцев, — люди, таскавшие на серебряных подносах шелковистые ленты, пропитанные храмовыми благовониями, трубочисты, набивальщики матрасов, чистильщики ушей, ножные массажисты, крысоловы, разносчики воды, чая и еды, цветочницы, прачки, продавцы газовых баллонов и многие другие. В толпе этих торговцев, ремесленников и туристов сновали также танцовщики, певцы, акробаты, музыканты, гадалки, храмовые прислужники, глотатели огня, дрессировщики мартышек, змей и медведей, нищие, самобичеватели и прочие умельцы, которые целыми днями крутились на улицах, а на ночь возвращались в свои трущобы.

Все они в погоне за быстрым баксом в той или иной степени нарушали закон. Но самыми проворными были профессиональные правонарушители, промышлявшие на черном рынке. Я довольно органично вписался в сеть подпольных махинаций, и тому было несколько причин. Во-первых, я работал только с иностранными туристами, которые из осторожности или параноидального страха избегали иметь дело с индийцами; если бы я не взял их на себя, им просто не к кому было бы обратиться. Во-вторых, независимо от того, что́ именно туристам было нужно, я сводил их с местными дельцами и никогда не стремился прокрутить сделку сам. И в-третьих, я не был жаден, моя такса соответствовала стандартам, принятым в среде добропорядочных бомбейских жуликов. А когда мне удавалось заработать необычайно большие комиссионные, я неизменно делился ими с ресторанами, отелями или сборщиками пожертвований.

Способствовал мне и еще один фактор, не приносивший ощутимых материальных выгод, но для окружающих, возможно, игравший более важную роль, чем комиссионные и охрана своей территории. Тот факт, что один из белых иностранцев (которых неизменно называли европейцами) так уютно устроился в грязи, на самом дне их общества, воспринимался индийцами на улицах с глубоким удовлетворением. В их внутренней борьбе между гордостью и стыдом мое присутствие среди них было очком в их пользу, оно оправдывало их противозаконную деятельность. То, чем они занимались изо дня в день, не могло быть таким уж плохим, раз гора делал это вместе с ними. Мое нравственное падение поднимало их в собственных глазах, — в конце концов, они были не хуже Линбабы, образованного иностранца, зарабатывавшего деньги нечестным путем на улицах города, как и они сами.

И я был не единственным иностранцем, существовавшим за счет черного рынка. Помимо меня, в Бомбее действовало немало торговцев наркотиками и драгоценностями, сутенеров, фальшивомонетчиков, контрабандистов и прочих мошенников английского или американского происхождения. Среди них толкались два Джорджа, канадец и англичанин. Они были неразлучными друзьями и уже много лет занимались уличным промыслом. Их фамилий никто не знал, все различали их по знакам зодиака: Джордж Скорпион и Джордж Близнец. Начали они свое дело с того, что продали свои паспорта, поскольку больше им нечего было продать, после чего стали снабжать героином иностранцев, прилетавших в Бомбей на неделю-другую оттянуться, а затем возвращавшихся под крылышко своей родины. Подобных перелетных наркоманов было на удивление много, и зодиакальные Джорджи не бедствовали. Полицейские держали и меня, и Джорджей под наблюдением и были прекрасно осведомлены обо всех наших сделках. Совершенно справедливо рассудив, что мы не приносим особого вреда и занимаемся своим подпольным бизнесом вполне успешно, обеспечивая им бакшиш, они не трогали нас. Торговцы наркотиками и валютой приносили им постоянный доход.

В первый же день после того, как эпидемия холеры пошла на спад, мне удалось за каких-нибудь три часа заработать около двух сотен баксов. Это было не бог весть что, однако я решил, что на первый раз хватит. С утра лило как из ведра, но к полудню ливень сменился дремотным и душным моросящим дождем, который мог продолжаться несколько дней. Я сидел на табурете у стойки уличного бара, приютившегося под полосатым тентом возле отеля «Президент», недалеко от наших трущоб, и пил свежевыжатый сок сахарного тростника, когда из дождевой пелены внезапно возник Викрам.

— Привет, Лин! Как дела, старик? Этот чертов дождь уже осточертел, *йаар*.

Мы пожали друг другу руки, я заказал ему стакан сока. Он сдвинул свою черную шляпу-фламенко на спину, где она удерживалась благодаря шнурку, обвязанному вокруг горла. На его черной рубашке вдоль планки с пуговицами были вышиты белыми нитками фигуры ковбоев, крутивших лассо над головой. Пояс был изготовлен из серебряных долларов, сцепленных друг с другом, и застегивался пряжкой из выпуклой раковины *кончо*. Черные брюки-фламенко были украшены с наружной стороны вышитым узором из мелких белых завитушек, спускавшихся почти до щиколоток, где их ряд продолжали серебряные пуговки. Сапожки на кубинском каблуке крепились на ноге крест-накрест кожаным хомутиком, который застегивался пряжками.

— Да, в такую погоду верхом не покатаешься, *на*?

— Да уж, блин!.. Ты слышал историю про Летти и лошадь? Нет? Вот хрен! Это же было черт знает сколько времени назад. Несколько недель, *йаар*! Я чертовски давно тебя не видел.

— Как твои успехи с Летти?

— Так себе, — вздохнул он, улыбаясь счастливой улыбкой. — Но мне кажется, она меняется к лучшему, *йаар*. Цыпочка очень своеобразной породы. Ей обязательно нужно поклевать и помучить человека как следует, прежде чем она согласится взглянуть на него благосклонно. Но я добьюсь своего, пусть хоть весь мир говорит, что я сбрендил.

— Я не думаю, что ты сбрендил, если увиваешься за ней.

— Правда?

— Правда. Летти очаровательная девушка. Потрясающая. Да и ты отличный парень. У вас обоих есть чувство юмора, вы любите посмеяться от души. Она терпеть не может ханжей, и ты тоже. По-моему, вы примерно одинаково относитесь к жизни. Мне кажется, вы очень хорошая пара — или станете ею. И я думаю, ты добьешься ее в конце концов, Викрам. Я замечал, как она смотрит на тебя, — даже тогда, когда клюет тебя. Просто ты ей нравишься и она не может оставить тебя в покое. Так уж она устроена. Не сдавайся, я уверен, что ты завоюешь ее.

— Слушай, Лин! Это... грандиозно! Блин! Слушай, ты молоток! Ты так... четко все понимаешь. Лин, с этого момента я буду тебе лучшим другом, кровным братом, блин! Если тебе будет что-то нужно, зови меня. Договорились?

— Договорились, — улыбнулся я.

Он помолчал, глядя на дождь. Его волнистые черные волосы сзади доходили до воротника рубашки, а спереди и с боков были коротко подстрижены. Изящные, аккуратно подбритые усики по ширине были чуть больше линии, какую можно было бы провести фломастером. Профиль у Викрама был очень представительный: большой лоб, ястребиный нос, четко очерченный горделивый рот и с достоинством выдвинутый вперед подбородок. Но прежде всего обращали на себя внимание глаза — молодые, пытливые, с искорками доброжелательного юмора.

— Знаешь, Лин, я ведь правда люблю ее. — Он опустил глаза, затем резко поднял голову. — Я действительно люблю эту английскую крошку.

— Знаешь, Викрам, а я действительно люблю твою ковбойскую рубашку, — отозвался я таким же тоном и с таким же серьезным выражением.

— Что, вот эту старую тряпку? — рассмеялся он. — Блин, тогда возьми ее!

Он спрыгнул с табурета и начал расстегивать пуговицы на рубашке.

— Не надо! Я просто пошутил.

— Ты хочешь сказать, что не любишь мою рубашку?

— Нет, этого я не хочу сказать.

— Так чем же тебе не угодила моя долбаная рубашка?

— Твоя долбаная рубашка всем мне угодила, но она мне не нужна.

— Нет уж, слово не воробей. Сказал — так бери! — воскликнул Викрам, стаскивая рубашку и бросая ее мне. Под рубашкой у него была надета черная майка.

На стойке у бармена имелся транзистор, донесший до нас мелодию из нового популярного индийского фильма.

— Отличная песня, блин! — вскричал Викрам. — Включи-ка ее погромче, баба! *Аррей*, полный *каро*![1]

Бармен послушно включил звук на максимальную громкость, а Викрам выскочил из-под тента и с удивительной грацией и артистизмом пустился в пляс под дождем, подпевая исполнителю. Не прошло и минуты, как к нему со смехом присоединились

---

[1] Давай на полную мощность! *(хинди)*

около десятка проходивших мимо молодых парней, в то время как остальные посетители бара хлопали в ладоши и подбадривали их криками.

Подскочив ко мне, Викрам схватил меня за руку и потащил под дождь. Я сопротивлялся, но на помощь ему протянулось еще несколько рук, и они выволокли меня на танцплощадку. Я в очередной раз подчинился Индии с ее порядками, как делал ежедневно и как делаю до сих пор, независимо от того, в какой части света нахожусь. Я танцевал, повторяя движения Викрама, а вся улица одобрительно вопила.

Через несколько минут мелодия закончилась, и мы увидели под навесом Летти, наблюдавшую за нами с нескрываемым радостным изумлением. Викрам подбежал к ней, я тоже последовал за ним, вытряхивая воду из шевелюры.

— Пожалуйста, без эмоций! — Она подняла руку, пресекая поток словоизлияний Викрама, но по-прежнему улыбаясь. — Если тебе нравится принимать душ прямо на улице, это твое личное дело. Привет, Лин. Как поживаешь, дорогой?

— Прекрасно. Надеюсь, ты не будешь потом жаловаться, что я был слишком сух при встрече.

— Похоже, ваши танцы под дождем имели успех у зрителей. Мы должны были встретиться здесь с Карлой и Викрамом, чтобы пойти в «Махим» на джазовый концерт. Но Карла не может выбраться из «Таджа» — весь район вокруг Ворот в Индию затопило. Она только что позвонила мне, чтобы предупредить. Лимузины и такси плавают вокруг отеля, как бумажные кораблики, а туристы на своем острове отрезаны от внешнего мира.

Я еще раньше заметил возле ближайшего ресторана такси, принадлежащее Шанту, двоюродному брату Прабакера. Оглянувшись, я увидел, что оно все еще там. Я посмотрел на часы. Была половина четвертого, как раз в это время рыбаки возвращались на берег с уловом.

— Прошу меня простить, друзья! — сказал я Летти и Викраму и сунул его рубашку ему в руки. — Спасибо за рубашку, старик. Я возьму ее в другой раз, сохрани ее для меня!

Я прыгнул в такси Шанту и включил счетчик. Летти и Викрам помахали нам вслед. По пути в рыбацкий поселок, находившийся рядом с нашими трущобами, я объяснил Шанту свой план. Его темное лицо, изборожденное складками, скривилось в удивленной улыбке, и он покачал головой, но погнал видавший виды автомобиль чуть быстрее, разбрызгивая по сторонам воду.

В рыбацком поселке я обратился за помощью к Виноду, близкому другу Прабакера и моему бывшему пациенту. Он выбрал легкую плоскодонку, мы подняли ее на крышу автомобиля и взяли курс на «Тадж-Махал».

Шанту водил такси по шестнадцать часов в день шесть дней в неделю. Он мечтал о том, что у его сына и двух дочерей жизнь будет легче, чем у него самого, и откладывал деньги на их обучение и на солидное приданое, которое надо было накопить, чтобы подыскать дочерям приличную партию. Он постоянно испытывал крайнюю усталость и подвергался всем неизбежным невзгодам нищенской жизни. Винод содержал семью, состоящую из родителей, жены и пятерых детей, вылавливая своими худыми сильными руками рыбу в заливе. Он организовал кооператив из двадцати таких же рыбаков. Слияние капиталов обеспечивало некоторую стабильность их существования, но не приносило больших доходов, так что Винод редко мог позволить себе такую роскошь, как новые сандалии, учебники для детей или трехразовое питание. И при всем при том, узнав, зачем мне нужна лодка, они оба, Винод и Шанту, категорически отказались взять с меня плату, как ни старался я всучить им деньги, даже засовывая их им за рубашку. Они были бедны, измотаны работой и заботами, но они были индийцами, а любой индиец скажет вам, что если любовь и не была изобретена в Индии, то уж точно доведена здесь до совершенства.

Мы спустили плоскодонку на воду перед Домом радио, недалеко от «Индийской гостиницы» Ананда. Шанту дал мне непромокаемый плащ, который возил с собой на тот случай, если такси сломается, а также потрепанную черную шоферскую фуражку, приносящую счастье. Он помахал нам вслед, когда мы с Винодом отправились в плавание к отелю «Тадж-Махал». Мы скользили в лодке, отталкиваясь шестом, по улице, в обычное время запруженной автомобилями, грузовиками и мотоциклами. Чем дальше, тем вода становилась глубже; возле гостиничного комплекса она уже доходила до пояса.

«Таджу» уже не раз приходилось переживать затопление. Он был возведен на высоком цоколе из больших каменных глыб; к каждой из широких входных дверей вели мраморные ступени. В этом году наводнение было особенно сильным, и вода поднялась почти до самой верхней ступени, а около стены, окружающей Ворота в Индию, беспомощно бултыхались, сталкиваясь носами, автомобили. Мы направили наше судно прямо к главному входу гостиницы. В фойе и в дверях толпились люди: бизнесмены, наблюдавшие, как их машины купаются под дождем, пуская пузыри, иностранки и индийские женщины в роскошных модельных платьях, актеры и политики, а также дети высокопоставленных родителей.

При нашем прибытии Карла вышла вперед, словно стояла тут, ожидая нас. Я подал ей руку, и она шагнула в лодку. Когда она села в середине, я укутал ее плащом и вручил ей шоферскую фуражку. Она надела фуражку, ухарски сдвинув ее набекрень, и мы поплыли обратно. Винод направил наше судно по дуге к Воротам в Индию. Оказавшись под величественными арочными сводами, он затянул любовную песнь. Акустика под сводами была впечатляющей и пробирала слушателей до глубины души.

Винод доставил нас на стоянку такси около гостиницы Дома радио. Я вылез из лодки и протянул руку Карле, но она выпрыгнула на тротуар сама, и на один момент мы прижались друг к другу. Ее глаза под козырьком фуражки сияли темно-зеленым светом, в черных волосах блестели капли дождя. В ее дыхании смешивались запахи тмина и корицы.

Я открыл дверцу такси. Отдав мне плащ и фуражку, она устроилась на заднем сиденье. За все это время она не сказала мне ни слова. Теперь же она обратилась прямо к водителю:

— «Махим». *Чало!* Поехали!

Прежде чем такси тронулось, она бросила на меня требовательный взгляд, хотя в чем именно заключалось требование, я затруднялся сказать. Винод и Шанту посмотрели вместе со мной вслед удаляющемуся такси и похлопали меня по плечу. Мы подняли лодку на крышу автомобиля, я сел рядом с Шанту. Когда я высунул руку в окно, чтобы придерживать лодку, мой взгляд упал на одного из людей, толпившихся на тротуаре. Это был Раджан, евнух-прислужник мадам Жу. Он сверлил меня взглядом, полным злобы и ненависти, которые придавали его лицу сходство с горгульей.

Я вспоминал это лицо всю дорогу до рыбацкого поселка, но после того, как мы выгрузили лодку и Шанту согласился пообедать со мной и Винодом, я выкинул Раджана вместе с его злобой из головы. Я заказал еду в местном ресторанчике, и нам доставили ее в горячем виде в металлических судках прямо на берег. Мы разостлали на песке кусок старого паруса и уселись под широким пластиковым навесом. Вместе с нами вокруг парусинового стола разместились родители Винода, жена и пятеро детей. Дождь продолжался, но воздух был теплым; слабый бриз с залива колыхал пропитанный влагой воздух. Сидя под навесом на песчаном берегу среди длинных рыбачьих лодок, мы любовались медленно катившими морскими валами. Наше меню составляли цыпленок с рисом, мясо, тушенное с крупой, тушеные овощи со специями, тыква, поджаренная во фритюре, картофель, лук, цветная капуста, горячие лепешки с топленым маслом, гороховая похлебка, поджаренные в масле чечевичные вафли с приправой из зеленого манго. Это был настоящий пир, и, глядя, с каким аппетитом дети уплетают пищу, мы не могли сдержать улыбки.

Когда спустилась ночь, я взял такси и поехал в туристский центр Колабы. Я хотел снять на несколько часов номер в «Индийской гостинице». В данном случае «форма С» меня не беспокоила: я знал, что Ананд пустит меня, не записывая в книгу постояльцев. Мы договорились с ним, что я время от времени буду снимать у него номер за почасовую плату, чтобы принять душ или провернуть какие-либо свои дела. Такие услуги предоставляло большинство дешевых гостиниц в городе. Я хотел побриться и провести не менее получаса под горячим душем, не экономя мыло и шампунь. Я хотел полежать в ванне и забыть о холере, смыть и стереть с себя осадок последних недель.

— Лин! Вот удача! Ты очень кстати, — пробормотал Ананд сквозь зубы, увидев меня перед своей конторкой. Взгляд его был напряженным, лицо мрачным. — У нас тут проблема. Пойдем со мной!

Он провел меня в один из номеров в глубине коридора. На наш стук дверь открыла девушка, говорившая по-итальянски. Вид у нее был взъерошенный и смятенный. В ее растрепанных волосах застряли какие-то волокна или нити и, похоже, крошки пищи. Тонкая ночная рубашка сползла с плеча, открывая ребра. Девушка накачалась до того, что почти засыпала; она принялась невнятно умолять нас о помощи сонным голосом, в котором чувствовалась паника.

На кровати распростерся, свесив одну ногу, обнаженный до пояса молодой человек лет двадцати восьми. Брюки его были расстегнуты, одна нога в ботинке, другая босая. Молодой человек не подавал признаков жизни.

Ни пульса, ни сердцебиения, ни дыхания. В результате передозировки он оказался на дне глубокого черного колодца; лицо его было синим, как пятичасовое небо в самый темный зимний день. Я уложил его как следует на кровати и сунул под голову свернутую простыню.

— Плохо дело, Лин, — кинул Ананд.

Он стоял, прислонившись спиной к дверям, чтобы кто-нибудь случайно не открыл их.

Не обращая на него внимания, я приступил к кардиопульмонарной реанимации. Эта процедура была мне знакома очень хорошо. У себя на родине, сам будучи наркоманом, я спас от последствий передозировки десятки таких же, как и я, вдыхая и вдавливая жизнь в полумертвые тела. Я стал нажимать молодому человеку на сердце, заставляя его начать работу, и наполнял его легкие своим воздухом. Так я трудился минут десять, и наконец глубоко в груди у него что-то булькнуло, он закашлялся. Стоя рядом с кроватью на коленях, я смотрел, хватит ли ему сил дышать самостоятельно. Дыхание было медленным, затем стало еще медленнее, он издал пустой бессильный вздох, и дыхание прекратилось. Звук был однотонный и безжизненный, как шипение воздуха, протискивавшегося сквозь щель между камнями около гейзера. Я опять принялся за реанимацию. Это была изнурительная работа — вытаскивать руками и легкими бесчувственное тело из черного колодца.

Девушка дважды отключалась, пока я трудился над ее бойфрендом. Ананд возвращал ее к жизни, шлепая по щекам и встряхивая. Спустя три часа после того, как я вошел в гостиницу, мы с Анандом покинули номер. Мы буквально купались в поту, рубашки наши были такими мокрыми, будто мы провели все это время под дождем, который барабанил по окнам. Молодые люди были в сознании, в унынии и в большой обиде на нас за то, что мы поломали им кайф. Я закрыл за собой дверь их номера, зная, что в скором времени где-нибудь в этом городе или каком-нибудь другом кто-нибудь закроет их дверь уже навсегда. С каждым разом, падая в этот колодец, наркоманы погружаются в него чуть глубже, и с каждым разом их все труднее вытащить оттуда.

Ананд чувствовал себя моим должником. Я помылся и побрился, после чего он вручил мне мою выстиранную и отглаженную рубашку. Затем мы распили с ним чайник чая за его конторкой. Некоторые люди тем хуже относятся к своему ближнему, чем больше они ему должны. У других, наоборот, теплые чувства к человеку пробуждаются лишь после того, как они окажутся в долгу перед ним. Ананда никак не беспокоил его долг передо мной, но его прощальное рукопожатие стоило иного долгого задушевного разговора.

Не успел я выйти на улицу, как ко мне подкатило такси. На заднем сиденье была Улла.

— Лин, ты не мог бы немного проехать со мной? Мне очень нужно, пожалуйста!

В ее голосе была тревога, а может быть, даже страх, из-за которого ее фраза прозвучала почти как слезная жалоба. Лицо ее было бледным и хмурым. Казалось, она вот-вот расплачется.

Я сел рядом с ней, и такси медленно тронулось с места. В салоне стоял запах ее духов и цигарок «биди», которые она курила одну за другой.

— *Сидха джао!* — велела она водителю. — Поезжайте прямо! У меня проблема, Лин. Пожалуйста, помоги мне.

На этот вечер мне явно была уготована роль самоотверженного рыцаря. Посмотрев в ее большие голубые глаза, я подавил в себе импульс заговорить с ней в шутливом тоне. В глазах был страх, который заслонял ей и меня, и все окружающее.

— Прости, пожалуйста! — неожиданно прорыдала она, но сразу взяла себя в руки. — Я даже не поздоровалась с тобой. Как ты живешь? Я очень давно не видела тебя. У тебя дела хорошо? Выглядишь ты очень хорошо.

Ее ритмичный немецкий выговор придавал ее речи приятное для уха мелодичное трепетание. Я улыбнулся ей, наблюдая за тем, как разноцветные отблески мелькают в ее глазах.

— У меня все прекрасно. А что за проблема?

— Мне нужно, чтобы кто-нибудь пошел вместе со мной сегодня в час ночи к «Леопольду». Я должна быть там, и мне надо... чтобы ты был рядом. Ты можешь? Ты пойдешь со мной?

— Но ведь «Леопольд» закрывается в двенадцать.

— Да, — ответила она, опять сбившись на плаксивый тон. — Но я буду в такси рядом с рестораном. Я должна встретиться там с одним человеком, и я не хочу быть одна. Ты можешь сопровождать меня?

— А почему я? Почему не Модена или Маурицио?

— Я тебе доверяю, Лин. Эта встреча будет недолгой. И я заплачу тебе пятьсот долларов, если ты придешь. Ты согласен?

Внутренний голос тихонько предупредил меня об опасности — как это часто бывает, когда что-нибудь исключительно гадкое, чего мы никак не ожидаем, подкрадывается к нам и готовится к прыжку. Судьба предпочитает победить нас в справедливой схватке и дает сигнал предупреждения, который мы слышим, но неизменно игнорируем. Разумеется, я был готов помочь ей. Улла была подругой Карлы, и ради Карлы я помог бы ей даже в том случае, если бы она мне не нравилась. А Улла мне нравилась — она была красива, и в ней было достаточно наивности и оптимизма, чтобы относиться к ней с симпатией, а не просто с жалостью. Я улыбнулся ей еще раз и попросил водителя остановиться.

— Не волнуйся. Я приду.

Она наклонилась ко мне и поцеловала в щеку. Я вылез из машины. Улла высунулась в окно. Капли дождливого тумана осели на ее длинных ресницах, и она поморгала.

— Значит, я могу рассчитывать на тебя?

— Я буду в час ночи у «Леопольда», — ответил я твердо.

— Честное слово?

— Честное слово, — рассмеялся я.

Такси отъехало, и она крикнула с жалобной настойчивостью, которая прозвучала в вечерней тишине чуть ли не истерично:

— Не подведи меня, Лин!

Я пошел обратно к туристскому кварталу, думая об Улле и о каких-то неведомых мне махинациях, которыми ее приятель Модена занимался вместе с Маурицио. Дидье сказал, что дела у них идут успешно и они зашибают неплохие бабки, но Уллу это, казалось, не радовало, она была чем-то напугана. А Дидье к тому же говорил что-то об опасности. Я пытался вспомнить его слова. «Большой риск»? «Это может плохо кончиться...»?

Я вдруг очнулся от этих мыслей и увидел, что нахожусь возле дома Карлы. Широкие стеклянные двери были открыты. Порывистый бриз шевелил кисейные занавески на окнах, комната за ними была погружена в мягкий желтоватый свет свечи.

Дождь усилился, но мной овладело беспокойство, которое я не мог ни понять, ни подавить, и оно погнало меня дальше по улице, мимо ее дома. В голове у меня звучала любовная песнь Винода, гремевшая колокольным звоном под куполом Ворот в Индию во время нашего сюрреального плавания по улицам города. Я вспомнил прощальный требовательный взгляд Карлы, и беспокойство в моем сердце дошло чуть ли не до неистовства. Время от времени я останавливался под дождем, чтобы перевести дух. Я просто задыхался от любви и желания. Я испытывал боль и гнев. Я сжимал кулаки. Мышцы моих рук, груди и спины были напряжены. Вспомнив итальянских любовников-наркоманов в гостинице Ананда, я подумал о смерти и умирании. Черные нахмуренные небеса наконец разверзлись и выстрелили молнией в Аравийское море под оглушительные аплодисменты грозовых раскатов.

Я побежал. Деревья были черны, их листва промокла насквозь. Они были похожи на небольшие темные тучи, и каждое из них поливало меня своим дождем. Улица была пуста. Я продирался сквозь быстрый поток воды, в котором отражались зигзаги молний. Вся моя любовь и все мое одиночество достигли во мне такой концентрации, что мое сердце переполнилось любовью к ней, подобно тому как тучи у меня над головой были переполнены дождем. Я бежал и бежал и в конце концов опять оказался на ее улице, около ее дома. Я стоял неподвижно в когтях молний, грудь моя вздымалась от бушующей в ней страсти.

Она подошла к дверям, чтобы взглянуть на небо. На ней была тонкая белая ночная рубашка без рукавов. Она увидела меня посреди буйства стихий. Наши взгляды встретились и сцепились. Она вышла из дверей, спустилась на две ступени и направилась ко мне. Улица вздрогнула от грома, блеск молнии наполнил ее глаза. Она была в моих объятиях.

Мы слились в поцелуе. Наши губы рождали мысли без слов — мысли, которыми думают чувства. Наши языки извивались и плясали в своих пещерах наслаждения, говоря нам, кто мы такие. Люди. Влюбленные. Губы соскользнули с поцелуя, и я погрузил ее в любовь, погрузившись в нее сам и подчинившись ей.

Я поднял ее на руки и понес в дом, в комнату, наполненную ее ароматами. Мы сбросили одежду на пол, Карла повела меня к кровати. Мы лежали рядом, но не касались друг друга. В темноте, освещаемой лишь грозой, капельки пота и дождевой воды на ее руке были множеством сверкающих звездочек на коже, собравшей в себе всю ширь ночного неба.

Я прижал свои губы к этому небу и слизал с него звездочки. Она приняла мое тело в свое, и каждое наше движение было как заклинание. Дыхание наше, казалось, слилось с распевом молитв, звучавших по всему миру. Пот сбегал ручейками в ложбины наслаждения. Каждое движение было как каскад атласной кожи. Обернутые бархатным покрывалом нежности, наши спины содрогались в трепещущем жаре, разгоняя этот жар по телу, заставляя мышцы вступить в борьбу, которую начинает разум, а выигрывает всегда тело. Я принадлежал ей. Она принадлежала мне. Мое тело служило ей колесницей, она направила ее прямо в солнце. Ее тело было рекой, а я был морем, принимавшим ее. И в заключение наши губы слились в громком стоне, вобравшем весь мир надежды и печали, — экстаз выжимает его из любовников, погружая их души в блаженство.

В спокойной, едва дышащей тишине, заполонившей и затопившей нас вслед за этим, не было ни потребностей, ни желаний, ни голода, ни боли — ничего, кроме чистого, невыразимого совершенства любви.

— Черт!

— Что такое?

— О боже! Посмотри на часы!

— Да в чем дело?

— Мне надо бежать! — воскликнул я, выпрыгивая из постели и натягивая мокрую одежду. — Я договорился встретиться с одним человеком у «Леопольда», и у меня всего пять минут, чтобы добраться туда.

— Сейчас? Ты уходишь прямо сейчас?

— Да, я должен.

— Но «Леопольд» уже закрыт, — сказала она, нахмурившись, и села на постели, прислонившись к груде подушек.

— Я знаю, — ответил я, натягивая ботинки и зашнуровывая их.

Ботинки и одежда промокли насквозь, но ночь была теплой. Гроза уходила; бриз, который тормошил вялый воздух, затихал. Встав на колени возле кровати, я поцеловал мягкую кожу ее бедра:

— Я не могу не пойти. Дал слово.

— Это что, так важно?

На миг я нахмурился с раздражением. Я сказал ей, что дал слово, и о чем тут еще говорить. Но она была прекрасна в лунном свете, и это она имела право быть недовольной, а не я.

— Мне очень жаль, — мягко ответил я, проведя рукой сквозь ее густые черные волосы. Сколько раз я мечтал сделать это — протянуть руку и коснуться ее, — стоя рядом с ней!

— Тогда иди, — тихо произнесла она, глядя на меня так сосредоточенно, будто хотела заколдовать. — Иди.

Я кинулся на Артур-Бандер-роуд через опустевший рынок. Прилавки, укрытые белыми полотнищами, были похожи на столы в морге с завернутыми в саван трупами. Мои торопливые шаги рассыпáлись дробным эхом, как будто какие-то призраки бежали вместе со мной. Я пересек Артур-роуд и выбежал на Меревезер-роуд. На бульваре, стиснутом высокими особняками, не было и следа тех миллионов, что толклись тут ежедневно.

На первом перекрестке я повернул налево, чтобы обежать стороной затопленные улицы. Впереди я увидел полицейского на велосипеде. Когда я пробегал посредине улицы мимо темного переулка, из него выехал еще один велосипедист в полицейской форме. Я свернул в боковую улицу, и в конце ее появился полицейский джип, а за спиной я услышал урчание мотора еще одного джипа. Копы на велосипедах съехались вместе. Джип догнал меня, я остановился. Из него вышли пятеро и окружили меня. Несколько секунд стояла тишина. Она была наполнена такой волнующей угрозой, что копы буквально упивались ею, глаза их вспыхнули волчьим блеском в тихо сыпавшемся дожде.

— В чем дело? — спросил я на маратхи. — Что вам надо?

— Садись в джип! — прорычал их командир по-английски.

— Слушайте, я говорю на маратхи, так что мы можем... — начал я, но командир прервал меня с резким смешком, перейдя на маратхи:

— Мы знаем, что ты говоришь на маратхи, ублюдок. — (Остальные копы засмеялись.) — Мы все знаем. Забирайся, твою мать, в джип, или мы обработаем тебя дубинками и закинем сами.

Я залез в джип через заднюю дверцу; меня заставили сесть на пол. В джипе было шестеро полицейских, и все как один вцепились в меня.

Мы проехали два квартала до полицейского участка Колабы. Когда мы заходили на территорию участка, я заметил, что улица перед «Леопольдом» пуста. Ни Уллы, ни автомобиля видно не было. «Неужели она нарочно подставила меня?» — мелькнула пугающая мысль. Думать так не было никаких оснований, но эта мысль продолжала точить меня, прогрызая все преграды, которые я возводил на ее пути.

Полицейский, дежуривший в участке в эту ночь, был приземистым грузным махараштрийцем. Подобно многим своим коллегам, он втиснул свое туловище в форму, которая была мала ему по меньшей мере на два размера. Возможно, именно из-за этого неудобства лицо его было чрезвычайно злобным, впрочем и лица остальных десяти копов, окруживших меня, были не намного приветливее. Они молча уставились на меня с таким мрачным выражением, что мне из чувства противоречия хотелось рассмеяться. Но при следующих словах дежурного это желание у меня пропало.

— Заберите этого ублюдка и отделайте его как следует, — деловито распорядился он на маратхи. Если он знал, что я понял его слова, то ничем не выдал этого. Он говорил со своими подчиненными так, будто меня тут не было. — Костей по возможности не ломайте, но постарайтесь, чтоб он запомнил это на всю жизнь. А потом киньте его в клетку к остальным.

Я бросился наутек. Прорвавшись сквозь кольцо полицейских, я одним прыжком преодолел лестничный пролет и выскочил во двор участка, усыпанный гравием. Конечно, это было глупой ошибкой с моей стороны, и не последней, какую я совершил за последующие несколько месяцев. «Ошибки — как неудачная любовь, — сказала однажды Карла. — Чем лучше ты учишься на них, тем больше жалеешь, что совершил их». Моей ошибкой было то, что я ринулся к воротам участка, где налетел на цепочку связанных арестантов и запутался в веревках.

Копы притащили меня обратно в дежурку, отделав по дороге как следует. Они связали мне руки за спиной грубой пеньковой веревкой, стащили ботинки и связали ноги. Дежурный офицер достал бухту толстого каната и велел своим людям обмотать меня им с головы до ног. Пыхтя и шипя от ярости, он наблюдал за тем, как меня заворачивают в этот кокон, пока я не стал похож на египетскую мумию. Затем копы вытащили меня в соседнюю комнату, где подцепили мой канат крюком и подвесили меня лицом вниз метрах в полутора над землей.

— Аэроплан! — проскрежетал дежурный сквозь зубы.

Копы стали вращать меня с возрастающей скоростью. Я крутился, свесив вниз голову и ноги, пока не потерял ориентировку окончательно и не перестал соображать, где верх и где низ. Тогда они принялись избивать меня.

Пятеро или шестеро полицейских били меня с такой силой и частотой, на какую только были способны, ломая свои легкие дубинки о мое тело. Резкая боль пронзала меня даже сквозь канаты, удары сыпались на тело, лицо, руки, ноги. Я чувствовал, что истекаю кровью. Из меня рвался крик, но я молчал, сжав зубы. Я не доставлю им этого удовольствия, поклялся я себе. Они не услышат моего крика. Молчание — это месть человека, которого истязают. Копы остановили мое вращение, затем раскрутили в обратную сторону, и избиение началось снова.

Когда копы наигрались вволю, они втащили меня на второй этаж по металлической лестнице — той самой, по которой мы бегали вверх и вниз с Прабакером, пытаясь помочь Кано и его дрессировщикам. «Придет ли кто-нибудь ко мне на помощь?» — подумал я. Никто не видел, как меня арестовали, никто не знал, где я нахожусь. Если Улла не была в этом замешана и все-таки приехала к «Леопольду», то и она не знала о том, что со мной случилось. А что могла подумать Карла, когда я сбежал неизвестно куда, не успев мы с ней заняться любовью? Она не найдет меня.

Тюрьмы — это черные дыры, в которых люди исчезают, не оставляя следа. Оттуда не проникает наружу никаких лучей света, никаких вестей. В результате этого таинственного ареста я провалился в такую черную дыру и пропал так же бесследно, как если бы улетел на самолете в Африку и затаился там.

А главное, я не мог понять, почему меня арестовали. Голова у меня кружилась, в ней метались, не находя выхода, вопросы. Может быть, они узнали, кто я такой на самом деле? Но даже если дело не в этом и моя подлинная личность не установлена, то все равно последуют допросы, возможно, будут снимать отпечатки пальцев. Интерпол разослал мои отпечатки по всему свету, так что рано или поздно они докопаются до истины. Надо было срочно переслать на волю весть о себе — только вот кому? Кто мог вызволить меня отсюда? Кадербхай. Господин Абдель Кадер-хан. У него были связи во всем городе, и прежде всего в Колабе, и ему ничего не стоило выяснить, где я нахожусь. Пройдет немного времени, и он узнает. А до тех пор мне следовало сидеть тихо и постараться передать ему записку.

Пока меня тащили в мумифицированном виде вверх по металлической лестнице, каждая ступенька которой оставляла на память о себе синяк у меня на теле, я повторял в такт своему колотившемуся сердцу заклинание: «Переслать записку Кадербхаю... Переслать записку Кадербхаю...»

На втором этаже меня втолкнули в коридор за решеткой. Дежурный приказал арестантам снять с меня веревки и стоял в дверях, уперев руки в боки и наблюдая за процессом. Время от времени он пинал меня, чтобы они разматывали веревки быстрее. Когда веревку наконец сняли и отдали полицейским, он велел поставить меня перед ним. Я почувствовал онемевшими нервными окончаниями, как его руки прикасаются ко мне, и, открыв глаза, увидел сквозь заливавшую их кровь гримасу улыбки на его лице.

Он произнес напутственную фразу на маратхи и плюнул мне в лицо. Я поднял руку, чтобы ударить его, но другие заключенные вцепились в меня, удерживая мягко, но крепко. Они помогли мне добраться до первой открытой камеры и опустили на бетонный пол. Бросив взгляд на дежурного, я увидел, как он запирает решетку. Высказанное им напутствие можно было перевести следующим образом: «Тебе крышка. Твоя жизнь кончена».

Стальная решетка с лязгом захлопнулась. Ключи, звякнув, заперли замок. Сердце мое сковало холодом. Я посмотрел в глаза окружающих. У одних взгляд был мертвый, у других безумный, у третьих возмущенный, у четвертых испуганный. Вдруг я услышал где-то внутри барабанный бой. Очевидно, это стучало мое сердце. Я почувствовал, что все мое тело сжимается, как кулак.

В горле я ощутил вязкий и горький привкус. Я попытался проглотить его и тут вспомнил, что это такое. Это был вкус ненависти — моей ненависти, ненависти заключенных, ненависти охранников и всего мира. Тюрьмы — это храмы, где дьяволы учатся молиться. Захлопывая дверь чьей-то камеры, мы поворачиваем в ране нож судьбы, потому что при этом мы запираем человека наедине с его ненавистью.

ГЛАВА
20

Помещение для заключенных за раздвижной решеткой на втором этаже полицейского участка Колабы состояло из четырех камер, выходивших в общий коридор. С другой стороны коридора находились окна, забранные сеткой с мелкими ячейками, сквозь которую был виден четырехугольный двор. На первом этаже тоже были камеры. В одной из них довелось сидеть медведю Кано. Но вообще-то, нижние камеры предназначались для временных заключенных, которых задерживали на одну-две ночи. Тех же, кто должен был пробыть здесь неделю или больше, отводили или затаскивали, как меня, на второй этаж и бросали в один из приемных покоев преисподней.

Камеры не запирались, вход в них представлял собой открытую арку чуть шире обычных дверей. Размер камер составлял примерно три на три метра. В коридоре длиной около шестнадцати метров могли разойтись два человека, касаясь друг друга плечами. В конце коридора находился писсуар и рядом дырка в полу, над которой садились на корточки. Над писсуаром в стену был вмонтирован водопроводный кран для питья и умывания.

Сорок человек разместились бы в четырех камерах и коридоре с более или менее приемлемым неудобством. Проснувшись после первой ночи за решеткой, я выяснил, что здесь содержится двести сорок человек. Это был улей, муравейник, кишащая масса притиснутых друг к другу людей. В туалете ты по щиколотку увязал в экскрементах. Из переполненного писсуара вытекала моча. Вонь от этого болота разносилась по коридору. В густом влажном воздухе стоял гул разговоров, шепотов, стонов, жалоб и криков, которые время от времени перекрывал отчаянный вопль человека, сошедшего с ума. Я пробыл в этом месте три недели.

В первой из четырех камер, где я провел первую ночь, было всего пятнадцать заключенных. Туалетная вонь сюда почти не доходила; здесь хватало места, чтобы лечь. Люди, находившиеся в этой камере, были богаты — по крайней мере, были в состоянии заплатить полицейским за то, чтобы те избивали всякого, кто попытался бы вселиться к ним без приглашения. Камеру называли «Тадж-Махал», а ее обитателей — *пандра кумар*, «пятнадцать принцев».

Во второй камере содержались двадцать пять человек; все они были преступниками, имевшими за плечами хотя бы один срок отсидки и готовыми безжалостно сражаться с теми, кто посягнет на их территорию. Эта камера была известна как *чор махал*, «приют воров», а заключенные именовались, как и прокаженные Ранджита, *кала топи*, «черные шляпы», потому что воры, содержавшиеся в знаменитой тюрьме на Артур-роуд, были обязаны носить черные шляпы.

В третью камеру были втиснуты сорок человек, которые сидели плечом к плечу вдоль стен и по очереди спали на остававшемся в середине свободном пространстве. Они были не столь свирепы, как обитатели второй камеры, но полны решимости отстаивать свое место у стены, когда на него претендовали вновь поступившие заключенные. Если новичок оказывался сильнее, ему удавалось изгнать из камеры одного из заключенных, и их общее количество оставалось практически неизменным. Поэтому камера носила название *чалис махал*, «приют сорока».

Четвертая камера называлась на тюремном жаргоне *дукх махал*, «приют страдальцев», но многие предпочитали название, данное ей полицейскими: «камера разоблачения». Новичок, которого бросали за решетку, зачастую сначала пытался устроиться в первой камере. Тут же все пятнадцать заключенных поднимались на ноги и вместе с несколькими раболепствовавшими перед ними обитателями коридора начинали выталкивать самозванца, крича: «Следующая камера! Следующая камера, ублюдок!» Не в силах сопротивляться их напору, человек хотел зайти во вторую камеру. Если никто из содержавшихся здесь не знал его, он получал затрещину от заключенного, находившегося ближе всех ко входу, и указание: «Следующая камера, подонок!» Уже порядком струхнувший, человек пробовал вселиться в третью камеру, но там его тоже сразу начинали избивать с криком: «Следующая камера, скотина!» Когда он добирался до последней камеры, ее постояльцы сердечно приветствовали его как долгожданного гостя: «Заходи, друг! Заходи, браток!»

Если он имел глупость зайти, пятьдесят или шестьдесят человек, втиснутых в эту зловонную клетушку, не только избивали его, но и раздевали догола. Его одежда распределялась среди старожилов согласно списку нуждающихся, составленному в соответствии с установленной здесь иерархией. Все складки и углубления его тела тщательно обыскивались в поисках каких-либо ценностей. Если таковые имелись, они переходили во владение «короля» камеры. Во время моего пребывания в участке «королем» здесь был гориллоподобный детина, чья голова врастала прямо в плечи, а волосы спереди начинались в каком-нибудь сантиметре от сросшихся бровей. Новичку выдавали в качестве одежды грязные тряпки, от которых отказывались те, кто присваивал его одежду. Ему предоставлялись две возможности: поселиться в коридоре, до отказа набитом сотней заключенных, и самостоятельно заботиться о своем выживании или присоединиться к банде грабителей и ждать своей очереди раздеть невезучего новичка. За три недели, что я там пробыл, лишь один человек из пяти новоприбывших и обобранных в четвертой камере выбрал второй вариант.

Даже в коридоре был установлен свой порядок и происходила борьба за жизненное пространство. Ценились места поближе ко входу и подальше от туалета. Но даже в этом загаженном тупике, среди дерьма, люди дрались за место, где дерьма было поменьше.

Тем, кто оказывался в самом конце коридора, приходилось стоять по щиколотку в вонючей жиже, не присаживаясь ни днем ни ночью. В конце концов они не выдерживали и падали замертво. При мне один из них умер прямо в коридоре, а еще нескольких вынесли в таком состоянии, что вряд ли можно было вернуть их к жизни. Остальные впадали в состояние полубезумной ярости, необходимой, чтобы сражаться с соседями день за днем, час за часом и минута за минутой с целью переместиться в брюхе этой железобетонной анаконды поближе к тому месту, где можно было бы хотя бы стоять спокойно и ожидать момента, когда зверь выплюнет их остатки теми же стальными челюстями, которые поглотили их жизнь.

Пищу выдавали один раз в день, в четыре часа. Это была, как правило, чечевичная похлебка с лепешками или рис, чуть приправленный карри. Кроме того, по утрам поили чаем с кусочком хлеба. Заключенные выстраивались в очередь к решетке, через которую полицейские раздавали еду, но в результате столпотворения, зверского голода и жадности отдельных арестантов очередь неизбежно нарушалась, происходили потасовки, и многие оставались без пищи целые сутки, а то и несколько.

Каждому новоприбывшему вручали алюминиевую тарелку, это было единственное, чем он владел. Никаких столовых приборов не имелось, все ели руками; чашки тоже отсутствовали, и чай выливали прямо в тарелку, с которой мы лакали его, как животные. Тарелки использовались также для других целей — прежде всего для изготовления самодельных плиток. Две тарелки ставились под углом друг к другу и служили стойками, на которые горизонтально клали третью. Между двумя тарелками-стойками клали топливо, чтобы подогреть чай или еду в верхней тарелке. Идеальным топливом служили резиновые сандалии. Когда сандалию поджигали с одного конца, она горела медленно и ровно, пока не сгорала целиком. При этом выделялся едкий дым; в воздухе летала жирная копоть, осаждавшаяся на всем окружающем. В четвертой камере, где две такие плитки разжигали на какое-то время каждую ночь, копотью были покрыты стены и пол, а также лица всех ее обитателей.

Эти плитки служили источником дохода для «короля» и его приближенных в четвертой камере — они нагревали на них чай и сэкономленную пищу для богачей в первой камере, получая за это небольшое вознаграждение. Охранники разрешали передавать через решетку еду и питье тем заключенным, которые могли позволить себе это, но только в дневное время. Пятнадцать «принцев», стремившихся не ограничивать себя ни в чем, подкупив охрану, раздобыли маленькую сковородку, пластмассовые бутылки для чая и коробки для еды и имели возможность пить горячий чай и закусывать даже после того, как поставки через решетку прекращались.

Тарелки, использовавшиеся в качестве плиток, со временем приходили в негодность, и их вечно не хватало. Еда, чай и даже служившие топливом резиновые сандалии также были товаром, который можно было продать. Поэтому самые слабые оставались без сандалий, без тарелок и без еды. Люди, жалевшие их и дававшие им свои тарелки, вынуждены были глотать пищу наспех. Иногда из одной тарелки ели до четырех человек, и им всем надо было уложиться в те шесть-семь минут, в течение которых копы раздавали пищу через решетку.

Я ежедневно смотрел в глаза голодающим людям, видел, как они глядят на других, давящихся горячей едой в спешке. Я наблюдал за ними, боясь, что они не успеют получить свою порцию. Их глаза демонстрировали истинную человеческую природу, которую можно познать только во время жестокого и отчаянного голода. Я познал эту истину, и часть моего сердца разбилась при этом, так никогда и не восстановившись.

И каждый вечер «принцы» в «Тадж-Махале» ели перед сном горячую пищу и пили чай, подогретые на плитках в четвертой камере.

Но даже «принцам» приходилось посещать общий туалет. Эта процедура была для них такой же мучительной и унизительной, как и для остальных, и в этом, по крайней мере, мы все были равны. Пробираясь сквозь джунгли тел и конечностей арестантов, находившихся в коридоре, ты в конце концов попадал в смрадное болото. Здесь богатые, как и все остальные, затыкали нос кусочками ткани, вырванными из рубашек или маек, и зажимали в зубах сигарету «биди», чтобы запах донимал меньше. Задрав штаны до колен и держа сандалии в руке, они брели босиком по мерзкой жиже до туалета. Хотя фановая труба не была засорена, среди двухсот с лишним человек, ежедневно испражнявшихся в нее, обязательно находились такие, кто промахивался мимо дыры, и их экскременты вымывались в коридор мочой, переполнявшей писсуар. Проследовав после этого к крану, богачи споласкивали руки и ноги и брели обратно, ступая по тряпкам, набросанным на полу наподобие камней в ручье и образовывавшим нечто вроде плотины перед входом в четвертую камеру. За окурок сигареты или половинку «биди» сидевшие здесь люди тряпками вытирали богачам ноги, после чего те возвращались в свою камеру.

Предполагалось, что у меня есть деньги, поскольку я белый, и в первое же утро «принцы» предложили мне присоединиться к их компании. Мысль об этом вызывала у меня отвращение. Мои родители были социалистами-фабианцами, и я унаследовал у них отсутствие практицизма и категорическое неприятие социальной несправедливости в любых ее формах. Воспитанный на их принципах, в период революционного брожения я стал революционером. Преданность *Идее*, как это называла моя мать, укоренилась во мне глубоко. Кроме того, я уже много месяцев жил в трущобах вместе с бедняками. Поэтому я отказался разделить привилегии богачей — хотя, должен признаться, мне очень хотелось согласиться. Я пробился, преодолев заслон, во вторую камеру, где сидели видавшие виды рецидивисты. Увидев, что я способен дать отпор, они потеснились, неохотно освободив мне место. У «черных шляп», как и у большинства криминальных сообществ во всем мире, была своя корпоративная гордость. Вскоре они придумали способ испытать меня.

Спустя три дня после ареста я возвращался в свою камеру, совершив долгое путешествие в туалет, как вдруг один из заключенных попытался выхватить у меня мою тарелку. Я криком на хинди и маратхи выразил свое возмущение, постаравшись усластить его как можно более красочными анатомическими подробностями, насколько мне позволяло знание этих языков. Это не подействовало. Человек был выше меня и тяжелее килограммов на тридцать. Мы тянули тарелку каждый на себя, но перетянуть не могли. Окружающие молчали. Я ощущал в воздухе тихий и теплый прилив их дыхания. Это был решающий момент: либо я стану в этом мире своим, либо уступлю и меня оттеснят в зловонный конец коридора.

Использовав державшие тарелку руки противника как рычаг, я несколько раз подряд ударил головой по его переносице, а затем по подбородку. Вокруг поднялась тревога; человек десять навалились на нас, прижав друг к другу. Я не мог двигать руками и не хотел выпускать из них тарелку. Мне оставалось только пустить в ход зубы. Я прокусил ему щеку и почувствовал во рту вкус крови. Он бросил тарелку и завопил. Собрав все силы, он протолкался через толпу и устремился к стальной решетке. Я последовал за ним, пытаясь поймать его за рубашку. Он вцепился в решетку и стал звать на помощь. Охранник начал отпирать замок, когда я схватил своего врага за футболку. Поскольку он был уже фактически снаружи, футболка натянулась и порвалась. Он выскочил, а я остался с куском его одежды в руках. Он спрятался за охранника, прижавшись спиной к стене. На лице его была рваная рана, из носа на грудь текла кровь. Решетка захлопнулась. Коп смотрел, как я стираю куском футболки кровь с моих рук и с тарелки, и загадочно улыбался. Я был удовлетворен. Бросив тряпку в решетку, я пробрался сквозь безмолвствующую толпу на свое место в «приюте воров».

— Неплохой приемчик, братишка, — сказал по-английски сидевший рядом со мной молодой парень.

— Да нет, так себе. Я хотел откусить ему ухо.

— Фу-у, — поморщился он, выпятив губы. — Правда, это блюдо было бы, наверно, получше того дерьма, что дают здесь. За что тебя сюда кинули?

— Не знаю.

— Не знаешь?

— Они схватили меня ночью на улице и привезли сюда, не сказав, почему они это делают и в чем меня обвиняют.

Я не спросил, за что посадили его, потому что в австралийских тюрьмах заключенные «старой школы» установили правила этикета, которым они научили меня с первого же дня и которые запрещали спрашивать человека о совершенных им преступлениях, пока не станешь либо его другом, либо открытым врагом.

— Обработали они тебя будь здоров.

— Да. Они называют это «аэроплан».

— О-о-о! — поморщился он опять. — Да, это хреновая штука, братишка. Я тоже испробовал ее однажды. Мне так туго связали руки, что потом они три дня ничего не чувствовали. И вскоре после того, как тебя начинают бить, у тебя будто все тело распухает под этими веревками, *на*? Меня зовут Махеш. А как твое доброе имя?

— Лин.

— Лин? Интересное имя. А где ты научился говорить на маратхи? Ты так классно обложил этого типа, перед тем как начал закусывать им.

— В деревне.

— Крутые ребята живут, наверно, в этой деревне!

Впервые после ареста я улыбнулся. В тюрьме приходится улыбаться с осторожностью, потому что хищные люди считают улыбку слабостью, слабые люди рассматривают ее как приглашение, а охранники — как повод сотворить какую-нибудь новую пакость.

— Ругаться я научился здесь, в Бомбее, — сказал я. — А на какой срок обычно застревают в этом участке?

Махеш вздохнул, и его большое темное лицо вытянулось с покорной печалью. Глаза его были широко расставлены и сидели так глубоко, что, казалось, прятались в убежище под бровями, иссеченными шрамами. Доминирующей чертой лица был широкий нос, не раз сломанный; он придавал ему довольно грозный вид, которым без этой особенности Махеш вряд ли мог бы похвастаться, имея маленький рот и круглый подбородок.

— Этого никто не знает, братишка, — ответил он, и взгляд его затуманился; такой ответ мог бы дать Прабакер, и при воспоминании о моем друге одиночество на миг пронзило мое сердце. — Я попал сюда всего за пару дней до тебя. Говорят, что недели через две-три нас отвезут в фургоне к Артуру.

— К Артуру?

— В тюрьму на Артур-роуд.

— Мне надо переправить записку на волю.

— Придется тебе подождать с этим, Лин. Здешние копы запретили оказывать тебе какую-либо помощь. Похоже, ты кому-то здорово насолил, братишка. Может быть, даже я ищу неприятностей на свою голову, разговаривая с тобой, но хрен с ним, *йаар*.

— Я должен переправить записку, — повторил я.

— Никто из здешних не сделает этого для тебя, Лин. Они трясутся, как мыши в мешке с кобрами. Но в тюрьме на Артур-роуд ты, наверное, сможешь отправить записку. Это офигенно большая тюрьма, так что там легче. Там сидят двенадцать тысяч человек. Правительство говорит, что меньше, но мы-то все знаем, что двенадцать. Если тебя отправят на Артур-роуд, то, наверно, вместе со мной, через три недели. Меня посадили за воровство. Тырил со стройки медную проволоку и пластиковые шланги. Уже три раза сидел за то же самое, теперь четвертый. Они называют меня мелким воришкой-рецидивистом. На этот раз придется отсидеть три года, если повезет, или пять, если нет. Наверно, мы попадем на Артур-роуд вместе и там уже постараемся послать весточку на волю. *Тхик хайн?*[1] А пока будем курить, молиться Богу и кусать всех, кто попытается отнять у нас тарелку, *на*?

Этим мы и занимались все три недели. Мы слишком много курили, беспокоили своими молитвами глухие к нам Небеса, дрались кое с кем и ободряли кое-кого из тех, кто терял желание ку-

---

[1] Идет? *(хинди)*

рить, молиться и драться. Однажды пришли копы взять у нас отпечатки пальцев, и мы оставили предательские черные загогулины и завитушки на листах бумаги, которые поклялись говорить правду, подлую правду и ничего, кроме правды. А после этого меня и Махеша закинули вместе с другими в древний синий тюремный фургон — запихали восемьдесят человек в черную автомобильную утробу, где и тридцати-то было бы тесно, и повезли скорым ходом в тюрьму на Артур-роуд по городским улицам, которые мы все так любили.

Во дворе тюрьмы охранники вытащили нас из фургона и велели сидеть на корточках и ждать, пока местные охранники не прочитают наши документы, не обыщут нас по очереди и не запишут в свой тюремный талмуд. Эта процедура длилась четыре часа, и все четыре часа я ерзал на корточках, потому что мной занялись в последнюю очередь. Здешним охранникам сообщили, что я знаю маратхи. Старший в их команде решил это проверить и обратился ко мне на маратхи, приказав встать. Я встал, с трудом держась на онемевших ногах, и он велел мне сесть на корточки снова. Когда я сел, тут же последовала команда встать. Это могло бы продолжаться бесконечно, на радость собравшимся вокруг зрителям в полицейской форме, но я отказался подыгрывать ему. Он орал свои команды, а я не выполнял их. Он замолчал. Мы сверлили друг друга взглядом. Между нами повисла тишина, какая бывает лишь в тюрьме и на поле боя. Ты кожей ощущаешь эту тишину. Ее можно понюхать, попробовать на вкус и даже услышать где-то в темном уголке у тебя за ухом. Издевательская улыбка копа медленно преобразовалась в оскал ненависти, которая породила и эту улыбку. Он плюнул на землю у меня под ногами.

— Англичане построили эту тюрьму во время своего господства! — прошипел он. — Здесь они заковывали индийцев в цепи, хлестали кнутом, подвешивали, пока те не умирали. Теперь здесь командуем мы, а ты, англичанин, сидишь в этой тюрьме.

— Прошу прощения, сэр, — обратился я к нему со всей вежливостью, на какую был способен мой маратхи, — но я не англичанин, я из Новой Зеландии.

— Ты англичанин! — завопил он, обрызгав мое лицо слюной.

— Боюсь, вы ошибаетесь.

— Нет, ты англичанин, ты насквозь англичанин! — прорычал он со злобной улыбкой. — Ты англичанин, а в тюрьме теперь командуем мы! Ступай туда!

Он указал мне на арочный вход в здание тюрьмы. Под аркой надо было круто повернуть направо, и я чувствовал, как чувствуют это животные, что за поворотом таится опасность. Охранники, шедшие сзади, подгоняли меня дубинками, чтобы я не задерживался. Я зашел под арку и повернул направо. Там меня ждали человек двадцать, вооруженные бамбуковыми дубинками.

Я хорошо знал, что значит, когда тебя прогоняют сквозь строй, — испытал это на собственной шкуре в австралийской тюрьме. Там охранники заставляли нас проходить по длинному узкому коридору, ведущему во дворик для прогулок, избивая по пути дубинками и пиная ногами.

Теперь я стоял в ярком электрическом свете в коридоре бомбейской тюрьмы, и ситуация была до смешного похожей. «Эй, парни! — хотелось мне крикнуть. — Неужели вы не в состоянии придумать что-нибудь поновее?» Но я не мог ничего произнести. От страха рот у человека пересыхает, а ненависть не дает дышать. Очевидно, поэтому в сокровищнице мировой литературы нет книг, порожденных ненавистью: подлинный страх и подлинная ненависть не могут выразить себя словами.

Я медленно двинулся вперед. На парнях с дубинками были надеты белые рубашки и шорты. На голове у них были белые фуражки, на поясе широкие черные кожаные ремни. Ремни застегивались большими медными пряжками с номером и надписью «Надзиратель». Вскоре я узнал, что они не были охранниками. Согласно правилам, заведенным еще во времена британского владычества, охранники в индийских тюрьмах почти не обременяли себя рутинными повседневными делами и поддержанием дисциплины. Этим занимались сами заключенные. Убийцы и прочие преступники, осужденные на пятнадцать лет и больше, отсиживали первые пять лет своего срока наравне с другими. Следующие пять лет они занимали более привилегированное положение, работая на кухне, в прачечной, на подсобных предприятиях или на уборке территории. А потом они часто получали фуражки, кожаные ремни и бамбуковые дубинки надзирателей. Жизнь и смерть остальных заключенных были в их руках. Две шеренги таких закоренелых убийц, ставших надзирателями, поджидали меня в коридоре, приготовив дубинки. На их лицах читалось опасение, что я стремглав проскочу мимо них, лишив их возможности отвести душу.

Я не кинулся мимо них стремглав. Мне хотелось бы написать, что во мне взыграли благородное негодование и отвага, но я не уверен в этом. Впоследствии я часто вспоминал этот момент, и всякий раз я все меньше и меньше понимал, почему так поступил. «За каждым благородным поступком всегда кроется темный секрет, — сказал однажды Кадербхай, — и что заставляет нас идти на риск — это тайна, в которую нельзя проникнуть».

Приближаясь к надзирателям, я вспомнил длинный бетонный перешеек между берегом и святилищем Хаджи Али — мечетью, возвышающейся посреди воды в лунном свете, как корабль на якоре. Мечеть под луной и дорожка, ведущая к ней среди плещущих волн, запечатлелись у меня в памяти как один из любимых образов Бомбея. Красота этого места была для меня чем-то вроде ангела, которого человек видит в спящем лице любимой женщины. Возможно, именно воспоминание об этой красоте спасло меня тогда. Я попал в одно из худших мест в городе, одно из самых жестоких и чудовищных ущелий, но какой-то инстинкт вызвал у меня в воображении эту прекрасную картину — перешеек, тянущийся через море к белым минаретам святилища.

Бамбуковые дубинки трещали и щелкали, хлеща и кромсая мои руки, ноги, спину. Голове, шее и лицу тоже доставалось. Дюжие парни старались изо всех сил, и удары, сыпавшиеся на мою незащищенную кожу, ощущались как что-то среднее между прикосновением раскаленного металла и электрическим разрядом. На концах дубинки были расщеплены и взрезали кожу, как бритвенные лезвия. Мое лицо и другие открытые участки тела были залиты кровью.

Я старался шагать так твердо и медленно, как только мог. Я вздрагивал, когда дубинки стегали меня по лицу или по уху, но ни разу не съежился и не поднял руки, чтобы защититься. Я вцепился руками в карманы джинсов, чтобы не поднять их инстинктивно. И удары, поначалу наносившиеся с жестоким остервенением, стали ослабевать по мере того, как я продвигался вперед, а в конце строя прекратились совсем. Видя, как эти люди опускают дубинки и глаза, я чувствовал себя победителем. «Единственная победа, какую ты можешь одержать в тюрьме, — сказал мне один из ветеранов отсидки в Австралии, — это выжить». При этом выжить — значит не просто продлить свою жизнь, но и сохранить силу духа, волю и сердце. Если человек выходит из тюрьмы, утратив их, то нельзя сказать, что он выжил. И порой ради победы духа, воли или сердца мы приносим в жертву тело, в котором они обитают.

Надзиратели вместе с охранниками провели меня в сгущавшихся сумерках к одному из корпусов для арестантов. Камера с высокими потолками была большой, двадцать пять шагов в длину и десять в ширину; зарешеченные окна выходили во двор; в обоих концах камеры имелось по входу, закрытому стальной решеткой. Один из них вел к ванной и трем туалетным дыркам, которые содержались в чистоте. В помещении находились сто восемьдесят заключенных и двадцать арестантов-надзирателей.

Надзирателям была отведена четверть всей площади. В их распоряжении были целые горы чистых одеял. Они складывали стопкой штук по десять одеял, устраивая себе мягкие постели и оставляя свободное пространство вокруг. В четырех шагах от них начиналась территория, где теснились все остальные.

Каждому из нас полагалось по одному одеялу, которое мы брали из кипы, сложенной в нашем конце камеры. Одеяла раскладывались на каменном полу сплошным ковром у продольных стен. Касаясь друг друга плечами, мы лежали головой к стене, оставляя посредине проход. Всю ночь в камере горел яркий свет. Надзиратели по очереди дежурили, прохаживаясь вдоль камеры со свистками, подвешенными на цепочках на шее и предназначенными для того, чтобы вызывать охранников в случае возникновения каких-либо осложнений, с которыми они не могли справиться сами. Вскоре я убедился, что таких осложнений практически не существует и что свистеть в свистки надзиратели не любят.

Надзиратели дали мне пять минут на то, чтобы воспользоваться безупречно вычищенным туалетом и смыть кровь с лица, шеи и рук. Затем они предложили мне спальное место в своем конце камеры. Очевидно, они полагали, что у человека с белой кожей должны водиться деньги. Возможно, на них произвел впечатление и тот факт, что я прошел сквозь их строй, сохранив достоинство. Однако я отказался разделить общество тех самых людей, которые избивали меня дубинками несколько минут назад. Это было очень неосмотрительно с моей стороны. Когда я взял одеяло и положил его в дальнем от них конце камеры рядом с Махешем, они презрительно фыркнули. Мой отказ от эксклюзивного предложения присоединиться к ним привел их в ярость, и они решили, как это свойственно наделенным властью трусам, сломить мой дух.

Ночью мне приснился кошмар, в котором мне чем-то пронзали спину. Проснувшись, я сел на одеяле и обнаружил присосавшееся ко мне насекомое размером с чертежную кнопку. Оторвав его от себя, я посадил его на пол, чтобы рассмотреть. Это было жирное темно-серое существо со множеством ног, раздувшееся до того, что почти превратилось в шар. Я прихлопнул его кулаком, и во все стороны брызнула кровь, моя кровь. Эта тварь всласть полакомилась мной, пока я спал. В нос мне ударила мерзкая вонь. Так я познакомился с кровососущим насекомым, которое называлось *кадмал* и являлось настоящим бичом заключенных тюрьмы на Артур-роуд. Бороться с этими паразитами мы не имели возможности. Они пили нашу кровь каждую ночь. На месте укуса оставалась маленькая круглая гнойная ранка. К утру у каждого заключенного на коже имелось от трех до пяти следов от укуса, за неделю их накапливалось до двадцати, а за месяц человек весь покрывался гнойными очагами. Спасения от этой напасти не было.

Я смотрел на нелепую кучку, оставшуюся от насекомого, дивясь тому, сколько крови оно успело из меня высосать, как вдруг почувствовал острую боль в ухе. Это дежурный надсмотрщик ударил меня бамбуковой дубинкой. Разъяренный, я хотел вскочить, но Махеш всем телом повис на мне и потянул обратно.

Надсмотрщик свирепо уставился на меня и возобновил обход камеры лишь после того, как я снова улегся. Махеш шепотом пытался урезонить меня. Наши лица находились всего в нескольких сантиметрах друг от друга. Люди спали, тесно прижатые друг к другу, их руки и ноги переплетались. Последнее, что я видел и слышал в эту ночь, был страх в глазах Махеша и тихое испуганное предупреждение, которое он произносил, прикрывая рот рукой:

— Что бы они ни делали, не выступай против них, если тебе дорога́ жизнь. Забудь о том, как ты жил до сих пор, Лин. Здесь мы мертвецы. Ты ничего не можешь изменить!

Я закрыл глаза, запер на замок свое сердце и заставил себя заснуть.

ГЛАВА 21

Надзиратели разбудили нас вскоре после рассвета. Того, кто не успел проснуться прежде, чем они подошли к нему, они избивали. Мне тоже достался удар дубинкой, хотя я к тому моменту уже поднялся. Я в гневе хотел кинуться на обидчика, но Махеш опять помешал мне. Мы аккуратно свернули одеяла и уложили их стопкой в нашем конце камеры. Охранники открыли стальную решетку и выгнали нас во двор для умывания. В одном конце большого каменного прямоугольника, похожего на пустой бассейн, находился огромный чугунный бак с отводной трубой почти у самого основания. При нашем приближении один из заключенных открыл кран, и из трубы тонкой струйкой потекла вода. Заключенный по лесенке забрался на крышку бака и уселся там, наблюдая за нами. Люди ринулись к трубе с алюминиевыми тарелками. Возле бака началась толкучка, все старались оттеснить других, чтобы набрать в свою тарелку воды.

Я ждал, пока ажиотаж не спадет, наблюдая за тем, как люди умываются небольшим количеством воды из тарелок. Примерно у каждого двадцатого заключенного имелся кусок мыла, и он, намылив лицо и руки, вторично устремлялся к трубе. Когда я дождался своей очереди, воды в баке почти не осталось. Какое-то количество все же накапало мне в тарелку вместе со множеством копошащихся тварей, напоминающих личинки. Я с отвращением выплеснул воду, и несколько человек вокруг засмеялись.

— Это водяные черви, братишка, — пояснил Махеш, наполняя свою тарелку извивающимися полупрозрачными существами. Он опрокинул это месиво себе на грудь и на спину и потянулся к трубе, чтобы набрать следующую порцию. — Они живут в баке. Когда воды остается немного, они лезут оттуда в огромном количестве. Но это не проблема. Они не вредные, не то что кадмалы. Они не будут кусать тебя — просто свалятся на землю и умрут на воздухе. Некоторые дерутся за то, чтобы набрать воды без червей. Но если подождать, то воды тоже хватит, хотя и с червями. Мне кажется, это лучше. *Чало!* Давай умывайся, а то до следующего утра не будет такой возможности. Кран в нашем корпусе только для надзирателей. Вчера они разрешили тебе умыться там потому, что ты был весь в крови. Но больше тебя не пустят туда никогда. Туалетом мы можем пользоваться, а умывальником — нет. Только здесь можно хоть как-то помыться.

Я подержал тарелку под угасающей струей воды и обсыпал себя, подобно Махешу, полчищем шевелящихся тварей. Как и у всех индийцев, под джинсами у меня были надеты шорты — «верхние трусы», как называл их Прабакер. Я снял джинсы и опустошил еще одну тарелку с червяками прямо в трусы. К тому времени, когда надзиратели стали загонять нас дубинками обратно в помещение, я был умыт, насколько это было возможно, с червяками вместо мыла.

В камере нас заставили целый час сидеть на корточках, пока охрана проводила перекличку всех заключенных. Просидев так некоторое время, ты начинал ощущать мучительную боль в ногах. Но если кто-то пытался вытянуть ногу, тут же подскакивал надзиратель с дубинкой и наносил сильный удар. Я не двигал ногами, чтобы надзиратели не видели моих мучений. Не хотелось доставить им это удовольствие. И тем не менее, когда я закрыл глаза, терпя боль и потея, один из надзирателей ударил меня. Я хотел встать, и опять Махеш удержал меня, уговаривая и успокаивая. Но когда в течение пятнадцати минут я получил еще один, затем второй и третий удары, я не выдержал.

— А ну подойди сюда, ты, гребаный трус! — крикнул я последнему из бивших меня надзирателей; это был огромный, заплывший жиром боров, возвышавшийся почти над всеми обитателями камеры и носивший прозвище Большой Рахул. — Я воткну эту дубинку тебе в задницу так глубоко, что она у тебя из глотки полезет!

В помещении наступила гробовая тишина. Все боялись шевельнуться. Большой Рахул сверлил меня взглядом. Его грубое лицо, обычно выражавшее презрительное высокомерие, было искажено яростью. Около него стали собираться для поддержки другие надсмотрщики.

— Ну, иди же сюда, герой! — крикнул я на хинди. — Я жду тебя!

Внезапно Махеш и еще пятеро или шестеро заключенных поднялись и повисли на мне, пытаясь усадить.

— Лин, пожалуйста! — прошептал мне Махеш. — Сядь, умоляю тебя! Я знаю, что говорю, братишка. Пожалуйста, сядь!

Пока они висели на мне, мы с Рахулом обменялись взглядом, прочитав по глазам другого, как далеко он способен зайти. В глазах Рахула мелькнул сигнал поражения, надменность исчезла с его лица. Он испугался меня и сам понимал это. Я понимал это тоже. Я позволил своим соседям усадить меня. Рахул крутанулся на каблуках и чисто машинально ударил дубинкой ближайшего к нему заключенного. Напряжение в камере спало, перекличка возобновилась.

На завтрак нам выдали по одной большой пресной лепешке из муки крупного помола, называемой *чапати*. Мы должны были сжевать ее и запить водой в течение пяти минут, после чего надзиратели выгнали нас из корпуса и провели через несколько идеально чистых дворов. В широком проходе между двумя проволочными заграждениями всем новичкам опять велели сесть на корточки и ждать на солнцепеке своей очереди на бритье головы. Парикмахеры расположились со своими табуретами в тени высокого дерева. Один из них стриг волосы на голове, другой брил ее опасной бритвой.

Неожиданно мы услышали крик с одного из расположенных неподалеку и огороженных проволокой участков. Махеш толкнул меня в бок и кивком указал в ту сторону. Десяток надзирателей вытащили на этот участок какого-то человека за веревки, обмотанные вокруг его запястий и пояса. На шее у него был надет толстый кожаный ошейник, к кольцам которого также были привязаны веревки. Две команды надзирателей, ухватившись за веревки, привязанные к рукам заключенного, принялись играть в «перетягивание каната». Человек был очень высок и силен. Шея его была толщиной с орудийный ствол, на мощной груди и спине перекатывались мышцы. Он был африканцем, и я узнал в нем Рахима, водителя Хасана Обиквы, которому я помог скрыться от разъяренной толпы на Регал-Сёркл.

Мы наблюдали в напряженной тишине, учащенно дыша. Надзиратели выволокли Рахима в центр участка, к большому камню, примерно в метр высотой и шириной. Он сопротивлялся, но силы были не равны. Подоспели еще несколько надзирателей с веревками. В то время как по три надзирателя с каждой стороны изо всех сил тянули его в разные стороны за руки, которые, казалось, вот-вот выскочат из своих суставов, другие, привязав веревки к ногам, развели их в неестественном положении. За веревки, идущие от ошейника, Рахима подтащили к камню и пристроили на нем его левую кисть и предплечье, а веревку от правой руки сильно натянули в противоположном направлении. Затем один из надзирателей забрался на камень и спрыгнул обеими ногами прямо на растянутую руку, которая с ужасающим хрустом искривилась под немыслимым углом.

Ошейник так туго стягивал шею Рахима, что он не мог издать ни звука, но нам было видно, как он открыл и закрыл рот в немом крике. Ноги его свело судорогой, они стали дергаться. Дрожь прошла по всему телу, он быстро-быстро затряс головой, что выглядело бы смешно, если бы не было так ужасно. После этого надзиратели развернули Рахима таким образом, что на камне оказалась его правая рука. Тот же надсмотрщик опять залез на камень и, перекинувшись парой слов со своими коллегами, высморкался с помощью пальцев, почесал живот и спрыгнул на правую руку Рахима, сломав и ее. Нигериец потерял сознание. Привязав веревки к его лодыжкам, надзиратели потащили его прочь от камня. Руки его беспомощно волочились по земле, как два длинных черных чулка, набитые песком.

— Видал? — хрипло прошептал Махеш.

— Что это было?!

— Он ударил одного из надзирателей, — ответил Махеш испуганным шепотом. — Поэтому я и остановил тебя. Они могут сделать это и с тобой.

Другой заключенный, наклонив к нам голову, быстро проговорил:

— И нет никакой гарантии, что тебя осмотрит доктор. Ты можешь попасть к нему, а можешь и не попасть. Может быть, этот негр выживет, а может, и нет. Если ты ударишь надзирателя, хорошего не жди, баба.

К нам подошел Большой Рахул с бамбуковой дубинкой на плече. Около меня он задержался, неторопливо огрел дубинкой по спине и со смехом двинулся дальше. Смех его был нарочито громким и жестоким, но звучал фальшиво и выдавал его слабость. Я явственно чувствовал ее — такой смех был хорошо знаком мне. Мне приходилось слышать его в другой тюрьме, на другом конце света. Жестокость — разновидность трусости. Трусы смеются жестоким смехом, когда им на людях хочется заплакать, а причиняя другим боль, они дают выход снедающей их тоске.

Сидя на корточках, я заметил, что в голове ближайшего ко мне заключенного ползают мелкие насекомые. Меня передернуло. Я тоже чесался с самого утра, но до сих пор приписывал это укусу кадмала, жесткому одеялу и ссадинам, оставшимся после того, как меня прогнали сквозь строй. Я посмотрел на голову следующего заключенного — и у него в волосах тоже извивались белые вши. Причина чесотки стала мне понятна. Взглянув на Махеша, я увидел, что и с ним творится то же самое. Я запустил пятерню в волосы и вытащил столько белых, похожих на крошечных крабов насекомых, что сосчитать их было невозможно.

Платяные вши. Одеяла, которые нам выдавали, были их настоящим рассадником. Я с ужасом ощутил, как эти мерзкие паразиты ползают по всему моему телу. Когда нас обрили и повели обратно, Махеш прочел мне маленькую лекцию о вшах, которых здесь называли *шеппеш*.

— Шеппеш — это сущее наказание, братишка. От этих тварей никуда не деться. Поэтому у надзирателей собственные одеяла и спят они отдельно. У них там нет шеппешей. Посмотри на меня, я покажу тебе, что с ними надо делать.

Он стащил футболку и вывернул ее наизнанку. Взявшись за конец шва, он отогнул складку, представив на обозрение копошащихся там вшей.

— Увидеть их не так-то просто, зато почувствовать на себе очень легко, *йаар*! Но не волнуйся. Уничтожить их нетрудно. Нужно просто защемить их ногтями, вот так.

Я наблюдал, как он прощупывает пальцами шов воротника, убивая насекомых одного за другим. Точно так же он прошелся вдоль швов на рукавах и на подоле футболки.

— Ну вот, рубашка чистая, никаких вшей, — сказал Махеш, аккуратно свернув футболку и отложив ее в сторону на каменный пол. — После этого оборачиваешься полотенцем, снимаешь штаны и убиваешь их всех на штанах. Когда штаны тоже чистые, убираешь их и переходишь на тело — прежде всего на подмышки, задницу и мошонку. А когда и одежда чистая, и сам ты чистый, надеваешь одежду, и шеппеши тебя почти не беспокоят до следующей ночи, когда они снова попрут на тебя толпой из одеяла. А если ты попробуешь спать без одеяла, надзиратели взгреют тебя по первое число. Так что новых шеппешей не избежать, и утром начинаешь все по новой. Тут очень хорошие условия для разведения шеппешей, это такая здешняя отрасль животноводства.

Выглянув в окно, я увидел во дворе не меньше сотни людей, занятых этой «животноводческой» деятельностью. Некоторые заключенные махнули на шеппешей рукой, позволяя им беспрепятственно разводиться на себе, и лишь непрерывно ежились и почесывались, как уличные собаки. Но я не мог стерпеть этого безумного разгула животных страстей на своем теле. Содрав с себя рубашку, я осмотрел шов на воротнике. Целые толпы паразитов разгуливали там, спаривались или просто отдыхали. Я начал уничтожать их одного за другим, проходя шов за швом. У меня ушло на это несколько часов; я неукоснительно развлекался подобным образом каждое утро и тем не менее ни разу за все месяцы, проведенные в тюрьме на Артур-роуд, не чувствовал себя абсолютно чистым. Зная, что изничтожил вшей и вроде бы временно избавился от них, я все равно испытывал ощущение, что эта жуткая орда продолжает беспутствовать на моем теле. Я пребывал в постоянном ужасе перед ними и со временем чуть не свихнулся из-за этого.

Весь день, с утренней переклички и до ужина, мы проводили во дворе рядом со своим корпусом. Некоторые играли в карты и прочие игры, другие беседовали или пытались спать на каменных дорожках. Немало было и таких, кто бродил нетвердой походкой, шаркая худыми ногами и бормоча себе под нос что-то бессмысленное. Дойдя до стены, они утыкались в нее и стояли так, пока мы не поворачивали их, задавая им новое направление.

Ланч состоял из жидкого супа, который разливали по тарелкам. На ужин в половине пятого давали тот же суп с добавлением лепешки чапати. Суп варили из кожуры каких-нибудь овощей — свеклы, моркови, тыквы, турнепса и прочих. Использовались также вырезанные из картофеля глазки, шелушеная луковая чешуя и кабачковые попки. Все эти грязные очистки уныло плавали в тарелках, наполненных водой. Самих овощей мы в глаза не видели — они доставались охранникам и надзирателям. Большой бак, который выкатывали во двор перед едой, содержал сто пятьдесят порций, в то время как заключенных в камере было сто восемьдесят. Чтобы устранить эту несправедливость, надзиратели заливали в бак два ведра холодной воды. Этот ритуал повторялся при каждом приеме пищи после пересчета всех присутствующих и сопровождался издевательским хохотом надзирателей.

В шесть часов охранники пересчитывали нас еще раз и запирали в камере. В течение двух часов нам разрешалось беседовать и курить чарас, который можно было купить у надзирателей. Все заключенные тюрьмы на Артур-роуд получали ежемесячно по пять отрывных талонов на дополнительный паек. Те, у кого были деньги, могли купить их в большем количестве. У некоторых скапливались целые рулоны с несколькими сотнями талонов. На них можно было приобрести горячую пищу и чай, хлеб, сахар, варенье, мыло, принадлежности для бритья и сигареты или нанять заключенного, который в обмен на талоны был готов постирать твою одежду или оказать какие-либо иные услуги. Талоны служили также валютой на местном черном рынке. За шесть штук можно было достать *голи*, шарик чараса; за пятьдесят тебе могли ввести дозу пенициллина, а за шестьдесят даже героин. Однако с этим наркотиком надзиратели вели непримиримую войну, потому что, накачавшись героином, человек терял страх, а надзиратели, соответственно, свою власть над ним. Большинство заключенных, разумно опасаясь практически безграничного могущества надзирателей, удовлетворялись полулегальным чарасом, и в камере зачастую плавал запах гашиша.

Каждый вечер люди собирались группами и пели. Человек двенадцать или больше садились в кружок и, стуча в свои перевернутые алюминиевые тарелки, как в барабаны, исполняли любовные песни из любимых кинофильмов. В них говорилось о разбитых сердцах и горестях утраты. Случалось, что одна группа заключенных затягивала какую-нибудь популярную песню, следующий куплет подхватывала другая группа, затем третья и четвертая, после чего песня возвращалась к первой. Вокруг каждого кружка собиралось еще человек по двадцать-тридцать, которые хлопали в ладоши и подтягивали основным исполнителям. Во время пения люди плакали, не стыдясь слез, а зачастую и смеялись все вместе. Эти песни помогали им поддерживать друг друга и сохранять в сердцах любовь, которую город отверг и забыл.

В конце второй недели моего пребывания в тюрьме на Артурроуд я познакомился с двумя молодыми людьми всего за два часа до того, как их должны были выпустить на свободу. Махеш убедил меня, что с ними я могу переслать записку Кадербхаю. Это были безграмотные деревенские парни, приехавшие посмотреть Бомбей и задержанные во время облавы как безработные. Никакого обвинения им не предъявили, но продержали в тюрьме три месяца. Я написал на обрывке бумаги имя и адрес Абделя Кадерхана и короткую записку, извещавшую его о моем аресте. Отдав молодым людям бумажку, я пообещал вознаградить их после освобождения. Они поклонились мне, соединив перед собой ладони, и удалились, полные лучших надежд.

В тот же день ближе к вечеру несколько надзирателей ворвались в нашу камеру и заорали на нас, приказав всем сесть на корточки вдоль стен. Затем они втащили в помещение двух юношей, которые согласились помочь мне, и кинули их около входа. Они были в полубессознательном состоянии. Их жестоко избили; кровь струилась из множества ран на их лицах. Губы их распухли, вокруг глаз была сплошная чернота. Голые руки и ноги были покрыты следами от ударов дубинками.

— Эти собаки пытались вынести из тюрьмы записку, которую написал гора! — прорычал Большой Рахул на хинди. — Все, кто попытается помочь ему, получат то же самое. Понятно? Эти два щенка отсидят еще шесть месяцев в тюрьме, в *моей* камере. Шесть месяцев! Попробуйте только помочь ему, и с вами будет то же самое.

Надзиратели вышли из камеры, доставая сигареты, а мы поспешили на помощь молодым людям. Я промыл их раны и перевязал самые большие из них имеющимися под рукой тряпками. Махеш помогал мне, и, когда мы сделали все, что могли, он достал сигарету «биди» и отозвал меня в сторону.

— Это не твоя вина, Лин, — сказал он, глядя через окно во двор, где заключенные гуляли, сидели или охотились на вшей.

— Разумеется, моя.

— Нет, старик, — сказал он сочувственно. — Такая уж это тюрьма. Такое случается здесь каждый день. Это не твоя вина, братишка, и не моя. Но теперь у тебя действительно проблема. Никто не захочет помочь тебе — как это было в участке в Колабе. Не знаю, сколько ты пробудешь здесь. Видишь старого Панду? Он уже три года в заключении, а суда над ним так и не было. Аджай сидит больше года, Сантош два года. Ему тоже не предъявили никакого обвинения, и неизвестно, будет ли суд... Я не знаю, как долго тебе придется здесь просидеть, и помочь тебе никто не сможет, как это ни грустно.

Шли недели, и все подтверждало, что Махеш прав. Люди боялись гнева надзирателей и не хотели рисковать. Каждую неделю кого-то из заключенных выпускали на волю, я старался незаметно обратиться к ним, но они избегали меня. Мое положение становилось отчаянным. За два месяца, проведенные в тюрьме, я похудел, наверное, килограммов на двадцать. Все тело было покрыто гноящимися следами ночных похождений кадмалов. На руках, ногах, спине, лице и бритой голове было множество незаживших ран, оставленных надзирательскими дубинками. И все время, каждую минуту я боялся, что по отпечаткам пальцев дознаются о моем криминальном прошлом. Почти каждую ночь мне снились кошмары, в которых я возвращался отсиживать свой срок в Австралии. Это беспокойство поселилось у меня в груди, тисками сжимало мое сердце и не оставляло меня ни на минуту. Вина — это рукоятка ножа, которым мы закалываем сами себя, его лезвием бывает любовь, но затачивает лезвие и приканчивает нас именно постоянная трепка нервов.

Мой страх, боль, разочарование и беспокойство обострялись, когда Большой Рахул, сосредоточивший на мне всю ненависть к миру, накопленную им за двенадцать лет заключения, начинал избивать меня. А делал это он очень часто. Однажды я сидел в пустой камере недалеко от входа и пытался написать короткий рассказ, замысел которого созрел у меня в последние недели. Перед этим, сочиняя рассказ в уме, я снова и снова повторял фразы про себя. Эта умственная работа помогала мне не сойти с ума. В это утро мне удалось раздобыть огрызок карандаша и небольшой обрывок бумаги, в которую заворачивали сахар. Я чувствовал, что могу записать по крайней мере первую страницу, и, разделавшись со вшами, приступил к рассказу. Рахул подкрался ко мне совершенно незаметно, как способен красться даже самый неповоротливый боров, если им движет хитрость и злоба, и нанес мне сокрушительный удар дубинкой по плечу. Дубинка разодрала руку от плеча почти до локтя. Кровь хлынула ручьем.

В глазах у меня потемнело от гнева. Я вскочил на ноги и выхватил дубинку у Рахула. Надвигаясь на него, я заставил его попятиться. Рядом со мной было открытое зарешеченное окно, и я выкинул дубинку сквозь решетку во двор. Рахул выпучил глаза в изумлении и страхе. Этого он никак не ожидал. Он потянулся за свистком, висевшим у него на шее, и в этот момент я, развернувшись, ударил его ногой по лицу, попав куда-то между носом и ртом. Он, пошатываясь, сделал несколько шагов назад. Первое правило во всякой уличной драке: не отступай назад, если только ты не делаешь это для контратаки. Я двинулся на него, нанося быстрые удары кулаками по корпусу и по лицу. Он опустил голову и закрыл лицо руками, нарушив второе правило уличной драки: никогда не опускай головы. Я стал бить его по ушам, по вискам и по горлу. Рахул был крупнее меня и не менее силен, но он не умел драться. Он согнулся и упал на колени, а затем на бок, моля о пощаде.

Я увидел, что со двора к нам бегут другие надзиратели. Встав в угол, я принял стойку карате и стал ждать их. Они кинулись ко мне. Когда самый первый приблизился, я со всей силы ударил его ногой в пах. Он стал падать, и я успел еще три раза ударить его кулаком. Лицо его было в крови. Он пополз от меня, оставляя кровавую дорожку на гладком каменном полу. Это остановило других. Они в смятении выстроились передо мной полукругом, угрожающе подняв дубинки.

— Ну, давайте! — крикнул я. — Что вы можете со мной сделать? Что вы можете сделать хуже этого?

Я ударил себя кулаком по лицу, в кровь разбив губу. Затем я испачкал руку кровью, текущей из нанесенной Рахулом раны, и размазал ее по лицу. Третье правило уличной драки: превзойди противника в неистовстве.

— Что вы можете сделать хуже, чем *это*? — крикнул я уже на маратхи. — Думаете, я боюсь вас? Ну, давайте же! Я хочу, чтобы вы накинулись на меня и вытащили из угла. Да, все вместе вы справитесь со мной, но один из вас потеряет при этом глаз! Я вырву у него глаз пальцами и съем его! Так что давайте нападайте, только не медлите, а то я страшно проголодался!

Они, поколебавшись, отступили и сгрудились, чтобы обсудить положение. Я наблюдал за ними; каждый мускул у меня был напряжен, как у леопарда перед прыжком. Пошептавшись полминуты, надзиратели отступили еще дальше, и двое-трое выскочили из помещения. Я решил, что они побежали за охраной, но всего через несколько секунд они вернулись, гоня перед собой десяток заключенных. Приказав им сесть на пол лицом ко мне, надзиратели принялись избивать их. Дубинки взмывали в воздух и обрушивались на беззащитных людей. Те стали выть и кричать. Избиение прекратилось, заключенных увели и вместо них пригнали десять новых.

— Выходи из угла! — потребовал один из надзирателей.

Я посмотрел на заключенных, затем на надзирателей и покачал головой. Надзиратели стали бить людей. Их крики эхом отражались от стен и метались по камере, как стая испуганных птиц.

— Выходи из угла! — скомандовал надзиратель.

— Нет!

— *Аур дас!* — велел он. — Приведите еще десятерых!

Еще десяток несчастных усадили передо мной. Среди них я увидел Махеша и одного из тех двух парней, которые пострадали, согласившись передать мою записку. Они глядели на меня. Они молчали, но в их глазах была мольба.

Я опустил руки и сделал шаг вперед. Шестеро надзирателей одновременно бросились на меня и потащили к стальной решетке, запиравшей камеру. Повалив меня на спину, они прижали мою голову к решетке. В своем конце камеры надзиратели хранили в шкафчике несколько пар наручников. Они растянули мои руки в стороны и приковали этими старинными приспособлениями мои запястья к решетке. Ноги они связали веревкой из кокосового волокна.

Большой Рахул встал на колени и приблизил свое лицо к моему. Даже это движение вызвало у него одышку и заставило вспотеть. Рот его был разбит, нос распухал. Я знал, что от ударов, которые я нанес ему по ушам и по вискам, голова у него будет болеть несколько дней. Он улыбнулся. Только увидев, как человек улыбается, можно точно оценить, сколько в нем дерьма. Неожиданно я вспомнил фразу, сказанную Летти о Маурицио: «Если бы у маленьких детей были крылья, ему ничего не стоило бы оторвать их». Я стал смеяться. Я был беспомощен и распят, но я не мог сдержать смех. Большой Рахул удивленно нахмурился. Недоумение дегенерата, написанное на его расквашенной физиономии, рассмешило меня еще больше.

Началась экзекуция. Большой Рахул довел себя до полного изнеможения, яростно трудясь над моим лицом и гениталиями. Когда он был уже не в силах поднять дубинку и остановился, задыхаясь, на его место заступили другие. Минут двадцать они дубасили меня, затем сделали перекур. Я был раздет до майки и трусов, и дубинки рассекли мою кожу, содрали и разорвали ее от подошв до макушки.

После перекура они вновь принялись за работу. Спустя какое-то время я расслышал, что прибыла новая команда надзирателей из другого корпуса. Они взялись за меня со свежими силами. Когда и они выдохлись, к делу приступила третья группа, затем четвертая, которую опять сменили отдохнувшие надзиратели нашей камеры. Избиение началось в половине одиннадцатого утра и закончилось в восемь вечера.

— Откройте рот!

— Что?

— Откройте рот! — повторил голос.

Я не мог поднять веки, потому что они слиплись от засохшей крови. Голос, звучавший где-то за моей головой из-за решетки, был настойчив, но вежлив:

— Вам надо принять лекарство, сэр!

Я почувствовал ртом горлышко стеклянной бутылки. Вода потекла по моему лицу. Руки у меня были по-прежнему прикованы к решетке. Я разжал губы, и вода полилась мне в горло. Я начал быстро глотать ее, захлебываясь. Чьи-то руки приподняли мою голову, а пальцы всунули в рот две таблетки. Затем мне опять поднесли бутылку, я стал пить, закашлялся, и вода вытекла через нос.

— Это мандракс, сэр, — сказал охранник. — Теперь вы уснете.

Лежа на спине в распятом виде, я испытывал боль во всем теле. Локализовать ее было невозможно, потому что живого места на мне не осталось. Глаза были запечатаны наглухо. Во рту чувствовался вкус крови, смешанной с водой. Оглушенный побоями и мандраксом, я уплывал в сон по озеру липкого кайфа. В голове у меня звучал целый хор криков боли, которые я крепко запер там, и ничто не могло заставить меня выпустить их наружу.

На рассвете меня разбудили, окатив ведром воды. Вместе со мной проснулась тысяча вопящих ран на моем теле. Махешу разрешили промыть мне глаза мокрым полотенцем. Когда я разлепил веки, меня отцепили от решетки, подняли за неподвижные, онемевшие руки, вытащили из камеры и повели через пустые дворы по тщательно подметенным дорожкам между аккуратными прямоугольниками цветочных клумб, пока не доставили к начальнику тюрьмы. Это был человек пятидесяти с чем-то лет, с тонкими, почти женственными, чертами лица и коротко подстриженными седыми волосами и усиками. На нем были надеты пижама и парчовый халат. Начальник восседал посреди пустого двора в резном епископском кресле с высокой спинкой. Вокруг него стояли охранники.

— Знаете, дорогой, я не привык начинать воскресное утро подобным образом, — произнес он, прикрывая зевок рукой в кольцах. — Что это за фокусы вы выкидываете?

Он говорил на безупречном английском, какой преподают в лучших индийских школах. Судя по его речи, он получил примерно такое же образование в постколониальной Индии, что и я в австралийской школе, которую я смог окончить благодаря тому, что мать занималась изнурительным трудом всю свою жизнь, — мы были бедны. В других обстоятельствах мы с ним могли бы поговорить о Шекспире, Шиллере или «Мифологии» Булфинча. Я знал это — достаточно было услышать две произнесенные им фразы. Интересно, что он знал обо мне?

— Вы не хотите отвечать? Почему? Мои помощники избили вас? Или надзиратели?

Я молча смотрел на него. Еще в австралийской тюрьме я усвоил завет заключенных «старой школы»: не доноси ни на кого — ни на тюремщиков, ни на надзирателей. Никогда ни при каких условиях не жалуйся.

— Отвечайте же! Вас избили надзиратели?

Я молчал. Тишину вдруг нарушило пение проснувшихся скворцов. Солнце уже взошло, его золотой свет пробивался сквозь утренний туман, рассеиваясь множеством огоньков в капельках росы. Я чувствовал утренний бриз всей тысячей своих ран и порезов, саднивших и кровоточивших при каждом моем движении. Я вдыхал утренний воздух города, который любил всем сердцем.

— Вы били его? — спросил начальник тюрьмы у одного из надзирателей на маратхи.

— Ну да, сэр! — ответил он недоуменно. — Вы же сами велели.

— Я не велел вам избивать его до смерти, идиот! Посмотри на него — такое впечатление, что вы содрали с него всю кожу.

Он взглянул на свои золотые наручные часы и издал громкий усталый вздох:

— Значит, так. В виде наказания вы будете носить ножные кандалы. Это послужит вам уроком. Вы должны усвоить, что нельзя поднимать руку на надзирателей. И отныне ваш суточный рацион будет уменьшен вдвое — пока не последует другое распоряжение. Уведите его!

Я по-прежнему молчал, и меня отвели в камеру. Все эти фокусы были мне хорошо известны. Я на собственной шкуре познал ту истину, что надо молчать, когда тюремщики злоупотребляют властью: что бы ты ни сделал, это приведет их в ярость, и что бы ты ни сказал, это лишь ухудшит твое положение. Чего деспотизм поистине не переносит, так это стремления своих жертв добиться справедливости.

В кандалы меня заковывал жизнерадостный индиец средних лет, отсиживавший девятый год из семнадцати, к которым его приговорили за двойное убийство. Он зарубил топором свою жену и своего лучшего друга, застав их в страстных объятиях, после чего пошел в полицейский участок и во всем сознался.

— Это была такая мирная картина, — рассказывал он мне по-английски, зажимая плоскогубцами хомут у меня на ноге. — Они умерли во сне. По крайней мере, он умер во сне. А она проснулась, когда я второй раз замахнулся топором, но ненадолго.

Приладив кандалы на моих лодыжках, он научил меня обращаться с цепью. В середине ее находилось большое круглое кольцо, в которое надо было продеть длинную полосу грубой ткани и затем обвязать ткань вокруг пояса. Кольцо при этом свисало чуть ниже колен и не давало цепи волочиться по земле.

— А знаете, мне сказали, что всего через два года я стану надзирателем, — поделился он со мной, подмигнув и широко улыбаясь. — Поэтому можете не беспокоиться — когда это случится, я буду заботиться о вас. Вы мой очень хороший английский друг, правда? Так что без проблем.

Из-за цепи я был вынужден ходить мелкими шажками. Когда я пытался делать более крупные шаги, бедра у меня выворачивались, а ступни шаркали по земле. У нас в камере еще двое заключенных были закованы в кандалы, и, наблюдая за ними, я осваивал технику передвижения. Через пару дней я научился ходить так же быстро, как они, слегка припрыгивая и переваливаясь с ноги на ногу. Вскоре я понял, что их скользящая пританцовывающая походка вызвана не просто необходимостью, но и желанием придать своим движениям некое изящество, сделать ношение цепей менее унизительным. Даже это, оказывается, человек может сделать искусством.

Тем не менее это было унижением. Почему-то худшее из всего, что с нами вытворяют другие, заставляет стыдиться нас. Очевидно, при этом страдает та часть нашей души, которая стремится любить мир, и стыдимся мы того, что принадлежим к человеческой расе и разделяем ее слабости.

К хождению в цепях я приспособился, но уменьшение рациона сыграло свою роль: я медленно, но верно худел, потеряв за месяц, по моим прикидкам, килограммов пятнадцать. Все, на чем я держался, — это одна пресная лепешка и одна тарелка водянистого супа в день. Я отощал, и мне казалось, что я теряю силы с каждым часом. Окружающие старались тайком подкормить меня. Их за это били, но они все равно не оставляли попыток. Спустя какое-то время я отказался от их помощи, потому что чувство вины за то, что их наказывают из-за меня, было не менее убийственным, чем недоедание.

Сотни ссадин и ран, оставшихся после избиения, причиняли мне мучительную боль. Многие из них гноились и распухли, на них образовались желтые наросты, начиненные ядом. Я пытался промывать их водой с червяками, но они не становились от этого стерильнее. И каждую ночь добавлялись новые следы от укусов кадмалов, также превращавшиеся в зудящие гнойные раны. Меня осаждали полчища вшей. По утрам я неукоснительно уничтожал сотни мерзких ползавших по мне паразитов, но что притягивало их больше всего, так это раны. Ночью я просыпался, чувствуя, как они копошатся в этих комфортабельных теплых и влажных убежищах.

Однако после аудиенции у тюремного начальства бить меня почти перестали. Большой Рахул и некоторые другие надзиратели время от времени угощали меня дубинкой, но скорее просто для проформы, не очень сильно.

Однажды я лежал на боку во дворе нашего корпуса, сберегая оставшиеся силы и наблюдая за птицами, клевавшими крошки, как вдруг на меня навалился какой-то мощный детина. Он схватил меня за горло и стал душить.

— Это тебе за Мукула! За моего младшего брата, которого ты изуродовал! — кричал он.

Я сразу понял, что это брат того человека, который пытался отнять у меня алюминиевую тарелку в полицейском участке Колабы. Они были похожи как близнецы. Я слишком исхудал, ослабел от голода и гнойно-чесоточной лихорадки и не мог сопротивляться ему. Его грузное тело придавливало меня к земле, руки, сомкнувшиеся на моем горле, не давали дышать. Он медленно убивал меня.

Четвертое правило уличной драки: оставь силы в резерве. Собрав все, что у меня оставалось, я просунул правую руку вниз между нашими телами, схватил его за мошонку и сжал так сильно, как только мог. Глаза его широко раскрылись, он задохнулся в крике и скатился с меня влево. Я перекатился вместе с ним. Он сжал ноги и поднял колени, но я не отпускал его. В то же время левой рукой я уперся в его ключицу и стал бить лбом по его лицу, нанеся не менее десяти ударов. Он прокусил мне зубами кожу на лбу, но я чувствовал, что сломал ему нос и что силы покидают его вместе с вытекающей кровью. Ключица его повернулась и выскочила из сустава. Однако он хоть и слабел, но продолжал сопротивляться, а я продолжал молотить его своим лбом.

Возможно, я так и убил бы его этим тупым орудием, если бы не надзиратели, которые оттащили меня от него и опять приковали к решетке. На этот раз они положили меня лицом вниз на каменный пол. Рубашку с меня содрали, бамбуковые дубинки обрушились на меня с долго сдерживаемым неистовством. Во время одного из перекуров надзиратели признались, что сами подстроили нападение на меня. Они хотели, чтобы этот человек избил меня до полусмерти — а может быть, и до смерти, — и впустили его на нашу территорию. У него был повод ненавидеть меня. Но их план не сработал, я одолел их лазутчика. Это привело их в неописуемую ярость, и экзекуция опять продолжалась несколько часов, с перекурами и перерывами на обед, во время которых мое окровавленное тело демонстрировали особо почетным гостям, приглашенным из других корпусов.

В конце концов с меня сняли наручники. Сквозь шум крови, клокотавшей у меня в ушах, я слышал, что надзиратели совещаются, как со мной поступить. Они так сильно избили меня на этот раз, что сами испугались. Они понимали, что зашли слишком далеко, и боялись докладывать об этом тюремному начальству. Чтобы замять эту историю, они велели одному из раболепствующих перед ними заключенных смыть кровь с моего разодранного тела водой с мылом. Когда он со вполне понятным отвращением стал отказываться, его поколотили, и он принялся за работу, причем выполнил ее довольно тщательно. Думаю, что обязан ему своей жизнью — и, как ни странно, тому типу, который напал на меня. Если бы не его нападение и последовавшее за этим избиение, меня не вымыли бы теплой водой с мылом в первый и последний раз за все время заключения. Я уверен, что это спасло мне жизнь, потому что раны на моем теле так загрязнились и нагноились, что меня лихорадило из-за высокой температуры; зараза пропитала мой организм и постепенно убивала меня. Я был не в состоянии шевелиться. Этот человек — я так и не узнал его имени — настолько хорошо промыл мои бесчисленные гнойники, что я сразу почувствовал облегчение во всем теле и не смог сдержать слез благодарности, мешавшихся с моей кровью, вытекавшей на каменный пол.

Колотившая меня лихорадка уменьшилась до легкой дрожи, но я испытывал постоянный голод и продолжал худеть. А надзиратели в своем углу по три раза в день наедались горячей пищей. Больше десятка заключенных состояли при них в качестве добровольных прислужников — стирали их одежду и одеяла, мыли полы на их участке, накрывали на стол перед едой и убирали после нее, а также массировали надзирателям ноги, спину или шею, когда у тех возникало такое желание. За это надзиратели, насытившись, оставляли им объедки, иногда давали сигареты «биди». Кроме того, их реже били, чем остальных. Усевшись вокруг чистой простыни, разложенной на полу, надзиратели поглощали гороховую похлебку, свежие лепешки, цыплят, рыбу и тушеное мясо с рисом и приправами, сладкие десерты. Ели они с шумом и время от времени бросали куриные кости, куски хлеба или огрызки фруктов своим прислужникам, которые сидели вокруг с подобострастным видом и выпученными глазами и ожидали подачки, глотая слюни.

Долетавшие до нас ароматы были сущей пыткой. Никогда еще запах пищи не казался мне таким приятным, он олицетворял для меня все, что я потерял в жизни. Большой Рахул находил удовольствие в том, чтобы дразнить меня всякий раз, когда они приступали к трапезе. Он махал в воздухе куриной ножкой, притворяясь, что бросает ее мне, делал мне знаки глазами и бровями, приглашая присоединиться к окружавшим их прихлебателям. Иногда он действительно бросал кусок курицы или какую-нибудь сладость в мою сторону, запрещая всем остальным трогать еду и уговаривая меня подобрать ее. Когда я упрямо не двигался с места, он разрешал прислужникам взять кусок и заходился в злобном смехе слабоумного ничтожества, глядя, как люди кидаются за едой и дерутся из-за нее.

Я не позволял себе брать эту еду, хотя слабел не только с каждым днем, но и с каждым часом. В конце концов у меня опять повысилась температура, из-за которой мои глаза жгло днем и ночью. Я кое-как ковылял до туалета или доползал до него на коленях, когда лихорадка особенно донимала меня, но эти посещения становились все реже. Моча приобрела темно-оранжевый оттенок. Голод почти лишил меня сил, и даже для того, чтобы всего-навсего перевернуться с боку на бок или сесть, требовались такие затраты драгоценной энергии, что я долго раздумывал, прежде чем решиться на это. Почти все время я лежал без движения. Я по-прежнему старался умываться по утрам и уничтожать вшей, но после этого задыхался и чувствовал себя отвратительно. Сердце учащенно билось, даже когда я лежал; дыхание было поверхностным и частым и иногда переходило в слабый непроизвольный стон. Я умирал от голода и убедился, что это один из самых жестоких способов убийства. Я знал, что крохи, предлагаемые Рахулом, спасли бы меня, но не мог заставить себя ползти за ними. Однако и отвести глаз от пиршества надзирателей я был не в состоянии.

В лихорадочных видениях мне часто являлись мои родные и друзья, оставленные в Австралии. Вспоминал я также Кадербхая, Абдуллу, Казима Али, Джонни Сигара, Раджу, Викрама, Летти, Уллу, Кавиту и Дидье. И разумеется, Прабакера. Мне хотелось сказать ему, как сильно я люблю его честное, храброе, неунывающее и щедрое сердце. И раньше или позже мои мысли неизменно обращались к Карле — каждый день, каждую ночь, каждый час.

Однажды мне грезилось, что Карла спасает меня, когда чьи-то сильные руки подняли меня и сняли кандалы с ног. Охранники повели меня к начальнику тюрьмы. Я продолжал грезить.

Дойдя до кабинета, охранники постучали. Когда последовало приглашение, они открыли дверь и впихнули меня в помещение, а сами остались в коридоре. В маленьком кабинете я увидел трех человек, сидевших за металлическим столом, — начальника тюрьмы, полицейского в штатском и... Викрама Пателя. Викрам при виде меня разинул рот.

— Мать вашу! — вскричал он. — Блин! Господи, как ты выглядишь! Вот черт! Что вы с ним сделали?

Начальник тюрьмы и полицейский обменялись бесстрастными взглядами и ничего не ответили.

— Садитесь! — скомандовал начальник тюрьмы.

Я продолжал стоять.

— Садитесь, *пожалуйста*, — повторил он.

Я сел и уставился на Викрама, не в силах прийти в себя от изумления. Его шляпа на ремешке, закинутая за спину, черный жилет, рубашка и брюки-фламенко с вышитыми завитками выглядели в этой обстановке совершенно нелепо, и вместе с тем ничего роднее и ближе я в тот момент и представить себе не мог. Взгляд мой заблудился в бесконечных вышитых спиралях и завитушках, и я поднял глаза на его лицо. Викрам глядел на меня, кривясь и морщась. Я не смотрелся в зеркало уже четыре месяца, но гримасы, которые строил Викрам, недвусмысленно давали понять, что, на его взгляд, от могилы меня отделяет совсем небольшое расстояние. Он протянул мне рубашку с ковбоями, размахивавшими лассо, которую хотел подарить мне под дождем четыре месяца назад.

— Вот... я принес тебе... рубашку, — пролепетал он.

— Как... как ты здесь очутился? — спросил я.

— Меня прислал твой друг, — ответил он. — Твой очень хороший друг. Господи, Лин, я не хочу тебя расстраивать и тому подобное, но ты выглядишь так, будто тебя основательно пожевали собаки после того, как тебя похоронили и откопали снова. Но не волнуйся, все это позади. Я пришел, чтобы забрать тебя отсюда, ко всем чертям.

Начальник тюрьмы счел момент удобным, чтобы вмешаться. Он кашлянул и кивнул полицейскому. Тот ответил ему неподвижным взглядом, и чиновник обратился к Викраму с подобием улыбки в морщинках вокруг глаз:

— Десять тысяч. В американских долларах, разумеется.

— Десять, на хрен, тысяч?! — вскричал Викрам. — Да вы что, рехнулись? Да за десять тысяч я выкуплю у вас полсотни заключенных! Бросьте эти шутки.

— Десять тысяч, — спокойно повторил начальник тюрьмы с видом человека, оказавшегося в гуще вспыхнувшей поножовщины и уверенного, что он единственный, у кого в руках пистолет. Он уперся ладонями в металлическую крышку стола и стал барабанить пальцами, изобразив нечто вроде зрительской «волны» на стадионе.

— О десяти тысячах не может быть и речи! Да посмотрите только на него, *йаар*! Что за товар вы мне предлагаете? Вы же привели его в полную негодность! Вы что, всерьез полагаете, что в таком состоянии он стоит десять тысяч?!

Полицейский вытащил папку из тонкого винилового портфеля и положил ее на стол перед Викрамом. В папке был только один лист бумаги. Викрам быстро прочитал написанное, и оно произвело на него сильное впечатление. Он изумленно выпятил губы, глаза его стали очень большими.

— Это про тебя?! — спросил он. — Ты и вправду бежал из тюрьмы?

Я молча глядел на него, не отводя взгляда.

— Сколько человек знает об этом? — спросил он полицейского в штатском.

— Не очень много, — ответил начальник тюрьмы. — Однако достаточно, чтобы для сохранения этой информации в узком кругу понадобилось десять тысяч.

— Вот черт! — вздохнул Викрам. — Да, тут торговаться бесполезно. Хрен с ним. Я привезу деньги через полчаса. Приведите его пока в нормальный вид.

— Минуточку, — сказал я, — тут есть одно обстоятельство. — (Все трое повернулись ко мне.) — В нашей камере есть два молодых индийца. Они пытались помочь мне, и за это им накинули шесть месяцев дополнительно, хотя свой срок они отсидели. Я хочу, чтобы их выпустили вместе со мной.

Коп вопросительно посмотрел на начальника тюрьмы. Тот махнул рукой и кивнул, соглашаясь. Это не имело для него никакого значения.

— И есть еще один заключенный, — продолжал я спокойно. — Его зовут Махеш Мальготра. Он не может уплатить залог две тысячи рупий. Я хочу, чтобы вы разрешили Викраму выплатить этот залог и отпустили парня.

Полицейский и тюремщик обменялись недоуменным взглядом. Судьба столь незначительных личностей, как Махеш, не интересовала их ни с материальной, ни с какой-либо другой стороны. Они повернулись к Викраму, и начальник тюрьмы выпятил челюсть, как бы говоря: «Он, конечно, чокнутый, но если уж ему так хочется...»

Викрам встал, но я поднял руку, и он тут же сел опять.

— И еще один человек, — сказал я.

Полицейский расхохотался.

— *Аур эк?* — проговорил он сквозь приступы смеха. — Еще один?

— Это негр. Он сидит в корпусе для африканцев. Его зовут Рахим. Ему сломали обе руки. Я не знаю, жив он еще или умер. Если жив, я хочу, чтобы вы освободили его тоже.

Полицейский повернулся к начальнику тюрьмы, пожав плечами и вопросительно глядя на него.

— Я знаю этот случай, — сказал начальник, покачав головой. — Это уже на усмотрение полиции. Парень самым беззастенчивым образом соблазнил жену одного из полицейских инспекторов, за что совершенно справедливо был арестован. А здесь он избил одного из моих надзирателей. Это абсолютно недопустимо.

В комнате наступила тишина. Слово «недопустимо» повисло в воздухе, как дым от дешевой сигары.

— Четыре тысячи, — произнес полицейский.

— Рупий? — спросил Викрам.

— Долларов, — рассмеялся полицейский. — Американских долларов. Две — нам и нашим сотрудникам, две — инспектору, который женился на шлюхе.

— Есть еще кто-нибудь, Лин? — спросил меня Викрам озабоченно. — Я спрашиваю, потому что у нас тут получается что-то вроде группового освобождения...

Я молча смотрел на него. Меня лихорадило, в глазах все плыло; даже сидеть на стуле было мучением. Викрам наклонился ко мне и положил руки на мои голые колени. Я испугался, как бы кому-нибудь из насекомых не вздумалось перескочить на него, но прервать его дружеский жест не решался.

— Все будет в порядке, старина, не беспокойся. Я скоро вернусь. Не пройдет и часа, как я вытащу тебя отсюда. Обещаю тебе. Я вернусь с двумя такси — для нас и для твоих друзей.

— Пригони три машины, — сказал я, начиная осознавать, что скоро и в самом деле буду свободен; даже голос мой звучал по-новому, словно исходил из каких-то открывавшихся во мне глубин. — Одну для тебя и две для нас с парнями. Понимаешь... у нас вши.

Его передернуло.

— Ладно, — ответил он. — Будет три машины.

Спустя полчаса я ехал вместе с Рахимом на заднем сиденье черно-желтого такси мимо бомбейских архитектурных чудес и людских муравейников. Рахиму все-таки оказали медицинскую помощь — обе его руки были в гипсе, но он страшно исхудал и был явно нездоров, в глазах его застыл ужас. Мне становилось худо только оттого, что я заглядывал в них. Сказав водителю, куда его отвезти, он больше не произнес ни слова за всю дорогу. Когда мы высадили его в Донгри около ресторана, принадлежащего Хасану Обикве, он беззвучно плакал.

Водитель смотрел в зеркальце на мою истощенную, небритую и избитую физиономию и, казалось, не мог оторвать глаз. В конце концов я не выдержал и спросил его довольно резко на хинди, нет ли у него записей песен из индийских кинофильмов. Он удивленно ответил, что есть. Я попросил поставить одну из моих любимых, и он включил ее на полную громкость, вторя ей своим клаксоном на забитых транспортом улицах. Это была песня, которую почти каждый вечер пели заключенные в нашей камере, передавая ее от группы к группе. И сейчас, когда такси возвращало меня к звукам, краскам и запахам города, я подхватил ее. Вслед за мной запел и водитель, то и дело поглядывая в зеркальце. Когда люди поют, они не лгут и не прячут своих секретов, а Индия — это нация певцов, и их первая любовь подобна песне, которую мы затягиваем, если слез оказывается недостаточно.

Эта песня еще звучала во мне, когда, запихав одежду в полиэтиленовый мешок, чтобы позже выкинуть ее, я стоял под душем в квартире Викрама. Я вылил на себя целый флакон антисептической жидкости и сдирал все лишнее жесткой щеточкой для ногтей. Сотни ссадин, ран и порезов громко возмущались, но я не обращал на них внимания, думая о Карле. Викрам сказал, что она уехала из города два дня назад и, похоже, никто не знал куда. «Как мне найти ее? — думал я. — Где она? Может быть, она обиделась на меня, думая, что я сбежал от нее, стоило мне затащить ее в постель? Могла ли она так подумать обо мне? Мне надо оставаться в Бомбее — она наверняка вернется сюда. Надо оставаться здесь и ждать ее».

Я два часа отдирал тюремную грязь, сжав зубы и размышляя. Когда я вышел из ванной, обернувшись полотенцем, мои раны краснели как новенькие.

— О боже! — сочувственно простонал Викрам, качая головой.

Я полюбовался на себя в большом зеркале платяного шкафа, отражавшем меня в полный рост. Увиденное меня не слишком удивило: я уже успел влезть в ванной на весы и узнал, что вешу сорок пять килограммов — ровно вдвое меньше, чем до ареста. Ни дать ни взять узник концентрационного лагеря. Все до одной кости можно было пересчитать — даже лицевые. Тело было исполосовано глубокими шрамами и напоминало панцирь черепахи, между шрамами красовались ссадины и синяки.

— Кадер узнал о тебе от двух афганцев, только что вышедших из тюрьмы. Они видели тебя вместе с ним на концерте Слепых певцов.

Я попытался угадать, о ком идет речь, но не смог. Эти афганцы умели хранить секреты, ибо ни разу не подошли ко мне за все месяцы, что просидели в одной камере со мной. Но кем бы они ни были, я был теперь их должником.

— После этого он сразу послал меня за тобой.

— Но почему тебя?

— Он не хотел, чтобы стало известно, что это благодаря ему ты выходишь на свободу. Цена была и так достаточно высока, *йаар*. Если бы тюремщики знали, что это он платит, то запросили бы куда больше.

— Но откуда ты знаешь его? — спросил я, не в силах оторвать зачарованного взгляда от своего скелета.

— Кого?

— Кадербхая.

— Ха! Все в Колабе знают его.

— Это так, но ты-то как с ним познакомился?

— Выполнял как-то для него одно поручение.

— Что за поручение?

— Ну, это долго рассказывать.

— Я никуда не тороплюсь, так что если у тебя тоже есть время...

Викрам улыбнулся и, поднявшись, подошел к маленькому бару в своей спальне и налил нам два бокала.

— Один из парней Кадербхая измордовал в ночном клубе сыночка некоего богача, — начал он, вручая мне бокал. — Отделал его по первое число. Насколько я знаю, этот сыночек сам напросился. Но его семья обратилась в полицию и потребовала суда. Кадербхай был знаком с моим отцом и узнал от него, что я учился вместе с этим мальчишкой в колледже, *йаар*. Он связался со мной и попросил выяснить, сколько они хотят за то, чтобы не доводить дело до суда. Они хотели немало, но Кадер уплатил сполна, и даже больше. Он мог бы упереться рогом, ты ж понимаешь, и запугать их. Мог бы убрать их на фиг, если б захотел. Уничтожить всю их семейку. Но он не стал этого делать — все же его человек провинился, *на*? Поэтому он решил действовать по-хорошему. Он заплатил, и все были довольны. Он парень что надо, этот Кадербхай. Очень многозначительная фигура, конечно, но парень что надо. Отцу он нравится, он даже уважает Кадера, а это, поверь мне, кое-что значит, потому что не много найдется представителей человеческой расы, кого папаша уважает. И знаешь, Кадер сказал мне, что хочет, чтобы ты работал на него.

— В качестве кого?

— Это вопрос не ко мне, — пожал он плечами и принялся швырять чистую одежду из гардероба на кровать. Я выбрал для себя трусы, брюки, рубашку, сандалии и стал одеваться. — Он попросил меня привести тебя к нему, когда ты оклемаешься. Я на твоем месте подумал бы об этом, Лин. Тебе надо восстановить форму, надо быстренько зашибить побольше баксов. А главное, тебе нужен друг вроде него, *йаар*. Эта история с австралийской тюрьмой — не хрен собачий. Сбежать из тюрьмы и скрываться — это чертовски здорово, героическое дело, точно тебе говорю. А за спиной у Кадера ты сможешь жить здесь спокойно. Если он будет тебя поддерживать, никто больше не осмелится тронуть тебя. Портить отношения с Кадер-ханом никто в Бомбее не станет. Другого такого друга тебе не найти.

— А ты почему не работаешь на него? — спросил я.

Я понимал, что мой вопрос звучит резковато — резче, чем мне самому хотелось, но в те дни так звучало все, что я говорил, — я слишком живо, всей кожей вспоминал побои и зуд от ползающих по мне насекомых.

— Он меня не приглашал, — ответил Викрам ровным тоном. — Но даже если бы пригласил, не думаю, что пошел бы работать на него, *йаар*.

— Почему?

— Мне не нужно его покровительство, как тебе. Все эти мафиози нуждаются друг в друге — ты, наверно, и без меня это понимаешь. Кадербхай нужен им точно так же, как и они ему. А мне не нужен, в отличие от тебя.

— А ты так уверен, что мне он нужен? — спросил я, поглядев ему в глаза.

— Да. Кадербхай сказал мне, что знает, почему тебя сцапали и кинули за решетку. Он сказал, что тут постаралась какая-то крупная фигура, с большими связями.

— И кто же это?

— Этого он не сказал. Якобы не знает точно. Может быть, он просто не хотел говорить это мне. Как бы то ни было, старик, ты очень глубоко увяз в дерьме. С нехорошими парнями в Бомбее шутки плохи, ты убедился в этом на собственной шкуре. И если у тебя есть здесь враг, тебе нужна очень надежная крыша. У тебя два варианта — либо убраться из города куда подальше, либо найти людей, которые могли бы прикрыть тебя огнем — ну, знаешь, вроде парней в «Коррале „О'кей"»[1].

— Что ты сделал бы на моем месте?

Викрам рассмеялся, но я не поддержал его, и он сразу посерьезнел. Он раскурил две сигареты и протянул одну мне.

— Я? Я здорово разозлился бы, *йаар*. Я ношу ковбойский костюм не потому, что мне нравятся коровы, а потому, что мне нравится, как эти парни управлялись со всем в то время. Я выяснил бы, кто выкинул со мной эту шутку, и постарался бы отплатить по полной. Я принял бы предложение Кадера, стал бы работать на него и свел бы с ними счеты. Но это я. Я индийский раздолбай, *йаар*. А индийский раздолбай только так бы и поступил.

Я посмотрел в зеркало еще раз. Одетым я чувствовал себя так, будто мои раны присыпали солью, но одежда хотя бы скрывала бóльшую часть из них, вид у меня был более приличный, и можно было надеяться, что он не напугает людей. Я улыбнулся. Я пытался вспомнить, каким я был, воспроизвести старые манеры. И это у меня почти получилось. Но затем в моих серых глазах появилось новое выражение, которого раньше не было. Оно означало «больше я этого не допущу». Я не допущу, чтобы повторилась эта боль, этот голод, этот страх, проникающий в самое сердце. «Любой ценой, — сказали мне мои глаза, — любой ценой я не допущу этого».

— Я готов встретиться с ним, — сказал я. — Прямо сейчас.

---

[1] *«Перестрелка в коррале „О'кей"»* (1957) — вестерн Джона Стёрджеса.

ГЛАВА

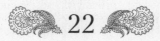

22

Работа на Кадербхая впервые дала мне реальное представление о том, что такое организованная преступность. До сих пор я был отчаявшимся преступником-одиночкой, боязливо и дилетантски занимавшимся грабежом ради удовлетворения своего боязливого и дилетантского пристрастия к героину, а затем таким же отчаявшимся изгнанником, зарабатывавшим маленькие комиссионные на случайных сделках. Хотя я действительно совершал преступления, и очень серьезные, настоящим преступником я не был, пока не пошел в учение к Кадербхаю. В Бомбее я занимался нелегальной деятельностью, но в преступниках не числился. А это большая разница, которая зависит, как и многое другое в жизни, от мотивов твоих поступков и от средств, к которым ты прибегаешь. Перейти эту грань меня заставили мучения, перенесенные в тюрьме на Артур-роуд. Умный человек на моем месте бежал бы прочь из Бомбея сразу после того, как его выпустили. А я не убежал. Я не мог. Я хотел знать, кто упек меня в тюрьму и почему. Я жаждал отмщения. И проще всего осуществить это можно было, вступив в мафиозную группировку Кадербхая.

Для начала он пристроил меня подмастерьем к палестинцу Халеду Ансари, который показал мне, как работает подпольный рынок валюты. Уроки правонарушения, полученные у Кадербхая и его помощников, позволили мне стать тем, кем я никогда не был и не хотел быть: профессиональным преступником. Чувствовал я себя при этом прекрасно. Никогда я не ощущал себя в такой безопасности, как в этом криминальном братстве. Ежедневно я ездил на поезде к Кадербхаю, повиснув в дверях дребезжащего вагона вместе с другими молодыми людьми; сухой горячий ветер овевал мое лицо, и сердце наполнялось радостью быстрой бесшабашной езды, радостью свободы.

Халед, мой первый учитель, носил свое прошлое в своих глазах, и оно полыхало там, как огонь в храме. Чтобы огонь не затухал, он подбрасывал в него куски своего сердца. Я встречал таких людей в тюрьмах, на поле боя и в притонах, заполненных контрабандистами, наемниками и прочими изгнанниками. У них было много общего. Они были отчаянны, потому что отчаянность часто проистекает из глубокой печали. Они были честны, потому что правда пережитого ими не позволяла им лгать. Они были злы, потому что не могли забыть прошлое и простить его. И они были одиноки. Почти все мы притворяемся, с большим или меньшим успехом, что можем разделить минуту, в которой живем, с кем-то другим. Но прошлое у каждого из нас — необитаемый остров, и люди вроде Халеда навечно остаются там в одиночестве.

Кадербхай, вводя меня в курс дела, рассказал кое-что о Халеде. Хотя ему едва перевалило за сорок, он был один во всем свете. Его отец и мать были известными учеными и активными борцами за создание автономного палестинского государства. Отец умер в израильской тюрьме. Мать со своими родителями, две сестры Халеда, его дяди и тети были убиты во время массовой резни в ливанском лагере Шатила[1]. Халед проходил военную подготовку в палестинских партизанских соединениях в Тунисе, Ливии и Сирии и в течение девяти лет участвовал в десятках вооруженных конфликтов в самых разных горячих точках, но кровавое убийство всех его родных в лагере беженцев сломило его. Командиру его отряда, принадлежавшего к силам Фатха[2], не раз приходилось иметь дело с людьми, пережившими нервный срыв; он понимал, как рискованно привлекать такого человека к боевым операциям, и Халед был вынужден расстаться с отрядом.

Он был по-прежнему верен делу независимости Палестины, но остался наедине со своим собственным страданием и теми страданиями, которые он приносил другим. Он перебрался в Бомбей по рекомендации одного из партизанских лидеров, знакомого с Кадербхаем. Кадербхай принял его в свою мафию. Образованность Халеда, его способность к языкам и фанатичная преданность своей родине произвели впечатление на Кадера и его приближенных, и молодой палестинец стал быстро подниматься по иерархической лестнице. Когда я встретил его спустя три года после событий в Шатиле, Халед руководил всеми валютными операциями, проводившимися Кадербхаем на черном рынке, и входил в число членов совета мафии. И когда после освобождения из тюрьмы я оправился настолько, что был способен целиком посвятить себя освоению новой профессии, угрюмый, потрепанный в боях палестинец стал моим первым наставником.

— Принято считать, что деньги — корень всего зла, — сказал Халед, когда мы встретились в его квартире. Он говорил по-английски довольно хорошо, хотя и с заметным смешанным акцентом, приобретенным в Нью-Йорке, арабских странах и Индии. — Но это не так. На самом деле наоборот: не деньги порождают зло, а зло порождает деньги. Чистых денег не бывает. Все деньги, циркулирующие в мире, в той или иной мере грязные, потому что абсолютно чистого способа приобрести их не существует. Когда

---

[1] Лагеря палестинских беженцев Сабра и *Шатила* на территории Ливана, оккупированной Израилем, подверглись в сентябре 1982 г. нападению боевиков-фалангистов Ливанской христианской партии.

[2] *Фатх* — радикальное палестинское политическое движение, образованное в 1957 г. для борьбы с Израилем.

тебе платят за работу, от этого где-то страдает тот или иной человек. И это, я думаю, одна из причин, почему практически все — даже люди, никогда не нарушавшие закон, — не против заработать парочку баксов на черном рынке.

— Ты ведь живешь за счет этого, не так ли? — спросил я.

Мне было любопытно, что он ответит.

— Да, и что?..

— И что чувствуешь в связи с этим ты?

— Ничего не чувствую. Я знаю одно: истина в том, что человек непрерывно страдает. Когда он утверждает обратное, он лжет. Я уже говорил это однажды. Просто так устроен мир.

— Но ведь в одном случае деньги достаются ценой большего страдания, а в другом — меньшего, разве не так?

— Деньги бывают только двух видов, Лин: твои и мои.

— Или Кадера, как в данном случае.

Халед коротко и мрачно хохотнул. Это был единственный доступный ему вид смеха.

— Да, мы добываем деньги для Абделя Кадера, но часть их становится нашей. И именно потому, что мы имеем во всех делах свою небольшую долю, мы держимся вместе, *на*? Но давай перейдем к теории. Скажи мне, почему существует черный рынок валюты?

— Я не вполне понимаю твой вопрос.

— Я сформулирую его по-другому, — улыбнулся Халед.

Шрам, начинавшийся под левым ухом и широкой бороздой спускавшийся к углу рта, делал его улыбку кривой и неуверенной. Левой половиной лица Халед совсем не мог улыбаться, и, когда он пытался это сделать, вторая половина принимала не то страдальческий, не то угрожающий вид.

— Почему мы покупаем у туристов американские доллары, скажем, за восемнадцать рупий, в то время как банки дают только пятнадцать или шестнадцать? — спросил он.

— Потому что мы можем продать их еще дороже? — предположил я.

— Так. Хорошо. А почему мы можем это сделать?

— Ну как «почему». Потому что есть люди, которые согласны уплатить больше.

— И кто же эти люди?

— Не знаю. Я сам только сводил туристов с дельцами черного рынка и не вникал в дальнейшие странствия доллара.

— Черный рынок существует потому, — медленно произнес Халед, словно поверял мне какой-то личный секрет, а не объяснял коммерческий факт, — что на белом рынке слишком много ограничений. Что касается валюты, то ее легальный рынок очень строго контролируется правительством и Резервным банком Индии. Стремление к наживе сталкивается с правительственным контролем, и результатом столкновения этих двух элементов являются коммерческие преступления. Само по себе ни то ни другое не достаточны. Ни бесконтрольное стремление к наживе, ни контроль без этого стремления не создадут черного рынка. Если человек хочет нажиться, например, на изготовлении кондитерских изделий, но не контролирует процесс изготовления, то его яблочный штрудель не будут покупать. Правительство держит под контролем удаление сточных вод, но, если бы никто не стремился на этом нажиться, не было бы черного рынка дерьма. Черный рынок возникает там, где жадность сталкивается с ограничениями.

— Я смотрю, ты здорово подковался теоретически, — рассмеялся я, но был в то же время рад, что он в своем анализе изложил мне суть валютной преступности, не ограничившись рассказом о том, как я буду ею заниматься.

— Да ну, не так уж здорово, — отмахнулся он.

— Нет, правда. Когда Кадербхай направил меня к тебе, я думал, ты просто дашь мне всякие таблицы с цифрами — курс обмена валют и тому подобное — и отошлешь с этим.

— Курсом обмена валют мы в скором времени обязательно займемся, — усмехнулся он с чисто американской беспечностью.

Я знал, что в юности он учился в Нью-Йорке и, по словам Кадербхая, был там вполне счастлив. Отголоски этого счастливого прошлого порой звучали в его долгих закругленных гласных и других речевых американизмах.

— Но прежде чем плодотворно заниматься практическими делами, надо немного подготовиться теоретически, — сказал он.

Индийская рупия, объяснил Халед, имела очень ограниченную конвертируемость. За пределами Индии она не циркулировала и нигде, кроме Индии, легально на доллар не обменивалась. В многомиллионной стране набиралось немало бизнесменов и туристов, выезжавших за рубеж, и им разрешалось вывозить строго определенное количество американской валюты, полученной в обмен на рупии; на остальные имеющиеся в наличии рупии они могли приобрести дорожные чеки.

Правительство следило за соблюдением этих правил. Человек, выезжающий за границу и желающий обменять рупии на доллары, должен был представить в банке паспорт вместе с билетами на самолет. Банк ставил отметку в паспорте и на билете, указывающую, что их владелец исчерпал свои возможности обмена и законным путем повторить эту операцию не мог.

Между тем почти все индийцы держали под подушкой какой-то запас нелегальных денег — от нескольких сотен рупий, которые человек заработал своим трудом и утаил от налоговой инспекции, до миллиардов, добытых преступным путем. В совокупности этот подпольный капитал равнялся, по слухам, почти половине официального денежного оборота страны. Многие индийские бизнесмены, обладавшие тысячами и сотнями тысяч нелегальных рупий, не могли обменять их на дорожные чеки в полном объеме, потому что банк или налоговое управление интересовалось источником этих денег. Оставался единственный выход: купить иностранную валюту нелегально. Ежедневно миллионы рупий обменивались на черном рынке Бомбея на американские доллары, английские фунты, немецкие марки, швейцарские франки и прочую валюту.

— К примеру, я покупаю у туриста тысячу американских долларов за восемнадцать тысяч рупий, в то время как банк дал бы ему только пятнадцать тысяч. Турист доволен, так как выгадал на этом три тысячи рупий. Затем я продаю доллары индийскому бизнесмену за двадцать одну тысячу. Он доволен тоже, потому что в банке просто не мог бы приобрести эти доллары. Я же беру вырученные три тысячи рупий, добавляю к ним всего пятнадцать и покупаю у другого туриста следующую тысячу долларов. Так что в основе денежного оборота на черном рынке лежит очень простой расчет.

На поиск туристов, которые согласились бы продать свои доллары, приближенные Кадербхая бросили целую армию зазывал, гидов, нищих, управляющих отелями, посыльных, владельцев ресторанов и ночных клубов, официантов, торговцев, сотрудников авиакомпаний и бюро путешествий, проституток и водителей такси. Руководил всей этой деятельностью Халед. По утрам он обзванивал финансовые учреждения, узнавая курс обмена всех основных валют. Через каждые два часа ему сообщали по телефону о происшедших колебаниях курса. В распоряжение Халеда было выделено такси с двумя водителями, работавшими посменно. Каждое утро он встречался с ответственными сборщиками различных районов и передавал им пачки рупий для уличных торговцев валютой. Мелкие жулики, маклеры и прочие дельцы, промышлявшие на улицах, отыскивали среди туристов потенциальных клиентов и направляли их к торговцам. Те обменивали рупии на доллары и передавали их сборщикам, которые совершали регулярные объезды всех торговых точек, а от них валюта поступала специальным инкассаторам, разъезжавшим по всей задействованной территории и днем и ночью.

Халед следил за обменом в отелях, офисах авиакомпаний, бюро путешествий и других учреждениях, где требовалась особая осмотрительность. Дважды в течение дня — в полдень и поздним вечером — он собирал выручку у инкассаторов в ключевых точках сети. Полицейским, дежурившим в этих точках, выплачивался бакшиш, чтобы они не слишком тревожились, видя, что у них под носом творится нечто противозаконное. Кадербхай гарантировал им также, что *любые действия его людей против тех, кто попытается ограбить их или как-то помешать, будут предприниматься по возможности быстро и тихо и никоим образом не навредят полиции.* Ответственность за поддержание дисциплины в рядах мафиози и обеспечение контроля со стороны Кадербхая были возложены на Абдуллу Тахери. Его команда, состоящая из индийских гангстеров и иранских ветеранов войны с Ираком, следила за тем, чтобы нарушения происходили как можно реже и не оставались без наказания.

— Ты будешь вместе со мной собирать выручку, — сказал Халед. — Со временем ты ознакомишься со всеми звеньями цепи, но я хочу, чтобы ты сосредоточился в первую очередь на наиболее деликатных участках: пятизвездочных отелях, офисах авиакомпаний, — на тех, где работают в галстуках. Я буду тебя сопровождать, особенно поначалу, но, вообще-то, я думаю, дело пойдет гораздо успешнее, если обмен в таких местах будет совершать гора, хорошо одетый белый иностранец. Ты будешь там менее заметен, а иностранцам легче пойти на контакт с тобой, нежели с индийцем. А в дальнейшем, я думаю, тебе следует заняться также операциями, связанными с заграничными поездками. Там гора тоже будет очень кстати.

— С заграничными поездками?

— Эта работа должна тебе понравиться, — ответил Халед, посмотрев мне в глаза все с той же печальной улыбкой. — Это высший пилотаж, и тебе покажется, что ради него стоило отсидеть срок на Артур-роуд.

Валютный рэкет, связанный с заграничными поездками, объяснил Халед, был особо прибыльным делом. Он затрагивал значительную часть тех миллионов индийцев, которые работали в Саудовской Аравии и Кувейте, эмиратах Дубай и Абу-Даби, в Маскате, Бахрейне и других точках на побережье Персидского залива. Индийцам, устраивавшимся в этих странах по контракту на три, шесть или двенадцать месяцев в качестве рабочих на предприятиях, уборщиков или прислуги, платили, как правило, иностранной валютой. Возвращаясь в Индию, большинство рабочих старались как можно быстрее обменять заработанную валюту на черном рынке и получить прибыль в рупиях. Мафиозный совет Кадербхая предлагал рабочим и их нанимателям упрощенный вариант обмена. Если арабские работодатели продавали Кадербхаю большие суммы в валюте, Кадербхай договаривался об обмене по более выгодному для них курсу и об оплате труда рабочих в рупиях непосредственно в Индии. Это давало работодателям прибыль и делало выгодной саму оплату труда.

Для многих арабов, предоставлявших работу индийским гастарбайтерам, это было большим соблазном. Под их пышными постелями тоже имелись тайные хранилища необъявленных и не обложенных налогом денег. Были организованы специальные синдикаты для оплаты труда индийцев в рупиях по их возвращении домой. Рабочие были довольны, потому что получали зарплату по расценкам черного рынка, не заботясь о налаживании контактов с его несговорчивыми дельцами. Работодатели были довольны, получая прибыль через свои синдикаты. Дельцы черного рынка были довольны, ощущая постоянный приток долларов, марок, риалов и дирхемов, пополнявший запасы валюты, которая требовалась индийским бизнесменам. Единственным, кто проигрывал, было правительство, но ни один из тысяч и десятков тысяч людей, участвовавших в подпольной валютной торговле, не испытывал в связи с этим слишком мучительных угрызений совести.

— Когда-то, — сказал Халед, заканчивая свою первую лекцию, — вся эта кухня была, так сказать, моей специальностью.

Он замолчал, и было непонятно, то ли он вспоминает что-то, то ли не хочет развивать эту тему. Я ждал.

— В Нью-Йорке, — добавил он наконец, — я работал над диссертацией — и даже написал ее — о неорганизованном рынке в Древнем мире. Моя мать занималась исследованиями в этой области до войны шестьдесят седьмого года[1]. Еще в детстве под влиянием ее рассказов у меня пробудился интерес к черным рынкам Ассирии, Аккада и Шумера[2] — к их торговле, системе налогообложения, связям с окружающими народами.

Когда я начал писать об этом сам, я озаглавил свою работу «Черный Вавилон».

— Завлекательное название.

Халед кинул на меня взгляд, проверяя, не смеюсь ли я над ним.

— Я говорю вполне серьезно, — поспешил я заверить его. Он нравился мне все больше и больше. — Это очень интересная тема, а заголовок действительно броский. Мне кажется, тебе надо продолжить это исследование.

Он снова улыбнулся:

— Видишь ли, Лин, жизнь полна неожиданностей, и, как говорил мой нью-йоркский дядя, для обыкновенных трудяг эти неожиданности по большей части неприятные. Теперь я сам работаю на черном рынке, вместо того чтобы работать *над* ним. И озаглавить эту мою работу можно было бы «Черный Бомбей».

---

[1] В июне 1967 г. в ответ на угрозы со стороны арабских государств Израиль в ходе так называемой Шестидневной войны оккупировал часть территории Египта, Сирии и Иордании.

[2] *Ассирия* (3—1-е тыс. до н. э.), *Аккад* (3-е тыс. до н. э.), *Шумер* (3-е тыс. до н. э.) — древние государства в Двуречье, на территории современного Ирака.

В его голосе была горечь, и я почувствовал себя неловко. Он глядел на свои сцепленные руки, челюсти его сжались, придав ему угрюмый, если не сердитый вид. Я решил перевести разговор из прошлого в настоящее:

— Знаешь, мне пришлось соприкоснуться с сектором черного рынка, который тебя, возможно, заинтересует. Ты слышал о рынке лекарств, организованном прокаженными?

— Конечно, — ответил он.

В его темно-карих глазах проснулся интерес. Он провел рукой снизу вверх по лицу и по своей по-военному короткой стрижке, в которой проглядывала седина — слишком много седины для его возраста. Этим жестом он словно стер неприятные воспоминания и сосредоточился на том, что я говорил.

— Я слышал, что ты встречался с Ранджитом, — сказал он. — Совершенно уникальная личность, правда?

Мы поговорили о Ранджитбхае, «короле» маленькой колонии прокаженных, и о черном рынке, организованном ими во всеиндийском масштабе. Их успешная торговля производила большое впечатление на нас обоих. Многолетняя история организации прокаженных и их подпольная деятельность живо интересовали Халеда как историка — или, по крайней мере, человека, собиравшегося пойти по стопам матери. Меня, как писателя, интересовал психологический аспект их борьбы за выживание, их страданий. Возбужденно поговорив минут двадцать на эту тему, мы решили вместе посетить колонию Ранджита и разузнать более подробно об их нелегальном рынке лекарств.

Это решение положило начало нашим простым, но прочным отношениям, основанным на взаимном уважении двух изгнанников-интеллектуалов — ученого и писателя. Мы сошлись очень быстро, не задавая друг другу лишних вопросов, как это бывает у преступников, солдат и других людей, прошедших через суровые испытания. Я ежедневно приезжал на занятия в его по-спартански обставленную квартиру возле железнодорожной станции Андхери. Наши беседы длились пять-шесть часов, свободно переходя от истории Древнего мира к процентным ставкам Резервного банка, от антропологии к фиксированному и колеблющемуся валютному курсу, и за месяц, проведенный в обществе Халеда Ансари, я узнал об этом распространенном, но не очень простом для понимания виде преступности больше, чем узнают торговцы долларами и марками за год работы на улице.

Когда начальный курс обучения был завершен, я стал ходить на работу вместе с Халедом каждое утро и каждый вечер все семь дней в неделю. Зарабатывал я на этом столько, что получал в банке жалованье нераспечатанными пачками банкнот. По сравнению с обитателями трущоб, которые в течение двух лет были моими соседями, друзьями и пациентами, я сразу стал богатым человеком.

После освобождения из тюрьмы, желая поскорее залечить приобретенные там раны, я снял номер в «Индийской гостинице» Ананда. Оплачивал его Кадербхай. Ежедневный душ и мягкая постель действительно способствовали быстрейшему заживлению ран, но мой переезд был вызван не только этим. Правда была в том, что тюрьма на Артур-роуд подорвала не столько мое здоровье, сколько мой дух. Кроме того, мне не давало покоя чувство вины за смерть моей соседки Радхи и двух мальчиков, посещавших мои занятия по английскому языку и тоже умерших от холеры. По отдельности я, вероятно, мог бы забыть и мучения в тюрьме, и мои промахи во время эпидемии и вновь поселиться в этом про́клятом, обожаемом мной уголке Бомбея. Но для того чтобы справиться и с тем и с другим одновременно, моих остатков самоуважения не хватало. Я не мог заставить себя жить в трущобах или провести там хотя бы одну ночь.

Разумеется, я часто навещал Прабакера, Джонни, Казима и Джитендру и продолжал оказывать медицинскую помощь по нескольку часов дважды в неделю. Но моя прежняя самонадеянность, странным образом сочетавшаяся с беззаботностью и помогавшая мне выполнять обязанности врача в трущобах, исчезла, и я не думал, что она вернется. То хорошее, что в нас есть, всегда в какой-то степени основывается на нашей самоуверенности. Моя самоуверенность поколебалась, когда я не смог спасти жизнь своей соседки. А в основе решимости, позволяющей нам действовать, лежит способность смотреть на вещи упрощенно. В тюрьме я утратил эту способность. При воспоминании о кандалах моя улыбка спотыкалась так же, как и мои ноги. Так что мой переезд из трущоб был связан не столько с моими физическими травмами, сколько с душевными.

Мои друзья по трущобам восприняли это решение без вопросов и комментариев. Они всегда тепло встречали меня, приглашали на праздники, свадьбы и прочие семейные торжества, общие собрания, крикетные матчи — как будто я по-прежнему жил и работал с ними. И хотя они были шокированы и опечалены, увидев мою истощенную фигуру и шрамы на моей коже, они ни разу не спросили меня о тюрьме. Прежде всего, я думаю, они щадили мои чувства, понимая, что я должен стыдиться этого, как стыдились бы они сами на моем месте. Кроме того, Прабакер, Джонни Сигар и, может быть, даже Казим Али чувствовали себя, вероятно, виноватыми передо мной, потому что не искали меня и не смогли помочь. Им и в голову не могло прийти, что я арестован. Они решили, что я просто устал от жизни в трущобах и вернулся к благополучному существованию в своей благополучной стране, подобно всем туристам, каких они знали.

Это тоже отчасти повлияло на мое нежелание возвращаться в трущобы. Я был удивлен и обижен их мнением обо мне — будто я после всего сделанного для них, после того, как они приняли меня в гущу неблагоустроенной и сумбурной жизни перенаселенного поселка, мог покинуть их, когда мне вздумается, даже не попрощавшись с ними.

Так что, придя немного в себя и начав зарабатывать уже не крошечные деньги, я снял с помощью Кадербхая квартиру в Колабе, в конце Бест-стрит, неподалеку от «Леопольда». Это была моя первая квартира в Индии, где я впервые мог насладиться уединенностью, обилием свободного пространства и наличием таких удобств, как горячий душ и оснащенная всем необходимым кухня. Я хорошо питался, готовя высококалорийную пищу и заставляя себя ежедневно поглощать небольшое ведерко мороженого. Я прибавлял в весе. Ночь за ночью я спал по десять часов подряд, давая возможность сну постепенно залечивать мое истерзанное тело. Но довольно часто я просыпался, размахивая руками и нанося удары, чувствуя тянувшийся из сна сырой металлический запах крови.

Я занимался боксом, карате и качал «железо» вместе с Абдуллой в его любимом спортзале в фешенебельном пригороде Брич-Кэнди. К нам часто присоединялись два молодых гангстера, которых я видел, когда впервые присутствовал на заседании совета мафии у Кадербхая, — Салман Мустан и его друг Санджай. Это были цветущие парни лет тридцати, любившие борьбу, бокс и потасовки не меньше, чем секс, а секс они любили со всем пылом своих молодых сердец. Санджай имел внешность кинозвезды и обожал шутки и розыгрыши, Салман был более флегматичен и рассудителен. Хотя они были закадычными друзьями с малых лет, на ринге они не давали друг другу спуску и дрались с таким же ожесточением, как со мной или Абдуллой. Мы тренировались пять раз в неделю, давая своим измочаленным и набухшим мускулам два дня передышки. И это было хорошо. Это давало результаты. Качать «железо» — это дзен-буддизм для энергичных мужчин. Мало-помалу мое тело восстанавливало силы, наращивало мускулатуру и приобретало спортивную форму.

Но каким бы хорошим ни было мое физическое состояние, я знал, что голова у меня не придет в норму, пока я не выясню, кто подстроил мой арест. Мне жизненно необходимо было знать, кто это сделал и по какой причине. Улла куда-то уехала из города. Говорили, что она прячется, но было непонятно от кого и почему. Карла тоже уехала, и никто не мог сказать, в каком направлении. Дидье и еще кое-кто из друзей пытались разузнать, кто сыграл со мной эту шутку, но безуспешно.

Кто-то сговорился с крупными полицейскими чинами, чтобы меня засадили за решетку, не предъявляя никакого обвинения и методически избивая. Это было наказанием за что-то или местью. Кадербхай был с этим согласен, но подробностей не знал или не хотел сообщить их мне. Единственное, что он мне сказал, — тот, кто это подстроил, не знал, что я объявлен в розыск. Правда о моем побеге из австралийской тюрьмы вскрылась из-за того, что у нас брали отпечатки пальцев. Полицейские сразу смекнули, что, утаив этот секрет, могут на нем неплохо заработать, и отложили мою жизнь до поры до времени на полку, а тут и в самом деле явился Викрам с деньгами Кадербхая.

— А знаешь, ты очень понравился этим гребаным копам, — сказал мне однажды Викрам, когда мы сидели в «Леопольде» через несколько месяцев после того, как я стал работать сборщиком валюты.

— Угу, это я и сам почувствовал.

— Нет, правда-правда. Поэтому они тебя и отпустили.

— Мы ни разу не встречались с этим копом прежде, Викрам. Он меня совсем не знал.

— Ты не понимаешь, — возразил он терпеливо. Налив себе еще стакан холодного «Кингфишера», он со смаком тянул пиво. — Я разговаривал с этим копом уже после того, как ты вышел. Он рассказал мне всю историю. Когда парень, работавший с отпечатками пальцев, увидел, блин, кто ты такой на самом деле, — преступник, сбежавший из австралийской тюрьмы, — он, блин, чуть не свихнулся от радости, потому что сообразил, сколько бабок он может зашибить, если не будет трепаться об этом. Такой шанс выпадает не каждый день, *на*? И вот он ничего никому не говорит, кроме одной знакомой полицейской шишки, и показывает ей твои отпечатки. Эта шишка, тоже вне себя от радости, бежит к тому копу, которого мы видели в тюрьме. Коп велит этим двоим помалкивать, пока он не выяснит, сколько можно на этом заработать.

Официант принес мне кофе и поболтал немного со мной на маратхи. Когда он удалился, Викрам сказал:

— Знаешь, все эти официанты, шоферы такси, почтовые работники и даже копы просто тают, когда ты говоришь с ними на маратхи. Черт побери, я родился здесь, а ты знаешь этот язык лучше меня. Я так и не научился говорить на нем как следует — мне это было ни к чему. А между прочим, именно это так заедает маратхов. Большинству из нас ровным счетом наплевать на язык маратхи и на то, кто приезжает, на фиг, в Бомбей и откуда. Так о чем я говорил? А, да. Значит, у этого копа есть досье на тебя, он прячет его и, прежде чем предпринять какие-либо шаги, хочет разнюхать, что представляет собой этот австралийский фрукт, сбежавший из тюрьмы, *йаар*.

Викрам замолчал и хитро улыбнулся мне; улыбка его неудержимо ширилась, пока не переросла в счастливый смех. Несмотря на тридцатипятиградусную жару, на нем были черный кожаный жилет поверх белой шелковой рубашки, плотные черные джинсы и нарядные ковбойские сапоги. Но он, похоже, не страдал от жары и чувствовал себя вполне комфортно как снаружи, так и внутри.

— Это бесподобно, блин! — хохотал он. — Тебе удалось смыться из строжайше охраняемой тюрьмы! Просто кайф! Я никогда не слышал ничего более классного, Лин! Меня прямо убивает, что я не могу ни с кем поделиться этим.

— Помнишь, что Карла сказала как-то о секретах, когда мы сидели здесь?

— Нет, напомни.

— Секрет только тогда бывает настоящим секретом, когда ты мучишься, храня его.

— Сущая правда, блин! — усмехнулся Викрам. — Так о чем я? Я сегодня что-то очень рассеянный. Это все из-за Летти. Совсем уже теряю всякое соображение. Так вот, этот коп с твоим досье хотел проверить, что ты за птица, и велел двум своим помощникам порасспросить о тебе в городе. И все парни, с которыми ты сотрудничал на улицах, отзывались о тебе очень хорошо. Они говорили, что ты никогда никого не обманывал и не подводил и всегда помогал беднякам, если у тебя заводились деньги.

— Но эти копы не сказали никому, что я на Артур-роуд?

— Нет, им просто надо было выяснить о тебе все, чтобы решить, выдавать тебя австралийским властям или нет. А один из меняял сказал копам: «Если вы хотите узнать, кто такой Лин, пойдите в джхопадпатти — он живет там». Тут уж копов разобрало не на шутку: что это за гора, который живет в трущобах? И они пошли в джхопадпатти. Там они тоже никому не сказали, где ты находишься, но задали кучу всяких вопросов. А люди им отвечали типа: «Видите эту клинику? Ее создал Лин, он уже давно работает в ней, помогает людям» или «Все мы побывали в клинике у Лина, и он лечил нас бесплатно, а во время холеры мы вообще пропали бы без него». И еще они рассказали им об уроках английского, которые ты давал детям тоже бесплатно. И, наслушавшись всех этих легенд о Линбабе, иностранце, который делает столько добрых дел, они пошли к своему боссу и доложили ему все это.

— Послушай, Викрам, неужели ты думаешь, что это имело для них какое-нибудь значение? Все, что их интересовало, — это деньги, и спасибо тебе большое, что ты принес их.

Глаза Викрама сначала удивленно расширились, затем снова разочарованно сузились. Он взял висевшую за спиной шляпу, стал крутить ее и сдувать воображаемые пылинки.

— Знаешь, Лин, ты здесь уже немало пожил, научился немного говорить на хинди и маратхи, побывал в деревне, жил в трущобах и даже с тюрьмой познакомился, но все равно ни хрена не понял, что это за страна.

— Возможно, — согласился я. — Может быть, ты и прав.

— Еще бы не прав. Это тебе не Англия, и не Австралия с Новой Зеландией, и не еще какая-нибудь, на фиг, страна. Это Индия, старик. Это Индия. Это страна, где над всем властвует сердце. Долбаное человеческое сердце. Вот почему они тебя выпустили. Вот почему этот коп отдал тебе твой фальшивый паспорт. Вот почему ты теперь разгуливаешь на свободе, хотя они знают, кто ты такой. Они могли бы запросто сыграть с тобой шутку — взять деньги и выпустить из тюрьмы, а потом капнуть на тебя другим копам, которые схватили бы тебя и отослали в твою Австралию. Но они не сделали этого и не сделают, потому что ты запал им в их дурацкое индийское сердце. Они увидели, что ты сделал здесь и как люди в трущобах любят тебя, и подумали: «Ну ладно, в Австралии он нагадил, но здесь он сотворил много чего хорошего. Если он откупится, пускай живет». Они ведь индийцы, старик. Потому мы и держимся, что живем сердцем. Здесь миллиард жителей и две сотни языков. И именно наше сердце удерживает нас вместе. Ни в одной другой стране нет такого народа, как наш. Нигде нет такого сердца, как индийское.

Он заплакал. Я ошеломленно смотрел, как он утирает слезы, затем положил руку ему на плечо. Да, он был прав. Пускай меня мучили в тюрьме и чуть не убили, но в конце концов ведь и вправду выпустили и паспорт отдали. Очень сомнительно, чтобы так поступили в какой-нибудь другой стране. А вот если бы им рассказали обо мне другое — что я, к примеру, обманывал индийцев, или торговал индийскими женщинами, или избивал беззащитных людей, — они, взяв деньги, выдали бы меня австралийской полиции. Это действительно была страна, где сердце решало все. Да я и без того знал это — мне доказали это Прабакер, его мать, Казим Али, искупление Джозефа. Это мне доказывали даже в тюрьме, где Махеш Мальготра и другие заключенные помогали мне, когда я умирал от голода, хотя их за это избивали.

— Что тут у вас происходит? — поинтересовался Дидье, присаживаясь за наш столик. — Ссора двух влюбленных? Лин не отвечает тебе взаимностью, Викрам?

— Иди ты на фиг, Дидье! — засмеялся Викрам. — Сам ты не отвечаешь взаимностью.

— Ну, я-то готов в любой момент, как только ты придешь в себя. А у тебя как дела, Лин?

— Все в порядке, — улыбнулся я.

Дидье был одним из тех троих, кто не смог удержаться от слез, увидев меня сразу после освобождения в усохшем и истерзанном состоянии. Вторым был Прабакер, который рыдал так, что мне пришлось целый час успокаивать его, а третьим, как ни странно,

Абдель Кадер. Когда я поблагодарил его за спасение, он обнял меня, и глаза его наполнились слезами, оросившими мое плечо.

— Что ты будешь? — спросил я.

— Очень любезно с твоей стороны, — промурлыкал Дидье, расплывшись в довольной улыбке. — Думаю, для начала я возьму бутылочку виски с содовой и со свежим лаймом. Да, это, пожалуй, будет неплохим *commençement*[1], не правда ли? Эта новость об Индире Ганди[2] очень неожиданна и печальна.

— Какая новость? — спросил Викрам.

— Только что сообщили, что Индира Ганди убита.

— Правда?! — воскликнул я.

— Боюсь, что да, — вздохнул Дидье с несвойственным ему траурным видом. — Пока что это непроверенное сообщение, но думаю, это правда.

— Это сикхи? Из-за «Голубой звезды»?[3]

— Да, Лин. А ты откуда знаешь?

— Когда она приказала взять штурмом Золотой храм, где засел Бхиндранвейл, я сразу подумал, что даром ей это не пройдет.

— Как это случилось? — спросил Викрам. — Парни из КЛФ[4] бросили бомбу?

— Нет, — мрачно ответил Дидье. — Ее застрелила ее охрана, набранная из сикхов.

— Ее собственная охрана, блин? — Викрам разинул рот и застыл в таком виде, о чем-то задумавшись. — Одну минуту, парни. По приемнику на стойке как раз говорят об этом, слышите? Я пойду послушаю.

Он затесался в толпу из пятнадцати-двадцати человек, которые, сгрудившись, слушали сообщение об убийстве. Комментатор, говоривший на хинди, был чуть ли не в истерике. Мы прекрасно слышали его и за столиком — приемник был включен на полную мощность, — но Викрама, по-видимому, потянуло к стойке чувство солидарности со своими соотечественниками, желание прочувствовать сенсационную новость, физически соприкасаясь с ними.

---

[1] Началом, стартом *(фр.)*.

[2] *Индира Ганди* (1917–1984) — дочь Джавахарлала Неру, лидер партии Индийский национальный конгресс, премьер-министр Индии в 1966–1977 и 1980–1984 гг.

[3] В 1984 г. сикхи северных провинций Индии подняли восстание против правительства И. Ганди, требуя автономии. Возглавил восстание Джамайл Сингх Бхиндранвейл (1947–1984); опорной базой восставших был религиозный центр сикхов Золотой храм в Амритсар. Восстание было разгромлено в результате операции по взятию храма правительственными войсками, получившей название «Голубая звезда».

[4] *KLF* (Khalistan Liberation Force, «Армия освобождения Халистана») — подпольная террористическая организация сикхов, боровшаяся за образование независимого сикхского государства Халистан на территории штата Пенджаб.

— Давай выпьем, — предложил я.

— Давай, Лин, — ответил Дидье, выпятив нижнюю губу, и махнул рукой, отгоняя грустные мысли. Но это ему не удалось. Он повесил голову и уперся отсутствующим взглядом в стол перед собой. — Нет, просто не верится... Индира Ганди убита... В голове не укладывается. Я просто не могу... заставить себя... осознать это...

Я заказал ему выпивку и задумался под визгливые причитания комментатора. Прежде всего я эгоистически подумал о том, не могут ли отразиться эти события на моей безопасности и не повлияют ли они на обменный курс валюты на черном рынке. Несколько месяцев назад Ганди приказала взять штурмом святыню сикхских сепаратистов — Золотой храм в Амритсаре. Ее целью было разбить засевший в храме большой, хорошо вооруженный отряд сикхов под предводительством их харизматического лидера Бхиндранвейла. В течение многих недель сепаратисты использовали храм как свою базу, совершая оттуда вылазки и нападая на индусов и тех сикхов, которые, по их мнению, были соглашателями. Индира Ганди, на пороге всеобщих выборов, в обстановке жесточайшей конкуренции, не могла позволить себе предстать перед своими избирателями слабой и нерешительной. Выбор у нее был, безусловно, ограниченный, но, послав войска против сикхских бунтовщиков, она, по мнению многих, избрала худший вариант.

Операция по изгнанию бунтовщиков из храма получила название «Голубая звезда». Боевики, считавшие себя борцами за свободу и мучениками веры, оказали правительственным войскам отчаянное и упорное сопротивление. Больше шестисот человек погибло во время этой операции и множество были ранены. В конце концов Золотой храм был взят, и никто не мог упрекнуть Индиру в слабости или нерешительности. Сердца индусов она завоевала, но в сердцах сикхов к давней мечте о независимом государстве Халистан прибавилось стремление отомстить за нечестивое и кровавое осквернение их святыни.

Других деталей диктор не сообщил и лишь продолжал сокрушаться по поводу убийства. Спустя несколько месяцев после операции «Голубая звезда» собственные телохранители Индиры застрелили ее. Сикхи обвиняли ее в деспотизме, но очень многие индийцы поклонялись ей как матери отечества, отождествляя Индиру со всей страной, ее прошлым и будущим. И теперь ее не стало, она была мертва.

Мне все же надо было обдумать свое положение. Силы безопасности были мобилизованы по всей стране. Ожидались серьезные беспорядки — бунты, убийства, грабежи и поджоги сикхских поселений в отместку за убийство Ганди. Это все прекрасно понимали, и я в том числе. По радио сообщили о стягивании войск в район Дели и в Пенджаб с целью предупреждения волнений. Неспокойная обстановка вполне могла осложнить жизнь человеку, разыскиваемому Интерполом, живущему с просроченной визой и работающему на мафию. Сидя рядом с потягивавшим виски Дидье в окружении внимавших радиокомментатору посетителей ресторана, залитого розово-золотистым предвечерним светом, я ощутил страх, не отпускавший меня несколько минут. «Беги, — подсказывал мне внутренний голос, — беги сейчас, пока не поздно. Это твой последний шанс».

Но как бы громко ни звучал этот голос, в конце концов меня охватило непоколебимое фаталистическое спокойствие. Я расслабился. Я знал, что не убегу из Бомбея, я не могу бежать из Бомбея. Я знал это так же твердо, как знал что-либо из того, что знал лучше всего. Во-первых, я был в долгу перед Кадербхаем — и не только в финансовом долгу, который я выплачивал из денег, заработанных у Халеда, но, главное, в моральном долгу, и расплатиться с ним было гораздо труднее. Я был обязан ему своей жизнью, и мы оба знали это. Он принял меня с распростертыми объятиями, когда я вышел из тюрьмы, он плакал у меня на плече и обещал мне, что, находясь в Бомбее, я буду под его личной защитой. Ничего подобного тюрьме на Артур-роуд больше не приключится со мной. Он подарил мне золотой медальон, на котором были выгравированы священный индуистский символ «аум»[1] и мусульманские полумесяц со звездой. Я носил медальон на серебряной цепочке на шее. На оборотной стороне можно было прочитать на урду, хинди и английском имя Кадербхая. В случае чего я мог продемонстрировать медальон и потребовать, чтобы срочно связались с главой нашей мафии. Это не было стопроцентной гарантией безопасности, но все же давало мне защиту, какой у меня не было никогда после побега. Просьба Кадербхая пойти к нему на службу, крыша, которую эта служба мне предоставляла, и мой неоплатный долг перед ним — все это удерживало меня в Бомбее.

И конечно, Карла. Она исчезла из города, и одному Богу было известно, где ее искать. Но я знал, что она любит Бомбей, и надеялся, что она вернется. А я любил ее и мучился из-за того, что она могла подумать, будто я, заманив ее в постель и добившись своего, тут же отбросил ее за ненадобностью, — это чувство терзало меня в те месяцы даже сильнее, чем любовь к ней. Я не мог уехать, не повидав ее и не объяснив, что случилось в ту ночь. Так что я продолжал жить в Бомбее всего в минуте ходьбы от того перекрестка, где мы встретились впервые, и ждал ее.

Я оглядел притихший ресторан и поймал взгляд Викрама. Он улыбнулся мне и покачал головой. Улыбка была горькой,

---

[1] *Аум* — индуистский символ скрытой сущности бытия и природы чистого разума.

в глазах его стояли невыплаканные слезы. Но он счел нужным улыбнуться мне, разделить со мной свою растерянность и печаль, успокоить меня. И эта улыбка помогла мне понять, что в Бомбее меня удерживает еще кое-что, — сердце, индийское сердце, о котором говорил Викрам. «Страна, где над всем властвует сердце» — вот из-за чего еще я не мог уехать вопреки интуитивному желанию поскорее смыться. Ведь Бомбей был для меня идеальным воплощением индийского сердца. Город обольстил меня, заставил полюбить его. Определенная часть меня самого была сформирована Бомбеем и существовала лишь потому, что я жил здесь, в этом городе, в качестве *мумбаита*, бомбейца.

— Поганое дело, *йаар*, — проговорил вернувшийся за наш столик Викрам. — Немало крови прольется из-за этого, *йаар*. По радио сказали, что в Дели толпы сторонников Партии конгресса врываются в дома сикхов и устраивают разборки...

Мы удрученно молчали, думая об общей беде и о собственных проблемах. Молчание нарушил Дидье:

— Знаешь, Лин, у меня вроде бы есть наводка для тебя.

— Насчет тюрьмы?

— *Oui*[1].

— Та-ак...

— Правда, это не так уж много. Вряд ли это добавит что-нибудь существенное к тому, что ты уже знаешь от своего патрона Абделя Кадера.

— Любая мелочь имеет значение.

— Тогда слушай. У меня есть один знакомый, который ежедневно посещает полицейский участок Колабы. Мы разговаривали с ним сегодня утром, и он упомянул иностранца, которого держали там за решеткой несколько месяцев назад. Он сказал, что у этого иностранца было прозвище Тигриный Укус. Не знаю уж, за какие подвиги тебе дали его и кого ты кусал, но это не мое дело. *Alors*[2] он сказал мне, что этот Тигриный Укус был задержан по доносу женщины.

— Он не сказал, как ее зовут?

— Нет, он сказал, что не знает, но добавил, что она молодая и очень красивая. Впрочем, это он мог, конечно, и выдумать.

— А на этого твоего знакомого можно положиться?

Дидье надул щеки и с шумом выпустил воздух.

— Можно положиться только на то, что он солжет, обманет и украдет что-нибудь при первой возможности. Однако в данном случае, мне кажется, ему нет резона сочинять. Думаю, ты действительно стал жертвой какой-то женщины, Лин.

— И не он один, *йаар*, — мрачно бросил Викрам.

---

[1] Да *(фр.)*.
[2] Тогда, тогда же *(фр.)*.

431

Он прикончил свое пиво и вытащил одну из длинных тонких сигар, которые курил не столько потому, что испытывал потребность в этом, сколько для того, чтобы добавить последний штрих к ковбойскому костюму.

— Ты уже несколько месяцев бегаешь за Летицией, и все без толку, — заметил Дидье чуть ли не с отвращением. — В чем дело?

— Ты меня спрашиваешь? Да я уже все ноги истоптал на этом кроссе и ни на шаг не приблизился к финишу! По правде говоря, я уже и не знаю, в каком направлении надо бежать, *йаар*. Эта крошка доконает меня, это точно. Эта несчастная любовь доконает меня. Я чувствую, что скоро взорвусь, блин!

— Слушай, Викрам, — сказал Дидье, и глаза его лукаво блеснули. — Мне кажется, я знаю, что тебе надо сделать.

— Дидье, дружище, я приму любой совет. Все так паршиво — с Индирой и вообще, что мне надо использовать любой шанс, пока мы все тут не провалились в тартарары.

— Тогда — *attention*![1] Для осуществления этого плана требуются решимость и точный расчет. Любая оплошность может стоить тебе жизни.

— Жизни?

— Да. Ошибиться нельзя. Но если этот план удастся, ты завоюешь ее сердце навечно. Ты достаточно, как говорится, рисковый парень для этого?

— Я? Да я самый рисковый ковбой в этом салуне, *йаар*. Выкладывай свой план.

— Я воспользуюсь моментом и откланяюсь, друзья, пока вы не углубились в детали, — вмешался я, поднимаясь. — Спасибо за подсказку, Дидье. И хочу дать одну подсказку тебе, Викрам, если ты не против. Прежде чем ты приступишь к осуществлению этого плана, в чем бы он ни состоял, перестань называть Летти сочногрудой английской цыпочкой. Всякий раз, когда ты это произносишь, она морщится так, будто ты на ее глазах придушил кролика.

— Ты серьезно? — озадаченно нахмурился он.

— Абсолютно.

— Но это одна из моих коронных фраз, черт побери. В Дании...

— Тут тебе не Дания и не Норвегия со Швецией, дорогой.

— Ну ладно, Лин, раз ты так говоришь, — засмеялся Викрам. — Послушай, если ты выяснишь насчет тюрьмы — в смысле кто упек тебя туда — и тебе понадобится помощь, то рассчитывай на меня.

— Конечно, — ответил я, с благодарностью посмотрев ему в глаза. — Непременно.

---

[1] Внимание! *(фр.)*

Уплатив по счету, я покинул ресторан и прошел по Козуэй до кинотеатра «Регал». Был ранний вечер, один из трех лучших моментов бомбейского дня. Два других — раннее утро до наступления жары и поздний вечер, когда она уже спала, — конечно, очень приятны, но тогда на улицах тише, меньше народу. К вечеру же люди вылезают на балконы, садятся у окон или в дверях домов, толпами фланируют по улицам. Вечер — как сине-фиолетовая палатка общегородского цирка, куда родители приводят детей поглазеть на развлечения, заражающие весельем каждую улицу и каждый перекресток. Для молодых влюбленных вечер — это классная дама, заставляющая их чинно прогуливаться в ожидании ночной тьмы, которая сорвет с них покров невинности. Вечером людей на улицах Бомбея больше, чем в какое-либо другое время дня, и ни при каком другом освещении их лица не бывают такими красивыми, как при вечернем.

Я пробирался сквозь вечернюю толпу, наслаждаясь лицами, ароматами человеческой кожи и волос, красками нарядов и музыкой звучащих вокруг слов. Но, влюбленный во все это, я был один. А в море моих мыслей неотвязно кружила черная акула сомнения, подозрения и гнева. *Меня предала какая-то женщина, молодая и красивая женщина.*

Настойчивый автомобильный гудок заставил меня оглянуться. Из окна своего такси мне махал Прабакер. Я сел к нему в машину и попросил отвезти меня в район пляжа Чаупатти, где я должен был встретиться с Халедом. Как только я заработал свои первые деньги на службе у Кадербхая, я приобрел водительскую лицензию для Прабакера. Ему вечно не хватало на нее денег, поскольку способность копить их была у него близка к нулю. Он водил время от времени такси своего кузена Шанту, но, не имея лицензии, рисковал нарваться на неприятности. Теперь же он мог арендовать машину у любого владельца автопарка.

Прабакер был трудолюбив и честен, но главное, по единодушному признанию его знакомых, он был самым симпатичным парнем из всех, кого они знали. Даже суровые и прагматичные заправилы таксомоторного бизнеса не могли устоять против его чар. Не прошло и месяца, как он получил в аренду автомобиль, о котором заботился, как о своем собственном. На приборной доске он укрепил сверкающую золотой, розовой и зеленой краской пластмассовую фигурку Лакшми, богини, обеспечивающей благосостояние. Красные глаза Лакшми угрожающе вспыхивали, когда Прабакер резко давил на тормоза. Время от времени он подчеркнуто театральным жестом нажимал резиновую грушу, от которой тянулась трубочка к подножию фигурки. При этом открывался клапан, спрятанный в пупке богини, и пассажира окатывало мощной струей какой-то подозрительно пахнущей синтетической смеси. Вслед за этим Прабакер всякий раз задумчиво протирал свой медный водительский жетон, который он носил, выпячивая грудь и чуть не лопаясь от гордости. Во всем городе только одно он любил не меньше, чем свой черно-желтый «фиат», — Парвати.

— Парвати, Парвати, Парвати... — напевал он, когда мы проезжали мимо станции Чёрчгейт в направлении Марин-драйв. Музыка этого имени пьянила его. — Я слишком люблю ее, Лин! Ведь это, наверно, любовь, да? — когда ты счастлив оттого, что испытываешь самые ужасные чувства? Когда ты беспокоишься о девушке даже больше, чем о своем такси? Это любовь, великая любовь, не прав ли я? Парвати, Парвати, Парвати...

— Да, это любовь, Прабу.

— А у Джонни тоже слишком большая любовь к Сите, которая сестра моей Парвати.

— Я рад за тебя и за Джонни тоже. Он хороший человек, как и ты.

— О да! — воскликнул Прабакер, от избытка чувств ударив несколько раз по клаксону. — Мы замечательные парни! А сегодня вечером у нас тройное свидание с сестрами. Вот развлечемся!

— Как «тройное»? У Парвати есть еще одна сестра?

— Какая «еще одна»?

— Ну, раз тройное свидание с сестрами, так их должно быть три?

— Нет, Лин, две. Абсолютно.

— Значит, это будет двойное свидание, а не тройное.

— Лин, ты не понимаешь. Парвати и Сита всегда приводят с собой свою маму, миссис Нандиту Патак, жену Кумара. Девушки сидят всегда только с одной стороны, миссис Патак посредине, а мы с Джонни с другой стороны. Получается тройное свидание.

— Да-а... Развлечение — лучше не бывает.

— Да, Лин, лучше не бывает! Отличное развлечение! Когда мы даем миссис Патак всякую еду и напитки и она ест их, мы можем глядеть на девушек поверх ее головы, а они глядят на нас, и мы им улыбаемся и вовсю подмигиваем. Такая у нас система. И очень большая удача, что у миссис Патак такой цветущий аппетит, — она может есть в кино три часа подряд. Так что мы постоянно даем ей еду, а сами смотрим на девушек. Благодарение Богу, Он наградил миссис Патак такой способностью, что ее невозможно наполнить пищей за одно кино.

— Слушай, затормози-ка... Похоже, какие-то уличные беспорядки.

Метрах в трехстах перед нами большая толпа — сотни, тысячи человек — высыпала из-за угла на Марин-драйв. Заняв всю ширину проспекта, они двигались в нашу сторону.

— Беспорядки *нэхи, морча хайн*, — ответил Прабакер, останавливая машину у тротуара. — Это не беспорядки, это демонстрация.

Было видно, что толпа возбуждена и разгневана. Люди яростно скандировали что-то, потрясая в воздухе кулаками. На их лицах застыла злобная маска, плечи были напряжены. Они призывали отомстить сикхам за смерть Индиры Ганди. Я внутренне собрался, когда они приблизились к нам, но людской поток обтекал нашу машину, и никто даже рукавом не задел ее. Однако глаза, глядевшие на нас, были жестоки и полны ненависти. Если бы я был сикхом и носил сикхский тюрбан или шарф *сердарджи*, меня выволокли бы из автомобиля.

Когда последние демонстранты миновали нас и дорога впереди была свободна, я повернулся к Прабакеру и увидел, что лицо его в слезах. Порывшись в карманах, он вытащил небольшую простыню в красно-белую шашечку и вытер глаза.

— Это очень слишком печальная ситуация, Линбаба, — шмыгнул он носом. — *Ее* больше нет. Что будет с нашей Индией без *Нее*? Я спрашиваю себя этот вопрос и не нахожу ответов.

Буквально все в Индии — журналисты, крестьяне, политики, дельцы на черном рынке — называли Индиру *Она*.

— Да, Прабу, положение непростое.

Он был так расстроен, что я посидел некоторое время рядом с ним, молча глядя на темнеющее море. Посмотрев на него опять, я увидел, что он молится, склонившись над баранкой и сложив руки перед собой. Его губы шевелились, шепча молитву; затем он разнял руки и обернулся ко мне со столь знакомой мне бескрайней улыбкой. Брови его дважды поднялись и опустились.

— Немножко сексуального аромата на твою добрую личность, а, Лин? — спросил он и потянулся к резиновой груше у ног Лакшми.

— Не надо! — завопил я, стараясь помешать ему.

Но я опоздал. Пупок богини изверг струю ядовитой химической смеси, обрызгавшей мои брюки и рубашку.

— Ну вот, — ухмыльнулся он, заводя машину и выруливая на проезжую часть, — жизнь продолжается! Мы ведь удачные парни, не прав ли я?

— Ну еще бы! — проворчал я, высунувшись в окно и ловя открытым ртом свежий воздух. Спустя несколько минут мы уже были около большой автостоянки, где я должен был встретиться с Халедом. — Я приехал, Прабу. Высади меня около того дерева, пожалуйста.

Он остановился возле высокой финиковой пальмы, я вышел и стал пререкаться с ним по поводу платы за проезд. Прабакер отказывался брать деньги, я настаивал. В конце концов я предложил компромисс. Он возьмет деньги и купит на них новый флакон божественного нектара для обрызгивания пассажиров.

— Как ты хорошо придумал, Линбаба! — воскликнул он, согласившись на этих условиях взять плату. — Я как раз думал, что духи кончаются, а новый флакон стоит слишком дорого, и я не смогу купить его. А теперь я могу купить новый флакон, очень большой, и моя Лакшми целых несколько недель будет как новенькая! Спасибо тебе слишком большое!

— Не за что, — ответил я, невольно рассмеявшись. — Удачи тебе на тройном свидании.

Он отъехал от тротуара, сыграв мне на клаксоне прощальный мотив, и растворился в потоке транспорта.

Халед Ансари ждал меня в такси, обслуживавшем мафию, расположившись на заднем сиденье и открыв обе дверцы для проветривания. Я приехал без опоздания, и вряд ли он ждал больше пятнадцати-двадцати минут, однако на асфальте возле дверцы валялось не меньше десятка раздавленных окурков. Он всегда остервенело давил окурки каблуком, словно разделывался с врагами, которых ненавидел.

А ненавидел он многих, слишком многих. Он признался мне однажды, что мозг его так переполнен картинами насилия, что ему самому тошно. Гнев пропитал его насквозь, отзываясь болью в костях. Ненависть заставляла его стискивать зубы, давя ими свою ярость. Ее вкус, ощущавшийся им и днем и ночью, был горек, как вороненая сталь ножа, который он сжимал в зубах, когда в отряде Фатха крался по выжженной земле на свое первое убийство.

— Это доконает тебя, Халед.

— Ну да, я слишком много курю. Ну и что? Кому надо жить вечно?

— Я говорю не о куреве, а о том, что грызет тебя, заставляя курить одну сигарету за другой. О том, что с тобой делает ненависть ко всему миру. Один умный человек сказал мне как-то, что если ты превратил свое сердце в оружие, то в конце концов оно обернется против тебя самого.

— Тоже мне проповедник нашелся! — рассмеялся Халед коротко и печально. — Вряд ли тебе подходит роль долбаного рождественского Санта-Клауса, Лин.

— Знаешь, Кадер рассказал мне... о Шатиле.

— Что именно он тебе рассказал?

— Ну... что ты потерял там всех своих близких. Я понимаю, что это значило для тебя.

— Что ты можешь знать о Шатиле? — спросил он.

В его вопросе звучала боль, а не вызов, такая невыносимая боль, что я не мог оставить его без ответа.

— Я знаю о Сабре и Шатиле, Халед. Я всегда интересовался политикой. Когда это произошло, я скрывался от полиции, но я несколько месяцев читал все, что писали об этом. Это было... ужасно.

— Знаешь, я когда-то любил еврейскую девушку, — сказал он. — Она была красива, умна, и, может быть... мне кажется, она была лучше всех, кого я встречал или встречу когда-либо. Это было в Нью-Йорке, мы учились вместе. Ее родители придерживались передовых взглядов. Они выступали на стороне Израиля, но были против захвата окружающих территорий. В ту ночь, когда мой отец умер в израильской тюрьме, я занимался любовью с этой девушкой.

— Ты не можешь винить себя в том, что был влюблен, Халед, как и в том, что другие сделали с твоим отцом.

— Еще как могу, — бросил он с той же короткой печальной улыбкой. — Как бы то ни было, я вернулся домой и успел как раз к началу Октябрьской войны, которую израильтяне называют Войной Судного дня[1]. Нас разбили, и я уехал в Тунис, где прошел военную подготовку. Затем я стал сражаться и дошел до самого Бейрута. Когда израильтяне вторглись в Ливан, мы остановились в лагере Шатила. Там нашли убежище все мои родные и их соседи. Дальше бежать им было некуда.

— Ты покинул Шатилу вместе с другими боевиками?

— Да. Они не могли разгромить нас и предложили мирное соглашение. Мы уходим из Шатилы, а они не трогают население. Мы покинули лагерь с оружием, как солдаты, чтобы показать, что мы не побеждены. Мы маршировали и стреляли в воздух. А потом многих убили только за то, что они смотрели, как мы уходим. Это был странный момент, какое-то торжество вопреки здравому смыслу, пир во время чумы. Когда мы ушли, они нарушили свои обещания и послали в лагерь фалангистов, которые убили всех стариков, всех женщин, всех детей. Вся моя семья погибла. Я ушел и оставил их умирать. А теперь я даже не знаю, где их тела. Они спрятали их, сознавая, что это военное преступление. И ты думаешь... ты думаешь, что я должен забыть это и простить, Лин?

С автостоянки, находящейся на холме над Марин-драйв, мы смотрели на море и пляж Чаупатти. Люди на пляже отдыхали парами и целыми семействами, играли в дартс, стреляли в тире по воздушным шарикам, привязанным к мишени. Продавцы мороженого и щербета взывали к отдыхающим из своих пышно разукрашенных беседок, как райские птицы, призывающие самцов.

---

[1] *Судный день* (Йом-кипур) — еврейский религиозный праздник. В октябре 1973 г. Египет и Сирия напали на Израиль, но их войска были разгромлены.

Единственное, по поводу чего мы когда-либо спорили с Халедом, — это ненависть, опутавшая его сердце. В детстве и юности у меня было много друзей-евреев. В моем родном Мельбурне имелась большая еврейская диаспора — люди, бежавшие от холокоста, и их дети. Моя мать занимала видное положение в местном Фабианском обществе и стремилась вовлечь в него греческих, китайских, немецких и еврейских интеллектуалов с левыми взглядами. Многие из моих друзей посещали еврейский колледж Маунт-Скопус[1]. Мы читали одни и те же книги, смотрели одни и те же кинофильмы, вместе ходили на демонстрации под одними и теми же лозунгами. Некоторые из этих друзей были среди тех немногих, кто остался со мной, когда жизнь моя взорвалась и я замкнулся в своем горе и стыде. И друг, благодаря чьей помощи я смог скрыться из Австралии после побега, тоже был евреем. Я восхищался своими друзьями-евреями, уважал и любил их. А Халед ненавидел всех израильтян и всех евреев в мире.

— Это все равно что я возненавидел бы всех индийцев за то, что несколько человек мучили меня в индийской тюрьме, — мягко заметил я.

— Это совсем не одно и то же.

— Я и не говорю, что это одно и то же. Я просто хочу объяснить... Знаешь, когда они приковали меня на Артур-роуд к решетке и избивали несколько часов подряд, то единственное, что я ощущал, — это вкус и запах моей крови и удары их дубинок...

— Я знаю об этом, Лин...

— Нет, подожди, дай мне договорить. И вдруг среди всего этого у меня возникло очень странное ощущение, будто я парю сам над собой, смотрю на себя самого и на них сверху и наблюдаю за тем, что происходит... И у меня появилось чувство, что я, ну, понимаю все это. Я понимал, кто они такие, что они делают и почему. Я видел это все как-то очень четко и сознавал, что у меня только два варианта — возненавидеть их или простить. И... не знаю, как и почему я пришел к этому, но только мне было абсолютно ясно, что я должен простить их. Иначе я просто не мог бы выжить. Я понимаю, это звучит странно...

— Это не странно, — отозвался Халед ровным тоном, почти с сожалением.

— Мне это до сих пор кажется странным, я так и не понял этого. Но именно так и было, я простил их совершенно искренне. И я почему-то уверен, что именно по этой причине я выдержал все это. Я простил их, но это не означает, что я не перестрелял бы их всех, окажись у меня в руках автомат. А может, и не

---

[1] Колледж назван в честь горы Скопус в Иерусалиме, на которой находится Еврейский университет.

перестрелял бы. Не знаю. Но знаю одно: в тот момент я внутренне простил их, и если бы не это, если бы я продолжал их ненавидеть, то я не дожил бы до того момента, когда Кадер освободил меня. Эта ненависть убила бы меня.

— Это совсем другое, Лин. Я понимаю, что ты хочешь сказать, но зло, которое причинили мне израильтяне, не сравнить с этим. Да если бы даже было не так, все равно на твоем месте, в тюрьме, где индийцы избивали бы меня, я возненавидел бы индийцев. Всех до единого и навсегда.

— А я не возненавидел индийцев. Я люблю их, я люблю эту страну и этот город.

— Только не говори, что ты не хочешь отомстить.

— Ты прав, я хочу отомстить. Я хотел бы быть выше этого, но не могу. Но я хочу отомстить только одному человеку — тому, кто это подстроил, а не всей нации.

— Ну, мы с тобой разные люди, — произнес он все так же бесстрастно, пристально глядя на далекие огни морских нефтяных платформ. — Ты не поймешь меня. Ты не можешь понять.

— Зато я понимаю, что ненависть убивает тебя, Халед.

— Нет, Лин, — сказал он, повернувшись ко мне.

Глаза его в полутьме салона блестели, на изуродованном лице блуждала кривая улыбка. Такое же выражение было у Викрама, когда он говорил о Летти, и у Прабакера, вспоминавшего Парвати. У некоторых людей такое выражение появляется, когда они говорят о своих отношениях с Богом.

— Моя ненависть спасла меня, — произнес он спокойным тоном, но с глубоким внутренним волнением.

Благодаря закругленным по-американски гласным в сочетании с арабским придыханием его речь звучала как что-то среднее между голосами Омара Шарифа и Николаса Кейджа[1]. В другое время, в другом месте и в другой жизни Халед Ансари мог бы читать стихи перед публикой, вызывая у слушателей радость и слезы.

— Знаешь, ненависть — вещь очень стойкая, она умеет выживать, — сказал он. — Мне долго приходилось прятать ее от людей. Они не знали, что с ней делать, и пугались ее. Поэтому я выпустил ее из себя наружу. Но она осталась со мной. Я уже много лет живу в изгнании, и она тоже. После того как... всех моих близких убили... изнасиловали и зарезали... я стал убивать людей... я стрелял в них, перерезал им горло... и моя ненависть пережила все это. Она стала еще тверже и сильнее. И однажды, уже работая на Кадера, имея деньги и власть, я почувствовал, что моя ненависть снова вселяется в меня. Теперь она опять у меня внутри, где

---

[1] *Омар Шариф* (1932–2015) и *Николас Кейдж* (р. 1964) — известные киноактеры.

ей и полагается быть. И я рад этому. Мне это необходимо, Лин. Она сильнее меня и храбрее. Я поклоняюсь ей.

Он замолчал, но продолжал смотреть на меня взглядом фанатика. Затем повернулся к водителю, дремавшему за баранкой.

— *Чало, бхай!* — бросил он. — Поехали, брат!

Спустя минуту он спросил меня:

— Ты слышал об Индире?

— Да, по радио, в «Леопольде».

— Люди Кадера в Дели узнали подробности. То, что не просочилось в прессу. Они сообщили их нам по телефону как раз перед тем, как я выехал на встречу с тобой. Довольно грязное дело.

— В самом деле? — спросил я, все еще под впечатлением пропетого Халедом гимна ненависти.

Детали убийства Индиры Ганди меня не особенно интересовали, но я был рад, что он сменил тему.

— Сегодня утром, в девять часов, она подошла к двери своей резиденции, резиденции премьер-министра, где стояли два охранника-сикха. Она сложила руки, приветствуя их. Это была ее личная охрана, она хорошо знала их. После операции «Голубая звезда» ей советовали убрать сикхов из охраны, но она настояла на том, чтобы оставить их, потому что не верила, что преданная ей гвардия предпримет что-нибудь против нее. Она не сознавала, какую ненависть всколыхнула в душе всех сикхов, дав приказ штурмовать Золотой храм. И вот она, приветственно сложив руки, улыбнулась им и произнесла: «Намасте»[1]. Один из охранников выхватил свое табельное оружие — револьвер тридцать восьмого калибра — и трижды выстрелил в нее. Он попал ей в живот. Когда она упала, его напарник разрядил в нее пистолет-пулемет системы Стена — всю обойму, тридцать патронов. «Стен» — старое оружие, но на близком расстоянии надежно изрешетит человека. Не меньше семи пуль попало ей в живот, три в грудь, одна прошла сквозь сердце.

Он замолчал. Я первым нарушил тишину:

— И как это, по-твоему, повлияет на денежный рынок?

— Я думаю, на бизнесе это скажется благоприятно, — ответил он бесстрастно. — Если род не прерывается — как в данном случае, когда есть Раджив[2], то убийство, как правило, оказывается благоприятным для бизнеса.

— Но ведь будут волнения. Говорят, целые отряды гоняются за сикхами. По дороге сюда я видел демонстрацию.

— Да, я тоже видел ее, — сказал он, обернувшись ко мне. В его темных, почти черных, глазах мерцало упрямое нарочитое бе-

---

[1] Привет вам *(хинди)*.

[2] *Раджив Ганди* (1944–1991) — сын Индиры Ганди, премьер-министр Индии в 1984–1989 гг.

зучастие. — И даже это полезно для бизнеса. Чем больше будет волнений и чем больше убьют людей, тем выше будет спрос на доллары. Завтра утром мы поднимем ставки.

— Но дороги могут быть заблокированы. Если повсюду будут толпы и волнения, то разъезжать по городу будет непросто.

— Я заеду за тобой в семь утра, и мы отправимся к Раджубхаю, — сказал он, имея в виду Раджу, который заведовал подпольной бухгалтерией мафии, расположенной в районе Форта. — Меня толпы не остановят. Я пробьюсь. Какие у тебя планы на сегодня?

— После того, как мы соберем деньги?

— Да. У тебя найдется время?

— Да, конечно. Что я должен сделать?

— Я выйду, а ты оставайся в машине, — ответил он, откинувшись на спинку сиденья с усталым, тяжелым вздохом. — Надо объехать всех наших парней — как можно больше — и передать им, чтобы завтра с самого утра они были у Раджубхая. Если возникнут серьезные затруднения, нам понадобятся все люди.

— Хорошо. А тебе надо отоспаться, Халед. Ты выглядишь усталым.

— Да, наверно, я так и сделаю. В ближайшие два дня будет не до сна.

Он закрыл глаза и расслабился, голова его свободно болталась в такт движению. Однако почти сразу же он снова открыл глаза и выпрямился, принюхиваясь:

— Слушай, чем это ты пахнешь? Это крем после бритья, что ли? Мне случалось попадать в газовую атаку, и тогда пахло лучше.

— Ох, не спрашивай, — ответил я, сжав зубы, чтобы не рассмеяться, и потер пятно на рубашке, оставленное духами Прабакера.

Халед же не удержался от смеха и стал вглядываться в беззвездную ночь, объявшую море.

Жизнь порой сводит нас с людьми, глядя на которых мы видим, какими мы могли бы стать, но, слава богу, не стали, — пьяницами, бездельниками, предателями, индивидами с безжалостным умом или наполненным ненавистью сердцем. Но для сохранения равновесия в мире судьба часто заставляет нас жалеть или даже любить этих людей. И мы не можем презирать того, кого мы искренне жалеем, или сторониться того, кого любим. Сидя рядом с Халедом в полутемном такси, мчавшем нас на дело среди мелькания многоцветных теней, я чувствовал, что люблю в нем честность и стойкость и жалею ненависть, которая обманывала его и делала слабым. И его лицо, отражавшееся в стекле, когда мы ныряли в темноту, было так же отмечено судьбой и так же сияло, как лица обреченных и окруженных ореолом святых на старинных полотнах.

ГЛАВА

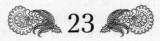

23

— Во всем мире, в любом обществе люди подходят к проблеме правосудия одинаково, — заявил мне мой босс и отец-наставник Абдель Кадер-хан, когда я проработал у него полгода. — Наши законы, расследования и судебные разбирательства ставят во главу угла вопрос о том, насколько преступно то или иное прегрешение, вместо того чтобы думать, насколько греховно то или иное преступление.

Мы сидели в ресторане «Саураб» недалеко от причала Сассуна. Зал был заполнен народом, па́рами и чудесными ароматами. Фирменным блюдом «Саураба» были *масала доса*, блины из рисовой муки со специями, и, по мнению многих, здесь их готовили лучше, чем в остальных пяти тысячах бомбейских ресторанов. Несмотря на это — а может быть, как раз из-за этого, — «Саураб» был небольшим заведением, известным лишь узкому кругу. Его название не фигурировало в туристических путеводителях и колонках светских новостей. Это был ресторан для рабочих, которые посещали его с раннего утра и до вечера, дорожили им и держали в секрете от посторонних. Поэтому цены были невысокими, внутренняя отделка чисто функциональной. Однако все сияло чистотой, а эффектные причудливые паруса хрустящих блинов отличались таким богатым и восхитительным букетом специй, какого нельзя было найти ни в каком другом блюде во всем городе.

— Я же придерживаюсь противоположной точки зрения, — продолжал он философствовать, не отрываясь от еды, — я считаю, что главное — определить, насколько греховно данное правонарушение. Ты только что спросил меня, почему мы не извлекаем выгоду из проституции и наркотиков, как делают другие группировки, и я тебе отвечу: потому что это греховно. Именно по этой причине я не торгую детьми, женщинами, наркотиками и порнографией. Именно по этой причине я не позволяю наживаться на этом в своем районе. Во всех этих преступлениях столько греха, что, наживаясь на них, человек продает душу дьяволу. А продав душу, вернуть ее можно разве что чудом.

— Вы верите в чудеса?

— Конечно. В глубине души мы все верим в чудеса.

— Боюсь, что я не верю, — возразил я с улыбкой.

— Уверен, что веришь, — отозвался он. — Разве твое освобождение из тюрьмы на Артур-роуд не было чудом?

— Ну, в тот момент это действительно казалось мне чудом, — признал я.

— А разве не чудом был твой побег из тюрьмы в Австралии? — спросил он деловитым тоном.

До сих пор он никогда не упоминал в наших разговорах мой побег, хотя я был уверен, что он знает о нем и делает свои выводы. Подняв этот вопрос, Кадербхай тем самым затронул наши отношения, потому что он спас меня фактически от двух тюрем — бомбейской и австралийской.

— Ну да, — произнес я медленно, но твердо, — полагаю, это было что-то вроде чуда.

— Не мог бы ты — если эта тема не слишком болезненна для тебя — рассказать мне об этом побеге? Это поистине уникальный случай, и он очень меня интересует — у меня есть на то причины.

— Я не против рассказать об этом, — ответил я, глядя ему в глаза. — Что именно вас интересует?

— Почему ты это сделал?

Знакомые в Австралии и Новой Зеландии неоднократно расспрашивали меня о побеге, но никто из них не задал мне этого вопроса. Их интересовало, как именно я бежал, как я скрывался от полиции. И только Кадер спросил, почему я бежал.

— В той австралийской тюрьме было так называемое дисциплинарное подразделение. Охранники этого подразделения — не все, но многие — были законченными садистами. Они ненавидели заключенных до умопомрачения. Не знаю почему. Я не понимаю этого. Но факт, что так было. Они мучили нас и избивали почти каждую ночь. А я сопротивлялся, давал им сдачи. Я не мог иначе, так уж я устроен. Я не могу покорно принимать побои. Понятно, что из-за этого мне было только хуже. Я... они отделали меня по первое число, когда я попал к ним в руки. Я побывал в их карцере всего один раз, но срок у меня был большой, и я был уверен, что рано или поздно они найдут повод — или я сам дам им его по глупости — снова упрятать меня в карцер и станут избивать, а я буду сопротивляться, и закончится тем, что они убьют меня. Поэтому я и сбежал.

— Как тебе это удалось?

— После того как они меня избили, я притворился, что они сломили меня, что я смирился. И поэтому меня послали на работу, которую давали только заключенным, сломленным духовно, — помогать на ремонте здания, расположенного рядом с тюремной стеной. Я дождался подходящего момента и сбежал.

Я поведал ему за едой всю историю. Он ни разу не прервал меня, но внимательно наблюдал за мной, и в глазах его светилась улыбка, отражавшая огонь, который горел в моих. Казалось, ему было не менее интересно наблюдать за тем, как я рассказываю, чем слушать сам рассказ.

— А кто был твой товарищ, с которым ты бежал?

— Он отсиживал срок за убийство. Но он был хорошим человеком, очень душевным.

— Однако вы расстались с ним?

— Да.

Я впервые отвел взгляд от Кадера и посмотрел сквозь открытую дверь ресторана на непрерывный поток прохожих. Мне трудно было объяснить, почему я больше не встречался со своим товарищем и предпочел быть одиноким волком. Я и сам этого толком не понимал. Я изложил Кадеру все факты, предоставив ему решать, что с ними делать.

— Сначала мы спрятались в подпольном мотоклубе, у рокеров-бандитов. У их главаря в тюрьме сидел младший брат. Это был храбрый малыш, и примерно за год до моего побега он разозлил одного очень опасного преступника — всего лишь тем, что держался независимо. Я вмешался в ситуацию, иначе мальчишку убили бы. Он рассказал об этом своему старшему брату, и тот передал мне через знакомых, что считает себя моим должником. Поэтому после побега я пошел в его клуб и взял с собой товарища. Его парни приняли нас очень хорошо, дали оружие, деньги, наркотики. Они прятали нас и охраняли целых две недели, пока полиция не поставила на уши весь город, разыскивая нас.

Я сделал паузу, собирая с тарелки остатки пищи лепешкой из гороховой муки. Кадербхай тоже доедал свою порцию. Мы энергично двигали челюстями, задумчиво поглядывая друг на друга.

— Когда наступила тринадцатая ночь после побега, — продолжил я, — мне вдруг страшно захотелось повидать одного из моих бывших учителей. Он преподавал философию в университете того города, где я вырос. Это был блестящий ученый, еврей, его очень ценили в городе. Но каким бы он ни был блестящим и замечательным, я все же не понимаю, почему мне так приспичило встретиться с ним, — до сих пор не могу понять. А желание у меня было такое сильное, что я просто не мог противиться ему. И вот с риском для жизни я поехал к нему через весь город. А он сказал, что ждал меня, так, мол, и знал, что я приеду. Он посоветовал мне прежде всего избавиться от оружия, так как оно не принесет мне ничего, кроме несчастья. Он сказал, что отныне мне надо отказаться от грабежей. Я заплатил свободой за совершенные ранее преступления, но, если я вернусь к ним снова, меня сразу схватят или убьют. «Что бы тебе ни пришлось делать ради того, чтобы остаться на свободе, — сказал он, — не занимайся больше грабежом». Он посоветовал мне расстаться с моим товарищем, потому что его непременно схватят, а если я буду с ним, то схватят и меня. И еще он добавил, что я должен повидать мир. «Рассказывай людям только то, что им надо знать, — сказал он, и я помню, что он улыбнулся при этом, как будто речь шла о каких-то пустяках. — И проси у людей помощи. Не беспокойся, все будет хорошо... Жизнь — это захватывающее приключение, и она у тебя только начинается...»

Я опять замолчал. Подошел официант, чтобы унести пустые тарелки, но Кадер отослал его. Великий мафиози неотрывно смотрел на меня своими золотистыми глазами, и смотрел по-доброму, поощрительно.

— Когда я вышел из кабинета учителя в университете, я чувствовал, что разговор с ним изменил буквально все. Вернувшись к рокерам, я отдал товарищу свое оружие и простился с ним. Его схватили спустя шесть месяцев во время перестрелки с полицией. А я до сих пор на свободе, если можно так сказать, когда у тебя на хвосте сидят копы и тебе некуда деваться. Вот и вся моя история.

— Я хотел бы побеседовать с этим человеком, с твоим преподавателем философии, — медленно проговорил Кадербхай. — Он дал тебе мудрый совет. Но послушай, насколько я понимаю, Австралия не такая страна, как Индия. Почему бы тебе не вернуться туда и не рассказать властям, как с тобой обращались в тюрьме? Может быть, тебя за это простили бы и разрешили бы вернуться к семье?

— У нас не принято доносить на кого бы то ни было, даже на своих мучителей. И потом, даже если бы я дал показания против тюремщиков, это вряд ли остановило бы их. Сама система их оберегает. Ни один здравомыслящий человек не доверится слепо британской системе судопроизводства. Вы когда-нибудь слышали, чтобы богатый человек предстал перед судом? Какие бы доказательства я ни привел, никто не тронул бы тюремщиков, а меня засадили бы за решетку, и я попал бы к ним в лапы. И я думаю, они прикончили бы меня в своем карцере. Но обращаться в суд в любом случае невозможно. Доносить не принято ни в каком случае. Это железный принцип. Пожалуй, кроме него, у тебя ничего и не остается, когда тебя запирают в клетке.

— Но ведь эти охранники и сейчас мучат людей в тюрьме, как мучили тебя? — гнул свое Кадер.

— Да, наверное.

— И ты можешь попытаться облегчить их участь, разве не так?

— Попытаться я могу, но это бесполезно. Не думаю, что наша правоохранительная система встанет на защиту заключенных.

— Но ведь есть шанс, что тебя послушают?

— Очень небольшой.

— Но какой-то есть?

— Ну да.

— Значит, получается, что и ты отчасти ответствен за страдания заключенных?

Вопрос был провокационный, но произнес его Кадер мягко и доброжелательно. В его глазах не было и намека на вызов или упрек. В конце концов, это именно он вытащил меня из индийской тюрьмы и спас тем самым также от австралийской.

— Да, наверное, так можно сказать, — ответил я. — Но это не меняет сути. Заповедь «не доноси» остается в силе.

— Я не пытаюсь поймать тебя на чем-то, заманить в ловушку. Однако этот пример, я думаю, должен убедить тебя, что можно вершить неправое дело, исходя из лучших побуждений. — Впервые с тех пор, как мы заговорили о моем побеге, он улыбнулся. — Но мы обсудим это в другой раз. Я затронул этот вопрос, потому что он наглядно демонстрирует, как мы живем и как должны жить. Сейчас нет нужды углубляться в него, но когда-нибудь он обязательно всплывет сам собой, и мне хотелось бы, чтобы тогда ты вспомнил наш сегодняшний разговор.

— А как насчет торговли валютой? — Воспользовавшись случаем, я перевел разговор с собственной персоны на его моральные принципы. — Разве это не греховное преступление?

— Нет. Валюта — нет, — категорически отверг он мое предположение глубоким голосом, поднимавшимся из груди и проходившим через резонирующий драгоценный барабан его горла. Он звучал с гипнотическим пафосом священнослужителя, читающего отрывок из Корана, даром что речь шла о прибыльных преступлениях.

— А контрабанда золота?

— Нет. Ни золото, ни паспорта, ни влияние не греховны.

«Влияние» было в данном случае эвфемизмом Кадера, под которым он имел в виду отношения между его мафией и обществом. Поначалу мафия пыталась сыграть на всеобщей коррумпированности, подкупе нужных людей, добывании конфиденциальной коммерческой информации и перехвате выгодных сделок. Но эта политика не оправдала себя, и они переключились на выбивание денег из должников и рэкет, то есть сбор дани с бизнесменов своего района в обмен на поддержку и покровительство. Немалое место занимало также запугивание политиков и крупных чиновников путем применения силы или шантажа.

— А как вы определяете степень греховности того или иного преступления? Кто это решает?

— Греховность — это мера зла, содержащегося в данном преступлении, — ответил он, откинувшись на спинку стула, чтобы официант мог убрать грязную посуду и вытереть стол.

— Ну хорошо. Как вы определяете, сколько зла в преступлении?

— Если ты действительно хочешь это знать, давай пройдемся и обсудим этот вопрос по дороге.

Он поднялся и прошел к умывальнику с зеркалом, находившемуся в нише в глубине зала. Назир, сопровождавший его повсюду как тень, встал и последовал за ним. Они вымыли руки и лицо, громко отхаркиваясь и отплевываясь, как делали все посетители ресторана по завершении трапезы. Я тоже произвел необходимое омовение, отхаркивание и отплевывание и присоединился к Кадербхаю, разговаривавшему у входа в ресторан с его владельцем. Перед тем как распрощаться с главарем мафии, владелец «Саураба» обнял его и попросил благословить его. Вообще-то, он был индусом и, как показывала отметина на его лбу, получил благословение в индуистском храме несколько часов назад, но, когда Кадербхай, взяв его за руки, пробормотал слова мусульманского благословения, благоверный индус принял его с благодарностью.

Мы с Кадером направились в сторону Колабы. Гориллоподобный Назир шел в двух шагах позади нас, кидая влево и вправо зоркие взгляды. Дойдя до причала Сассуна, мы свернули под арку на территорию верфей. Тяжелый дух, исходивший от розовых гор креветок, сушившихся на солнце, заставил мой желудок встрепенуться, но затем мы приблизились к заливу, и морской бриз очистил воздух. На самом причале мы пробрались через толпу мужчин с тачками и женщин с корзинами на голове, нагруженными рыбой и колотым льдом. Производственный лязг, доносившийся из расположенных здесь же фабрик по изготовлению льда и переработке рыбы, перекрывал крики торговцев и аукционистов. В конце причала стояло на приколе штук двадцать деревянных рыболовных судов точно такой же конструкции, что и корабли, бороздившие воды Аравийского моря у берегов Махараштры пятьсот лет назад. Тут и там между ними были пришвартованы большие современные металлические траулеры. Контраст между их ржавыми корпусами и элегантными формами деревянных судов отражал всю историю нашего мира — от тех времен, когда человек избирал жизнь на море, следуя романтическому порыву, до современности с ее холодным прагматизмом.

Мы сели в сторонке на деревянную скамью, куда рыбаки приходили отдохнуть и перекусить. Кадер задумчиво смотрел на суда, которые вертелись на якоре и слегка зарывались носом в бившиеся о причал волны.

Его коротко подстриженные волосы и бородка были почти белыми. Чистая гладкая кожа туго обтягивала загорелое худощавое лицо цвета спелой пшеницы. Я глядел на его черты — удлиненный, тонко очерченный нос, широкий размах бровей и изгибающиеся кверху губы — и уже не в первый и не в последний раз спрашивал себя, не будет ли любовь к нему стоить мне жизни. Назир, бдительный как всегда, стоял рядом с нами, обводя все окружающее суровым взглядом, не одобрявшим ничего из того, что он видел, кроме своего хозяина.

— История Вселенной — это история движения, — начал Кадер свою лекцию, не спуская глаз с судов, кланявшихся друг другу наподобие запряженных лошадей. — Вселенная — в том из своих многочисленных перевоплощений, которое известно нам, — началась с расширения, происшедшего так быстро и с такой силой, что мы не можем не только понять его, но и представить себе. Ученые называют это расширение Большим взрывом, хотя настоящего взрыва, как у бомбы, не было. В самые первые доли секунды после этого расширения Вселенная представляла собой нечто вроде густого супа, состоявшего из простейших частиц. Эти частицы были по составу даже проще атомов. В то время как Вселенная охлаждалась после происшедшего, частицы соединялись друг с другом, образуя скопления, которые, в свою очередь, объединялись в атомы. Затем из атомов сформировались молекулы, а из молекул — звезды и планеты. Звезды рождались и погибали, и вся материя, из которой мы состоим, произошла от умирающих звезд. Мы с тобой сотворены из звездного материала. У тебя не вызывает протеста то, что я говорю?

— Нет-нет, — улыбнулся я. — Не знаю, как дальше, но пока, по-моему, все в порядке.

— Вот именно! — развеселился он. — Пока все в порядке. Все это можно проверить по научной литературе — мне даже хотелось бы, чтобы ты проверял то, что я говорю, как и вообще все, что ты узнаешь от других. Но я уверен, что наука права — в тех пределах, которых она достигла к настоящему моменту. Мне помог разобраться в этих вопросах один молодой физик, так что в основном я излагаю проверенные факты.

— Я буду рад поверить вам на слово, — ответил я. Меня действительно радовало, что я беседую наедине с ним.

— Тогда продолжим. Ни один из этих процессов объединения частиц не был случайным и беспорядочным. Вселенная обладает своим характером, как и человек, и отличительной чертой ее характера является стремление к объединению, созиданию и усложнению. Это происходит непрерывно и вечно. В нормальных условиях частицы вещества постоянно соединяются, порождая более сложные образования. В западной науке это стремление к упорядочению частиц и их комбинированию называется тенденцией к усложнению. Это закон, по которому живет Вселенная.

К нам робко приблизились три рыбака в майках и набедренных повязках. Один из них нес две проволочные корзины, в которых были стаканы с водой и горячим чаем. У другого было блюдо со сладостями *ладу*, третий протягивал на раскрытых ладонях чиллум и два шарика чараса.

— Вы не выпьете чая, сэр? — спросил один из них. — Или, может быть, покурите с нами?

Кадер улыбнулся и кивнул. Человек быстро подошел к нам и роздал всем троим по стакану чая. Присев на корточки перед нами, рыбаки приготовили чиллум. Кадеру предоставили честь раскурить его, за ним затянулся я. Трубка дважды обошла по кругу; последний, выпустив струю голубого дыма, вытряхнул из трубки пепел и произнес: *Калас* («Кончено»).

Кадер продолжил свою лекцию, обращаясь ко мне по-английски. Рыбаки наверняка не понимали его слов, но сидели, внимательно следя за его лицом.

— Итак, Вселенная, какой мы ее знаем, судя по всему, с течением времени усложнялась, потому что это свойственно ее характеру. Таков способ ее существования — развиваться от простого к сложному.

— Мне кажется, я понимаю, к чему вы ведете.

Кадербхай рассмеялся, и рыбаки рассмеялись вслед за ним.

— Таким образом, за последние пятнадцать миллиардов лет Вселенная все усложнялась и усложнялась. Через миллиард лет она будет еще сложнее, чем ныне, и так далее. Ясно, что она движется к какой-то цели, к предельной сложности. Возможно, ни человечество, ни атом водорода, ни лист дерева, ни одна из планет не доживут до того момента, когда будет достигнут этот предел, но мы все движемся к этому. И вот эту конечную сложность, к которой все стремится, я называю Богом. Если тебе не нравится слово «Бог», замени его «предельной сложностью». Суть от этого не изменится.

— Но разве случайность не играет никакой роли в развитии Вселенной? — спросил я, чувствуя, что течение его мысли подхватывает меня, и стараясь идти своим курсом. — Ведь есть гигантские астероиды, которые могут столкнуться с нашей планетой и разнести ее в клочки. Существует, насколько я знаю, определенная статистическая вероятность, что какие-то катаклизмы произойдут. И ведь известно, что наше Солнце постепенно умирает. Разве это не противоречит усложнению? Какое же это будет усложнение, если вместо большой планеты появится куча разрозненных атомов?

— Хороший вопрос, — отозвался Кадер, обнажив в улыбке зубы цвета слоновой кости, между которыми были заметны небольшие щели. Он явно наслаждался ролью лектора; я, пожалуй, никогда еще не видел его в таком приподнятом настроении. Руки его непрестанно чертили в воздухе какие-то фигуры, иллюстрируя высказываемые им тезисы. — Да, наша планета может погибнуть, а наше прекрасное Солнце неизбежно умрет. Что же до нас самих, то, насколько нам известно, мы служим наиболее высокоразвитым проявлением всеобщей сложности в нашем углу

Вселенной. Если мы погибнем, то это, безусловно, будет большой потерей. Все предыдущее развитие пойдет прахом. Но сам процесс усложнения будет продолжаться. Мы являемся выражением этого процесса. Наши тела произошли от всех звезд и всех солнц, которые умерли до нас, оставив нам свои атомы в качестве строительного материала. И если мы погибнем — то ли из-за астероида, то ли по собственному неразумию, — то в какой-нибудь другой части Вселенной наш уровень сложности вместе с сознанием, способным понять этот процесс, обязательно будут воспроизведены. Я не имею в виду, что там появятся такие же люди, как мы, но какие-то разумные существа на такой же ступени усложнения возникнут. Нас не будет, но процесс будет продолжаться. Возможно, даже сейчас, в то время как мы беседуем, что-то подобное происходит в миллионах других миров. И скорее всего, так и есть, потому что именно это Вселенная все время и делает.

— Ясно, — рассмеялся я. — И вы хотите сказать, что все способствующее этому процессу — добро, а все, что препятствует, — зло, *на*?

Кадер повернулся ко мне, приподняв одну бровь не то насмешливо, не то неодобрительно — а может быть, подразумевалось и то и другое. Подобное выражение я не раз видел на лице Карлы. Боюсь, мой чуть ироничный тон задел его. Но я не собирался иронизировать. Это была скорее бессознательная защитная реакция с моей стороны, потому что я не видел слабых звеньев в цепи его рассуждений и они произвели на меня большое впечатление. Возможно, он был просто удивлен. Как он сказал мне значительно позже, больше всего ему нравилось во мне то, что я не боюсь его, и часто мое безрассудное нахальство его порядком озадачивало. Но что бы ни заставило его приподнять бровь, он помолчал какое-то время, прежде чем продолжить.

— В принципе, ты прав. Все, что способствует движению к предельной сложности и ускоряет его, — это добро, — произнес он очень твердо и взвешенно, явно говоря это не впервые. — А все, что мешает этому процессу или замедляет его, — зло. Такое определение добра и зла хорошо тем, что оно объективно и универсально.

— Но разве бывает что-нибудь абсолютно объективное? — вмешался я, радуясь возможности высказать что-то известное мне.

— Говоря, что это определение объективно, я имею в виду, что оно является таковым настолько, насколько мы сами объективны в данный момент и насколько мы понимаем то, что происходит во Вселенной. Оно основывается на том, что мы о ней знаем, а не на том, что утверждает какая-либо религия или какое-либо политическое движение. Оно не противоречит их наиболее ценным принципам, но исходит из того, что мы знаем, а не из того, во что верим. В этом смысле оно объективно. Разумеется, то, что мы знаем о Вселенной и о нашем месте в ней, меняется по мере накопления и углубления наших знаний. Мы не можем быть абсолютно объективны в наших оценках, но мы можем быть объективны в большей или меньшей степени. И когда мы определяем добро и зло, исходя из того, что знаем на данный момент, мы объективны в той степени, какую допускают наши знания. С этим ты согласен?

— Да, если не считать объективное абсолютно объективным, то согласен. Но как могут верующие, не говоря уже об атеистах, агностиках и просто невеждах вроде меня, найти какое-то общее, универсальное определение? Никоим образом не хочу никого обидеть, но мне кажется, что приверженцы разных религий стремятся в основном утвердить собственное понимание Бога и Небес и вряд ли могут прийти к соглашению по этому вопросу.

— Что ж, это справедливое замечание, и я нисколько не обижен, — задумчиво произнес Кадер, глядя на рыбаков, молча сидевших у его ног. Обменявшись с ними широкой улыбкой, он продолжил: — Говоря, что это определение добра и зла универсально, я подразумеваю, что оно может быть приемлемо для любого разумного, рационально мыслящего человека — будь он индус, мусульманин, христианин, иудей или тот же атеист, — потому что оно основано на наших знаниях о Вселенной.

— Это мне в целом понятно, — сказал я, когда он замолчал. — Но вот что касается устройства Вселенной — ее физики, так сказать, — то тут у меня есть вопросы. В частности, почему мы должны положить ее в основу нашей морали?

— Я поясню это на примере. В качестве аналогии приведу попытки человека установить универсальную меру длины. Ты, надеюсь, не станешь возражать, что установить ее было необходимо?

— Так и быть, не стану, — согласился я.

— Ну вот и замечательно. Если бы у нас не было общепризнанного критерия измерения длины, мы не могли бы договориться, где заканчивается наш участок земли и начинается чужой, не могли бы напилить бревна для постройки дома. Люди дрались бы из-за земли, дома рушились бы, воцарился бы хаос. Так что человечество в ходе своей истории всегда стремилось установить единую меру длины. Тут вопросов нет?

— Пока нет, — ответил я, удивляясь, как меры длины могут быть связаны с темой нашего разговора.

— После Великой французской революции ученые и правительственные чиновники решили упорядочить систему мер и весов. Они ввели десятичную систему исчисления, основную единицу которой назвали метром, от греческого слова «метрон», которое переводится как «мера». Но как определить длину метра? Сначала они считали метром одну десятимиллионную расстояния от экватора до Северного полюса. Но при этом они исходили из предпосылки, что Земля представляет собой абсолютно правильный шар, в то время как на самом деле она таковым не является. Тогда они решили взять в качестве метра расстояние между двумя штрихами, нанесенными на бруске платиново-иридиевого сплава.

— Платиново-иридиевого сплава?

— Да. Но затем ученые осознали, что брусок этого сплава, каким бы он ни был твердым, со временем чуть-чуть уменьшается в размерах и их метр через тысячу лет будет не совсем такой же длины, как сейчас.

— И что, это создало серьезные проблемы? — спросил я иронически.

— В строительстве домов и мостов не создало, — ответил Кадербхай вполне серьезно.

— Но ученых эта неточность не устраивала, — сказал я.

— Да. Им нужна была мера, которая не менялась бы с ходом времени. И, перебрав в качестве основы то и это, в прошлом году остановились наконец на расстоянии, которое преодолевает фотон света в вакууме за одну трехсоттысячную долю секунды. Именно это расстояние стали считать метром. Тут, конечно, возникает вопрос о том, что принимать за одну секунду. Это отдельная, весьма интригующая история. Если хочешь, я расскажу ее тебе, прежде чем мы продолжим обсуждение метра.

— Ох, давайте уж лучше покончим с метром, — взмолился я, невольно рассмеявшись опять.

— Ну хорошо. Надеюсь, основная идея тебе ясна. Чтобы избежать хаоса при строительстве домов и при дележе земли, мы установили стандартную единицу, с помощью которой все измеряем. Мы назвали ее метром и договорились, какой именно длины она будет. Точно так же, чтобы избежать хаоса в человеческих отношениях, надо установить общепризнанную стандартную единицу для измерения морали.

— Понятно.

— В данный момент попытки разных людей установить единицу морали преследуют одни и те же цели, но различаются в подходах к решению этого вопроса. Священнослужители одной страны благословляют солдат, которых посылают на поле боя, а имамы другой страны благословляют своих воинов, отправляющихся воевать с ними. И те и другие утверждают, что Бог на их стороне. Общепризнанного критерия добра и зла не выработано, и, пока его нет, люди будут оправдывать собственные действия и осуждать поступки других.

— И вы предлагаете взять в качестве такого платиново-иридиевого бруска, который служил бы мерой морали, физику Вселенной?

— Да, хотя по своей точности такой критерий ближе к рас-
стоянию, которое проходит фотон, чем к бруску сплава. Я считаю, что в поисках объективного критерия добра и зла, который
все сочли бы достаточно разумным, мы должны обратиться к законам существования Вселенной и, в частности, к самому важному ее свойству, определяющему всю ее историю, — к ее постоян-
ному усложнению. Нам просто ничего не остается, как опирать-
ся на природу Вселенной. И кстати, все крупнейшие религиозные
учения делают это. Например, Коран очень часто рекомендует
нам в поисках истины и смысла изучать планеты и звезды.

— И все же мне не совсем понятно, почему вы берете в качестве морального критерия именно это свойство, тенденцию
к усложнению, а не какое-нибудь другое? Мне представляется,
что это несколько произвольный выбор. Я говорю это не из чувства противоречия, мне это действительно кажется несколько
произвольным.

— Твои сомнения мне понятны, — улыбнулся Кадер, подняв
на миг глаза к морскому горизонту. — Я тоже был настроен довольно скептически, когда начал размышлять об этом. Но со временем пришел к убеждению, что в настоящий момент это наиболее адекватный способ оценки добра и зла. Это не означает, что
данное определение будет лучшим всегда. Мера длины в будущем тоже будет усовершенствована. Сейчас она основывается
на движении фотона в вакууме, как будто в вакууме ничего не
происходит, тогда как на самом деле там протекают самые разные процессы, множество реакций. Но пока что у нас нет лучшей
меры длины. То же самое и с тенденцией к усложнению как мерой добра и зла. Мы берем ее в качестве критерия, потому что это
самое важное свойство Вселенной, оно охватывает ее целиком,
всю ее историю. Если ты предложишь мне другой, более удачный
способ объективной оценки добра и зла, с которым согласились
бы и люди всех вероисповеданий, и неверующие и который учи-
тывал бы всю историю Вселенной, я буду счастлив выслушать
тебя.

— Хорошо-хорошо. Итак, Вселенная движется к Богу, то бишь
к предельной сложности. Все, что способствует этому, — хорошо, все, что препятствует, — плохо. Но при этом остается открытым вопрос: кто решает это? Как определить, способствует та
или иная вещь прогрессу или препятствует?

— Тоже хороший вопрос, — отозвался Кадер, вставая и оправ-
ляя свободные полотняные брюки и длинную белую рубаху. —
И даже, я сказал бы, правильный вопрос. Но ответ на него я дам
тебе в свое время.

Он отвернулся от меня к троим рыбакам, которые поднялись на ноги вслед за ним и стояли, застыв в ожидании. В первый момент я со злорадством подумал, что загнал его в угол своим вопросом. Но я отказался от этой тщеславной мысли, слушая, как он беседует с босыми рыбаками. В каждом его слове чувствовалась железная убежденность, и даже его паузы были наполнены ею. Я понял, что ответ на мой вопрос существует и что Кадер даст мне его, когда сочтет нужным.

Кадер спросил рыбаков, нет ли у них каких-либо жалоб, не притесняют ли бедняков на верфях. Они ответили, что в данный момент все хорошо, и тогда он спросил, есть ли у них работа и справедливо ли предоставляются рабочие места. Когда они успокоили его и на этот счет, он поинтересовался их семьями и детьми, а затем перешел к их непосредственному труду — ловле рыбы. Они рассказали ему о гигантских штормовых волнах, о своих хрупких суденышках, о друзьях, которых они находят и которых теряют в море. Он в свою очередь рассказал им о своем единственном морском путешествии, совершенном на деревянном рыбачьем суденышке во время сильного шторма, о том, как он привязал себя к мачте и молился Богу о спасении, пока на горизонте не появилась земля. Они посмеялись и хотели на прощание почтительно коснуться его ноги, но он поднял их и пожал им руки. Они ушли, выпрямив спину и высоко держа голову.

Мы тоже отправились в обратный путь, и по дороге Кадер спросил, как мне работалось с Халедом.

— Очень хорошо, — ответил я. — Мне нравится Халед и нравится с ним работать. Я с удовольствием остался бы с ним, если бы вы не перевели меня к Маджиду.

— А с ним работается хуже?

Я заколебался. Карла как-то сказала, что, когда мужчина колеблется, он хочет скрыть то, что он чувствует, а когда смотрит в сторону — то, что думает. А у женщин все наоборот, добавила она.

— Я узнаю у него много полезного. Он хороший учитель.

— Но с Халедом Ансари ты больше сблизился, так?

Это действительно было так. Халед был не в ладах с миром, и часть его сердца была отдана ненависти, но он мне нравился. Маджид был добр, щедр и терпелив со мной, но, несмотря на это, я испытывал в его обществе какую-то необъяснимую неловкость. После того как я прошел четырехмесячную практику подпольной торговли валютой, Кадербхай решил, что мне надо ознакомиться с контрабандой золота, и послал на обучение к Маджиду Рустему. В своем доме с окнами на залив в элитном районе Джуху Маджид поведал мне о различных способах нелегальной переправки золота в Индию. Тезис Халеда о контроле и стремлении к наживе был в полной мере применим к торговле золотом. Строгий правительственный контроль за ввозом желтого металла препятствовал удовлетворению ненасытного спроса на него.

Седовласый Маджид уже десять лет руководил закупками золота, поставленными в мафии Кадера на широкую ногу. С безграничным терпением он объяснял мне все, что, по его мнению, я должен был знать о золоте и контрабанде. Его темные глаза часами пытливо глядели на меня из-под кустистых седых бровей. Хотя под его началом было немало крутых парней и он сам был с ними крут, когда это требовалось, я не видел в его слезящихся глазах ничего, кроме доброты. И все же в его обществе я не мог отделаться от безотчетного тревожного чувства. Всякий раз, покидая его дом после очередного урока, я испытывал большое облегчение, которое вымывало из моей памяти звук его голоса и выражение его лица, как вода смывает пятно с рук.

— Да. А с Маджидом я не чувствую такой близости. Но повторяю, он очень хороший учитель.

— Линбаба, — пророкотал Кадер, назвав меня тем именем, под которым я был известен в трущобах, — ты мне нравишься.

Краска бросилась мне в лицо. Я чувствовал себя так, словно это сказал мне родной отец. А родной отец никогда не говорил мне ничего подобного. Эти слова оказали на меня такое сильное действие, что я осознал, какую власть он приобрел надо мной, заполнив ту нишу, где должен был находиться мой отец. Где-то в самом потайном углу моего сердца маленький мальчик, каким я когда-то был, страстно желал, чтобы Кадер был моим настоящим отцом, моим родным отцом.

— А как поживает Тарик? — спросил я.

— Очень хорошо, *нушкур Алла*, — ответил он, — слава Богу.

— Я скучаю по нему, — сказал я. — Он замечательный малыш. — В лице Тарика я скучал по своей дочери, по всей семье, по друзьям.

— Он тоже скучает по тебе, — медленно ответил Кадер. В голосе его прозвучало что-то вроде сожаления. — Скажи мне, Лин, к чему ты стремишься? Почему ты живешь здесь? Чего ты хочешь добиться в Бомбее?

Мы подошли к его автомобилю. Назир, на своих коротких толстых ногах, забежал вперед и открыл дверцу. Мы с Кадером стояли почти вплотную, глядя друг другу в глаза.

— Я хочу свободы, — ответил я.

— Но ты свободен.

— Не вполне.

— Ты имеешь в виду австралийскую полицию?

— Да, в основном. Но не только.

— Тогда можешь не беспокоиться. Никто не тронет тебя в Бомбее. Я даю тебе слово. Ничего с тобой не случится, пока ты работаешь на меня и носишь на шее медальон с моим именем. Все будет в порядке, иншалла.

Взяв меня за руки, он пробормотал такое же благословение, какое он дал владельцу «Саураба». Я проводил его до самой машины. На грязной стене неподалеку кто-то написал слово «Сапна». Судя по довольно свежей краске, это сделали не больше недели назад. Если Кадер и заметил надпись, то ничем не выдал этого. Назир захлопнул за ним дверцу и обежал автомобиль кругом, к водительскому месту.

— Со следующей недели ты будешь заниматься с Абдулом Гани паспортным бизнесом, — сказал Кадер. Назир завел двигатель, ожидая команды. — Думаю, это дело заинтересует тебя.

Автомобиль тронулся с места, Кадер улыбнулся мне, но у меня в памяти остался прощальный свирепый взгляд Назира. Похоже, он все-таки ненавидел меня, и раньше или позже нам предстояло выяснить отношения. Тот факт, что я размышлял о возможной драке с ним, показывал, насколько одинок я был в своем изгнании. Назир был ниже меня, но ни на йоту не слабее и, пожалуй, немного тяжелее. Это была бы хорошая драка.

Я мысленно занес эти будущие разборки в графу «подлежит рассмотрению», подозвал такси и отправился в сторону Форта. Это был деловой район типографий, офисов, складов, магазинов и предприятий по производству канцелярских товаров и прочих изделий легкой промышленности. Здания и узкие улицы Форта относились к старейшим в городе. В адвокатских конторах, издательствах и других органах интеллектуальной деятельности, гордившихся тем, что существуют здесь уже много десятилетий, сохранилась атмосфера старины, века крахмальных воротничков и официальной учтивости.

Одной из организаций, появившихся здесь в последнее время, было бюро путешествий, которым через доверенных лиц владел Кадербхай, а управлял Маджид Рустем. Бюро обслуживало тысячи мужчин и женщин, работавших по контракту в странах Персидского залива. Легально бюро занималось покупкой авиабилетов, оформлением виз, трудоустройством индийцев за границей и поиском жилья для них. Нелегально же агенты Маджида обеспечивали провоз индийцами на родину золотых цепочек, браслетов, брошей и колец — от ста до трехсот граммов золота на человека. Золото поступало в портовые города залива из разных источников. Прежде всего, конечно, крупные оптовые закупки делали торговцы. Но значительный процент составляло краденое золото. Наркоманы, карманники и взломщики со всей Европы и Африки продавали добытые ими ювелирные изделия наркодельцам и скупщикам краденого. Определенная часть золота, похищенного во Франкфурте, Йоганнесбурге или Лондоне, при посредстве черного рынка оказалась в странах Персидского залива. Люди Кадербхая в Дубае, Абу-Даби, Бахрейне и других эмиратах переплавляли золото в массивные браслеты, цепи и кольца. Индийцы, возвращавшиеся домой по истечении срока контракта, за небольшую плату перевозили эти изделия в Индию и передавали их людям Кадербхая в бомбейском аэропорту.

Ежегодно организация Маджида задействовала не меньше пяти тысяч индийцев, заключивших контракты. В случае необходимости привезенные изделия перерабатывались, а затем продавались, как правило, на базаре Завери. Только эти операции по контрабанде золота давали годовой доход более четырех миллионов американских долларов, свободных от налогообложения, благодаря чему подручные Кадера становились состоятельными и респектабельными людьми.

Зайдя в наше Коммерческое бюро путешествий, Маджида я там не застал, но три его заместителя трудились вовсю. Когда я ознакомился с механизмом контрабанды золота, то предложил компьютеризировать этот бизнес и создать базу данных, включающую всех работающих за границей индийцев, которые сотрудничали с нами. Кадер одобрил эту идею, и теперь служащие бюро в поте лица переносили все данные из бумажных папок в память компьютеров. Я понаблюдал за их работой, побеседовал с ними и, поскольку Маджид так и не объявился, пошел искать его в находившуюся по соседству мастерскую по обработке золотых изделий.

Маджид стоял за весами и при моем появлении улыбнулся мне, а затем вернулся к работе. Изделия, рассортированные по типам, взвешивались сначала по отдельности, а затем партиями. Данные записывались в общий журнал, а также в бухгалтерскую книгу продаж на базаре Завери.

Прошло всего два часа после нашего разговора с Кадербхаем о добре и зле, и горы золотых цепочек и тяжелых браслетов кустарного производства нагнали на меня тоску, от которой я никак не мог отделаться. Я был рад, что Кадербхай переводит меня в группу Абдула Гани. Желтый дьявол, будораживший воображение многих миллионов индийцев, оставлял меня равнодушным. Мне нравилось заниматься вместе с Халедом Ансари валютными операциями, и я был уверен, что понравится работать и с Абдулом Гани: паспорта, помимо всего прочего, интересовали меня как человека, скрывающегося от закона. Но при виде кучи золота мне становилось не по себе, хотя у многих при этом глаза разгораются от жадности совершенно особого рода. Деньги почти всегда рассматриваются лишь как средство достижения тех или иных целей, а золото для многих является ценностью само по себе, и их любовь к нему компрометирует это великое чувство.

Перед уходом я сказал Маджиду, что Кадербхай подыскал мне другую работу. Я не стал уточнять, что это будет за работа, поскольку и Маджид, и Абдул входили в совет мафии и наверняка узнавали о решениях, принимаемых Кадером в отношении меня, раньше меня самого. Мы обменялись на прощание рукопожатием, и Маджид неловко притянул меня к себе и обнял. Улыбнувшись, он пожелал мне удачи. Улыбка была фальшивой, хотя вовсе не скрывала каких-либо злых чувств. Просто Маджид был из тех людей, для которых улыбка — произвольный волевой акт, а не естественное выражение эмоции. Я поблагодарил его за терпение, проявленное при моем обучении, но не улыбнулся в ответ.

Я прошелся в последний раз вдоль прилавков базара Завери, чувствуя, как меня грызет раздражение, тот не направленный на что-либо конкретное неуправляемый гнев, причиной которого является ощущение впустую растрачиваемой жизни. Казалось бы, я должен был чувствовать себя вполне счастливым — по крайней мере, счастливее, чем чувствовал. Кадер обещал мне свою защиту. Я хорошо зарабатывал. Ежедневно я ворочал кучи золота в метр высотой. В скором времени я должен был узнать все, что меня интересовало, о фальшивых паспортах. Я мог купить почти все, что захочу. Я был на свободе и в хорошей физической форме. Тем не менее я не был доволен жизнью.

«Довольство — это миф, — сказала Карла однажды. — Оно придумано для того, чтобы заставить нас покупать вещи». Я вспомнил ее лицо и ее голос, говоривший эти слова, и они, влившись в поток моих мыслей, привели меня к выводу, что Карла, возможно, была права. Затем я вспомнил нашу утреннюю беседу с Кадербхаем, когда он говорил со мной, как с родным сыном. Это был, безусловно, счастливый момент. Но каким бы искренним и сильным ни было это чувство, оно не могло разогнать мою хандру.

Наша тренировка с Абдуллой была в этот день интенсивной. Я замкнулся в себе, Абдулла не приставал ко мне с разговорами, и мы энергично работали мышцами в молчании. После душа он предложил довезти меня до дому на мотоцикле. От Брич-Кэнди мы направились вглубь острова по Август-Крантимарг. Шлемов у нас не было, наши свободные шелковые рубашки полоскались в потоке горячего встречного воздуха. Внезапно Абдулла заметил группу мужчин, стоявших около кафе. Судя по их виду, они были иранцами, как и он. Абдулла развернулся и притормозил метрах в тридцати от них.

— Оставайся здесь, — бросил он, заглушив двигатель и откинув боковую подпорку. Мы оба слезли с мотоцикла. Он не сводил глаз с этой группы. — В случае чего заводи машину и уезжай.

Он направился по тротуару в сторону кафе, на ходу завязывая свои длинные черные волосы в косичку и снимая часы. Я вытащил ключи из замка зажигания и пошел за ним. Когда Абдулла приблизился к иранцам, один из них заметил его и, несомненно, узнал. Он предупредил своих собеседников, те резко обернулись и тут же без лишних слов накинулись на Абдуллу. Они вовсю размахивали кулаками, но в толчее чаще наносили удары друг другу. Абдулла же стоял не двигаясь, прикрывая голову сжатыми кулаками, а корпус локтями. Когда начальный запал его противников иссяк, он вступил в схватку, расчетливо нанося удары налево и направо. Я подскочил к Абдулле и первым делом подставил ножку человеку, зашедшему ему в тыл, опрокинув его. Падая, он потянул меня за собой. Я приземлился на одно колено рядом с ним и ударил его кулаком в пах. Он стал подниматься, и тогда я ударил его еще несколько раз в челюсть. Человек откатился в сторону, прижав колени к груди. Абдулла тем временем нанес одному из нападавших классический перекрестный удар, который описывается во всех учебниках. У того из носа фонтаном брызнула кровь. Я принял каратистскую стойку, прижавшись спиной к спине Абдуллы. Трое оставшихся боеспособными противников отступили в некотором сомнении. Абдулла кинулся в их сторону, дико взревев, и они бросились наутек. Я вопросительно посмотрел на Абдуллу, он покачал головой: пусть бегут.

Мы пошли обратно к мотоциклу, провожаемые взглядами столпившихся вокруг зрителей. Если бы на месте иранцев были индийцы — не важно, из каких мест, какой этнической группы, веры или касты, — нам пришлось бы драться со всей улицей. Но поскольку стычка происходила между иностранцами, все лишь с любопытством наблюдали за ней, но не испытывали никакого желания принять в ней участие. Мы поехали в сторону Колабы, толпа стала расходиться.

Абдулла так и не сказал мне, что это были за люди и по какому поводу он схватился с ними, а я не стал спрашивать. Мы лишь однажды вспомнили об этом много лет спустя, и он сказал мне, что в тот день он по-настоящему полюбил меня — и не потому, что я поддержал его, а именно потому, что я не спросил, из-за чего весь сыр-бор. Это его восхитило больше, чем восхищало во мне когда-либо что-либо иное.

На Козуэй недалеко от моего дома я попросил Абдуллу притормозить, потому что заметил девушку, которая шла, как ходят все местные, — по мостовой вдоль тротуара, чтобы избежать толкучки. В ней что-то изменилось с тех пор, как я видел ее в последний раз, но белокурые волосы, красивые длинные ноги и манеру ходить, покачивая бедрами, я узнал сразу. Это была Лиза Картер. Я велел Абдулле остановиться рядом с ней.

— Привет, Лиза.

— А, Гилберт! — откликнулась она, подняв темные очки на лоб. — Как дела в посольстве?

— Да как обычно, — рассмеялся я, — то кризис где-нибудь, то спасательная акция. Ты выглядишь классно, Лиза.

Ее светлые волосы стали длиннее и гуще, лицо полнее и румянее, фигура более стройной и подтянутой. На ней были белый топ с воротником-хомутиком, белая мини-юбка и римские сандалии. Загорелые руки и ноги отливали золотисто-каштановым цветом. Она выглядела как нормальная красивая девушка. Она и была красивой девушкой, очень красивой.

— Ну да, я излечилась и стала паинькой, — проворчала она, сердито глядя на меня с нарочито фальшивой широкой улыбкой. — И что толку? Ты приходишь в норму, а мир вокруг сходит с катушек. Без дерьма не обойтись — либо с той, либо с другой стороны.

— Это не страшно, — рассмеялся я. — Главное — боевой дух.

Оттаяв, она тоже засмеялась.

— Это твой друг?

— Да, Абдулла Тахери. Абдулла, это Лиза Картер.

— Симпатичная машинка, — заметила Лиза.

— Вы не хотели бы прокатиться? — спросил он с белозубой улыбкой.

Она посмотрела на меня, я в ответ поднял руки вверх, давая понять, что решать ей, и слез с мотоцикла.

— Это моя остановка, — сказал я; Лиза и Абдулла продолжали смотреть друг на друга. — Место свободно. Можешь занять его.

— Хорошо, — сказала она. — Посмотрим, как у нас получится.

Подтянув юбку, она взгромоздилась на заднее сиденье. Те немногие из сотен прохожих, кто еще не таращился на нее раскрыв рот, присоединились к остальным зевакам. Абдулла пожал мне на прощание руку, ухмыляясь, как школьник. Мотор взревел, и они влились в поток транспорта.

— Симпатичная машинка, — произнес голос у меня за спиной. Это был Джордж Близнец.

— Эти «энфилды» недостаточно надежны, — заметил другой голос с сильным канадским акцентом. Джордж Скорпион.

Они жили прямо на улице, ночуя в подъездах и добывая средства к существованию за счет туристов, которым сбывали сильнодействующие наркотики. Образ жизни сказывался на их внешности: они были небриты, немыты, нечесаны и неряшливы. И при этом неглупы, честны и беззаветно преданы друг другу.

— Привет, парни! Как жизнь?

— Неплохо, сынок, — откликнулся Джордж Близнец с ливерпульской певучестью в голосе. — Сегодня в шесть часов встречаемся с клиентом.

— Постучи по дереву, — бросил Скорпион, нахмурившись в предчувствии возможных осложнений.

— Не волнуйся, свое заработаем, — беспечно отозвался Близнец. — Клиент в порядке. Нормальный трудяга.

— Да, заработаем, если не вляпаемся во что-нибудь, — проворчал Скорпион капризным тоном.

— Не иначе, в воду сегодня что-то подмешали, — пробормотал я, глядя на удалявшиеся спины Лизы и Абдуллы.

— В смысле? — спросил Близнец.

Я думал о Прабакере, Викраме и Джонни Сигаре. А что касается Абдуллы, то, судя по его глазам, было бы слишком мало сказать, что Лиза показалась ему интересной девушкой.

— Любопытно, что ты упомянул это, Лин. Что ты скажешь о сексуальной мотивации? — спросил Скорпион.

— О чем?

— Это он так закидывает удочку, — заметил Близнец, игриво подмигнув мне.

— Брось трепаться, — прервал его Скорпион. — Серьезно, Лин, что ты думаешь о сексуальной мотивации?

— Я обычно не думаю о ней, а чувствую ее.

— Понимаешь, у нас тут вышел спор...

— Дискуссия, а не спор, — прервал его Близнец. — Я не спорю с тобой, а дискутирую.

— У нас тут вышла *дискуссия* насчет того, что движет людьми, какова их мотивация.

— Должен тебя предупредить, Лин, — заметил Близнец, тяжело вздохнув, — что эта дискуссия длится у нас уже две недели и Скорпион упрямо не желает трезво взглянуть на вещи.

— Как я уже сообщил тебе, у нас развернулась дискуссия по вопросу о том, что служит для людей мотивацией, — продолжал вещать Джордж Скорпион деловитым тоном профессора, читающего за кадром сопроводительный текст к научно-популярному фильму. Он знал, что этот тон крайне раздражает его английского друга. — Видишь ли, Фрейд сказал, что нами движет половое влечение. Адлер был не согласен с ним и сказал, что главное в нас — стремление к власти. А Виктор Франкл сказал, что половое влечение и стремление к власти, конечно, играют важную роль, но, даже когда нам не светят ни секс, ни власть, все равно что-то непрерывно нас подхлестывает.

— Да, и это что-то — поиск смысла, — вставил Близнец. — Но это то же самое, что власть и влечение, только выраженное другими словами. Мы стремимся к власти, чтобы удовлетворить свое половое влечение, и ищем смысл для того, чтобы понять влечение. Как ни назови это, в итоге все равно придешь к сексу. Все эти надуманные теории — просто одежды, и, когда снимешь их, останется голый секс, согласен?

— Не согласен, — возразил Скорпион. — Нами всеми движет стремление познать смысл жизни. Мы хотим понять, ради чего все существует. Если бы все было только ради секса или власти, мы ничем не отличались бы от шимпанзе. Поиски смысла — вот что делает человека человеком.

— Нет, Скорпион, поиски секса — вот что делает нас людьми, — ухмыльнулся Близнец еще более игриво. — Просто это было давно, ты забыл.

Возле нас остановилось такси. Пассажирка на заднем сиденье, выждав секунду-другую, придвинулась к окну. Это была Улла.

— Лин, — выдохнула она, — помоги мне.

На ней были темные очки в черной оправе, голову обматывал платок. Лицо ее было бледным и осунувшимся.

— Хм... знакомая ситуация, — протянул я, не подходя к ней.

— Лин, пожалуйста, это очень серьезно. Пожалуйста, сядь со мной. Я должна тебе кое-что сказать. Это тебя заинтересует.

Я по-прежнему не двигался с места.

— Пожалуйста, Лин. Я знаю, где Карла, и скажу тебе, если ты мне поможешь.

Я повернулся к Джорджам и пожал им руки. Обмениваясь рукопожатием со Скорпионом, я передал ему банкноту в двадцать долларов, которую держал наготове с тех пор, как увидел их. Если у них не выгорит с их нормальным трудягой, то двадцать долларов им не помешают — этого богатства хватит на целый вечер.

Открыв дверцу такси, я забрался внутрь. Водитель внимательно изучил мое отражение в своем зеркальце и нажал на газ.

— Лин, почему ты так неприветлив со мной? — жалобно спросила Улла, сняв очки и бросая на меня робкие взгляды. — Пожалуйста, не сердись на меня. Пожалуйста.

Но я больше не был сердит. Скорпион был прав: поиски смысла делали нас людьми. Стоило Улле упомянуть имя Карлы, и я потонул в океане чувств, жизнь наполнилась смыслом. Я искал эту женщину. Я участвовал в игре и был готов на риск. У меня была цель.

И тут, разгоряченный этими мыслями, я понял, почему у меня было такое скверное настроение после посещения Маджида. Мной владело чувство, возникшее при встрече с Кадером, — неудовлетворенное детское желание, чтобы он был моим настоящим отцом. И, поняв это, я избавился от хандры. Я посмотрел в загадочную голубизну глаз Уллы, размышляя, уже без всякого гнева или разочарования, действительно ли она предала меня, играла роль в моем аресте.

Она положила руку мне на колено. Рука держала меня крепко, но дрожала. Меня окутало облако ее духов. Мы оба были в плену обстоятельств, хотя по-разному, а отношения наши были довольно неопределенными.

— Успокойся, я помогу тебе, если буду в состоянии, — сказал я твердо. — Но сначала расскажи мне о Карле.

ГЛАВА

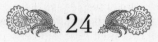

24

Млечный Путь, складывающийся из множества мокрых и дрожащих звезд, начинался прямо из морских волн на полуночном горизонте; серебристо-желтый свет горбатой луны накрыл колышущееся море покрывалом мишурных блесток. Ночь была тихой, теплой и прозрачной. Палуба парома, направлявшегося в Гоа, была заполнена людьми, но мне удалось отыскать место в стороне от группы молодых туристов. Большинство из них успели накачаться марихуаной, гашишем или ЛСД. Открытые черные пасти магнитофонов и плееров изрыгали оглушительную танцевальную музыку. Молодые люди сидели среди своих вещмешков, раскачиваясь и хлопая в ладоши в такт музыке, перекликаясь, смеясь. Те, кто ехал в Гоа впервые, стремились навстречу мечте. Многие хотели повторно попасть в то единственное во всем свете место, где чувствовали себя абсолютно свободными.

Плывя на поиски Карлы, глядя на звезды и слушая гомонившую молодежь, я вполне понимал их полное надежд невинное возбуждение и даже частично разделял его. Но мое лицо и глаза были суровы, и это разграничивало нас так же четко, как пространство между нами на палубе. Сидя на этой плавно покачивавшейся палубе, я думал об Улле, о том страхе, который мелькал в ее сапфировых глазах в полумраке такси.

Ей нужны были деньги, тысяча долларов. Я дал ей эту тысячу. Кроме того, она попросила меня проводить ее до номера в отеле, где была ее одежда и прочие шмотки. Она дрожала от страха, но мы собрали ее вещи и заплатили за номер без всяких эксцессов. Она попала в какую-то передрягу в связи с одной из сделок, которые проворачивали Модена и Маурицио. Сделка, как и многие другие, затеянные по инициативе Маурицио, сорвалась с пользой для него. Но, в отличие от предыдущих случаев, на этот раз люди, потерявшие деньги, не пожелали на этом успокоиться. Они хотели, во-первых, вернуть деньги и, во-вторых, пустить кому-нибудь кровь — в каком порядке, для них не имело значения.

Улла не сказала мне, что это за люди, почему они гоняются именно за ней и какая опасность ей грозит. Мне, конечно, надо было спросить ее об этом — это избавило бы меня от многих неприятностей, а в дальнейшем, возможно, спасло бы чью-то жизнь. Но в тот момент мне было не до Уллы с ее проблемами. Я хотел знать, где Карла.

— Она в Гоа, — сказала Улла, когда мы вышли из отеля.

— Где именно?

— Не знаю. В одном из курортных местечек.

— Там полно курортных местечек.

— Да, но что я могу поделать? — жалобно прохныкала она, съежившись из-за моего раздраженного тона.

— Ты сказала, что знаешь, где она.

— В Гоа. Это я точно знаю. Она написала мне из Мапузы. Письмо пришло только вчера, так что она должна быть где-то неподалеку.

Это меня отчасти удовлетворило. Мы загрузили ее пожитки в такси, и я дал водителю адрес Абдуллы в Брич-Кэнди. Я внимательно осмотрелся, но не заметил, чтобы кто-нибудь следил за нами. Автомобиль тронулся; некоторое время я сидел в молчании, глядя на проплывающие мимо погруженные во тьму улицы.

— А почему она уехала?

— Не знаю.

— Она должна была что-то сказать перед отъездом. Она не такая уж молчунья.

Улла засмеялась:

— Насчет отъезда она мне ничего не сказала. Но если хочешь знать, лично я думаю, что она уехала из-за тебя.

Моя любовь к Карле сникла от этого предположения, в то время как тщеславие встрепенулось и начало чистить перышки. Я загасил разгоравшийся конфликт, бросив:

— Должна быть какая-то конкретная причина. Она боялась чего-нибудь?

Улла опять засмеялась:

— Карла никогда ничего не боится.

— Все боятся чего-нибудь.

— А ты чего боишься, Лин?

Я медленно повернулся к ней, пытаясь при слабом свете уличных фонарей разглядеть в ее лице намек на злорадство и определить, был ли подтекст в ее вопросе.

— Что произошло в ту ночь, когда ты должна была ждать меня около «Леопольда»? — спросил я, вместо ответа.

— Я не могла туда приехать, мне помешали. Модена и Маурицио в последний момент поменяли свои планы, и я должна была остаться с ними.

— Насколько я помню, ты попросила меня быть там потому, что не доверяешь им.

— Да, я тоже помню, я так сказала. Понимаешь, Модене-то я, в общем, доверяю, но Маурицио вертит им как хочет. Когда Маурицио говорит, что надо сделать так-то, Модена не может ему возразить.

— Это пока ничего не объясняет.

— Я понимаю, — вздохнула она удрученно. — Я пытаюсь тебе объяснить. Маурицио запланировал одну сделку, точнее, аферу — хотел обвести партнеров. А я оказалась вроде как посредине. Он использовал меня, потому что я нравилась людям, которых он хотел обмануть, они мне доверяли, — ну, ты знаешь, как это бывает.

— О да, я-то знаю, как это бывает.

— Ну, Лин, я, честное слово, не была виновата, что не приехала туда. Сначала они хотели, чтобы я одна встретилась с партнерами. Но я боялась их, так как знала, чтó планирует Маурицио, и поэтому попросила тебя сопровождать меня. А потом они изменили планы и решили, что мы все втроем должны встретиться с этими людьми в другом месте. Я не могла оставить их, чтобы предупредить тебя. Я пыталась найти тебя на следующий день, чтобы объяснить и извиниться, но тебя... нигде не было. Честное слово, я искала тебя. Мне было неудобно, что я не могла приехать к «Леопольду», как обещала.

— Когда ты узнала, что я в тюрьме?

— Когда ты уже вышел. Дидье сказал мне, что ты выглядишь ужасно, и только тут... Но подожди... ты что, думаешь, что *я* имею какое-то отношение к тому, что тебя арестовали? Ты *это* думаешь?

Я выдержал паузу, глядя ей в глаза.

— А ты не имеешь к этому отношения?

— О боже! О блин! — простонала она. Отчаяние исказило ее красивое лицо. Она стала быстро мотать головой из стороны в сторону, словно пытаясь помешать неприятной мысли укорениться в ней. — Остановите машину! Водитель! *Банд каро! Абхи, абхи! Банд каро!* Остановите машину! Немедленно!

Водитель остановился у тротуара возле ряда обветшалых магазинчиков. Улица была пустынна. Он выключил двигатель и уставился на нас в зеркало заднего вида.

Улла плакала. Она крутила ручку, чтобы выйти, но от расстройства у нее ничего не получалось.

— Улла, успокойся, — сказал я, мягко оторвав ее руки от дверной ручки и держа их в своих. — Все в порядке. Успокойся.

— Ничего не в порядке! — рыдала она. — Не знаю, как мы вляпались в это дерьмо. Модена плохой бизнесмен. Они с Маурицио наворотили черт знает чего. Обманули целую кучу людей, но до сих пор им все сходило с рук. А с этими не прошло. Они не такие, как все. Я очень боюсь и не знаю, что делать. Они убьют нас, всех троих. А еще ты. Ты думаешь, что я выдала тебя полиции. Но зачем мне это делать, Лин? Ты думаешь, что я такая стерва? Неужели ты можешь думать обо мне так? За кого ты меня принимаешь?

Я открыл дверцу. Улла вышла и прислонилась к автомобилю. Я вылез тоже и встал рядом с ней. Она плакала и дрожала. Я обнял ее и держал так, дав ей выплакаться.

— Все в порядке, Улла. Я верю, что ты не замешана в этом. Я всерьез никогда и не думал этого — даже тогда, когда увидел, что тебя нет около «Леопольда». Я тебя спрашивал просто для того... чтобы покончить с этим делом. Я не мог не спросить, понимаешь?

Она посмотрела мне в лицо. Уличные фонари искрились в ее больших голубых глазах. Губы ее расслабленно скривились от страха и усталости, но в глазах теплилась неискоренимая надежда.

— Ты действительно любишь ее, по-настоящему?

— Да.

— Это хорошо, — произнесла она мечтательно и тоскливо и отвела взгляд. — Любовь — это хорошая вещь. А Карле... нужна любовь, очень нужна. Знаешь, Модена тоже любит меня. Любит по-настоящему...

Она погрузилась в эти мечтания на несколько мгновений, потом запрокинула голову и посмотрела мне прямо в глаза, крепко схватив за руку.

— Ты найдешь ее. Начни с Мапузы, и найдешь. Карла пробудет в Гоа еще какое-то время. Она написала об этом. Она живет где-то прямо на берегу. Она написала, что из окна видит океан. Поезжай туда, Лин, и найди ее. Знаешь, в мире нет ничего, кроме любви, нет ничего другого...

Слезы Уллы, пронизанные светом, остались со мной и слились с блестящим под луной морем, а ее слова «В мире нет ничего, кроме любви», подобно бусинкам на четках, нанизывались на нить надежды, раскрывая передо мной горизонты.

Когда свет этой ночи перетек в рассвет и паром пришвартовался у причала в столице Гоа Панаджи, я первым забрался в автобус, направлявшийся в Мапузу, или, как ее здесь называли, Мупсу. До нее было всего пятнадцать километров; дорога вилась между рощами с пышной листвой, мимо особняков, построенных в соответствии со стилем и вкусами, царившими здесь в течение четырех веков португальского владычества. Мапуза была главным транспортным и коммуникационным узлом северной части Гоа. Я приехал в пятницу, базарный день; улицы с утра были заполнены людьми, спешившими по делам или громко торговавшимися. Я отыскал стоянку такси и мотоциклов. После непродолжительной, но горячей схватки с человеком, дававшим напрокат мотоциклы, схватки, которая сопровождалась ссылками на авторитеты верховных божеств по крайней мере трех религий и таких более плотских персонажей, как знакомые наших знакомых, мне удалось выторговать «энфилд буллит» за приемлемую сумму. Я внес залог и плату за неделю, завел мотоцикл и покатил сквозь базарную суету на побережье.

Индийская модель «Энфилд буллит-350» представляла собой мотоцикл с одноцилиндровым четырехтактным двигателем объемом триста пятьдесят кубиков, собранный по чертежам английской модели пятидесятых годов «Бритиш ройял энфилд». Модифицированный в соответствии со специфическими условиями эксплуатации и соображениями надежности и долговечности, «буллит» был рассчитан на большое терпение, крепкие нервы и вдумчивое отношение к нему со стороны ездока. Взамен мотоцикл предлагал знакомое лишь птицам божественное парение на крыльях встречных ветров с периодическими душевными встрясками в те моменты, когда удавалось избежать близкой смерти.

Весь день я мотался по побережью между Калангутом и Чапорой, не пропустив ни одной гостиницы и орошая засушливые поля местного гостеприимства дождем мелких, но пробуждавших достаточный интерес чаевых. Я завел массу полезных знакомств с менялами, наркодельцами, воришками, гидами и жиголо. Почти все они видели иностранных девушек, соответствующих описанию, но не были уверены, что это Карла. Я заходил в рестораны, чтобы выпить сока или перекусить, и расспрашивал официантов и метрдотелей. Они с готовностью отвечали на вопросы, которые я задавал на маратхи и хинди, но тоже не могли утверждать, что встречались с Карлой. Иногда они высказывали различные предположения, которые я проверял, но безрезультатно. Первый день поисков ничего не дал.

Последним, с кем я беседовал уже на закате, был владелец ресторана «Приморский» в Анджуне, упитанный молодой махараштриец по имени Дашрант. Он приготовил мне обильный ужин из капусты, фаршированной картофелем и зеленым горошком с имбирем, хрустящей поджаренной окры и баклажанов с кислой приправой из зелени. Когда все это было готово, он сел за мой столик, чтобы поужинать вместе со мной. По его настоянию я запил еду большим стаканом кокосового фени местного производства и таким же большим стаканом фени из орехов кешью. Отказавшись принять плату за ужин от горы, говорящего на маратхи, он запер ресторан и вызвался проводить меня до моего мотоцикла. Мои поиски Карлы поразили его воображение как очень романтическое приключение, «очень индийское». Он настоял на том, чтобы я переночевал в его хижине неподалеку.

— Здесь в округе есть несколько красивых иностранок, — сказал он. — Одна из них, если будет на то воля Бхагвана, может оказаться твоей потерянной любовью. Ты сначала поспи, а утром будешь искать ее на свежую голову, не прав ли я?

На малой скорости, отталкиваясь ногами от песка, мы протарахтели по дорожке между пальмами до дома Дашранта. Квадратная хижина была сооружена из бамбуковых шестов, обрезков кокосовой пальмы и пальмовых листьев. От ее дверей был виден ресторан «Приморский» и открывалась панорама черного моря. Войдя в хижину, Дашрант зажег свечи и светильники. Хижина состояла из одной комнаты. Полом служил песок, на котором стояли стол с двумя стульями, кровать с непокрытым надувным матрасом и металлическая вешалка для одежды. Большой глиняный горшок был наполнен чистой водой. Дашрант торжественно объявил, что воду он достал как раз в этот день из местного колодца. На столе стояла бутылка кокосового фени с двумя стаканами. Заверив меня, что мой мотоцикл и я сам будем здесь в целости и сохранности, так как всем известно, что это его дом, Дашрант вручил мне ключ от замка, навешивавшегося на дверь, и предложил оставаться у него, пока я не найду свою девушку. Улыбнувшись и подмигнув мне на прощание, он отправился в свой ресторан. Было слышно, как он распевает, шагая между пальмами.

Я прислонил «энфилд» к стене хижины, привязал к нему веревку и утопил ее в песке, а другой конец веревки зацепил за ножку кровати, рассчитывая, что если кто-нибудь пожелает увести мотоцикл, то прихватит и меня с кроватью. Повалившись на матрас, я тут же заснул. Я крепко проспал без всяких снов четыре часа и пробудился, чувствуя, что слишком взбудоражен для того, чтобы уснуть снова. Надев ботинки, я взял банку с водой и отправился в туалет, находившийся позади хижины. Как обычно в Гоа, туалет представлял собой ямку в песке, от которой по склону спускалась канавка в небольшую ложбину. В ложбине копошились дикие косматые свиньи местной черной породы, питавшиеся отходами человеческой жизнедеятельности. Возвращаясь в хижину, чтобы помыть руки, я слышал, как насытившиеся животные затопали вдоль по ложбине. Это был, безусловно, очень удобный и экологичный способ уничтожения отходов, однако зрелище этого свинства служило убедительным доводом в пользу вегетарианства.

Я прошел до берега моря, плескавшегося в каких-нибудь пятидесяти шагах от хижины Дашранта, сел на песчаном пригорке и закурил. Приближалась полночь, берег был пуст. Луна, практически полная, висела, как медаль, пришпиленная на небесной груди. Но какая именно медаль? Скорее всего, «Пурпурное сердце», за ранение в бою. Лунный свет накатывался волнами на берег, как будто луна набросила серебряную сеть на море и пыталась вытащить улов на песок.

Ко мне приблизилась женщина с корзиной на голове. Ее бедра при ходьбе колыхались в такт волнам, омывавшим ее ноги. Подойдя, она поставила корзину около меня и присела на корточки, заглядывая мне в глаза. Это была торговка арбузами, женщина лет тридцати пяти, явно привыкшая иметь дело с туристами. Энергично пережевывая плод бетельной пальмы, она показала мне ладонью на корзину, где сиротливо лежала половинка арбуза, *калинги*. Обычно торговцы не расхаживают по пляжу в такое время. Возможно, она сидела с каким-нибудь ребенком или ухаживала за больным и теперь возвращалась домой, а тут ей представилась возможность продать остатки товара.

Я сказал ей на маратхи, что буду рад купить дольку арбуза. Она, как все индийцы, была приятно поражена и прежде всего стала выяснять, где и как я научился говорить на этом языке, а затем уже отрезала мне солидный кусок. Я с удовольствием принялся есть арбуз, выплевывая семечки на песок. Женщина наблюдала за мной и отказалась принять купюру вместо запрошенной ею монеты. Она поднялась, пристроив корзину на голове, а я запел старую песню из индийского кинофильма, печальную и горячо любимую в народе:

> *Йе дуния, йе мефил*
> *мере кам, ки нэхи...*
> (Весь мир и все люди в мире
> ничего не значат для меня...)

Женщина в восторге взвизгнула и проделала несколько танцевальных па, прежде чем продолжить свой путь.

— Вот за это я тебя и люблю, — сказала Карла, опустившись на песок рядом со мной одним быстрым грациозным движением.

При звуке ее голоса и при виде ее лица частота и сила моего сердцебиения мгновенно подскочили, а из легких, казалось, разом выкачали весь воздух. Столько всего произошло с тех пор, когда мы виделись в последний раз, когда мы в первый раз занимались любовью, что на меня налетел целый шквал эмоций. Глаза у меня защипало, и, будь я другим, не столь испорченным человеком, я заплакал бы. И как знать, возможно, это было бы как раз то, что нужно.

— Я думал, ты не веришь в любовь, — сказал я, стараясь не выдать своих чувств, не показать ей, что сделало со мной ее появление, какую власть она имеет надо мной.

— Ну, я просто имела в виду, что этим ты мне и нравишься, — засмеялась она, подняв лицо к луне. — А вообще-то, я верю в любовь. Все верят в нее.

— Да? А мне казалось, что кое-кто разуверился в ней.

— Люди не теряют веру в любовь и не перестают желать ее. Они просто не верят больше в счастливый конец. Они верят в любовь и влюбляются, хотя и знают, что... что любовные истории почти никогда не заканчиваются так же хорошо, как начинались.

— Но в Небесной деревне ты, по-моему, сказала, что ненавидишь любовь.

— Да, я ненавижу ее точно так же, как ненавижу ненависть. Но это не значит, что я не верю в них.

— Во всем мире нет другого такого человека, как ты, Карла, — произнес я нежно, с улыбкой глядя на ее профиль, обращенный к ночному морю; она ничего не ответила. — Так почему же?

— Что «почему же»?

— Почему я тебе нравлюсь?

— Ах это... — Она повернулась ко мне, приподняв одну бровь. — Потому что я знала, что ты найдешь меня. Я знала, что мне нет необходимости писать тебе и сообщать, где я нахожусь. Я знала, что ты приедешь. Не знаю, откуда я знала, но знала, и все тут. И вот я услышала, как ты поешь этой женщине... Ты ненормальный, Лин, и вот это я действительно люблю в тебе. Я думаю, что вся доброта, какая есть в тебе, происходит от этой ненормальности.

— Моя доброта? — переспросил я, искренне удивленный.

— Да, в тебе много доброты, Лин. И знаешь... очень трудно устоять против настоящей доброты в крутом человеке. Насколько я помню, я не говорила тебе, как я восхищалась тобой, когда мы работали вместе в трущобах во время холеры. Я знаю, ты очень боялся и беспокоился за меня, но ты ничего не говорил, только улыбался, и ты все время был рядом — когда я просыпалась, когда засыпала. Я восхищаюсь тем, что ты сделал тогда, как мало чем восхищалась в жизни. Я вообще редко восхищаюсь чем-либо.

— А что ты делаешь здесь, Карла? Почему ты уехала из Бомбея?

— По-моему, было бы естественнее спросить, почему ты остаешься там?

— Ну, у меня есть на то причины.

— Вот именно. А у меня были причины, чтобы уехать.

Она повернула голову, всматриваясь в одинокую фигуру, бредущую к нам издали по берегу. Похоже, это был странствующий паломник с длинным посохом. Мне все-таки хотелось допытаться, что заставило ее уехать, но у нее было такое напряженное лицо, что я решил дождаться более благоприятного момента.

— Что именно ты хотела бы знать о моем пребывании на Артур-роуд? — спросил я.

Она вздрогнула при этом вопросе, а может быть, дрожь была вызвана ветром, подувшим с моря. На ней были свободная желтая майка и зеленая набедренная повязка. Она зарылась голыми ступнями в песок и обхватила руками колени.

— Странный вопрос.

— Я хочу сказать, что копы схватили меня в ту ночь сразу после того, как я покинул твой дом, чтобы встретиться с Уллой. Что ты подумала, когда я не вернулся?

— Ну... я просто не знала, что думать.

— Ты не подумала, что я решил бросить тебя?

Она нахмурилась, вспоминая.

— Да, сначала подумала что-то подобное и рассвирепела. Но когда выяснилось, что ты не вернулся в трущобы, в свою «клинику», и что никто не знает, где ты, я решила, что ты... ну... занимаешься каким-то важным делом.

— Важным делом! — рассмеялся я горько и сердито. Я постарался прогнать эти чувства. — Прости, Карла. Я не мог послать оттуда весть ни тебе, ни кому-либо еще. Я сходил с ума, думая, что ты решила, будто я... просто бросил тебя.

— Когда я узнала правду — что ты в тюрьме, — я была в отчаянии... Это вообще был очень тяжелый период в моей жизни. В этом... деле, которым я занималась... все пошло вкривь и вкось... так неправильно, Лин, так ужасно, что я, наверное, никогда не оправлюсь от этого. А затем я узнала про тебя. И все сразу... переменилось в моей жизни, коренным образом переменилось.

Я хотел попросить ее объясниться толком, потому что это, несомненно, было очень важно, но к нам медленно, с чувством собственного достоинства приблизился странник. Момент был упущен.

Странник действительно оказался *садху*, святым человеком. Он был высоким, худым и загорелым почти до земляной черноты. На нем была набедренная повязка и множество ожерелий, амулетов и браслетов, космы спутанных волос свисали до пояса. Пристроив посох на плече, он приветственно сложил руки. Мы приветствовали его ответным жестом и пригласили сесть рядом с нами.

— У вас нет чараса? — спросил он на хинди. — В такую прекрасную ночь было бы приятно покурить.

Я вытащил из кармана кусочек спрессованного чараса и протянул ему вместе с сигаретой.

— Да благословит Бхагван вашу доброту, — нараспев отозвался он.

— Пусть и вас благословит Бхагван, — ответила ему Карла на безупречном хинди. — Мы очень рады видеть преданного служителя Шивы при полной луне.

Он ухмыльнулся, обнажив зубы с широкими промежутками, и стал готовить чиллум. Когда глиняная трубка была набита, он приподнял ладони, чтобы привлечь наше внимание:

— Прежде чем мы закурим, я хочу сделать вам ответный дар. Вы понимаете меня?

— Да, мы понимаем, — улыбнулся я.

— Хорошо. Я дам вам обоим благословение. Мое благословение останется с вами навсегда. Я благословлю вас следующим образом.

Он вытянул руки над головой и, держа их в таком положении, встал на колени и коснулся лбом песка. Затем выпрямился и опять наклонился. Он повторил поклоны несколько раз, бормоча при этом что-то неразборчивое.

В конце концов он сел на корточки, беззубо улыбнулся нам и сделал мне знак разжечь чиллум. В молчании мы выкурили трубку до конца, после чего старик хотел отдать мне остатки чараса, но я не взял их у него. Торжественно склонив в знак благодарности голову, садху поднялся на ноги и указал нам посохом на луну. Мы сразу поняли, что он имеет в виду: туманности на поверхности луны сложились в рисунок, похожий на коленопреклоненного человека с поднятыми в молитве руками. У некоторых народов этот рисунок называют «кроликом». Радостно захихикав, паломник двинулся своим путем по песчаным дюнам.

— Я люблю тебя, Карла, — сказал я, когда мы остались одни. — Я люблю тебя с той самой секунды, когда впервые увидел тебя. Мне кажется, я всегда любил тебя — столько, сколько существует на свете любовь. Я люблю твой голос. Я люблю твое лицо. Я люблю твои руки. Я люблю все, что ты делаешь, и то, как ты это делаешь. Когда ты прикасаешься ко мне, мне кажется, что это волшебная палочка. Я люблю следить за тем, как ты думаешь, и слушать то, что ты говоришь. Я чувствую все это, но не понимаю и не могу объяснить — ни тебе, ни себе. Я просто люблю тебя, люблю всем сердцем. Ты выполняешь миссию Бога: придаешь смысл моей жизни. И потому мне есть за что любить этот мир.

Она поцеловала меня, и мы опустились на податливый песок. Сцепив пальцы и вытянув руки над головой, мы занимались любовью, в то время как луна, покорив море своими молитвами, заставляла его гнать на сушу волны, разбивающиеся о береговую твердь.

Целую неделю мы изображали туристов на отдыхе. Мы побывали во всех приморских городишках Гоа, от Чапоры до Кейп-Рамы. Две ночи мы провели на пляже в Колве, настоящем чуде из «белого золота». Мы посетили все церкви в Старом Гоа. В день смерти святого Франциска Ксавьера мы смешались с необозримыми толпами вопящих, ликующих пилигримов. Улицы были переполнены людьми в лучшей выходной одежде. Лоточники и прочие торговцы съехались сюда со всего штата. Процессии слепых, хромых и увечных людей тянулись к базилике Святого Ксавьера, надеясь на чудо. Ксавьер был испанским монахом, одним из семи сподвижников Игнатия Лойолы, основавшего орден иезуитов. Он умер в 1552 году, когда ему было всего сорок шесть лет, но успел с блеском обратить в свою веру такое количество народа в Индии и на побережье Тихого океана, называемом ныне Дальним Востоком, что легенды о его подвигах ходят до сих пор. После нескольких перезахоронений он в начале семнадцатого века нашел наконец пристанище в базилике Бом-Иисуса[1] в Старом Гоа, где и покоится до сих пор. При этом его неоднократно эксгумированное тело сохранилось самым удивительным — некоторые скажут, чудесным — образом и раз в десять лет выставляется на всеобщее обозрение. Такое впечатление, что распад его не берет, однако в течение столетий тело не раз подвергалось членовредительству и кое-каким ампутациям. В шестнадцатом веке женщина в Португалии откусила большой палец ноги с целью сохранить его как амулет, приносящий счастье. Отдельные части правой руки, как и куски кишечника, были посланы в качестве святых мощей в различные религиозные центры. Мы с Карлой для смеха предлагали смотрителям базилики неслыханную сумму за право тоже отщипнуть кусочек святой плоти, но получили категорический отказ.

— Почему ты решил заниматься грабежом? — спросила она меня в одну из теплых ночей, когда небо растянуло над нами свои шелка, а в ушах звучал сладкозвучный рокот прибоя.

— Я же говорил тебе. Моя семейная жизнь полетела кувырком, мне запретили видеть дочь. Я тоже сошел с катушек и пристрастился к наркотикам. Мне нужны были деньги, чтобы удовлетворять эту страсть.

— Нет, я имею в виду, почему ты выбрал именно грабеж, а не какой-нибудь другой способ добывания денег?

Это был законный вопрос, который не пришел в голову никому из законников — ни полицейским с судьями, ни адвокатам с психиатрами, ни тюремным властям.

— Я и сам не раз думал об этом. Я знаю, это звучит странно, но мне кажется, что немалую роль тут сыграло телевидение. Почти у всех героев экрана была в руках пушка. И потом, вооруженный грабеж казался мне... мужественным занятием. Я понимаю, конечно, что не надо большой смелости, чтобы пугать пистолетом безоружных людей, но тогда это виделось мне как самый дерзкий вид воровства. Я не мог бы стукнуть старушку по голове и выхватить у нее сумочку или ворваться в чужой дом. Вооруженное ограбление представлялось мне более справедливым — всегда был риск, что меня застрелит тот, кого я граблю, или какой-нибудь коп.

Она молча смотрела на меня, дыша почти в унисон.

— И еще... В Австралии у молодежи был один кумир...

— Да?

— Его звали Нед Келли. Он был не в ладах с законом. Крутой парень, но по натуре не злой. Просто молодой и строптивый. По кривой дорожке он пошел во многом из-за копов, у которых

---

[1] *Бом-Иисус* («добрый, святой Иисус») — прозвище Младенца Христа.

был зуб на него. Однажды пьяный полицейский стал приставать к его сестренке, и Нед вступился за нее. С этого и начались его злоключения. Но дело было не только в этом. Копы ненавидели его по многим причинам — главным образом потому, что в нем бурлил непокорный дух. Я был целиком на его стороне, потому что я принадлежал к революционерам.

— А что, в Австралии была революция? — удивленно рассмеялась она. — Я никогда ни о чем таком не слышала.

— Революции не было, но революционеры были. И я был одним из них. Я входил в анархистскую организацию. Научился стрелять и изготавливать бомбы. Мы были готовы драться, когда начнется революция. Но она так и не началась. И еще мы выступали против участия Австралии во Вьетнамской войне.

— Разве Австралия участвовала в ней?

Тут уже рассмеялся я:

— Да. За пределами страны мало кто об этом знает, но мы все время поддерживали США. Австралийские солдаты погибали во Вьетнаме вместе с американскими. Правительство посылало молодых людей на войну. Некоторые отказывались воевать, и их сажали в тюрьму, точно так же как в Америке. Меня тогда не посадили. Я делал бомбы, организовывал марши протеста, дрался с копами на баррикадах. Наконец у нас сменилось правительство, и Австралия вышла из войны.

— И ты по-прежнему анархист?

Мне нелегко было ответить на этот вопрос, оценить, насколько я изменился с тех пор.

— Анархисты... — начал я неуверенно, — понимаешь, они ставят человека выше, чем другие политические учения. Все они утверждают, что людьми надо командовать, организовывать их и направлять. И только анархисты полностью доверяют человеку и предоставляют ему право выбирать свой путь самому. Я тоже разделял тогда эти взгляды, глядел на человеческую природу с оптимизмом. Но теперь не вполне разделяю. Так что нет, пожалуй, я больше не анархист.

— А когда ты занимался грабежом, ты отождествлял себя с этим кумиром, Недом Келли?

— Да, думаю, отождествлял. Он сколотил маленький отряд, в который входили два его лучших друга и младший брат. Они совершали налеты, вооруженные ограбления. Полиция послала против них группу захвата, но Нед с товарищами отстреливались и убили двух копов.

— И что с ним было дальше?

— Его поймали. Правительство объявило ему настоящую войну. Против него выслали целую армию полицейских, они окружили его отряд в одной гостинице в буше, завязалась перестрелка.

— Гостиница в *буше*?[1]

— Бушем в Австралии называют всю сельскую местность. Короче, Неда Келли и его товарищей окружила армия полицейских. Его лучший друг был убит пулей в горло. Младший брат Неда и еще один парень, Стив Харт, застрелили друг друга, чтобы не попасть в руки к копам. Им было по девятнадцать лет. У Неда был стальной бронежилет и шлем на голове. Он вышел навстречу полицейским, стреляя из двух пистолетов сразу. И они испугались и побежали от него, но офицер вернул их обратно. В конце концов они прострелили ему обе ноги. Был сфабрикован процесс, где свидетелей заставили давать ложные показания, и Нед был приговорен к смертной казни.

— И его казнили?

— Да. Его последние слова были: «Такова жизнь». Его повесили, а затем отрубили ему голову, и полицейские использовали ее в качестве пресс-папье. Перед смертью он сказал судье, приговорившему его, что они скоро встретятся на высшем суде. И вскоре судья действительно умер.

Карла внимательно следила за моим лицом, пока я рассказывал эту историю. Я зачерпнул горсть песка и просыпал его между пальцами. Две большие летучие мыши пролетели над нашими головами. Они летели так низко, что было слышно шуршание крыльев.

— Я был с детства увлечен историей Неда Келли, и не я один. Многие художники, писатели, музыканты и актеры так или иначе разрабатывали эту тему. Он поселился у нас в душе, в сознании австралийцев. Он был для нас кем-то вроде Че Гевары или Эмилиано Сапаты. Когда мозг у меня был затуманен героином, в нем бродили фантазии, в которых моя жизнь смешивалась с жизнью Неда. Но на самом деле между нами была существенная разница. Он был вором и стал революционером, я был революционером, а стал вором. Всякий раз, когда я шел на дело, я был уверен, что напорюсь на копов и они убьют меня. Я *надеялся* на это. Я разыгрывал эту сцену в воображении. Я представлял себе, как они окликают меня, приказывая остановиться, я в ответ достаю пушку и меня убивают. Я надеялся, что копы застрелят меня на улице. Я хотел погибнуть именно так...

Она обняла меня за плечи, а другой рукой взяла за подбородок и повернула лицом к себе. Она улыбалась.

— А какие в Австралии женщины? — спросила она, проведя рукой по моим волосам.

Я засмеялся, и она пихнула меня в бок:

— Ну скажи! Мне интересно.

---

[1] Bush (*англ.*) — куст, кустарник.

— Ну, какие... Красивые, — ответил я, глядя в ее прекрасное лицо. — В Австралии очень много красивых женщин. Они любят поболтать, любят сборища и свободную жизнь. И они очень откровенны, терпеть не могут всякую брехню. Никто не умеет так укоротить тебе хвост, как австралийская женщина.

— Укоротить хвост?

— Сбить с тебя спесь, вернуть тебя на землю, если ты раздуваешься оттого, что тебя переполняют фантазии относительно себя самого. И когда они втыкают в тебя булавку, выпуская лишний пар, можешь быть уверен, что напросился на это.

Карла легла на спину, сложив руки под головой.

— Я думаю, в Австралии шальной народ. Мне очень хотелось бы побывать там.

И все могло бы всегда быть так же прекрасно, так же легко и безоблачно, как в те дни и ночи любви в Гоа. Мы могли бы построить свою жизнь из звезд, моря и песка. Мне надо было внимательнее слушать ее — она почти ничего не рассказывала о себе, однако в ее словах содержались намеки, предупредительные сигналы, такие же ясные, как созвездия у нас над головой. Но я не прислушивался к ним. Когда мы любим женщину, то часто не вникаем в то, что она говорит, а просто упиваемся тем, *как* она это делает. Я любил ее глаза, но не сумел прочитать то, что в них было написано. Я любил ее голос, но не расслышал в нем страха и страдания.

И вот наступили последняя ночь и последнее утро. Я проснулся на рассвете, чтобы собраться в обратный путь. Карла стояла в дверях, глядя на бескрайнюю мерцающую жемчужину моря.

— Не уезжай, — сказала она, когда я положил руки ей на плечи и поцеловал в шею.

— Что-что? — рассмеялся я.

— Не возвращайся в Бомбей.

— Почему?

— Я не хочу, чтобы ты возвращался туда.

— Что это значит?

— Только то и значит, что я сказала: я не хочу, чтобы ты уезжал.

Я засмеялся, полагая, что она шутит.

— Хорошо, — улыбнулся я, ожидая продолжения шутки. — И почему же ты не хочешь, чтобы я уезжал?

— А что, обязательно должна быть какая-то конкретная причина?

— Ну... в общем, да.

— На самом деле у меня есть причины, но я тебе не скажу.

— Почему?

— Потому что я считаю, что в этом нет необходимости. Когда я тебе говорю, что причины есть, этого тебе должно быть вполне достаточно — если ты действительно любишь меня, как уверял.

Она говорила с такой горячностью и неожиданной непреклонностью, что я был слишком удивлен, чтобы возмущаться.

— Подожди, — пытался я урезонить ее. — Давай спокойно разберемся. Мне действительно надо вернуться в Бомбей. Почему бы тебе не вернуться тоже, и мы будем вместе на веки вечные.

— Я не вернусь в Бомбей, — отрезала она.

— Но почему, черт побери?

— Я не могу. И не хочу. И не хочу, чтобы ты возвращался.

— Ну ладно, тогда давай так. Я поеду в Бомбей, чтобы сделать то, что я должен сделать, а ты подождешь меня здесь. Когда я закончу дела, я приеду к тебе.

— Я не хочу, чтобы ты ездил туда, — повторила она монотонно.

— Карла, ну будь разумной. Мне надо ехать.

— Нет, не надо.

Я нахмурился:

— Надо, Карла. Я обещал Улле, что вернусь через десять дней. У нее какие-то проблемы, ты же знаешь.

— Ничего с Уллой не случится. Она справится со своими проблемами сама, — бросила она, не глядя на меня.

— Ты что, ревнуешь меня к Улле? — пошутил я и хотел погладить ее волосы, но она резко повернулась ко мне, глаза ее метали молнии.

— Не говори глупостей! Я люблю Уллу, но, повторяю, ничего с ней не случится.

— Успокойся... И вообще, я не понимаю, что за дела? Ты же с самого начала знала, что мне надо будет вернуться, мы говорили об этом. Я собираюсь заняться паспортным бизнесом. Ты знаешь, как это важно для меня.

— Я достану тебе паспорт. Я достану тебе пять паспортов!

Тут уже во мне проснулось упрямство.

— Мне не надо, чтобы ты доставала мне паспорт. Я хочу научиться изготавливать их самостоятельно. Я хочу как следует изучить это дело — как подправлять паспорта, как подделывать. Если я научусь этому, я буду свободен. Я хочу быть свободным, Карла. Свободным.

— Почему ты думаешь, что у тебя должно быть не так, как у других?

— Что ты имеешь в виду?

— Никто никогда не получает того, что хочет, — ответила она. — Никто.

На смену ее ярости пришло нечто худшее, чего я в ней никогда не видел: глубокая печаль человека, смирившегося с поражением. Я понимал, что мужчина не имеет права пробуждать подобное чувство в женщине, тем более такой, как она, и знал, что рано или поздно мне придется заплатить за это.

Я проговорил медленно и мягко, пытаясь убедить ее:

— Я временно устроил Уллу у своего друга Абдуллы, который присматривает за ней. Но он не может присматривать за ней вечно. Мне надо найти для нее другое пристанище.

— Если ты уедешь и вернешься сюда, то не застанешь меня, — заявила она, прислонившись к дверному косяку.

— Как это понимать? Это что, угроза, ультиматум?

— Понимай это как хочешь, — ответила она обреченно, словно вернувшись из счастливого сна к действительности. — Прими это как факт. Если ты уедешь в Бомбей, между нами все кончено. Я не поеду с тобой и не буду ждать тебя. Выбирай сам. Оставайся со мной здесь, сейчас — или, если уедешь, мы прощаемся навсегда.

Я глядел на нее, озадаченный, рассерженный и влюбленный.

— Нельзя же просто высказать мне все это и этим ограничиться, — продолжал я мягко увещевать ее. — Ты должна объяснить мне почему. Ты должна поговорить со мной по-человечески, а не предъявлять ультиматум, ничего не объясняя, и ждать, что я слепо подчинюсь. Между выбором и подчинением ультиматуму есть существенная разница: когда ты сам делаешь выбор, ты знаешь, что происходит и почему. Я не тот человек, Карла, чтобы предъявлять мне ультиматумы. Если бы я был таким, я не сбежал бы из тюрьмы. Ты не можешь распоряжаться мной, приказывать мне делать то-то и то-то, не давая объяснений. Я не такой человек. Ты должна объяснить мне, в чем дело.

— Я не могу.

Я вздохнул и сжал зубы, но проговорил ровным тоном:

— Наверное, я недостаточно убедительно изъясняюсь... Дело в том, что во мне осталось не так уж много такого, что я могу уважать. Но то, что осталось, — это все, что у меня есть. Человек не сможет уважать других, если не уважает себя самого. Если я просто подчинюсь тебе, не понимая, почему я так поступаю, я перестану уважать себя. И ты тоже не будешь меня уважать, согласись. Поэтому я спрашиваю еще раз: в чем дело?

— Я... не могу!

— Точнее, не хочешь.

— Не могу, — ответила она мягко и посмотрела мне в глаза. — И не хочу. Ты говорил совсем недавно, что готов сделать ради меня все, что угодно. Вот я и прошу тебя не ездить в Бомбей, а остаться здесь. Если ты уедешь, это конец.

— Что за человек я был бы, если бы послушался тебя? — произнес я, пытаясь улыбнуться.

— Полагаю, это твой ответ. Ты сделал свой выбор, — вздохнула она, выходя из хижины.

Я уложил свою сумку и пристроил ее на мотоцикле. Покончив с этим, я спустился к морю. Она вышла из воды и направилась ко мне, увязая в песке. Майка и набедренная повязка плотно облепляли ее. Мокрые черные волосы мерцали под висящим в вышине солнцем. Самая красивая женщина в мире.

— Я люблю тебя, — сказал я, когда она прильнула ко мне. Я крепко сжимал ее в объятиях и говорил в ее губы, ее лицо, ее глаза: — Я люблю тебя. Все будет хорошо, вот увидишь. Я скоро вернусь.

— Нет, — ответила она без всякого выражения. Тело ее было не напряжено, но совершенно бездвижно, словно жизнь и любовь покинули ее. — Не будет ничего хорошего. Все кончено. Завтра я уезжаю отсюда.

Я посмотрел в ее глаза и почувствовал, как мое собственное тело деревенеет; во мне образовалась пустота, не осталось никаких чувств, одна гордость. Руки мои упали с ее плеч. Я повернулся и пошел к мотоциклу. Доехав до последнего пригорка, с которого было видно наш пляж, я остановился и обернулся, закрыв глаза рукой от солнца. Пляж был пуст. Не было ничего, кроме смятых песчаных простынь и горбатых гребешков волн, которые накатывали на берег, как играющие в воде дельфины.

ГЛАВА 25

Улыбающийся слуга открыл мне дверь и провел в комнату, приложив палец ко рту. Жест был совершенно излишен, поскольку музыка так грохотала, что меня не услышали бы, даже если бы я кричал. Слуга жестами предложил мне чай, изобразив, что пьет из блюдца. Я кивнул. Он тихо закрыл за собой дверь, оставив меня наедине с Абдулом Гани. Его дородная фигура вырисовывалась на фоне большого окна в эркере, сквозь которое были видны сады на крышах соседних домов, ржаво-красные селедочные скелеты других крыш и желто-зеленые пятна сари, сохнувших на балконах.

Комната была громадной. В недосягаемой вышине посреди нарядных лепных розеток висели на цепях три люстры замысловатой конфигурации. В противоположном конце комнаты, недалеко от парадных дверей, стоял длинный обеденный стол, окруженный двенадцатью тиковыми стульями с высокими спинками.

За столом вдоль стены тянулся комод красного дерева, над ним висело необъятных размеров зеркало розового оттенка. Дальше всю стену занимали высившиеся до потолка книжные стеллажи. В противоположной продольной стене имелось четыре высоких окна, за которыми виднелись верхушки платанов, чьи широкие листья затеняли улицу, погружая ее в прохладу. В центре комнаты, между стеной с книгами и высокими окнами, было устроено нечто вроде кабинета. За широким столом в стиле барокко лицом к главному входу стояло обитое кожей капитанское кресло. Дальний угол был отведен для отдыха: там находились большой мягкий диван и несколько глубоких кресел. Солнце заливало комнату через два огромных французских окна в эркерах. Окна выходили на широкий балкон, с которого открывался вид на дома Колабы с садами, веревками с сушившимся бельем и приевшимися всем горгульями.

Абдул Гани стоял, слушая музыку, лившуюся из дорогой стереосистемы, встроенной в стену с книгами. Это была песня, и голоса звучали знакомо. Сосредоточившись, я вспомнил: Слепые певцы, которых я слушал в ту ночь, когда познакомился с Кадербхаем, — правда, эту песню они тогда не исполняли. Страсть и вдохновение, с какими они пели, производили сильное впечатление. Когда волнующее, переворачивающее душу пение закончилось, в комнате осталась пульсирующая тишина, и казалось, в ней не было места никаким посторонним звукам ни из дома, ни с улицы.

— Ты знаешь их? — спросил он, не оборачиваясь ко мне.

— Слепые певцы, если не ошибаюсь.

— Да, они, — подтвердил Абдул. Его произношение диктора Би-би-си, окрашенное индийской мелодичностью, нравилось мне все больше. — Я очень люблю их пение, Лин, — больше, чем какие-либо иные песни разных народов из тех, что я слышал. Но, должен признаться, в глубине моей любви к ним прячется страх. Каждый раз, когда я слушаю их — а я делаю это ежедневно, — у меня возникает ощущение, что это реквием по мне.

Он по-прежнему стоял, отвернувшись от меня. Я ждал посреди комнаты.

— Да-а, это, наверно... тревожное чувство.

— Тревожное... — повторил он тихо. — Вот именно, тревожное. Скажи, Лин, как по-твоему, может ли гениальное творение оправдать сотни провинностей и ошибок, совершенных при его создании?

— Ну... трудно сказать. Смотря что вы имеете в виду... Но в общем, мне кажется, это зависит от того, сколько людей получит от этого пользу и сколько пострадает.

Он наконец повернулся ко мне, и я увидел, что он плачет. Слезы одна за другой катились из его больших глаз по пухлым щекам, стекая на длинную шелковую рубаху. Но голос его был ровным и спокойным:

— Ты знаешь, что сегодня ночью убили Маджида?

— Нет... — потрясенно ответил я. — Убили?

— Да, убили, прирезали, как какое-нибудь животное, прямо у него дома. Тело расчленили на множество кусков и разбросали по всей квартире. На стене было написано «Сапна» — его кровью. Все та же старая история. Прости мне мои слезы, Лин. Это ужасная новость так подействовала на меня.

— Да что тут прощать... Наверное, я лучше приду в другой раз.

— Нет-нет. Кадер хочет, чтобы ты как можно скорее приступил к делу. Мы с тобой выпьем чая, я возьму себя в руки, и мы обсудим наши паспортные дела.

Подойдя к стереосистеме, он вытащил кассету с записью Слепых певцов, положил ее в позолоченную пластмассовую коробочку и протянул мне.

— Возьми это от меня в подарок, — сказал он. Его глаза и щеки были еще мокры от слез. — Я уже достаточно наслушался их, а ты, я уверен, получишь от этих песен удовольствие.

— Спасибо, — пробормотал я растерянно, почти так же выбитый из колеи его подарком, как и известием об убийстве Маджида.

— Не за что. Садись рядом со мной. Ты, кажется, был в Гоа? Ты знаешь нашего молодого друга Эндрю Феррейру? Да? Он ведь родом оттуда. Я его часто посылаю в Гоа на задания вместе с Салманом и Санджаем. Тебе тоже надо будет как-нибудь поехать вместе с ними — они покажут тебе то, чего не видят обычные туристы, — ну, ты понимаешь... Расскажи, как ты провел там время.

Я рассказывал ему, но мне мешали сосредоточиться мысли о Маджиде. Не могу сказать, что он мне нравился, я даже не очень ему доверял, но его смерть, вернее, его убийство потрясло меня и привело в какое-то странное возбуждение. Его убили — *прирезали*, как выразился Абдул, — в том самом доме в Джуху, где он обучал меня основам контрабандного бизнеса. Я вспомнил вид на море из окна, бассейн, выложенный багровыми плитками, пустую комнату в бледно-зеленых тонах, где Маджид молился пять раз каждый день, преклонив свои старческие колени и касаясь пола кустистыми седыми бровями. Я вспомнил, как сидел возле этой комнаты, когда он делал перерыв на молитву. Я глядел на багровую воду, слушая, как среди пальмовых ветвей вокруг бассейна жужжат невнятные звуки его обращения к Богу.

И опять у меня возникло ощущение, что я в ловушке, во власти судьбы, не зависящей от моих собственных решений и поступков. Словно сами звезды, образовав какую-то гигантскую клетку, в которую я был заключен, вращались и перестраивались непостижимым для меня образом в ожидании решительного момента, уготовленного мне судьбой. Я слишком многого не понимал из того, что происходило вокруг. Слишком много было такого, о чем я не решался спросить. Все эти загадочные обстоятельства и события не давали мне покоя. Я ощущал нависшую надо мной угрозу, запах опасности. Это пугающее и опьяняющее предчувствие настолько переполняло меня, что лишь через час, когда мы с Абдулом Гани прошли в его мастерскую по изготовлению паспортов, я смог полностью сосредоточиться на деле, ради которого пришел.

— Познакомься, это Кришна и Виллу, — представил мне Абдул двух смуглых, невысоких и худощавых работников, так похожих друг на друга, что я подумал, не братья ли они. — В этом бизнесе трудится немало мужчин и женщин, чей глаз улавливает мельчайшие детали, а рука действует с уверенной точностью хирурга, но мой десятилетний опыт работы с поддельными документами убеждает меня, что никто не сравнится в этом искусстве с уроженцами Шри-Ланки, каковыми являются Кришна и Виллу.

При этом комплименте оба шриланкийца широко улыбнулись, обнажив безупречный ряд белых зубов. Они были красивы, с очень тонкими чертами лица, гармонировавшими с плавными очертаниями их тел. Гани повел меня осматривать помещение, а Кришна и Виллу вернулись к своей работе.

— Это наша смотровая камера, — указал Гани пухлой рукой на длинный стол с крышкой из матового стекла. Под стеклом было помещено несколько мощных ламп. — Лучше всех с ней управляется Кришна. Изучая страницы подлинных паспортов, он отыскивает на них водяные знаки и прочую замаскированную филигрань, чтобы воспроизвести их, когда нам это нужно.

Я наблюдал за Кришной, рассматривавшим страницу британского паспорта, целиком покрытую сложным рисунком из извилистых линий. Рядом лежал паспорт с другой фотографией, и Кришна острым пером чертил на нем линии, повторяющие оригинал. Наложив на стекло обе страницы одна на другую, он проверил их идентичность.

— А Виллу — непревзойденный мастер по штампам и печатям, — продолжал Гани, подводя меня еще к одному столу.

Полка рядом со столом была уставлена рядами резиновых штемпелей.

— Виллу может подделать любую печать, каким бы сложным ни был ее рисунок, — на визах, разрешениях на въезд и выезд, специальных удостоверениях. У него есть три станка новейшего образца для профильной резки. Я потратил на них целое состояние — мы импортировали их из Германии и уплатили таможенникам почти столько же, сколько стоят сами станки. Но зато доставили их сюда без лишних вопросов. Однако Виллу настоящий виртуоз в своем деле и часто предпочитает делать штемпели вручную, пренебрегая моими станками.

Я понаблюдал за тем, как Виллу изготавливает штемпель из гладкой резиновой заготовки. Образцом ему служила увеличенная фотография печати, которую ставят в афинском аэропорту при выезде из страны. Работал он скальпелем и ювелирными пилочками. Когда штемпель был закончен, он делал оттиск и проверял точность воспроизведения. Обнаружив какие-либо несовпадения, он вносил поправки. После этого Виллу обрывком наждачной бумаги стер рисунок с одного из краев, и отпечаток стал выглядеть как подлинный. Новый штемпель присоединился к другим, ожидавшим момента, когда можно будет оставить свой отпечаток на поддельном паспорте.

В заключение Абдул Гани продемонстрировал мне компьютеры, фотокопировальные устройства, печатные станки, станки для профильной резки и запасы специальной пергаментной бумаги и чернил. Показав все, что мне требовалось знать на первый случай, Абдул предложил подвезти меня до Колабы, но я попросил разрешения остаться, чтобы поближе ознакомиться с работой Кришны и Виллу. Мой познавательный пыл приятно поразил Абдула — а может, и позабавил. Уходя, он тяжело вздохнул, — очевидно, горечь утраты вновь завладела его мыслями.

Мы с Кришной и Виллу напились чая и проговорили три часа без перерыва. Они не были братьями, но оба были тамилами и выросли в одной деревне на шри-ланкийском полуострове Джафна. Конфликт между «тамильскими тиграми», выступавшими за образование независимого государства Тамил-Илам, и правительственными войсками Шри-Ланки стер с лица земли их деревню. Почти все их родные погибли. Молодым людям вместе с сестрой и двоюродным братом Виллу, родителями Кришны и двумя его маленькими племянницами удалось спастись на рыбацком судне, перевозившем беженцев из Джафны на Коромандельский берег[1]. Оттуда они перебрались в Бомбей, где поселились прямо на улице под пластмассовым навесом.

Первый год они просуществовали благодаря случайным заработкам и мелкому воровству. Но однажды их сосед по тротуару, узнав, что Кришна и Виллу умеют читать и писать по-английски, попросил их внести кое-какие изменения в патентный документ. Они сделали это настолько удачно, что с тех пор под их пластмассовой крышей стали все чаще появляться заказчики. Прослышав об их талантах, Абдул Гани уговорил Кадербхая пригласить их на испытание. Спустя два года, когда я встретил их, они жили вместе со всеми своими родственниками в большой комфортабельной квартире, скопили немалую сумму и, как утверждали не-

---

[1] *Коромандельский берег* — восточное побережье полуострова Индостан.

которые, были двумя лучшими изготовителями поддельных документов в Бомбее, главном индийском центре этого ремесла.

Мне не терпелось узнать как можно больше. Меня привлекали мобильность и безопасность, которые давало это занятие. Мой энтузиазм подстегивал свойственную Кришне и Виллу доброжелательность; наш деловой разговор часто перемежался шутками. Это было неплохое начало, которое могло перерасти в дружбу.

Всю следующую неделю я ежедневно заходил к Кришне и Виллу. Молодые люди работали допоздна, и однажды я задержался у них часов на десять, вникая в производственный процесс и задав несколько сотен вопросов. Паспорта, с которыми они имели дело, были двух видов: подлинные, имевшие ранее владельцев, и чистые, никем не использовавшиеся. Первые были добыты карманниками, утеряны туристами или проданы наркоманами, прибывавшими из Европы, Африки, Америки и Океании. Чистые паспорта встречались реже, их можно было достать только одним способом — подкупив сотрудника посольства, консульства или иммиграционного ведомства, находившегося где-либо между Францией и Турцией или Турцией и Китаем. Паспорт, оказавшийся в зоне действия агентов Кадербхая, покупался немедленно за любую сумму и передавался Кришне и Виллу. Они показали мне такой незаполненный паспорт, прибывший из Канады. Он хранился в несгораемом шкафу вместе с аналогичными документами из Англии, Германии, Португалии и Венесуэлы.

Благодаря своему опыту, терпению и хорошему техническому оснащению Кришна и Виллу могли подделать в паспорте практически все, что требовалось заказчику. Они меняли фотографии, воспроизводя все выпуклости и углубления, оставленные штемпелем. Иногда паспорт расшнуровывался и заменялись целые страницы. Печати, даты и прочие сведения удалялись с помощью химических растворителей или изменялись. Новые данные заносились строго определенной печатной краской, выбиравшейся по полному международному каталогу. Рядовые сотрудники полиции или таможни ни разу не подвергли сомнению подлинность документов, изготовленных Кришной и Виллу; зачастую они вводили в заблуждение даже экспертов.

На той же неделе я нашел новую квартиру для Уллы в районе Тардео, недалеко от мечети Хаджи Али. Лиза Картер, навещавшая Уллу в квартире Абдуллы почти ежедневно, в особенности когда Абдулла был дома, согласилась поселиться вместе с ней. Наняв небольшой караван такси, мы перевезли их на новое место жительства. Женщины ладили друг с другом прекрасно. Обе они пили водку, играли в скребл или кункен, напропалую жульничая, с удовольствием смотрели одни и те же видеофильмы и обменивались одеждой. Кроме того, в течение недели, проведенной на кухне Абдуллы с удивительно богатым ассортиментом продуктов, каждая из них убедилась, что ей нравятся блюда, приготовленные другой. Новая квартира символизировала для них обеих начало новой жизни, и, хотя Улла все же побаивалась Маурицио с его аферами, в целом они были счастливы и полны оптимизма.

Я продолжал заниматься карате и качать железо с Абдуллой, Салманом и Санджаем. Мы набирались сил, были ловки и проворны. В ходе тренировок мы все больше сближались с Абдуллой, становясь такими же друзьями и братьями, как и Салман с Санджаем. Это была близость, не требовавшая долгих разговоров. Часто мы встречались, шли в спортзал, тягали гири, боролись друг с другом и лупили друг друга по физиономии, не произнеся за все это время и десятка слов. Иногда достаточно было взглянуть в глаза или лицо другому, чтобы понять шутку и залиться смехом. И в этом общении без слов мое сердце постепенно открылось навстречу Абдулле, и я полюбил его.

Вернувшись из Гоа, я встречался с Казимом Али, Джонни Сигаром и некоторыми другими жителями трущоб, а с Прабакером мы виделись почти ежедневно, когда он разъезжал в своем такси. Но в паспортной мастерской Гани было столько интересного, эта работа так увлекла меня и отнимала столько времени, что я совсем перестал принимать больных в маленькой «клинике», которую я организовал когда-то в своей хижине.

Однажды, зайдя в трущобы после длительного отсутствия, я с удивлением увидел Прабакера, извивающегося в конвульсиях под одну из популярных песен, которую исполнял трущобный оркестр. Прабакер был в своей шоферской форме, состоявшей из рубашки хаки и белых брюк; на шее у него был пурпурный шарф, на ногах сандалии. Он не заметил моего приближения, и я молча понаблюдал за ним какое-то время. В его танце откровенно непристойные, вызывающие вихляния бедрами удивительным образом сочетались с невинным выражением лица и по-детски беспомощными взмахами рук. Он с клоунским обаянием подносил открытые ладони к улыбающейся физиономии, а в следующий миг с решительной гримасой тыкал в зрителя своими гениталиями. На одном из виражей Прабакер увидел меня и, расплывшись в своей необъятной улыбке, подскочил ко мне.

— О Лин! — воскликнул он, накинувшись на меня и прижав голову к моей груди. — У меня есть для тебя новость. Настоящая фантастическая новость! Я искал тебя во всех местах, в отелях с голыми леди, в барах с жуликами и дельцами, в грязных закоулках, в...

— Я понял, Прабу, — прервал я его. — Что за новость?

— Я собираюсь жениться! Мы с Парвати устраиваем женитьбу! Можешь ты этому поверить?

— Безусловно могу. Прими мои поздравления. А здесь, как я понял, ты репетируешь свадебное празднество?

— О да! — подтвердил он, ткнув несколько раз бедрами в мою сторону. — Я хочу, чтобы у всех гостей были очень сексуальные танцы. Как ты считаешь, этот танец достаточно хорошо сексуален?

— М-да, он сексуален, это точно. Как дела здесь, в джхопадпатти?

— Очень замечательно! Никаких проблем. О Лин, я забыл! Джонни Сигар тоже собирается жениться! Он женится на Сите, сестре моей прекрасной Парвати.

— А где он? Я хотел бы увидеться с ним.

— Он на берегу моря — ну, знаешь, в том месте, где он сидит на скалах, чтобы быть одиноким. Ты тоже любишь одиночество в этом месте. Ты найдешь его там.

Я направился к морю. Обернувшись, я увидел, как Прабакер дает указания оркестрантам своими бедрами, побуждая их играть поживее. На краю поселка, где черные валуны спускались в море, я нашел Джонни Сигара. На нем были белая майка и зеленая клетчатая набедренная повязка. Он сидел, прислонившись к камню и обняв себя за плечи, и задумчиво смотрел в морские просторы. Это было почти то же самое место, где он говорил со мной о морской воде, человеческом поте и слезах в тот вечер, когда разразилась эпидемия холеры, много месяцев назад.

— Поздравляю, — сказал я, присаживаясь рядом с ним и предлагая ему сигарету.

— Спасибо, Лин, — улыбнулся он, покачав головой.

Я убрал пачку, и с минуту мы посидели молча, глядя, как волны назойливо бьются о береговые камни.

— Знаешь, я родился, точнее, был зачат как раз вон там, в Нейви-Нагаре, — указал он на главную базу Индийского военно-морского флота. Берег закруглялся плавной дугой, и нам были хорошо видны дома и казармы в ее противоположном конце. — Моя мать выросла недалеко от Дели. В ее семье все были христиане. Они хорошо зарабатывали при англичанах, но потеряли работу и все привилегии после объявления независимости. Когда матери исполнилось пятнадцать, они переехали в Бомбей. Дед устроился чиновником в военно-морском ведомстве. Жили они в джхопадпатти недалеко отсюда. Мать влюбилась в высокого молодого моряка, уроженца Амритсара. У него были самые прекрасные усы во всем Нагаре. Когда она забеременела от него, семья выгнала ее из дому. Она хотела обратиться за помощью к этому моряку, моему отцу, но он уехал из Нагара, и следы его затерялись.

Он помолчал, сжав губы и дыша через нос. Глаза его были прищурены из-за слепящего блеска воды и настойчивого морского бриза. Позади нас слышались обычные для трущоб звуки — выкрики торговцев, шлепки белья о камень в том месте, где женщины занимались стиркой, крики играющих детей, чьи-то препирательства и нестройная музыка, сопровождавшая прабакеровский танец бедер.

— Ей пришлось несладко, Лин. Я вот-вот должен был родиться, а она оказалась на улице. Она пристроилась к другим уличным поселенцам, обитавшим напротив Кроуфордского рынка, и носила белое сари, какое надевают вдовы, притворяясь, что у нее был муж, но умер. Ей пришлось стать вдовой на всю жизнь, даже не успев выйти замуж. Поэтому я до сих пор не женился, хотя мне тридцать восемь лет. Я умею читать и писать — мать позаботилась о моем образовании, — веду все хозяйственные книги в трущобах и подсчитываю налоги для тех, кто платит их. Я живу достаточно обеспеченно, меня уважают. По идее, мне надо было жениться лет пятнадцать-двадцать назад. Но мать всю жизнь прожила как вдова ради меня. И я просто не мог этого сделать, не мог позволить себе жениться. Я все время надеялся, что когда-нибудь встречусь с ним, этим моряком с усами. У матери была только одна выцветшая старая фотография, где у них обоих очень серьезный, неприступный вид. Поэтому я и поселился в этом районе — надеялся, что когда-нибудь он тут появится. И не женился. А на прошлой неделе мать умерла.

Он повернулся ко мне, в глазах у него стояли слезы, которым он не позволял излиться.

— На прошлой неделе она умерла, и теперь я женюсь.

— Очень грустно слышать о смерти твоей матери, Джонни. Но я уверен, что она одобрила бы твое решение. Думаю, ты будешь хорошим отцом, точнее, уверен, что ты будешь хорошим отцом.

Он посмотрел на меня, и глаза его говорили мне что-то, но я не вполне понимал, что именно. Когда я оставил Джонни, его взгляд по-прежнему был устремлен на вечно колышущееся море, которое ветер раздирал на пенистые клочки.

Я зашел в свою «клинику». Поговорив с Айюбом и Сиддхархой, которых я обучил тому, что умел сам, я убедился, что «клиника» в надежных руках. Я оставил им деньги в качестве запаса на непредвиденный случай, а также дал денег Прабакеру для подготовки к свадьбе. После этого я нанес визит вежливости Казиму Али и принял его приглашение выпить с ним чая. К нам присоединились два моих бывших соседа, Джитендра и Ананд Рао, и еще несколько моих старых знакомых. Казим Али рассказал нам о своем сыне Садике, подрядившемся на работу в одной из стран Персидского залива. Обсудили мы также религиозный и коммунальный конфликты в городе, строительство двух башенблизнецов, до завершения которого по-прежнему оставалось два года, и предстоящие свадьбы Прабакера и Джонни Сигара.

Эта сердечная, оптимистичная беседа с простыми, честными и достойными людьми влила в меня, как всегда, новые силы и уверенность в себе. Я простился с ними в наилучшем настроении, но не успел пройти и несколько шагов, как меня нагнал молодой сикх Ананд Рао.

— Линбаба, у нас тут серьезная проблема. — Ананд и в самые беззаботные моменты говорил с необыкновенной торжественностью, а на этот раз выражение его лица было беспросветно-мрачным. — С Рашидом, который жил в одной хижине со мной. Помнишь его?

— Рашида? Ну разумеется, — ответил я, вспомнив худое бородатое лицо своего бывшего соседа и его беспокойный, виноватый взгляд.

— Он задумал очень плохое дело, — выпалил Ананд без обиняков. — К нему приехала из родных мест жена со своей сестрой. Я освободил для них хижину, и теперь они живут там втроем...

— Ну и что? — спросил я нетерпеливо.

Мы уже вышли на транспортную магистраль, я не мог понять, к чему клонит Ананд, и не хотел вникать в чужие проблемы. Когда я жил в трущобах, ко мне почти ежедневно обращался кто-нибудь с подобными полужалобами-полунамеками. Как правило, за ними не стояло ничего существенного, и я предпочитал не вмешиваться.

— Понимаешь... — нерешительно произнес Ананд, по-видимому почувствовав мое настроение, — он... это... происходит нечто очень дурное, и я... нужно...

Он замолчал, упершись взглядом в свою сандалию. Я положил руку на его плечо. Он поднял голову и посмотрел на меня с немой мольбой.

— Тебе нужны деньги? — спросил я, залезая в свой карман.

Он отшатнулся от меня, как будто я его оскорбил. Секунду он продолжал смотреть мне в глаза, затем развернулся и направился обратно к хижинам.

Я шел по знакомым улицам и уговаривал себя, что ничего страшного не произошло. Ананд Рао и Рашид делили одну хижину на двоих больше двух лет. Если между ними возникли какие-то разногласия в связи с приездом родственников Рашида, то меня это не касалось. Я усмехнулся, гадая, почему Ананд так вспыхнул, когда я предложил деньги. Это был самый обычный, естественный поступок. За полчаса, что я шел от трущоб до «Леопольда», я дал денег еще пятерым людям, включая зодиакальных Джорджей. «Он справится с этой проблемой, — говорил я себе. — И в любом случае это не мое дело». Но ложь, с помощью которой мы пытаемся обмануть самих себя, порождает призраков, населяющих пустой дом по ночам. И хотя я выкинул Ананда с его проблемами из головы, я чувствовал у себя за спиной дыхание призрака, пробираясь сквозь толпу, заполнившую Козуэй.

Я вошел в «Леопольд», но не успел присесть и раскрыть рта, как на меня налетел Дидье и, схватив за руку, потащил на улицу к ожидавшему нас такси.

— Я сбился с ног, разыскивая тебя, — отдуваясь, произнес он уже в машине. — Побывал в самых невообразимых притонах.

— Не ты один ищешь меня в таких местах, — отозвался я.

— Лин, тебе давно пора их бросить и перебраться туда, где подают приличную выпивку. Возможно, найти тебя при этом будет и не легче, но по крайней мере искать будет приятнее.

— Куда мы едем?

— Принять участие в грандиозной афере Викрама — придуманной *мною*, между прочим, — и имеющей целью взять приступом холодное каменное сердце нашей маленькой англичанки Летиции. Пока мы с тобой тут болтаем, военные действия уже начались.

— Хм... Я, конечно, желаю ему успеха, но я хочу есть, — нахмурился я. — И уже нацелился на приличную порцию плова, так что лучше выпусти меня.

— Забудь о плове. Ты же знаешь, Летиция очень упрямая женщина. Если кто-нибудь будет бесплатно предлагать ей золото и бриллианты слишком настойчиво, она ни за что не возьмет их. Точно так же она ни за что не пойдет нам навстречу в этой афере, если кто-нибудь не уговорит ее. Кто-нибудь вроде тебя, друг мой. Все это должно произойти в ближайшие полчаса, ровно в три ноль-шесть.

— Почему ты думаешь, что Летти послушает меня?

— Ты единственный из нас, кого она не ненавидит и не ненавидела в прошлом. Сказать «Я не ненавижу тебя» для нее равноценно страстному признанию в любви. Она послушается тебя, я уверен. Без тебя весь план провалится. Наш Викрам ради осуществления этого плана уже кидался с риском для жизни во всякие сумасбродства — как будто сама по себе любовь к этой чудовищной женщине не является достаточным доказательством его полного умопомешательства. Ты просто представить себе не можешь, сколько всего нам с Викрамом пришлось предусмотреть и приготовить ради одного-единственного момента.

— А почему все так внезапно? Почему вы раньше не предупредили меня? — капризничал я, не в силах изгнать мысль о тарелке аппетитного плова.

— Я для этого и искал тебя по всей Колабе! У тебя просто нет выбора, Лин. Ты обязан выручить Викрама. Я же знаю тебя, старик. В тебе, как и во мне, живет патологическая вера в любовь и преклонение перед безумствами, на какие она обрекает свои жертвы.

— Ну, знаешь, ты уж чересчур закрутил.

— Закручивай сам как хочешь, — рассмеялся Дидье, — но ты тоже подцепил любовную горячку и в глубине души понимаешь, что мы должны помочь Викраму.

— О господи, — вздохнул я, сдаваясь и закуривая «биди», чтобы не чувствовать голода. — Ладно, сделаю что смогу. А в чем заключается ваш план?

— План очень непростой...

— Минуточку, — прервал я его, — то, что вы задумали, опасно?

— Ну-у...

— И противозаконно?

— Ну-у...

— Я так и думал. В таком случае не рассказывай мне ничего, пока мы не прибудем на место. У меня и так уже голова забита мрачными мыслями.

— *D'accord*[1]. Я знал, что мы можем на тебя положиться. *Alors*[2], о мрачных мыслях. У меня есть новость для тебя, которая, возможно, отчасти развеет их.

— Выкладывай.

— Женщина, которая засадила тебя в тюрьму, — иностранка, живущая в Бомбее. Это абсолютно точно.

— И это все?

— Да, увы, больше пока ничего. Но я не успокоюсь, пока не выясню все до конца.

— Спасибо, Дидье.

— Не за что. Ты, кстати, выглядишь очень хорошо. Пожалуй, лучше, чем до тюрьмы.

— Ну... я стал посильнее, потяжелее.

— И... поотчаяннее?

Я рассмеялся и отвел взгляд, потому что так и было. Такси остановилось у железнодорожной станции Марин-лайнз. Это была первая станция после центральной, Чёрчгейт. Поднявшись на платформу, мы увидели Викрама с несколькими друзьями.

— Блин! Слава богу, ты наконец появился! — воскликнул Викрам, неистово тряся мою руку обеими своими. — Я уж думал, ты не приедешь.

— А где Летиция? — спросил Дидье.

— Пошла купить какой-нибудь воды, *йаар*. Вон она, рядом с чайной.

— А, вижу. Так она ничего не знает о нашем плане?

---

[1] Ладно, согласен *(фр.)*.

[2] Здесь: кстати *(фр.)*.

— Нет, дружище, ни хрена. Я страшно боюсь, блин, что наш план сорвется, *йаар*. А что, если произойдет несчастный случай и она погибнет, а, Дидье? Как мы будем выглядеть, если я убью ее, делая предложение?

— Да, это будет, пожалуй, не совсем правильное начало, — задумчиво заметил я.

— Ну что ты волнуешься, все будет в порядке, — успокаивал его Дидье, вытирая надушенным платком взмокший от волнения лоб и посматривая, не идет ли поезд. — Все пройдет нормально. Ты должен верить в победу.

— Точно так же говорили янки при Джонсвилле[1], *йаар*.

— Что я должен делать, Викрам? — спросил я, чтобы успокоить его.

— Уф! — произнес он, отдуваясь, словно взбежал по длинной лестнице. — Во-первых, Летти должна встать на этом месте лицом к тебе. Вот как я сейчас стою.

— Понятно.

— Она должна быть точно на этом месте. Мы проверяли это тысячу раз, блин, и это должно быть именно здесь. Понимаешь?

— Хм... — притворно нахмурился я, — вроде бы да. Так ты говоришь, что она должна стоять...

— Именно в этом месте!

— Где-где?

— Слушай! — рассвирепел он. — Это крайне серьезно!

— Ладно-ладно, не лезь в бутылку. Значит, я должен сделать так, чтобы Летти стояла на этом месте.

— Да. И глаза у нее должны быть завязаны.

— Завязаны?

— Да, Лин, завязаны платком. В этом весь фокус. И даже если она очень напугается, платок она не должна снимать.

— Напугается?

— Да. Это твоя основная задача: когда мы дадим сигнал — уговорить ее завязать глаза и не развязывать их даже в том случае, если она будет немного кричать.

— Кричать?

— Да. Сначала мы думали, что, может, лучше заткнуть ей рот кляпом, но потом решили, что это будет не лучше, потому что она может немного взбеситься. Она и без кляпа-то взбесится...

— Взбесится?

— Да. Вот она идет! Ну, жди нашего сигнала.

— Привет, Лин! — произнесла Летти, подходя ко мне и целуя в щеку. — Ты у нас стал прямо толстяком.

---

[1] В битве при Джонсвилле в 1864 г. во время Гражданской войны в США армия конфедератов нанесла поражение северянам.

— Ты тоже выглядишь что надо, — улыбнулся я, разглядывая ее.

— Так что все это значит? Я смотрю, вся шайка в сборе.

— А ты не в курсе?

— Нет, конечно. Викрам сказал мне только, что мы должны встретиться здесь с тобой и Дидье, а тут целая толпа. По какому поводу гулянка?

Со стороны Чёрчгейта показался поезд, медленно приближавшийся к нам. Викрам дико вытаращил глаза и стал трясти головой. Я понял, что это сигнал. Положив руки Летти на плечи, я немного развернул ее, чтобы она встала точно на условленном месте спиной к краю платформы.

— Летти, ты мне доверяешь? — спросил я ее.

— До определенного предела, — улыбнулась она.

— Хорошо, — кивнул я. — Тогда я попрошу тебя сделать кое-что. Я знаю, моя просьба выглядит немного странно, но если ты не сделаешь этого, то не поймешь, как сильно Викрам любит тебя — как *все мы* любим тебя. Это маленький сюрприз, который мы для тебя приготовили.

Прибывший состав стал тормозить у платформы. Глаза Летти блестели, на губах играла неуверенная улыбка. Она была приятно возбуждена и заинтригована. Викрам и Дидье отчаянно махали мне за ее спиной, побуждая поторопиться. Пыхтящий поезд с победным металлическим скрежетом остановился.

— Ты должна позволить завязать тебе глаза и не снимать повязку, пока мы не скажем.

— Ничего себе просьбочка!

Я в ответ пожал плечами.

Она смотрела на меня, вытаращив глаза. Затем она улыбнулась, приподняла брови и кивнула:

— Согласна.

Викрам подскочил к ней и завязал ей глаза платком, спросив, не слишком ли он жмет. Затем он заставил ее сделать пару шагов назад, к самому поезду, и попросил вытянуть руки вверх.

— Поднять руки? Вот так? Викрам, если ты вздумаешь щекотать меня, то пожалеешь об этом.

В этот момент на крыше вагона появились несколько человек. Они легли на живот, и, свесившись вниз, схватили Летицию за руки, и без всяких усилий вздернули ее на крышу, благо весила она немного. Летти взвизгнула, но ее взвизг потонул в оглушительном свистке дежурного по станции, давшего сигнал к отправлению. Поезд медленно тронулся с места.

— Залезай! — крикнул мне Викрам и сам забрался по выступам в стенке вагона на крышу.

Я взглянул на Дидье, но он помотал головой:

— Нет, друг мой, эта эквилибристика не для меня. Влезай скорее!

Я помчался вдогонку уезжающему вагону и вскарабкался на крышу. Там находились не менее дюжины парней, в том числе группа музыкантов, державших на коленях таблы, цимбалы, флейты и тамбурины. Чуть дальше расположилась вторая группа, в центре которой сидела Летти, по-прежнему с повязкой на глазах. Четыре человека держали ее на всякий случай за руки и плечи. Викрам, стоя перед ней на коленях, умоляюще обращался к ней:

— Клянусь, Летти, это правда будет большой сюрприз для тебя.

— О да, это и правда охрененный сюрприз! — кричала она. — Но он не идет ни в какое сравнение с тем сюрпризом, который ожидает тебя, когда мы спустимся отсюда, Викрам долбаный Патель!

— Летти! — окликнул я ее. — Но здесь ведь такой потрясающий вид! Ох, прости, я забыл, что у тебя завязаны глаза. Но ты сама убедишься, когда снимешь повязку.

— Это чистое сумасшествие, Лин! — обратилась она ко мне. — Скажи этим ублюдкам, чтобы они отпустили меня!

— Никак нельзя, Летти, — увещевал ее Викрам. — Они держат тебя, чтобы ты не упала. Или ты можешь встать и запутаться головой в проводах или еще в чем-нибудь, *йаар*. Подожди еще полминуты — и сразу поймешь все, что происходит.

— Я и так понимаю, не волнуйся. Я понимаю, что тебе не жить, Викрам, когда я спущусь с этой чертовой крыши. Уж лучше тебе сбросить меня с нее прямо сейчас! Если ты думаешь, что...

Викрам развязал платок и наблюдал за ее реакцией. Увидев панораму, которая открывалась с крыши несущегося на полных парах поезда, Летти против воли разинула рот, и на ее лице появилась широкая улыбка.

— Вау! Это... это действительно потрясающе!

— Смотри! — Викрам вытянул палец вперед по движению поезда.

Над крышами вагонов поперек путей было натянуто огромное полотнище, прикрепленное к опорам линии электропередачи. Оно раздувалось, как парус над палубой морского судна. На полотнище были написаны краской какие-то буквы, каждая величиной с человека. Приблизившись, мы смогли прочитать надпись, тянувшуюся от одного края до другого:

ЛЕТИЦИЯ, Я ЛЮБЛЮ ТЕБЯ!

— Я боялся, что ты встанешь и с тобой что-нибудь случится, поэтому парни держали тебя, — сказал Викрам.

Неожиданно оркестранты громкими и пронзительными голосами грянули популярную любовную песню, перекрывая даже устрашающий грохот барабанов и завывание флейт. Викрам и Летиция неотрывно смотрели друг на друга. Поезд остановился на следующей станции и двинулся дальше. Вскоре мы увидели еще одно полотнище, натянутое поперек путей. Оно вопрошало:

ТЫ ВЫЙДЕШЬ ЗА МЕНЯ ЗАМУЖ?

Мы оставили этот вопрос позади. Летти плакала. Они оба плакали. Викрам бросился к Летиции и обнял ее. Они поцеловались. Я отвернулся и посмотрел на музыкантов. Они ухмыльнулись мне, не переставая петь, и замотали головой. Я исполнил перед ними небольшой победный танец, а поезд между тем трясся и раскачивался, проносясь среди пригородов.

Мечты миллионов людей рождались вокруг нас каждый день. Миллионы их умирали и возрождались снова. Влажный воздух моего Мумбаи был перенасыщен ими. Мой город был знойной пышущей оранжереей, в которой произрастали мечты. А здесь, на этой темно-красной проржавленной металлической крыше, родилась еще одна мечта. И пока мы летели сквозь влажный мечтательный воздух, я подумал о своей семье. Я подумал о Карле. И я танцевал на спине этой стальной змеи, ускользавшей от набегающих на нее волн бескрайнего вечного моря.

И хотя Викрам и Летти исчезли на неделю из поля нашего зрения после того, как Летти приняла его предложение, за нашим столиком в «Леопольде» царило легкое, радужное, почти счастливое настроение. Когда они наконец вернулись, все радостно приветствовали их. Мы с Абдуллой, заглянув в ресторан после тренировки, поддразнивали Викрама, пребывавшего в блаженно-обессиленном состоянии. Пока он разглагольствовал о своей любви, мы сосредоточенно насыщались. Дидье ликовал по поводу успеха его матримониального плана и требовал от всех подряд взноса в общий котел в виде крепких напитков. Подняв голову от тарелки, я заметил в дверях одного из уличных воришек, обслуживавших наш черный рынок. Он делал мне какие-то знаки. Я вышел вместе с ним из ресторана, чтобы узнать, в чем дело.

— Лин! Большая беда для тебя, — быстро проговорил он, озираясь. — Три африканца. Очень большие и очень сильные. Они ищут тебя. Они хотят тебя убить.

— Убить?

— Да, это точно. Тебе лучше уехать. Поскорее смывайся из Бомбея на время.

Он бросился бежать и затерялся в толпе. Озадаченный, но не слишком обеспокоенный, я вернулся за столик. Не успел я проглотить и двух ложек, как за окном появился Джордж Близнец и стал махать мне.

— У тебя, похоже, неприятности, старина, — произнес он своим обычным бодрым тоном, но лицо его было напряженным и испуганным.

— Да?

— Тут появились три африканские гориллы — кажется, из Нигерии, — которые, похоже, хотят причинить тебе кое-какие телесные неприятности, — если ты понимаешь, что я имею в виду.

— Где они?

— Не знаю, дружище. Я видел, как они разговаривали с одним уличным мальчишкой, а потом сели в такси и укатили. Здоровенные ребята, скажу я тебе. С трудом поместились в это такси, пришлось им часть телес вывесить из окна на улицу — если ты понимаешь, что я имею в виду.

— Что они имеют против меня?

— Убей бог, дружище. Они не поделились своими планами, но на уме у них явно что-то нехорошее. На твоем месте я ходил бы по городу с большой осторожностью, солнышко мое.

Я полез в карман, но он остановил меня:

— Пищу для размышлений я выдаю бесплатно. За это брать деньги не годится.

Он заприметил трех немецких туристов и устремился ленивой походкой за добычей. Если в первый раз еще можно было сомневаться, то после сообщения Близнеца меня охватила тревога. Из-за всех этих разговоров у меня ушло на еду довольно много времени. А вскоре объявился и третий гонец, Прабакер.

— Лин! — выдохнул он с перекошенным от испуга лицом. — Очень плохие новости!

— Я знаю, Прабу.

— Три африканца, они хотят убить тебя и поколотить! Они всюду задают вопросы. Это такие большие парни, прямо буйволы! Ты должен срочно сделать счастливое спасение.

Я минут пять успокаивал его, и, поскольку он вознамерился не отходить от меня ни на шаг, чтобы защищать меня, пришлось придумать ему поручение — проверить, не остановились ли эти африканцы в одном из тех отелей, где он бывает. Вернувшись к Дидье, Викраму и Абдулле, я сообщил им новость. Довольно долго все сидели молча, размышляя, что предпринять. Первым нарушил молчание Викрам.

— Надо найти этих ублюдков и проломить им башку, *йаар*, — предложил он, переводя вопросительный взгляд с одного из нас на другого.

— А перед этим убить их на месте, — добавил Абдулла.

Викрам одобрительно помотал головой.

— Две вещи несомненны, — сказал Дидье. — Во-первых, Лин, тебе нельзя оставаться одному, пока эта проблема не разрешится.

Викрам и Абдулла кивнули.

— Я позову Салмана и Санджая, — решил Абдулла. — Мы не оставим тебя в одиночестве, братишка.

— А во-вторых, — продолжал Дидье, — эта троица не должна оставаться в Бомбее. Тем или иным путем надо от них отделаться.

Мы поднялись со своих мест и направились к кассе, чтобы расплатиться, но Дидье остановил меня. Усадив меня рядом с собой, он стянул со стола салфетку, завернул в нее что-то под столом и передал мне. Это был пистолет. То, что Дидье таскает с собой пушку, было полной неожиданностью для меня. Я был уверен, что и другие не знают об этом. Я встал и присоединился к Викраму и Абдулле, выходившим из ресторана. Когда я оглянулся на Дидье, он с серьезным видом кивнул мне, тряхнув черными локонами.

Мы нашли их, но у нас ушел на это весь день и почти вся ночь. В конце концов нам помог Хасан Обиква, еще один нигериец. Эти трое приехали в Бомбей впервые и были абсолютно неизвестны ему. Его информационная служба разузнала, что они гоняются за мной из-за какой-то сделки с наркотиками и настроены весьма решительно.

Водителю Хасана Рахиму, почти полностью оправившемуся от увечий, полученных в тюрьме, удалось выяснить, что они остановились в одной из гостиниц в районе Форта. С очень серьезным, чуть ли не застенчивым видом Рахим предложил мне «порешить» это дело раз и навсегда, имея в виду «порешить» этих нигерийцев у меня на глазах — медленно и с максимальными мучениями. Рахим чувствовал себя моим должником после того, как я вызволил его из тюрьмы на Артур-роуд, и это, по его мнению, было меньшее, что он мог сделать для меня в этой ситуации. Я отклонил его щедрое предложение. Я должен был сам выяснить, в чем дело, и покончить с этой историей. С большим разочарованием Рахим был вынужден смириться с моим решением и отвез нас в маленький отель, где приезжие остановились. Он остался на улице стеречь два наших автомобиля, а мы с Абдуллой и Викрамом вошли внутрь. С Рахимом остались также Салман и Санджай, которые должны были преградить путь копам в случае их появления или, по крайней мере, задержать, пока мы не смоемся.

Один из парней Абдуллы встретил нас и шепотом предложил пройти за ним в номер, снятый им по соседству с африканцами. Приложив ухо к стене, мы слышали их голоса вполне отчетливо. Они болтали о каких-то несущественных мелочах, шутили. Но неожиданно один из них произнес фразу, от которой у меня мурашки забегали по коже.

— У него на шее болтается медаль, — сказал он, — из золота. Я хочу забрать ее.

— А мне нравятся эти его туфли, или ботинки, — сказал другой. — Я беру их.

Они принялись обсуждать план действий и спорить. Один из них обладал большим авторитетом и убедил двух других, что надо проследить за мной от «Леопольда» до автостоянки недалеко от моего дома, а там избить меня до смерти и обчистить.

Это было очень странное ощущение — стоя в темноте, слушать подробности собственного убийства. Желудок мой сжался, в нем бурлила какая-то тошнотворная смесь страха и гнева. Я надеялся, что они раскроют мотивы своих действий, дадут хоть какой-нибудь ключ к решению этой загадки, но об этом они не говорили. Абдулла слушал, приложив левое ухо к тонкой перегородке, я приложил правое. Наши глаза были на расстоянии ладони друг от друга. Я чуть заметно кивнул, давая знак, что пора начинать. Абдулла, похоже, тоже так думал.

Мы втроем стояли перед дверями их номера. У меня в руках была отмычка. Мы сосчитали в убывающем порядке: «Три, два, один!» — я вставил отмычку в замок, повернул ее и проверил, не заперта ли дверь изнутри на засов. Дверь не была на засове, и, отступив шаг назад, я распахнул ее ногой. Прошла секунда, две, три, пока трое негров смотрели на нас, приоткрыв рты и выпучив глаза. Ближайший к нам был высоким человеком мощного сложения, с лысой головой и глубокими, равномерно нанесенными шрамами на щеке; он был в майке и боксерских трусах. За ним стоял тип поменьше ростом, на нем были только жокейские трусики. Склонившись над туалетным столиком, он нюхал героин. Третий член группы был еще ниже, но с очень хорошо развитой мускулатурой. Он лежал на кровати в дальнем конце комнаты, листая «Плейбой». В комнате чувствовался сильный запах — запах пота и страха. Я внес свой вклад в эту атмосферу.

Абдулла очень медленно и осторожно закрыл дверь за собой и запер ее. Он был, по обыкновению, весь в черном. Викрам всегда носил черный ковбойский костюм. По случайному совпадению на мне тоже были черные брюки и футболка. Ошарашенные нигерийцы приняли нас, по всей вероятности, за членов какого-то клуба или банды.

— Какого хрена?! — прорычал самый высокий из них.

В ответ я подскочил к нему и съездил по зубам. Но он успел выставить руки, и мы сцепились в тесном объятии.

Викрам набросился на того, что лежал на кровати. Абдулле достался третий, возле туалетного столика.

Схватка была короткой, но жестокой. Нас было шестеро в тесном помещении, и кидаться было некуда, кроме как на противника.

Абдулла разделался со своим очень быстро. Я услышал испуганный вскрик, перешедший в хрип, когда Абдулла хлестко и сильно ударил нигерийца ладонью спереди по шее. Тот упал, ловя ртом воздух и схватившись за горло. Тот, что лежал на кровати, вскочил на нее, чтобы использовать преимущества высоты. Абдулла с Викрамом перевернули постель, сбросив беднягу на пол, прыгнули на него и стали метелить руками и ногами, пока он не затих.

Я схватил левой рукой майку своего партнера за лямку, а правой колотил его по физиономии. Он, не обращая особого внимания на мои удары, вцепился обеими руками в мое горло и начал стискивать его. Я понял, что следующий глоток воздуха смогу сделать только в том случае, если прикончу громилу. С отчаянным усилием я ткнул правой рукой ему в лицо, намереваясь попасть большим пальцем в центр глаза. Но он дернул головой, и удар пришелся в край глаза, у самой височной кости. Я давил изо всех сил, пока глаз не выскочил из глазницы и не повис на своем канатике. Я хотел оторвать глаз, но его владелец сумел так далеко убрать голову, что я не мог дотянуться до него и лишь продолжал мутузить противника по лицу.

Это был крепкий орешек. Он стиснул мою шею еще сильнее. И хотя мышцы у меня были достаточно развитыми, я знал, что нигериец вполне способен придушить меня. Я полез в карман, чтобы достать пистолет и пристрелить его. В тот момент убийство не казалось мне недопустимым. Воздуха у меня в легких больше не было, перед глазами поплыли мандельбротовские цветные круги[1], и мне ничего не оставалось, как убить его.

В этот момент Викрам с силой обрушил тяжелый стул на лысый череп моего визави. На самом деле оглоушить человека не так легко, как можно подумать, посмотрев парочку-другую кинофильмов. Если повезет, то действительно можно вывести человека из строя одним ударом, но меня неоднократно колошматили железными прутьями, разнообразными деревяшками, ногами в ботинках и кулаками, и я всего один раз потерял сознание. Викраму пришлось повторить свой номер пять раз, прежде чем нигериец согнулся пополам и рухнул на пол. Вся задняя часть его головы представляла собой кровавое месиво. Наверняка его череп был раздроблен в нескольких местах, и тем не менее человек был в сознании, хотя и грозившем покинуть его.

Нам пришлось еще полчаса потрудиться над ними, чтобы заставить их разговориться. К нам присоединился Рахим, обращавшийся к ним по-английски и на их родном языке. В их паспортах было указано, что они граждане Нигерии и прибыли в Ин-

---

[1] *Бенуа Мандельброт* (р. 1924) — французско-американский математик, стоявший у истоков нелинейной динамики и теории хаоса.

дию в качестве туристов. Обыскав их бумажники и чемоданы, мы выяснили также, что до Бомбея они заезжали в Лагос. Постепенно раскрылось, что это гангстеры, присланные лагосскими наркодельцами, чтобы наказать меня за мошенничество, якобы совершенное мною при продаже героина и таблеток мандракс. В результате прокрученной в Бомбее аферы эти наркодельцы потеряли шестьдесят тысяч долларов. Кто-то из мошенников сказал им, что я — мозговой центр этой аферы, ответственный за пропажу их денег.

Все это наемные бандиты поведали нам, но затем заартачились, не желая признаваться, кто назвал им мое имя. Они заявили, что не могут сделать это без разрешения главаря их банды в Нигерии. Но под нашим нажимом им все-таки пришлось выдать нам эту информацию. Оказалось, что это был Маурицио Белькане.

Я вставил выдавленный мною глаз обратно в глазницу, но он не зашел до конца, и было ясно, что человек им не видит и вряд ли увидит когда-нибудь. Мы заклеили глаз скотчем, забинтовали бандиту голову и связали вместе с двумя другими. После этого я обратился к ним с напутственным словом:

— Эти люди отвезут вас в аэропорт, где вы будете ждать на автостоянке. Завтра утром есть рейс на Лагос, и вы должны вылететь этим рейсом. Мы купим билеты на ваши деньги. И усвойте, что я не имею к этому делу никакого отношения. Я понимаю, что это не ваша вина, а Маурицио, но предлагать вам свою дружбу не буду. С Маурицио я разберусь сам. Так что возвращайтесь к тому, кто вас послал, и скажите ему, что мошенник свое получит. Если же вы когда-нибудь еще сунетесь в Бомбей, то мы вас уничтожим. Понятно? Как только вы появитесь в Бомбее — вы трупы.

— Вам понятно, блин?! — не выдержал накала страстей Викрам. — Вы, блин, являетесь сюда и суете свой вонючий нос в индийские дела! Индия отныне закрыта для вас! Только попробуйте еще раз сунуться, и я собственноручно отрежу вам яйца! Видите мою шляпу? Видите это пятно, которое оставили на моей долбаной шляпе, долбогрёбы? Вы покусились на шляпу индийца! Если вы когда-нибудь еще попробуете нагадить индийскому парню, вам не будет пощады! И особенно если он в шляпе!

На этом я оставил их и, взяв такси, направился на новую квартиру Уллы. Если кто-нибудь и знал, где может находиться Маурицио, так это она. Горло у меня горело, я говорил с трудом. Я не мог думать ни о чем, кроме пистолета в моем кармане. Он разрастался в моих мыслях до гигантских размеров, пока рифленый узор на его рукоятке не стал таким же большим, как рисунок на коре пробкового дерева. Это был «Вальтер-Р38», один из лучших полуавтоматических пистолетов. Мысленно я послал в тело Маурицио все восемь девятимиллиметровых пуль из магазина. «Маурицио... Маурицио...» — повторял я, и в конце концов мой внутренний голос посоветовал мне избавиться от пистолета, прежде чем я встречусь с ним.

Я стал барабанить в дверь квартиры, и, когда Лиза открыла мне, я без слов прошествовал мимо нее в гостиную, где нашел Уллу, сидевшую на тахте. Она плакала.

При моем появлении она подняла голову, и я увидел, что ее левый глаз распух. Было непохоже, что он распух сам по себе.

— Где Маурицио? — спросил я.

— Лин, подожди... — прорыдала она. — Модена...

— К черту Модену! Меня интересует Маурицио. Где он?

Лиза постучала пальчиком по моему плечу. Я повернулся к ней и только тут заметил, что в руке у нее большой кухонный нож. Она указала головой на двери спальни. Я посмотрел на Уллу, затем опять на Лизу. Она медленно кивнула.

Он прятался в платяном шкафу. Когда я выволок его оттуда, он стал молить о пощаде. Я схватил его сзади за ремень и потащил ко входной двери. Он стал звать на помощь, я ударил его пистолетом по лицу. Он взвыл еще громче, я ударил его еще сильнее. Когда он опять раскрыл рот, я приставил пистолет к его затылку. Он замолк.

Лиза прорычала, угрожающе размахивая кухонным ножом:

— Тебе повезло, что я не успела воткнуть его тебе в брюхо, ублюдок! Только попробуй тронуть ее еще раз, я убью тебя!

— Что ему здесь было нужно? — спросил я ее.

— Это все из-за денег. Они у Модены. Улла позвонила Маурицио...

Она замолчала, испуганная выражением, с каким я посмотрел на Уллу.

— Да, конечно, Лин, нельзя было звонить. Однако она позвонила ему и договорилась, что они все втроем встретятся здесь сегодня. Но Модена не появился. Она не знала, Лин, что Маурицио впутал тебя в это дело. Он только за минуту до твоего прихода признался нам, что назвал твое имя гангстерам из Нигерии, пытаясь избавиться от них. Он сказал, что ему нужны деньги, чтобы уехать, потому что они будут гоняться за ним, после того как разделаются с тобой. Как раз перед тем, как ты пришел, наш герой стал избивать Уллу, пытаясь выяснить, где Модена.

— Где деньги? — спросил я Уллу.

— Я не знаю, Лин! — рыдала она. — К черту деньги! Мне они на фиг не нужны. Модена стыдился того, что я работаю, но он не понимает. Лучше работать на панели, чем участвовать в этом сумасшествии. Он любит меня, да, любит. И он не виноват перед тобой в этом деле с нигерийцами, Лин, клянусь тебе! Это Маурицио придумал. Уже сколько недель все это продолжается! Так я и знала, что этим все закончится. А сегодня Модена завладел деньгами, которые украл Маурицио, и спрятал их где-то. Он сделал это ради меня. Он любит меня, Лин...

Она опять истерически разрыдалась. Я повернулся к Лизе:

— Я забираю его с собой.

— Очень хорошо, — кивнула она.

— У вас-то все нормально?

— Да, не волнуйся.

— Деньги на жизнь у вас есть?

— Есть-есть.

— Я пришлю Абдуллу, как только увижусь с ним. А вы запритесь и не впускайте никого, кроме нас, ясно?

— Все так и будет, — улыбнулась она. — Спасибо, Гилберт. Ты уже вторично приходишь на выручку.

— Забудь об этом.

— Нет уж, не забуду, — сказала она, запирая за нами дверь.

Мне хотелось бы написать, что я не стал избивать его, но, увы, не могу. Достаточно крупный и сильный, чтобы дать сдачи, он был трусом, и в том, чтобы отдубасить его, не было никакой доблести. Он даже не пытался защититься, только хныкал и умолял пощадить его. Мне хотелось бы также написать, что мною двигали только праведный гнев и законное желание отомстить ему за его гнусный поступок, но и в этом я не уверен. Даже сейчас, спустя много лет, я не могу утверждать, что во мне не говорило более глубокое, темное и менее оправданное чувство, нежели справедливое возмущение, а именно многолетняя ревность. И еще одна маленькая, но гадкая часть меня сыграла свою роль, подстрекая меня избить его за его красоту, а не за подлость.

С другой стороны, мне, конечно, надо было бы его убить. Когда я оставил его, окровавленного и униженного, неподалеку от больницы Святого Георгия, мой внутренний голос предупредил меня, что на этом проблемы не закончатся. Я даже подумал, стоя над его распростертым телом, не вынести ли ему смертный приговор в самом деле, но я не мог этого сделать. Меня остановило прежде всего то, что он сказал мне, прося о пощаде. Он сказал, что выдал меня нигерийским бандитам из ревности и зависти ко мне. Он завидовал моей уверенности в себе, моей физической силе, моей способности заводить друзей. И поэтому он ненавидел меня. Так что в этом мы не слишком отличались друг от друга.

Я еще не остыл от всех этих перипетий, когда на следующее утро, проводив нигерийцев в обратный путь, направился в «Леопольд», чтобы вернуть Дидье неиспользованный пистолет. Около ресторана я встретил ожидавшего меня Джонни Сигара. Гнев, смешанный с сожалениями, переполнял меня, и я с трудом сосредоточился на том, что он мне говорил:

— Очень плохое дело, Лин. Ананд Рао убил Рашида. Перерезал ему горло. Это впервые, Лин.

Он имел в виду, что до сих пор ни разу ни один из обитателей наших трущоб не убивал другого. В поселке жили двадцать пять тысяч человек, они ссорились, пререкались и дрались друг с другом, но до убийства дело никогда не доходило. И, потрясенный этим известием, я вдруг вспомнил Маджида. Мне удалось как-то запереть мысль о его убийстве в самом дальнем уголке сознания и практически не думать об этом в последнее время, но мысль исподволь непрестанно грызла возведенные мною заслоны. А весть об убийстве Рашида выпустила ее на волю. Убийство старого охотника за золотом, одного из главарей мафии — кровавое убийство, как назвал его Абдул Гани, — смешалось в моем сознании с кровью на руках Ананда. Ананд, чье имя означает «счастливый», пытался поговорить со мной в тот день перед убийством, обратился ко мне за помощью и не получил ее.

Я прижал руки к лицу, затем пригладил ими волосы. Улица вокруг нас была такой же шумной и яркой, как всегда. Публика в «Леопольде» пила, болтала и смеялась, как обычно. Но в нашем с Джонни мире что-то изменилось. Он потерял свою невинность, стал не таким, как прежде. «Теперь все будет по-другому... Теперь все будет по другому...» — стучало у меня в висках.

А перед глазами у меня мелькнуло видение — как открытка, посланная судьбой. Это было видение смерти, безумия, страха. Однако оно было расплывчатым, я не мог разглядеть его как следует. И было неясно, то ли это происходит со мной, то ли где-то рядом. Но это, в общем-то, не имело для меня значения. Стыд, гнев на себя и запоздалые сожаления стирали грань между мной и окружающим. Я поморгал, чтобы отогнать видение, прокашлялся и вступил в царство музыки, смеха и света.

Часть четвёртая

ГЛАВА

26

— Индийцы — это азиатские итальянцы, — объявил Дидье с мудрой и лукавой улыбкой. — Разумеется, с таким же успехом можно утверждать, что итальянцы — это европейские индийцы, суть от этого не меняется. В индийцах очень много итальянского, а в итальянцах — индийского. Оба народа поклоняются Богоматери — им нужно божество женского пола, даже если их религия не выдвигает таковых на первый план. Все без исключения мужчины той и другой нации поют, когда у них хорошее настроение, а все без исключения женщины танцуют, направляясь в магазин за углом. Пища у них — музыка для тела, а музыка — пища для сердца. Как индийский, так и итальянский язык делают каждого человека поэтом, а из каждой *banalitu*[1] творят нечто прекрасное. Любовь в этих странах — *«amore»*, «пияр» — превращает каждого мафиози в рыцаря, а каждую деревенскую девчонку — в принцессу, хотя бы на тот миг, когда ваши глаза встречаются в толпе. Я потому так люблю Индию, Лин, что моей первой большой любовью был итальянец.

— Дидье, а где ты родился?

— Тело мое родилось в Марселе, Лин, но сердце и душа — спустя шестнадцать лет в Генуе.

Поймав взгляд официанта, он лениво помахал ему рукой, требуя новую порцию. Однако, когда тот принес выпивку, Дидье едва пригубил ее, из чего я заключил, что он настроился на длительную беседу. Было всего два часа дня, погода стояла пасмурная. С «ночи убийц» прошло уже три месяца. До первых муссонных дождей оставалась еще неделя, но каждое сердце в Бомбее сжималось в напряженном ожидании. Как будто за стенами города собиралось несметное вражеское войско, готовящееся к сокрушительному штурму. Я любил эту последнюю неделю перед наступлением дождей — атмосфера всеобщего возбуждения бы-

---

[1] Банальность, пошлость *(фр.)*.

ла сродни тому состоянию душевной сумятицы и беспокойства, в котором я жил практически все время.

— Судя по фотографиям, моя мать была красивой и хрупкой женщиной, — продолжал Дидье. — Ей было всего восемнадцать, когда она меня родила, а спустя два года она скончалась. Грипп с осложнениями. Но мне не раз приходилось слышать недобрый шепот, что и отец был виноват, так как недостаточно заботился о ней и скупился на докторов, когда она заболела. Как бы то ни было, мне тогда не исполнилось и двух лет, так что я ее не помню. Отец преподавал химию и математику. Он был намного старше матери. К тому времени, как я пошел в школу, он уже стал ее директором. Говорили, что он блестящий специалист, и, наверное, так оно и было, потому что иначе вряд ли еврей мог бы занять этот пост во французской школе. Расизм и антисемитизм были в то время, вскоре после войны, чем-то вроде эпидемии в Марселе и его окрестностях. Не исключено, что порождало их чувство вины. Отец был упрямым человеком — ведь только из упрямства можно податься в математики, мне кажется. Возможно, и сама математика — некая разновидность упрямства, как ты считаешь?

— Возможно, — улыбнулся я. — Я никогда не смотрел на нее под таким углом зрения, но, может быть, ты и прав.

— *Alors*, отец после войны вернулся в Марсель, в тот самый дом, откуда его выперли антисемиты, когда они захватили власть в городе. Он был участником Сопротивления, сражался с немцами и был ранен. Поэтому никто не осмеливался выступать против него — по крайней мере, открыто. Но я уверен, что его еврейское лицо, еврейская гордость и прекрасная молодая жена-еврейка напоминали добрым марсельцам о тысячах французских евреев, которые были выданы немцам и посланы на смерть. И он находил холодное удовлетворение в том, чтобы вернуться именно в тот дом, откуда его выгнали, к тем людям, которые его предали. А когда мать умерла, эта холодность, я думаю, завладела его сердцем. Даже его прикосновения, как я помню, были холодными. Холодной была рука, притрагивавшаяся ко мне.

Он помолчал и, сделав еще один глоток, поставил стакан точно на мокрый кружок, остававшийся на крышке стола.

— Как я уже сказал, он был блестящим специалистом. — Дидье поднял на меня глаза, быстро и коротко улыбнувшись. — Блестящим преподавателем — за одним исключением. Исключением был я. Я был его единственной неудачей в жизни. Математика и естественные науки не давались мне, я не мог уразуметь, в чем там суть. Отец реагировал на мою тупость довольно бурно. В детстве его холодная рука казалась мне очень большой, и, когда он бил меня, все тело мое содрогалось. Я боялся его и стыдился своих неудач в школе, а потому часто прогуливал ее. По той же причине я связался, как говорится, с плохой компанией. Меня постоянно таскали в суд, я два раза сидел в исправительной тюрьме для детей, когда мне не было еще и тринадцати. А в шестнадцать лет я навсегда сбежал из отцовского дома, из отцовского города и из отцовской страны. Сложилось так, что я попал в Геную. Ты никогда не был там? Можешь мне поверить, это жемчужина в короне портов Лигурийского моря. И однажды я встретил на генуэзском пляже мужчину, который открыл передо мной все самое замечательное и прекрасное, что есть в мире. Его звали Ринальдо. Ему было сорок восемь лет, а мне шестнадцать. Он был из знатного рода, ведущего свое начало со времен Колумба. Но он жил в своем величественном замке на холме, не кичась своим титулом. Это был ученый, единственный поистине ренессансный человек из всех, кого я знал. Он открыл мне секреты античного мира и истории искусства, музыку поэзии и поэзию музыки. И он был красив. У него были наполовину белые, наполовину серебристые волосы, как полная луна, и серые печальные глаза. По контрасту с жестокими руками отца, с их замораживающим эффектом, длинные и тонкие руки Ринальдо были теплыми и выразительными; они, казалось, заряжали нежностью все, к чему прикасались. Я узнал, что значит любить, любить и душой и телом; в его руках я родился.

Он закашлялся и хотел прочистить горло, но эта попытка вызвала у него болезненные спазмы.

— Тебе надо меньше курить и меньше пить, Дидье, и двигаться хотя бы время от времени.

— О, ради бога! — Его передернуло, он загасил окурок и, когда приступ кашля немного утих, вытащил из пачки следующую сигарету. — Ничто не вгоняет меня в такую тоску, как полезные советы, и ты меня очень обяжешь, если не будешь больше донимать меня ими. По правде говоря, я просто шокирован. Ты что, не знаешь, что несколько лет назад меня чуть не угробили ничем не оправданным полезным советом, после которого я шесть месяцев не мог выбраться из депрессии? Да и до сих пор еще полностью не оправился.

— Прошу прощения, — улыбнулся я. — Сам не знаю, что на меня нашло.

— Так и быть, прощаю, — фыркнул он и поспешил прикончить содержимое стакана, потому что официант уже нес следующий.

— А знаешь, — заметил я, — Карла говорит, что депрессии подвержены только те люди, которые не умеют грустить.

— Она не права! — возразил Дидье. — Никто лучше меня не знает, что такое *tristesse*[1]. Это совершенное, свойственное только

---

[1] Грусть, печаль *(фр.)*.

человеку проявление чувств. Многие животные умеют радоваться, но только человек наделен способностью выражать великолепную грусть. Грусть для меня — это нечто особенное, моя ежедневная медитация, единственное искусство, каким я владею.

Он сидел с надутыми губами, оскорбленный в своих лучших чувствах, но затем поднял глаза и рассмеялся:

— Ты не получал вестей от нее?

— Нет.

— И не знаешь, где она?

— Не знаю.

— Но из Гоа она уехала?

— Я знаю одного парня в тех местах, где она жила, — его зовут Дашрант, у него ресторанчик на берегу. Уезжая оттуда, я попросил его присматривать за ней и помочь в случае чего. На прошлой неделе я звонил ему, и он сказал, что она уехала. Он уговаривал ее остаться, но она... ну, ты понимаешь.

Дидье нахмурился и задумчиво сжал губы. Мы наблюдали за людьми, деловито спешащими или прогуливающимися по улице в нескольких метрах от нас.

— *Et bien*[1], можешь не беспокоиться о Карле, — бросил наконец Дидье. — Она застрахована от неприятностей.

Я решил, он подразумевает, что она может позаботиться о себе или, возможно, что она живет под счастливой звездой. Но я ошибался. Он имел в виду нечто другое. Мне надо было, конечно, прояснить этот момент до конца. И еще много лет после этого разговора я задавался вопросом, насколько изменилась бы вся моя последующая жизнь, если бы я спросил тогда Дидье, что именно означает его фраза? Но голова моя была переполнена собственными соображениями, сердце было переполнено самолюбием, и я сменил тему:

— Ну и что было дальше?

— Дальше? — не понял он.

— Ну да, у вас с Ринальдо.

— А... Ну, он любил меня, я любил его. Но он был слишком хорошего мнения обо мне и показал, где хранит большую сумму денег. Я не мог преодолеть соблазн, взял деньги и сбежал. Да, я любил его, но я украл деньги и смылся с ними. При всей своей мудрости, он не понимал, что любовь нельзя подвергать испытанию. Можно испытывать честность, преданность. Но любовь ничем не испытаешь. Если уж она вспыхнула, то будет продолжаться вечно, пусть даже мы возненавидим того, кого любим. Она вечна, потому что порождена той частью нас самих, которая не умирает.

— Ты когда-нибудь еще встречался с ним?

---

[1] Да ладно *(фр.)*.

— Да, встретился однажды. Почти через пятнадцать лет после этого судьба опять забросила меня в Геную. Я шел по тому самому песчаному бульвару, где он читал мне Рембо и Верлена. И увидел его. Он сидел в компании своих сверстников — ему было тогда уже за шестьдесят — и наблюдал вместе с другими, как два пожилых человека играют в шахматы. На нем были серый джемпер и черный бархатный шарф, хотя день был довольно жаркий. Он очень облысел, шапка серебристых волос исчезла. Лицо его было морщинистым и осунувшимся, таким мертвенным, словно он только что перенес тяжелую болезнь. А может быть, еще и болел, не знаю. Я прошел мимо, отвернувшись, чтобы он не узнал меня, даже ссутулился и изменил походку. В последний момент я оглянулся и увидел, что он зашелся в приступе кашля и приложил к губам белый платок. Мне показалось, что на платке осталась кровь. Я ускорил шаги, я шел все быстрее и быстрее и в конце концов побежал, как человек, охваченный паникой.

Мы опять помолчали, наблюдая за прохожими, среди которых попадались мужчины в тюрбанах или без оных, женщины в масках, под вуалью или чадрой.

— Знаешь, Лин, я прожил далеко не безупречную жизнь. Я делал то, за что меня запросто могли упечь за решетку, а в некоторых странах так и вообще лишить жизни. Есть много такого, чем я, можно сказать, не горжусь. Но по-настоящему стыдно мне только за один поступок — за то, что я тогда прошел мимо этого замечательного человека, хотя у меня были деньги и возможность помочь ему. И поступил я так не оттого, что мне было стыдно за кражу, и не оттого, что боялся его болезни, боялся заразиться. Я не захотел подойти к этому доброму, выдающемуся человеку, любившему меня и научившему меня любить, просто потому, что он был стар... потому, что он не был больше красив.

Он осушил стакан и стал внимательно разглядывать что-то на донышке, затем поставил стакан на стол так медленно и осторожно, словно тот мог взорваться.

— *Merde!* Давай выпьем, друг мой! — воскликнул он и хотел позвать официанта, но я остановил его:

— Я не могу, Дидье. Я должен встретиться с Лизой в «Сироке», она попросила меня об этом. И мне уже пора ехать, чтобы не опоздать.

Он сжал зубы, подавив желание попросить меня о чем-то или, может быть, сделать еще одно признание. Я накрыл рукой его руку:

— Слушай, поехали вместе, если хочешь. Это не любовное свидание, а побывать в Джуху всегда приятно.

Он медленно улыбнулся и вытащил руку из-под моей, смотря мне в глаза. Затем поднял руку, выставив вверх палец. К нам тут же подошел официант. Не глядя на него, Дидье заказал еще порцию виски. Когда, заплатив по счету, я вышел на улицу, он опять кашлял, прижав одну руку к груди, а другой схватившись за стакан.

За месяц до этого я купил «энфилд буллит». Адреналин, впрыснутый в кровь двухколесным шприцем в Гоа, не давал мне покоя, и в конце концов я не выдержал и попросил Абдуллу отвести меня к механику, обслуживавшему его мотоцикл, тамилу по имени Хусейн. Он был без памяти влюблен в мотоциклы и почти так же сильно — в Абдуллу. «Энфилд», который он продал мне, был в отличном состоянии и ни разу не подвел меня. На Викрама он произвел такое впечатление, что он тут же пошел к этому механику и тоже купил у него мотоцикл. Иногда мы катались втроем, бок о бок, хохоча во все горло и ловя ртом солнце.

Оставив Дидье в «Леопольде», я не спеша поехал к «Си-року», размышляя по пути. Карла уехала из Анджуны, и где она находилась теперь, никто не знал. Улла сказала, что Карла больше не пишет ей, и у меня не было оснований ей не верить. Итак, Карла исчезла в неизвестном направлении. Но каждое утро я просыпался с мыслями о ней. Каждую ночь я спал, чувствуя, как сожаление всаживает свой нож мне в сердце.

Мои мысли переключились на Кадербхая. Он был вроде бы доволен тем, как я вписался в его мафиозную сеть. Я следил за тем, чтобы контрабандное золото без помех проходило досмотр в местных и международных аэропортах, обменивался с нашими агентами наличными в пятизвездочных отелях и в агентствах авиакомпаний и скупал паспорта у иностранцев. Все это была работа, которую белому легче было выполнить, не привлекая к себе лишнего внимания. Забавно, но тот факт, что я выделялся среди индийцев, как раз служил мне маскировкой. На иностранцев в Индии неизменно глазели. За пять с лишним тысячелетий своей истории страна отвыкла от случайных, безразличных взглядов. С самого начала, как только я появился в Бомбее, на меня либо взирали в радостном изумлении, либо хмурились из-под насупленных бровей, хотя и без всякого недоброжелательства. Люди таращили глаза с невинным любопытством и почти всегда с симпатией. И это повышенное внимание давало свои преимущества: людей интересовало, кто я такой, а не чем я занимаюсь. Иностранцы могли незаметно проделывать у всех на виду то, что не прошло бы у местных. Всюду, где бы я ни появлялся, — в отелях и бюро путешествий, в офисах и аэропортах — меня провожали любопытные взгляды, которые видели *меня*, но не видели преступлений, которые я совершал на благо великого Кадер-хана.

Миновав мечеть Хаджи Али, я увеличил скорость вместе со всем транспортом и задумался над загадкой, почему Кадербхай ни разу не высказался по поводу убийства своего друга и соратника Маджида. Этот вопрос мучил меня, и мне хотелось бы задать его Кадеру, но, когда вскоре после гибели Маджида я заикнулся об этом, лицо его выразило такое горе, что я не стал продолжать. И чем больше дней, недель и месяцев мы обходили эту тему молчанием, тем труднее мне было поднять ее в разговоре. У меня в голове роилось множество различных предположений, но я не осмеливался высказать их и в результате стал чувствовать себя так, словно это я храню какой-то секрет. Мы обсуждали с Кадером наши дела и философские проблемы. И в ходе этого обсуждения он наконец ответил на тот вопрос, который я задал ему на причале Сассуна. Глаза его во время беседы загорелись, — возможно, он был горд тем, что я усвоил его уроки. И когда после исповеди Дидье я ехал к ожидавшей меня Лизе, я вспомнил то объяснение, которое дал мне Кадербхай неделю назад, — все до последнего слова и до последней улыбки.

— Итак, ты понял, на каком принципе строится все то, что мы с тобой обсуждали?

— Да, — ответил я.

В тот вечер я приехал в его особняк в Донгри, чтобы рассказать об изменениях, которые я предлагал внести, и частично уже внес, в процесс производства паспортов в мастерской Абдула Гани. С одобрения Гани мы расширили его, включив изготовление водительских прав, банковских счетов, кредитных карточек и даже членских билетов различных спортклубов. Кадер очень благосклонно воспринял все эти новшества, но вскоре переключился на свои излюбленные темы: добро и зло, смысл жизни.

— Не изложишь ли ты мне этот принцип? — предложил он, глядя на взмывающие в воздух и с плеском опадающие струи фонтана.

Поставив локти на ручки белого плетеного кресла, он сложил пальцы домиком, крыша которого упиралась коньком в его серебристые усы.

— Так... сейчас. Вы говорили, что вся Вселенная движется к предельной сложности. Так происходило с момента зарождения Вселенной, и ученые называют это тенденцией к усложнению. И все то, что подталкивает ее к этому, — добро, а то, что тормозит, — зло.

— Великолепно, — произнес он и улыбнулся, приподняв одну бровь.

Как всегда, я не был уверен, означает ли это, что он одобряет услышанное, или что оно смешит его, или и то и другое одновременно. Казалось, что всякий раз, переживая или выражая ту или иную эмоцию, Кадер в то же время отчасти испытывает и нечто противоположное. Вероятно, в определенной степени это справедливо в отношении всех нас. Но что касается нашего господина Абделя Кадер-хана, то никогда нельзя было с уверенностью сказать, что он чувствует или думает о тебе. Всего один раз, глядя в его глаза, я понял его до конца — это было на снежной вершине в Афганистане, называвшейся «Награда за печали». Но тогда было уже слишком поздно...

— И эту конечную сложность, — добавил он, — можно назвать Богом, или универсальным духом, или предельной сложностью — что тебе больше по вкусу. Лично я не вижу причин, почему бы не назвать ее Богом. Вселенная движется к предельной сложности, которая и есть Бог.

— Но это оставляет открытым вопрос, который я задал вам в прошлый раз: как вы определяете, является ли что-либо добром или злом?

— Да, помню. Я пообещал тогда ответить на этот вполне законный вопрос позже и теперь сдержу обещание. Но сначала ответь: почему нельзя убивать?

— Я, вообще-то, считаю, что бывают случаи, когда можно.

— Вот как? — задумчиво произнес он все с той же иронической улыбкой в янтарных глазах. — Нет, позволь не согласиться с тобой. Убивать нельзя никогда. В ходе нашей дискуссии это и тебе станет ясно, а пока давай поговорим о таких убийствах, которые ты сам считаешь недопустимыми. И заодно скажи, почему ты считаешь их таковыми.

— Ну, убивать нельзя тогда, когда это противозаконно.

— То есть против какого закона?

— Закона данного общества, страны, — ответил я, чувствуя, что твердая философская почва начинает уходить у меня из-под ног.

— А кто устанавливает эти законы? — вкрадчиво спросил он.

— Непосредственно их устанавливают политики. Но нормы уголовного права были выработаны в ходе развития... цивилизации, а запрет на убийство унаследован, я думаю, еще с пещерных времен.

— А почему этот запрет появился тогда?

— Ну... наверное, потому, что у человека только одна жизнь, только одна попытка, так сказать, и лишать его этой попытки слишком жестоко.

— Смерть от удара молнии тоже, пожалуй, жестока. Но можно ли назвать молнию злом?

— Нет, конечно, — ответил я чуть раздраженно. — Я не совсем понимаю, зачем нам докапываться до корней этого закона. И так ясно, что, поскольку у нас только одна жизнь, отнимать ее без достаточных оснований нельзя.

— А почему нельзя? — упорствовал он.

— Нельзя, и все.

— Ну что ж, любой дал бы точно такой же ответ, — заключил Кадер серьезным тоном. Он накрыл своей рукой мою, отстукивая на ней пальцем основные пункты своей концепции. — Если спросить человека, почему убийство или какое-нибудь иное преступление недопустимо, он скажет, что это запрещает закон, или Библия, или Упанишады, или Коран, или буддизм с его «путем спасения», или его собственные родители, или другое авторитетное лицо. Но почему это недопустимо, он не знает. То, что они утверждают, верно, но почему это верно, они не могут сказать. Чтобы понять любое действие, или его мотив, или последствие, нужно прежде всего задать два вопроса. Первый: что произойдет, если все будут делать то же самое? И второй: будет ли это способствовать тенденции к усложнению или препятствовать ей?

Он сделал паузу, потому что в этот момент вошли слуга с черным чаем в высоких стаканах и соблазнительными сладостями на серебряном подносе, а также Назир с вопросительным взглядом, обращенным на Кадербхая, и бескомпромиссно-презрительным — на меня. Кадер поблагодарил их обоих, и они удалились, оставив нас опять наедине.

— Возьмем убийство, — продолжил Кадербхай, глотнув чая сквозь кусок сахара. — Что произойдет, если все станут убивать друг друга? Будет это способствовать усложнению или препятствовать?

— Скорее это будет способствовать упрощению.

— Да. Мы, человеческие существа, — самый сложный пример организации материи из известных нам. Но мы не предел развития Вселенной. Мы будем и дальше изменяться вместе с ней. А если мы истребим друг друга, то прекратим этот процесс. Вся эволюция, длившаяся миллионы и миллиарды лет, пропадет впустую. А как с воровством? Если все станут красть, к чему это приведет?

— Тут тоже вроде бы понятно. Если все начнут красть друг у друга, то зациклятся на этом и будут тратить на это столько времени и денег, что развитие затормозится и мы никогда не достигнем...

— Предельной сложности, — закончил он за меня. — Именно поэтому убийство и воровство являются злом — не потому, что так утверждает какое-либо учение, или закон, или духовный лидер, а потому, что в случае, если все начнут заниматься этим, мы не будем двигаться вместе со всей Вселенной к предельной сложности, то есть к Богу. Точно так же верно и обратное. Почему любовь — добро? Что случится, если все люди будут любить всех других? Будет это способствовать развитию?

— Да, — сказал я, удивляясь тому, как ловко он подвел меня к этому выводу.

— Конечно. Всеобщая любовь значительно ускорила бы наше движение к Богу. Любовь — это добро, как и дружба, верность, честность, свобода. Мы всегда знали, что все это хорошо, — так говорили нам и наши сердца, и наши учителя, — но лишь найденное нами определение добра и зла позволяет нам сказать, почему это хорошо.

— Но иногда, мне кажется, бывают и исключения, — заметил я. — Как расценивать, например, убийство из самозащиты?

— Да, это важный момент. Возьмем еще более наглядный пример. Предположим, ты стоишь в комнате и перед тобой стол. В противоположном конце комнаты находится твоя мать, а какой-то злодей держит нож у ее горла, собираясь зарезать ее. На столе есть кнопка, и если ты ее нажмешь, злодей умрет, а мать будет спасена, если же нет — он убьет твою мать. Третьего не дано. Как ты поступишь?

— Нажму кнопку, разумеется.

— Разумеется, — вздохнул он, возможно сожалея, что я нисколько не колебался, приняв это решение. — И как по-твоему, нажав кнопку и спасши тем самым свою мать, ты поступил правильно или нет?

— Конечно правильно, — ответил я не колеблясь.

— Нет, Лин, боюсь, что неправильно, — нахмурился он. — Мы только что видели, что в свете найденного нами объективного определения добра и зла убийство всегда зло, поскольку препятствует прогрессу. Но ты в данном случае действовал из лучших побуждений и, действуя так, совершил зло.

И вот через неделю после этой маленькой лекции Кадера по этике, мчась навстречу ветру в потоке современных и древних транспортных средств под угрожающе нависшими нахмурившимися небесами, я вспоминал эти слова: «Совершил зло из лучших побуждений...» Они засели у меня в мозгу, в том участке, где память, соединяясь с вдохновением, порождает грезы. Теперь я понимаю, что эти слова были своего рода заклинанием, с помощью которого мой инстинкт — шепот судьбы в темноте — пытался предупредить меня о чем-то. «Совершил зло... из лучших побуждений».

Но в тот день, час спустя после исповеди Дидье, я не стал прислушиваться к этому шепоту. Правильно это было или нет, но у меня не было настроения думать о своих побуждениях, о побуждениях Кадера или чьих-либо еще. Я с удовольствием рассуждал с Кадером о добре и зле, но для меня это была игра, развлечение. Я не стремился познать истину. Я был по горло сыт истинами — особенно своими собственными — и не хотел пережевывать их лишний раз. Мудрые советы и предупреждения отзывались эхом у меня в мозгу и вылетали вместе с порывами влажного ветра.

И к тому моменту, когда я сделал последний поворот к отелю «Си-рок», голова моя была так же пуста, как необъятный небесный задник, прикрепленный на горизонте к темному трепещущему морю.

«Си-рок» был по своему убранству и уровню обслуживания не менее шикарен, чем другие пятизвездочные бомбейские отели, но имел еще один плюс: он был возведен, в соответствии со своим названием, прямо на скале[1]. Из окон баров, ресторанов и сотен номеров открывался вид на пляшущие гребешки волн Аравийского моря. Шведские столы, которые здесь накрывали, были среди лучших в городе и предлагали широкий ассортимент блюд на любой вкус. Я был голоден и потому обрадовался, увидев, что Лиза уже ждет меня в холле. На ней были накрахмаленная рубашка небесно-голубого цвета с поднятым воротником и такие же небесно-голубые кюлоты. Ее белокурые волосы были заплетены во французскую косичку. Героин она не употребляла уже больше года, вид у нее был цветущий и вдохновенный.

— Привет, Лин! — улыбнулась она, целуя меня в щеку. — Ты как раз вовремя.

— Очень рад это слышать. Умираю от голода.

— Я имею в виду — вовремя для того, чтобы встретиться с Калпаной. Вот и она.

К нам подошла женщина лет двадцати шести, с модной короткой европейской стрижкой, в хипстерских джинсах и обтягивающей красной футболке. На шее у нее болтался секундомер с остановом, в руках была подставка для письма.

— Привет, — сказал я, когда Лиза представила нас друг другу. — Это ваша техника на улице перед входом? Фургон с целой кучей кабелей. Вы что, снимаете здесь кино?

— Предполагается, что снимаем, *йаар*, — ответила она, растягивая гласные с бомбейским прононсом, который мне так нравился, что я бессознательно стал его перенимать. — В данный момент режиссер удалился куда-то вместе с одной из танцовщиц, постаравшись, чтобы этого никто не заметил, и теперь вся толпа только об этом и судачит. Так что у нас сорокапятиминутный перерыв. Хотя, если верить тому, что говорят о проворстве этого парня, это раз в десять больше, чем ему требуется.

— Прекрасно! — воскликнул я, потирая руки. — Значит, у нас есть время для ланча.

— К черту ланч, давайте сначала покурим, *йаар*, — заявила Калпана. — У тебя есть гашиш?

— Ну да, — пожал я плечами.

— А машина?

— Я на мотоцикле.

---

[1] Sea rock *(англ.)* — морская скала.

— Тогда пошли в мою. Она на стоянке.

Мы вышли из отеля и устроились в ее «фиате». Пока я готовил курево, Калпана объяснила, что она работает ассистентом режиссера и уже участвовала в съемках нескольких фильмов. Помимо всего прочего, она отвечала за подбор артистов на эпизодические роли. Она поручила эту работу специалисту по кастингу, но ему с трудом удавалось находить иностранцев для исполнения маленьких ролей без слов.

— Калпана говорила об этом еще на прошлой неделе, когда мы обедали вместе, — вступила в разговор Лиза, пока Калпана затягивалась. — Она жаловалась, что ее помощники не могут подобрать иностранцев на роли посетителей баров и прочей публики, обитавшей тут при англичанах. И я подумала о тебе.

— Обо мне?

— Ты не мог бы подыскивать мне иностранцев, когда возникнет такая необходимость? — спросила Калпана, глядя на меня хорошо поставленным взглядом опытной гетеры. Взгляд, надо признаться, производил желаемый эффект. — Мы будем доставлять их на съемочную площадку и обратно машинами или автобусами и обеспечивать бесплатным ланчем. За день съемки мы будем платить две тысячи рупий каждому. Вернее, выдавать деньги мы будем тебе, вместе с твоими комиссионными за каждого участника, а уж какую долю ты будешь выплачивать им, сам решишь. Обычно они готовы сниматься в кино бесплатно и даже удивляются, когда мы суем им деньги.

— Как тебе это предложение? — спросила Лиза, поблескивая глазами, подернутыми розовой наркотической дымкой.

— Звучит заманчиво.

Я подумал о побочных выгодах, которые мог извлечь из этого проекта. Среди киношников было немало состоятельных людей, часто летавших за рубеж, и им вполне могли понадобиться паспорта и валюта с черного рынка. Кроме того, Лизу явно очень интересовала работа по кастингу, что само по себе было достаточным доводом в пользу моего участия. Лиза нравилась мне, и я был рад, что это чувство взаимно.

— Значит, договорились, — заключила Калпана, открывая дверцу автомобиля и вылезая из него.

Мы все водрузили на нос темные очки и вернулись на то же самое место в холле, где были полчаса назад.

— Отправляйтесь на ланч, — сказала Калпана, — а я вернусь к своей группе. Мы в банкетном зале. Когда ты освободишься, Лин, то сможешь найти нас по кабелям. Я познакомлю тебя с нашими деятелями, и ты с ними сразу обо всем договоришься. Нам нужны несколько иностранцев уже завтра, два парня и две девушки. Желательно, чтобы это были блондины типа шведов. Кстати, это был кашмирский гашиш, *на*? Я уверена, Лин, мы с тобой отлично сработаемся. Чао!

В ресторане мы с Лизой набрали полные тарелки всякой всячины и сели за столик с видом на море.

— Калпана в порядке, — сказала Лиза, с трудом оторвавшись от еды. — У нее острый язычок и амбиций выше головы, но она девушка честная и верный друг. Когда она сказала мне об этих проблемах с кастингом, я подумала о тебе. Мне показалось, тебя это может заинтересовать.

— Спасибо, — отозвался я, глядя ей в глаза и стараясь угадать ее мотивы. — Это действительно будет нелишне. А ты не хочешь быть моим партнером в этом деле?

— Хочу, — ответила она не задумываясь. — Я надеялась... что ты предложишь мне это.

— Мы можем поделить обязанности. Думаю, мне не составит труда добыть столько иностранцев, сколько им будет нужно, а вот остальным, откровенно говоря, мне не хотелось бы заниматься — всей этой возней на площадке, выплатой денег и прочими организационными вопросами. Может, ты возьмешь это на себя? Я буду привозить добычу, а дальше терзать ее будешь уже ты. Я с удовольствием буду работать вместе с тобой, если ты не против.

Она улыбнулась мне. Это была улыбка, какую хочется оставить на память.

— Против?! Да я с руками и ногами! — вырвалось у нее, и сквозь загар проступила краска смущения. — Мне действительно пора чем-нибудь заняться, Лин, и я думаю, эта работа мне подойдет. Когда Калпана предложила мне ее, я сразу загорелась, но боялась взяться за нее самостоятельно. Так что спасибо тебе.

— Брось, не за что. А как у тебя дела с Абдуллой?

— Ну-у... — проговорила она, прожевав очередную порцию. — Это для меня все, что угодно, но не работа, — надеюсь, ты понимаешь, что я имею в виду. То есть, бросив работу во Дворце, я не ищу ей замену. Он, кстати, дал мне деньги, огромную сумму. Не знаю уж, где он взял их, — да, в общем, мне наплевать. Я в жизни не видела столько денег в одном флаконе, точнее, вот в этом металлическом кейсе. Он отдал их мне на хранение и сказал, что я могу тратить сколько захочу. Все это выглядело несколько жутковато, будто... не знаю... какое-то завещание или последняя воля, что-нибудь такое.

Я невольно иронически приподнял одну бровь. Заметив это, она подумала момент-другой и сказала:

— Я доверяю тебе, Лин. Ты единственный во всем этом городе, кому я доверяю. Забавно, что Абдулла дал мне деньги и все прочее, и, думаю, я влюбилась в него по-сумасшедшему, но при этом я ему не доверяю. Наверное, ужасно, что я говорю так о мужчине, с которым живу, да?

— Да нет, не ужасно.

— А ты доверяешь ему?

— Да, целиком и полностью.

— Почему?

Я медлил с ответом, не находя слов. Мы прикончили еду и, откинувшись на спинки стульев, глядели в морскую даль.

— Мы были вместе кое в каких переделках, — сказал я наконец. — Но это не главное. Я доверился ему еще до этого. Не знаю, как это объяснить. Возможно, ты доверяешь человеку, когда видишь в нем много такого, что есть в тебе самом. Или такого, что ты хотел бы иметь.

Мы сидели в молчании, тревожась каждый о своем, упрямые в своей решимости бросить вызов судьбе, каждый по-своему.

— Ты как, готова? — спросил я.

Она кивнула.

— Тогда пошли к киношникам.

От генераторной установки, стоявшей у отеля, внутрь здания тянулись черные релейные кабели. Следуя за их извивами, мы вошли через боковую дверь, миновали толпу суетившихся ассистентов и попали в банкетный зал. Он был набит людьми, мощными юпитерами, слепящими рефлекторными панелями, камерами и прочей аппаратурой. Не успели мы войти, как кто-то крикнул: «Тишина, пожалуйста!» — и грянула бравурная музыка.

Индийские кинофильмы не всем по вкусу. Иностранцы, с которыми я встречался, иногда говорили, что им претит беспорядочный калейдоскоп музыкальных номеров, совершенно произвольно втиснутых между эпизодами с рыдающими матерями, изнывающими от страсти влюбленными и злодействующими злодеями. Я понимал, что они имеют в виду, но не разделял их мнения. За год до этого Джонни Сигар сказал мне, что в своих прошлых инкарнациях я, по всей вероятности, успел побывать по меньшей мере шестью разными персонажами индийского фольклора. Я воспринял это как комплимент, но, лишь посмотрев свой первый болливудский фильм, до конца понял, что он имел в виду. Я с первого же момента всем сердцем влюбился в эту музыку, пение и танцы.

Постановщики запаслись двухкиловаттным усилителем. Музыка сотрясала банкетный зал и пробирала до костей. Съемочная площадка сверкала всеми красками тропических широт. Глаза слепило целое море прожекторов. Лица были прекрасны, как барельефы на стенах храма. В танце смешивались неистовство бьющего через край сладострастия и классическое индийское мастерство. А все в целом удивительным образом воспроизводило саму любовь и жизнь, их драму и комедию, и каждый жест грациозной руки, каждое подмигивание обольстительницы усиливали это впечатление.

Примерно час мы наблюдали за тем, как репетировали, совершенствовали и наконец снимали танцевальный номер. После этого был сделан перерыв, и Калпана представила меня Клиффу де Сузе и Чандре Мете, двоим из четверых постановщиков фильма. Де Суза был высоким курчавым индийцем из Гоа, с обезоруживающей ухмылкой и размашистой походкой. Чандре Мете было около сорока; его чрезмерная полнота нисколько его не смущала — он принадлежал к тем толстякам, которые придерживаются известного принципа: чем больше хорошего человека, тем лучше. Они оба понравились мне, и, хотя времени у них было в обрез, мы успели дружески побеседовать и обсудить наши планы.

Я предложил отвезти Лизу домой, но она уже договорилась с Калпаной и осталась ждать ее. Я дал ей номер телефона своей новой квартиры, чтобы она звонила, когда ей понадобится. В холле я заметил Кавиту Сингх, которая тоже собиралась покинуть отель. Мы не виделись уже несколько недель — были слишком заняты: она писала репортажи о преступлениях, а я совершал их.

— Кавита! — воскликнул я, кидаясь к ней. — Та самая женщина, которая мне нужна! Лучший репортер лучшей бомбейской газеты. Как поживаешь? Выглядишь ты просто... потрясающе!

На ней был брючный костюм цвета высушенной добела кости, в руках холщовая сумочка в тон костюму. Под пиджаком с глубоким вырезом явно не было ничего.

— Да ну, брось, — смущенно улыбнулась она. — Этот костюм называется «смерть мужчинам». Нацепила его для интервью с Васантом Лалом. Только что развязалась с этим.

— Ты вращаешься во влиятельных сферах, — заметил я, вспомнив фотографии этого популистского политика.

Его обличительно-подстрекательские речи приводили к бунтам, поджогам и убийствам. Всякий раз, видя его по телевизору или читая его фанатичные призывы в газетах, я думал об убийце, называвшем себя Сапна. Васант Лал был легализованной версией этого психопата.

— Его апартаменты в «Си-роке» — настоящая змеиная яма, это точно, баба́. Но он милостиво согласился дать мне интервью. У него слабость к большим титькам. Только не смей ничего говорить! — нацелила она на меня указательный палец.

Я поднял руки вверх и помотал головой:

— Я и не собирался ничего говорить, *йаар*! Я только смотрю и жалею, что у меня нет дополнительного телескопического глаза, а высказываться по этому поводу — боже упаси!

— Нахал! — бросила она сквозь зубы, смеясь. — Но послушай, что происходит с нашим миром, если один из крупнейших бомбейских политиков в течение двух часов обращается не к тебе, а к твоим титькам? У мужчин только одно на уме, согласись.

— Увы! — развел я руками.

— Все они блудливые козлы, *йаар*.

— Что я могу сказать? Когда женщина права, возразить нечего.

Она с подозрением покосилась на меня:

— Что это ты сегодня такой покладистый, а?

— Слушай, тебе куда? — спросил я, вместо ответа.

— В смысле?

— Куда ты сейчас направляешься?

— Беру такси и еду домой, в центр. Я теперь живу недалеко от фонтана Флоры.

— Давай я подвезу тебя на мотоцикле, если не возражаешь. Мне надо с тобой поговорить. Тут возникла одна проблема, и я хочу попросить у тебя помощи.

Кавита знала меня не очень хорошо. Глаза ее были цвета коры коричного дерева, на фоне которой поблескивали золотые искорки. Она осмотрела меня этими глазами с ног до головы, и проведенное обследование не слишком вдохновило ее.

— Что за проблема?

— Это связано с одним убийством. Из этого выйдет репортаж на всю первую полосу. Я сообщу подробности у тебя дома. А по пути ты могла бы поделиться со мной своими соображениями о Васанте Лале. Поскольку тебе придется кричать мне в ухо, ты волей-неволей облегчишь душу.

Спустя сорок минут мы поднялись пешком на четвертый этаж ее дома, расположенного между Фортом и фонтаном Флоры. Квартирка была крошечная, со встроенной откидной кроватью, рудиментарной кухней и сотней шумных соседей. Однако ванная была превосходна и вмещала не только стиральную машину, но и сушильный шкаф. Имелся также балкон, огороженный старинной решеткой из кованого железа, откуда открывался вид на шумную площадь с фонтаном.

— Убийцу зовут Ананд Рао, — сказал я, потягивая крепкий эспрессо, который она приготовила. — Он жил в трущобах в одной хижине с неким Рашидом. Они были моими соседями. Затем к Рашиду переселились из деревни его жена с сестрой, и Ананд освободил им место.

— Подожди минутку, — сказала Кавита. — Мне надо это записать.

Подойдя к большому, заваленному бумагами столу, она взяла блокнот, ручку и кассетный магнитофон. Дома она переоделась в свободные дамские шаровары и майку. Ее движения и походка были стремительны, точны и изящны и позволяли оценить ее красоту по достоинству. Она включила магнитофон, забралась с ногами в кресло и приготовилась писать, но тут заметила, что я уставился на нее.

— Ты что?

— Нет, ничего, — улыбнулся я. — Так вот, этот Ананд Рао познакомился с женой Рашида и ее сестрой и подружился с ними. Обе они были застенчивы, но веселы и доброжелательны. Задним числом я думаю, что Ананд, возможно, был неравнодушен к сестре. Женщинам хотелось завести небольшой магазинчик, но у них не было денег. И вот однажды Рашид говорит жене, что это осуществимо, но для этого он должен продать одну из своих почек в известную ему частную клинику. Жена против, но Рашид в конце концов убеждает ее, что больше им ничего не остается. Он идет в клинику, а возвратившись, сообщает, что у него две новости: хорошая и плохая. Хорошая заключается в том, что клинике действительно нужны почки, а плохая — в том, что почки им нужны только женские.

— Так-так, — вздохнула Кавита, покачав головой.

— Да, хитро придумано. Сначала жена, понятно, не соглашается, но Рашид опять уговаривает ее, и она ложится на операцию.

— Ты знаешь, что это за клиника?

— Да. Ананд это выяснил и сообщил Казиму Али, главе трущобного поселка. Тот знает все это в деталях. Когда жена Рашида возвращается из клиники, Ананд Рао узнает об этом и приходит в негодование. Он знает Рашида очень хорошо, прожив с ним под одной крышей два года, и понимает, что тот мошенничает. Он пытается поговорить с Рашидом откровенно, но из этого ничего не выходит. Рашид притворяется возмущенным, обливает себя керосином и велит Ананду поджечь его, если он считает его таким мерзавцем. Ананду остается только предупредить Рашида, чтобы он заботился о женщинах как следует, и уйти ни с чем.

— А когда все это произошло?

— Операцию делали полгода назад. После операции Рашид говорит жене, что за одну почку в клинике дают только половину той суммы, которая им требуется, и что он двадцать раз пытался продать клинике свою почку, но ему отказывают. Он уговаривает жену продать почку сестры. Жена категорически против. Тогда он начинает обхаживать сестру, говоря ей, что если она не согласится — это будет означать, что ее старшая сестра отдала свою почку напрасно. В конце концов женщины уступают, и младшая сестра тоже лишается своей почки.

— Ну и типчик, — пробормотала Кавита.

— Да уж. Он мне никогда не нравился. Он из тех людей, которые улыбаются, когда это нужно, а не когда им этого хочется. Примерно так улыбаются шимпанзе.

— И что было дальше? Он смылся с деньгами?

— Да, Рашид прикарманил все деньги и исчез. Сестры остались ни с чем. Здоровье их быстро ухудшалось, и закончилось тем, что обе оказались в больнице в коматозном состоянии и вскоре умерли с интервалом в несколько минут. Ананд и еще несколько жителей поселка присутствовали при том, как лица женщин накрывали простынями. Он вне себя выбежал из больницы. Он сходил с ума от гнева и, думаю, от сознания своей вины. Зная все излюбленные забегаловки Рашида, он отправился на поиски и нашел его возле одной из них в канаве, где тот отсыпался после очередного возлияния, заплатив уличным мальчишкам, чтобы они отгоняли крыс. Ананд отпустил мальчишек и сел рядом с Рашидом, слушая, как он храпит. Затем перерезал ему горло и ушел только после того, как перестала течь кровь.

— Мрачная история, — заметила Кавита.

— Это точно. Ананд пошел прямо в полицию и во всем признался, так что теперь его судят за убийство.

— И ты хочешь, чтобы я...

— Я хочу, чтобы ты опубликовала сенсационную статью, которая вызвала бы в обществе сочувствие к Ананду, и когда ему будут выносить приговор — это помогло бы смягчить его. Я хочу, чтобы он чувствовал поддержку, пока будет в тюрьме, и чтобы он получил минимальный срок.

— М-да, хочешь ты немало.

— Я знаю.

— Понимаешь, — нахмурилась она, — история, конечно, интересная, но такого материала у нас выше головы. Сжигание жен, убийства из-за приданого, детская проституция, продажа девочек в рабство или их убийство — прямо какая-то война против женщин. Люди ни перед чем не останавливаются, и страдают, как правило, женщины. Я не против помочь этому Ананду, но вряд ли этот материал пойдет на первой полосе, как ты хочешь, *йаар*. У меня пока нет достаточного авторитета для этого — не забывай, я ведь недавно устроилась в редакцию.

— Но это еще не все. Изюминка в том, что сестры не умерли. Через полчаса после того, как врачи констатировали их смерть, жена Рашида пошевелилась под простыней и застонала, а за ней и ее сестра. Так что теперь они живут и благоденствуют. Их хижина в трущобах стала центром настоящего паломничества. Со всего города приходят люди посмотреть на чудо-сестер, вернувшихся из царства мертвых. Они берут с паломников деньги, и это самое прибыльное предприятие, какое было когда-либо организовано в трущобах. Сестры нажили на этом такое состояние, о каком никогда и не мечтали. Они даже создали фонд помощи покинутым женам. И вот эта история про женщин, восставших из мертвых, я думаю, вполне достойна первой полосы.

— *Аррей йаар*[1], *баба!* — воскликнула Кавита. — Да, это меняет дело. Прежде всего ты должен свести меня с этими женщина-

---

[1] Вот это да! *(хинди)*

ми. Они — гвоздь программы. Затем я хочу навестить Ананда в тюрьме.

— Я отвезу тебя в тюрьму.

— Нет, я должна поговорить с ним наедине. Ты будешь задавать ему наводящие вопросы и подсказывать ответы. Я хочу посмотреть, умеет ли он постоять за себя, раз уж мы собираемся развернуть кампанию в его поддержку, *йаар*. Но ты можешь повидаться с ним перед этим и подготовить его. Я постараюсь навестить его в ближайшие две-три недели. Дел невпроворот.

Мы целых два часа обсуждали план будущей кампании, Кавита закидала меня вопросами. Она явно загорелась и рвалась в бой. Оставив ее, я доехал до Нариман-Пойнта и взял большую порцию горячей еды в одной из передвижных закусочных на берегу, торговавшей едой быстрого приготовления. Но оказалось, что я переоценил свой аппетит, и половина порции осталась недоеденной. Затем я спустился к воде, чтобы вымыть руки. Я находился недалеко от того места, где впервые встретил Кадербхая ночью три года назад.

В мозгу у меня быстро проплывали, как титры на телеэкране, слова Кадера: «Совершил зло из лучших побуждений». Я подумал об Ананде Рао в большой камере тюрьмы на Артур-роуд в компании с надзирателями и полчищами вшей. Меня передернуло, и с очередным порывом морского ветра я постарался вытряхнуть из себя эту мысль. Кавита спросила меня, почему я принимаю такое участие в судьбе Ананда. Я не признался, что Ананд обращался ко мне за помощью всего за неделю до того, как перерезал горло Рашиду. Я не признался, что не стал его слушать и оскорбил, предложив деньги. Я отделался неопределенным ответом, намекавшим, что я действую просто из гуманных побуждений: хочу помочь знакомому.

Кадербхай как-то сказал, что всякий добродетельный поступок продиктован нечистой совестью. Может быть, это справедливо не для всех, но что касается меня, то это действительно так. На те немногие добрые дела, которые я совершал, меня всегда вдохновляло что-то темное в прошлом. Тогда я не понимал, но понимаю теперь, что в конечном счете мотив играет более важную роль в хорошем поступке, нежели в плохом. Когда мы полностью осознаем свою вину за причиненное другим зло, мы стремимся творить добро, чтобы спасти свою душу. Но при этом начинают выползать из тени все тайные мотивы, которые мы скрывали, все наши секреты. Темные мотивы наших светлых начинаний преследуют нас неотвязно. Путь наверх, к искуплению, особенно крут тогда, когда наши добрые поступки запятнаны постыдными делами.

Но тогда я еще не понимал всего этого. Я умыл руки в холодном равнодушном море, и моя совесть была так же молчалива, как далекие звезды в вышине.

ГЛАВА

27

Прежде чем выпускать старые паспорта — «книжки» — на черный рынок, нужно было проверить их, как и тех, кто продавал их нам и, возможно, подделывал до нас. Всегда существовала опасность, что людей, от которых паспорта нам достались, — наркоманов, беженцев или просто нуждающихся иностранцев — преследуют за совершение тяжкого преступления на их родине или в какой-нибудь другой стране. На этом погорело немало контрабандистов. Они покупали паспорта, а затем их арестовывали в одном из зарубежных аэропортов, так как прежний владелец паспорта разыскивался в связи с убийством, ограблением или контрабандой. Чтобы обеспечить безопасность наших клиентов и собственных курьеров, Абдул Гани подвергал каждый купленный или украденный нами паспорт двойной проверке.

Первую осуществлял какой-нибудь завербованный нами сотрудник таможни, имеющий доступ к компьютерной базе данных. Мы передавали таможеннику список паспортов с указанием страны, выдавшей документ, его номера и фамилии прежнего владельца, а он в удобное для него время проверял эти данные и возвращал нам список, отмечая, какие из паспортов имеют подмоченную репутацию. Иногда их владельцев разыскивал Интерпол с целью ареста, иногда они просто подозревались в контрабанде наркотиков и оружия или в связях с политическими группировками, которые не пользовались доверием у секретных служб. Но какова бы ни была причина, такие паспорта агенты Абдула Гани уже не могли продавать на черном рынке.

Однако применение им все же находилось. Их можно было расшить и, удалив страницы с компрометирующими данными, вписать новые. Их можно было использовать на внутреннем рынке. Хотя иностранцы, которые останавливались в отелях, учитывались отделами регистрации, в каждом городе имелись гостиницы, где не слишком придирчиво проверяли сходство туриста с фотографией в паспорте. Такой паспорт не давал человеку возможности пройти через таможню, но вполне позволял путешествовать по стране и останавливаться в отелях с минимальным соблюдением необходимых требований.

Паспорта, в которых таможенник не находил изъянов, отправлялись на вторичную проверку в офисы крупных авиакомпаний. Каждая из них вела свой учет скомпрометированных или подозрительных паспортов. К таковым относились те, чьи владельцы были уличены в мошенничестве, привлекались к ответственности за нарушение порядка на борту или считались некредитоспособными. Естественно, контрабандисты не хотели привлекать к себе внимание сотрудников авиаслужб, и паспорта им требовались безупречные. Потому-то люди Абдула Гани и проверяли все паспорта после таможни в крупнейших авиакомпаниях. Паспорта, выдержавшие двойную проверку, — обычно их было чуть меньше половины общего количества — продавались на черном рынке или использовались курьерами Гани.

Клиенты, приобретавшие у нас паспорта, распадались на три основные категории. К первой относились те, кто покидал страну, спасаясь от голода или просто в поисках лучшей жизни. Среди них были турки, желавшие попытать счастья в Германии, албанцы, стремившиеся в Италию, алжирцы — во Францию, жители разных стран Азии — в США или Канаду. Семья или несколько семей, а то и целая деревня в складчину покупали у Абдула паспорт для какого-нибудь перспективного молодого человека и посылали его в одну из зарубежных стран. Из заработанных там денег он отдавал свой долг пославшим его, а затем покупал паспорта для других молодых людей. Паспорта для этой категории беженцев были самыми дешевыми из всех и стоили от пяти до двадцати пяти тысяч долларов. Мастерская Гани выпускала около сотни таких документов ежегодно, и полученный от них доход составлял, за вычетом накладных расходов, более миллиона долларов в год.

Во вторую категорию входили те, кто бежал по политическим причинам, зачастую спасая свою жизнь. Это были жертвы войн, междоусобиц и конфликтов на религиозной или этнической почве. Иногда причиной служили кардинальные изменения в жизни людей, инициированные государством. Так, тысячи жителей Гонконга стали нашими потенциальными клиентами, когда Великобритания решила в 1984 году вернуть свою старую колонию Китаю, установив тринадцатилетний промежуточный срок рассмотрения вопроса о суверенитете, и лишила ее население британского гражданства. В мире постоянно скиталось миллионов двадцать политических беженцев, которые жили в специально оборудованных для них лагерях или находили пристанище самостоятельно. Этим людям паспорта обходились дороже — от десяти до пятидесяти тысяч долларов, поскольку неутомимые агенты Гани рисковали, пробираясь в зоны вооруженных конфликтов, а выбраться из этих зон было еще сложнее.

И наконец, третья категория была представлена преступниками. Среди них встречались правонарушители вроде меня — воры, контрабандисты, киллеры, стремившиеся сменить имя, чтобы замести следы. Но по большей части это были те, кто строил тюрьмы и сажал в них людей, а не отсиживал срок сам, — диктаторы, организаторы военных путчей и заговоров, сотрудники секретных служб и члены коррумпированных правительств, вынужденные бежать при падении режима или разоблачении их преступлений. Лично мне пришлось иметь дело с беженцем из Уганды, укравшим более миллиона долларов, выделенных международными финансовыми организациями на социальные нужды, в том числе на строительство больницы для детей. Больница так и не была построена. Вместо этого больных, увечных, умирающих детей вывезли в отдаленный лагерь и бросили там на произвол судьбы. Я встретился с этим человеком в столице Заира Киншасе, где он уплатил мне двести тысяч долларов за два паспорта — швейцарский и канадский, после чего благополучно отбыл в Венесуэлу.

Агенты Абдула в Южной Америке, Азии и Африке входили в контакт с коррумпированными чиновниками, растратчиками, палачами и военачальниками, поддерживавшими павшие диктаторские режимы. Общаясь с ними, я со жгучим стыдом сознавал свою вину. В молодые годы, работая для газеты, я выступал за свободу, разоблачал в своих статьях и памфлетах преступления, совершаемые подобными субъектами. Я не раз присоединялся к демонстрациям жертв их преступлений и участвовал в их стычках с полицией. И когда я встречался с этими подонками теперь, во мне пробуждались старая ненависть к ним и возмущение. Но та жизнь была позади. Я растерял свои революционные идеалы в героиновом чаду и в угаре преступлений. Я тоже стал беглецом, за чью голову была назначена награда. Я стал гангстером и жил спокойно лишь благодаря тому, что меня ограждала от тюремных мучений мафия Кадера.

Поэтому я исправно исполнял свои обязанности в отделе Гани, помогая избежать заслуженного возмездия виновникам массовых репрессий, которые выносили смертные приговоры тысячам людей и в конце концов были приговорены собственным народом. Но мне не нравилось то, что я делал, как не могли нравиться они сами, и я не скрывал своего отношения к ним. Я прилагал все усилия, чтобы сделка была максимально невыгодной для них, и получал слабое утешение, когда они лезли на стенку. Эти мерзавцы, грубо попиравшие человеческие права, лицемерно негодовали и с пеной у рта торговались за каждый доллар, не желая выпускать из рук деньги, украденные у голодающих. Но в конце концов им приходилось принимать наши условия. Даром паспорта им не доставались.

Похоже, никто из остальных членов мафии не разделял моих взглядов. Вряд ли найдется другая социальная группа, которая относилась бы к политике и политикам с таким же цинизмом, как профессиональные преступники. С их точки зрения, все политики жестоки и продажны, все политические системы притесняют беззащитных бедняков в интересах могущественных богачей. И постепенно я все больше склонялся к такому же мнению, потому что своими глазами видел основания для него. В тюрьмах я на своей шкуре почувствовал, как грубо нарушаются там человеческие права, а судебные решения ежедневно подтверждали ту истину, что в любой стране, при любой системе правосудие зависит от состоятельности обвиняемого.

В противоположность этому, в мафии Кадербхая царили такие равенство и братство, каким позавидовали бы коммунисты и христиане-гностики. Мы не различали клиентов ни по цвету кожи, ни по убеждениям и политическим взглядам, не копались в их прошлом. Все они, добродетельные и погрязшие в грехах, интересовали нас лишь с одной точки зрения: насколько остро они нуждались в поддельном паспорте. Это определяло запрашиваемую нами сумму, и, уплатив ее, клиент рождался заново, без прошлого и без груза грехов. Ни один из них не был для нас ни хуже ни лучше другого.

Абдул Гани мыслил чисто рыночными категориями, свободными от всякой морали. Он без тени сомнения или осуждения помогал генералам, наемникам, расхитителям общественных средств и тюремщикам-душегубам. Их свобода ежегодно приносила нам два миллиона долларов чистой прибыли. Но если источники этого дохода и способы его получения абсолютно не волновали Абдула, то в отношении расходования добытых средств он был сущим фанатиком. Каждый доллар, вырученный за счет спасения этого отребья, тратился на программу поддержки иранских и афганских беженцев, осуществляемую Кадербхаем. Каждый паспорт, проданный бывшим военным диктаторам и их прислужникам, позволял приобрести пятьдесят паспортов, виз и прочих документов для иранцев и афганцев, спасавшихся от войны. По иронии судьбы, которая любит создавать запутанные психологические ситуации с участием жадности и страха, деньги, вытянутые из тиранов, шли на пользу жертв тирании.

Кришна и Виллу поделились со мной своими знаниями и умениями в области паспортного бизнеса, и я начал экспериментировать, придумывая себе американских, канадских, голландских, немецких и английских двойников. Конечно, я не мог сравниться с двумя тамилами в мастерстве и никогда не смогу. Чтобы изготовить хорошую подделку, надо обладать талантом, особым художественным чутьем, которое позволило бы не только точно воспроизвести все детали документа или сделать новые записи, но и намеренно внести небрежность, создающую видимость подлинности. Каждый выпущенный Кришной и Виллу паспорт был произведением искусства, каждая страница — маленькой художественной миниатюрой. Точно рассчитанная неровность или смазанность отпечатка не менее важны для подделки, чем форма, расположение и цвет выпавшей из рук розы на картине великого мастера. Правдоподобие может быть достигнуто только благодаря интуиции художника, а интуиции нельзя научиться.

Я проявлял свои таланты, изобретая для каждого выпускаемого нами паспорта его послужной список. Зачастую печати в старом паспорте, сообщавшие о перемещениях его владельца, были проставлены с интервалом в несколько месяцев, а то и лет. Иногда была просрочена виза, и этот недочет надо было устранить. Поставив штамп об убытии из бомбейского аэропорта до истечения срока визы, приходилось придумывать переезды из страны в страну, всякий раз удостоверяя их печатями, созданными Виллу. Так постепенно я доводил паспорт до сегодняшней даты, отмеченной новой индийской визой и штампом о прибытии в Бомбей.

При этом последовательность въездов в страну и выездов из нее должна была соответствовать реальному расписанию авиарейсов в интересующий нас момент. У Кришны и Виллу имелась целая библиотека справочников с указанием рейсов между странами Европы, Азии, Африки и Америки. Мы ставили штамп о прибытии в афинский аэропорт, скажем, 4 июля только после того, как удостоверялись, что самолет авиакомпании «Бритиш эруэйз» действительно приземлился в Афинах в этот день. Таким образом, человек, получивший паспорт, мог быть уверен, что вымышленная история его странствий подтверждается расписанием полетов и данными бортовых журналов, в которых учтены даже случаи задержки рейсов из-за погодных условий.

Впервые я опробовал паспорт собственного изготовления на одном из внутренних рейсов при осуществлении так называемого двойного перелета. Тысячи иранских и афганских беженцев, нахлынувших в Бомбей, стремились получить политическое убежище в Канаде, Австралии, Соединенных Штатах и других странах, но правительства этих стран отказывались их впускать. Если бы они уже находились в данной стране, то их заявку на получение убежища волей-неволей пришлось бы рассматривать, и, поскольку они действительно были политическими беженцами, их просьбы часто удовлетворялись. Весь фокус был в том, чтобы переправить их в Канаду, Швецию или иное избранное ими государство.

Применявшийся нами трюк «двойного перелета» заключался в следующем. Для покупки авиабилета в страну, где он хотел просить убежища, бомбейский иранец или афганец должен был предъявить визу этой страны. Легальным путем он достать визу не мог, а подделывать ее было бы бессмысленно, потому что все визы азиатов тщательно проверялись через консульства. Я брал паспорт беженца с фальшивой визой и покупал по нему билет в нужную ему страну. У хорошо одетого горы визу никогда не проверяли. После этого беженец покупал билет на тот же самолет, но только до Дели. Перед отлетом нам вручали посадочные талоны — мне зеленый международный, а ему красный для внутренних рейсов. В самолете мы обменивались талонами, и в Дели я сходил, а беженец мог продолжать путь в свою Канаду или Швецию. Сразу по прибытии он заявлял, что просит политического убежища, и власти приступали к рассмотрению этого вопроса. Я же, переночевав в одном из отелей в Дели, наутро повторял тот же трюк с другим беженцем, летевшим за границу через Бомбей.

Эта система оправдывала себя. В те годы мы переправили в разные страны сотни иранских и афганских докторов, инженеров, архитекторов, академиков и поэтов. Я получал три тысячи долларов за каждого переправленного беженца; в месяц мне обычно приходилось совершать два таких «двойных перелета» из Бомбея в Дели, Калькутту или Мадрас и обратно. Так я летал три месяца по Индии, после чего Абдул Гани послал меня курьером в первый международный рейс.

Поездка была небезопасной. Заир в то время был нейтральной территорией, окруженной государствами, которые вели кровавые войны, — Анголой, Мозамбиком, Намибией, Суданом, Угандой и Конго. Заир был вотчиной душевнобольного диктатора Мобуту[1], и определенная доля выручки за каждое преступление, совершенное в его владениях, поступала в его карман. Мобуту был любимчиком западных держав, потому что покупал у них любое смертоносное оружие, какое ему предлагали, и за любую цену. Если у его западных партнеров и возникали какие-либо подозрения, что он направляет это оружие против профсоюзов и иных прогрессивных сил в своей стране, они эти подозрения не высказывали. Диктатора принимали с помпой короли и президенты, закрывая глаза на то, что сотни мужчин и женщин погибали под пытками в заирских тюрьмах. Правительства тех же самых держав преследовали меня через Интерпол, и я не сомневался, что их верный союзник с удовольствием прикончил бы меня — в виде дополнительной платы за оружие, — если бы я попался во время осуществления своей паспортной миссии в его столице.

Тем не менее киншасское столпотворение пришлось мне по душе. Город процветал за счет открытой торговли всевозможной контрабандой — от золота и наркотиков до ракетных пусковых установок. Его наводняли наемники, беженцы, преступники, дельцы черного рынка и оппортунисты с горящими глазами и стиснутыми кулаками, съезжавшиеся со всей Африки. Я чувствовал себя здесь как дома и с удовольствием задержался бы в Киншасе еще на какое-то время, но не прошло и трех суток, как я получил

---

[1] *Генерал Мобуту Сесе Секо* (1930–1997) — президент Заира в 1965–1997 гг.

на руки сто двадцать тысяч долларов за привезенные паспорта, и надо было доставить деньги Кадербхаю. Поэтому я сразу же вылетел в Бомбей и вскоре отчитывался о командировке Абдулу Гани.

Мне лично поездка принесла десять тысяч баксов, опыт работы в «полевых» условиях и знакомство с африканской ячейкой международной сети Абдула Гани. Я считал, что приобретенный опыт, в отличие от денег, оправдывал сопутствующий поездке риск. Деньги же не имели для меня значения. Я сделал бы то же самое и за вдвое или втрое меньшую плату. Жизнь большинства бомбейцев стоила гораздо дешевле.

Немаловажным фактором была опасность, которой я подвергался. Для некоторых людей опасность — это своего рода наркотик, возбуждающее средство. Для меня, беглеца, живущего в постоянном страхе быть пойманным или убитым, она значила нечто иное. Она была копьем, которым я убивал дракона — свой перманентный стресс. Она помогала мне нормально спать. Когда я попадал в опасные места и ситуации, конкретная угроза заглушала тот страх, который преследовал меня постоянно по ночам. После того как очередное задание было выполнено и связанные с ним треволнения уходили в прошлое, я мог расслабиться и какое-то время жить спокойно.

И я не был исключением. В этих поездках я встречался с другими агентами, контрабандистами и наемниками, у которых при столкновении с опасностью разгорались глаза и закипала кровь. Подобно мне, они бежали от того, чего боялись, и не могли забыть, с чем не могли справиться. И только работа с риском для жизни позволяла им на какое-то время избавиться от преследующего их страха.

Так же благополучно я съездил в Африку во второй, третий и четвертый раз, используя разные паспорта и вылетая из трех разных индийских аэропортов. Кроме того, я продолжал совершать «двойные перелеты» из Бомбея в Дели и обратно и помогал время от времени Халеду в торговле валютой и золотом. Все это отвлекало меня от гнетущих мыслей о Карле.

К концу сезона дождей я заглянул в трущобы, где встретил Казима Али, осуществлявшего один из регулярных обходов подведомственной ему территории и проверявшего состояние хижин и дренажных канав. Мне вспомнилось, как я восхищался им, живя здесь, и какую большую помощь он мне оказывал. Прохаживаясь рядом с ним в новых черных джинсах и ботинках, я видел крепких босоногих парней в набедренных повязках, прочищавших голыми руками канавы и укреплявших их стенки, как делал в свое время и я. И я позавидовал им. Я позавидовал их важному, полезному труду и той серьезности, с которой они к нему относились. Я тоже занимался когда-то этим делом со всем рвением и убежденностью в его необходимости и гордился, получая благодарные улыбки обитателей трущоб по окончании грязной работы. Но эта жизнь была в прошлом. Ее чистота и ощущаемое мной тогда бесценное внутреннее удовлетворение были так же безвозвратно потеряны для меня, как и та жизнь, которую я оставил в Австралии.

Возможно, почувствовав мое мрачное настроение, Казим Али проводил меня до площадки, где Прабакер и Джонни Сигар делали первые приготовления к своим свадьбам. Джонни вместе с десятком соседей сколачивал каркас *шамианы*, большого шатра для проведения свадебной церемонии. Неподалеку другая группа людей возводила невысокий помост, сидя на котором молодожены после церемонии бракосочетания должны были получать подарки от родных и друзей. Джонни обрадовался мне и сказал, что Прабакер водит такси и закончит работу только после захода солнца. Мы осмотрели сооружаемый каркас и обсудили, что лучше и выгоднее: обтянуть его холстом или сделать покрытие из пластмассы.

Джонни пригласил меня выпить чая, а по дороге мы заглянули на участок, где строили помост. Руководил этой работой Джитендра. Он, казалось, оправился от горя, выбившего его из колеи на несколько месяцев после смерти жены. Выглядел он не таким здоровяком, как прежде, округлое брюшко опало, сократившись до едва заметной выпуклости, но в глазах снова светилась надежда, улыбка была непритворной. Его сын Сатиш порядком вытянулся за последнее время. Я поздоровался с ним за руку и незаметно передал при этом бумажку в сто рупий. Он так же незаметно сунул ее в карман своих шорт. Он тепло улыбнулся мне, но было видно, что шок, вызванный смертью матери, еще не прошел. В глазах его еще оставалась пустота — черная дыра, образованная внезапно обрушившимся несчастьем, которая поглощала все вопросы, не выдавая ответов. Сатиш вернулся к работе — он нарезал куски кокосового жгута для обвязывания бамбуковой обшивки; его мальчишеское лицо при этом было словно одеревенелым. Мне было знакомо это выражение — я иногда ловил его в зеркале. Оно появляется, когда мы утрачиваем веру во что-то приносившее нам невинную радость и виним себя — справедливо ли, нет ли — в ее утрате.

— Знаешь, почему мне дали такое имя? — спросил меня Джонни, когда мы потягивали замечательный горячий трущобный чай; в глазах его плясали веселые искорки.

— Нет, — улыбнулся я в ответ. — Ты никогда не говорил мне.

— Я родился на тротуаре недалеко от Кроуфордского рынка. Мать жила там на небольшом пространстве, огороженном двумя шестами и листами пластмассы. Листы были прикреплены к стене дома, а над ними висел щит для наклеивания афиш и объявлений. Щит был старый и покореженный, на нем сохранились лишь обрывки двух плакатов. Один из них был когда-то киноафишей, от которой осталось только имя «Джонни», а другой — бывшей рекламой табачной фирмы, и на ней можно было прочитать только одно слово — «сигара», как ты догадываешься.

— И ей пришла в голову идея назвать тебя...

— Да, Джонни Сигар. Понимаешь, родители выгнали ее на улицу, а мой отец бросил ее, так что она не хотела давать мне ни ту ни другую фамилию. И когда она рожала, валяясь на тротуаре, перед ее глазами маячили эти два слова у нее над головой. И она решила, что это знак свыше, — прости мне этот каламбур. Она была очень упрямой женщиной.

Он наблюдал за Джитендрой и Сатишем, которые вместе с помощниками сооружали настил, укладывая на опоры толстые листы клееной фанеры.

— Это хорошее имя, Джонни, — отозвался я, помолчав. — Оно мне нравится. И оно принесло тебе удачу.

Он посмотрел на меня с лукавой улыбкой, переросшей в безудержный хохот.

— Больше всего меня радует, что это не была реклама какого-нибудь слабительного или чего-нибудь похуже, — выдавил он.

Я прыснул, облив его чаем.

— Ваши приготовления к свадьбе что-то затянулись, — заметил я, отсмеявшись. — Из-за чего задержка?

— Понимаешь, Кумар корчит из себя преуспевающего бизнесмена и хочет дать за каждой из дочерей приданое. Мы с Прабакером говорили ему, что нам оно на фиг не нужно. Это устаревший обычай. Но у папаши Прабакера иное мнение. Он прислал из деревни целый список вещей, которые хотел бы получить в качестве приданого. Помимо всего прочего, это золотые часы «Сейко» с автозаводом и новый велосипед. При этом он выбрал модель, которая слишком велика для него. Мы объясняли ему, что он, со своими короткими ногами, не достанет даже до педалей, не то что до земли, *йаар*, но он зациклился именно на этой модели. Так что теперь мы ждем, когда Кумар соберет все приданое. Свадьбы намечены на последнюю неделю октября, перед самым праздником Дивали.

— Да, неделя будет уникальная. Мой друг Викрам тоже женится в эти дни.

— А ты придешь на наши свадьбы, Лин? — спросил Джонни, чуть нахмурившись.

Он был из тех людей, кто отдает людям все не задумываясь, но попросить других о чем-либо с такой же легкостью не может.

— Я не пропущу этого ни за что на свете! — рассмеялся я. — Как только ты услышишь звон свадебных колоколов, можешь быть уверен, что тут же появлюсь и я.

Я попрощался с ним, и он обратился к Сатишу. Мальчик внимательно слушал Джонни, но живости в его глазах было не больше, чем у могильной плиты. Я вспомнил, как он сидел, обнимая мою ногу и глядя на Карлу, когда она посетила мою хижину, и какой застенчивой улыбкой он одарил ее на прощание. Это воспоминание резануло мое омертвевшее сердце. Говорят, что человек не может возродить прошлое, и это, конечно, верно, но так же верно и то, что он должен стремиться возродить его, и он действительно непрерывно стремится к этому, даже против собственной воли.

Чтобы прогнать грустные мысли, я оседлал свой «энфилд» и отправился на знаменитую Студию Р. К.[1], выжимая полный газ и с риском для жизни лавируя между автомобилями. Накануне я завербовал для Лизы восемь иностранцев. Найти среди них желающих принять участие в съемках болливудского фильма не составляло труда. Немцы, швейцарцы, шведы или американцы, которые отнеслись бы с подозрением и даже враждебностью к индийцу, зазывающему их на кастинг, воспринимали мое предложение с энтузиазмом. За те годы, что я жил в трущобах, работал гидом и посредничал между черным рынком и туристами, я достаточно хорошо изучил их и знал, как войти к ним в доверие. Надо было прикинуться на две части шоуменом, на две части льстецом и на одну часть донжуаном, добавив чуточку озорства, капельку снисходительности и щепотку нахальства.

В качестве гида я также завел тесное знакомство с несколькими кафе и ресторанами Колабы, куда я приводил туристов, побуждая их тратить валюту не скупясь. Среди них были кафе «Мондегар», «Пиккадилли», соковый бар «Дипти», кофейня «Стрэнд», рестораны «Эдуард Восьмой», «Мезбан», «Апсара», «Идеал» и другие. И теперь я разыскивал иностранцев для киностудии именно в этих заведениях, чьи владельцы и служащие тепло приветствовали меня. Видя это, молодые люди, которым я предлагал сотрудничество с Болливудом, проникались ко мне доверием и, как правило, через несколько минут соглашались. После этого я звонил Лизе Картер и договаривался о транспорте на следующий день.

Наша совместная работа с Лизой развивалась успешно. Лизу стали приглашать в качестве агента по кастингу также и другие продюсеры и киностудии. Последняя группа туристов, завербованная мной накануне, предназначалась для Студии Р. К., с которой Лиза и я сотрудничали впервые.

Въехав в ворота студии, я задрал голову, с интересом разглядывая серые паруса щипцовых крыш из гофрированной жести. Лизе Картер, как и многим другим девушкам, волшебный мир

---

[1] Студия выдающегося индийского киноактера, режиссера и продюсера Раджа Капура (1924–1978), основанная в 1951 г.

кино внушал чуть ли не благоговейный трепет. Я особого трепета не испытывал, но и равнодушным не оставался. Когда я оказывался в мире кинофантазий, их магия воздействовала на меня новизной впечатлений и мое сердце подпрыгивало, стремясь вырваться из глубин мрака, который довольно плотно окутал мою жизнь.

Мне показали дорогу в студию звукозаписи, где находилась Лиза со своей немецкой группой. Я застал их во время перерыва, Лиза раздавала молодым людям чай и кофе. Они сидели за столиками, составленными около сцены и изображавшими современный ночной клуб. Поздоровавшись с туристами, я перекинулся с ними парой слов, после чего Лиза оттащила меня в сторону.

— Ну как они? — спросил я.

— Просто великолепны! — воскликнула она. — Терпеливы, абсолютно раскованны и, мне кажется, занимаются всем этим с удовольствием. Сцена должна получиться. За последние две недели ты присылал отличных исполнителей, Лин. Студия прямо в восторге. Знаешь, мы с тобой могли бы поставить это на широкую ногу.

— Тебе нравится эта работа?

— Ну еще бы!

Ее улыбка пронзила меня насквозь, я чувствовал ее даже затылком. Затем ее лицо приняло чуть торжественное и решительное выражение. Такое выражение появляется на лицах людей, твердо вознамерившихся добиться цели вопреки обстоятельствам и даже без надежды на успех. На нее было приятно посмотреть: красотка с калифорнийского пляжа в пышущих сладострастием бомбейских джунглях, девушка с рекламного плаката, сумевшая освободиться и от пиявок героина, высасывавших из нее жизненные соки, и от удушающей роскоши заведения мадам Жу. Кожа ее была гладкой и загорелой, небесно-голубые глаза излучали решимость. Длинные волнистые волосы были убраны в элегантную прическу, гармонировавшую со скромным брючным костюмом цвета слоновой кости. «Она завязала с героином, — думал я, глядя в ее глаза, — она справилась с этим». Я вдруг осознал, сколько в ней мужества и какую важную роль оно играет, помогая ей выжить, — не меньшую, чем свирепая, обращенная ко всему свету угроза в ее тигриных глазах.

— Да, мне нравится эта работа, эта толпа и эта жизнь. Я думаю, тебе все это тоже должно понравиться.

— Мне нравишься *ты*, — улыбнулся я.

Лиза засмеялась и, взяв меня под руку, повела на осмотр помещения.

— Фильм будет называться «Панч паапи», — сообщила она.

— «Пять поцелуев», — перевел я.

— Нет, не *папи*, а *паапи* — «Пять воров». Эта игра слов задумана в названии нарочно — это ведь романтическая комедия. В главной женской роли занята Кими Каткар[1]. Она потрясающая. Не только лучшая танцовщица в мире, но и настоящая красавица. А главную мужскую роль исполняет Чанки Пандей[2]. Он тоже хорош, но мог бы быть еще лучше, если бы не задирал нос так высоко.

— Кстати, о задранных носах. Маурицио больше не донимал вас?

— Нет, исчез бесследно. Но я беспокоюсь за Уллу. Позапрошлой ночью ей позвонил Модена, она сорвалась с места, куда-то понеслась и до сих пор не вернулась. Модена до этого несколько недель не проявлялся. Она сказала, что позвонит мне, но пока звонка не было.

Я нахмурился было, но тут же решительно прогнал мрачные мысли.

— Улла знает, что делает, — проворчал я. — Давай не будем взваливать на себя ее проблемы. Она попросила меня помочь ей, и я помог, потому что она мне нравится. Но эта троица — Улла, Модена и Маурицио, с их темными делишками, — мне уже осточертела. Модена ничего не сообщил ей насчет денег?

— Не знаю. Может быть, и сообщил.

— Парни на улице говорят, что пока они не нашлись, как и сам Модена. Маурицио повсюду разыскивает его. И не успокоится, пока не найдет. Улла тоже хороша. Шестьдесят тысяч баксов, конечно, не такая уж сногсшибательная сумма, но людей убивали и за гораздо меньшие. Если они у Модены, ему следовало бы держаться подальше от Уллы, пока Маурицио сидит у него на хвосте.

— Да, ты прав.

Глаза ее вдруг затуманились тревогой.

— Я беспокоюсь не столько за Уллу, сколько за тебя, — сказал я мягко. — Если Модена появится на горизонте, тебе лучше держаться поближе к Абдулле. Или ко мне.

Она взглянула на меня, плотно сжав губы, словно ей хотелось ответить мне, но она либо не знала, что сказать, либо предпочла промолчать.

— Расскажи мне, что вы снимаете, — попросил я, желая отойти подальше от холодного черного водоворота, в который превращалась жизнь Уллы. — Что это за история?

— Перед тобой ночной клуб — его кинематографическая версия. Герой крадет большой бриллиант у богатого политика и прибегает сюда, чтобы спрятать его. В это время здесь как раз высту-

---

[1] *Кими Каткар* — индийская танцовщица и киноактриса, впервые выступила в 1984 г.
[2] *Чанки Пандей* (р. 1962) — индийский киноактер.

пает со своим танцем героиня, Кими, и герой влюбляется в нее. Когда в зале появляется полиция, он прячет бриллиант в ее парике. А все дальнейшее действие представляет собой попытки героя подобраться к Кими, чтобы вернуть бриллиант.

Она сделала паузу, внимательно глядя на меня и пытаясь по моим глазам понять мою реакцию.

— Боюсь, ты считаешь, что это довольно глупо.

— Нет, — возразил я. — Мне нравится. В реальной жизни он просто отнял бы бриллиант силой, а может, и застрелил бы ее. Эта придуманная версия нравится мне больше.

— Мне тоже, — рассмеялась она. — Очень нравится. И знаешь, они с помощью кусков крашеного холста и кучи деревяшек создают прямо какую-то сказку или мечту. Я понимаю, это звучит как сентиментальная банальность, но это действительно так. Я влюбилась в мир кино, Лин, и мне не надо никакого другого.

— Эй, Лин! — прозвучал голос у меня за спиной. Это был один из постановщиков, Чандра Мета. — Можно тебя на минутку?

Я оставил Лизу с немцами и подошел к Мете, стоявшему около металлической опоры, увешанной софитами с переплетающимися кабелями. На голове у него была натянута задом наперед бейсболка, из-за которой его полное лицо казалось еще круглее. Из-под выпирающего брюшка выглядывала пуговка выцветших голубых «ливайсов», прикрытых длинной рубахой. В замкнутой влажной атмосфере съемочной площадки было довольно жарко, и он вспотел.

— Слушай, старина, я хотел поговорить с тобой, *йаар*, — произнес он с заговорщическим придыханием. — Давай выйдем, подышим воздухом. В этой душегубке я растеряю все свои килограммы, доставшиеся мне в виде дополнительной премии, *йаар*.

Между зданиями, увенчанными металлическими куполами, сновали актеры в костюмах для съемок и рабочие, таскавшие всевозможное оборудование и реквизит. Мимо нас в студию звукозаписи впорхнула группа хорошеньких танцовщиц в экзотических нарядах с перьями. Я повернул вслед им голову, затем пришлось развернуться целиком и идти какое-то время задом наперед. Чандра Мета не удостоил их даже взглядом.

— Послушай, Лин, я хотел обсудить с тобой одно дело... — проговорил он, прикоснувшись к моему локтю. — У меня есть друг, который бизнесмен, и у него много бизнеса в Штатах. *Ачха*[1], как бы это сказать... у него проблема с обменом наличных, *йаар*. И я подумал, что ты... ну, в общем, я слышал краем уха, что ты можешь помочь, когда трудности с этим процессом.

— Как я понимаю, трудности в том, чтобы обменять рупии на достаточное количество долларов?

---

[1] Здесь: и вот *(хинди)*.

— Да, — улыбнулся он, — я рад, что ты это правильно понимаешь.

— И сколько же требуется долларов, чтобы процесс пошел успешно?

— Я думаю, десять тысяч ему вполне хватит.

Я сообщил Мете стоимость доллара по курсу Халеда Ансари, и цифра его устроила. Мы договорились встретиться на студии на следующий день. Я предупредил его, что, поскольку рупии будут иметь гораздо больший объем, нежели американская валюта, они должны быть в мягкой упаковке, которую я смогу пристроить на своем мотоцикле. Мы закрепили сделку, обменявшись рукопожатием. Чтобы напомнить Мете, что доллары он получит от могущественного Абделя Кадер-хана, чье имя, разумеется, ни один из нас не упомянул, я сжал его руку чуть крепче, чем принято, и, когда он, слегка поморщившись, поднял на меня глаза, я с улыбкой проговорил:

— Надеюсь, все будет в порядке, Чандра. В таких делах никто не любит осложнений, а уж мои друзья тем более.

— Ну разумеется, *баба*! — воскликнул он, широко улыбаясь, хотя в глазах его промелькнула искорка тревоги. — Без проблем. *Кой бахт нэхи!* Ни о чем не беспокойся! Я очень благодарен, что ты можешь помочь мне... моему другу, *йаар*.

Мы вернулись в студию, где Лиза беседовала со вторым постановщиком, Клиффом де Сузой.

— А, Лин! Ты как раз подойдешь! — приветствовал меня де Суза и, схватив за руку, потащил к столикам ночного клуба.

Я оглянулся на Лизу, но она лишь вскинула руки: я, мол, тут ни при чем.

— Подойду для чего, Клифф?

— Нам нужен еще один исполнитель, *йаар*. Гора, который будет сидеть вместе с этими прекрасными девушками.

— Нет, нет и нет! — воскликнул я, отдирая от себя де Сузу и стараясь сделать это не слишком невежливо.

Мы были уже около столика, и две немецкие девушки поднялись, чтобы усадить меня между собой. Тем не менее я продолжал сопротивляться:

— Я не могу! Я не умею играть. Я теряюсь перед камерой. Это невозможно!

— *Na, komm' schon! Hör' auf!*[1] — сказала одна из девушек. — Разве не вы только вчера убеждали нас, как это легко, *на*?

Девушки действительно были миловидны. Собственно говоря, я и выбрал-то эту группу накануне потому, что все молодые люди выглядели привлекательно. Они улыбались, приглашая меня присоединиться к ним. Я подумал о том, что фильм увидят

---

[1] Ну давайте же! Не ломайтесь! *(нем.)*

примерно триста миллионов человек в десятке стран, где, возможно, циркулируют мои портреты с предупреждением «Разыскивается». Сниматься было опасно и просто-напросто неразумно.

— Ну что ж, давайте попробуем, — решил я.

Актеры заняли свои места, Клифф с ассистентами убрались из кадра. Игравший героя Чанки Пандей был симпатичным, атлетически сложенным молодым человеком. Я видел его в нескольких фильмах и был удивлен, убедившись, что в жизни он даже красивее и харизматичнее, чем на экране. Ассистент по гриму поднес ему зеркало, и Чанки стал придирчиво поправлять свою прическу. Он рассматривал свое отражение таким сосредоточенным взглядом, какой бывает разве что у хирурга в ходе сложной и ответственной операции.

— Вы пропустили самое интересное, — прошептала мне одна из немок. — Он очень долго разучивал танцевальные па для этой сцены, и у него никак не получалось. И после каждой неудачной попытки этот человечек с зеркалом подскакивал к нему, и снова начиналась вся процедура с причесыванием. Эти бесконечно повторяющиеся попытки исполнить танец и последующее причесывание — прямо готовая мизансцена для кинокомедии.

Режиссер, стоявший позади оператора, заглянул одним глазом в камеру и дал последние указания осветителям. По его сигналу ассистент призвал всех к соблюдению тишины, оператор объявил, что лента пошла.

— Звук! — скомандовал режиссер. — Начали!

Из динамиков, предназначенных для установки на стадионе, грянула музыка. Я никогда еще не слышал столь громкого исполнения индийской музыки, и оно произвело на меня большое впечатление. Танцовщицы во главе с Кими Каткар выпрыгнули на сцену. Кими начала плавно скользить в танце между столиками и актерами массовки, выполняя все необходимые телодвижения и мимические жесты. Чанки Пандей присоединился к ней, но тут появились полицейские, и он нырнул под стол. В фильме все это должно было длиться не больше пяти минут, но репетиция и съемка этого эпизода продолжались весь день, с утра и до вечера. Пару раз камера проехалась и по мне, так что на память о моей пробе пера в сфере шоу-бизнеса у меня остался снимок моей физиономии, взирающей с восхищенной улыбкой на Кими Каткар.

Когда съемки были закончены, мы усадили немецких туристов в два такси, а Лиза оседлала мой «буллит». Вечер был теплый, и она сняла жакет, а волосы распустила. Крепко обняв меня руками за талию, она прижалась щекой к моей спине. Она была толковым пассажиром — из тех, кто полностью доверяется всем прихотям водителя, приспосабливая свое тело к неожиданностям, подстерегающим его при езде. Через тонкую рубашку я чувствовал спиной ее грудь, руки же я ощущал непосредственно кожей живота, поскольку рубашка была расстегнута до пупа. Шлема на мне не было — я никогда не надевал его. К сиденью сзади был пристегнут шлем для пассажира, но Лиза тоже отвергла его. Время от времени, когда мы тормозили на перекрестке или делали поворот, порыв ветра забрасывал ее длинные волосы мне на лицо и в рот, так что на губах я постоянно чувствовал аромат вербены. Бедра ее легко касались моих, тем не менее их потенциальная сила угадывалась. Мне вспомнилось, как в тот вечер в доме Карлы я ощущал ладонями кожу этих бедер, мягкую, как лунный свет. И она, словно читая мои мысли, спросила, когда мы остановились перед очередным светофором:

— А как поживает малыш?

— Какой малыш?

— Ну, тот маленький мальчик, с которым ты тогда приходил к Карле.

— Замечательно поживает. Я видел его на прошлой неделе у его дяди. Он уже не такой маленький, быстро растет. Ходит в частную школу. Ему там не очень нравится, но учится он хорошо.

— Ты по нему скучаешь?

Зажегся зеленый свет, я нажал на газ, и мы вынеслись на перекресток под пульсирующее стаккато двигателя. Я не ответил ей. Разумеется, я скучал по Тарику. Он был симпатичный малыш. Я скучал по своей дочери. Я скучал по старым друзьям — по всем, кого я не надеялся больше увидеть. Это было своего рода оплакивание их всех, тем более горькое, что все они, насколько я знал, были живы. Мое сердце казалось мне иногда кладбищем, утыканным могильными плитами без имен. И по ночам, в одиночестве моей квартиры, я иногда задыхался от чувства утраты. На туалетном столике валялись пачки денег и свежеиспеченных паспортов, с которыми я мог уехать куда угодно. Но ехать было некуда: не было такого места на земле, где я не ощущал бы пустоты, оставленной теми, кого я потерял, — пустоты безымянной, лишенной смысла и любви.

И хотя беглецом был я, мне казалось, что в образовавшейся вокруг меня пустоте исчезли все они, весь мир, который я когда-то знал. Человек, спасающийся бегством, старается, преодолевая боль, вырвать из сердца свое прошлое, остатки своего бывшего «я», память о тех местах, где он вырос, о тех людях, кто любил его. Бегство позволяет ему выжить, теряя себя самого, но он все равно проигрывает. Мы можем отвергнуть свое прошлое, но оно продолжает мучить нас, оно следует за нами как тень, которая назойливо, вплоть до самой смерти, шепчет нам правду о том, кто мы такие.

Пока мы ехали, город сбросил предзакатное одеяние. Розово-пурпурные краски исчезли, их поглотила сине-черная темнота. Подгоняемые морским бризом, мы мчались по туннелям электрического света. Прикосновение рук Лизы к моей коже ощущалось как беспокойные ласкающие морские волны. Мы словно слились в одно существо с единым желанием, единым обещанием, которое обернулось компромиссом, единым ртом, чувствовавшим вкус опасности и восторга. И что-то — возможно, любовь, а возможно, страх — подталкивало меня к решению, вплетая свой шепот в будоражащие струи воздуха: «Ты никогда не будешь таким молодым и свободным, как сейчас».

— Я, пожалуй, поеду.

— А ты не хочешь выпить кофе или чего-нибудь еще? — спросила она, отпирая дверь квартиры.

— Я, пожалуй, поеду.

— Кавита сама не своя из-за этой истории с двумя женщинами из трущоб, которую ты рассказал ей. Ни о чем другом не может говорить. Она называет их «голубыми сестрами» — не знаю уж почему. По-моему, звучит немного холодно.

Она пыталась придумать тему для разговора, чтобы задержать меня.

— Я, пожалуй, поеду.

Я не удивился, когда два часа спустя, все еще ощущая на губах поцелуй, полученный на прощание, я услышал телефонный звонок.

— Ты можешь приехать прямо сейчас? — спросила она.

Я подыскивал слова, которые звучали бы как «да», но означали бы «нет».

— Я пыталась дозвониться до Абдуллы, но он не отвечает, — продолжала она, и только тут я почувствовал, каким испуганным и безжизненно-монотонным был ее голос. Словно она была контужена.

— Что-то случилось?

— Случилось... У нас тут беда.

— Опять Маурицио? С тобой все в порядке?

— Да, Маурицио. Я убила его.

— Там есть еще кто-нибудь?

— Еще кто-нибудь? — переспросила она тупо.

— Есть еще кто-нибудь в квартире?

— Нет... то есть да. Здесь Улла... и он, на полу.

— Так, слушай внимательно! — скомандовал я. — Заприте дверь и никого не впускайте.

— Дверь взломана, — ответила она слабым голосом. — Он выбил замок и ворвался.

— Тогда придвиньте что-нибудь к двери и не открывайте ее, пока я не приеду.

— С Уллой нехорошо... Она совсем расклеилась.

— Мы разберемся с этим. Пока что забаррикадируйте дверь. Не звони больше никому. Ни с кем не разговаривайте и никого не впускайте. Сделай две чашки кофе с молоком и сахаром — побольше сахара, по четыре куска, — и выпейте его с Уллой. И дай ей также чего-нибудь крепкого, если считаешь, что это поможет. Не паникуйте и ждите меня. Я буду через десять минут.

Мчась в ночи, прорезая транспортные заторы, лавируя в сети огней, я ничего не чувствовал — ни страха, ни беспокойства, ни возбуждения. У мотоциклистов существует выражение «гнать на красном», что означает езду на такой скорости, когда стрелка спидометра все время зашкаливает, не покидая зоны максимальных значений, закрашенной красным цветом. Мы все и жили точно так же — Карла, Дидье, Абдулла, и я, и Лиза, и Маурицио, каждый по-своему, — гнали на красном, держа стрелку в опасной красной зоне.

Наемник-голландец в Киншасе сказал мне как-то, что он перестает ненавидеть себя только в те моменты, когда пускается в рискованную авантюру и действует, ни о чем не думая и ничего не чувствуя. Я выслушал его признание с досадой, потому что слишком хорошо знал, что это означает. В эту ночь я мчался на мотоцикле, я плыл сквозь ночь, и в сердце у меня был полный штиль, я почти примирился с миром.

ГЛАВА
28

В первой же драке на ножах я понял, что люди делятся на тех, кто убивает, чтобы выжить, и тех, кто живет, чтобы убивать. Типы, которым нравится убивать, часто вступают в схватку азартно и ожесточенно, но побеждают обычно те, кто борется за свою жизнь. Если убийца-маньяк чувствует, что проигрывает, его запал угасает, а человек, стремящийся выжить, в аналогичной ситуации начинает драться еще яростнее. И в отличие от обычной стычки на кулаках, стимул, побудивший человека взяться за нож, не пропадает и после драки — как у того, кто победил в кровавом столкновении, так и у проигравшего. Но факт остается фактом: стремление спасти свою жизнь оказывается сильнее желания отнять ее.

Впервые мне пришлось пустить в ход нож в тюрьме. Как и в большинстве тюремных драк, началось все банально, а закончилось круто. Моим противником был крепкий, закаленный в схватках ветеран. Он был одним из тех, кто обирал других, — то есть силой отнимал у более слабых деньги и табак. Большинство заключенных боялись его, и поскольку он был не слишком умен, то путал страх с уважением. Я презираю таких задиристых подонков за их трусость и жестокость. Мне никогда не встречались по-настоящему сильные люди, которые жили бы за счет слабых. Они ненавидят этих обирал почти так же сильно, как те ненавидят их.

Я не был неженкой. Я вырос в рабочем предместье, с его суровыми законами, и с детства привык драться. Но в тюрьме об этом поначалу никто не догадывался, потому что у меня не было тюремного стажа, я впервые попал за решетку. Более того, я был интеллигентом, что сразу чувствовалось по тому, как я говорил и держался. Некоторые уважали меня за это, другие насмехались, но никто не боялся. Тем не менее заработанный мною за вооруженные ограбления двадцатилетний срок в сочетании с тяжелым принудительным трудом заставлял людей призадуматься. Я был темной лошадкой. Было неясно, как я поведу себя в трудной ситуации, и многим хотелось это проверить.

Испытание предстало передо мной с оскаленными зубами и дико вытаращенными глазами — ни дать ни взять разъяренная собака, которая обзавелась к тому же сверкающим стальным клинком. Он напал на меня в тюремной прачечной, единственном месте, не просматривавшемся с узкого мостика между пулеметными вышками, где прохаживались дежурные охранники. Это было внезапное, ничем не спровоцированное нападение, называвшееся на тюремном жаргоне «ударом исподтишка». У него был кухонный нож, который он, подстегиваемый злобой, с безграничным терпением затачивал о каменный пол своей камеры. Нож был достаточно остр, чтобы побриться или без труда перерезать горло. До того как попасть в тюрьму, я никогда не носил с собой ножа и не участвовал в поножовщине. Но здесь не проходило почти ни одного дня, чтобы кого-нибудь не пырнули, и опытные сидельцы советовали мне обзавестись оружием. «Лучше иметь при себе нож, пусть он и не понадобится, — говорили они, — чем оказаться в ситуации, когда он нужен, а у тебя его нет». Я отыскал заостренный штырь примерно с палец толщиной и длиной с ладонь. С одного конца я аккуратно обмотал штырь липкой упаковочной лентой, чтобы его было удобно держать. Напавший на меня бандит не знал, что я тоже вооружен, но мы оба понимали, что схватка может прекратиться только со смертью одного из нас.

Он допустил две ошибки. Во-первых, набросившись на меня и вспоров мне двумя ножевыми ударами грудь и предплечье, он сделал шаг назад и выставил нож, описывая им в воздухе круги, вместо того чтобы продолжать кромсать меня и разом завершить начатое. Очевидно, он ожидал, что я быстро сдамся, — большинство его жертв так и поступали, сломленные своим страхом перед ним и видом собственной крови. Должно быть, он был так уверен в своей победе, что решил продлить удовольствие, поиграв со мной. Но какова бы ни была причина, он уступил мне преимущество и, сделав этот шаг назад, приговорил себя. Он дал мне время вытащить штырь, как следует ухватить его и нанести удар. Я заметил удивление в его глазах, и это был момент для контратаки.

Второй ошибкой было то, что он держал нож захватом снизу, как фехтовальщик держит шпагу на турнире, словно это был не нож, а пистолет, который сделает всю работу за него. К тому же в драке на ножах исход зависит не от оружия, а от человека, нож лишь вспомогательный инструмент. Держать его надо лезвием вниз — это позволяет произвести удар с максимальной силой, а кулак, в котором он зажат, сам по себе может послужить дополнительным орудием при тесном контакте с противником.

Он увернулся как угорь и, широко расставив руки, стал размахивать ножом. Он был правшой. Я занял боксерскую стойку левши, держа свой штырь в правой руке, затем шагнул правой ногой вперед, перенеся центр тяжести на левую. Он ринулся на меня, но я сделал шаг в сторону и выполнил комбинацию из трех боксерских ударов: правой рукой, левой и опять правой. Один из них был удачным: я сломал ему нос, из глаз его брызнули слезы, мешавшие ему смотреть. Он сделал еще один выпад, намереваясь пырнуть меня ножом сбоку. Я схватил его запястье левой рукой, пошел на сближение с ним и воткнул штырь ему в грудь. Я метил в сердце или в легкое, но попал в мягкие ткани под ключицей. Штырь вошел по самую рукоятку. Удар был настолько сильным, что вырвал кусок кожи у него на спине под лопаткой.

Он был прижат к стене между стиральной машиной и сушильным шкафом. Удерживая его штырем на месте и продолжая сжимать левой рукой его руку с ножом, я хотел укусить его в шею или лицо, но он стал так быстро мотать головой из стороны в сторону, что я решил вместо этого бить его по лицу головой. После нескольких ударов он предпринял отчаянную попытку выбраться из западни, и в результате мы оба оказались на полу. Он выронил нож при падении, но мой штырь тоже выскочил из раны. Он подался к выходу из прачечной — то ли ища спасения, то ли пытаясь занять выгодную позицию. Я не мог выжидать, гадая, что он предпримет. Моя голова была на уровне его ног. Схватив его одной рукой за брючный ремень и используя его как рычаг, я нанес ему несколько ударов в бедро. Когда штырь попадал в кость, я всей рукой чувствовал, как он царапает ее и отклоняется в сторону. Выпустив его ремень, я попытался левой рукой дотянуться до его ножа — тогда я мог бы орудовать двумя сразу.

Надо отдать ему должное — он не стал звать на помощь. Он заорал, чтобы я оставил его в покое и что он сдается, но на помощь не звал. И я остановился — пускай живет! Я кое-как поднялся на ноги. Он опять хотел отползти к двери, но я помешал этому, поставив ногу ему на шею, а затем ударил его ногой сбоку по голове. Мне надо было задержать его. Я не мог позволить ему выбраться из прачечной, пока я здесь, — если бы охранники увидели его, мне пришлось бы просидеть в карцере полгода, если не больше.

Пока он лежал на полу и стонал, я снял запачканную кровью одежду и взял чистую. В дверях появился один из заключенных, занимавшихся уборкой во дворе. Увидев нас, он беззлобно ухмыльнулся. Я отдал ему свою грязную одежду. Он спрятал ее в ведро со шваброй, а затем бросил в мусоросжигатель за кухней. По дороге из прачечной я вручил оба ножа другому заключенному, и он закопал их в тюремном садике. Уже после того, как я вернулся в свой корпус, тот тип, который пытался убить меня, доковылял до кабинета начальника тюрьмы, где потерял сознание. Его отвезли в больницу, и больше я никогда его не видел. Он не признался, кто его так отделал, и это тоже говорит в его пользу. Он был головорезом и хотел убить меня без всякого повода, но стукачом он не был.

В одиночестве моей камеры я осмотрел раны. Порез на руке был глубоким и задел вену. К врачу я обратиться не мог, потому что это связало бы меня с дракой и с раненым. Второй глубокий порез тянулся от плеча до середины груди. Он сильно кровоточил. Я взял металлическую плошку, сжег в ней две пачки сигарет, пока от них не остался лишь белый пепел, и втер пепел в ту и другую рану. Это было больно, но кровотечение сразу прекратилось.

Я не рассказывал об этой схватке никому, но скоро все сами узнали об этом и поняли, что я выдержал испытание. Белый шрам у меня на груди, который люди постоянно видели в душе, говорил им, что драка для меня не проблема. Шрам был предупредительным сигналом, подобным ярким кольцам на теле морской змеи. Он до сих пор как новенький, такой же белый и длинный. И он по-прежнему служит предупреждением — для меня. Я прикасаюсь к нему и вижу убийцу, умоляющего сохранить ему жизнь, а в его расширенных от страха глазах вижу, как в зеркале судьбы, то уродливое, полное ненависти существо, в которое я превратился во время драки.

Мне еще не раз приходилось драться на ножах, и сейчас, глядя на тело Маурицио Белькане, я вновь почувствовал тот холод, какой охватывает тебя, когда вонзаешь в кого-то нож или его вонзают в тебя. Верхняя часть его туловища лежала лицом вниз на кушетке, ноги были на полу. На ковре рядом с его бессильно повисшей рукой валялся острый как бритва стилет. В спине под левой лопаткой торчал нож для разделки мяса с черной ручкой, длинный и острый. Я уже видел этот нож в руках у Лизы, когда Маурицио впервые явился к ним без приглашения. Но он не усвоил урок с первого раза, как это свойственно всем нам. «И это хорошо, — сказала однажды Карла. — Если бы мы учились на своих ошибках и не повторяли их, то никогда не влюблялись бы». Маурицио же понял свою ошибку слишком поздно, лишь уткнувшись носом в лужу собственной крови. Он был, безусловно, созревшим человеком. Я как-то упрекнул Дидье в некоторой инфантильности, а он ответил, что гордится этим и что человеку, который полностью созрел и распростился с инфантильностью, осталось жить не больше двух секунд.

Все эти мысли крутились у меня в голове, как стальные шарики в руке капитана Квигга[1]. Вид этого ножа выбил меня из колеи. Я живо вспомнил все свои драки, вспомнил каждую секунду, я снова почувствовал, как нож входит в мое тело, я ощущал его внутри. Это было подобно оставшемуся навечно ожогу, чувству ненависти. Мысль об этом была самой гадкой мыслью на свете. Я потряс головой, сделал глубокий вдох и опять посмотрел на тело.

Очевидно, нож проткнул легкое и вонзился в сердце. В любом случае Маурицио умер практически мгновенно, — судя по всему, он не шевелился после того, как упал на кушетку. Зажав в кулаке его густые черные волосы, я приподнял его голову. Мертвые глаза были полуоткрыты, рот оскален в злобной усмешке. Крови было на удивление мало. Ткань кушетки уже впитала лужу, образовавшуюся на ней. «От кушетки надо избавиться», — мелькнула у меня мысль. Ковер почти не пострадал, его можно было вычистить. Все остальное тоже в целом не было повреждено, не считая сломанной ножки кофейного столика и покосившегося замка на входной двери. Я переключил свое внимание на женщин.

На лице Уллы виднелся порез, тянувшийся от скулы до подбородка. Он был неглубоким, и я был уверен, что он быстро заживет, но шрам останется. Я прочистил рану и заклеил ее пластырем. Порез следовал естественному изгибу лица и лишь подчеркивал его форму. Он нанес красоте Уллы ущерб, но не уничтожил ее. Но глаза были ненормально расширены, в них застыл ужас. На

<hr>

[1] *Капитан Квигг* — отличавшийся неуравновешенным характером персонаж романа «Бунт на „Кейне"» (1951) американского писателя Германа Вука (р. 1915) и одноименной экранизации 1954 г. (реж. Эдвард Дмитрык, в роли капитана Квигга — Хамфри Богарт).

кушетке рядом с ней лежала набедренная повязка. Я накинул ее Улле на плечи, а Лиза дала ей чашку горячего сладкого чая. Когда я накрыл тело Маурицио одеялом, Уллу пробрала дрожь. Лицо ее скривилось, как от боли, и она, очнувшись от шока, заплакала.

Лиза была спокойна. На ней были пуловер и джинсы — наряд, который в такие тихие, жаркие и влажные ночи носили лишь местные девушки. Под глазом у нее красовался синяк. Когда Улла более или менее успокоилась, мы с Лизой вышли в переднюю, где Улла не могла нас слышать. Лиза взяла сигарету, прикурила от моей спички и, сделав затяжку, подняла голову и впервые с тех пор, как я пришел, посмотрела мне прямо в лицо:

— Хорошо, что ты пришел, что ты здесь. У меня не было выхода. Мне пришлось сделать это, потому что...

— Перестань, Лиза! — бросил я спокойно и мягко. — Ты ничего не делала. Это она пырнула его, вижу по ее глазам. Я знаю этот взгляд. Мысленно она переживает тот момент. Это пройдет, но не сразу. Ты пытаешься выгородить ее, но нет смысла защищать Уллу от меня.

Она улыбнулась. Это была хорошая улыбка — с поправкой на обстоятельства. Если бы рядом с нами не валялся труп, я счел бы ее неотразимой.

— Я не хочу, чтобы она пострадала, вот и все, — произнесла Лиза ровным тоном. Она сжала губы, выпрямив улыбку в тонкую горькую линию.

— Я тоже не хочу этого. Так что же все-таки произошло?

— Он вломился сюда и накинулся на нее с ножом. Он был совершенно неуправляем — очевидно, принял хорошую дозу. Он орал на Уллу, а она ничего не могла ответить. По-моему, она соображала еще меньше его — и немудрено. Она провела со мной около часа до его прихода и рассказала мне, что случилось с Моденой. Это... это довольно жуткая история, Лин, неудивительно, что она была не в себе. Ну, значит, Маурицио ворвался, размахивая ножом, как маньяк, и набросился на Уллу. На нем была кровь — наверное, кровь Модены. В общем, тихий ужас. Я схватила на кухне нож и кинулась на него, но он засветил мне в глаз, и я хлопнулась задом на кушетку. Он оседлал меня и хотел пустить в дело свой стилет, но тут уж Улла не растерялась. Он умер в одну секунду. Клянусь тебе. Одна секунда — и его нет. Посмотрел на меня и умер. Она спасла мне жизнь, Лин.

— Прежде всего, это ты спасла ей жизнь, Лиза. Если бы не ты, на кушетке валялся бы ее труп, а не Маурицио.

Ее стало трясти. Я обнял ее и держал, пока она не успокоилась. Затем я принес ей из кухни стул, Лиза обессиленно опустилась на него. Сделав несколько телефонных звонков, я в конце концов поймал Абдуллу. Вкратце объяснив ему, что случилось, я попросил его найти Хасана Обикву в африканском гетто и приехать сюда вместе с ним на машине.

Пока мы ждали их, Уллу покинули последние силы и потянуло в сон, но я не мог позволить ей уснуть, пока мы не покончим с этим делом. Тогда она стала несколько бессвязно рассказывать нам историю Модены и Маурицио с самого начала.

Маурицио познакомился с Себастьяном Моденой в Бомбее, где они оба были сутенерами и поставляли клиентам иностранок. Он был единственным сыном богатой флорентийской четы. Родители Маурицио погибли в авиакатастрофе, когда он был еще ребенком. Воспитывали его дальние родственники, о чем он неоднократно рассказывал Улле, когда напивался. Они были равнодушны к мальчику и только из чувства долга скрепя сердце приняли его под свой кров. В восемнадцать лет Маурицио сбежал от них в Каир, прихватив с собой деньги, первую долю своего наследства. К двадцати пяти годам он растратил все, что оставили ему родители. Родственники порвали с ним — и не только из-за бесконечных скандалов, которыми сопровождался его беспутный вояж по странам Ближнего и Среднего Востока, но и потому, что без единого гроша в кармане он им был не нужен. В двадцать семь лет он был уже в Бомбее, где добывал средства к существованию, торгуя проститутками из Европы.

Привлек его к сутенерству неуверенный в себе, угрюмый тридцатилетний испанец Себастьян Модена. У него были налажены связи с богатыми арабскими и индийскими клиентами. Его худая невзрачная фигура и боязливые манеры были его преимуществом, так как помогали клиентам преодолеть страх и недоверие. Ему доставалась одна пятая тех денег, которые Маурицио требовал за каждую девушку. По мнению Уллы, его вполне удовлетворял такой расклад, когда он выполнял бóльшую часть грязной работы, а Маурицио присваивал бóльшую часть выручки, потому что он считал себя рыбкой-лоцманом, а высокого красивого итальянца — акулой.

История его жизни в корне отличалась от биографии Маурицио. Один из тринадцати детей в семье андалузских цыган, Модена ощущал себя самым маленьким поросенком в помете. Образование он получил не столько в школе, сколько в криминальной среде и зарабатывал на жизнь мошенничеством и мелким воровством в Турции, Иране, Пакистане и Индии. Он существовал за счет туристов, не обирая их дочиста и не задерживаясь подолгу на одном месте. После того как он встретил Маурицио, он в течение двух лет был пособником сутенера, выискивая для него клиентов.

Так могло бы продолжаться бесконечно, но однажды Маурицио привел с собой в «Леопольд» Уллу. Стоило их взглядам встретиться, как Улла поняла, что Модена влюбился в нее без памяти. Она поощряла его чувство, потому что это было полезно для дела. Маурицио выкупил ее у мадам Жу и был полон решимости вернуть потраченные на нее деньги как можно быстрее. Он требовал от охваченного страстью Модены, чтобы он добывал для Уллы не менее двух клиентов ежедневно, пока она не выплатит долг. Модена испытывал муки, видя в этом предательство своей любви, и уговаривал Маурицио освободить Уллу от этого обязательства, но итальянец отказывался, высмеивая его любовь к проститутке.

Раздался стук в дверь, и Улла замолчала. Это был Абдулла, одетый, как всегда, во все черное. Он вошел быстро и молча, как тень, порожденная самой ночью. Пихнув меня в бок в виде приветствия, он ласково кивнул Лизе. Она в ответ подошла к нему и поцеловала в щеку. Приподняв одеяло, Абдулла рассмотрел тело. Он покачал головой и опустил углы рта, как профессионал, признающий высокое качество работы, затем, выпустив из рук одеяло, пробормотал молитву.

— Хасан сейчас занят, приедет через час, — сказал он.

— Ты сказал ему, зачем он мне нужен?

— Он в курсе, — ответил Абдулла, усмехнувшись и приподняв одну бровь.

— На улице все спокойно?

— Да, я проверил, прежде чем зайти сюда.

— Соседи пока не поднимали тревоги. Лиза говорит, что он высадил дверь с одного удара, здесь тоже особого шума и криков не было. Когда я пришел, у соседей слышалась громкая музыка — наверное, какая-то вечеринка. Думаю, никто не знает, что здесь произошло.

— Надо... надо позвонить куда-нибудь! — воскликнула вдруг Улла, поднимаясь. Набедренная повязка упала с ее плеч на пол. — Надо вызвать врача и полицию!

Абдулла подскочил к Улле и обнял ее с удивительной нежностью. Он усадил ее обратно и, продолжая держать в своих объятиях, стал покачивать и успокаивающе приговаривать что-то. Я почувствовал легкий укол совести, понимая, что мне надо было успокоить ее таким же образом еще раньше. Но дело в том, что мной целиком владели другие чувства — прежде всего страх, что подозрение в убийстве падет на меня. У меня был мотив отомстить Маурицио, я однажды избил его, и это было известно. Я пришел к Лизе и Улле вроде бы для того, чтобы помочь им в этой ситуации, но это была не вся правда. Я хотел также обезопасить себя, боялся запутаться в липкой паутине убийства. И потому во мне не оставалось места для нежности, на нее оказался способен лишь киллер-иранец по имени Абдулла Тахери.

Улла продолжила свой рассказ после того, как Лиза дала ей выпить водки с лаймовым соком. Рассказ занял у нее довольно много времени, так как она была напугана и нервничала. Она забывала упомянуть важные детали, перескакивала с одного на другое, излагая события не в хронологическом порядке, а по мере того, как они приходили ей в голову. Нам приходилось задавать ей вопросы, заставлять ее связать один факт с другим.

Модена встретил бизнесмена-нигерийца, который хотел купить героин на шестьдесят тысяч долларов. Модена свел его с Маурицио, и доверчивый африканец очень быстро расстался со своими долларами. Маурицио прикарманил деньги и хотел бежать с ними, но у Модены имелись свои соображения. Он увидел в этом шанс освободить Уллу и самому избавиться от итальянца, которого возненавидел за то, что тот держал Уллу в рабстве. Он украл деньги у Маурицио и спрятался в каком-то убежище, подбросив в то же время нигерийцу идею прислать в Бомбей на поиски денег свою ударную бригаду. Маурицио, справедливо опасаясь кровожадных бандитов и желая выиграть время, чтобы найти Модену, обманул их, сказав, что это я присвоил деньги. Что произошло с нигерийцами дальше, мы с Абдуллой знали очень хорошо.

Несмотря на то что Маурицио трусил передо мной, не говоря уже о нигерийцах, он не мог покинуть Бомбей, смирившись с потерей денег. В душе его кипела ненависть к обокравшему его Модене и жажда вернуть украденное. Он неделями скрытно следовал за Уллой повсюду, зная, что рано или поздно Модена обязательно свяжется с нею. И она привела его к Модене. Не сознавая, что Маурицио следит за ней, она отправилась к Модене в Дадар, где тот затаился в одной из дешевых гостиниц. Маурицио ворвался в номер к своему бывшему партнеру, но нашел там одного Модену: Улла с деньгами скрылась. Модена был слаб и очень болен — Улла предполагала, что его сморила малярия. Маурицио связал его, заткнул ему рот кляпом и принялся пытать стилетом. Но Модена оказался тверже, чем можно было предположить, и не признался, что Улла со всеми деньгами прячется в соседнем номере.

— Когда Маурицио прекратил... свою резню и ушел, я довольно долго ждала, — сказала Улла, уткнувшись невидящим взглядом в ковер под ногами и дрожа под наброшенной на плечи накидкой.

Лиза сидела на полу около ее ног. Осторожно вытащив стакан из рук Уллы, она дала ей сигарету. Улла взяла сигарету, но, не закурив ее, посмотрела Лизе в глаза, затем, повернув голову, взглянула на Абдуллу и на меня.

— Я ужасно боялась, — жалобно всхлипнула она, — ужасно боялась. Спустя какое-то время я зашла в комнату к Модене. Он лежал на кровати, привязанный; во рту у него торчала какая-то тряпка. Он не мог двигаться, только мотал головой. Он был весь в порезах — на лице, на теле, везде. И вокруг было столько крови, повсюду... Он смотрел и смотрел на меня своими черными глазами. Я оставила его и... и... убежала.

— Ты так и оставила его?! — разинула рот Лиза.

Улла кивнула.

— И даже не развязала?

Улла кивнула опять.

— Господи Исусе! — с горечью выплюнула Лиза, переводя страдальческий взгляд с Абдуллы на меня и обратно. — Она не рассказывала мне об этом.

— Улла, послушай, — сказал я. — Как ты думаешь, он может быть еще там?

Она молча кивнула в третий раз. Я посмотрел на Абдуллу.

— У меня есть друг в Дадаре, — сказал он. — Где эта гостиница? Как она называется?

— Не знаю, как называется, — пробормотала Улла. — Это рядом с рынком, сзади, где выбрасывают всякий мусор. Вонь жуткая. Нет, подождите, я вспомнила. Я же говорила название таксисту. «Кабир» — вот как она называется. О господи! Когда я ушла оттуда, я подумала... Я была уверена, что его найдут и... освободят. Вы думаете, что он все еще лежит там? Вы так думаете?

Абдулла позвонил своему другу по телефону и попросил его посмотреть, что делается в гостинице.

— Где деньги? — спросил я.

Она в нерешительности медлила.

— Где деньги, Улла? Дай их мне.

Она поднялась на ноги с помощью Лизы и прошла в свою спальню. Через несколько секунд она вернулась с сумкой для авиапутешествий. Она вручила мне сумку со странным выражением лица — одновременно кокетливым и неприязненным. Я открыл сумку и вытащил несколько пачек стодолларовых банкнот. Отсчитав двадцать тысяч, я положил остальное обратно в сумку и вернул ее Улле.

— Десять тысяч Хасану, — объяснил я. — Пять тысяч на то, чтобы купить тебе новый паспорт и билет в Германию. Пять тысяч на то, чтобы привести здесь все в порядок и снять Лизе новую квартиру в другом конце города. Остальное твое. И Модены, если он выкарабкается.

Она хотела что-то ответить, но в дверь тихо постучали, и вошел наш приземистый и мускулистый нигерийский друг. Он тепло приветствовал Абдуллу и меня. Подобно всем нам, Хасан вполне акклиматизировался в Бомбее и носил толстый пиджак из сержа и джинсы цвета зеленого бутылочного стекла, не испытывая никаких неудобств. Стащив с Маурицио одеяло, он согнул и разогнул руку мертвеца, ущипнул его и понюхал.

— У меня есть неплохая упаковка, — сказал он, бросив на пол скатанный лист толстого полиэтилена и развернув его. — Надо снять с него одежду, а также кольца, цепочки — все, что на нем есть. Чтобы это был просто какой-то неизвестный. Зубы мы вытащим уже на месте.

Когда я ничего не ответил, он поднял голову и увидел, что я смотрю на женщин. Лица их застыли от ужаса.

— Может быть, ты проводишь Уллу под душ? — предложил я Лизе. — И прими душ сама. Мы тут долго не провозимся.

Лиза отвела Уллу в ванную и включила душ. Мы положили Маурицио на лист полиэтилена и раздели его. Кожа его была тусклой, мертвенно-бледной, в некоторых местах даже сероватой. В жизни Маурицио был высоким, хорошо сложенным мужчиной. Мертвый и голый, он казался съежившимся, похудевшим. Наверное, его следовало пожалеть. Даже тот, кого мы никогда и нисколько не жалели при жизни, заслуживает жалости, когда лежит мертвый перед нами. Жалость — разновидность любви, которая ничего не требует взамен и потому является своего рода молитвой. А по усопшему всегда надо помолиться. Замолкнувшее сердце, застывший купол недышащей груди, оплывшие свечи глаз требуют молитвы. Каждый умерший — это разрушенный храм, и, глядя на него, мы должны пожалеть его и помолиться за него.

Но мне не было жаль Маурицио. «Ты получил то, что заслужил», — думал я, закатывая его в полиэтилен. Я чувствовал себя низким и презренным, но эта мысль сама собой прокралась в мой мозг, как беспощадный шепот, пробегающий по разгневанной толпе. «Ты получил то, что заслужил».

Хасан привез с собой большую корзину на колесиках, какие используются в прачечных. Мы вкатили ее в комнату. Тело Маурицио начало коченеть, так что его ноги и руки пришлось запихивать в корзину с хрустом. Мы спустили ее на два лестничных пролета и выкатили на улицу, где стоял фургон Хасана для доставки продуктов в гетто. Никто нас не заметил. Погрузив завернутый в полиэтилен сверток в фургон, мы закидали его сверху рыбой, хлебом и овощами.

— Спасибо тебе, Хасан, — сказал я и, пожимая ему руку, вложил в нее десять тысяч долларов, которые он сунул во внутренний карман пиджака.

— Не за что, — пророкотал он густым басом, вызывавшим трепет у всех бомбейских африканцев. — Я очень рад сделать это для тебя, Лин. Теперь мы наконец в расчете.

Он кивнул Абдулле и прошел полквартала до своего автомобиля. Из кабины фургона высунулся Рахим. Он широко улыбнулся мне и, включив зажигание, повел фургон вперед, не оглядываясь. Хасан, дав ему отъехать несколько сотен метров, последовал за ним. В дальнейшем в разговорах с нами имя Маурицио они никогда не упоминали, даже шепотом. Ходили слухи, что в центре африканских трущоб Хасан велел вырыть большой котлован. Одни говорили, что в нем живут полчища крыс, другие заявляли, что он полон крабов, третьи утверждали, что Хасан держит там огромных свиней. Но все сходились на том, что время от времени этим голодным существам, кто бы они ни были, подкидывают куски очередного трупа.

— Деньгами ты распорядился грамотно, — заметил Абдулла с непроницаемым выражением, глядя вслед удаляющемуся автомобилю.

Вернувшись в квартиру, мы починили дверной замок, чтобы можно было спокойно оставить квартиру с запертой дверью. Абдулла позвонил кому-то из знакомых и договорился, что на следующий день сюда придут люди, распилят кушетку на части и вынесут их в мешках на помойку, а также отчистят ковер и приведут квартиру в порядок, устранив все следы проживания двух женщин.

Не успел он положить трубку, как телефон зазвонил. У его друга в Дадаре были новости для нас. Служащие гостиницы обнаружили Модену в номере и отправили его в больницу. Друг поехал в больницу и узнал, что больной и израненный пациент уже сбежал. Видели, как он вскочил в такси и умчался на полной скорости. Врач, осматривавший его, не был уверен, что Модена доживет до утра.

— Знаешь, что странно? — сказал я Абдулле, когда он сообщил мне это. — Я знал Модену довольно хорошо, встречался с ним в «Леопольде» раз сто, наверно... Но я не помню его голоса. Когда я пытаюсь вспомнить, как он звучит, у меня в голове не возникает никаких звуков — ну, ты понимаешь, что я имею в виду.

— Мне он нравился, — сказал Абдулла.

— Да? Ты меня удивляешь.

— Почему?

— Не знаю... — ответил я. — Он был такой... робкий.

— Он был бы хорошим солдатом.

Брови у меня полезли на лоб. Модена был, как мне казалось, не просто робким, а слабым человеком, и слова Абдуллы меня озадачили. Я тогда не понимал, что хороший солдат не тот, который может черт знает что натворить, а тот, который может все вытерпеть.

И когда все концы этой истории были увязаны или обрублены, когда Улла улетела в Германию, Лиза переехала на новую квартиру и все пересуды о Модене, Маурицио и Улле постепенно затихли, именно исчезнувший таинственным образом испанец вспоминался мне чаще всего. В течение двух следующих недель я сделал два «двойных перелета» в Дели и обратно, а затем слетал в Киншасу с десятью новенькими паспортами для помощников Абдула Гани. Но в гуще всех этих дел передо мной, как на экране, часто всплывало лицо Модены, привязанного к кровати и смотрящего на Уллу, которая уходила с деньгами, бросая его. Наверное, когда она вошла в комнату, он подумал: «Я спасен». Но что он увидел в ее глазах? Ужас, конечно, но что еще? Может быть, отвращение или что-нибудь еще более страшное? Может быть, она испытывала облегчение? Была рада избавиться от него? Я не мог представить, что он чувствовал, когда она отвернулась и вышла, закрыв за собой дверь и оставив его там.

В тюрьме я влюбился в актрису, которая участвовала в популярной телепрограмме. Она приходила к нам давать уроки актерского мастерства и руководила тюремным драмкружком. Мы, как говорится, нашли друг в друге родственную душу. Она была блестящей актрисой. Я был писателем. Я видел, как в ее движениях и жестах оживают придуманные мной слова. Мы говорили друг с другом на языке, общем для всех творческих натур, — на языке ритма и вдохновения. Спустя какое-то время она призналась мне в любви. Я сразу поверил ей и верю до сих пор. Несколько месяцев мы давали выход нашим чувствам, используя те крохи времени, которые удавалось урвать между занятиями драмкружка, и обмениваясь длинными письмами, переправляемыми через нашу подпольную систему тайной переписки.

Закончилось все плохо. Меня бросили в карцер. Не знаю, откуда тюремщики проведали о наших отношениях, но они сразу стали выпытывать у меня подробности. Они были в ярости. В том, что актриса в течение нескольких месяцев поддерживала связь с заключенным, они усматривали оскорбительное неуважение их авторитета и, возможно, унижение их мужского достоинства. Они избивали меня дубинками, кулаками и сапогами, требуя, чтобы я признался, что мы были любовниками, — тогда они могли бы выдвинуть против нее официальное обвинение. На одном из допросов они предъявили мне ее фотографию — рекламный кадр, который они нашли в помещении драмкружка. Они сказали мне, что я должен всего лишь кивнуть и тогда они перестанут избивать меня. «Только один кивок, и все твои мучения кончатся! — кричали они, держа фотографию перед моей окровавленной физиономией. — Только один кивок!»

Но я ни в чем не признался. Я хранил ее образ запертым в моем сердце, как в сейфе, и они не могли добраться до него, ни сдирая с меня кожу, ни ломая мои кости. Однажды, когда я сидел в своей одиночке, зализывая раны на лице и вправляя сломанный нос, смотровое окошко в двери открылось и через него на пол впорхнуло письмо. Окошко закрылось. Я с трудом поднял письмо и кое-как дополз обратно до койки. Это было письмо от нее, с извинениями и наилучшими пожеланиями. Она встретила хорошего человека, писала она. Он музыкант. Все ее друзья уговаривали ее порвать со мной, потому что я отсиживал двадцатилетний срок и у нас не было будущего. Она полюбила этого человека и собиралась выйти за него замуж, когда его симфонический оркестр вернется из турне. Она сожалела о том, что у нас все так закончилось, но надеялась, что я пойму. Мы никогда больше не увидимся, но она желает мне всего самого хорошего в жизни.

Кровь капала с моего лица на страницы письма. Охранники, несомненно, прочитали письмо, прежде чем подкинуть его мне. Я слышал, как они смеются за дверью моей камеры. Им казалось, что они одержали таким образом победу надо мной. Интересно, подумал я, выдержал бы этот ее музыкант мучения ради нее или нет? Возможно, и выдержал бы. Сказать, что у человека в душе, можно лишь после того, как начнешь отнимать у него одну надежду за другой.

И в эти недели после смерти Маурицио лицо Модены, точнее, мое представление о его окровавленном лице с застывшим взглядом и кляпом во рту стало смешиваться с моими собственными воспоминаниями о любви, утраченной в тюрьме. Сам не знаю почему. Казалось бы, не было оснований связывать судьбу Модены с моей жизнью. Тем не менее это происходило в моем сознании, и оттого во мне росла какая-то темнота, слишком оцепенелая, чтобы выразиться в печали, и слишком холодная для гнева.

Я старался бороться с этим чувством, загружая себя работой. Снялся еще в двух болливудских фильмах — в роли безмолвного гостя на вечеринке и в уличной сценке. Встретился с Кавитой, побуждая ее навестить Ананда в тюрьме. Почти каждый день я вместе с Абдуллой качал железо, занимался боксом и карате. Время от времени я проводил день в своей бывшей «клинике» в трущобах. Помогал Прабакеру и Джонни в подготовке к свадьбе. Слушал лекции Кадербхая, с головой уходил в книги, рукописи и пергаменты в библиотеке Абдула Гани, рассматривал древние фаянсовые изделия с гравировкой, имевшиеся в изобилии в его личной коллекции. Но никакие занятия и нагрузки не могли рассеять тьму, образовавшуюся внутри меня. Постепенно истерзанное лицо испанца и его беззвучно кричащие глаза окончательно слились с моими личными воспоминаниями, с кровью,

капавшей на письмо, с рвущимся из меня, но не слышным никому криком. Эти невыкричанные моменты нашей жизни остаются
с нами, спрятанные в самом укромном уголке сердца, куда любовь приползает умирать, как забиваются в глухую чащу умираю-
щие слоны. Только там наша гордость позволяет себе выплакаться. И в эти одинокие ночи и перепутанные в сознании дни передо
мной непрерывно стояло лицо Модены, его глаза, устремленные
на дверь.

Пока я работал и рефлексировал, в «Леопольде» все изменилось. Наша прежняя компания распалась. Карла уехала, Улла
уехала. Модена уехал и, возможно, умер. Маурицио несомненно
умер. Однажды, спеша по какому-то делу, я проходил мимо ресторана и заглянул в дверь. Ни одного знакомого я не увидел, кроме Дидье, который стоически просиживал каждый вечер за своим
любимым столиком, прокручивая свои сделки и угощаясь время
от времени за счет знакомых. Постепенно вокруг него собралась
новая компания, несколько иного стиля. Лиза Картер привела
как-то с собой Калпану Айер, и молодая ассистентка режиссера
стала завсегдатаем заведения. Часто забегали перекусить, выпить
кофе или пива Летти с Викрамом, активно готовившиеся к свадьбе. Однажды Кавита Сингх пришла вместе с двумя молодыми
сотрудниками, журналистами Анваром и Дилипом, которых интересовало, что собой представляет ресторан. Помимо Кавиты,
они встретились здесь с Лизой, Калпаной, Летти и тремя немка-
ми, которых Лиза подрядила сниматься в очередном фильме. Анвар и Дилип были свободными и жизнерадостными молодыми
людьми. Проведя вечер в обществе семи красивых, умных, энергичных молодых женщин, они стали бывать в «Леопольде» ежедневно.

Атмосфера в «Леопольде» стала иной, нежели при Карле Саарнен. Присущие ей ум, проницательность и остроумие вдохновляли ее друзей на серьезные беседы, окрашенные тонким юмором.
Теперь же тон задавал Дидье, с его экстравагантным сарказмом
и склонностью ко всему вульгарному и непристойному. Смеялись, возможно, чаще и громче, но шутки и остроты не западали
в память, как прежде.

Однажды вечером, через несколько недель после того, как
Маурицио отправился на съедение таинственным тварям Хасана
Обиквы, и на следующий день после свадьбы Викрама и Летти,
мы отмечали это событие в «Леопольде». Царило веселье, как на
птичьем базаре, — все пронзительно визжали, гоготали и махали
крыльями. Вдруг я увидел в дверях Прабакера, делавшего мне
знаки. Я вышел к нему, мы уселись в его такси, припаркованное
неподалеку.

— Что случилось, Прабу? Мы тут веселимся по случаю свадьбы Викрама и Летти — они вчера расписались.

— Да, Линбаба. Прошу прощения, что расстроил молодоженов.

— Да нет, молодоженов ты не расстроил, они уже укатили в Лондон, к родителям Летти. Но что произошло?

— Где произошло?

— Я имею в виду — почему ты здесь? Ведь завтра у тебя большой день. Я думал, ты сегодня устраиваешь мальчишник с Джонни и другими друзьями из джхопадпатти.

— Да, буду устраивать, но после этого разговора, — ответил он, нервно тиская руками баранку.

Он распахнул обе передние дверцы — ночь была жаркая. Улицы были заполнены прогуливающимися семьями, парочками или одинокими молодыми людьми, искавшими место попрохладнее или еще что-нибудь, что позволило бы забыть о жаре. Толпа была такой густой, что раскрытые дверцы такси мешали людям ходить, и Прабакер захлопнул их.

— У тебя все в порядке?

— О да, Лин. У меня все в совершенно полном порядке, — заверил меня он. Затем, посмотрев на меня, добавил: — Нет, баба, по откровенности говоря, ничего не в порядке.

— А в чем дело?

— Ну как тебе об этом изложить? Ты ведь знаешь, Линбаба, что завтра у меня женитьба на Парвати. Должен сказать, баба, первый раз, когда я увидел мою Парвати, было шесть лет назад уже, когда ей было только шестнадцать лет. В тот первый раз, когда она пришла в джхопадпатти, до того как у ее папы Кумара была чайная, она жила в маленькой хижине с мамой и папой и сестрой Ситой, у которой женитьба на Джонни Сигаре. И в тот первый раз она несла кувшин с водой из нашего источника. Она несла его на голове.

Он помолчал, наблюдая за обитателями аквариума, проплывавшими за стеклами автомобиля. Пальцы его барабанили по рулевому колесу, обтянутому леопардовой шкурой. Я тоже молчал, не торопя его.

— Что бы там ни было, — продолжил он, — а я смотрел, как она пытается нести этот тяжелый кувшин по нашей кривой дорожке. А этот кувшин, наверно, был очень старый, из очень слабой глины уже, потому что он вдруг распался на кусочки, и вся вода вылилась на нее. Она кричала и кричала, очень громко. А я глядел и глядел на нее и почувствовал... — Он замялся.

— Сочувствие к ней? — подсказал я.

— Нет, баба...

— Ну а что же? Тебе стало жалко ее?

— Да нет совсем, баба! Мне стало тесно в штанах. Я почувствовал эрекцию — ну, это когда пенис у тебя становится большой, твердый и тупой, как твое соображение.

— Господи, Прабу, представь себе, я знаю, что такое эрекция! — проворчал я. — Но что было дальше?

— Ничего не было, — ответил он несколько опасливо, удивленный моим раздраженным тоном. — Но только с того раза я никогда не забываю мое большое твердое чувство к ней. А теперь, когда я готовлюсь жениться, это большое чувство становится все больше и больше.

— Ну так в чем же дело?

— Я хочу спросить тебя, Лин... — с трудом выдавил он. Крупные слезы потекли из глаз Прабакера, шлепаясь ему на колени. Он продолжил, заикаясь и рыдая: — Она слишком красивая, Лин, а я такой коротенький и маленький человек. Ты думаешь, из меня получится хороший сексуальный муж?

Я сказал, сидя рядом с рыдающим Прабакером в его такси, что маленький человек тот, кто ненавидит других, а большой — тот, кто любит, и что он один из самых больших людей, каких я знаю, потому что в нем нет ни капли ненависти. Я сказал ему, что чем дольше я его знаю, тем больше и больше он мне кажется, и объяснил, как редко это бывает. Я шутил и старался рассмешить его, пока его обычная улыбка, необъятная, как самое большое желание ребенка, не осветила его круглое лицо. В конце концов он, победно сигналя, отправился на мальчишник к ожидавшим его друзьям.

Эта ночь, вытащившая меня на долгую прогулку, была одной из самых одиноких. Я не вернулся в «Леопольд». Вместо этого я пошел по Козуэй мимо своего дома в сторону трущоб Прабакера в Кафф-Парейде. Я дошел до того места, где мы с Тариком сражались когда-то со стаей диких собак. Там по-прежнему были сложены штабелем доски и кучи камней. Я закурил и сел в темноте, наблюдая за тем, как запоздалые жители трущоб проскальзывают по дорожке к своим хижинам. Я улыбнулся, вспомнив улыбку Прабакера. Она всегда вызывала у меня невольную ответную улыбку, как будто я смотрел на веселого здорового ребенка. Затем в мерцающем свете фонарей из колец сигаретного дыма стало выплывать лицо Модены, но быстро растаяло, не сформировавшись до конца. В поселке послышалась музыка. Группа возвращавшихся домой молодых людей тут же перешла с неспешных шагов на пританцовывающую походку. Это начался мальчишник Прабакера. Он пригласил и меня, но я не мог заставить себя пойти. Я сидел достаточно близко, чтобы слышать музыку и получать удовольствие от их веселья, но достаточно далеко, чтобы не принимать участия в нем.

Я много лет говорил себе, что это любовь сделала меня сильным, когда тюремщики пытались вынудить меня предать ее, предать актрису. Но Модена каким-то образом заставил меня увидеть правду: не любовь к ней придавала мне сил, позволяя терпеть и молчать, и не мое храброе сердце, а упрямство, гордое, безрассудное упрямство. В нем не было ничего благородного. И при всем моем презрении к трусливым задирам, не становился ли я сам задирой в отчаянный момент? Когда героиновый дракон вонзал в меня свои клыки, я превращался в очень маленького человечка, крошечного. Такого маленького, что нуждался в пистолете. Я держал под дулом пистолета других людей, нередко женщин, и все это ради денег. Ради денег. Разве отличался я при этом от Маурицио, набрасывавшегося из-за денег на женщин с ножом? И если бы во время одного из этих налетов копы пристрелили меня, как я ожидал и хотел, моя смерть вызвала бы у людей не большее сожаление, чем смерть этого одурелого итальянца, да и не заслуживала бы его.

Я встал и потянулся, опять вспомнив схватку с собаками и храбрость малыша Тарика. Направившись в сторону города, я услышал взрыв смеха на вечеринке Прабакера и посыпавшиеся дождем аплодисменты. Чем дальше я шел, тем тише становилась музыка, пока не превратилась в слабый отголосок, как всякий момент истины.

Шагая час за часом сквозь ночь наедине с городом, я испытывал к нему такую же любовь, как и в те годы, когда жил в трущобах. На рассвете я купил газету, зашел в кафе и плотно позавтракал, после чего долго сидел, выпив несколько чашек чая. На третьей полосе газеты была напечатана статья Кавиты Сингх о чудесном даре Голубых Сестер, как теперь все называли вдову Рашида и ее сестру. Статья появилась сразу в нескольких газетах по всей стране. Кавита кратко излагала историю сестер и приводила свидетельства чудесного исцеления больных и страждущих благодаря мистическим способностям женщин. Очевидцы утверждали, что сестры вылечили пациентку, больную туберкулезом, у другой якобы полностью восстановился слух, а изношенные легкие пожилого мужчины стали как новенькие после того, как он прикоснулся к краю их небесно-голубых одежд. Кавита объясняла, что прозвище Голубые Сестры было придумано не ими самими, а их поклонниками: когда они выходили из комы, им обеим привиделось, будто они парят в небесах, и это подсказало людям идею назвать их так. В заключение Кавита писала о том, как встретилась с сестрами и убедилась, что если они и не сверхъестественные создания, то по крайней мере весьма необычные.

Заплатив по счету, я попросил у кассира ручку и несколько раз обвел ею статью. После этого я взял такси и поехал в тюрьму на Артур-роуд по улицам, постепенно заполнявшимся ежедневным шумом и суетой. Прождав три часа, я был допущен в помещение для свиданий. Это была большая комната, разделенная посредине двумя решетками, поднимавшимися до самого потолка на расстоянии двух метров друг от друга. С одной стороны к решетке приникли посетители, в двух метрах от них за противоположной решеткой толпились заключенные. Их было человек двадцать, а нас, посетителей, около сорока. Все находившиеся в помещении мужчины, женщины и дети вопили на самых разных языках — я успел насчитать шесть, но тут увидел, что к решетке приближается Ананд.

— Ананд, Ананд, я здесь! — заорал я.

Он заметил меня и расплылся в улыбке.

— Линбаба! Я так рад видеть тебя! — заорал он в ответ.

— Ты выглядишь очень хорошо, старина! — крикнул я.

У него и вправду был неплохой вид. Я-то знал, как трудно поддерживать его на Артур-роуд. Я знал, сколько усилий он затрачивает ежедневно, сражаясь с насекомыми и умываясь водой с червяками.

— Ты выглядишь просто отлично! — воскликнул я.

— *Аррей!*[1] Ты тоже выглядишь замечательно, Лин.

Это, положим, было не совсем так. Я знал, что вид у меня усталый, обеспокоенный и виноватый.

— Да нет, я устал и не выспался. Вчера мы праздновали свадьбу моего друга Викрама — ты помнишь его? А потом я гулял всю ночь.

— Как Казим Али? У него все в порядке?

— Да, все нормально, — ответил я, слегка покраснев оттого, что слишком редко теперь навещал этого достойнейшего человека. — Смотри! У меня газета. В ней напечатана статья о двух сестрах, и тебя там упоминают тоже. Мы можем использовать это, чтобы помочь тебе, настроить общественное мнение в твою пользу, прежде чем твое дело будут рассматривать в суде.

Его красивое худощавое лицо помрачнело, брови сдвинулись, образовав угрюмую складку, губы упрямо сжались.

— Не делай этого, Лин! — крикнул он. — Эта журналистка Кавита Сингх уже приходила ко мне, но я прогнал ее. Если она еще раз придет, я опять ее прогоню. Мне не нужна помощь, я не хочу, чтобы мне помогали. Я хочу понести наказание за то, что я сделал.

— Но пойми же, — настаивал я, — эти женщины стали знамениты. Люди считают их святыми и верят, что они творят чудеса. Тысячи их поклонников приходят в джхопадпатти каждую неде-

---

[1] Эй! *(хинди)*

лю. Если публика узнает, что ты хотел им помочь, она будет тебя поддерживать, и тебе сократят срок вдвое, а то и больше.

Я так вопил, боясь, что он не услышит меня в окружающем гвалте, что охрип. К тому же в этой толчее было невыносимо жарко, рубашка промокла от пота и прилипла ко мне. Правильно ли я его понял? Неужели он действительно отвергал помощь, благодаря которой мог выйти из тюрьмы гораздо раньше? Без нее ему грозило как минимум пятнадцать лет. «Пятнадцать лет в этом аду, — думал я, глядя сквозь решетку на его нахмуренное лицо. — Не может быть, чтобы он не понимал этого».

— Лин, не надо! — крикнул он громче прежнего. — Когда я убил Рашида, я знал, на что иду. Я долго сидел рядом с ним, прежде чем пришел к этому решению. Я сделал выбор и должен отвечать за него.

— Но я не могу оставить тебя так! Я должен хотя бы попытаться помочь.

— Нет, Лин, пожалуйста! Если оставить это без наказания, тогда не будет никакого смысла в том, что я сделал. Это будет просто бесчестье — и для меня, и для них. Неужели ты этого не понимаешь? Я заслужил это наказание. Я сам решил свою судьбу. Я умоляю тебя как друга. Пожалуйста, не позволяй им писать еще что-нибудь обо мне. Пусть пишут о женщинах, о сестрах, — это да. Но не мучьте меня, я выбрал свою судьбу и нашел в этом покой. Обещай мне, Лин, что выполнишь мою просьбу. Поклянись!

Я вцепился в ромбики решетки и чувствовал, как холод ржавого металла пробирает меня до самых костей. Шум в помещении напоминал грохот ливня, обрушивающегося на покореженные крыши трущобных лачуг. Жалобные и умоляющие вопли, полные тоски и любви, крик, плач, истерический смех метались между двумя клетками.

— Поклянись мне, Лин! — повторил он. В глазах его были страдание и отчаянная мольба.

— Ну ладно-ладно, — с трудом выдавил я. Мое горло не хотело произносить эти слова.

— Нет, поклянись как следует!

— Ну хорошо! Хорошо! Клянусь! Господи, помилуй меня! Я клянусь... что не буду помогать тебе.

Он с облегчением вздохнул и улыбнулся. Красота этой улыбки прожигала меня насквозь.

— Спасибо, Линбаба! — крикнул он радостно. — И не подумай, что я не благодарен, но лучше не приходи больше ко мне. Я не хочу этого. Можешь передавать мне деньги иногда, если хочешь, но, пожалуйста, не приходи. Здесь теперь вся моя жизнь, и, если ты будешь приходить, мне будет очень тяжело. Я буду думать о том, о чем здесь нельзя думать. Спасибо тебе большое, Лин. Я желаю тебе всяческого счастья.

Он сложил руки, благословляя меня, и слегка наклонил голову. Я больше не видел его глаз. Отпустив решетку, он оказался во власти толпы заключенных, которая оттеснила его, заслонив от меня стеной размахивающих рук и кричащих лиц. Я увидел, как дверь позади них открылась и Ананд покинул помещение, растаяв в жарком желтом дневном мареве. Голова его была высоко поднята, плечи мужественно распрямлены.

Я вышел из тюрьмы. Волосы мои были мокрыми, рубашка насквозь пропиталась по́том. Сощурив глаза от яркого солнца, я оглядел заполненную народом улицу, стараясь погрузиться в ее поток, ее ритм и не думать об Ананде в длинной камере с надзирателями, о Большом Рахуле, избиениях и копошащихся мерзких вшах. Вечером я вместе с Прабакером и Джонни Сигаром, двумя друзьями Ананда, буду праздновать их двойную свадьбу. А позже, ночью, Ананд будет корчиться в беспокойном, населенном назойливыми тварями сне на каменном полу рядом с двумя сотнями других заключенных. И так будет продолжаться пятнадцать лет.

Доехав на такси до дому, я встал под горячий душ, смывая с кожи липкий зуд воспоминаний. Чуть позже я позвонил Чандре Мете, чтобы окончательно договориться с ним о танцевальном ансамбле, который я нанял для выступления на свадьбе Прабакера. Затем набрал номер Кавиты Сингх и сказал ей, что Ананд просил нас не разворачивать кампанию в его поддержку. Она восприняла просьбу Ананда, я думаю, с облегчением. Кавита всем сердцем сочувствовала ему, но с самого начала боялась, что кампания потерпит неудачу и это крушение надежд добьет его окончательно. Она была рада также, что Ананд одобрил ее статью о Голубых Сестрах. История с сестрами завораживала ее, она договорилась с режиссером-документалистом, что они вместе навестят их в трущобах. Кавите хотелось поговорить со мной об этом проекте, голос ее искрился энтузиазмом, но я не мог заставить себя болтать с ней и сказал, что позвоню позже.

Я вышел на свой маленький балкон, открыв голую грудь звукам и запахам города. В дворике под балконом трое молодых людей разучивали танец из нового болливудского фильма. Они сокрушенно смеялись, путаясь в движениях, и разразились победным кличем, когда им наконец удалось повторить без ошибок целый пассаж. В другом дворике несколько женщин, присев на корточки, мыли посуду мочалками из кокосового волокна, похожими на маленькие анемоны, и длинными кусками мыла цвета коралла. Между делом они делились друг с другом шокирующими сплетнями относительно эксцентричных привычек некоторых мужчин по соседству и бросали колкие замечания в их адрес. До меня доносились взрывы смеха и визг. Подняв голову, я увидел пожилого человека, сидящего у окна напротив. Он наблюдал за тем, как я наблюдаю за людьми во дворе. Наши глаза встретились, я улыбнулся ему. Он помотал головой и ответил мне довольной ухмылкой.

Мое душевное равновесие восстановилось. Я оделся и вышел на улицу. Обойдя пункты сбора валюты, добытой на черном рынке, я заглянул в паспортную мастерскую Абдула Гани, а затем в реформированный мною по поручению Кадера центр обработки контрабандного золота. За каких-нибудь три часа я совершил тридцать отдельных преступлений, если не больше. Совершая их, я улыбался людям, и они улыбались мне. Однако в случае необходимости я мог и «оскалить зубы», как принято говорить среди гангстеров, заставляя людей отпрянуть и опустить глаза в страхе. Я шел путем гунды. Я делал свою работу как надо, я выглядел как надо. Я говорил на трех языках. Я зарабатывал деньги и был свободен. Но в самом дальнем, темном углу моего сознания, в тайной портретной галерее появился новый образ — Ананд, сложивший ладони в индийском приветственном жесте, с сияющей улыбкой, которая была молитвой и благословением.

Все, что ты воспринимаешь осязанием, зрением, вкусом, обонянием или даже мысленно, неизбежно оказывает на тебя воздействие, пусть самое крошечное. На некоторые вещи — чириканье птички, пролетевшей вечером мимо твоего окна, или цветок, замеченный в траве уголком глаза, — ты даже не обращаешь внимания, но они тоже воздействуют на тебя. Другие, более значимые — твой триумф, большое горе или твое отражение в глазах человека, которого ты только что пырнул ножом, — поступают в твою тайную коллекцию и изменяют твою жизнь навсегда.

Подобное воздействие оказал на меня Ананд, оставшийся в галерее моей памяти таким, каким я видел его в самый последний момент. Чувство, которое я испытывал при этом, не было состраданием, хотя я и жалел его, как может жалеть кого-то лишь несвободный человек. Это не было стыдом, хотя мне было очень стыдно за то, что я не выслушал его, когда он хотел рассказать мне о Рашиде. Это было какое-то иное чувство, настолько необычное, что я осознал его только годы спустя. Это была зависть. Зависть навечно закрепила образ Ананда в моей памяти. Я завидовал его силе, позволившей ему идти с прямой спиной и высоко поднятой головой навстречу долгим годам страданий. Я завидовал его мужеству, спокойствию в его душе и полному пониманию себя самого. Кадербхай говорил, что если мы завидуем чему-то достойному, стремясь подняться до него, — это приближает нас к мудрости. Я надеюсь, что он был не прав. Я надеюсь, что это приближает к чему-то большему, потому что с того момента у тюремной решетки я прожил целую жизнь, но по-прежнему завидую примирению Ананда с судьбой и мечтаю о таком же примирении всем своим покалеченным и мятущимся сердцем.

ГЛАВА

29

Глаза танцовщиц изгибались, как старинные мечи, как крылья парящего сокола, как вывернутые губы морских раковин, как листья эвкалипта летней порой. Эти индийские глаза, самые красивые глаза в мире, в данный момент с серьезной сосредоточенностью глядели в зеркальца, которые держали перед ними помощники. Танцовщицы, приглашенные мной на свадьбу Прабакера и Джонни, готовились к выступлению в чайной, специально освобожденной для этой цели. Облаченные в концертные костюмы, на которые были накинуты скромные шали, они с профессиональной сноровкой наносили последние штрихи на лицо и подправляли прическу, непрерывно щебеча. Дверь занавесили простыней, но сквозь нее в золотистом свете ламп можно было разглядеть неясные тени, волновавшие воображение и будившие самые необузданные желания в тех, кто толпился у входа, охраняемого мной от чересчур любопытных.

Наконец они были готовы, я откинул простыню в сторону, и десять танцовщиц из ансамбля киностудии появились перед публикой. На них были надеты традиционные обтягивающие блузки с короткими рукавами; тела были обернуты сари. Все костюмы были разного цвета: лимонно-желтого, рубинового, голубого, как у павлина, изумрудного, розового, как закат, золотого, темно-фиолетового, серебряного, кремового и оранжевого. Их украшения — нарядные заколки для волос, вплетенные в косы кисточки, серьги, кольца в носу, ожерелья, цепочки на поясе, ручные и ножные браслеты — так сверкали в свете фонарей и электрических ламп, что глядевшие на них жмурились и щурили глаза. С каждого массивного браслета свисало множество серебряных бубенчиков, и, когда танцовщицы медленной раскачивающейся походкой двинулись по кривым закоулкам притихшего в восхищении поселка, их шествие сопровождалось переливчатым звоном. Затем они запели:

> *Айя, саджан, айя,*
> *Айя, саджан, айя.*
> (Приди ко мне, любимый, приди ко мне,
> Приди ко мне, любимый, приди ко мне.)

Толпа вокруг восторженно взревела. Целый взвод мальчишек расчищал перед девушками дорожку от камней и сучьев и разметал мусор вениками из пальмовых листьев. Свита, состоявшая из молодых людей, шла позади танцовщиц, обмахивая их плетеными тростниковыми опахалами грушевидной формы. Шествовавшие впереди оркестранты в красно-белой униформе, нанятые мною вместе с танцовщицами, еще не начали играть, но уже приблизились к месту брачной церемонии. Прабакер и Парвати сидели на одном конце помоста, Джонни с Ситой — на другом. По случаю торжественного события из деревушки Сундер прибыли родители Прабакера, Кишан и Рукхмабаи. Их поселили в хижине по соседству с Прабакером; они собирались провести в Бомбее целый месяц. Они сидели перед помостом рядом с Кумаром и Нандитой Патак. На заднике за их спинами был нарисован огромный лотос, над головой висели гирлянды цветных лампочек.

Подойдя к помосту со своей песней любви, танцовщицы разом остановились и топнули ногой. Затем они все стали абсолютно синхронно вращаться на месте по часовой стрелке. Их поднятые руки грациозно покачивались, как лебединые шеи, а пальцы шевелились, как шелковые шарфы на ветру. Неожиданно они топнули трижды, и музыканты грянули самый популярный в этом месяце мотив из нового кинофильма, исполняя его в экстравагантной и возбуждающей манере. И под всеобщие одобрительные крики девушки начали свой танец, вобравший в себя миллионы снов и желаний.

Я воспринимал их выступление с таким же восторгом, как и все остальные. Нанимая оркестр и танцовщиц, я не спрашивал их, что за представление они собираются показать на свадьбе. Их порекомендовал мне Чандра Мета, сказав, что они всегда сами составляют программу. Первая наша сделка с ним, когда он попросил обменять ему на черном рынке рупии на доллары, принесла и другие черные плоды. Чандра познакомил меня еще с несколькими работниками студии, желавшими приобрести валюту, золото, документы. Мои посещения киностудии участились, а прибыли Кадербхая существенно возросли. Обе стороны проявляли и чисто человеческий интерес друг к другу. Киношников возбуждало общение — на безопасном расстоянии — со знаменитым криминальным бароном, а Кадер в свою очередь был неравнодушен к романтическому ореолу, каким было окружено его имя в мире кино. Когда я две недели назад обратился к Мете с просьбой помочь в организации свадьбы, он решил, что Прабакер — один из приближенных Кадербхая, и постарался на совесть, тщательно отобрав лучших танцовщиц и лучших музыкантов. Представление, которое мы увидели, удовлетворило бы владельца самого непристойного ночного клуба. Оркестр сыграл серию из десяти топ-хитов сезона. Девушки танцевали и пели, придавая каждой фразе эротическую двусмысленность. Среди тысяч обитателей трущоб, присутствовавших на празднике, были и такие, кого это шокировало — правда, не без приятности, большинство же, и в первую очередь Джонни с Прабакером, бурно приветствовали это нарушение приличий. Я впервые увидел, насколько сладострастны могут быть индийские танцы, не подвергшиеся цензуре, и более полно осознал скрытый смысл некоторых жестов, обозначенный в болливудских фильмах лишь намеком.

Я подарил Джонни Сигару к свадьбе пять тысяч долларов, которые давали ему возможность осуществить свою мечту — купить домик в трущобах Нейви-Нагара, рядом с тем местом, где он был зачат. Трущобы Нагара имели официальный статус, что избавляло его от постоянной угрозы выселения. Имея надежное жилище, он мог продолжить свою работу в качестве нелицензированного бухгалтера и консультанта по налогам, обслуживающего несколько трущоб в округе.

Моим подарком Прабакеру был трансферт, передававший ему права собственности на такси, которое он водил. Владелец таксомоторного парка яростно торговался при заключении сделки, выцарапывая когтями и зубами каждую рупию. В результате такси и лицензия на него обошлись мне недешево, но трата денег меня не волновала. Это были «левые» деньги, а они утекают между пальцами быстрее, чем те, которые заработаны по́том и кровью. Если мы не гордимся тем, как добываем деньги, они не имеют для нас ценности. Если мы не можем с их помощью улучшить жизнь наших близких, заработок теряет для нас смысл. Тем не менее, отдавая дань традиции, в заключение торговли я произнес одно из самых ужасных, но вежливых по форме проклятий-пожеланий, принятых среди бизнесменов: «Да родятся у тебя десять дочерей, и пусть все они найдут достойных женихов», что подразумевает обеспечение приданого в десятикратном размере, способное разорить самого состоятельного человека.

Прабакер был в таком восторге от моего подарка, что не смог сохранить подобающий новобрачному чинный вид, который напустил на себя. Вскочив на ноги, он с ликующим воплем исполнил бедрами несколько возвратно-поступательных па своего сексуального танца, после чего торжественность момента все-таки заставила его вернуться на свое место. Я затесался в толпу, кружившуюся в вихре танца перед помостом, и плясал до тех пор, пока моя рубашка не прилипла к телу, как водоросли при купании на мелководье.

Вернувшись вечером домой, я улыбнулся, подумав, как разительно это празднество отличалось от свадьбы Викрама и Летти, состоявшейся двумя днями раньше. Хотя родные Викрама страстно и порой даже буйно выражали свое несогласие с его решением ограничиться регистрацией брака в простом загсе, он настоял на своем, отметая все мольбы и слезы стереотипной фразой: «Мы живем в современной Индии, *йаар*». Большинство родственников не смогли примириться со столь бесцеремонным попранием традиций, отказом от пышной и чрезвычайно сложной свадебной церемонии, участие в которой они предвкушали, и не явились в загс, так что, помимо нескольких друзей Летти, лишь мать Викрама и его сестра были свидетелями того, как молодые поклялись друг другу в вечной любви и верности. Не было никакой музыки, никаких танцев, никакого буйства красок. Летти надела костюм цвета темного золота и широкую золотистую соломенную шляпу с розочками из кисеи. На Викраме были черный укороченный пиджак, черный с белым парчовый жилет, черные гаучосы с серебряной окантовкой и его обожаемая черная шляпа. Бракосочетание заняло несколько минут, после чего мы с Викрамом помогли его убитой горем матери добраться до автомобиля.

На следующий день я отвез Викрама и Летти в аэропорт. Они улетали в Лондон, где собирались повторить церемонию в присутствии родителей Летти. Молодая жена пошла звонить родителям, чтобы сообщить об их вылете, а Викрам воспользовался возможностью поговорить со мной по душам.

— Спасибо тебе за паспорт, старик, — ухмыльнулся он. — Конечно, не такое уж несмываемое пятно эта гребаная датская судимость за наркотики, но от головной боли из-за нее ты меня избавил, *йаар*.

— Да ну, ерунда.

— И за доллары тоже спасибо. Без тебя по такой цене мы бы их не приобрели. Так что я твой должник и найду способ вернуть тебе долг, когда мы вернемся.

— Брось, не думай об этом.

— Знаешь, Лин, тебе тоже надо остепениться, *йаар*. Не хочу каркать и все такое, но ты катишься к какой-то пропасти, старик. У меня плохие предчувствия. Я говорю тебе это просто по-дружески. Я ведь люблю тебя, как брата. Я... я думаю, тебе надо остепениться.

— Остепениться...

— Да, старик. Это самое главное в нашем деле, *йаар*.

— В каком деле?

— Ну, в той гребаной игре, в которой мы все участвуем. Ты ведь мужчина. Мужчина должен прочно стоять на ногах. Не хочу лезть в твои личные проблемы, но грустно смотреть, что ты этого не понимаешь.

Я рассмеялся, но он продолжал озабоченно хмуриться.

— Лин, мужчина должен найти хорошую женщину и завоевать ее любовь. А потом заслужить ее уважение. А потом дорожить ее доверием. И так должно быть долгие годы, пока они живут, пока не умрут. Вот в чем вся соль. Это самая главная вещь на свете. Для этого мужчина и существует, *йаар*. Мужчина становится мужчиной только после того, как он завоюет любовь женщины, заслужит ее уважение и сохранит ее доверие, а без этого он не мужчина.

— Скажи это Дидье.

— А что Дидье? К нему это тоже относится, только он должен завоевать любовь хорошего *парня*, а не женщины, вот и все. Это относится ко всем нам. Что я хочу тебе сказать: хорошую женщину ты уже нашел. Карла хорошая женщина, старик. И ты заслужил ее уважение, блин. Она сама говорила это мне пару раз — о холере и всем остальном в джхопадпатти. Ты буквально нокаутировал ее этим своим служением Красному Кресту. Она уважает тебя! Но ты не дорожишь ее доверием. Ты не доверяешь ей, Лин, потому что ты не доверяешь себе самому. И я боюсь за тебя, старик. Потому что без хорошей женщины такой человек, как ты, — как мы с тобой — только нарвется на крупные неприятности, и больше ничего, *йаар*.

К нам подошла Летти с озабоченным видом, но обожание в глазах Викрама растопило ее сердце.

— Объявили посадку, нам пора идти, — сказала она мне с печальной улыбкой, от которой почему-то щемило сердце. — Лин, дорогой, возьми это в подарок от нас обоих.

Она протянула мне свернутый узкий кусок черной ткани около метра длиной. Развернув его, я увидел карточку с какой-то надписью.

— Это повязка, которая была у меня на глазах на крыше поезда, где Викрам сделал мне предложение. Мы хотим, чтобы ты сохранил ее на память о нас. А на карточке адрес Карлы. Она прислала нам письмо из Гоа — она переехала в другое место. Мы написали адрес на тот случай, если тебя это интересует. Счастливо тебе, дорогой. Береги себя.

Я помахал им вслед, радуясь за них. Однако я был слишком занят работой и подготовкой к свадьбе Прабакера, чтобы обдумывать совет Викрама. А посещение Ананда в тюрьме отодвинуло эту проблему еще дальше, и голос Викрама затерялся в хоре противоречивых суждений, мнений и предупреждений. Но теперь, вернувшись со свадьбы Прабакера, я развернул черную повязку с карточкой и вспомнил все, сказанное Викрамом, слово в слово. Я сидел и курил; тишина была такой глубокой, что я слышал шорох ткани, скользившей у меня между пальцами. Соблазнительных танцовщиц, с их украшениями и бубенчиками, торжественно усадили в автобус, уплатив им дополнительное вознаграждение, а две пары новобрачных отправились на такси в скромный, но уютный отель на окраине города. Там они имели возможность в течение двух суток наслаждаться радостями любви в интимной обстановке, прежде чем продолжить это занятие прилюдно в трущобной скученности. Викрам и Летти были уже в Лондоне, где готовились повторить свои обеты, которые для моего друга-ковбоя значили очень много. А я сидел в одиночестве в своем кресле, не доверяя ей, по выражению Викрама, потому что не доверял себе. Наконец я погрузился в сон, и кусок ткани выскользнул у меня из рук вместе с карточкой.

После женитьбы троих моих друзей в моем сердце образовалась пустота, и в течение трех следующих недель я пытался заполнить ее любой работой, какая подворачивалась под руку, и любыми сделками, какие мог придумать. Я слетал с очередной партией паспортов в Киншасу, остановившись, согласно полученным инструкциям, в гостинице «Лапьер». Это довольно убогое трехэтажное строение находилось в переулке, параллельном главной улице Киншасы. Постель была чистой, но пол и деревянные стены создавали впечатление, что их сколотили из досок, отодранных от старых гробов, выкопанных после захоронения. В номере витал непобедимый могильный запах, который, смешиваясь с затхлым влажным воздухом, оставлял во рту трудноопределимый, но, несомненно, удручающий вкус. Я пытался отбить его, поглощая бельгийское виски и куря одну за другой сигареты «Житан». Коридор патрулировался крысоловами, таскавшими за собой прыгающие мешки, набитые пойманными животными. Поскольку шкаф и комод уже были заняты колонией тараканов, я развесил свою одежду, туалетные принадлежности и все прочие вещи на крюках, предусмотрительно вбитых повсюду, где они могли держаться.

В первую же ночь меня разбудили выстрелы, прозвучавшие прямо за моей дверью. Что-то тяжелое упало — по-видимому, чье-то тело, — затем послышались шаркающие шаги, и что-то тяжелое куда-то поволокли. Схватив нож, я открыл дверь и выглянул. В дверях трех других номеров тоже стояли люди европейской наружности, сжимавшие в руках пистолеты и ножи. Посмотрев друг на друга и на кровавый след, тянувшийся вдоль коридора, мы, как по команде, молча закрыли двери.

После Киншасы я побывал с такой же миссией на острове Маврикий, в городе Кьюрепайп, где отель был не в пример удобнее и спокойнее. Назывался он «Мандарин» и с дороги, серпантином поднимавшейся через классический английский парк, выглядел со своими башенками как шотландский замок. Интерьеры, однако, были выдержаны в стиле китайского барокко — отель недавно приобрела семья из Китая. Сидя под бумажными фонариками и огромными изрыгающими пламя драконами, я поглощал китайскую брокколи со сладким горошком, шпинат с сыром и чесноком, лепешки из соевого творога и грибы в соусе из черной фасоли, любуясь из окна зубчатыми замковыми укреплениями, готическими арками и садом, утопающим в розах.

Я должен был встретиться с двумя индийцами, переселившимися сюда из Бомбея. Они приехали за мной на желтом «БМВ». Не успел я забраться на заднее сиденье и обменяться с ними приветствием, как водитель резко сорвал машину с места с риском сжечь шины, и меня отбросило в самый угол. На скорости, раза в четыре превышающей разумные пределы, визжа и скрежеща на поворотах, автомобиль летел минут пятнадцать по извилистым проселкам. Когда костяшки моих пальцев, вцепившихся в спинку сиденья, совсем побелели, мы ворвались в какую-то тихую пустынную рощу, где перегретый мотор выключили, и он, позвякав и постояв, замолк. В машине воцарилась тишина, насыщенная парами рома.

— Хорошо, давай книжки, — сказал водитель, обернувшись ко мне.

— С собой у меня их нет! — огрызнулся я сквозь сжатые зубы.

Мои попутчики посмотрели друг на друга, затем на меня. Водитель поднял черные очки на лоб, продемонстрировав мне свои глаза. Судя по их виду, он вымачивал их по ночам в стакане коричневого уксуса.

— У тебя нет книжек?

— Нет. Я несколько раз пытался сказать вам это, пока мы неслись в эту долбаную рощу, но вы все время повторяли: «Спокойно! Спокойно!» — не слушая меня. Надеюсь, теперь все спокойны?

— Я совсем не спокоен, приятель, — заявил тот, что был пассажиром.

В его зеркальных очках я увидел свое отражение. Оно мне не понравилось.

— Это идиотизм! — бросил я, перейдя на хинди. — Нестись неизвестно куда и зачем со скоростью свихнувшегося бомбейского лихача, будто за нами гонятся копы! Паспорта у меня припрятаны в этом вонючем отеле. Мне надо было убедиться, что вы действительно те долбогрёбы, за которых себя выдаете. А теперь я убедился, что вы действительно долбогрёбы и мозгов у вас не больше, чем у двух мух, совокупляющихся на яйцах бродячего пса.

Они оба уставились на меня, подняв очки. Симптомы тяжелого похмелья на их лицах растворились в улыбках.

— Где, черт побери, ты научился говорить так на хинди? — спросил водитель. — Охренеть можно, *йаар*. Ты говоришь, как всамделишный бомбейский ублюдок. Просто фантастика!

— Да, это впечатляет, блин, — согласился другой, покачивая головой.

— Покажите деньги! — рявкнул я.

Оба засмеялись.

— Что за смех? Я хочу видеть деньги.

Пассажир поднял сумку, стоявшую у его ног, и открыл ее. Она была набита неизвестными мне купюрами.

— Что это за дерьмо?

— Деньги. Деньги, приятель, — ответил водитель.

— Это не деньги, — сказал я. — Деньги зелененькие, и на них написано «In God We Trust»[1]. И еще на них должен быть портрет умершего американца, потому что деньги выпускаются в Америке. А это не деньги.

— Это нормальные деньги, которыми все пользуются на Маврикии, — проворчал пассажир, оскорбленный недоверием к его валюте.

— Эти бумажки не имеют хождения нигде, кроме Маврикия, — фыркнул я, вспомнив уроки Халеда Ансари. — Это неконвертируемая валюта.

— Конечно-конечно, баба, — улыбнулся водитель. — Но мы договорились обо всем с Абдулом. У нас в данный момент нет долларов, они все пошли на другие сделки. Поэтому мы расплачиваемся местной валютой. Ты сможешь обменять их на доллары по дороге домой.

Я старался дышать медленно, чтобы сдержать рвущееся из меня возмущение. Посмотрел в окно. Вокруг нас бушевал какой-то зеленый пожар: высокие деревья такого же цвета, как глаза Карлы, качались и трепетали на ветру. Кроме них, никого и ничего не было видно.

— Ладно. Давайте посчитаем. У меня десять книжек по семь тысяч баксов за штуку, итого семьдесят тысяч. Если принять курс по тридцать маврикийских рупий за доллар, то получается два миллиона сто тысяч рупий. Неудивительно, что понадобилась эта громоздкая сумка. Прошу простить меня за тупость, джентльмены, но где, по-вашему, я могу обменять, на фиг, два миллиона рупий, не имея обменного сертификата?

— Это не проблема, — тут же откликнулся водитель. — У нас есть свой парень на обмене. Первоклассный специалист, *йаар*. Он обменяет деньги для тебя. Мы об этом уже договорились.

— Замечательно, — улыбнулся я. — Поехали к этому парню.

---

[1] «Мы верим в Бога» *(англ.)*.

— Тебе придется ехать к нему без нас, — захохотал пассажир, — в Сингапур!

— В Синга-хренов-пур?! — вскричал я.

Мое долго сдерживаемое возмущение наконец вырвалось на свободу.

— Не расстраивайся так сильно, — успокоил меня водитель. — Мы договорились с Абдулом. Его это не беспокоит. Сегодня он позвонит тебе в отель. Вот тебе карточка. Просто по дороге домой ты заглянешь в Сингапур... Ну да, ну да. Он не совсем по дороге, но если ты сначала заглянешь туда, а потом полетишь домой, то он окажется по дороге, не прав ли я? Когда ты сойдешь с самолета в Сингапуре, тебе надо будет найти этого парня — его адрес на карточке. Он меняла с лицензией, человек Кадера. Он обменяет тебе рупии на доллары, и ты тоже не будешь беспокоиться. Без проблем. Ты даже получишь за это отдельное вознаграждение, вот увидишь.

— Хорошо, — вздохнул я. — Раз вы договорились с Абдулом, поехали обратно в отель.

— В отель! — скомандовал сам себе водитель, снова закрывая очками свои мишени для метания дартс.

— В отель! — повторил пассажир, и желтый «экзосет»[1] понесся по кривой дорожке обратно.

В Сингапуре все прошло без сучка без задоринки, и я извлек из этого незапланированного путешествия немало полезного. Во-первых, я завел очень ценное знакомство с нашим сингапурским агентом, уроженцем Мадраса, по имени Шеки Ратнам. Во-вторых, я узнал, как осуществляется беспошлинная контрабанда фото- и кинокамер и электронного оборудования из Сингапура в Бомбей.

Отдав доллары Абдулу Гани и получив свои комиссионные, я отправился в отель «Оберой» на встречу с Лизой Картер, впервые за долгое время более или менее довольный жизнью и уверенный в себе. Хандра, охватившая меня после свадьбы Прабакера, вроде бы наконец отпустила меня. Я благополучно слетал в Заир, на Маврикий и в Сингапур, нигде не возбудив ни малейших подозрений. Живя в трущобах, я влачил существование за счет маленьких комиссионных, добытых на сделках с туристами, и из документов у меня был лишь скомпрометированный новозеландский паспорт. Не прошло и года, как я переселился в современную квартиру, мои карманы были набиты неправедно добытыми деньгами, а дома лежало пять паспортов, выписанных пятерым разным владельцам, и в каждом из них была вклеена моя фотография. Передо мной открывались широкие горизонты.

---

[1] «Экзосет» — французская ракета класса «воздух—поверхность».

Отель «Оберой» находился в Нариман-Пойнте — на ручке золотого серпа, образованного Марин-драйв. В пяти минутах ходьбы были станция Чёрчгейт и фонтан Флоры. Еще за десять минут можно было добраться до вокзала Виктории и Кроуфордского рынка, а если пойти в другом направлении, то до Колабы и Ворот в Индию. «Оберой» не так часто встречался на открытках, как «Тадж», но компенсировал отставание в паблисити своим неповторимым характером и вкусом. К примеру, его музыкальная гостиная, с искусным освещением, баром и толково продуманными укромными нишами, была настоящим шедевром оформительского искусства, а пивной бар с полным основанием претендовал на звание лучшего бомбейского заведения этого рода. Войдя в полутемный, пышно задрапированный пивной зал, я после яркого дневного света не сразу обнаружил Лизу, сидевшую за столиком с Клиффом де Сузой, Чандрой Метой и двумя девушками.

— Надеюсь, я не слишком опоздал, — произнес я, поздоровавшись со всеми за руку.

— Нет, что ты, это мы все пришли слишком рано, — отозвался Чандра Мета громовым голосом, разнесшимся по всему помещению.

Девушки покатились со смеху. Их звали Рита и Гита. Они были начинающими актрисами, стоявшими на самой первой ступеньке своей карьеры и мечтавшими поскорее забраться выше, и ланч в компании признанных мастеров заставлял их захлебываться от восторга, граничившего с паникой.

Я сел на свободный стул между Лизой и Гитой. На Лизе был красный, как расплавленная магма, пуловер, поверх него черный шелковый жакет, внизу, как водится, юбка. Топ из серебристого спандекса и белые брюки плотно обтягивали фигуру Гиты, позволяя по достоинству оценить все ее анатомические особенности. Это была хорошенькая девушка лет двадцати, с длинными волосами, увязанными в хвост. Ее руки теребили салфетку на столе, то сворачивая уголок, то разворачивая. У Риты была аккуратная короткая стрижка, которая гармонировала с ее небольшим личиком и внешностью маленького сорванца. На ней была желтая блузка с вызывающим вырезом и голубые джинсы. Клифф и Чандра были в костюмах, — возможно, им предстояла какая-то ответственная встреча.

— Умираю от голода, — жизнерадостно произнесла Лиза, однако под столом так сильно стиснула мою руку, что ее ногти впились в мою кожу.

Эта встреча была очень важна для нее. Она знала, что Мета собирается подписать с нами контракт по всей форме, после чего мы будем заниматься кастингом уже официально, на правах партнеров. Лизе очень хотелось заключить этот контракт, который был бы документально закрепленной гарантией ее будущего.

— Давайте наконец есть! — воскликнула она.

— А что, если я сделаю заказ для всех нас? — спросил Чандра.

— Ну что ж, если ты собираешься платить за всех, я не возражаю, — засмеялся Клифф, подмигнув девушкам.

— Конечно, — согласился я. — Действуй.

Он подозвал официанта и, отстранив предложенное меню, объявил свой выбор: на первое суп-пюре с мукой и яйцами, затем ягненок, приготовленный в молоке, с бланшированным миндалем, цыпленок, запеченный с кайенским перцем, тмином и манговым маринадом, множество гарниров и салатов и в заключение компот-ассорти, рисовые шарики в меду и жидкое мороженое.

Слушая этот длинный и обстоятельный перечень, я понял, что ланч предстоит капитальный. Я расслабился, пустившись в обсуждение блюд и прочие приятные разговоры.

— Ты так и не сказал, что ты думаешь по этому поводу, — озабоченно обратился Мета к де Сузе, нарушив атмосферу беспечности.

— Ты придаешь этому слишком большое значение, — отмахнулся де Суза.

— Ха! Слишком большое значение! Если десять тысяч человек кричат под окном твоего офиса, что тебя надо убить, трудно не придавать этому значения.

— Они же угрожали не тебе лично, Чандрабаба.

— Не мне лично, но я вхожу в число тех людей, с которыми они хотят расправиться. Тебя-то это напрямую не касается, согласись. Твоя семья приехала из Гоа. Ваш родной язык конкани, а конкани очень близок к маратхи. Ты говоришь на маратхи не хуже, чем на английском, а я в этом чертовом языке — ни в зуб ногой. А ведь я родился здесь, *йаар*, и мой папа тоже. У него целая сеть предприятий в Бомбее. Мы платим здесь налоги. Мои детишки ходят в здешнюю школу. Вся моя жизнь связана с Бомбеем. А они кричат: «Махараштра для маратхов» — и хотят выгнать нас из дома, где мы жили испокон веков.

— Попробуй взглянуть на все это с их точки зрения, — мягко посоветовал ему Клифф.

— Я должен взглянуть на свое выселение и на лишение меня всего, что я имею, с их точки зрения?! — бросил Мета с таким возмущением, что люди за соседними столиками обернулись на него. Он продолжил чуть тише, но с неменьшей страстностью: — Я должен взглянуть на свое *убийство* с их точки зрения?

— Дорогой мой, не рычи на меня, я не собираюсь тебя убивать, — взмолился де Суза. — Я люблю тебя не меньше, чем моего троюродного шурина. — (Мета рассмеялся, девушки с облегчением подхватили смех, довольные, что возникшее за столом напряжение разрядилось.) — Я вовсе не хочу, чтобы кто-нибудь пострадал, и тем более ты. Но нужно встать на их точку зрения, чтобы понять, чем они недовольны. Махараштра — их родной штат, маратхи — родной язык. Их отцы и деды, все их предки жили здесь бог знает сколько времени — три тысячи лет, а может, и больше. И они видят, что все предприятия, все компании принадлежат выходцам из других штатов и все лучшие рабочие места достаются им же. Они не могут смириться с этим. И мне кажется, у них есть свой резон.

— Но ведь полно мест, где могут работать маратхи, — возразил Мета. — Почтовое ведомство, полиция, школы, государственный банк и другие учреждения. Однако этого им мало. Эти фанатики хотят выпереть нас из Бомбея и Махараштры. Но поверь мне, если им это удастся, они потеряют значительную часть денег, талантов и мозгов, благодаря которым здесь все создано.

Клифф де Суза пожал плечами:

— Возможно, они готовы уплатить эту цену. Я, конечно, не поддерживаю их, но мне кажется, что люди вроде твоего деда, который приехал сюда из Уттар-Прадеша без гроша в кармане и завел здесь крупное дело, кое-чем обязаны нашему штату. Люди, владеющие всем, должны поделиться с теми, у кого нет ничего. Ты называешь их фанатиками, но они хотят, чтобы другие услышали их, — ведь в том, что они говорят, есть доля истины. Понятно, что они озлоблены и обвиняют во всех бедах тех, кто приехал сюда из других мест и нажил здесь состояние. И ситуация все больше обостряется, дорогой мой троюродный шурин. Бог знает к чему это приведет.

— А ты что скажешь, Лин? — обратился ко мне за поддержкой Мета. — Ты приезжий, но поселился здесь надолго и говоришь на маратхи. Что ты думаешь об этом?

— Я выучил этот язык в маленькой деревушке Сундер, — ответил я. — Жители ее говорят на маратхи, на его просторечном варианте. Хинди они знают плохо, а английского не знают совсем. Махараштра — их родина вот уже две тысячи лет, как минимум. Пятьдесят поколений их предков возделывали здесь землю.

Я помолчал, давая другим возможность вставить замечание или задать вопрос, но все внимательно слушали меня, не забывая и о еде. Я продолжил:

— Когда я вернулся в Бомбей вместе со своим другом, гидом Прабакером, я поселился в трущобах, где он живет еще с двадцатью пятью тысячами таких же, как он, в большинстве своем приехавших из разных деревень Махараштры. Они бедны, и каждая тарелка супа достается им ценой тяжкого труда. Повседневное существование для них — это терновый венец. Наверное, им трудно примириться с мыслью, что люди со всех концов Индии живут в комфортабельных домах, в то время как они ютятся в лачугах и умываются из дренажных канав в столице своего родного штата.

Я занялся тем, что было у меня на тарелке, ожидая реакции со стороны Меты. Она последовала через несколько секунд:

— Но послушай, Лин, это ведь не вся правда. На самом деле все гораздо сложнее.

— Да, я согласен. Все не так просто. В трущобах живут не только махараштрийцы, но и люди из Пенджаба, Тамилнада, Карнатака, Бенгалии, Ассама и Кашмира, и не все из них индусы. Среди них есть сикхи и мусульмане, христиане и буддисты, парсы и джайны. Проблема не сводится к положению махараштрийцев. Бедняки, как и богатые, прибыли со всех концов Индии. Проблема в том, что бедняков слишком много, а богачей очень мало.

— *Аррей бап!* — воскликнул Мета. — Святой отец! Ты несешь тот же бред, какой я постоянно слышу от Клиффа, *йаар.* Он неисправимый долбаный коммунист.

— Я не коммунист и не капиталист, — улыбнулся я. — Я эгоист. Мой лозунг: «Пошли вы все подальше и оставьте меня в покое».

— Не слушайте его, — вмешалась Лиза. — Трудно найти человека, который сделает для тебя больше, чем он, если ты попал в беду.

Наши глаза на миг встретились, и я почувствовал одновременно благодарность и укол совести.

— Фанатизм — это противоположность любви, — провозгласил я, вспомнив одну из лекций Кадербхая. — Как-то один умный человек — мусульманин, между прочим, — сказал мне, что у него больше общего с разумным, рационально мыслящим иудеем, христианином, буддистом или индусом, чем с фанатиком, поклоняющимся Аллаху. Даже разумный атеист ему ближе, чем фанатик-мусульманин. Я чувствую то же самое. И я согласен с Уинстоном Черчиллем, сказавшим, что фанатик — это тот, кто не желает изменить свои взгляды и не может изменить тему разговора.

— Так давайте не будем фанатиками и сменим тему, — рассмеялась Лиза. — Клифф, я всей душой надеюсь, что ты поведаешь нам все подробности романтической истории, происшедшей на съемках «Кануна»[1]. Что там случилось?

— Да, да! — возбужденно вскричала Рита. — И расскажите об этой новенькой девице. О ней ходят такие скандальные слухи,

---

[1] *«Канун»* — фильм 1943 г. индийского режиссера Абдула Рашида Кардара, по которому было снято несколько ремейков.

что просто страшно произнести вслух ее имя. И еще, пожалуйста, об Аниле Капуре![1] Я люблю его до самозабвения.

— И о Санджае Датте![2] — вторила ей Гита, вся дрожа от одного упоминания этого имени. — Это правда, что вы были на вечере, который он устроил в Версове? Господи, я отдала бы все на свете за то, чтобы побывать там! Расскажите, расскажите нам обо всем этом!

Воодушевленный этим лихорадочным любопытством, Клифф де Суза принялся пересказывать байки из жизни болливудских звезд, а Чандра Мета украшал их орнаментом из щекочущих нервы сплетен. Постепенно стало ясно, что Клиффу приглянулась Рита, и Чандра перенес все свое внимание на Гиту. После долгого совместного ланча планировался долгий совместно проведенный день и не менее долгая ночь. Оба деятеля индийской кинематографии предвкушали эту перспективу, и их рассказы и анекдоты принимали все более сексуальный характер. Рассказы были забавны и порой довольно причудливы. При одном из очередных взрывов хохота в зал вошла Кавита Сингх. Я представил ее хохочущей публике.

— Прошу простить за вторжение, — хмуро произнесла Кавита, — но мне надо срочно поговорить с Лином.

Было видно, что она чем-то обеспокоена.

— Садись, поговорим здесь, — предложил я, все еще под впечатлением от анекдота. — Всем будет интересно послушать об этом деле с сестрами.

— Я не по поводу этого дела, — сказала Кавита, не присаживаясь, — это касается Абдуллы Тахери.

Я тут же встал и вышел вместе с Кавитой в маленький холл, сделав знак Лизе подождать за столом.

— Твой друг Тахери в большой опасности.

— Что случилось?

— Я слышала краем уха разговор в отделе уголовной хроники «Таймс». Полиция охотится за Абдуллой. Сказали, что дан приказ стрелять без предупреждения.

— Что?!

— Они хотят схватить его любой ценой. Предпочтительно взять его живым, но они уверены, что он вооружен, и при его попытке применить оружие приказано пристрелить его как собаку.

— Но почему? В связи с чем?

— Полагают, что Сапна — это он. У них якобы есть конфиденциальная информация и даже доказательства. По крайней мере, они уверены, что это так, и намерены арестовать его сегодня

---

[1] *Анил Капур* (р. 1959) — индийский киноактер.
[2] *Санджай Датт* (р. 1959) — индийский киноактер.

же. Возможно, это уже произошло. Когда дела принимают серьезный оборот, с бомбейской полицией шутки плохи. Я уже два часа ищу тебя.

— Он — Сапна?! Чушь! — бросил я.

Но я знал, что это не чушь. Это могло быть правдой и многое объясняло, хотя я и не понимал, как именно. Но было слишком много неясностей, связанных с Абдуллой, у меня возникало слишком много вопросов, которые я не удосужился задать вовремя.

— Чушь или не чушь, но таковы факты, — обреченно пожала плечами Кавита. Голос ее слегка дрожал. — Я искала тебя повсюду, пока Дидье не сказал мне, что ты здесь. Я знаю, что Тахери твой друг.

— Да, он мой друг, — ответил я и вспомнил вдруг, что разговариваю с журналисткой.

Уткнувшись взглядом в темный ковер под ногами, я пытался привести в порядок свои мысли, крутившиеся, как песчинки, подхваченные смерчем. Я поднял голову и встретился с ней глазами:

— Спасибо тебе, Кавита. А теперь, извини, мне надо идти.

— Послушай, — произнесла она мягко, — я сразу составила репортаж об этом и продиктовала его по телефону. Если он появится в вечерних новостях, то копы, возможно, будут действовать осторожнее. Между нами, я не думаю, что это Абдулла. Я не могу в это поверить. Он мне всегда нравился, я была даже немного увлечена им, когда ты впервые привел его в «Леопольд». Возможно, это увлечение еще не совсем прошло, *йаар*. Я не верю, что он Сапна и что он совершил все эти чудовищные убийства.

Она ушла, улыбнувшись мне сквозь слезы. Вернувшись к нашему столику, я извинился за то, что вынужден покинуть их, и, не пускаясь в объяснения, снял сумочку Лизы со спинки стула и приготовился отодвинуть его.

— Лин, тебе и вправду необходимо уйти? — разочарованно протянул Чандра. — Мы же еще не обсудили вопрос о кастинговом контракте.

— Ты что, действительно знаком с этим Тахери? — спросил Клифф с оттенком обвинения в голосе.

Я посмотрел ему в глаза твердым взглядом:

— Да, а что?

— И к тому же ты уводишь с собой очаровательную Лизу, — надул губы Чандра. — Двойная потеря для нас.

— Я слышал о нем много разного, *йаар*, — гнул свое Клифф. — Как ты с ним познакомился?

— Он спас мне жизнь, Клифф, — ответил я чуть резче, чем мне хотелось бы. — При первой же нашей встрече в притоне Стоячих монахов.

Открывая дверь перед Лизой, я оглянулся на компанию за столиком. Клифф и Чандра шептались о чем-то, склонившись друг к другу и не обращая внимания на обескураженных девушек.

Около мотоцикла я рассказал Лизе обо всем. Она заметно побледнела, но быстро взяла себя в руки и согласилась со мной, что прежде всего надо съездить в «Леопольд». Абдулла мог быть там или мог оставить для нас записку. Лиза была напугана, я почувствовал этот страх в ее руках, когда она обхватила меня на мотоцикле. Я гнал мотоцикл, лавируя между медленно ползущим транспортом, полагаясь на инстинкт и удачу, как это делал Абдулла. В «Леопольде» мы нашли Дидье, целеустремленно напивавшегося до потери пульса.

— Все кончено, — пролепетал он заплетающимся языком, наливая себе новую порцию виски из большой бутылки. — Все кончено. Они пристрелили его час назад. Все только об этом и говорят. В мечетях Донгри уже молятся по усопшему.

— Откуда ты знаешь? — потребовал я. — Кто тебе сказал?

— Молятся по усопшему, — пробормотал он, уронив голову на грудь. — Дурацкая напыщенная фраза. Как будто можно молиться по кому-то еще! Все молитвы — это молитвы по усопшим.

Я схватил его за лацканы рубашки и встряхнул. Официанты, привязавшиеся к Дидье не меньше моего, наблюдали за мной, размышляя, не пора ли им вмешаться.

— Дидье! Послушай меня! Откуда ты знаешь? Кто тебе сказал? Где это произошло?

— Полиция была здесь, — проговорил он вдруг очень четко и ясно. Он поднял голову и внимательно поглядел мне в лицо своими бледно-голубыми глазами, словно всматривался во что-то на дне пруда. — Они хвастались этим Мехмету, одному из совладельцев заведения. Ты знаешь его. Он иранец, как и Абдулла. Кое-кто из копов, окопавшихся на колабском участке напротив, участвовал в засаде. Говорят, они окружили его в переулке около Кроуфордского рынка. Они окликнули его и велели сдаваться. Они сказали, что он стоял совершенно спокойно в своей черной одежде, а его длинные черные волосы развевались на ветру. Копы долго и детально описывали это. Странно, не правда ли, что они так подробно говорили о его волосах и одежде? Как ты думаешь, Лин, что бы это значило? Потом... потом они сказали, что он вытащил два пистолета и стал стрелять в них. Они тут же открыли ответный огонь. Они сказали, в него попало столько пуль, что все его тело было изуродовано. Они буквально разорвали его на части.

Лиза заплакала и села рядом с Дидье. Он горестно обнял ее, но сделал это машинально, не глядя на нее. Он держал ее за пле-

578

чи и покачивал из стороны в сторону, но точно так же он горевал бы, обхватив руками себя самого, если бы был один.

— Там собралась большая толпа, — продолжил он. — Все были в отчаянии. Полицейские стали нервничать. Они хотели увезти его тело в больницу в одном из своих фургонов, но толпа опрокинула фургон. Тогда они отнесли его в полицейский участок около рынка. Люди последовали за ними, выкрикивая проклятия и угрозы. Наверное, они еще там.

Полицейский участок у Кроуфордского рынка. Мне надо было мчаться туда. Я должен был увидеть его тело, увидеть его. Вдруг он еще жив...

— Посиди здесь с Дидье, — сказал я Лизе. — Я вернусь. Или, если предпочитаешь, возьми такси и поезжай домой.

Я чувствовал, как мне в бок, возле сердца, вонзилась стрела, проткнувшая меня насквозь. Я мчался к Кроуфордскому рынку, и с каждым вздохом стрела колола меня в сердце.

Мне пришлось оставить мотоцикл, не доезжая до полицейского участка, потому что улица была запружена народом. Я был окружен взбудораженными, бессмысленно топтавшимися на месте людьми, по большей части мусульманами. Судя по тому, что они кричали и скандировали, ими владела не просто скорбь. Смерть Абдуллы всколыхнула старые обиды и недовольство, которое годами копилось в бедных мусульманских кварталах вокруг рынка, обойденных вниманием городских властей. Со всех сторон доносились жалобы и требования, подчас противоречащие друг другу. Кое-где в толпе слышались молитвы.

Каждый шаг сквозь этот хаос приходилось отвоевывать с боем. Людские волны накатывали на меня, сметая в сторону, вперед, затем опять назад. Все толкались, отпихивали друг друга руками и ногами. Несколько раз я чуть не упал, и меня наверняка затоптали бы, если бы я не хватался за чью-нибудь рубашку, платок или бороду. Наконец я пробился ближе к полицейскому участку и оцеплению. Копы в шлемах и со щитами выстроились в три-четыре ряда вдоль всего участка.

Человек рядом со мной схватил меня за рубашку и стал колотить по голове и лицу. Не знаю, почему он атаковал меня, — возможно, он и сам не понимал этого, но выяснять причины мне было недосуг. Прикрыв голову руками, я попытался освободиться, но он вцепился в мою рубашку мертвой хваткой. Тогда я ткнул пальцами ему в глаза и ударил кулаком по виску. Он упал, выпустив из рук мою рубашку, но на меня напали другие. Толпа расступилась, и я оказался в центре небольшого круга, где вынужден был отбиваться от ударов сразу со всех сторон.

Я понимал, что добром это не кончится, рано или поздно силы у меня иссякнут и я не смогу сопротивляться. Спасало то, что люди набрасывались на меня по очереди и не владели техникой боя. Размахнувшись, они наносили удар, а затем отступали. Я молотил кулаками всех приближавшихся ко мне, но в таком плотном окружении шансов у меня было немного. Лишь то, что люди увлеклись дракой, мешало им нахлынуть со всех сторон и раздавить меня.

В этот момент ко мне решительно пробилась группа из нескольких человек во главе с Халедом Ансари. Инстинктивно отмахиваясь от всех возникавших передо мной, я едва не заехал ему по физиономии, но он поднял обе руки, призывая меня остановиться. Его люди стали прокладывать путь сквозь толпу, а он прикрывал меня сзади. Кто-то все же нанес мне удар по голове, и я опять кинулся в гущу людей, преисполненный желания схватиться со всеми жителями этого города и драться до тех пор, пока не потеряю всякую чувствительность под их ударами, пока не перестану ощущать эту стрелу у меня в груди, посланную как сигнал смерти Абдуллы. Но Халед и двое его друзей обхватили меня руками и вытащили из адского столпотворения.

— Его здесь нет, — сказал Халед после того, как мы нашли мой мотоцикл и он вытер носовым платком кровь с моего лица.

Она текла из носа и разбитой нижней губы. Под глазом быстро расцветал большой фингал. Но я ничего этого не чувствовал, никакой боли. Вся боль была сосредоточена у меня в груди, рядом с сердцем, пронзая меня с каждым вдохом и выдохом.

— Его здесь нет, — повторил Халед. — Сотни людей взяли участок приступом еще до того, как мы сюда добрались. Когда полицейские отогнали их, то обнаружили, что все камеры пусты. Толпа выпустила арестованных и унесла тело Абдуллы.

— Господи боже мой! — простонал я. — Черт бы побрал все на свете!

— Мы немедленно займемся этим, — спокойно и уверенно произнес Халед. — Выясним, что произошло, и найдем его... его тело.

Я вернулся в «Леопольд». Дидье и Лиза уже ушли, а за их столиком сидел Джонни Сигар. Я обессиленно опустился на стул рядом с ним, как Лиза рядом с Дидье пару часов назад. Поставив локти на стол, я стал протирать руками глаза.

— Это ужасно, — простонал Джонни.

— Да, — отозвался я.

— Ну почему, почему это произошло?

Я только пожал плечами:

— Какая-то дикая случайность!

— Да... Я же говорил ему, что не надо. Он и без того достаточно заработал вчера. Но ему приспичило сделать еще один рейс.

— О чем ты? — с недоумением обернулся я к нему, сердясь, что он несет какую-то бессмыслицу.

— Как о чем? Об аварии.

— О какой аварии?

— С Прабакером!

— *Что?!*

— О господи, Лин! Я думал, ты уже знаешь... — выдавил Джонни. Кровь отхлынула от его лица. Голос его прервался, из глаз потекли слезы. — Я думал, ты знаешь. Что я мог подумать, когда ты в таком виде? Я решил, что тебе все известно. Я жду тебя здесь уже целый час. Я поехал искать тебя, как только вышел из больницы.

— Из больницы... — тупо повторил я.

— Да, больницы Святого Георгия. Он в палате интенсивной терапии. После операции...

— Какой операции?

— Он очень сильно пострадал, Лин... Он еще жив, но...

— Но — что?!

Джонни, не выдержав, зарыдал. Сжав зубы и сделав несколько вдохов и выдохов, он с трудом успокоился.

— Вчера поздно вечером он взял двух пассажиров. Точнее, уже в три часа утра. Мужчине с дочерью надо было в аэропорт. На дороге перед ними была ручная тележка. Ты знаешь, люди часто возят по ночам грузы по шоссе, хотя это запрещено. Но они хотят сократить путь, чтобы не тащить тяжелую повозку много миль в обход, *йаар*. Тележка была нагружена длинными стальными брусьями для постройки дома. На крутом подъеме они не удержали свою тележку. Она выскользнула у них из рук и покатилась назад. Прабакер выехал из-за угла, и эта махина врезалась прямо в его машину спереди. Стальные брусья прошли ее насквозь. Пассажиры на заднем сиденье были убиты сразу же. Им снесло головы. Начисто. Прабакера брусья ударили в лицо...

Он опять заплакал, и я положил руку ему на плечо, успокаивая его. Люди за соседними столиками оборачивались на нас, но тут же отводили глаза. Когда Джонни немного пришел в себя, я заказал ему виски. Он опрокинул стакан одним залпом, точно так же как Прабакер в самый первый день нашего знакомства.

— В каком он состоянии сейчас?

— Доктор сказал, он не выживет, Лин, — прорыдал Джонни. — Стальной брус напрочь выворотил его челюсть со всеми зубами. На том месте, где были рот и челюсть, теперь дыра, просто дыра... И шея вся разодрана. Они даже не стали перебинтовывать лицо, потому что вставили в эту дыру кучу всяких трубок. Чтобы поддерживать в нем жизнь. Доктора удивлялись, что он вообще не погиб сразу же. Он сидел там два часа, пригвожденный к месту, и не мог двинуться. Доктора думают, что он умрет сегодня ночью. Поэтому я сразу поехал за тобой. У него также серьезные раны в груди, в животе и на голове. Он умирает, Лин. Он умирает. Нам надо ехать к нему.

В палате реанимационного отделения я увидел Кишана и Рукхмабаи, которые плакали, обнявшись, около койки Прабакера. В ногах кровати молча стояли убитые горем Парвати, Сита, Джитендра и Казим Али. Прабакер был без сознания. Целая батарея аппаратуры поддерживала деятельность его органов. Несколько трубок было прикреплено к лицу — к тому, что осталось от его лица. Его великолепная, неповторимая, солнечная улыбка была стерта начисто. Ее... больше не было.

На первом этаже я нашел дежурного врача, который ухаживал за Прабакером. Я вытащил пачку стодолларовых ассигнаций и стал совать их ему, говоря, чтобы он направлял все расходные счета ко мне. Доктор не взял денег. Он сказал, что нет никакой надежды. Прабакеру осталось жить несколько часов — может быть, даже минут. Поэтому он и пустил в палату родных и друзей. Ничего не возможно сделать — только быть рядом с ним и ждать, сказал он. Я вернулся в палату и отдал Парвати все деньги, какие у меня были.

Найдя туалет, я вымыл под умывальником лицо и шею. Синяки и ссадины на лице напомнили мне об Абдулле. Голова у меня раскалывалась от всех этих мыслей. Это было невыносимо. Я просто не мог представить себе моего многогрешного, бесшабашного друга в окружении копов, которые стреляют и стреляют в него, пока от него ничего не остается. Я чувствовал, как слезы жгут мне глаза. Я закатил себе затрещину, чтобы прийти в себя, и вернулся в палату.

Три часа я простоял вместе с другими в ногах постели. Затем я почувствовал, что сил у меня не осталось совсем и что я вот-вот усну прямо на ногах. Тогда я поставил два стула в дальнем углу, сел на них, и меня сразу поглотил сон. Я оказался в деревне Сундер. Я снова плыл на волнах приглушенных голосов людей, собравшихся вокруг меня в ту первую ночь, когда отец Прабакера положил руку мне на плечо, а я стиснул зубы под усыпанным звездами небом. Когда я проснулся, Кишан действительно сидел рядом со мной, положив руку мне на плечо. Наши глаза встретились, и мы беспомощно заплакали.

Когда уже не осталось сомнений, что Прабакер умрет, и мы осознали этот факт, мы четыре дня и четыре ночи наблюдали за тем, как страдает его цеплявшееся за жизнь тело — то, что осталось от него, почти-Прабакер с ампутированной улыбкой. В конце концов, глядя четыре дня и четыре ночи, как он мучится от боли, и не понимая, за что он так наказан, я начал желать всем сердцем, чтобы он умер скорее. Я так любил его, что нашел какой-то чулан со швабрами и, опустившись на колени рядом с бетонным желобом, в который равномерно капала вода из крана, стал умолять Бога, чтобы Он позволил Прабакеру умереть. И он умер.

На пороге хижины, где Прабакер поселился с Парвати, сидела его мать Рукхмабаи, обернувшись к миру спиной и распустив свои длинные волосы. Они спускались до пола черным ночным водопадом. Она взяла ножницы и обрезала волосы у самого затылка. Они упали на землю, как умирающая тень.

Когда мы по-настоящему любим кого-нибудь, то сначала больше всего боимся, что он разлюбит нас. Но на самом деле нам надо бояться, что *мы* разлюбим его, когда он умрет и оставит нас. Я по-прежнему люблю тебя, Прабакер, люблю всем сердцем. Я не могу подарить тебе мою любовь, но иногда она мешает мне дышать. До сих пор мое сердце погружается иногда в печаль, в которой без тебя нет ни звезд, ни смеха, ни покоя.

ГЛАВА
30

Героин лишает душу чувствительности, это сосуд, который ее поглощает. Тот, кто плывет по мертвому морю наркотического забвения, не испытывает ни боли, ни сожаления, ни стыда, ни горя, ни чувства вины. Он не впадает в депрессию, но ничего и не желает. Вселенная сна входит в него и окутывает каждый атом его существа. Спокойствие и тишина, которые ничто не может нарушить, рассеивают страх, исцеляют страдание. Мысли дрейфуют, подобно океанским водорослям, и теряются где-то вдалеке, в каком-то сером дремотном забвении, которое невозможно ни осознать, ни определить. Тело отдается во власть сна, все жизненные процессы замирают, как при низкой температуре, сердце едва бьется, дыхание постепенно стихает, лишь изредка раздаются слабые шепоты. Вязкое онемение охватывает конечности и погружает в нирвану, распространяется вниз, в глубину, спящий соскальзывает в забытье, обретает вечное и совершенное блаженство.

За это достигаемое химическим путем освобождение, как и за все во Вселенной, приходится расплачиваться светом. Прежде всего меркнет свет в глазах наркомана. Потребитель героина лишен света в глазах настолько, насколько лишены его греческие статуи, кованый свинец, пулевое отверстие в спине мертвого человека. Потом уходит свет желания. Пристрастившиеся к героину умерщвляют желание тем же оружием, которым они убивают мечту, надежду и честь, — дубиной своего пагубного пристрастия.

А когда уходит все, что освещает жизнь, последним гаснет свет любви. Чуть раньше, чуть позже, когда наркоман доходит до последней точки, он бросает любимую женщину, без которой прежде не мыслил своего существования. Раньше или позже каждый человек, пристрастившийся к героину, становится дьяволом в клетке.

Я парил в воздухе, плыл на поверхности жидкости, налитой в ложку, и ложка эта была огромна, как комната. Опиумный плот, сковавший меня параличом, медленно пересекал маленькое озеро, плескавшееся в ложке, и плотогоны где-то над моей головой, неся в себе высшую гармонию, казалось, знали какой-то ответ. Я не отводил от них взора, сознавая, что ответ есть и он может спасти меня. Но я не мог его обрести, потому что глаза мои закрывались, словно налитые тяжелым свинцом. Иногда я просыпался. Временами настолько приходил в себя, что мне хотелось новой дозы смертоносного зелья. А иногда сознание работало так четко, что я помнил все.

Похорон Абдуллы не было, поскольку тела не нашли. Оно исчезло во время бойни, как и тело Маурицио, бесследно, словно вспыхнувшая и догоревшая звезда. Я помог отнести тело Прабакера на *гхат* — место ритуального сожжения мертвецов. Улочки трущоб переполнились горем: я не мог больше оставаться среди друзей и родственников моего друга, оплакивавших его. Они стояли почти на том самом месте, где всего несколько недель назад праздновали женитьбу Прабакера. С крыш некоторых хижин все еще свешивались обрывки свадебных лент. Я поговорил с Казимом Али, Джонни, Джитендрой и Кишаном Манго, потом отправился в Донгри. У меня возникли вопросы к моему боссу Абделю Кадер-хану, вопросы, которые кишели во мне, как черви в яме Хасана Обиквы.

Дом близ мечети Набила был заперт на висячий замок, в нем царило безмолвие. Никто во дворе мечети и в торговом ряду, занимавшем целую улицу, не мог мне сказать, когда ушел хозяин и можно ли ждать его в ближайшее время. Разочарованный и злой, я поехал к Абдулу Гани. Его дом был открыт, но слуги сказали, что он уехал из города отдохнуть на несколько недель. Я посетил мастерскую, где изготовлялись паспорта, и застал поглощенных работой Кришну и Виллу. Они подтвердили, что Гани дал им инструкции и деньги на несколько недель работы, сказав, что отбывает в отпуск. Тогда я направился на квартиру Халеда Ансари и обнаружил там бдительного стража, сообщившего мне, что Халед в Пакистане и что он не имеет ни малейшего понятия, когда вернется суровый палестинец.

Другие люди из совета мафии Кадера внезапно и благополучно исчезли. Фарид находился в Дубае, генерал Собхан Махмуд —

в Кашмире. Никто не отозвался, когда я постучал в дверь Кеки Дорабджи. На всех окнах были опущены шторы. Раджубхай, которого в любой день можно было застать в его конторе в Форте, отправился навестить больного родственника в Дели. Даже мелкие боссы и их заместители или отсутствовали в городе, или их попросту нельзя было разыскать.

Те же, кто оставался на месте, — агенты по продаже золота, перевозчики валюты, паспортные курьеры, — все они были вежливы и дружелюбны. Их работа, казалось, шла по-прежнему, в том же ритме. И моя собственная деятельность продолжалась столь же бесперебойно, как обычно. Меня ждали на каждой станции, в центре обмена валюты, в ювелирном магазине — повсюду, куда простиралась империя Кадера. Для меня оставляли инструкции у торговцев золотом, валютчиков, мошенников, ворующих и продающих паспорта. Уж не знаю, можно ли было это счесть для меня комплиментом, признанием, что я надежно функционировал и в отсутствие совета мафии, или они считали меня столь незначительным элементом общей схемы, что просто не удостаивали своими разъяснениями.

Так или иначе, но я чувствовал себя страшно одиноким в городе. За одну неделю я лишился Прабакера и Абдуллы, своих ближайших друзей, а вместе с ними словно утратил привязку к некоему месту на физической карте. Осознание себя личностью некоторым образом подобно координатам на карте города, где нанесены пересечения наших дружеских связей. Мы знаем, кто мы, и определяем себя относительно людей, которых любим, и причин своей любви к ним. Я был той точкой в пространстве и времени, где дикое неистовство Абдуллы пересекалось со счастливой кротостью Прабакера. И вот теперь, брошенный на произвол судьбы и пребывающий в неопределенности после их смерти, я с тревогой и удивлением понял, насколько я стал зависим от Кадера и его совета боссов. Мне казалось, что мои отношения с большинством из них весьма поверхностны, но тем не менее я нуждался в их одобрении: их присутствия в городе мне не хватало почти в той же степени, что и компании моих умерших друзей.

К тому же я злился. Мне потребовалось некоторое время, чтобы осознать природу этого гнева, понять, что его спровоцировал Кадербхай, — именно на него был направлен мой гнев. Я возлагал на Кадера вину за смерть Абдуллы, за то, что он не защитил и не спас его. Я не мог заставить себя поверить, что Абдулла, мой любимый друг, и безумный зверь Сапна — это один и тот же человек. Но был готов поверить, что Абдель Кадер-хан как-то связан с Сапной и с этими убийствами. Более того, я ощущал, что он предал меня, покинув город. Словно бросил одного переживать случившееся. Мысль, конечно, весьма нелепая и эгоцентричная.

А на деле сотни людей Кадера продолжали свою деятельность в Бомбее, я ежедневно сталкивался со многими из них. И все же я ощущал себя именно так — преданным и покинутым. Мои чувства к хану подтачивала изнутри холодность, возникшая как результат сомнений и страха, смешанного с гневом. Я по-прежнему любил его и был к нему привязан, как сын к отцу, но он перестал быть для меня почитаемым и безупречным героем.

Один воин-моджахед как-то сказал мне, что судьба дарует нам в нашей жизни трех учителей, трех друзей, трех врагов и три большие любви. Но все двенадцать предстают в других обличьях, и мы никогда их не распознаем, пока не влюбимся, не бросим и не сразимся с ними. Кадер был одним из двенадцати, выпавших на мою долю, но его маска всегда была самой искусной. В эти полные одиночества и ярости дни, когда мое тоскующее сердце цепенело от горя, я начал думать о Кадере как о своем враге, возлюбленном враге.

Сделка сменяла сделку, преступление следовало за преступлением, дни шли своим чередом, а моя надежда таяла. Лиза Картер добивалась контракта с Чандрой Метой и Клиффом де Сузой и получила его. Ради нее я присутствовал при заключении сделки и подписал бумаги как ее партнер. Продюсеры считали мое участие важным: я представлял для них безопасный путь доступа к криминальным деньгам мафии Кадер-хана — нетронутому и фактически неиссякаемому источнику. Ни тогда, ни раньше они и не заикались об этом обстоятельстве, однако именно оно стало решающим при подписании контракта с Лизой. В договоре было предусмотрено, что мы, Лиза и я, будем выискивать для трех главных киностудий иностранцев в качестве «молодых актеров» — так здесь принято было называть статистов. Условия оплаты и комиссионные были оговорены на два года вперед.

После деловой встречи Лиза проводила меня до мотоцикла, оставленного на Марин-драйв у стены со стороны моря. Мы сидели на том самом месте, где Абдулла положил мне руку на плечо несколько лет назад, когда все мое существо было наполнено шумом моря. Мы были одни с Лизой и сначала вели беседу, как это делают одинокие люди, — какие-то обрывки жалоб, фрагменты разговоров, которые мы уже вели, оставаясь одни.

— Он знал, что это случится, — сказала она после долгого молчания. — Вот почему он передал мне этот кейс с деньгами. Мы говорили об этом. И он говорил, что будет убит. Ты знаешь о войне в Иране? Войне с Ираком? Несколько раз он был там на грани смерти. Я уверена, что ему это запало в голову: он хотел умереть, чтобы убежать от войны, а заодно от семьи и друзей. А когда дошло до края, если моя догадка верна, он решил, что так будет лучше.

— Может быть, ты и права, — отозвался я, глядя на великолепное в своем безразличии море. — Карла мне однажды сказала, что мы все пытаемся убить себя по нескольку раз в жизни и рано или поздно мы преуспеваем в этом.

Лиза рассмеялась: я удивил ее этой цитатой, но смех быстро оборвался, и она глубоко вздохнула, а потом наклонила голову так, чтобы ветер играл ее волосами.

— То, что случилось с Уллой, — тихо сказала она, — просто убивает меня, Лин. Не могу выбросить из головы Модену. Каждый день читаю газеты, ищу известий о нем, что, может быть, его отыскали... Непонятно... И Маурицио... Ты знаешь, я несколько недель мучилась. Плакала без конца: и когда шла по улице, и читая книгу, и пытаясь забыться сном. Не могла есть, не испытывая тошноты. Беспрестанно думала о его мертвом теле... и ноже... каково было Улле, когда она всадила в него нож... Но теперь все это, кажется, немного улеглось, хоть и осталось где-то там, глубоко внутри, но уже не сводит с ума, как раньше. И даже Абдулла... не знаю, что это — шок или попытка отрицания свершившегося, но я... не позволяю себе думать о нем. Словно... словно я смирилась с этим, что ли. Но Модена — с ним гораздо хуже. Не могу заставить себя не думать о нем.

— Я тоже его видел, — пробормотал я. — Видел его лицо, хотя даже не был в этом гостиничном номере. Скверное дело.

— Надо было врезать ей как следует.

— Улле?

— Да, Улле!

— Зачем?

— Эта... бессердечная сука! Она оставила его связанным в этом номере. Принесла беду тебе... мне и... Маурицио... Но когда она рассказала нам о Модене, я просто обняла ее, отвела в душ и ухаживала за ней, словно она только что поведала мне, что забыла покормить свою комнатную золотую рыбку. Надо было наподдать ей, стукнуть кулаком в челюсть или пнуть ногой в задницу — в общем, сделать хоть что-нибудь. Теперь ее нет, а я все еще убиваюсь из-за Модены.

— У некоторых это получается, — сказал я, сочувствуя ее гневу, потому что сам его испытывал. — Есть такие люди, которые всегда умеют заставить нас жалеть их, как бы мы ни сердились потом и какими бы дураками себя ни ощущали. Они словно канарейки в угольных шахтах наших сердец. Если мы перестаем их жалеть, они подводят нас, и мы попадаем в беду. И я вмешался вовсе не для того, чтобы помочь *ей*. Я сделал это, чтобы помочь тебе.

— Знаю, знаю, — вздохнула Лиза. — На самом деле это не вина Уллы. Ее испортил Дворец, у нее в голове полный беспорядок. Все, кто работал на мадам Жу, так или иначе испортились. Жаль, что ты не видел Уллу раньше, когда она только начинала там работать. Должна тебе сказать: она была великолепна. И даже каким-то образом... невинна, что у всех остальных напрочь отсутствовало, если ты меня понимаешь. Я же, когда начала там работать, уже была сумасшедшей. Но и я там дошла до ручки. Все мы... нам приходилось... вытворять черт знает что...

— Ты мне уже рассказывала, — мягко сказал я.

— Неужели?

— Да.

— Рассказывала о чем?

— Многое... В ту ночь, когда я пришел забрать свою одежду у Карлы. С тем парнишкой, Тариком... Ты была очень пьяна и под сильным кайфом.

— И я рассказала тебе об этом?

— Да.

— Господи Исусе! Ничего не помню. У меня тогда крыша поехала. Но именно в ту ночь я впервые попыталась отделаться от этой дряни — и сумела этого добиться. Впрочем, я вспоминаю того парнишку... и помню, ты не хотел заниматься со мной сексом.

— Нет, я хотел этого!

Лиза быстро повернула голову, и наши взгляды встретились. Губы ее улыбались, но брови были слегка нахмурены. На ней был красный шальвар-камиз. Длинная свободная шелковая рубашка колыхалась от сильного бриза с моря, облипая ее груди и обрисовывая очертания фигуры. Ее голубые, полные тайны глаза светились отвагой. Она была храброй, хрупкой и сильной одновременно. Сумела выбраться из болота, затягивавшего ее во Дворце мадам Жу, победила свое пристрастие к героину. Защищая свою жизнь и жизнь подруги, она приняла участие в убийстве человека. Потеряла возлюбленного, моего друга Абдуллу, чье тело было обезображено, буквально разорвано пулями. И все это отразилось в ее глазах, на ее исхудавшем лице. Все это можно было найти там, если знать, что ищешь.

— Итак, расскажи, как ты очутилась во Дворце, — попросил я, и она слегка вздрогнула, когда я переменил тему.

— Сама не знаю, — вздохнула она. — Ребенком я убежала из дома — просто не могла там больше оставаться и ушла при первой же возможности. Через пару лет я была девчонкой-наркоманкой и занималась проституцией в Лос-Анджелесе, чуть ли не каждый месяц меня избивал сутенер. Потом появился приятный, тихий, одинокий, ласковый парень по имени Мэтт. Я в него сильно влюбилась, впервые в жизни по-настоящему. Он был музыкантом и успел пару раз посетить Индию. Сказал, что мы могли бы заработать достаточно денег, чтобы начать жить вместе, если бы вывезли из Бомбея в Штаты какую-то дрянь. Он был готов оплатить билеты, если бы я согласилась везти этот груз. Когда мы сюда приехали, он тут же исчез, а у него были с собой все наши деньги и мой паспорт. Не знаю, что с ним случилось: то ли струсил, то ли нашел кого-то еще для этой работы, то ли решил, что справится сам. В итоге я застряла в Бомбее с сильным пристрастием к героину, без всяких денег и без паспорта. Пришлось принимать клиентов прямо в номере гостиницы, но через пару месяцев явился полицейский и сказал, что арестует меня и отправит в тюрьму, если я не соглашусь работать на его приятельницу.

— Мадам Жу?

— Да.

— Скажи, ты когда-нибудь видела ее? Разговаривала с ней лично?

— Нет. Почти никто ее не видит и не разговаривает с ней, разве что Раджан с братом. Правда, Карла ее видела, и она ее ненавидит. В жизни не встречала ничего подобного. Карла ненавидит ее так сильно, что это доходит чуть ли не до безумия. Она думает о мадам Жу почти беспрерывно и рано или поздно до нее доберется.

— Что касается ее друга Ахмеда и Кристины, — тихо сказал я, — она думает, что мадам Жу приказала убить их, и винит себя за это, считает, что не должна была допускать такого.

— Именно! — изумленно воскликнула Лиза. Потом нахмурилась со смущенной улыбкой на лице. — Она сама тебе сказала?

— Да.

— Просто удивительно! — рассмеялась она. — Карла ни с кем не говорит об этом. Ни с кем. Но на самом деле следовало ожидать чего-то подобного. Тебе удалось найти к ней ключик. Она неделями рассказывала о холерной эпидемии в трущобах так, словно то был некий священный трансцендентальный опыт. И о тебе все время вспоминала. Никогда не видела ее такой... вдохновенной, что ли.

— Когда Карла поручила вызволить тебя из Дворца, — спросил я, не глядя на нее, — это делалось для тебя или чтобы свести счеты с мадам Жу?

— Хочешь знать, не оказались ли мы с тобой просто пешками в игре, которую вела Карла? Ты ведь об этом спрашиваешь?

— Пожалуй, да.

— Что ж, должна признать: да, так оно и было. — Лиза стянула с шеи свой длинный шарф и набросила на руку, не отрывая от него взгляда. — Ну конечно, Карла любит меня и тому подобное, сомневаться в этом не приходится. Она мне такого нарассказывала, о чем не знает никто — даже ты. И я ее люблю. Ты ведь знаешь, что она жила в Штатах. Она там выросла и сохранила к этой стране теплые чувства. Наверно, я единственная американка, работавшая во Дворце. Но главным, тайным ее мотивом была война с мадам Жу, и, наверно, она использовала нас для этого. Но большого значения это не имеет. Она вытащила меня оттуда, вернее, ты это сделал вместе с ней, и я ужасно рада. Какими бы ни были ее побуждения, я не держу на нее зла, надеюсь, что и ты тоже.

— Да, конечно, — вздохнул я.

— Но что же?

— Но... впрочем, ничего. У нас с Карлой не вышло, но я...

— Ты все еще ее любишь?

Я повернул голову, чтобы встретиться с ней взглядом, но, посмотрев в ее голубые глаза, сменил тему разговора:

— Ты слышала что-нибудь от мадам Жу?

— Ровным счетом ничего.

— Она расспрашивала о тебе, чем-то интересовалась?

— Ничем, хвала Господу. Странно: я не чувствую ненависти к мадам Жу. Вообще не испытываю по отношению к ней никаких эмоций, ни положительных, ни отрицательных, просто не хочу когда-либо оказаться рядом с ней снова... Кого я действительно ненавижу, так это ее слугу Раджана. Он единственный, с кем общались те, кто работал во Дворце. Его брат заведует кухней, а он присматривает за девушками. И какой же он жуткий сукин сын, этот Раджан! Ходит неслышно, словно привидение. Такое ощущение, будто у него глаза на затылке. Страшнее его нет никого в целом свете. А мадам Жу я даже никогда не видела: она разговаривала с нами через металлическую решетку. Они были во всех комнатах, поэтому она могла следить за тем, что там происходит, беседовать с девушками и клиентами. Поверь, Лин, это ужасное, отвратительное место. Лучше умереть, чем вернуться туда.

Лиза вновь смолкла. Волны накатывались на прибрежные скалы, лизали гальку у основания стены. Кружились на ветру чайки, высматривая среди скал скрывшуюся от них добычу.

— Сколько денег он тебе оставил?

— Не знаю точно, никогда не считала, но много: семьдесят-восемьдесят тысяч долларов, намного больше тех денег, что Маурицио не поделил с Моденой и из-за которых погиб. Какое-то безумие, правда?

— Тебе надо забрать их и валить отсюда.

— Смешно: я подумала, что мы только что подписали двухгодичный контракт с Метой и его фирмой. Контракт, призванный примирить нас с той жизнью, что мы ведем.

— К черту контракт!

— Послушай, Лин...

— Пропади он пропадом, этот контракт. Тебе надо выпутываться из этой истории. Мы даже не знаем, что там происходит, черт бы их всех побрал. Не имеем никакого понятия, почему убили Абдуллу: что он сделал или чего не сделал. Если Сапна не он, тогда дела плохи. Если же он действительно был Сапной, то они еще хуже. Тебе надо забрать деньги и просто исчезнуть.

— Куда исчезнуть?

— Куда угодно.

— А ты тоже уедешь?

— Нет. У меня остались дела, которые надо закончить. Да и сам я, некоторым образом, человек конченый. А тебе надо уехать.

— Ты, наверно, меня не понял. Деньги не главное: если я сейчас уеду, то увезу с собой кучу денег. Но у меня есть нечто большее: я пытаюсь здесь кое-что создать — это мой бизнес. И я могу это сделать. Я здесь что-то собой представляю. Просто иду по улице, и люди смотрят на меня, потому что я не такая, как все.

— Ты будешь чем-то где угодно, — сказал я с улыбкой.

— Не смейся надо мной, Лин.

— И не думаю смеяться, Лиза. Ты красивая девушка и душевная к тому же — вот почему люди на тебя смотрят.

— Дело может выгореть, — настаивала Лиза. — Всем нутром это чувствую. У меня нет образования, я не так умна, как ты, Лин. Меня ничему не учили. Но из этого может выйти нечто значительное. Я могла бы... не знаю... Могла бы когда-нибудь начать продюсировать фильмы. Делать что-то хорошее...

— Ты сама хорошая. И куда бы ты ни уехала, будешь делать добро.

— Нет. Это мой шанс. Я не вернусь домой, никуда не поеду, пока им не воспользуюсь. Если я этого не сделаю, даже не попытаюсь, все будет зря — Маурицио и все, что здесь случилось. Если же останусь, хочу честно, своей головой заработать полный карман денег.

Бриз то стихал, то вновь начинал дуть с залива, отчего становилось то теплее, то прохладнее, то снова теплее, и я ощущал ветер на лице и руках. Мимо нас проплыл маленький флот рыболовных челнов, направляясь в свою песчаную гавань в районе трущоб. Внезапно я вспомнил, как проплывал однажды в такой же лодчонке через затопленный двор отеля «Тадж-Махал», а потом под гулкими резонирующими сводами Ворот в Индию. Вспомнил любовную песню Винода и дождь в ту ночь, когда Карла пришла в мои объятия.

Глядя на эти бесконечные, вечные волны, я вспомнил все свои утраты с той штормовой ночи: тюрьму, пытки, уход Карлы, отъезд Уллы, исчезновение Кадербхая и его совета, арест Ананда, смерть Маурицио, Рашида, Абдуллы, возможную смерть Модены. И Прабакера — самое невероятное: Прабакер тоже мертв. А я — один из них — гуляю, разговариваю, смотрю на бурные волны, но сердце мое мертво, как у них всех.

— А как же ты? — спросила Лиза.

Я ощущал на себе ее взгляд, чувствовал эмоции, которые выдавал ее голос: симпатию, нежность, возможно, даже любовь.

— Если я останусь, а я определенно собираюсь остаться, что ты будешь делать?

Я смотрел на нее некоторое время, читая рунические письмена в ее небесно-голубых глазах. Потом встал, отошел от стены, обнял ее и поцеловал. То был долгий поцелуй: пока он длился, мы прожили вместе целую жизнь — жили, любили друг друга, старели и умерли. Когда наши губы разомкнулись, эта жизнь, где мы могли бы обрести прибежище, сжалась до искры света, которую мы всегда разглядим в глазах друг друга.

Я мог бы ее полюбить. Может быть, я и любил ее немного. Но иногда худшее, что ты можешь дать женщине, — это полюбить ее. А я по-прежнему любил Карлу. Да, я любил Карлу.

— Что я буду делать? — спросил я, повторяя ее вопрос. Удерживая ее за плечи на расстоянии вытянутых рук, я улыбнулся. — Хочу немного побыть под кайфом.

И я уехал, даже не оглянувшись. Оплатил аренду своей квартиры за три месяца, дал солидную мзду сторожу на автостоянке и консьержу в доме. В кармане у меня был надежный фальшивый паспорт, запасные паспорта, а пачку наличных я сунул в сумку, которую оставил вместе с мотоциклом «энфилд буллит» на попечение Дидье. Потом взял такси до опиумного притона Гуптаджи, вблизи улицы Десяти Тысяч Шлюх — Шокладжи-стрит, — и поднялся на третий этаж по истертым деревянным ступенькам.

Гуптаджи предоставлял курильщикам опиума большую комнату с двадцатью спальными матами и деревянными подушками. Для клиентов с особыми запросами были предусмотрены отдельные комнаты за этим, открытым, притоном. Через очень узкий дверной проем я вышел в потайной коридор, ведущий в эти задние комнаты. Потолок здесь был такой низкий, что мне пришлось пригнуться, передвигаясь почти ползком. В комнате, которую я выбрал, были койка с капковым матрасом, потрепанный коврик, маленький шкаф с плетеными дверцами, лампа под шелковым абажуром и большой глиняный горшок, наполненный водой. Стены с трех сторон были из тростниковых циновок, натянутых на деревянные рамы. Четвертая стена, в изголовье кровати, выходила на оживленную улицу арабских и местных мусульманских торговцев, но окна были закрыты ставнями, так что лишь несколько ярких пятен солнечного света пробивалось сквозь щели. Потолок отсутствовал: вместо него взгляду представали тяжелые, пересекающиеся и соединенные друг с другом стропила, поддерживающие крышу из глины и черепицы. Этот вид был мне хорошо знаком.

Гуптаджи получил деньги и инструкции и оставил меня одного. Поскольку комната располагалась прямо под крышей, здесь было очень жарко. Я снял рубаху и выключил свет. Маленькая темная комната напоминала тюремную камеру ночью. Я сел на кровать, и почти сразу же нахлынули слезы. Мне уже случалось прежде плакать в Бомбее: после встречи с прокаженными Ранджита, и когда незнакомец омывал мое истерзанное тело в тюрьме на Артур-роуд, и с отцом Прабакера в больнице. Но та печаль и страдания всегда подавлялись: мне как-то удавалось избежать самого худшего — сдержать поток рыданий. А здесь, в этой опиумной берлоге, оплакивая свою загубленную любовь к погибшим друзьям, Абдулле и Прабакеру, я дал волю чувствам.

Для некоторых мужчин слезы хуже, чем побои: рыдания ранят их больше, чем башмаки и дубинки. Слезы идут из сердца, но иные из нас так часто и так долго отрицают его наличие, что, когда оно начинает говорить, одно большое горе разрастается в сотню печалей. Мы знаем, что слезы — естественное и хорошее душевное проявление, что они свидетельство силы, а не слабости. И все же рыдания вырывают из земли наши спутанные корни; мы рушимся, как деревья, когда плачем.

Гуптаджи дал мне достаточно времени. Когда наконец я услышал скользящий шаркающий звук его сандалий у двери, я стер следы печали с лица и зажег лампу. Он принес и разложил на маленьком столике все, о чем я просил: стальную ложку, дистиллированную воду, одноразовые шприцы, героин и блок сигарет. С ним была девушка. Он сказал, что ее зовут Шилпа и он поручил ей прислуживать мне. Она была совсем юной, моложе двадцати лет, но с печатью глубокой угрюмости на лице, свойственной привычной к работе профессионалке. В ее глазах притаилась надежда, готовая огрызнуться или уползти, как побитая собачонка. Я попросил ее и Гуптаджи уйти, а потом приготовил себе немного героина.

Доза оставалась в шприце почти час. Я брал его и подносил иглу к толстой, сильной, здоровой вене на руке раз пять, но вновь и вновь клал шприц на место, так и не воспользовавшись им. И весь этот час я не мог оторвать взор от жидкости в шприце. Вот он, проклятый наркотик. Крупная доза зелья, толкнувшего меня на безумные, насильственные, преступные действия, отправившего в тюрьму, лишившего семьи и близких. Зелье, ставшее для меня всем и ничем: оно забирает все и не дает ничего взамен.

Но это ничто, которое ты получаешь, та бесчувственная пустота — это порой и есть все, чего ты желаешь.

Я воткнул иглу, стер розовое пятно крови, подтверждающее чистый прокол вены, и нажал на поршень, чтобы он дошел до конца. Игла еще оставалась в руке, но зелье уже успело превратить мой мозг в Сахару. Теплые, сухие, сияющие, ровные наркотические дюны гасили всякую мысль, поглотив забытую цивилизацию моего сознания. Тепло заполняло мое тело, убивая тысячи мелких болей, угрызений совести и неудобств, которые мы претерпеваем или игнорируем каждый день в состоянии трезвости. Боли не было. Ничего не было.

А затем, хотя в моем сознании все еще пребывала пустыня, я почувствовал, что мое тело тонет; я прорвал поверхность удушающего озера. Прошла ли неделя после первой порции наркотика или, может быть, месяц? Я заполз на плот и плыл по смертоносному озеру, плещущемуся в ложке, а в крови у меня бушевала Сахара. И эти плотогоны над моей головой, они несли в себе некое послание, а именно — почему нам всем суждено было пересечься: Кадеру, Карле, Абдулле и мне. Жизнь всех нас странным образом пересекалась на каком-то глубинном уровне, а плотогоны обладали ключом к шифру.

Я закрыл глаза и вспомнил Прабакера, как он много работал до поздней ночи. Он и умер потому, что был владельцем такси и работал на себя. Это я купил ему такси. *Он был бы жив, если бы я не купил ему это такси.* Он был маленьким мышонком, которого я приручил, подкармливая крошками в тюремной камере, мышонком, которого замучили. Иногда легкий ветерок, дующий в ясный, не одурманенный наркотиками час, вызывал в моей памяти образ Абдуллы за минуту до смерти, одного в убийственном круге. Одного. А ведь мне следовало быть там. Я проводил вместе с ним день за днем и тогда должен был быть рядом. Нельзя позволить своему другу так умереть — наедине с судьбой и смертью. Куда делось его тело? А что, если он был Сапной? Мог ли мой друг, которого я так любил, на самом деле быть безжалостным безумным садистом? Как там рассказывал Гани? *Куски расчлененного тела Маджида были разбросаны по всему дому.* Мог ли я любить человека, сотворившего такое? Как можно было объяснить, что некая небольшая, но упорная часть моего сознания с ужасом допускала, что он и был Сапной, но при этом я продолжал его любить?

И я вновь загнал в руку серебряную пулю и вновь очутился на дрейфующем плоту. Зная, что ответ хранят плотогоны над моей головой, я был уверен, что все пойму, стоит только увеличить дозу, и еще, и еще немного...

Пробудившись, я увидел над собой свирепое лицо человека, что-то говорившего на непонятном мне языке. Безобразное, злое лицо, прочерченное глубокими линиями, идущими изогнутыми горными хребтами от глаз, носа и рта. Лицо имело руки, сильные руки: я почувствовал, как меня поднимают с плота-кровати и ставят на подгибающиеся ноги.

— Пошел! — рычал Назир по-английски. — Пошел сейчас же!

— Да иди ты, — медленно проговорил я, сделав паузу, чтобы добиться максимального эффекта, — куда подальше.

— Пошел, ты! — повторил он.

Гнев клокотал в нем так близко к поверхности, что его всего трясло, а рот непроизвольно раскрылся, обнажив нижний ряд зубов.

— Нет, — сказал я, вновь направляясь к кровати. — Это ты уходи!

Он схватил меня и развернул к себе лицом. В его руках ощущалась гигантская сила. Он, словно стальными тисками, сжал мои запястья:

— Сейчас же пошел!

Я находился в комнате Гуптаджи уже три месяца. Каждый день мне давали героин, кормили через день, единственным моционом была короткая прогулка в туалет и обратно. Тогда я этого не знал, но я потерял двенадцать килограммов веса, тридцать фунтов лучших мускулов моего тела. Я был слабым, тощим и ничего не соображавшим от наркотиков.

— Ладно, — сказал я, изобразив на лице улыбку. — Хорошо, я пойду. Мне надо забрать свои вещи.

Я кивнул на столик, где лежали мои часы, бумажник и паспорта, и тогда он ослабил свою хватку. Гуптаджи и Шилпа ждали в коридоре. Я собрал пожитки, рассовал их по карманам, притворившись, что готов слушаться Назира. Когда мне показалось, что подходящий момент настал, я развернулся и ударил его правой сверху вниз. Этот удар имел бы эффект, если бы я был здоров и трезв. А так я промахнулся и потерял равновесие. Назир заехал мне кулаком в солнечное сплетение, как раз под сердцем. Я согнулся пополам, беспомощный и задыхающийся, но с плотно сжатыми коленями и на твердых ногах. Он поднял мою голову левой рукой, держа ее за прядь волос, размахнулся правой, сжатой в кулак на высоте плеч, застыл на мгновение, прицеливаясь, а потом всадил кулак мне в челюсть, вложив в этот удар всю силу своей шеи, плеч и спины. Я видел, как вытянулись губы Гуптаджи, как он резко отвел свои искоса смотрящие глаза, и тут лицо его взорвалось снопом искр, и мир стал темнее пещеры, полной спящих летучих мышей.

Впервые в жизни я испытал столь глубокий нокаут. Казалось, мое падение бесконечно, а земля невообразимо далека. Через некоторое время я смутно ощутил, что двигаюсь, словно плыву в пространстве, и подумал: «Все хорошо, это только сон, наркотический сон, я могу проснуться в любую минуту и принять новую дозу».

И вот я с грохотом рухнул, вновь оказавшись на плоту. Но моя кровать-плот, на которой я плыл три долгих месяца, стала другой — мягкой и гладкой. Здесь стоял новый, изумительный запах превосходных духов «Коко». Я хорошо знал его, так пахла кожа Карлы. Назир протащил меня на плечах вниз через лестничные пролеты, выволок на улицу и швырнул на заднее сиденье такси. Карла была там: моя голова покоилась на ее коленях. Я открыл глаза, чтобы увидеть ее прелестное лицо, и прочел в ее зеленых глазах сострадание, участие и еще нечто. То было отвращение — к моей слабости, пристрастию к героину, потаканию своим порокам, к вони от моего запущенного тела. Потом я почувствовал на своем лице руки Карлы, ее пальцы ласково, словно слезы, касались моей щеки.

Когда такси наконец остановилось, Назир поднял меня на два лестничных пролета, легко, будто мешок пшеницы. Я вновь пришел в себя и, свешиваясь с его плеча, смотрел на Карлу, поднимавшуюся по ступенькам вслед за нами. Даже попытался ей улыбнуться. Мы вошли в большой дом через заднюю дверь, ведущую в просторную современную кухню, и очутились в огромной гостиной с открытой планировкой: одна стена из стекла выходила на золотой пляж и темно-синее, как сапфир, море. Перевалив меня через плечо, Назир с куда большей деликатностью, чем можно было от него ожидать, прислонил меня к груде подушек у стеклянной стены. Последний удар, полученный мной от Назира, прежде чем он похитил меня из заведения Гуптаджи, оказался слишком сильным. Я так и не вышел из состояния грогги: меня вело из стороны в сторону. Непреодолимое желание закрыть глаза и отдаться блаженному забытью накатывало на меня волна за волной.

— Не пытайся встать, — сказала Карла, опускаясь на колени и промокая влажным полотенцем мое лицо.

Я рассмеялся: меньше всего мне сейчас хотелось вставать. Смеясь, я смутно ощутил сквозь наркотический дурман боль на кончике подбородка и в челюсти.

— Что происходит, Карла? — спросил я, отметив про себя, как странно звучит мой надтреснутый голос.

Три месяца полного молчания и душевного тумана исказили мою речь, как у человека, страдающего дисфазией, — голос мой был скрипучим, невнятным.

— Что ты здесь делаешь? — спросил я. — А я почему здесь?

— Ты бы хотел, чтоб я оставила тебя там?

— А как ты узнала, где я? Как нашла меня?

— Это сделал твой друг Кадербхай и попросил, чтобы я привезла тебя сюда.

— Попросил *тебя*?

— Да, — сказала она, глядя на меня так пристально, что ее взгляд, казалось, разрезал окутавший меня дурман, подобно восходу солнца, рассеивающего туманную дымку.

— А где он?

Она улыбнулась грустной улыбкой: вопрос был некорректным. Я уже понимал это: действие наркотиков постепенно ослабевало. У меня появился шанс узнать всю правду или ту ее часть, которая была ей известна. Если бы я задал ей правильный вопрос, она бы сказала мне все как есть, потому что была готова к этому, — вот что означала сила ее взгляда. Возможно, она даже любила меня, — во всяком случае, это чувство зарождалось в ней. Но я не сумел задать нужный вопрос: я спросил не о ней, а о нем.

— Не знаю, — ответила она, приподнявшись и встав рядом со мной. — Ожидалось, что он здесь будет. Думаю, он скоро появится. Но я не могу ждать: мне надо идти.

— Что? — Я привстал, пытаясь отодвинуть тяжелые, как камень, шторы, для того чтобы видеть ее, говорить с ней, не дать ей уйти.

— Мне надо идти, — повторила она, решительно направляясь к двери; там ее ждал Назир: его мощные руки, как ветви из ствола дерева, выступали из распухшего тела. — Ничего не могу поделать. До отъезда надо успеть очень много.

— До отъезда? Что ты имеешь в виду?

— Я снова уезжаю из Бомбея. Появилась работа, очень важная, и я... ее надо сделать. Вернусь недель через шесть-восемь. Может быть, тогда увидимся.

— Это какое-то сумасшествие, ничего не понимаю. Лучше бы ты оставила меня там, если все равно покидаешь.

— Послушай, — сказала она, улыбаясь и стараясь не терять терпения, — я вернулась только вчера, и мне нельзя задерживаться. Я даже в «Леопольд» не ездила. Только Дидье утром встретила, он поздоровался мимоходом, и все. Не могу здесь оставаться. Согласилась только вытащить тебя из этого самоубийственного пакта, который ты заключил сам с собой у Гуптаджи. Теперь ты здесь, в безопасности, и мне надо уехать.

Она повернулась к Назиру и заговорила с ним на урду. Я понимал только каждое третье или четвертое слово из их разговора. Слушая ее, он рассмеялся и с привычным презрением взглянул на меня.

— Что он сказал? — спросил я, когда они замолчали.

— Тебе это будет неприятно слышать.

— Но я хочу знать.

— Он думает, что ты не справишься. Я сказала ему, что ты перестанешь принимать наркотики, переживешь ломку и подождешь здесь, пока я не вернусь через пару месяцев. А он не верит: мол, побежишь искать дозу сразу, как начнется ломка. Я заключила с ним пари, что ты справишься.

— Какую сумму ты поставила на кон?

— Тысячу баксов.

— Тысячу баксов... — повторил я задумчиво.

Ставка была внушительной, а шансы неравными.

— Да. Это все его наличные, то, что оставлено на черный день. Он бьется об заклад на всю эту сумму, что ты сорвешься. Говорит, ты слабый человек, поэтому принимаешь наркотики.

— А ты что ему сказала?

Она рассмеялась. Так редко можно было видеть и слышать, как она смеется, что я вобрал в себя эти яркие округлые звуки счастья, как еду, питье, наркотик. Я был болен и одурманен, но прекрасно понимал, что в этом смехе мое величайшее сокровище и радость, — заставить эту женщину смеяться и ощущать лицом, кожей, как этот смех журчит, срываясь с ее губ.

— Я сказала ему: хороший мужчина настолько силен, насколько это нужно правильной женщине с ним рядом.

Потом она ушла, а я закрыл глаза, а когда открыл их час или день спустя, обнаружил, что около меня сидит Кадербхай.

— *Утна хайн*, — услышал я голос Назира. — Он проснулся.

Пробуждение было тяжелым. Я испытывал беспокойство, знобило, хотелось героина. Ощущение во рту было отвратительным, все тело болело.

— Хм, похоже, тебе уже больно, — пробормотал Кадер.

Я присел, опершись на подушки, оглядел комнату. Наступал вечер; длинная тень ночи наползала на песчаный пляж за окном. Назир сидел на куске ковра у входа в кухню. На Кадере были просторные штаны, рубашка и жилет того покроя, который носят патаны[1]. Одежда имела зеленый цвет, любимый пророком. Казалось, Кадер постарел за эти несколько месяцев, но при этом выглядел, как никогда, бодрым, спокойным и решительным.

— Ты хочешь есть? — спросил он, поймав мой пристальный взгляд, но не дождавшись, пока я заговорю. — Может быть, примешь ванну? Здесь все есть, ванну можешь принимать сколько захочешь. Еды тоже полно. Надень новую одежду, она приготовлена для тебя.

---

[1] *Патаны* — индийское название одного из афганских племен.

— Что случилось с Абдуллой?! — спросил я.

— Ты должен прийти в норму.

— Что, черт возьми, произошло с Абдуллой?! — заорал я срывающимся голосом.

Назир не сводил с меня глаз. Внешне он был спокоен, но готов вскочить с места в любую минуту.

— Что ты хочешь знать? — мягко спросил Кадер, устремив взгляд на ковер между скрещенных колен, стараясь не смотреть мне в глаза и медленно покачивая головой.

— Это он был Сапной?

— Нет, — ответил Кадер, повернув голову, чтобы встретить мой суровый взор. — Знаю, люди болтают об этом, но даю тебе слово: Сапна — не он.

Я сделал глубокий вздох, испытав огромное облегчение. Почувствовав, как слезы жгут глаза, закусил щеку, чтобы остановить их.

— Почему же *говорили*, что он был Сапной?

— Враги Абдуллы заставили полицию поверить этому.

— Что за враги? Кто они?

— Люди из Ирана. Враги с его родины.

Я вспомнил уличную драку — загадочный бой: мы с Абдуллой против компании иранцев. Пытался восстановить в памяти прочие подробности этого дня, но все мысли заглушало острое чувство вины — мучительное сожаление, что не спросил Абдуллу, кто были эти люди и почему мы дрались с ними.

— А где настоящий Сапна?

— Он мертв. Я нашел человека, который им был. Но теперь он мертв. Это, во всяком случае, удалось сделать для Абдуллы.

Я расслабленно откинулся на подушки, на мгновение закрыл глаза. Из носа начинало течь, горло болело и было забито мокротой. За последние три месяца у меня выработалась устойчивая привычка — три грамма чистого белого тайского героина каждый день. Ломка стремительно приближалась: я знал, что мне предстоят две недели адских мук.

— Зачем? — спросил я его через некоторое время.

— Что ты хочешь сказать?

— Зачем вы меня разыскали? Зачем приказали Назиру привезти меня сюда?

— Ты же работаешь на меня, — ответил он, улыбнувшись. — А теперь для тебя появилось дело.

— Боюсь, что сейчас я еще ни на что не годен.

В животе начались колики. Я застонал и отвернулся.

— Да, — согласился он. — Сначала тебе нужно выздороветь. Но месяца через три-четыре ты будешь в полном порядке и сможешь сделать для меня эту работу.

— А что это за работа?

— Миссия. Да, своего рода священная миссия — ее можно так назвать. Ты умеешь ездить верхом?

— Верхом?! Никогда не имел дела с лошадьми. Если я могу выполнить эту работу на мотоцикле, я справлюсь. Тогда я тот, кто вам нужен.

— Назир научит тебя ездить верхом. Он был когда-то лучшим наездником в деревне, где жили лучшие всадники провинции Нангархар. Здесь неподалеку есть конюшня и пляж. Там ты сможешь научиться ездить верхом.

— Научиться ездить верхом... — пробормотал я, размышляя, как мне пережить следующий час и еще один, а ведь потом станет еще хуже...

— Именно так, Линбаба, — сказал он, улыбнувшись и протянув руку, чтобы коснуться моего плеча.

Я ощутил тепло его ладони и внутренне содрогнулся от этого прикосновения, но не подал виду.

— Единственный способ добраться сейчас до Кандагара — верхом: все дороги минируются и обстреливаются. Поэтому, когда поедешь с моими людьми на войну в Афганистан, тебе придется научиться ездить верхом.

— В Афганистан?

— Да.

— Почему, черт возьми, вы вообразили, что я поеду в Афганистан?

— Не знаю, поедешь ты туда или нет, — ответил он с какой-то неподдельной грустью, — но сам я должен исполнить эту миссию — отправиться в Афганистан, на свою родину, которую я не видел более пятидесяти лет. И приглашаю тебя, *прошу* тебя поехать со мной. Выбор, конечно же, за тобой. Это опасная работа, слов нет. Если ты откажешься ехать, я не стану относиться к тебе хуже.

— Но почему я?

— Мне нужен гора — иностранец, который не боялся бы нарушить многочисленные международные законы и мог бы сойти за американца. Там, куда мы поедем, множество соперничающих кланов, они воюют друг с другом не одну сотню лет. У них давние традиции — нападать на соседей и забирать все что можно в качестве трофеев. Сейчас их объединяют только два фактора — любовь к Аллаху и ненависть к русским захватчикам. Они сражаются американским оружием на американские деньги. Если со мной будет американец, они не станут нас трогать и дадут пройти, не досаждая и не отнимая больше разумной суммы денег.

— Почему бы вам не взять с собой настоящего американца?

— Я пытался, но не смог найти безумца, готового пойти на такой риск. Вот почему мне нужен ты.

— Какой груз мы повезем в Афганистан, выполняя эту миссию?

— Обычная контрабанда во время войны — оружие, взрывчатые вещества, паспорта, деньги, золото, запчасти для машин и лекарства. Это будет интересное путешествие. Если мы пройдем через расположение хорошо вооруженных кланов, которые будут стремиться отнять то, что мы везем, то доставим свой груз в отряд воинов-моджахедов, ведущих сейчас осаду Кандагара. Они уже два года сражаются с русскими за этот город и нуждаются в пополнении запасов.

Вопросы теснились в моем воспаленном мозгу, сотни вопросов, но начавшаяся ломка парализовала сознание. Холодный липкий пот — результат этой внутренней борьбы — обильно покрыл кожу. Слова, когда они наконец пришли на ум, были сбивчивыми и непродуманными:

— Почему вы этим занимаетесь? Почему Кандагар? Почему туда?

— Моджахеды, осаждающие Кандагар, — мои люди, из моей деревни, а также из деревни Назира. Они ведут джихад — священную войну, чтобы изгнать русских оккупантов из своей родной страны. Мы им уже оказывали всяческую помощь, а теперь пришло время помочь им оружием, да и моей кровью, если она понадобится.

Он смотрел, как мое лицо болезненно дрожит, испещренное бороздами, идущими от глаз. Потом Кадер вновь улыбнулся, вдавив пальцы мне в плечо, пока боль от его прикосновения не стала единственным, что я ощущал в тот момент.

— Прежде всего тебе надо выздороветь, — сказал он, ослабив давление своих пальцев и дотронувшись ладонью до моего лица. — Да пребудет с тобой Аллах, сын мой. *Аллах йа фазак!*

Когда он ушел, я отправился в ванную. Желудочные колики впились в меня, словно орлиные когти, перекручивая внутренности мучительной болью. Диарея трясла меня конвульсивными спазмами. Я вымылся, дрожа так сильно, что клацали зубы. Посмотрев в зеркало, я увидел свои глаза: зрачки расширились так, что вся радужная оболочка стала черной. Когда прекратится действие героина и начнется ломка, свет возвратится: он хлынет сквозь черные воронки глаз.

С полотенцем, обернутым вокруг бедер, я вернулся в большую комнату. Выглядел я изможденным, сутулился, дрожал, непроизвольно стонал. Назир осмотрел меня сверху донизу, презрительно скривив толстую верхнюю губу. Он вручил мне охапку чистой одежды — то была копия зеленого афганского костюма

Кадера. Я оделся, весь дрожа и несколько раз теряя равновесие. Назир наблюдал за мной, держа свои узловатые кулаки у бедер. Усмешка играла на его губах, приоткрывая их, подобно краям раковины моллюска. Каждый его жест был широким и красноречивым, преувеличенным, словно в пантомиме, но темные глаза были свирепы — в них таилась угроза. Внезапно я понял, что он напоминает мне японского актера Тосиро Мифунэ[1]. Он был похож на тролля — уродливая карикатура на Мифунэ.

— Ты знаешь Тосиро Мифунэ? — спросил я его, рассмеявшись вопреки своему отчаянию и боли. — Знаешь Мифунэ, а?

В ответ он подошел к парадной двери дома и распахнул ее. Вытащив из кармана несколько банкнот по пятьдесят рупий каждая, он швырнул их на порог.

— *Йаа, баинчуд!* — зарычал он, указывая на открытую дверь. — Пошел вон, сучье отродье!

Шатаясь, я доковылял до груды подушек, наваленных у большого окна, и рухнул на них. Я натянул на себя одеяло, весь сжавшись от мучительной щемящей тоски и судорожного желания принять дозу. Назир закрыл дверь дома и занял привычную позицию на обрывке ковра, сидя выпрямив спину, положив ногу на ногу и наблюдая за мной.

Мы все в той или иной степени боремся с беспокойством и стрессом при помощи коктейля из химических веществ, вырабатываемых в нашем теле и поступающих в мозг. Главные среди них относятся к группе эндорфинов — пептидных медиаторов, обладающих способностью облегчать боль. Беспокойство, стресс, боль запускают эндорфинную реакцию как естественный защитный механизм. Когда мы принимаем какой-нибудь наркотик — морфий, опий и особенно героин, — тело перестает вырабатывать эндорфины. Когда мы прекращаем принимать наркотики, возникает задержка от пяти до четырнадцати дней, прежде чем организм начинает новый цикл производства эндорфинов. И именно в этот черный, мучительный, бесконечно тянущийся промежуток в одну-две недели мы осознаём по-настоящему, что такое беспокойство, стресс и боль.

«Каково это, — спросила однажды Карла, — ломка после прекращения приема героина?» Я попытался ей объяснить. Вспомни все случаи в своей жизни, когда ты испытывал страх, сильный страх. Кто-то крадется сзади, когда ты думаешь, что один, и кричит, чтобы напугать тебя. Шайка хулиганов смыкает вокруг тебя кольцо. Ты падаешь во сне с большой высоты или стоишь на самом краю отвесной скалы. Кто-то держит тебя под водой,

---

[1] *Тосиро Мифунэ* (1920–1997) — японский киноактер и продюсер. Снялся более чем в 130 картинах, прославился в фильмах режиссера Акиры Куросавы.

ты чувствуешь, что дыхание прерывается, и рвешься, пробиваешься, хватаешься руками, чтобы выбраться на поверхность. Ты теряешь контроль над автомобилем и видишь, как стена мчится навстречу твоему беззвучному крику. Собери в одну кучу все эти сдавливающие грудь ужасы и ощути их сразу, одновременно, час за часом и день за днем. Вообрази вдобавок всю боль, когда-то испытанную тобой: ожог горячим маслом, острый осколок стекла, сломанную кость, шуршание гравия, когда ты падаешь зимой на ухабистой дороге, головную боль, боль в ухе и зубную боль. Сложи их вместе — защемление паха, пронзительные вопли от острой боли в желудке — и почувствуй их все сразу, час за часом и день за днем. Затем подумай обо всех перенесенных тобой душевных муках — смерть любимого человека, отказ возлюбленной. Вспомни неудачи и стыд, невыразимо горькие угрызения совести. Добавь к ним пронзающие сердце несчастья и горести и ощути их все сразу, час за часом и день за днем. Все это и есть ломка при прекращении приема героина. Ломка — это жизнь с содранной кожей.

Атака беспокойства на незащищенное сознание, мозг без естественных эндорфинов превращают человека в безумца. Любой наркоман, переживающий ломку, становится сумасшедшим. Безумие это настолько жестоко и ужасно, что некоторые умирают. И когда приходит это временное помешательство и человек попадает в невыносимый мир, где живет словно с содранной кожей, он совершает преступления. А если мы выживаем и выздоравливаем, а потом через много лет в ясном рассудке вспоминаем об этих преступлениях, это делает нас несчастными, сбитыми с толку, мы испытываем отвращение к себе, как люди, предавшие под пыткой своих друзей и свою страну.

Проведя двое суток в страшных мучениях, я решил, что не выдержу. Рвота и понос почти прошли, но боль и беспокойство усиливались с каждой минутой. Однако пронзительный крик моей крови не мог заглушить спокойный настойчивый голос где-то внутри: «Ты можешь прекратить это... надо все устроить... ты можешь остановить это... возьми деньги... достань себе дозу... ты можешь снять эту боль...»

Койка Назира из бамбука и волокон кокосового ореха стояла в дальнем углу комнаты. Я доковылял до нее под пристальным взглядом дюжего афганца, по-прежнему сидевшего на коврике у двери. Дрожа и издавая стоны от боли, я подтащил койку ближе к большому окну, выходящему на море. Стянул с кровати хлопчатобумажную простыню и начал рвать ее зубами. Она разошлась в нескольких местах, и я раздирал ее вдоль, отрывая полосы ткани. Совершая эти безумства в состоянии, близком к панике, я швырнул на кровать два толстых стеганых одеяла вместо матраса и лег. Двумя полосами ткани я привязал к кровати лодыжки, а третьим обрывком простыни закрепил левое запястье. Снова лег и повернул голову, чтобы взглянуть на Назира. Протягивая ему оставшуюся полосу, я попросил его глазами привязать руку к кровати. Мы впервые встретились с ним взглядом, открыто, без всякой задней мысли глядя друг на друга.

Он поднялся с квадратного лоскутка ковра и подошел, не сводя с меня глаз. Взяв полоску ткани, он привязал мое правое запястье к каркасу кровати. Из моего открытого рта вырвался крик, потом еще один — так кричит тот, кто попал в западню и охвачен паническим страхом. Я прикусил язык, да так сильно, что по краям пронзил его насквозь, — по губам заструилась кровь. Назир слегка покачал головой. Он оторвал от простыни еще одну полосу и прикрутил ее к спирали штопора, который засунул мне между зубами и завязал кляп на затылке. Впившись зубами в этот хвост дьявола, я закричал. Потом повернул голову и увидел свое отражение, словно был привязан к ночи за окном. На какое-то время я стал Моденой, который ждал, кричал и смотрел моими глазами.

Двое суток я был привязан к кровати. Назир неустанно и заботливо ухаживал за мной. Он всегда находился рядом. Стоило мне открыть глаза, я чувствовал на лбу его мозолистую ладонь, вытирающую пот или смахивающую слезы с лица. Каждый раз, когда судорога молнией пронзала ногу или руку или начинались желудочные колики, он уже растирал больное место, грея его. Всякий раз, когда я выл или визжал в свой кляп, он не отрывал от меня глаз, уговаривая вытерпеть все мучения и победить. Он убирал кляп, когда я давился струйкой рвоты или мой забитый нос не пропускал воздух, но он был сильным человеком и понимал, что я не хочу, чтобы мои вопли были слышны. Когда я кивал ему, он вставлял кляп на место и крепко его привязывал.

А потом, когда я уже знал, что достаточно силен, чтобы оставаться на месте, но при этом еще слишком слаб, чтобы уйти, я кивнул Назиру, моргнул ему несколько раз, и он убрал кляп окончательно. Одни за другими он снимал путы с моих запястий и лодыжек. Принес мне бульон с курицей, ячменем и томатами, без специй, если не считать соли. В жизни не пробовал ничего более вкусного и сытного. Он кормил меня, вливая бульон ложку за ложкой. Через час, когда я покончил с содержимым маленькой миски, он впервые мне улыбнулся, и эта улыбка была подобна лучу солнечного света на морских скалах после летнего дождя.

Период ломки длится около двух недель, но первые пять дней — худшие. Если ты преодолеешь первые пять дней, сможешь проползти и вытащить себя в это шестое утро без наркотиков, ты уже знаешь, что очистился и победишь их. Следующие восемь-десять дней ты будешь чувствовать себя лучше и становиться сильнее с каждым часом. Боли уменьшаются, тошнота проходит, лихорадка и озноб спадают. Через некоторое время самое скверное, что остается, — ты не можешь заснуть. Лежишь на постели, ворочаешься, корчишься и извиваешься, пытаясь принять удобную позу, но сон не идет. В последние дни и долгие ночи ломки я превратился в Стоячего монаха: не садился и не ложился целые сутки, пока крайнее изнеможение не подкосило мои ноги и я не погрузился в сон.

Все проходит, даже ломка, и ты встаешь после змеиного укуса пристрастия к героину так же, как перенесший любое другое бедствие: потрясенный, навеки израненный, преисполненный радости, что выжил.

Назир воспринял мои саркастические шутки на двенадцатый день ломки как сигнал к началу тренировок. Уже с шестого дня мы приступили к легким прогулкам на свежем воздухе. Первый из этих моционов мы совершали очень медленно, постоянно останавливаясь, через пятнадцать минут я уже вернулся в дом. На двенадцатый день мы с ним уже одолевали всю протяженность пляжа: я надеялся, что утомлюсь до такой степени, что смогу заснуть. И наконец он отвел меня в конюшню, где держали лошадей Кадера. Конюшню переделали из эллинга, она находилась через улицу от пляжа. Лошади предназначались для начинающих наездников и в разгар сезона возили туристов вдоль морского берега. Белый мерин и серая кобыла были большими послушными животными. Мы забирали их у конюха и вели на утрамбованное плоское песчаное побережье.

В мире нет другого животного, способного выставить человека в таком смешном виде. Кошка может заставить вас выглядеть неуклюжим, собака — глупым, но только лошади дано добиться и того и другого одновременно. А затем лошадь слегка ударит хвостом, ненароком наступит тебе на ногу — и ты сразу понимаешь, что она сделала это намеренно. У некоторых людей после первого же контакта с этим животным возникает с ним некая связь, и они уже знают, что будут хорошо держаться в седле. Я определенно не отношусь к их числу. Одна моя подруга оказывает странное антимагнитное воздействие на механизмы: часы останавливаются на ее запястье, радиоприемники начинают потрескивать, а фотокопировальные устройства при ее появлении внезапно выходят из строя. Все это очень напоминает мои взаимоотношения с лошадьми.

Коренастый афганец, поощрительно подмигивая, сложил пригоршней ладони, чтобы помочь мне взгромоздиться на спину мерина. Поставив ногу ему на руки, я запрыгнул на белого коня, но уже через какое-то мгновение прежде кроткое, прекрасно выдрессированное создание сбросило меня, изогнувшись каким-то причудливым образом. Перелетев через плечо Назира, я с глухим стуком рухнул на песок. Мерин галопом помчался по пляжу без меня. Назир наблюдал за происходящим в полном изумлении. Животное успокоилось и смирилось с моим присутствием, только когда Назир принес мешок с наглазниками и надел его на голову мерина.

С этого началось постепенное неохотное привыкание Назира к мысли, что из меня может выйти лишь самый худший наездник из всех известных ему. Это разочарование, казалось, должно было еще больше погрузить меня в пучину его презрения, но на деле вызвало прямо противоположный эффект. В последующие недели он стал относиться ко мне внимательно и добросердечно. Для Назира подобное обескураживающее неумение совладать с лошадьми было столь же ужасным, вызывающим жалость к человеку несчастьем, как мучительная, изнурительная болезнь. И даже когда я добился некоторых успехов — умудрялся продержаться на лошади несколько минут подряд, заставляя ее гарцевать по кругу, слегка ударяя ногами по бокам и дергая за уздечку обеими руками, — моя неуклюжесть едва не доводила его до слез.

Тем не менее я упорно продолжал каждодневные тренировки. Я сумел выполнять до двадцати серий отжиманий по тридцать раз с минутным отдыхом между сериями. Я делал отжимания каждый день, дополняя их пятью сотнями приседаний и пятикилометровой пробежкой, сорок минут плавал в море. Через три месяца занятий я был здоров и полон сил.

Назир хотел, чтобы я приобрел некоторый опыт езды по пересеченной местности. Для этого я договорился с Чандрой Метой о нашем посещении территории для верховой езды на ранчо Центра по производству фильмов. Во многих художественных картинах были сцены с лошадьми и всадниками. Табуны лошадей содержались специальными отрядами мужчин, живших на обширных холмистых просторах и привлекавшихся в качестве каскадеров при съемках приключенческих фильмов. Животные были превосходно выдрессированы, но не прошло и двух минут после того, как мы с Назиром оседлали выделенных нам коричневых кобыл, как лошадь сбросила меня на кучу глиняных горшков. Назир взял поводья моей лошади и, сидя в седле, с состраданием покачивал головой.

— Приветствую тебя, великий джигит, *йаар*! — крикнул мне один из каскадеров.

Всего, вместе с ними, нас было пятеро, и все рассмеялись. Двое спешились, чтобы помочь мне.

Упав с лошади еще дважды, я устало карабкался в седло и тут услышал знакомый голос. Оглянувшись, я увидел группу всадников во главе с ковбоем, похожим на Эмилиано Сапату. За его плечами на кожаном ремне висела черная шляпа.

— А я ведь знал, твою мать, что это ты! — закричал Викрам.

Он подвел свою лошадь вплотную к моей и радостно потряс мне руку. Его спутники, присоединившись к Назиру и нашим каскадерам, умчались рысью, оставив нас вдвоем.

— А ты-то что здесь делаешь?

— Я хозяин этого сраного места, парень! — Он широко развел руки. — Ну, не совсем. Летти купила себе долю в партнерстве с Лизой.

— Моей Лизой?

Он вопросительно поднял бровь:

— *Твоей* Лизой?

— Ты понимаешь, что я имею в виду.

— Конечно, — сказал он, широко осклабившись. — Ты ведь знаешь, что у них с Летти совместное кастинговое агентство, — ведь и ты стоял у истоков этого бизнеса. Дела у них идут хорошо, они ладят друг с другом. Вот и я решил в этом поучаствовать. Твой друг Чандра Мета сказал мне, что у него доля в этой конюшне для каскадеров. И для меня вполне естественно заняться этим, как ты считаешь?

— Без сомнения, Викрам.

— Вот я и вложил кое-какие бабки и теперь приезжаю сюда каждую неделю. А завтра участвую в съемках как статист. Приходи, братец, посмотришь, как я играю.

— Предложение соблазнительное, — сказал я, рассмеявшись. — Но завтра я уезжаю из города на некоторое время.

— Уезжаешь? Надолго?

— Не знаю точно. На месяц, может быть, дольше.

— Так ты вернешься?

— Непременно. Сделай видео конных трюков. Когда вернусь, покайфуем немного — посмотрим в замедленной съемке, как тебя убивают.

— Вот как! Ты предлагаешь сделку! Так давай поездим верхом вместе!

— Нет-нет! — вскричал я. — Не поеду с тобой на этой лошади, Викрам! Ты, наверно, никогда еще не видел такого скверного наездника, как я. Я уже трижды падал. Был бы счастлив прогуляться немного пешком, никуда не сворачивая.

— Давай попробуем, братец Лин! Вот что: я одолжу тебе свою шляпу. Она никогда не подводит, это счастливая шляпа. У тебя неприятности, потому что ты не носишь шляпу.

— Я не думаю, что эта шляпа меня выручит.

— Говорю же, мать твою, что это волшебная шляпа!

— Ты еще не видел, как я езжу верхом.

— А ты не носил эту шляпу. Она решит все твои проблемы. К тому же ты гора. Не хочу обижать белую расу, *йаар*, но это индийские лошади, парень. Просто нужно немного индийского стиля в обхождении с ними, вот и все. Поговори с ними на хинди, потанцуй немного — и сам увидишь.

— Не уверен.

— А ты не сомневайся, парень. Давай слезай, и потанцуем вместе.

— Что-что?

— Потанцуй вместе со мной.

— Я не танцую для лошадей, Викрам, — заявил я, вложив в эту нелепую фразу столько искренности и достоинства, сколько было в моих силах.

— Но ты будешь танцевать. Слезешь сейчас с лошади и станцуешь со мной этот маленький волшебный индийский танец. Нужно, чтобы лошади увидели под твоей непроницаемой белой оболочкой первоклассного индийского сукина сына. Готов поклясться: лошади тебя полюбят и ты будешь ездить верхом, как гребаный Клинт Иствуд.

— Не хочу ездить верхом, как гребаный Клинт Иствуд.

— Нет, хочешь! — рассмеялся Викрам. — Все только об этом и мечтают.

— Нет, я не стану этого делать.

— Давай-давай.

— Ни в коем случае.

Он спешился и стал высвобождать мои ноги из стремян. Испытывая раздражение, я слез и встал рядом с ним лицом к двум лошадям.

— Вот так! — сказал Викрам, тряся бедрами и вышагивая, как это делают, танцуя в кино. Он запел, ритмично хлопая в ладоши. — Давай, брат! Добавь немного Индии в этот танец. Хватит вести себя как чертов европеец.

Индиец не в силах противиться трем вещам: красивому лицу, сладкозвучной песне и приглашению к танцу. Я был в достаточной мере индийцем, хоть и в собственной сумасшедшей манере, чтобы танцевать с Викрамом хотя бы потому, что мне было невыносимо смотреть, как он танцует один. Мотая головой и улыбаясь вопреки самому себе, я присоединился к нему. Он направлял мои движения, добавляя новые па, пока мы не достигли синхронности в поворотах, шагах и жестах.

Лошади, похрапывая, наблюдали за нами своими белыми глазами с исключительно лошадиной смесью пугливости и снисходительности. А мы продолжали плясать и петь для них посреди поросших травой безлюдных холмов под синим небом, сухим, как дым от костра в пустыне.

А когда танец закончился, Викрам заговорил на хинди с моей лошадью, позволив ей обнюхивать его черную шляпу. Потом передал ее мне, велев носить. Я надел ее, и мы забрались в седла.

И черт побери, это сработало! Лошади сорвались с места, плавно перейдя в легкий галоп. В первый и единственный раз в жизни я выглядел почти настоящим всадником. Великолепную четверть часа я ощущал восторг бесстрашного слияния с благородным животным. Стараясь не отставать от Викрама, я взлетал на крутые холмы, а покорив их, подгоняемый порывами ветра, стремительно мчался с вершины вниз, в редкий кустарник. Обессилев, мы повалились на землю, растянувшись на ласковой луговой траве, и тут нас настиг Назир, прискакавший галопом с остальными всадниками. Короткое время, может быть какое-то мгновение, мы были необузданно-дикими и свободными, если лошади действительно смогли нас этому научить.

Я продолжал смеяться и болтать с Назиром, когда мы поднимались по ступенькам в дом на морском побережье двумя часами позже. С радостной улыбкой я вошел в открытую дверь и увидел Карлу, стоящую у широкого, во всю стену, окна и глядящую на море. Назир поприветствовал ее с грубоватой нежностью. Едва заметная, но ослепительная улыбка скользнула по его лицу, однако он поспешил придать ему выражение обычной угрюмости. Схватив на кухне литровую бутыль воды, коробок спичек и несколько газетных страниц, он вышел из дому.

— Он оставляет нас вдвоем, — сказала Карла

— Я знаю. Он разведет костер на морском берегу. Иногда он делает это.

Я подошел к ней и поцеловал. То был короткий, пожалуй даже застенчивый, поцелуй, но я вложил в него весь пыл моего сердца. Когда наши губы разомкнулись, мы по-прежнему тесно прижимались друг к другу, глядя на море. Через некоторое время мы увидели на пляже Назира, собирающего прибитую к берегу древесину и сухие клочки бумаги для растопки. Он втиснул скатанную в шар газету между веточками и палочками, зажег костер и уселся рядом с ним лицом к морю. Он не замерз: ночь была жаркой, дул теплый бриз. Он зажег костер, чтобы показать нам теперь, когда ночь гнала волны на фоне заходящего солнца, что он все еще здесь, на берегу, а мы можем по-прежнему наслаждаться уединением.

— Люблю Назира, — сказала она, положив голову мне на грудь. — У него доброе сердце.

Так оно и было: я знал это, обнаружил в конце концов, хотя открытие далось мне нелегко. Но как она пришла к такому выводу, почти не зная Назира? Одна из моих самых больших потерь за годы изгнания — слепота к хорошему в людях: никогда не умел оценить меру доброты в мужчине или женщине, пока не становился должен им куда больше, чем мог дать взамен. Карла же была из тех, кто видел хорошее в людях с первого взгляда. А я смотрел и смотрел, но не замечал ничего, кроме угрюмости и горечи в глазах.

Мы глядели на темнеющий пляж и на Назира, сидевшего, выпрямив спину, у своего костерка. Одна из моих маленьких побед над Назиром, когда я был еще слаб и зависим от его физической силы, лежала в области языка. Мне удавалось выучить фразы на его языке быстрее, чем ему на моем. Беглость моей речи вынуждала его говорить со мной в основном на урду, а когда он пытался говорить по-английски, фразы выходили неловкими, какими-то усеченными, слова — перегруженными значениями и словно шатающимися на коротких ножках прямого, не признающего оттенков смысла. Я часто бросал ему обидные упреки из-за грубости его английского, преувеличивая свое замешательство, утверждая, что речь его полна самоповторов, запинок, перескакивания с одной загадочной фразы на другую. Все заканчивалось тем, что он начинал ругать меня на урду и пушту, а потом и вовсе погружался в молчание.

На самом деле его урезанный английский всегда был красноречив, а нередко ритмичен и даже поэтичен. Конечно, он был усечен, из него были убраны все излишества, оставался лишь его особый язык, чистый и точный, что-то между лозунгами и пословицами. Он не знал, что помимо собственной воли я начал повторять некоторые из его фраз. Он сказал мне однажды, чистя свою серую кобылу: «Все лошади хорошие, но не всякий человек хорош». С тех пор прошло много лет, но каждый раз, когда я сталкивался с жестокостью, предательством, другими проявлениями эгоизма, особенно моего собственного, я ловил себя на том, что повторяю фразу Назира: «Все лошади хорошие, но не всякий человек хорош». И в ту ночь, слыша стук сердца Карлы так близко, когда мы наблюдали пляску огня на песке, я вспомнил еще одну фразу, часто повторяемую им по-английски: «Нет любви — нет жизни».

Я не отпускал Карлу, словно мог исцелиться, сжимая ее в объятиях, но мы не занимались любовью, пока ночь не зажгла последнюю звезду на небе по ту сторону широкого окна. Ее руки, словно поцелуи, касались моей кожи. Мои губы расправили скрученный лист ее сердца. Ее приглушенное дыхание вело меня, и я отвечал ей в том же ритме, желание одного эхом отзывалось в другом. Жар соединил нас, заключив в круг прикосновений, вкусовых ощущений, благоуханных звуков. Мы отражались силуэтами на стекле, прозрачными образами — мой был полон огня с пляжа, ее — звездами. И вот в конце концов эти четкие отражения нас самих растаяли, слившись и поглотив друг друга.

Было хорошо, так хорошо, но она не сказала, что любит меня.

— Люблю тебя, — прошептал я; слова эти слетели с моих губ на ее.

— Знаю, — отозвалась она, жалея и вознаграждая меня. — Знаю, что любишь.

— Видишь ли, мне не обязательно отправляться в эту поездку.

— Так почему же ты едешь?

— Не знаю. Наверно, потому, что предан Кадербхаю, все еще чувствую себя его должником. Но здесь нечто большее. Было ли у тебя когда-нибудь ощущение — не важно, по какому поводу, — что вся твоя жизнь своего рода прелюдия, словно все, что ты делал раньше, вело тебя в одну точку и ты почему-то знал, что однажды попадешь туда? Я не очень понятно объясняю, но...

— Понимаю, о чем ты говоришь, — прервала она меня. — Да, мне знакомо это ощущение. Однажды я совершила нечто, в одно мгновение вместившее всю мою жизнь, даже те годы, что я еще не прожила.

— И что это было?

— Мы говорили о тебе, — уклонилась от ответа Карла, стараясь не смотреть мне в глаза. — О том, что тебе не обязательно ехать в Афганистан.

— Что ж, — улыбнулся я, — все так и есть: я могу туда не ехать.

— Так и не поезжай, — спокойно сказала она, отвернувшись, чтобы взглянуть на ночь и на море.

— Ты хочешь, чтобы я остался?

— Хочу, чтобы ты был в безопасности. И был свободен.

— Я не это имел в виду.

— Знаю, — вздохнула она.

Я почувствовал, как ее тело беспокойно шевельнулось рядом с моим, — по-видимому, она хотела подвинуться. Я остался на месте.

— Я никуда не поеду, — тихо сказал я, пытаясь совладать со своими чувствами и зная, что совершаю ошибку, — если ты скажешь, что любишь меня.

Она закрыла рот и сжала губы так сильно, что они образовали белый рубец. Казалось, ее тело медленно, клетка за клеткой, возвращало себе все, что она отдала мне несколькими мгновениями ранее.

— Зачем ты это делаешь? — спросила она.

Я сам не знал. Может быть, причиной была ломка, все то, что я перенес за последние месяцы, и та новая жизнь, которую, как мне казалось, я заслужил. А может быть, то была смерть — смерть Прабакера, Абдуллы и смерть, что, возможно, ждала меня в Афганистане, — я втайне боялся ее. Какова бы ни была причина, она была глупой и бессмысленной и даже жестокой, но я не мог не желать этого.

— Если ты скажешь, что любишь меня, — повторил я.

— Я не люблю, — наконец сказала она тихо.

Я попытался остановить ее, прижав кончики пальцев к ее рту, но она повернула голову, чтобы взглянуть мне прямо в глаза. Голос ее стал чище и сильнее:

— Не люблю. Не могу. Не буду.

Когда Назир вернулся с пляжа, громко кашляя и прочищая горло, чтобы мы слышали, что он пришел, мы уже приняли душ и оделись. Он улыбался — так редко можно было увидеть улыбку на его лице! — переводя свой взгляд с меня на нее и обратно. Но холодная печаль в наших глазах превратила идущие вниз морщины на его лице в ивовые венки разочарования. Он отвернулся.

Мы видели, как она уезжает на такси в долгую одинокую ночь накануне нашего ухода на войну Кадера, и, когда Назир наконец встретился со мной взглядом, он кивнул медленно и торжественно. Я выдерживал его взгляд несколько мгновений, а потом настал мой черед отвернуться. Мне не хотелось видеть в его глазах уже замеченную мною ранее странную смесь горя и бурной радости — я знал, что она значила. Да, Карла уехала, но мы потеряли в ту ночь целый мир любви и красоты. Мы должны были оставить его в прошлом, став солдатами Кадера. А другой мир, некогда безграничный мир того, чем мы могли бы еще стать, сужался час за часом до окрашенной пулей в кроваво-красный цвет точки.

ГЛАВА
31

Назир разбудил меня до рассвета. Мы вышли из дому, когда первые лучи просыпающегося утра прорезали уходящую ночь. Приехав в аэропорт и выбравшись из такси, мы увидели у входа в терминал внутренних рейсов Кадербхая и Халеда Ансари, но не сразу их узнали. Кадер ознакомил нас со сложным маршрутом с четырьмя основными пересадками: нам предстояло менять средства передвижения, чтобы добраться из Бомбея в пакистанский город Кветта у афганской границы. Нам следует везде выдавать себя за путешественников-одиночек и никоим образом не показывать, что мы знакомы друг с другом. Мы намеревались незаконно перейти границу и поучаствовать в войне, которую вели в Афганистане с могучим голиафом — Советским Союзом —

моджахеды, борцы за свободу. Кадер рассчитывал добиться успеха в своей миссии, но допускал и возможность неудачи. Если же мы будем убиты или захвачены в плен на каком-то этапе нашего пути, след, ведущий в Бомбей, должен быть столь же холодным, как ледоруб альпиниста.

Это было длительное путешествие, и началось оно в молчании. Назир, как обычно скрупулезно выполнявший все инструкции Кадербхая, не проронил ни единого слова на первом отрезке маршрута Бомбей—Карачи. Однако через час после нашего вселения в отдельные номера отеля «Чандни» я услышал легкий стук в дверь. Не успела она отвориться наполовину, как Назир протиснулся в нее и плотно закрыл за собой. Глаза его горели от нервного возбуждения и волнение граничило с неистовством. Меня беспокоило столь явное проявление страха, было даже немного противно, и я положил руку ему на плечо:

— Не принимай все так близко к сердцу, Назир. Вся эта дребедень из арсенала рыцарей плаща и кинжала способна довести до безумия.

Назир почувствовал оттенок снисхождения в моей улыбке, возможно даже не поняв полностью смысла сказанного. Он свирепо нахмурился, челюсти сомкнулись, лицо приняло выражение непроницаемой сдержанности. Мы подружились с Назиром, он открыл мне свое сердце. Для него дружба измерялась тем, что́ люди делают и что́ готовы вынести ради друга, а не радостями, которые с ним разделяют. Его смущало и даже мучило, что я почти всегда относился к его торжественной серьезности шутливо, без всякого пафоса. Вся ирония наших отношений заключалась в том, что мы оба — люди серьезные, даже несколько угрюмые, но его мрачная суровость была столь разительной, что заставляла меня отрешиться от своего привычного поведения, провоцируя детское озорное желание посмеяться над ним.

— Русские повсюду, — сказал он с придыханием, тихо, но веско. — Русские все знают... каждого человека... платят деньги, чтобы все знать.

— Русские шпионы? — спросил я. — В Карачи?

— По всему Пакистану, — кивнул он, отвернувшись, чтобы сплюнуть на пол, не знаю, на удачу или чтобы выразить презрение. — Очень опасно! Ни с кем не говорить! Сегодня ты поедешь в Фалуда-хаус... Бохри-базар... сегодня... *саде чар бадже*.

— К половине пятого, — повторил я. — Ты хочешь, чтобы я с кем-то встретился в Фалуда-хаусе на Бохри-базаре в половине пятого? Я правильно понял? С кем я должен встретиться?

Назир выдавил угрюмую улыбку и открыл дверь. Выглянув в коридор, он выскользнул наружу так же быстро и молчаливо, как вошел. Я посмотрел на часы: только час дня. Надо как-то убить еще три часа. Для паспортных махинаций Абдель Гани снабдил меня поясом весьма оригинальной конструкции. Сделан он был из прочного водонепроницаемого винила и был в несколько раз шире стандартного пояса для денег. Он плотно прилегал к животу и вмещал до десяти паспортов, а также некоторую сумму наличными. В тот первый день в Карачи в нем находилось четыре моих собственных паспорта. Первый — британский, которым я пользовался для приобретения авиационных и железнодорожных билетов, а также для регистрации в отеле. Второй — чистый американский паспорт, рекомендованный Кадербхаем для моей афганской миссии. Еще два — швейцарский и канадский — запасные, на экстренный случай. Десять тысяч долларов на непредвиденные расходы были выплачены мне в качестве аванса, как часть суммы, причитающейся за то, что я взял на себя выполнение этой опасной миссии. Я обернул толстый пояс вокруг талии, надев его на рубашку, вложил пружинный нож в специальный футляр в заднем кармане брюк и вышел из отеля, чтобы осмотреть город.

Было жарко, жарче, чем обычно бывает здесь в ноябре. Прошел легкий дождь, не характерный для этого времени года, оставив после себя дымку; воздух был густой, насыщенный влагой. Карачи был тогда неспокойным, опасным городом. В течение нескольких лет страной правила, разобщив ее, военная хунта, захватившая власть в Пакистане и казнившая демократически избранного президента Зулфикара Али Бхутто[1]. Военные использовали взаимные обиды и трения между этническими и религиозными сообществами для разжигания конфликтов. Они натравливали коренные этнические группировки, особенно синди, пуштунов и пенджабцев, на иммигрантов, известных как мохаджиры и влившихся во вновь образованное государство Пакистан, когда оно было отделено от Индии. Армия тайно поддерживала экстремистов соперничающих группировок оружием, деньгами и хорошо продуманной протекцией. Когда мятежи, которые провоцировали и разжигали военные, в конце концов вспыхнули, генералы приказали полиции открыть огонь. Гнев против полицейского насилия сдерживался размещением армейских соединений. Таким образом, армия, чьи тайные операции и породили кровавые конфликты, воспринималась как единственная сила, способная сохранить порядок и власть закона.

По мере того как зверские убийства из мести наслаивались одно на другое со все возрастающей жестокостью, повседневной рутиной стали также похищения людей и пытки. Фанатики од-

---

[1] *Зулфикар Али Бхутто* (1928–1979) — пакистанский государственный деятель, президент (1971–1973) и премьер-министр (1973–1977).

ной из группировок захватывали сторонников другой и подвергали их садистским издевательствам. Многие из похищенных умерли в ужасных застенках. Некоторые бесследно исчезли: тела их не были найдены. А когда та или иная группировка становилась настолько могущественной, что грозила нарушить равновесие в этой смертельной игре, генералы провоцировали конфликт внутри этой группы, чтобы ослабить ее. Тогда фанатики начинали поедать самих себя, убивая и калеча соперников из собственных этнических сообществ.

Каждый новый цикл насилия и мести еще больше укреплял существующее положение вещей: какое бы правительство ни появлялось и ни исчезало в стране, только армия становилась сильнее и только армия обладала реальной властью.

Несмотря на эту драматическую ситуацию и во многом благодаря ей, Карачи был хорошим местом для бизнеса. Генералы походили на мафиозный клан, однако были лишены мужества, стиля и солидарности, присущих подлинным, уважающим себя гангстерам. Они силой захватили страну и держали в заложниках под прицелом ружей всю нацию, грабя казну. Они поспешили заверить великие державы и прочие страны, производящие оружие, что вооруженные силы Пакистана открыты для их бизнеса. Цивилизованные страны с энтузиазмом на это откликнулись, и Карачи на многие годы стал излюбленным местом деловых и увеселительных поездок для торговцев оружием из Америки, Великобритании, Китая, Швеции, Италии и других стран. Неменьшую прыть в погоне за сделками с генеральской камарильей проявляли нелегалы: дельцы черного рынка, контрабандисты, переправляющие оружие, пираты и наемники. Они заполонили все кафе и гостиницы — иностранцы из пятидесяти государств, авантюристы по духу и преступники по образу мышления.

В определенном смысле и я относился к их числу, как и они — хищник, наживающийся на войне в Афганистане, но мне было не по себе в их компании. Три часа я провел, перемещаясь из ресторана в отель, из отеля в чайхану, сидя среди групп иностранцев — искателей легкой наживы — и слушая их удручающе меркантильные разговоры. Многие из них радостно предрекали, что война в Афганистане продлится еще не один год. Необходимо, однако, признать, что генералы находились под сильным давлением. Ходили слухи, что Беназир[1], дочь казненного премьер-министра, планирует возвратиться из лондонского изгнания в Пакистан и возглавить демократический альянс против хунты. Впрочем, спекулянты надеялись на удачу и попустительство властей,

---

[1] *Беназир Бхутто* (1953–2007) — пакистанский политик, премьер-министр в 1988–1990 и 1993–1996 гг.

на то, что армия хотя бы еще несколько лет будет держать под контролем страну, а следовательно, и хорошо налаженные каналы бизнеса.

В разговорах то и дело звучало слово «наличность» — этим эвфемизмом обозначали контрабанду и товары черного рынка, пользовавшиеся бешеным спросом на всем протяжении границы между Пакистаном и Афганистаном. Сигареты, особенно американские, продавались в Хайберском ущелье в шестнадцать раз дороже их и без того вздутой цены в Карачи. Лекарства всех видов давали с каждым месяцем растущие прибыли. Особенно успешно шла торговля зимней одеждой. Один предприимчивый немецкий делец пригнал из Мюнхена в Пешавар грузовик «мерседес», заполненный излишками армейской униформы для альпийских частей в комплекте с термобельем. Вся партия товара, включая грузовик, была продана впятеро дороже своей исходной цены афганскому военачальнику, пользовавшемуся покровительством западных властей и учреждений, включая ЦРУ. Впрочем, теплая зимняя одежда, совершившая путешествие в несколько тысяч километров через Германию, Австрию, Венгрию, Румынию, Болгарию, Турцию, Иран и Пакистан, так и не дошла до моджахедов, сражающихся в заснеженных горах Афганистана. Зимняя униформа и нижнее белье попали на один из складов в Пешаваре, принадлежащих военачальнику, купившему этот товар, и лежали там, ожидая окончания войны. Этот ренегат со своей маленькой армией просидел в полной безопасности всю войну в хорошо укрепленной крепости в Пакистане, планируя попытку захвата власти после того, как закончится настоящая война — с русскими.

Упомянутый выше военный, напичканный деньгами ЦРУ и жаждавший любой ценой добиться контракта на поставки, волнами запускал ошеломляющие слухи, порождавшие среди иностранных авантюристов в Карачи многочисленные домыслы. Я лично за один день прослушал историю о предприимчивом немце с грузовиком альпийского обмундирования в трех слегка отличающихся одна от другой интерпретациях. Охваченные нервным возбуждением сродни золотой лихорадке, иностранцы передавали друг другу эту новость, не забывая при этом заключать сделки на партии консервов, тюки чесаной овечьей шерсти, контейнеры с запчастями для двигателей, а то и на целый склад, забитый бывшими в употреблении спиртовыми горелками, а также на всевозможное оружие в любом ассортименте — от штыков до гранатометов. И везде в каждом разговоре я слышал мрачное, отчаянное заклинание: «Если война продлится еще один год, мы провернем это дельце...»

Угрюмый и удрученный тяжкими раздумьями, вошел я в Фалуда-хаус на базаре Бохри, заказал какой-то сладкий напиток яркого цвета. Фалуда — неприлично сладкая смесь белой лапши и молока с привкусом роз и прочих медоносных сиропов. Фирни-хаус в бомбейском районе Донгри, близ дома Кадербхая, заслуженно славится своими вкуснейшими напитками фалуда, но они кажутся пресными в сравнении с потрясающими сластями, предлагаемыми в Фалуда-хаусе в Карачи. Когда высокий стакан розово-красного с белым, сладкого как сахар молока возник рядом с моей правой рукой, я поднял глаза, чтобы поблагодарить официанта, и обнаружил, что это Халед Ансари с двумя порциями напитка в руках.

— Похоже, парень, тебе нужно что-нибудь покрепче, — сказал он, печально улыбнувшись краешком губ и присаживаясь рядом со мной. — Что ты затеваешь? Или, скорее, что *не так*, если судить по твоему виду?

— Ничего, — вздохнул я, улыбнувшись в ответ.

— Давай, — настаивал он, — выпей немного.

Я посмотрел на его честное, открытое, изуродованное шрамом лицо, и мне пришло в голову, что Халед знает меня лучше, чем я его. Заметил бы я и понял ли, насколько встревожен он, если бы мы поменялись местами и это он вошел бы в Фалуда-хаус с таким озабоченным видом? Думаю, нет. Халед столь часто бывал мрачен, что я не придал бы этому большого значения.

— Наверно, это просто небольшая переоценка ценностей. Анализирую свои действия, копаюсь сам в себе, сидя в чайханах и ресторанах, о которых узнал от тебя, — местах, где ошиваются наемники и дельцы черного рынка. Впечатление угнетающее: здесь полно людей, мечтающих о том, чтобы война никогда не кончалась, а на то, кого убивают и кто убивает, они чихать хотели.

— Они делают деньги, — пожал плечами Халед. — Это не их война. Я и не жду, что она затронет их по-настоящему. Ничего тут не изменишь.

— Знаю, знаю. Но речь здесь не о деньгах, — нахмурился я, подыскивая слова, чтобы выразить переполнявшие меня эмоции. — Просто если нужно подобрать определение больного разума, по-настоящему больного, — нет никого хуже тех, кто хочет, чтобы война, любая война, никогда не заканчивалась.

— И ты ощущаешь себя... как бы зараженным, словно ты один из них? — мягко спросил Халед, глядя в свой стакан.

— Наверно, да. Не знаю. Заведи кто-нибудь такой разговор в каком-то другом месте, я бы даже думать об этом не стал. Если бы сам здесь не находился и сам не поступил бы точно так же, меня бы это нисколько не задело.

— Но ты занят не совсем тем, чем они.

— Нет, во многом тем же. Кадер мне платит, значит я наживаюсь на этом, как и они: везу контрабанду, а значит, подбрасываю новые дровишки в эту гадскую драку в точности как и они.

— И наверно, начинаешь задавать себе вопрос: «Какого хрена я ввязался во все это?»

— А как же иначе? Веришь ты мне или нет, но я не нашел ответа. Скажу честно: не знаю, какого рожна мне здесь нужно. Кадер попросил меня быть его «американцем», вот я его и изображаю. Но понятия не имею почему.

Мы помолчали немного, потягивая свои напитки и прислушиваясь к гулу и галдежу переполненного Фалуда-хауса. Портативный радиоприемник транслировал романтические газели на урду. За соседними столиками говорили на трех или четырех языках. Слов я не мог разобрать, даже не понимал, что это за языки: балочи, узбекский, таджикский, фарси...

— Просто замечательно! — воскликнул Халед, зачерпывая ложкой лапшу из стакана и отправляя ее в рот.

— Слишком сладко на мой вкус, — отозвался я, тем не менее прихлебывая лакомство.

— Некоторые вещи и должны быть слишком сладкими, — сказал он, подмигнув мне и посасывая свою соломинку. — Если бы фалуда не была слишком сладкой, стали бы мы пить ее?

Покончив со своими напитками, мы вышли наружу, задержались у входа, чтобы закурить, и окунулись в солнечный свет догорающего дня.

— Мы пойдем в разные стороны, — пробормотал Халед, держа в сложенных пригоршней ладонях спичку для моей сигареты. — Просто иди в этом направлении, на юг, несколько минут. Я тебя догоню. Спасибо говорить не надо.

Он развернулся на каблуках и пошел прочь, стараясь держаться края дороги на узкой полосе для пешеходов между тротуаром и потоком машин.

Я пошел в противоположном направлении. Через несколько минут, обогнув базар, выехало такси и резко остановилось рядом со мной. Задняя дверца отворилась, и я запрыгнул в машину, оказавшись рядом с Халедом. Еще один человек был на переднем сиденье рядом с шофером. Ему было слегка за тридцать, короткие темно-каштановые волосы открывали широкий и высокий лоб. Глубоко посаженные карие глаза были настолько темными, что казались черными, пока прямой солнечный свет не пронзил их радужную оболочку, открыв в глубине глаз проблески красновато-коричневых, земляных оттенков. Спокойный умный взгляд из-под черных бровей, почти сходящихся на переносице. Прямой нос, короткая верхняя губа, твердый решительный рот и округлый подбородок. Было заметно, что человек сегодня брился, скорее всего совсем недавно, но сине-черная тень все же лежала на нижней части его лица, аккуратно и четко очерченном контуре бороды. То было мужественное, квадратное, симметричное, с правильными пропорциями лицо сильного и красивого человека, хотя в нем и не было ничего особенно примечательного.

— Это Ахмед Задех, — объявил Халед, когда такси тронулось. — Ахмед, это Лин.

Мы обменялись рукопожатием, оценивая друг друга с одинаковой прямотой и приветливостью. Его мужественный облик мог бы показаться суровым, если бы не весьма своеобразное выражение лица: глаза кривились и смотрели немного искоса, так что на скулах образовывались складки и казалось, что он улыбается. Хотя Ахмед Задех был сосредоточен и никакой расслабленности в нем не чувствовалось, он тем не менее имел вид человека, ищущего друга в толпе незнакомцев. Выражение его лица действовало обезоруживающе, и я моментально проникся к нему симпатией.

— Много о вас слышал, — сказал он, отпуская мою руку.

По-английски он говорил чисто, хотя и запинаясь, а мелодичный акцент выдавал североафриканскую примесь французского и арабского.

— Надеюсь, одни комплименты, — сказал я, рассмеявшись.

— Вы предпочитаете, чтобы люди отзывались о вас плохо?

— Не знаю. Мой друг Дидье говорит, что расхваливать людей за их спиной чудовищно несправедливо: ведь единственное, от чего нельзя себя защитить, — комплименты, которые тебе расточают.

— D'accord![1] — рассмеялся Ахмед. — Так оно и есть!

— Черт! Только сейчас вспомнил! — воскликнул Халед, роясь в карманах и извлекая оттуда сложенный конверт. — Чуть не забыл. Видел Дидье за день до нашего отъезда. Он искал тебя. Я не мог сказать, где ты, и он попросил передать тебе это письмо.

Я взял конверт и сунул его в карман рубашки, чтобы прочитать, когда останусь один.

— Спасибо, — пробормотал я. — А что сейчас происходит? Куда мы едем?

— В мечеть, — ответил Халед, грустно улыбнувшись. — Надо взять там нашего друга, потом поедем на встречу с Кадером и другими парнями, которые будут переходить границу вместе с нами.

— Сколько будет всего человек?

— Что-то около тридцати, когда мы все соберемся. Большинство из них уже в Кветте или в Чамане, рядом с границей. Мы

---

[1] Верно! *(фр.)*

отправляемся завтра: ты, я, Кадербхай, Назир, Ахмед и еще один человек — Махмуд, мой друг. Думаю, ты с ним незнаком, но познакомишься через несколько минут.

— Мы составляем как бы Организацию Объединенных Наций в миниатюре, — высокопарно заметил Ахмед. — Абдель Кадер-хан — из Афганистана, Халед — из Пакистана, Махмуд — из Ирана, ты — из Новой Зеландии. Прости, ты теперь наш американец, а я — из Алжира.

— Ты не всех упомянул, — добавил Халед. — У нас есть парень из Марокко, еще один — из какой-то страны Персидского залива, один — из Туниса, двое — из Пакистана и один — из Ирана. Все остальные — афганцы, но из разных частей Афганистана, к тому же принадлежат к разным этническим группам.

— Джихад, — сказал Ахмед с мрачной и несколько устрашающей ухмылкой. — Священная война — это наша святая обязанность сопротивляться русским захватчикам и освобождать мусульманскую землю.

— Не давай ему разойтись, Лин, — поморщился Халед. — Ахмед — коммунист. А то начнет тебя мучить Мао и Лениным.

— Не чувствуешь ты себя немного... скомпрометированным из-за того, что выступаешь против армии социалистического государства? — спросил я, искушая судьбу.

— При чем тут социалисты?! — возмутился Ахмед. — При чем коммунисты? Пойми меня правильно: русские сделали в Афганистане и кое-что хорошее.

— Здесь он прав, — прервал его Халед. — Они построили много мостов, все главные автомобильные дороги, много школ и колледжей.

— А также плотины для электростанций и обеспечения питьевой водой — все это добрые дела. И я их поддерживал, когда они все это делали, помогали. Но когда они вторглись в Афганистан, чтобы изменить страну силой, они отбросили в сторону все свои принципы, в которые, казалось, верили. Они не настоящие марксисты, не подлинные ленинцы. Русские — империалисты, и я сражаюсь с ними во имя Маркса, Ленина, Мао...

— И Аллаха, — усмехнулся Халед.

— Да, и Аллаха тоже, — согласился Ахмед, открыв в улыбке свои белые зубы и шлепнув ладонью по спинке сиденья.

— Почему они это сделали? — спросил я.

— Халед сумеет объяснить это лучше, — сказал Ахмед, — полагаясь на опыт палестинского ветерана нескольких войн.

— Афганистан — это приз, — начал излагать свою точку зрения Халед. — В стране нет больших запасов нефти, золота или чего-то еще, на что можно позариться, и все же это крупный куш. Русским он нужен потому, что вплотную примыкает к их границе. Они пытались держать его под контролем дипломатическими методами — различными программами помощи. Они ввели во властные структуры своих ставленников, так что правительство превратилось в кучку марионеток. Американцам все это страшно не понравилось: ведь идет холодная война и мир балансирует на краю пропасти, вот они и стали поддерживать тех, кто был по-настоящему зол на русских марионеток, — религиозных лидеров. Эти длиннобородые муллы были вне себя из-за перемен, которые устроили в стране русские, позволив женщинам работать, поступать в университет, появляться на людях без глухого покрывала. Когда американцы предложили им деньги, оружие и бомбы, чтобы атаковать русских, они с радостью за это ухватились. Через какое-то время русские решили отбросить притворство и оккупировали страну. И вот теперь идет война.

— Что касается Пакистана, — дополнил его тираду Ахмед Задех, — им нужен Афганистан, потому что в Пакистане стремительный экономический рост: они развиваются слишком быстрыми темпами и испытывают нехватку территории. Хотят создать большую страну, объединив две нации. Кроме того, поскольку в Пакистане правят генералы, он целиком зависит от Америки, которая им помогает. В религиозных школах — *медресе* — по всему Пакистану обучают воинов. Их называют талибами, и они войдут в Афганистан, когда мы, все остальные, выиграем войну. А мы победим в этой войне, Лин. Или в следующей, сам не знаю точно...

Я отвернулся к окну, и, как по команде, мои спутники заговорили по-арабски. Вслушиваясь в эти приятные, быстро текущие звуки, я позволил своим мыслям плыть в шелесте этой музыки. Улицы за окном становились все менее аккуратными, здания — все более обшарпанными и запущенными. Многие дома из иловых блоков и песчаника представляли собой одноэтажные жилища и, хотя, несомненно, были заселены целыми семействами, казались недостроенными, готовыми вот-вот развалиться — трудно было поверить, что их вообще можно было использовать как кров.

Мы пересекли целые районы подобных беспорядочно расположенных, наспех слепленных лачуг — спальные пригороды, выстроенные, чтобы хоть как-то совладать с безудержным наплывом переселенцев из деревень в быстро расширяющийся город. Переулки и боковые дороги открывали глазу дубликаты этих грубых, похожих друг на друга строений, простирающихся до самых границ горизонта по обеим сторонам основного шоссе.

Почти через час после медленного продвижения по запруженным народом улицам мы на мгновение остановились, чтобы впустить еще одного человека на заднее сиденье. Следуя инструкциям Халеда, водитель развернул такси и поехал тем же самым труднопреодолимым маршрутом.

Нового пассажира звали Махмуд Мелбаф, он был иранцем тридцати одного года от роду. Первый беглый взгляд на его лицо — густые черные волосы, высокие скулы, глаза цвета песчаных дюн в лучах кроваво-красного заката — вызвал столь яркое воспоминание о моем мертвом друге Абдулле, что меня просто передернуло от боли. Через несколько мгновений сходство перестало казаться настолько сильным: глаза Махмуда были немного выпуклыми, губы не такими полными, подбородок заострен, словно специально предназначен для козлиной бородки. Действительно, это было совсем другое лицо.

Отчетливо представив Абдуллу Тахери и испытав пронзительную боль от этой потери, я внезапно, хотя бы отчасти, осознал, почему я здесь с Халедом и всеми остальными еду на чью-то чужую войну. На риск меня толкало так и не прошедшее чувство вины за то, что Абдулла умер в одиночестве, под прицелом наставленного на него оружия. Я попытался вообразить самого себя в подобной ситуации, в окружении вражеских стволов. И стоило мне подумать об этом, намалевать невысказанные слова на серой стене моего сознания — пожелание смерти, — я отверг его с содроганием, дрожью прошедшим по моей коже. И в первый раз за все те месяцы, что минули со дня, когда я дал согласие выполнить работу для Абделя Кадер-хана, я испытал страх, осознав, что моя жизнь, теперь и отныне, не более чем горстка песка, зажатого в кулаке.

Мы вышли из машины за квартал от мечети Масджид-е-Туба. Следуя гуськом друг за другом с интервалом в двадцать метров, мы добрались до мечети и сняли обувь при входе. За ней присматривал древний мусульманин, бормоча сопутствующую медитации молитву — *зикр*. Халед втиснул сложенную купюру в изуродованную артритом руку старика. Войдя в мечеть, я взглянул вверх и задохнулся от радостного изумления.

Внутри мечети было прохладно и безупречно чисто. Колонны с каннелюрами, украшенные мозаикой своды и большие пространства узорчатых полов блестели изразцами из мрамора и других пород камня. Но больше всего привлекал взор высящийся над всем этим огромный купол из белого мрамора — от него просто глаз нельзя было оторвать. Этот впечатляющий свод в сто шагов шириной был украшен крошечными блестящими зеркалами. Пока я стоял, открыв рот от удивления, наслаждаясь этой красотой, в мечети включили электричество, и вся огромная мраморная чаша над нами засияла как солнечный свет, отраженный от миллиона капелек озерной водной ряби на ветру.

Халед тут же покинул нас, пообещав вернуться как только сможет. Ахмед, Махмуд и я прошли в альков и уселись на пол, покрытый шлифованной плиткой. Вечерняя служба уже началась — я слышал призыв муэдзина, еще когда мы ехали в такси, — но многие люди в мечети были поглощены собственной молитвой. Удостоверившись, что я чувствую себя вполне комфортно, Ахмед объявил, что воспользуется возможностью помолиться. Извинившись, он направился к бассейну для омовений, где, согласно ритуалу, ополоснул лицо, руки и ноги, а потом вернулся на свободное место под куполом и приступил к молитве.

Я наблюдал за ним не без зависти к той легкости, с которой он вступил в общение с Богом, но не испытывая побуждения присоединиться к нему. Однако искренность его молитвы каким-то образом заставила меня ощутить еще сильнее сиротство моей одинокой, обособленной души.

Закончив молитву, Ахмед направился к нам, и тут появился Халед. Выражение его лица было озабоченным. Мы сели в кружок, почти касаясь головами.

— У нас неприятности, — прошептал Халед. — В твою гостиницу приходила полиция.

— Копы?

— Нет, политическая полиция. Служба внутренней безопасности.

— Что им нужно?

— Ты. Вернее, мы все. Они что-то пронюхали. И в доме Кадера побывали. Вам обоим повезло: его тоже не застали. Что ты взял с собой из гостиницы, а что оставил там?

— С собой у меня паспорта, деньги и нож, — ответил я.

Ахмед ухмыльнулся.

— А ты начинаешь мне нравиться, — прошептал он.

— Все остальное — там, — продолжал я. — Не так много: одежда, туалетные принадлежности, несколько книг. Но там билеты на самолет и поезд. Они лежат в сумке. Я уверен, только на них есть мое имя.

— Назир забрал твою сумку и ушел из номера минутой раньше, чем туда вломилась полиция, — сказал Халед, ободряюще кивнув мне. — Но это все, что он успел захватить с собой. Управляющий гостиницей — наш человек, он предупредил Назира. Самый неприятный вопрос: кто сообщил о нас полиции? По-видимому, кто-то из людей Кадера, очень близких к нему. Не нравится мне все это.

— Не понимаю, — прошептал я. — Почему власти так интересуются нами? Ведь Пакистан поддерживает Афганистан в этой войне. В их интересах, чтобы мы провезли контрабанду для моджахедов. Им следовало бы помогать нам делать это.

— Они и помогают некоторым афганцам, но далеко не всем. Те, кому мы везем груз в Кандагар, — люди Масуда[1]. Пакистан их ненавидит, потому что они не признают Хекматияра[2] и других пропакистанских вождей сопротивления. Пакистан и Америка сделали ставку на Хекматияра как на следующего правителя Афганистана — после войны. А люди Масуда плюют всякий раз, когда речь заходит о Хекматияре.

— Сумасшедшая война, — добавил Махмуд Мелбаф хриплым гортанным шепотом. — Афганцы так долго воюют между собой — чуть ли не тысячу лет. Но чем сражаться друг с другом, лучше сражаться... как вы там говорите? — с оккупантами. Они наверняка побьют русских, но и между собой драться не перестанут.

— Пакистанцы хотят обеспечить выигрыш мира, после того как афганцы выиграют войну, — продолжил его мысль Ахмед. — Им не важно, кто выиграет для них войну, им нужно держать под контролем мир. Если бы они могли — отобрали бы у нас все оружие, и медикаменты, и прочее и отдали бы их собственным...

— Ставленникам, — пробормотал Халед, и в этом сказанном им шепотом слове отчетливо прозвучал нью-йоркский выговор. — Эй, вы слышите?

Мы все внимательно прислушались: где-то рядом с мечетью кто-то пел, звучала музыка.

— Они начали, — сказал Халед, вскакивая с пола с изяществом атлета. — Пора идти.

Мы поднялись и вышли из мечети вслед за ним, надели оставленную там обувь. Обойдя здание в сгущающейся темноте, приблизились к месту, откуда доносилось пение.

— Я уже слышал такое пение раньше, — сказал я Халеду на ходу.

— Ты знаешь Слепых певцов? О, конечно же знаешь. Ты был в Бомбее с Абделем Кадером, когда они пели для нас. Тогда я тебя впервые увидел.

— Ты был там в тот вечер?

— Конечно. Мы все там были: Ахмед, Махмуд, Сиддики — его ты еще не знаешь. Многие другие, кто отправится с нами в эту экспедицию. Все они были тогда там. На том сборище впервые обсуждалась поездка в Афганистан, — собственно, для этого мы и съехались. Ты разве не знал?

---

[1] *Ахмад-шах Масуд* (1953–2001) — афганский полевой командир, министр обороны Афганистана (1992–1996).

[2] *Гульбеддин Хекматияр* (р. 1947) — афганский полевой командир, премьер-министр Афганистана (1993–1994, 1996), лидер Исламской партии Афганистана.

Задавая этот вопрос, он рассмеялся, сказано все было, как всегда, просто и бесхитростно, и все же его слова занозой застряли в моем сердце: «Ты разве не знал? Ты разве не знал?»

«Кадер еще тогда планировал свою миссию, — подумал я, — в первый же вечер после нашей встречи». Я отчетливо вспомнил большую, всю в клубах дыма комнату, где Слепые певцы выступали для узкого круга слушателей. Вспомнил еду, что мы ели, чарас, который курили. Некоторые лица, что я видел в тот вечер, были мне хорошо знакомы. «Неужели все они были вовлечены в эту миссию?» Вспомнил юного афганца, с огромным почтением приветствовавшего Кадербхая и при этом склонившегося в поклоне так низко, что был виден пистолет, спрятанный в складках его одежды.

Я все еще думал об этой первой ночи, обеспокоенный вопросами, на которые не мог ответить, когда мы с Халедом подошли к большой группе людей. Их было несколько сотен, они сидели, скрестив ноги, на плитках, которыми был вымощен широкий двор, прилегающий к мечети. Слепые певцы закончили свою песню, и все стали хлопать в ладоши, крича: «*Аллах! Аллах! Суб-хан Аллах!*» Халед повел нас сквозь толпу к алькову, где в относительном уединении сидели Кадер, Назир и еще несколько человек.

Я встретился взглядом с Кадербхаем, и он поднял руку, призывая меня присоединиться. Когда я подошел, он схватил меня за руку и потянул ее вниз, приглашая сесть рядом. Множество голов повернулось в нашу сторону. В моем растревоженном сердце столкнулись противоречивые эмоции: страх из-за того, что меня столь многие будут теперь ассоциировать с Кадер-ханом, и прилив гордости — ведь он меня одного позвал сесть рядом с собой.

— Колесо сделало один полный оборот, — прошептал он, положив руку мне на предплечье и говоря прямо в ухо. — Мы встретились с тобой, когда выступали Слепые певцы, а теперь мы слышим их снова, приступая к своей миссии.

Он словно читал мои мысли и, думаю, делал это намеренно, прекрасно сознавая оглушающий эффект своих слов. Внезапно я на него рассердился, даже прикосновение его руки к моей вызвало у меня гнев.

— Вы нарочно так подстроили, чтобы Слепые певцы были здесь? — спросил я со злостью, глядя прямо перед собой. — Так же как организовали все заранее во время нашей первой встречи?

Он хранил молчание, пока я не повернулся и не взглянул ему прямо в глаза. Когда наши взгляды встретились, я почувствовал внезапно подступившие жгучие слезы. Я сумел сдержать их, крепко сжав челюсти, — мои глаза остались сухими, но разум пребывал в смятении. Этот человек со светло-коричневой кожей и аккуратной белой бородкой использовал меня и манипулировал всеми, кого знал, словно рабами, посаженными на цепь. Но в его золотистых глазах я видел такую любовь, которая была для меня подлинным мерилом того, чего я страстно желал в самых сокровенных уголках своего сердца. Любовь в его мягко улыбающихся, полных глубокой тревоги глазах была отцовской любовью — другой такой я не знал никогда в своей жизни.

— С этого момента ты все время с нами, — прошептал он, выдержав мой взгляд и не отводя глаз. — В отель тебе возвращаться нельзя: у полиции есть твои приметы и они будут следить. Это моя вина — должен принести свои извинения. Один из близких людей предал нас, но удача от него отвернулась, а нам повезло: нас не схватили. Этот промах выдал его, и он будет наказан. Теперь мы знаем, кто он и как с ним надлежит поступить. Однако с этим придется подождать, пока мы не выполним свою миссию и не вернемся. Завтра мы отправляемся в Кветту, где нам предстоит задержаться на некоторое время. Когда пробьет наш час, мы перейдем границу Афганистана. С этого дня и до конца твоего пребывания в Афганистане за твою голову будет назначена некая цена. Русские хорошо платят за поимку иностранцев, помогающих моджахедам. Здесь, в Пакистане, у нас мало друзей. Думаю, нам надо купить для тебя местную одежду: ты будешь выглядеть как молодой пуштун из моей деревни. Какая-нибудь шапка, чтобы спрятать твои светлые волосы, и *патту* — шаль, чтобы набросить на твои широкие плечи и грудь. В крайнем случае сойдешь за моего голубоглазого сына. Как ты на это смотришь?

Что я мог ему ответить? Слепые певцы звучно прочистили свои глотки, и музыканты начали вступление к новой песне с жалобного завывания фисгармонии и будоражащего кровь страстного призыва табл. Я следил за тем, как длинные тонкие пальцы таблистов похлопывают по барабанам, ласкают их дрожащую кожу, и чувствовал, как их гипнотическое трепетание уносит вместе с потоком музыки мои мысли. Правительство моей собственной страны, Австралии, назначило цену за мою голову в качестве награды за информацию, способствующую моей поимке. И вот теперь здесь, на другом конце света, за мою голову назначают новую цену. И когда безумная печаль и экстаз Слепых певцов охватили слушающую их толпу, когда их пыл и восторг загорелись в глазах людей, я отдал себя во власть этого рокового момента и ощутил поворот колеса своей судьбы.

Я вспомнил, что в кармане у меня лежало письмо Дидье, которое Халед передал мне в такси два часа назад. Охваченный суеверным ощущением совпадения и повторяемости зигзагов истории, я вдруг понял: мне срочно нужно узнать, что в письме.

Я выхватил его из кармана и поднес близко к глазам, чтобы прочитать в янтарно-желтом свете, едва доходившем от ламп высоко над головой.

Дорогой Лин!

Настоящим сообщаю тебе, мой милый друг, что я обнаружил, кто та женщина, что выдала тебя полиции, когда ты попал в тюрьму и был столь жестоко избит. Ужасный инцидент! Он до сих пор наполняет мою душу скорбью. Так вот, женщиной, которая это сделала, была мадам Жу, владелица Дворца. До сих пор я не знаю причины этого поступка, но, даже не понимая до конца ее побуждения, заставившие совершить это злодейство, могу уверить тебя, что это она, о чем я располагаю самыми надежными свидетельствами.

Надеюсь вскоре получить от тебя весточку.
Твой преданный друг

Дидье.

Мадам Жу. Но почему? Не успел этот вопрос выплыть на поверхность моего сознания, как я уже знал ответ. Внезапно мне вспомнилось лицо человека, пристально глядящего на меня с необъяснимой ненавистью, — лицо Раджана, евнуха, слуги мадам Жу. Вспомнил, как он смотрел на меня в день наводнения, когда мы спасали Карлу из отеля «Тадж-Махал» в лодке Винода. Вспомнил злобу и ненависть, переполнявшие его глаза, когда он следил за мной и Карлой и когда я уезжал в такси Шанту. Позднее в ту же ночь меня арестовала полиция, и начались мои тюремные мучения. Мадам Жу наказала меня за то, что я осмелился бросить ей вызов: выдавал себя за служащего американского консульства, забрал у нее Лизу Картер — и, возможно, за мою любовь к Карле.

Я разорвал письмо на мелкие кусочки, которые засунул обратно в карман. Страх покинул меня: я был спокоен. В конце этого длинного дня в Карачи я уже знал, почему отправляюсь на войну Кадера, и знал, почему вернусь с нее. Я иду на эту войну, потому что мое сердце жаждет любви Кадербхая, отцовской любви, струящейся из его глаз и заполняющей тот вакуум, что зиял в моей душе в том месте, где должен быть отец. Когда так много других сердечных привязанностей было утрачено — семья, друзья, Прабакер, Абдулла, даже Карла, — в этом выражении любви в глазах Кадера для меня был целый мир.

Наверно, это выглядело глупо, да это и было глупо — идти на войну ради любви. Он не был святым и не был героем, и я знал это. Он даже не был моим отцом. Но за одни эти несколько секунд, когда он смотрел на меня с любовью, я готов был идти с ним на эту войну, и на любую другую тоже. И это не было более глупым, чем выжить ради одной ненависти и возвратиться ради мести. Вывод был такой: я любил его достаточно сильно, чтобы рисковать своей жизнью, а мадам Жу ненавидел настолько сильно, чтобы выжить и отомстить. И я знал, что отомщу: пройду через войну Кадера и убью ее.

Я замкнул свое сознание на этой мысли, подобно человеку, сомкнувшему пальцы на рукоятке кинжала. Слепые певцы выкрикивали муку и радость своей любви к Богу. Сердца людей вокруг меня взмывали ввысь, разделяя эти чувства. Кадербхай повернулся ко мне, встретился со мной взглядом и медленно покачал головой. И я улыбнулся, глядя в его золотистые глаза, наполненные маленькими пляшущими огоньками, и тайнами, и священным трепетом, вызванным пением. И да пребудет со мной Господь, я был доволен, свободен от страха и почти счастлив.

ГЛАВА

32

Месяц мы провели в Кветте — длинный месяц ожидания, омраченный разочарованием фальстарта. Задержка произошла из-за командира моджахедов по имени Асматулла Ачхакзай Муслим, вождя народности ачхакзаи, обитающей близ Кандагара — нашего конечного пункта назначения. Ачхакзаи — клан пастухов овец и коз, когда-то входивший в наиболее влиятельный клан дуррани. В 1750 году основатель современного Афганистана Ахмад-шах Абдали[1] отделил ачхакзаев от дуррани, сделав их самостоятельным кланом. Это соответствовало афганской традиции, позволявшей клану, когда он становился большим и сильным, отделяться от родительского клана. Искусный воин и основатель нации Ахмад-шах признал, что ачхакзаи стали силой, с которой необходимо считаться. В течение двух столетий росло могущество ачхакзаев и их статус. Они имели заслуженную репутацию свирепых воинов, и можно было не сомневаться в беспрекословном подчинении вождю каждого члена клана. В первые годы войны с русскими Асматулла Ачхакзай Муслим сформировал из своих людей хорошо организованную, дисциплинированную милицию, ставшую в их регионе передовым отрядом борьбы за независимость — джихада, целью которого было изгнание советских оккупантов.

---

[1] *Ахмад-шах Абдали* (1722–1772) — основатель династии Дуррани, правил с 1747 по 1772 г.

В конце 1985 года, когда мы готовились в Кветте к переходу границы Афганистана, Асматулла начал колебаться, участвовать ли ему дальше в войне. От его ополчения зависело так много, что стоило ему отозвать своих людей в тыл и начать втайне мирные переговоры с русскими и афганским марионеточным правительством в Кабуле, как все военные действия в районе Кандагара прекратились. Другие отряды моджахедов, не подчинявшиеся Асматулле, такие как люди Кадера в горах к северу от города, остались на своих позициях, но были изолированы: пути их снабжения были крайне уязвимы для нападения со стороны русских. Неопределенность положения заставляла нас ждать, решится ли Асматулла продолжать джихад или же переметнется к врагам. Никто не мог предсказать, когда прыгнет этот тигр.

Хотя мы все были возбуждены ожиданием и выказывали нетерпение — дни медленно перетекали в недели и казались бесконечными, — я с толком использовал это время: учился составлять фразы на фарси, урду и пушту, даже узнал несколько слов на таджикском и узбекском. Каждый день ездил верхом. И пусть мне так и не удалось избавиться от клоунского размахивания руками и ногами, когда я пытался остановить лошадь или заставить ее двигаться в выбранном мной направлении, мне иногда случалось благополучно спешиться, вместо того чтобы оказаться сброшенным на землю.

Каждый день я читал книги из причудливой эклектичной коллекции, предоставленной мне Айюбом Ханом, пакистанцем, единственным в нашей группе уроженцем Кветты. Поскольку считалось, что мне слишком опасно покидать наш надежный лагерь — конеферму на окраине города, — Айюб приносил мне книги из центральной библиотеки. Там было множество малоизвестных, но увлекательных книг на английском языке — наследие времен английского владычества. Название города Кветта происходило от слова *кватта*, что означало «форт» на языке пушту. Близость Кветты к Чаманскому ущелью, ведущему в Афганистан, и Боланскому ущелью, открывающему дорогу в Индию, предопределила военное и экономическое значение города на целые тысячелетия. Англичане впервые оккупировали старый форт в 1840 году, но вынуждены были уйти, после того как начавшиеся в британском войске болезни и ожесточенное сопротивление афганцев истощили силы колонизаторов. Город был вторично оккупирован в 1876 году и утвердился в качестве главного британского владения на северо-западном рубеже Индии. Здесь был основан Имперский штабной колледж, готовивший офицеров для службы в Британской Индии, здесь же, в живописном природном амфитеатре окружающих Кветту гор, вырос процветающий центр торговли. Катастрофическое землетрясение, происшедшее в последний день мая 1935 года, разрушило бо́льшую часть города и погубило двадцать тысяч человек, но Кветта была отстроена заново. Благодаря своим чистым широким бульварам и приятному климату Кветта стала одним из самых популярных курортов на севере Пакистана.

Для меня же, поскольку я был ограничен рамками лагеря, главным развлечением стали те выбранные наугад книги, что приносил мне Айюб. Проходило несколько дней, и он вновь появлялся на пороге, широко улыбаясь в надежде, что угодил мне, и вручая порцию книг, словно это были сокровища из археологических раскопок.

Днем я ездил верхом, стараясь привыкнуть к разреженному воздуху на высоте свыше пяти тысяч футов, а по ночам читал дневники и судовые журналы давно покинувших этот мир исследователей, старинные издания греческих классиков, снабженные эксцентричными комментариями тома Шекспира и захватывающе страстный перевод терцин дантовской «Божественной комедии».

— Некоторые думают, что ты ученый, штудирующий священные тексты, — сказал мне однажды вечером Абдель Кадер-хан, появляясь на пороге моей комнаты.

Мы находились в Кветте уже около месяца. Я тотчас закрыл книгу, которую читал, и встал, чтобы поприветствовать его. Кадер взял мою руку и заключил ее в свои ладони, бормоча шепотом благословения. Потом сел на стул, предложенный мной, я же устроился на табурете рядом. Под мышкой у него был сверток в замше кремового цвета. Положив его на кровать, Кадер устроился поудобнее.

— Чтение на моей родине по-прежнему воспринимается как нечто таинственное, вызывающее страх и служащее почвой для суеверий, — устало сказал Кадер, потирая рукой осунувшееся коричневое лицо. — Только четыре человека из десяти вообще могут читать, а женщин — лишь две.

— А где вы научились... всему, что знаете? — спросил я. — Так хорошо говорить по-английски, например?

— Меня обучал замечательный английский джентльмен, — сказал он, улыбнувшись. Лицо его потеплело от приятных воспоминаний. — Примерно так же, как ты наставлял моего маленького Тарика.

Я зажал в кулаке две сигареты, чиркнул спичкой, зажег обе разом и одну передал ему.

— Мой отец был главой клана, — продолжал свой рассказ Кадер. — Он был суровым человеком, но справедливым и мудрым. В Афганистане лидерами становятся благодаря личным достоинствам — хорошие ораторы, те, кто умеет распоряжаться деньгами, а также храбрецы, когда необходимо сражаться. Право лидерства не передается по наследству, и если сын вождя лишен мудрости, мужества или умения говорить с людьми — это право будет отдано другому, обладающему этими качествами. Мой отец очень хотел, чтобы я последовал его примеру и продолжил дело его жизни — вывести наш народ из мрака невежества и обеспечить его благосостояние. Бродячий мистик — суфий, старик, почитавшийся святым в наших краях, сказал отцу, когда я родился, что, когда вырасту, стану сияющей звездой в истории моего народа. Мой отец верил в это всем сердцем, но, к сожалению, я не проявил ни способностей лидера, ни интереса к приобретению этих навыков. Короче говоря, я стал для него горьким разочарованием. Он отправил меня сюда, в Кветту. И мой дядя, преуспевающий торговец, отдал меня на попечение англичанина, ставшего моим наставником.

— Сколько вам было лет тогда?

— Десять, когда я покинул Кандагар и в течение пяти лет был учеником Иэна Дональда Маккензи, эсквайра.

— Должно быть, учеником вы оказались хорошим, — предположил я.

— Наверно, так оно и было, — сказал он задумчиво. — Безусловно, эсквайр Маккензи был очень хорошим учителем. С тех пор как мы с ним расстались, мне не раз приходилось слышать, что шотландцы славятся мрачностью и суровостью. Люди говорили, что шотландцы — пессимисты, предпочитающие прогуливаться по теневой стороне освещенной солнцем улицы. Полагаю, если тут и есть доля истины, это вовсе не значит, что люди из Шотландии находят темную сторону вещей очень смешной. Мой эсквайр Маккензи был человеком, глаза которого всегда смеялись, даже когда он был весьма суров со мной. Каждый раз, думая о нем, я вспоминаю эти веселые искорки в его глазах. И ему очень нравилось в Кветте: он любил горы и холодный воздух зимой. Казалось, его толстые сильные ноги словно созданы, чтобы взбираться по горным тропам, и не было такой недели, чтобы он не бродил по холмам. Нередко я единственный составлял ему компанию. Он был счастливым человеком, умевшим смеяться, и великим учителем.

— А что случилось, когда курс обучения закончился? — спросил я. — Вы вернулись в Кандагар?

— Да, но то не было радостное возвращение, о чем так мечтал мой отец. Дело в том, что через день после того, как мой дорогой эсквайр Маккензи покинул Кветту, я убил человека на базаре, рядом со складом, принадлежавшим моему дяде.

— Вам тогда было пятнадцать?

— В пятнадцать лет я в первый раз убил человека.

Он погрузился в молчание, а я получил возможность взвесить и оценить эту фразу. *В первый раз...*

— Случившееся не имело какой-то реальной причины — игра случая: драка, возникшая без всякого повода. Человек бил ребенка — собственного ребенка, — и мне не следовало вмешиваться. Но он колотил его очень жестоко, и я не смог вынести этого зрелища. Преисполненный ощущения собственной значимости — ведь я был сыном главы деревенского клана и племянником одного из самых преуспевающих купцов в Кветте, — я приказал человеку прекратить избиение. Немудрено, что он обиделся. Возникла перебранка, которая вылилась в драку. И вот он уже мертв: грудь его пронзил принадлежащий ему кинжал, которым он пытался заколоть меня.

— Это была самооборона.

— Да. И свидетелей оказалось немало. Это случилось в главном базарном ряду. Мой дядя, весьма влиятельный в те времена человек, заступился за меня перед властями, и мне в конце концов разрешили вернуться в Кандагар. К несчастью, семья человека, которого я убил, отказалась принять от моего дяди выкуп и отправила в Кандагар двух человек, чтобы разыскать меня. Получив предупреждение от дяди, я решил нанести удар первым и убил их обоих, застрелив из старого дядиного ружья.

На какое-то время он вновь замолчал, устремив взгляд на пол под ногами. Из дальнего конца лагеря доносились слабые, приглушенные звуки музыки. Центральный внутренний двор, на который выходили окнами многочисленные комнаты, был больше, чем в бомбейском доме Кадера, но менее обустроенный. Из ближних комнат слышалось негромкое бормотание, похожее на журчание воды, время от времени барабанной дробью взрывался смех. Из соседней комнаты, где жил Халед Ансари, раздавалось ни с чем не сравнимое клацанье АК-74, автомата Калашникова, когда у него взводят курок и ставят на предохранитель после чистки.

— Кровная вражда, начавшаяся после этих смертей, и попытки меня убить разрушили обе семьи, — без видимых эмоций подвел итог сказанному Кадер. Вид у него был мрачный: он говорил, и казалось, жизненная сила незаметно вытекает из его опущенных долу глаз. — Двое убитых с их стороны, один — с нашей. Потом двое у нас, один у них. Мой отец много раз пытался положить конец вражде, но это было невозможно. Словно демон овладел мужчинами: каждый из них как будто обезумел, охваченный жаждой убийства. Я хотел покинуть дом, поскольку стал причиной этой междоусобицы, но отец не отпускал меня, а я не мог ему противиться. Вражда и смерти не прекращались долгие годы. Я потерял двоих братьев, были убиты оба моих дяди — братья отца. Когда же отец подвергся нападению, был тяжело ранен и поэтому не мог мне помешать, я распорядился, чтобы родственники распустили слух, что меня уже нет в живых. И я покинул родной дом. Через некоторое время кровавая междоусобица прекратилась, между двумя семьями воцарился мир. Но я теперь мертв для моих близких, ведь я поклялся матери, что не вернусь никогда.

Прохладный легкий ветерок, дувший весь вечер в окно с металлическими рамами, внезапно стал холодным. Я встал, чтобы закрыть окно, потом налил из глиняного кувшина, стоявшего на тумбочке, воды в стакан и передал его Кадеру. Он прошептал молитву, выпил воду и вернул мне стакан. Снова налив в него воды, я сел на табурет, чтобы неспешно выпить ее маленькими глотками. Я молчал, опасаясь, что, если задам неправильный вопрос или сделаю неуместное замечание, Кадер вообще перестанет со мной разговаривать и покинет комнату. Он был спокоен, вел себя совершенно непринужденно, но сияющие лучики смеха ушли из его глаз. Для него была абсолютно нехарактерна и даже вызывала беспокойство та откровенность, с которой он рассказывал о своей жизни. Он мог часами беседовать со мной о Коране, или жизни пророка Мухаммеда, или о научном, рациональном обосновании своей философии морали, но никогда не рассказывал мне или кому-то другому столько о себе. Молчание затягивалось. Я смотрел на его худое выразительное лицо, стараясь контролировать даже звук своего дыхания, чтобы не побеспокоить его.

Мы оба были облачены в стандартное афганское одеяние — длинную свободную рубаху и штаны с широким поясом. Его одежда была блекло-зеленого цвета, моя — бело-голубого. Оба носили кожаные сандалии вместо домашних тапочек. Хотя я был массивнее и шире в груди, чем Кадербхай, мы имели приблизительно одинаковый рост и ширину плеч. Его коротко остриженные волосы и борода были серебристо-белыми, мои короткие волосы — светлыми. Кожа моя загорела настолько, что была того же естественного коричневого цвета скорлупы миндального ореха, что и у Кадера. Нас можно было бы принять за отца и сына, если бы не разного цвета глаза — голубовато-серые, как небо, у меня и золотистые, как речной песок, у него.

— Как вы попали из Кандагара в Бомбей, в мафию? — наконец спросил я, опасаясь, что скорее продолжительное молчание, чем мои вопросы, заставит его уйти.

Он повернулся ко мне, лицо его озарилось ослепительной улыбкой: то была новая, мягкая, бесхитростная улыбка, которую мне никогда раньше не доводилось видеть, разговаривая с ним.

— Покинув свой дом в Кандагаре, я оказался в Бомбее, совершив путешествие через Пакистан и Индию. Как и миллионы других — повторяю, миллионы других, — я надеялся нажить состояние в городе героев индийских фильмов. Сначала жил в трущобе, похожей на ту, что у Центра мировой торговли и принадлежит сейчас мне. Каждый день практиковался в хинди и быстро выучил язык. Спустя некоторое время я заметил, что люди делают деньги, покупая билеты в кино на популярные картины и потом с выгодой их продавая, когда кинотеатры вывешивают объявление: «Все билеты проданы». Я решил потратить те небольшие деньги, что удалось скопить, на покупку билетов на самую популярную в Бомбее картину. Я стоял у кинотеатра, когда объявили, что билеты закончились, и тогда продал свои с большой выгодой.

— Снятие скальпов при помощи билетов, — сказал я. — Так мы это называем. Это серьезный бизнес на черном рынке во время самых популярных в моей стране футбольных матчей.

— Да. Я получил хорошую прибыль за первую неделю работы. Начал уже подумывать о переезде в приличную квартиру, о самой лучшей одежде, даже о машине. Но однажды вечером стою с билетами около кинотеатра, и тут ко мне подходят два здоровых парня, показывают оружие — кинжал и нож для разделки мяса — и требуют, чтобы я шел с ними.

— Местные бандиты — гунды, — рассмеялся я.

— Да, гунды, — повторил он за мной, тоже смеясь.

Для тех, кто знал его доном Абделем Кадер-ханом, повелителем преступного мира Бомбея, было уморительно смешно представить его робким восемнадцатилетним мальчишкой, конвоируемым двумя уличными хулиганами.

— Они отвели меня к Чоте Гулабу, Маленькой Розе. Он получил такое прозвище за отметину на щеке от пули, которая прошла через его лицо, сломав бóльшую часть зубов и оставив шрам, который, сжимаясь, напоминал розу. В то время он контролировал всю эту территорию и хотел взглянуть на наглого мальца, вторгшегося в его владения, прежде чем избить его до смерти в назидание другим... Он был взбешен. «Как ты смеешь продавать билеты на моей территории? — спросил он на смеси хинди и английского; то был скверный английский, но, говоря на нем, он хотел запугать меня, словно я предстал перед судом. — Знаешь ли ты, скольких я убил, скольких мне пришлось убить, сколько отличных парней я потерял, чтобы получить контроль над черным рынком билетов во все кинотеатры этой части города?» Должен признаться, я был в ужасе: думал, жить мне осталось каких-нибудь несколько минут. Поэтому отбросил все предосторожности и сказал ему без обиняков на английском, куда лучшем, чем у него: «Тогда тебе придется устранить еще одну помеху, Гулабджи, потому что у меня нет иного способа заработать деньги, как нет и семьи, — так что мне нечего терять. Если, конечно, у тебя не найдется какая-нибудь приличная работенка для преданного и находчивого молодого человека». Он громко рассмеялся, сказал, что я молодец, и спросил, где я научился так хорошо говорить по-английски. Когда же я рассказал ему свою историю, он тут же предложил мне работу. Потом, широко открыв рот, показал свои золотые протезы на месте выбитых зубов. Заглянуть в рот Чоте Гулабу считалось среди его приближенных великой честью, некоторые из его гунд даже воспылали ко мне ревностью за то, что я удостоился такого близкого знакомства с этим знаменитым ртом при первой же встрече. Гулабу я понравился и стал для него чем-то вроде его бомбейского сына, но после первого же нашего рукопожатия у меня появились враги... Я стал бойцом, утверждая кулаками и клинком, топором и молотком власть Чоты Гулаба на его территории. То были плохие дни, совет мафии еще не действовал, драться приходилось и днем и ночью. Через некоторое время меня сильно невзлюбил один из людей Гулабджи. Обиженный моей близостью к нему, он нашел повод затеять со мной драку. И я убил его. Тогда на меня напал его лучший друг. Пришлось убить и его. А потом я убил человека по приказу Чоты Гулаба. И еще, и еще одного.

Он замолчал, упершись взглядом в пол, туда, где он смыкался со стенкой из иловых кирпичей. Потом заговорил снова:

— И еще одного.

Он повторял эту фразу в сгустившейся вокруг нас тишине, и мне казалось, что он вдавливает эти слова в мои горящие глаза:

— И еще одного.

Я наблюдал, как он пробирается сквозь завалы своего прошлого, его глаза сверкали, но вот он рывком вернул себя в настоящее, прервав воспоминания:

— Поздно. Послушай, я хочу сделать тебе подарок.

Он взял принесенный им сверток в замше и вытащил из него пистолет в кобуре для ношения на боку, несколько магазинов к нему, коробку с патронами и еще одну металлическую коробку. Откинув ее крышку, он извлек набор для чистки оружия, состоящий из смазки, графитового порошка, крошечных пилочек, щеточек и нового короткого шнура для прочистки ствола.

— Это АПС, автоматический пистолет Стечкина, — сказал он, беря в руки оружие и вынимая магазин. Проверив, не остался ли патрон в стволе, он вручил пистолет мне. — Русское производство. Если придется сражаться с русскими, сможешь найти уйму боеприпасов на их трупах. Оружие девятимиллиметрового калибра с магазином на двадцать патронов. Можешь установить его на одиночную или автоматическую стрельбу. Не самый лучший пистолет на свете, но надежный. Там, куда мы направляемся, единственное легкое оружие с большим количеством патронов — «калашников». Я хочу, чтобы с этих пор ты носил с собой пистолет и всегда выставлял напоказ: ешь ли ты, спишь ли, даже когда моешься, он должен быть рядом. Хочу, чтобы все, кто пойдет с нами и кто увидит нас, знали, что он с тобой. Ты меня понял?

— Да, — ответил я, глядя на пистолет в своей руке.

— Я уже говорил тебе, что за голову любого иностранца, который помогает моджахедам, назначается определенная сумма. Хочу, чтобы каждый, кто, возможно, вспомнит об этой награде и захочет получить ее в обмен на твою голову, подумал бы также и о «стечкине» у тебя на боку. Знаешь, как чистить автоматический пистолет?

— Нет.

— Не страшно. Я покажу тебе, как это делается. Ты должен попытаться заснуть. Мы отправляемся в Афганистан завтра перед рассветом, в пять часов утра. Ожидание закончилось. Время пришло.

Кадербхай показал мне, как чистить пистолет Стечкина. Это оказалось сложнее, чем я думал: ему потребовался добрый час, чтобы ознакомить меня со всеми правилами обращения с ним, ухода и ремонта. То был волнующий час; мужчины и женщины, которым довелось в своей жизни прибегать к насилию, знают, о чем я говорю: я был буквально пьян от наслаждения. Без стыда признаюсь, что этот час, проведенный с Кадером, когда он учил меня, как пользоваться автоматическим пистолетом Стечкина, как чистить его, доставил мне больше удовольствия, чем сотни часов, которые я потратил вместе с ним, чтобы постичь его философию. И никогда я не испытывал такой близости к нему, как в ту ночь, когда мы, склонившись над моим одеялом, разбирали и собирали это смертоносное оружие.

Когда он ушел, я выключил свет и прилег на койку, но заснуть не смог. Мой мозг в наступившей темноте был возбужден, словно от воздействия кофеина. Сначала я думал о рассказанных Кадером историях. Я перемещался в том, другом времени по городу, который так хорошо узнал. Представлял хана молодым человеком, сильным и опасным, боевиком босса мафии Чоты Гулаба, гангстера с маленьким шрамом в форме розы на щеке. Я знал и другие фрагменты истории Кадера — от бандитов, работавших на него в Бомбее. Они рассказывали мне о том, как Кадербхай взял маленькую империю Гулаба под свой контроль, после того как этого гангстера со шрамом убили рядом с одним из его кинотеатров. Они живописали гангстерские войны, вспыхнувшие в городе, говорили о мужестве Кадера и его беспощадности, когда надо было сокрушить врага. Я знал также, что Кадер был одним из основателей совета мафии, вернувшего мир в город, поделив территории и добычу между выжившими бандами.

Лежа в темноте и вдыхая запахи пистолета и смазки (пахло навощенным полом и сырым бельем), я думал, почему Кадербхай идет на войну. Ему вовсе не обязательно было это делать: есть сотни других, таких как я, готовых умереть вместо него. Вспомнил его странную лучезарную улыбку, когда он рассказывал о своей первой встрече с Чотой Гулабом. Запомнилось мне, какими быстрыми и молодыми были его руки, когда он показывал, как чистить пистолет и пользоваться им. И я подумал: может быть, он рискует жизнью вместе с нами просто потому, что тоскует по бурным дням своей юности. Эта мысль волновала меня: я был уверен, что она верна, хотя бы отчасти. Но еще больше меня будоражил другой мотив его поступка: то, что он правильно выбрал время положить конец своему изгнанию и навестить родной дом и семью. Не мог забыть рассказанного им: кровавая вражда, унесшая так много жизней и выгнавшая его из дому, закончилась только после его обещания, данного матери: никогда не возвращаться.

Через какое-то время мои мысли потекли в ином направлении: я уже переживал, мгновение за мгновением, долгую ночь накануне своего бегства из тюрьмы. Тогда я тоже не сомкнул глаз, и тогда страхи тоже сменялись приподнятым настроением, а потом вновь накатывал ужас. И так же как в ту ночь много лет назад, я поднялся с постели в полной темноте, еще до первого шевеления и проблеска утра, и собрался в дорогу.

Вскоре после рассвета мы сели в поезд, идущий до Чаманского ущелья. В нашей группе было двенадцать человек, и никто не проронил ни слова за несколько часов пути. Назир сидел рядом со мной, почти все время мы были с ним наедине, но он так и не нарушил каменного молчания. Пряча глаза за стеклами темных очков, я смотрел в окно, весь во власти очарования живописным ландшафтом, стремясь раствориться в нем.

Отрезок пути Кветта—Чаман может служить предметом гордости прославленной железнодорожной магистрали. Петляя по глубоким узким ущельям, дорога пересекает ошеломляюще красивые реки. Я вдруг осознал, что повторяю про себя, словно строчки стихов, названия местечек, через которые проходил наш путь. Из Кучхлага в Бостан, через маленькую речку в Иару-Карез, потом вверх на Шадизай. В Гулистане еще один подъем, потом сглаженная кривая за древним высохшим озером в Кила-Абдулле. Но бриллиантом, венчавшим эту корону из стальных полос-близнецов, стал, без сомнения, Ходжакский туннель. Его несколько лет строили англичане в конце девятнадцатого столетия. Пробитый в сплошной скале на протяжении четырех километров, он был самым длинным в этой части континента.

В Хан-Кили поезд преодолел череду крутых поворотов, и мы сошли на последнем полустанке, не доезжая Чамана, вместе с несколькими местными жителями в запыленной одежде. Нас встречал крытый, экзотично раскрашенный грузовик, куда мы и влезли, после того как платформа опустела, и направились по шоссе в сторону Чамана. Однако, не доезжая до города, свернули на боковую дорогу, которая заканчивалась безлюдной тропой. Вокруг было несколько поросших кустарником пастбищ, немногочисленные деревья. Мы находились примерно в тридцати километрах к северу от шоссе и Чаманского ущелья.

Высадившись из грузовика, который тут же уехал, мы собрались в тени деревьев, где нас уже поджидала основная группа. В первый раз мы были в полном составе — тридцать человек, все мужчины, и на мгновение у меня возникла ассоциация с группой заключенных, собравшихся на прогулку в тюремном дворе. Люди казались крепкими и решительными, выглядели здоровыми и хорошо подготовленными физически, хотя многие из них были очень худыми.

Я снял темные очки. Разглядывая лица, встретился глазами с человеком, пристально смотревшим на меня из глубины тени. Ему было около пятидесяти, может быть немного больше, и он казался самым старшим после Кадербхая в нашей группе. Короткие волосы под коричневой афганской шапкой с закругленными краями, точно такой же, как у меня, были седыми. Короткий прямой нос разделял длинное, с впалыми щеками заостренное лицо, изборожденное такими глубокими морщинами, что оно казалось изрезанным мачете. Под глазами — тяжелые мешки. Театрально изогнутые брови, похожие на крылья летучей мыши, сходились на переносице, но особое внимание привлекали его глаза — глаза психически больного человека.

Когда наши взгляды встретились, он пошел, спотыкаясь, в мою сторону. Пройдя несколько шагов шаркающей походкой, он дернулся всем телом и пошел увереннее, а потом побежал согнувшись, покрыв разделявшие нас тридцать метров длинными, кошачьими прыжками. Забыв, что у меня пистолет на боку, я инстинктивно потянулся к рукоятке ножа и отступил на полшага назад. Мне был знаком такой взгляд, я видел такие глаза раньше. Этот человек хотел драться со мной, а может, даже убить.

Когда он подбежал ко мне, крича что-то непонятное, откуда-то возник Назир и встал передо мной, загородив ему дорогу. Назир крикнул что-то ему в ответ, но тот, глядя на меня поверх его головы, вновь и вновь выкрикивал свой вопрос. Назир повторил свой ответ столь же громко. Безумный моджахед попробовал оттолкнуть Назира обеими руками, но с таким же успехом он мог бы попытаться сдвинуть дерево. Дюжий афганец стоял как вкопанный, заставив сумасшедшего впервые отвести от меня взгляд.

Вокруг нас собралась толпа. Назир выдержал безумный взгляд мужчины и заговорил более мягко, с просительными нотками в голосе. Я ждал весь в напряжении, готовый вступить в драку. «Мы еще даже не перешли границу, — думал я, — а мне уже чуть не пришлось пырнуть ножом одного из наших людей...»

— Он спрашивает, не русский ли ты, — пробормотал Ахмед Задех рядом со мной.

Слово «русский» он произнес с алжирским акцентом, картаво выговаривая букву «р». Я увидел, что он показывает на мое бедро:

— Пистолет. И светлые глаза. Он думает, что ты русский.

Подошел Кадербхай и положил руку на плечо сумасшедшего. Мужчина мгновенно обернулся, внимательно глядя на Кадера, готовый разрыдаться. Кадер повторил то же, что бормотал Назир, столь же успокаивающим тоном. Я не понимал всего, что он говорил, но смысл был ясен: «Нет. Он американец. Американцы помогают нам. Он здесь с нами, чтобы сражаться с русскими. Он поможет нам убивать их. Он поможет нам. Мы убьем много русских вместе».

Когда мужчина вновь повернулся ко мне, выражение его лица изменилось столь разительно, что у меня возникло чувство жалости к этому человеку, которому я был готов всадить нож в грудь минутой раньше. Глаза его все еще были безумными, неестественно широкими и белыми под коричневой радужной оболочкой, но неистовство в них сменилось выражением такого горя и страдания, что мне вспомнились руины каменных домов, которые во множестве встречались нам вдоль дорог. Он еще раз взглянул на Кадера, и неуверенная улыбка затрепетала на его лице, черты его ожили, словно под воздействием электрического импульса. Он повернулся и пошел прочь сквозь толпу. Крепкие мужчины осмотрительно расступались перед ним, сострадание в их глазах боролось со страхом.

— Мне очень жаль, Лин, — мягко сказал Абдель Кадер. — Его зовут Хабиб. Хабиб Абдур-Рахман. Он школьный учитель, вернее, когда-то был школьным учителем в деревне по другую сторону гор. Он учил малышей, самых младших детей. Когда вторглись русские семь лет назад, он был счастливым человеком, имел жену и двоих сильных сыновей. Присоединился к сопротивлению, как и все молодые мужчины в тех краях. Два года назад он вернулся с боевого задания и узнал, что русские напали на его деревню, использовав газ, какую-то разновидность нервно-паралитического газа.

— Они отрицают это, — заметил Ахмед Задех. — Но в этой войне они испытывают новые виды оружия, самого разного: мины и ракеты, много всего другого — экспериментальное оружие, никогда не применявшееся в прежних войнах. Вроде того газа, что они пустили в деревне Хабиба. Такой войны раньше не было.

— Хабиб бродил один по деревне, — продолжал Кадер. — Все были мертвы. Все мужчины, женщины, дети. Все поколения его семьи — дедушки и бабушки с обеих сторон, его родители, родители жены, дяди и тети, братья и сестры, жена и дети. Все — в один день, за какой-то час. Даже домашние животные — козы, овцы и куры — все были мертвы. Даже насекомые и птицы были мертвы. Никакого движения, никакой жизни — никто не выжил.

— Он вырыл могилу для всех мужчин, всех женщин, всех детей, — добавил Назир.

— Он похоронил их всех, — кивнул Кадер. — Всю свою семью, и друзей детства, и соседей. Это заняло очень много времени, ведь он был один, едва сумел справиться. Когда дело было сделано, он взял ружье и вернулся в свой отряд моджахедов. Но утрата изменила его самым ужасным образом. Сейчас это совсем другой человек: он делает все, что в его силах, чтобы поймать русского или афганского солдата, воюющего на стороне русских. И когда это ему удается... — а он захватил уже многих, после того что случилось, он хорошо этому научился, — когда ему удается это сделать, он мучит их до смерти, пронзая остро заточенным стальным лезвием лопаты. Именно этой лопатой он зарыл в землю всю свою семью. Она и сейчас с ним, пристегнута поверх его тюка. Он привязывает руки пленников, заведенные назад, к лопате, лезвие которой упирается им в спину. Когда силы оставляют их, металлическое острие начинает пронзать их тела, проходит через живот. Хабиб склоняется над ними, смотрит в глаза и плюет в их кричащие рты.

Халед Ансари, Назир, Ахмед Задех и я, погрузившись в глубокое молчание, ждали, когда Кадер вновь заговорит.

— Нет человека, который знал бы эти горы и всю местность отсюда до Кандагара лучше, чем Хабиб, — закончил свой рассказ Кадер, устало вздохнув. — Он самый лучший проводник. Он успешно выполнил сотни поручений и будет сопровождать нас до Кандагара, где мы встретимся с нашими людьми. Нет человека более верного и надежного, потому что нет в Афганистане никого другого, кто ненавидел бы русских больше, чем Хабиб Абдур-Рахман. Но...

— Он совершенный безумец, — произнес в наступившей тишине Ахмед Задех, пожав плечами, и я вдруг почувствовал, что испытываю к нему симпатию, но в то же время тоскую по своему другу Дидье. Именно он мог бы сделать такой безапелляционный и беспощадно честный вывод.

— Да, — сказал Кадер, — он безумец. Горе разрушило его разум. А поскольку мы в нем нуждаемся, нельзя спускать с него глаз. Его изгоняли из многих отрядов моджахедов — до самого Герата. Мы сражаемся с афганской армией, которая служит русским, но нельзя забывать, что они афганцы. Бо́льшую часть сведений мы получаем от солдат афганской армии, которые хотят помочь нам победить их русских хозяев. Хабиб не в состоянии осознать такие тонкости. У него только одно понимание войны: их всех надо убивать — быстро или медленно. Он предпочитает делать это медленно. В нем заряд такого жестокого насилия, что его друзья боятся его не меньше, чем враги. Поэтому, пока он с нами, с него нельзя спускать глаз.

— Я послежу за ним, — решительно заявил Халед Ансари.

Мы все взглянули на нашего палестинского друга. На его лице были написаны страдание, гнев и непреклонность. Кожа на переносице, от брови до брови, натянулась, широкая ровная линия рта выражала упрямую решимость.

— Очень хорошо, — начал Кадер и сказал бы, наверно, больше, но, услышав эти два слова согласия, Халед покинул нас и направился к всеми покинутому, несчастному Хабибу Абдур-Рахману.

Наблюдая, как он удаляется, я внезапно испытал сильнейшее инстинктивное желание крикнуть, остановить его. Это было глупо — какой-то иррациональный острый страх потерять его, потерять еще одного друга. К тому же это было бы еще и смешно — проявление какой-то мелочной ревности, — поэтому я сдержал себя и ничего не сказал. Я смотрел, как он протягивает руку, чтобы приподнять безвольно опущенную голову безумного убийцы. Когда тот поднял глаза и их взоры встретились, я уже знал, пусть и не понимая этого отчетливо, что Халед потерян для нас.

Я отвел взгляд, ощущая себя лодочником, весь день шарившим багром по дну озера в поисках затонувшей лодки. Во рту пересохло. Сердце стучало, как узник в стены, так, что отдавалось в голове. Ноги словно налились свинцом: стыд и страх приковали их к земле. И, подняв глаза вверх, на отвесные, непроходимые горы, я почувствовал, как будущее пронизывает меня дрожью, — так трепещут усталые ветви ивы в грозу под раскатами грома.

ГЛАВА
33

В те годы главная дорога из Чамана, прежде чем выйти на шоссе, ведущее в Кандагар, пересекала приток реки Дхари, проходила через Спин-Балдак, Дабраи и Мелкарез. Протяженность пути составляла около двухсот километров: машиной можно было добраться за несколько часов. Понятно, что наш маршрут пролегал не по шоссе, — автомобилем мы не могли воспользоваться. Мы ехали верхом, пробираясь через добрую сотню горных ущелий, и это путешествие заняло больше месяца.

В первый день мы устроили стоянку под деревьями. Багаж — то, что мы переправляли в Афганистан, и наши личные вещи — был выгружен на ближайшем пастбище, накрыт овечьими и козьими шкурами, чтобы выглядел с высоты как стадо скота. Среди этих тюков были привязаны и несколько настоящих коз. Когда окончательно сгустились сумерки, возбужденный шепот пронесся по лагерю. Вскоре мы услышали приглушенный топот копыт: пригнали наших лошадей — двадцать ездовых и двенадцать вьючных. Они были не такие рослые, как те, на которых я учился ездить, и в моем сердце взыграла надежда, что с ними будет легче управиться. Большинство мужчин сразу же отправились вьючить лошадей. Я хотел было присоединиться к ним, но был остановлен Назиром и Ахмедом Задехом, ведущим двух лошадей.

— Это моя, — объявил Ахмед. — А вон та — твоя.

Назир вручил мне поводья и проверил ремни на тонком афганском седле. Удостоверившись, что все в порядке, он кивнул в знак одобрения.

— Хорошая лошадь, — проворчал он в своей добродушной манере, словно перекатывая камешки во рту.

— Все лошади хорошие, — ответил я цитатой из него же. — Не все люди хорошие.

— Лошадь превосходная, — согласился Ахмед, бросив восхищенный взгляд на ту, что предназначалась мне; то была гнедая кобыла, широкогрудая, с сильными, толстыми и сравнительно короткими ногами, живыми и бесстрашными глазами. — Назир выбрал для тебя именно ее из всех, что у нас есть. Он первый, кому она приглянулась, но далеко не последний, так что кое-кто был разочарован. Он настоящий ценитель.

— По моим подсчетам, нас тридцать человек, но верховых лошадей здесь явно меньше, — заметил я, похлопывая свою лошадь по шее и пытаясь установить с ней первый контакт.

— Да, некоторые поедут верхом, а прочие пойдут пешком, — ответил Ахмед. Он поставил левую ногу в стремя и без каких-либо видимых усилий вскочил в седло. — Будем меняться. С нами десять коз, с ними будут идти пастухи. Некоторых людей мы потеряем по дороге. Лошади — бесценный дар для тех людей Кадера, что под Кандагаром, хотя, скорее, подошли бы верблюды. Но в узких ущельях лучше всего ослы. И все же лошади — животные особенно высокого статуса. Думаю, Кадер настоял, чтобы были лошади, потому что очень важно, как мы будем выглядеть в глазах людей из диких кланов, которые, возможно, захотят убить нас и забрать наше оружие и медикаменты. Лошади поднимут наш престиж и станут отличным подарком для людей Кадер-хана. Он планирует отдать лошадей, когда мы будем возвращаться назад из Кандагара. Так что часть дороги до Кандагара мы проедем верхом, но весь обратный путь придется проделать пешком!

— Я не ослышался? Ты сказал, что мы потеряем часть людей? — спросил я озадаченно.

— Да! — рассмеялся он. — Некоторые покинут нас и возвратятся в свои деревни. Но может случиться и так, что кто-то умрет во время этого путешествия. Но мы останемся живы — ты и я, иншалла. У нас хорошие лошади — так что начало удачное!

Ахмед умело развернул лошадь и подъехал легким галопом к группе всадников, собравшихся вокруг Кадербхая метрах в пятидесяти от нас. Я взглянул на Назира. Он кивнул мне, приглашая оседлать лошадь и ободряя легкой гримасой и невнятно произнесенной молитвой. Мы оба ожидали, что лошадь меня сбросит. Назир даже зажмурился, с отвращением предвкушая мое падение. Поставив левую ногу в стремя, я оттолкнулся правой и прыгнул. В седло я опустился более грузно, чем рассчитывал, но лошадь хорошо приняла всадника и дважды наклонила голову, готовая двигаться. Назир открыл один глаз и обнаружил, что я вполне удобно устроился на новой лошади. Он был так счастлив, что буквально светился от непритворной гордости и одарил меня одной из своих редких улыбок. Я дернул за поводья, чтобы повернуть голову лошади, и слегка наддал каблуками. Реакция лошади была спокойной, движения — красивыми, изящными, горделиво-элегантными. Мгновенно перейдя на грациозную легкую рысь, она без всяких дальнейших понуканий подскакала к Кадербхаю и его окружению.

Назир ехал вместе с нами, немного сзади и слева от моей лошади. Я бросил взгляд через плечо: его глаза были широко открыты, выглядел он столь же озадаченно, как, наверно, и я. Лошадь, впрочем, придавала мне вполне пристойный вид. «Все будет хорошо», — шептал я, и слова эти в моем сознании продирались сквозь густой туман тщетной надежды, и я понимал, что произношу их как своего рода заклинание. «Гордость уходит... перед падением, — так можно коротко передать смысл изречения из Книги притчей Соломоновых, глава 16, стих 18. — Погибели предшествует гордость, и падению надменность». Если он действительно так сказал, значит Соломон был человеком, хорошо — гораздо лучше, чем я, — знавшим лошадей. Я же, поравнявшись с группой Кадера, осадил лошадь с таким видом, словно и в самом деле понимал, что я делаю в седле, если мне суждено было это когда-нибудь понять.

Кадер на пушту, урду и фарси отдавал текущие распоряжения. Я перегнулся через седло, чтобы прошептать Ахмеду Задеху:

— Где ущелье? Я не вижу в темноте.

— Какое ущелье? — спросил он тоже шепотом.

— Горный проход.

— Ты имеешь в виду Чаманское ущелье? — Ахмед был озадачен моим вопросом. — Оно в тридцати километрах позади нас.

— Нет, меня интересует, как мы попадем в Афганистан через эти горы? — спросил я, кивая на отвесные каменные стены, поднимающиеся ввысь в километре от нас и упирающиеся в черное ночное небо.

— Мы не пойдем через горы, — ответил Ахмед, подергивая поводьями, — мы пойдем над ними.

— *Над* ними?

— *Qui.*

— Сегодня вечером?

— *Qui.*

— В темноте?

— *Qui,* — серьезно повторил он. — Никаких проблем. Хабиб, *fou*[1], этот безумец, знает дорогу. Он проведет нас.

— Хорошо, что ты мне это сказал. Должен признаться, что сильно беспокоился, но теперь чувствую себя гораздо увереннее.

Его белые зубы сверкнули в улыбке, и по сигналу Халеда мы тронулись, медленно выстраиваясь в колонну, растянувшуюся на добрую сотню метров. Десять человек шли пешком, двадцать — ехали верхом, пятнадцать лошадей везли груз, за ними шло стадо из десяти коз. К моей величайшей досаде, Назир оказался в числе пеших. Было что-то нелепое, неестественное в том, что такой превосходный всадник идет пешком, а я еду на лошади. Я смотрел, как он шел в темноте впереди меня, ритмично переставляя свои толстые кривоватые ноги, и поклялся, что на первом же привале попытаюсь убедить его поменяться со мной местами и сесть на лошадь. Мне действительно удалось это сделать, но Назир сел в седло неохотно и взирал на меня оттуда хмурясь, с сердитым видом. Его настроение улучшилось, только когда мы опять поменялись местами и он смог вновь смотреть на меня снизу вверх, ступая по каменистой тропе.

Конечно же, вы не скачете на лошади через горы. Вы ее толкаете и тащите, а иногда приходится помогать переносить ее через гребень горы. По мере приближения к подножию отвесных скал, формирующих Чаманский хребет, который отделяет Афганистан от Пакистана, становилось ясно, что и на самом деле существуют бреши, проходы и тропы, идущие сквозь горы или поверх их. То, что казалось гладкими стенами из голого камня, при

---

[1] Сумасшедший *(фр.)*.

ближайшем рассмотрении оказывалось волнообразными ложбинами и расположенными ярусами расщелинами. Вдоль горных склонов шли каменистые выступы, виднелась покрытая известковой коркой бесплодная земля. Местами эти выступы были такими широкими и плоскими, что казались дорогой, выстроенной человеком. В других местах они были неровными и узкими, так что каждый шаг необходимо было делать крайне осторожно, с трепетом и опаской. И весь этот пролом в горной гряде преодолевался в полной темноте: люди спотыкались, скользили, тащили и толкали лошадей.

Наш караван был небольшим по сравнению с величественными разноплеменными процессиями, шествовавшими некогда вдоль Шелкового пути, соединявшего Турцию с Китаем и Индией, но сейчас, во время войны, наша многочисленная группа была весьма заметной целью. Постоянно присутствовал страх, что нас увидят с воздуха. Кадербхай установил строгое затемнение: никаких сигарет, фонарей, ламп в пути. В первую ночь нам светила четверть луны, но временами скользкая тропа заводила нас в узкие теснины: вокруг отвесно вставали голые скалы, погружая нас во тьму. В этих коридорах с черными стенами нельзя было разглядеть даже собственную руку, поднесенную к лицу. Наша колонна медленно продвигалась вперед вдоль невидимых расщелин в скалистой стене: люди, лошади, козы жались к камню, натыкаясь друг на друга.

Посреди такого черного ущелья я услышал низкий жалобный вой, стремительно нараставший. Правой рукой я держал поводья, на левую был намотан хвост идущей впереди лошади. Мое лицо почти касалось гранитной стены, тропка под ногами была не шире вытянутой руки. Звук становился все пронзительнее и громче, и две лошади, охваченные инстинктивным страхом, встали на дыбы и судорожно забили копытами. Затем воющий звук внезапно перешел в рев, прокатившийся по горам и закончившийся оглушительным сатанинским воплем прямо у нас над головой.

Лошадь впереди меня взбрыкнула и встала на дыбы, вырывая свой хвост из моей руки. Пытаясь удержать ее, я потерял в темноте точку опоры и упал на колени, оцарапав лицо о каменную стену. Моя собственная лошадь была напугана не меньше меня и рвалась вперед по узкой тропе, повинуясь импульсивному желанию бежать. Я все еще удерживал поводья и воспользовался ими, чтобы подняться на ноги, но лошадь толкнула меня головой, и я почувствовал, что соскальзываю с тропы. Страх пронзил мне грудь и сокрушил сердце, когда я падал вниз, в темную пустоту. Я ощутил всю длину своего тела, висящего, болтаясь, на поводьях, крепко зажатых в руке.

Раскачиваясь в свободном пространстве над черной бездной, я ощущал медленное, миллиметр за миллиметром, движение вниз, свой ослабевающий захват, скрип кожи поводьев, по мере того как соскальзывал все дальше и дальше от края узкого выступа. Вдоль края обрыва надо мной кричали люди. Они пытались успокоить животных, выкрикивали имена друзей. Слышались ржание и протестующий хрип лошадей. Воздух в ущелье пропах густыми запахами мочи, лошадиного кала, пота напуганных до смерти мужчин. Я ясно различал царапающий, скребущий стук копыт моей лошади, изо всех сил пытающейся сохранить точку опоры. И тут я понял: какой бы сильной ни была лошадь, ее устойчивость на осыпающейся, неровной тропе настолько ненадежна, что моего веса может оказаться достаточно, чтобы стянуть ее с выступа вместе со мной.

В непроницаемой тьме нащупав поводья левой рукой, я начал подтягиваться к выступу, вцепившись кончиками пальцев в край каменистой тропы, но тут же с задушенным криком соскользнул назад в темную расщелину. Поводья вновь удержали меня, и я завис над пропастью. Положение мое было отчаянным. Лошадь в страхе, что ее утянет за край выступа, изо всех сил трясла опущенной головой. Умное животное понимало: надо сбросить удила, уздечку и упряжь. Я знал, что в любой момент она может преуспеть в этом. Отчаянно рыча сквозь стиснутые зубы, я вновь подтянул себя к выступу. Вскарабкавшись на него и встав на колени, я хватал воздух в изнеможении, обливаясь по́том, а затем, повинуясь интуиции, которая приходит на помощь в самый ужасный момент, впрыскивая в организм порцию адреналина, вскочил на ноги, подавшись вправо. И в тот же миг лошадь идущего следом за мной человека взбрыкнула в черной, слепой ночи. Если бы я остался на месте, она попала бы мне копытом в висок и на этом моя война закончилась бы. Рефлекс, побудивший меня прыгнуть, спас мне жизнь: удар пришелся в бок и бедро, отбросив меня к стене рядом с головой моей лошади. Я обнял животное руками за шею, чтобы успокоить себя и дать опору своей занемевшей ноге и ушибленному бедру. Все еще оставаясь в этом положении, я услышал шарканье шагов и почувствовал, как чьи-то руки соскользнули со стены мне на спину.

— Лин? Это ты? — спросил в темноте Халед Ансари.

— Халед! Да! Ты в порядке?

— Конечно. Истребители, мать их. Две штуки. Как раз у нас над головой, не больше чем в сотне футов. Проклятье! Они как раз прошли звуковой барьер. Ну и шум!

— Это русские?

— Не думаю. Вряд ли они летают так близко к границе. Скорее всего, пакистанские истребители, вернее, американские самолеты с пакистанскими летчиками, вторгающиеся в воздушное пространство Афганистана, чтобы русские не дремали. Они летают не слишком далеко. Русские пилоты «МиГов» очень хороши. Паки стараются не отставать от них, вот и летают здесь. Ты уверен, что с тобой все в порядке?

— Да, конечно, — соврал я. — Мне станет намного лучше, когда мы выберемся из этой гребаной темноты. Можешь называть меня наложившим в штаны слабаком, но я предпочитаю видеть тропу под ногами, когда пытаюсь вести лошадь над пропастью на высоте десятиэтажного здания.

— То же можно сказать и про меня, — рассмеялся Халед. Это был негромкий и невеселый смех, но он придал мне бодрости. — Кто шел вслед за тобой?

— Ахмед, — ответил я. — Ахмед Задех. Я слышал, как он ругался по-французски за моей спиной. Думаю, с ним все в порядке. А за ним шел Назир. И где-то рядом был Махмуд, иранец. За мной шло человек десять, считая двух парней, козьих пастухов.

— Пойду проверю, — сказал Халед, успокаивающе похлопывая меня по плечу. — А ты продолжай идти — просто двигайся осторожно вдоль стены еще сотню ярдов. Это недалеко. Когда выйдешь из этого ущелья, появится лунный свет. Удачи.

И в те несколько мгновений, пока я не достиг бледного оазиса лунного света, я ощущал покой и уверенность в себе. Потом мы возобновили путь, прижимаясь к холодным серым камням каньона, и через несколько минут вновь оказались в темноте: с нами остались лишь вера, страх и воля к жизни.

Мы так часто шли ночью, что иногда, казалось, пробирались к Кандагару на ощупь, как слепые, отыскивая дорогу кончиками пальцев. И, как слепые своему поводырю, мы безоговорочно доверяли Хабибу. Ни один из афганцев нашей группы не жил в приграничной области, поэтому они в той же мере, что и я, зависели от его знания тайных троп и скрытых от глаз горных проходов.

Хабиб, впрочем, внушал куда меньше доверия, когда не вел за собой колонну. Однажды я натолкнулся на него во время привала, вскарабкавшись на близлежащие скалы в поисках уединенного места, чтобы справить нужду. Стоя на коленях перед квадратной плитой шероховатого камня, Хабиб бился об нее головой. Я бросился к нему и обнаружил, что он плачет навзрыд. Кровь из рассеченного лба текла по лицу, смешиваясь со слезами в бороде. Смочив водой из фляги уголок своего шарфа, я стер кровь с его головы и осмотрел раны. Они были рваными, неровными, но преимущественно поверхностными. Он не стал сопротивляться, позволив мне отвести его обратно в лагерь. Тут же примчался Халед и помог мне наложить мазь на раны Хабиба и забинтовать его лоб.

— Я оставил его одного, — бормотал Халед. — Думал, он молится. Он сказал, что хочет помолиться. Но у меня было ощущение...

— Думаю, он и в самом деле молился, — заметил я.

— Он очень беспокоит меня, — признался Халед. Его печальные глаза были переполнены лихорадочным страхом. — Он ставит повсюду растяжки, а под накидкой у него дюжина гранат. Я пытался объяснить ему, что эти проволочные силки — бесчестное оружие: они могут убить местного пастуха-кочевника или одного из нас так же легко, как русского или афганского солдата. Но он словно не понял. Только ухмыльнулся и стал все делать более скрытно. Вчера закрепил взрывчатку на нескольких лошадях. Сказал, что должен быть уверен: они не попадут в руки русских. Я спросил: «А как насчет нас? Что, если мы попадем в руки русских, нам тоже надо обвешать себя взрывчаткой?» Он ответил, что это не перестает его беспокоить: как нам умереть наверняка до того, как русские схватят нас, и как убить их побольше после того, как мы будем мертвы?

— Кадер знает?

— Нет. Я пытаюсь как-то сдержать Хабиба. Я знаю места, откуда он родом, Лин. Приходилось там бывать. Первые два года после того, как погибла моя семья, я был таким же сумасшедшим. Прекрасно понимаю, что творится у него внутри. Его душа настолько переполнена мертвыми друзьями и врагами, что он просто зациклен на одном — убивать русских, и, пока он не отрешится от этой мысли, придется мне быть рядом с ним, сколько смогу, и следить, чтобы он не наделал глупостей.

— Думаю, тебе следует рассказать обо всем Кадеру, — вздохнул я, покачав головой.

— Расскажу, — вздохнул он в ответ. — Скоро. Поговорю с ним в ближайшее время. А Хабиб придет в себя. Ему уже стало намного лучше. Теперь с ним уже можно говорить по-хорошему. Он должен понять.

В последующие недели нашего путешествия мы следили за Хабибом еще внимательнее, с еще большей опаской, и постепенно поняли, почему он был изгнан из многих отрядов моджахедов.

С обостренным чувством опасности, ощущая угрозу, таившуюся как вне нас, так и внутри, мы шли на север ночами, а иногда и днем вдоль горной границы в направлении Патхан-Кхела. Около *кхела*, то есть деревни, мы повернули на северо-запад, в пустынную горную местность, покрытую сетью ручьев с холодной водой. Маршрут Хабиба пролегал примерно в одинаковом удалении от городков и больших деревень, вдали от оживленных путей, используемых местными жителями. Мы с трудом преодолели расстояние от Патхан-Кхела до Каиро-Тхана, от Хумаи-Кареза до Хаджи-Агха-Мухаммада, перешли вброд реки между Лое-Карезом и Иару, петляли зигзагами между Мулла-Мустафой и маленькой деревушкой Абдул-Хамид.

Трижды нас останавливали местные разбойники, требуя дань. Каждый раз они вначале появлялись на высотах с хорошим обзором, откуда держали нас под прицелом ружей, в то время как их «наземные силы» прятались в укрытиях, препятствуя нашему продвижению вперед и отрезая пути к отступлению. И всякий раз Кадер поднимал бело-зеленый флаг моджахедов, украшенный девизом, — то была фраза из Корана:

Инна лилляхи ва инна иляйхи раджиун,

что означало: «Поистине, мы принадлежим Аллаху, и поистине, к Нему мы вернемся».

Хотя местные кланы не признавали этого штандарта Кадера, его девиз и дух вызывали у них уважение. Они, однако, сохраняли свою свирепость и воинственность, до тех пор пока Кадер, Назир и афганские моджахеды не объяснили им, что группа совершает переход вместе с американцем, под чьим покровительством находится. Местные разбойники, изучив мой паспорт и пристально посмотрев в мои серо-голубые глаза, приветствовали нас как товарищей по оружию и приглашали выпить чая и отведать их угощения. Это было намеком: следует все-таки уплатить дань. Хотя ни один из встреченных нами разбойников не желал, атакуя субсидируемый США караван, лишаться крайне важной для них американской помощи, помогавшей им продержаться долгие годы войны, в их головах не укладывалось, что мы можем пройти через их территорию, не оставив им никакой добычи. Для этих целей Кадер захватил с собой запас товаров для бакшиша: шелка переливчатого синего и зеленого цвета с вплетенными золотыми нитками, топорики, ножи с толстыми лезвиями и наборы для шитья. Были там также «цейссовские» бинокли (Кадер подарил мне один, и я пользовался им каждый день), очки с увеличительными стеклами для чтения Корана и массивные наручные часы индийского производства. Для вождей клана предназначался небольшой запас золотых дощечек, каждая весом в одну толу (около пятнадцати граммов), с выбитым на них афганским лавром.

Кадер не просто предвидел эти разбойничьи нападения — он рассчитывал на них. Когда с формальными знаками внимания было покончено и проблема выплаты дани урегулирована, Кадер договаривался с каждым лидером местного клана о пополнении запасов нашего каравана, что обеспечивало нас продовольствием в пути и гарантировало снабжение едой и животными в дружественных деревнях, находящихся под контролем и покровительством вождя клана.

Пополнение запасов было крайне важным. Военное снаряжение, запасные части, детали станков и медикаменты, которые мы везли, имели приоритетное значение и оставляли мало места для излишков груза. Из-за этого у нас было мало еды для лошадей — не больше двухдневного рациона, — продовольствия же для нас не было вовсе. У каждого была фляга с водой на себя и лошадей, но все понимали, что это неприкосновенный запас, который следует расходовать крайне экономно. Нередко случалось, что мы выпивали не больше стакана воды в день и съедали маленький кусочек лепешки. Отправляясь в это путешествие, я был вегетарианцем, хотя и не фанатичным, годами придерживался фруктово-овощной диеты, когда имел такую возможность. Через три недели похода, потаскав лошадей через горы и холодные как лед реки, весь трясясь от голода, я набросился на предложенное нам разбойниками полупропеченное мясо ягнят и козлов, отдирая его зубами от костей.

Крутые горные склоны в этой местности были бесплодны, все живое было выстужено пронизывающими зимними ветрами, но каждый плоский, равнинный участок земли, как бы мал он ни был, выделялся яркой живой зеленью. Там были дикие красные цветы звездообразной формы и другие — с небесно-голубыми головками-помпонами. Росли низкие кусты с маленькими желтыми листьями — их обожали наши козы — и разнообразные дикие травы, увенчанные перистыми шалашиками из сухих семян, — их ели лошади. Многие скалы поросли зеленым, как плоды лайма, мхом или более бледным лишайником. После бесконечных волнообразных «крокодиловых спин» голого камня эти нежные зеленые ковры смотрелись очень живописно, гораздо эффектнее, чем выглядели бы на более изобильных и ровных ландшафтах. Мы живо реагировали на каждый новый склон, покрытый мягким ковром, на растущий пучками густолистный вереск — нас одинаково радовало всякое проявление живучести. Наверно, это было идущей из глубин подсознания реакцией на зеленый цвет. Грубые, ожесточившиеся воины, с трудом бредущие рядом со своими лошадьми, наклонялись и собирали букетики цветов просто для того, чтобы ощутить их красоту в своих загрубевших, мозолистых руках.

Мой статус американца при Кадере помог нам во время переговоров с местными разбойниками, но стоил недельной задержки, когда нас остановили в третий и последний раз. Стараясь миновать маленькую деревушку Абдул-Хамид, наш проводник Хабиб завел нас в небольшое, но глубокое ущелье, достаточно широкое, чтобы три или четыре лошади со всадниками шли рядом бок о бок. С обеих сторон каньона поднимались крутые каменистые стены, которые тянулись почти на километр, после чего расступались, открывая длинную широкую долину. То было идеальное место для засады, и, предвидя ее, Кадер ехал во главе нашей колонны с развернутым бело-зеленым знаменем.

Вызов был, однако, брошен нам тогда, когда мы углубились метров на сто в узкое ущелье. Откуда-то сверху раздался страшный вой — голоса мужчин, имитирующих пронзительные женские вопли и трели. Внезапно начала падать мелкая галька: перед нами произошел небольшой обвал. Вместе с остальными я обернулся, сидя в седле, и увидел, что отряд местного племени занял позицию позади нас, направив нам в спину оружие всех видов. Как только возник весь этот шум, мы мгновенно прекратили движение. Кадер медленно проехал в одиночестве около двух сотен метров, а потом остановился, прямо сидя в седле. Штандарт трепетал на сильном холодном ветру.

В первую минуту, когда на нас были наставлены ружья, секунды тянулись бесконечно. Над нашими головами нависли скалы. Вскоре появилась одинокая фигура человека, приближающегося к Кадеру на большом верблюде. Афганистан — место обитания двугорбого бактриана, но всадник ехал на одногорбом арабском верблюде — эта порода популярна среди погонщиков верблюдов при дальних переходах в экстремально холодных условиях северной части страны, населенной таджиками. У него косматая голова, густой мех на шее, длинные и сильные ноги. Человек, ехавший на этом внушительного вида животном, был высоким и худым и казался лет на десять старше Кадера, который выглядел на шестьдесят с небольшим. Всадник был в длинной белой рубахе поверх белых афганских штанов и черном саржевом халате без рукавов, достигавшем колени. Белоснежный пышный тюрбан возвышался на его голове. Седая борода была аккуратно подстрижена, она открывала рот и верхнюю губу, спускаясь с подбородка на мощную грудь.

Некоторые из моих бомбейских друзей считали такой тип бороды ваххабитским — ваххабитами называли непреклонно ортодоксальных мусульман Саудовской Аравии, подстригавших бороду на этот манер, якобы излюбленный пророком. Для нас, тех, кто находился в каньоне, это был знак, что незнакомец — человек влиятельный, возможно представитель светской власти. Последнее подчеркивалось впечатляющим длинноствольным ружьем антикварного вида, которое он держал вертикально, упертым в бедро. Приклад оружия, заряжаемого с дульной части, был украшен сверкающими дисками, завитками, ромбами из медных и серебряных монет, отшлифованных до ослепительного блеска. Человек приблизился к Кадербхаю на расстояние вытянутой руки и остановился. Он держался властно и явно привык ко всеобщему уважению. По существу, это был один из немногих известных мне людей, почитаемых в той же мере, что и Абдель Кадер-хан, возможно даже вызывающих благоговение и умеющих подчинить себе единственно своей горделивой осанкой, силой человека, полностью реализовавшегося в жизни.

После продолжительной дискуссии Кадербхай ловко развернул свою лошадь в нашу сторону.

— Мистер Джон! — обратился он ко мне по-английски, называя имя, стоявшее в моем фальшивом американском паспорте. — Приблизьтесь, пожалуйста.

Я слегка ударил лошадь каблуками, издав, как мне казалось, ободряющий звук. Глаза всех людей внизу и вверху были устремлены на меня, я это отчетливо сознавал, и за эти несколько долгих секунд в моем воображении возникла картина: лошадь сбрасывает меня на землю к ногам Кадера. Однако кобыла красивой легкой рысью прогарцевала сквозь колонну и остановилась рядом с Кадером.

— Это Хаджи Мохаммед, — объявил Кадер, делая широкий жест рукой. — Он здесь хан, вождь всех местных жителей, кланов и семейств.

— Салям алейкум, — сказал я, держа руку у сердца в знак уважения.

Считая меня неверным, вождь не ответил. Пророк Мухаммед призывал своих последователей отвечать на мирное приветствие единоверца еще более вежливым, поэтому, услышав «Салям алейкум» («Да пребудет мир с тобой»), следует отвечать хотя бы: «Ва алейкум салям ва рахматулла» («И с тобой мир и милость Аллаха»). Вместо этого старик, глядя на меня сверху вниз с высоты верблюда, задал неприятный вопрос:

— Когда вы пришлете нам «стингеры», чтобы мы могли сражаться?

Этот вопрос задавал мне, американцу, каждый афганец с того момента, как мы очутились в их стране. И хотя Кадербхай перевел мне его повторно, я понял его слова, а ответ у меня был готов заранее:

— Это случится скоро, если такова будет воля Аллаха, а небо будет так же свободно, как горы.

Ответ был удачным и удовлетворил Хаджи Мохаммеда, но вопрос на самом деле заслуживал большего, чем моя обнадеживающая ложь. Афганцы от Мазари-Шарифа до Кандагара знали, что, если бы американцы снабдили их ракетами «стингер» в начале войны, моджахеды смогли бы изгнать захватчиков за несколько месяцев. «Стингеры» означали бы, что ненавистные, смертельно эффективные русские вертолеты могли бы уничтожаться с земли. Даже грозные истребители «МиГи» уязвимы для запущенных вручную ракет «стингер». Без подавляющего преимущества в воздухе русским и их афганским ставленникам пришлось бы вести наземную войну против сил сопротивления — моджахедов, — а такую войну они никогда бы не выиграли.

Циники среди афганцев полагали, что американцы отказывались поставлять «стингеры» в первые семь лет этого вооруженного конфликта, потому что хотели, чтобы русские одержали верх на каком-то этапе Афганской войны, но при этом зарвались бы и истощили свои силы. А когда наконец прибудут «стингеры», русские потерпят поражение, которое будет стоить им такого количества людей и ресурсов, что вся советская империя рухнет.

Правы были циники или нет, но смертоносная игра развивалась именно по такому сценарию. Когда ракеты «стингер» были наконец использованы через несколько месяцев после того, как Кадер привел нас в Афганистан, они действительно изменили ход событий. Русские были настолько ослаблены этой войной, сопротивлением, которое им оказывали сельские жители, миллионы афганцев, что их исполинская империя распалась. Все и случилось именно так, но стоило это миллиона афганских жизней. Треть населения была вынуждена покинуть свою страну — эту цену тоже пришлось заплатить. То было одно из самых массовых вынужденных переселений в человеческой истории: три с половиной миллиона беженцев добрались до Пешавара, пройдя через Хайберское ущелье, еще более миллиона было изгнано в Иран, Индию и мусульманские республики Советского Союза. Ценой этой войны были и пятьдесят тысяч мужчин, женщин и детей, которые стали калеками, подорвавшись на минах. Ценой этой войны стали сердце и душа Афганистана.

А я, разыскиваемый преступник, работающий на босса мафии, стал для них олицетворением американца, смотрел этим людям в глаза и лгал про оружие, которое не мог им дать.

Хаджи Мохаммеду настолько понравился мой ответ, что он пригласил нас — Кадера, Назира и меня — в свою деревню на свадьбу младшего сына. Не желая обидеть отказом престарелого вождя, искренне тронутый этим великодушным приглашением, Кадер согласился. Но предварительно была обговорена дань: Хаджи Мохаммед запросил много, а в качестве дополнительного, личного дара потребовал — и получил — лошадь Кадера.

Наша колонна разбила лагерь в долине с пастбищем и обильной пресной водой. Вынужденный перерыв в марше позволил почистить лошадей, дать им отдых. Вьючные лошади требовали постоянного присмотра: груз был укрыт в надежной пещере, а лишенные поклажи животные получили возможность свободно бродить и резвиться. Люди Кадера готовились к пиршеству: деревня Хаджи снабдила их четырьмя зажаренными овцами, ароматным индийским рисом и зеленым чаем в знак благодарности за наше участие в джихаде. После того как деловая часть была завершена — дань получена, — старейшины деревни Хаджи Мохаммеда, как и все прочие вожди афганских кланов, встреченные нами во время нашей экспедиции, признали нас борцами за общее дело и предложили любую возможную помощь. Когда мы — Кадер, Назир и я — направлялись от нашего временного лагеря к деревне — *кхелу*, — нас сопровождали пение и смех, усиленные шаловливым эхом. В первый раз за двадцать три дня путешествия мы ощутили, что у наших людей стало легче на сердце.

В деревне Хаджи Мохаммеда празднование было в полном разгаре. Столкновение с нашей вооруженной колонной было бескровным, да к тому же еще принесло немалую выгоду, и это только усилило всеобщее радостное оживление в предвкушении предстоящей свадьбы. По дороге Кадер объяснял нам сложные ритуалы афганской процедуры вступления в брак, длящейся многие месяцы. Были уже совершены церемониальные визиты семей жениха и невесты друг к другу. Каждый раз при этом происходил обмен небольшими подарками — носовыми платками или ароматными сладостями, педантично выполнялись все надлежащие церемонии. В приданое невесты входили затейливо вышитые ткани, импортные шелка, духи и драгоценности, выставленные, чтобы ими восхищались, на всеобщее обозрение. Потом все это передавалось на попечение семьи жениха. Обычай предусматривал также тайный визит жениха к будущей невесте: он беседовал с ней и вручал личные подарки. В соответствии с обычаем строго запрещалось, чтобы во время этого посещения кто-нибудь из мужчин семьи невесты видел жениха, но мать девушки должна была ему помогать. Кадер заверил меня, что заботливая мать присутствует при первой встрече влюбленной пары, выступая в роли дуэньи. Когда все это выполнено, жених с невестой готовы к кульминации — самой брачной церемонии, которая назначается через три дня.

Кадер знакомил меня с мельчайшими подробностями ритуалов, мне показалось даже, что в его обычно мягкой, учительской манере появилась некая назойливость. И я подумал — мне кажется, моя догадка была правильной, — что он как бы вновь знакомится с обычаями своего народа после долгих пяти десятилетий изгнания. Он воскрешал в памяти сцены и праздники своей юности, ему надо было увериться самому, что он по-прежнему афганец душой и сердцем. Его уроки продолжались и в последующие дни, относился он к ним с прежней серьезностью, и в конце концов я осознал, что все эти длинные истории и пространные объяснения нужны больше мне, чем ему. Он преподал мне интенсивный курс культуры страны, в которой я, возможно, буду убит и где мое тело может обрести вечный покой. Он осмысливал тот отрезок жизни, когда я был рядом с ним, и мою возможную смерть единственным известным ему способом. И, понимая это без лишних слов, я внимательно слушал его, стараясь узнать как можно больше.

В те дни поток родственников, друзей и прочих приглашенных в деревню Хаджи не прекращался. Четыре основных здания, составлявшие похожую на крепость огороженную территорию Хаджи Мохаммеда, были высокими, квадратными, большими домами из илового кирпича. Они стояли по углам участка за высокими стенами. Эти жилища, предназначенные только для мужчин, назывались *кала*. Помещения для женщин, именовавшиеся тем же словом, состояли из отдельно стоящих зданий за еще более высокими стенами. В мужском лагере мы спали на полу и сами себе готовили пищу. В доме, где поселились Кадер, Назир и я, народу и без того хватало, но, когда из отдаленных деревень прибыли новые люди, нам пришлось еще больше потесниться. Мы спали вповалку на всем пространстве пола, так что голова каждого из нас лежала у ног соседа. Существует теория, что храп во сне является подсознательным защитным рефлексом — предупреждающим звуком, отпугивавшим от входа в пещеру хищников, когда наши предки в эпоху раннего палеолита укладывались на ночлег. Эти афганские кочевники, погонщики верблюдов, пастухи овец, крестьяне и моджахеды подтверждали эту теорию: их громовой храп раздавался всю долгую холодную ночь с такой неумолчной свирепостью, что мог бы превратить стаю прожорливых львов в испуганных мышек, обратив их в паническое бегство.

Днем те же мужчины готовили для назначенной на пятницу свадьбы сложные блюда, в состав которых входили йогурты с ароматическими приправами, острые сыры из овечьего и козьего молока, лепешки из овсяной муки, финики, орехи и дикий мед, печенье на масле из сбитого козьего молока и, конечно же, мясо цыпленка и овощной плов. Я наблюдал, как вытаскивали на открытое место точильный круг, приводимый в движение ногами, и как конюх потратил целый час, чтобы придать большому, богато украшенному кинжалу остроту бритвы. Отец невесты скептически следил за этими усилиями. Убедившись, что оружие вполне способно нанести смертельную рану, он с мрачным видом принял его в дар от молодого человека.

— Жених только что заточил кинжал, которым отец невесты станет учить его уму-разуму, если он будет плохо с ней обращаться.

— Хороший обычай, — задумчиво сказал я.

— Это не обычай, — поправил меня Кадер со смехом. — Эта идея принадлежит отцу невесты. Никогда раньше не слышал ни о чем подобном. Но если сработает, может стать обычаем.

Каждый день мужчины, помимо всего прочего, репетировали обрядовые групповые танцы вместе с музыкантами и певцами, приглашенными, чтобы достойно завершить публичное празднование. Танцы позволили мне познакомиться с новой, совершенно неизвестной мне стороной натуры Назира. Он со страстью и грацией ринулся в скопление кружащихся в танце и поющих мужчин. Более того, мой низкорослый кривоногий друг, чьи большие руки, казалось, выступают, как ветки из древесного ствола, из толстых плеч и груди, оказался, без сомнения, лучшим танцором среди всего этого собрания, за что быстро снискал всеобщее восхищение. В танце выражалась вся скрытая от посторонних глаз внутренняя жизнь этого человека, все его творческие и душевные свойства. А это лицо! Я уже говорил однажды, что никогда не видел столь неулыбчивого человека, но в танце угрюмые складки разглаживались и все лицо преображалось, сияя такой красотой, искренней и бескорыстной, что я с трудом сдерживал слезы.

— Расскажи-ка мне еще раз, — потребовал Абдель Кадер-хан с плутоватой улыбкой в глазах. Он наблюдал за танцорами, удобно расположившись в тени у стены.

Я рассмеялся, а когда обернулся к нему, он тоже рассмеялся.

— Давай, — настаивал он, — потешь меня.

— Но я повторял это уже раз двадцать. Может быть, лучше ответите на мой вопрос?

— Расскажи еще раз, и я отвечу на твой вопрос.

— Хорошо. Значит, так. Вселенная возникла около пятнадцати миллиардов лет назад и была первоначально абсолютно простой, но постепенно становилась все более и более сложной. Это движение от простого к сложному встроено в ткань, из которой соткана Вселенная, и называется тенденцией к усложнению. Мы все — продукты этого усложнения, как и птицы, пчелы, деревья, звезды и галактики. И если даже нам суждено быть уничтоженными космическим взрывом в результате столкновения с астероидом или что-нибудь в этом роде, возникнет какое-то иное выражение нашего уровня сложности — ведь именно это делает Вселенная. И так, вероятно, будет происходить повсюду во Вселенной. Могу ли я делать такие далекоидущие выводы?

Я замолчал, но, не получив ответа, продолжил свои рассуждения:

— Ладно, окончательная и предельная сложность — место, где сходятся все отдельные сложности, — это то или тот, кого мы можем назвать Богом. И все, что способствует этому движению к Богу, усиливает и ускоряет его, — хорошо. Все, что ему препятствует, мешает, замедляет его, — плохо. И если мы хотим знать, плохо что-то или хорошо — скажем, война, или убийство, или контрабанда оружия для повстанцев-моджахедов, — мы задаем вопросы: «Что случится, если все будут делать это?», «Поможет ли это нам здесь, в этом маленьком уголке Вселенной, попасть туда, к Богу, или помешает?» И тогда мы получим достаточно ясное представление, хорошо это или плохо. А что еще более важно, мы знаем, почему это хорошо или плохо. Ну, как это все звучит?

— Очень хорошо, — сказал он, не глядя на меня.

Пока я делал краткий обзор его космологической модели, он кивал, закрыв глаза и поджав губы в некоем подобии улыбки. Когда я закончил, он повернулся ко мне и улыбнулся по-настоящему: глаза его искрились радостью и озорством.

— Видишь, если захочешь, можешь изложить эту идею во всех подробностях так же точно, как и я. А я разрабатывал, обдумывал ее чуть ли не всю свою жизнь. Трудно выразить, насколько я счастлив, когда слышу, как ты излагаешь мою теорию собственными словами.

— Думаю, слова-то ваши, Кадерджи. Вы достаточно долго меня наставляли. Но у меня возникла пара вопросов. Могу я спросить вас сейчас?

— Да.

— Хорошо. В мире есть неживая субстанция, например камень, и живая — деревья, рыбы, люди. В вашей космологии не говорится, откуда берутся жизнь и сознание. Если камни сделаны из того же материала, что и люди, как получается, что камни неживые, а люди — живые? То есть как возникает живое?

— Я знаю тебя достаточно хорошо, чтобы сказать наверняка: ты хочешь получить на этот вопрос прямой и короткий ответ.

— Пожалуй, я на любой вопрос хотел бы иметь прямой и короткий ответ, — сказал я со смехом.

Он поднял бровь, видимо сочтя мою реплику глупой и нахальной, и медленно покачал головой:

— Знаешь ли ты английского философа Бертрана Рассела?[1] Читал ли какие-нибудь из его книг?

— Да, читал кое-что в университете и тюрьме.

— Он был любимым философом моего дорогого эсквайра Маккензи, — улыбнулся Кадер. — Я часто не согласен с выводами Бертрана Рассела, но мне нравится, как он приходит к ним. Во всяком случае, он сказал однажды: «Все, что можно растолковать коротко, не следует растолковывать длинно». И я согласен с этим. А ответ на твой вопрос такой: жизнь — свойство всех вещей. Можем назвать это характеристикой — одним из моих любимых английских слов. Если английский не твой родной язык,

---

[1] *Бертран Рассел* (1872–1970) — английский философ, математик и публицист, лауреат Нобелевской премии.

слово «характеристика» звучит удивительно — как стук барабана или треск древесины, которую рубят, чтобы разжечь костер. Продолжая вышесказанное: каждый атом Вселенной имеет характеристику жизни. Чем сложнее сочетание атомов, тем сложнее выражение характеристики жизни. В камне расположение атомов очень простое, поэтому и жизнь в камне настолько проста, что мы не можем ее видеть. Кошка представляет собой очень сложное расположение атомов, следовательно жизнь в ней вполне очевидна. Но жизнь есть во всем, даже в камне, и даже тогда, когда мы не в состоянии ее видеть.

— Откуда вы почерпнули эту идею? Из Корана?

— Эта концепция имеется в той или иной форме в большинстве великих религий. Я слегка изменил ее, чтобы она соответствовала тому, что мы узнали о мире за несколько последних столетий. Но священная книга Коран вдохновила меня на это исследование, потому что Коран велит мне изучать все и узнавать все, чтобы служить Аллаху.

— Но откуда берется эта характеристика жизни? — не унимался я в полной уверенности, что поймал его наконец в ловушку, в тупик, где оказываются редукционисты с их склонностью все упрощать.

— Жизнь, как и все прочие характеристики всего сущего во Вселенной, такие как сознание, свободная воля, тенденция к усложнению и даже любовь, была дана Вселенной светом в начале времен, известном нам.

— При Большом взрыве? Вы это имеете в виду?

— Да. Большой взрыв распространялся из точки, называвшейся сингулярностью — еще одно мое любимое английское слово, — почти бесконечно плотной, почти бесконечно горячей, при этом, как мы знаем, не занимающей пространства или времени. Эта точка — кипящий котел легкой энергии. Что-то заставило ее расшириться — мы до сих пор не знаем, что это было, — и от этого света возникли все частицы, все атомы, а также пространство и время и все известные нам силы. Итак, в начале Вселенной свет дал каждой маленькой частичке набор характеристик, а по мере того, как эти частички соединялись друг с другом все более сложным образом, характеристики проявляли себя все более и более многообразно.

Он сделал паузу, наблюдая, как на моем лице отражается борьба идей, эмоций и вопросов, крутившихся в моей голове. «Он снова ускользнул от меня», — подумал я, внезапно разозлившись на него за то, что он сумел ответить на мой вопрос, и по той же самой причине испытывая к нему уважение, близкое к восхищению. В мудрых лекциях главаря мафии Абделя Кадер-хана — иногда они больше походили на проповеди — всегда было что-то жутко неуместное. Сидя здесь, у каменной стены в афганской деревне чуть ли не каменного века, рядом с грузом контрабандного оружия и антибиотиков, я с особой остротой ощущал раздражение и гнев, вызванные диссонансом между окружающей обстановкой и его спокойными, глубокими рассуждениями о добре и зле, о свете, жизни и сознании.

— То, о чем я только что говорил тебе, — это взаимосвязь сознания и материи, — разглагольствовал Кадер, вновь сделав паузу, чтобы поймать мой взгляд. — Это своего рода тест, теперь ты знаешь это. Его можно испытать на любом человеке, утверждающем, что он знает смысл жизни. Каждый гуру и учитель, которого ты встретишь, каждый пророк и философ должен ответить тебе на два вопроса: «Каково объективное, общепризнанное определение добра и зла?» и «Какая связь между сознанием и материей?» Если он не сможет ответить на эти два вопроса, как это сделал я, ты будешь знать, что он не прошел этот тест.

— Откуда вам известна вся эта физика? — спросил я. — Насчет частиц, сингулярностей и Большого взрыва?

Он внимательно посмотрел на меня, прочитывая до конца скрытый в этом вопросе оскорбительный смысл: «Откуда известно афганскому гангстеру вроде тебя так много о науке и высшем знании?» Я встретил его взгляд и вспомнил тот день в трущобах с Джонни Сигаром и как жестоко ошибся, решив, что он невежествен только потому, что беден.

— Есть поговорка: «Когда студент готов, найдется и учитель», — знаешь такую? — спросил Кадер, смеясь. Казалось, что он скорее смеется надо мной, чем вместе со мной.

— Да, — досадливо процедил я сквозь зубы.

— Так вот, когда при изучении философии и религии мне потребовались специальные знания, появился ученый, который мог мне дать их. Я знал, что многие ответы кроются в науке о жизни и звездах, а также в химии. К сожалению, мой дорогой эсквайр Маккензи не учил меня этому, если не считать самых элементарных понятий. И тогда я повстречал физика, работавшего в Атомном исследовательском центре Бхабха в Бомбее. Очень хороший был человек, но имел тогда пристрастие к азартным играм. С ним случилась беда: он проиграл большую сумму чужих денег в одном из клубов, принадлежавших человеку, которого я хорошо знал, — тот работал на меня, когда мне это было нужно. У ученого были неприятности и другого рода: он влюбился в женщину и наделал из-за нее глупостей — так что опасность грозила ему и с этой стороны. Когда ученый пришел ко мне, я помог решить его проблемы и устроил так, что все осталось строго между нами: никто другой ничего не узнал ни о его безрассудстве, ни о моем участии в его делах. В благодарность за это он стал учить ме-

ГРЕГОРИ ДЭВИД РОБЕРТС

ня. Его зовут Вольфганг Персис. Если захочешь, я познакомлю тебя с ним, когда мы вернемся.

— Как долго он вас учил?

— Мы занимались с ним раз в неделю последние семь лет.

— Господи Исусе! — воскликнул я в изумлении, думая не без злорадства, что мудрый и могучий Кадер умел взять то, что ему было нужно.

Но в следующее мгновение я устыдился этой мысли. Я ведь любил Кадера настолько сильно, что пошел за ним на войну. Почему и этот ученый не мог полюбить его? И я понял, что испытываю ревность к ученому человеку, которого я не знаю и, возможно, никогда не увижу. Ревность, как и давшая трещину любовь, порождающая ее, не желает брать в расчет ни времени, ни пространства, ни мудрых, взвешенных аргументов. Ревнивец может бросить злобный упрек мертвому или ненавидеть абсолютно незнакомого человека за одно звучание его имени.

— Ты спрашиваешь о жизни, — мягко сказал Кадер, меняя тему разговора, — потому что думаешь о смерти. Ты размышляешь о том, каково будет отнять жизнь у человека, если придется стрелять. Я угадал?

— Да, — пробормотал я.

Он был прав, но убийство, занимавшее мои мысли, должно было случиться не в Афганистане. Жизнь, которую я хотел отнять, — это жизнь мадам Жу, восседающей на своем троне в потайной комнате гротескного бомбейского борделя под названием Дворец.

— Помни, — настойчиво говорил Кадер, держа меня за руку, чтобы придать больший вес своим словам, — иногда приходится совершать дурные поступки ради высоких целей. Главное — быть уверенным, что наши цели правильные, а когда творим зло, признавать это честно, не лгать самим себе, не пытаться убедить себя в правильности своих действий.

Позже, когда отшумела и откружилась свадьба, когда смолк последний радостный крик и мы, воссоединившись со своим отрядом, с шумом карабкались, напрягая все силы, через новую гряду гор, я попытался освободить свое сердце от венка из колючек, которым обвил его Кадер, сказав: «Дурные поступки ради высоких целей...» Однажды он уже мучил меня этой фразой. Я пережевывал ее в своем сознании, как медведь жует кожаный ремень, которым привязан за лапу. В своей жизни я почти всегда совершал дурные поступки ради неправильных целей. Даже когда я поступал правильно, мои побуждения нередко были не самыми лучшими.

Мрачное состояние духа овладело мною: угрюмость, терзавшие меня сомнения — все это я никак не мог стряхнуть с себя,

Мы ехали в зиму, и я часто думал об Ананде Рао, моем соседе по трущобам. Вспоминал лицо Ананда, улыбавшегося мне через металлическую решетку комнаты для посетителей в тюрьме на Артур-роуд, — доброе красивое лицо, такое безмятежное, умиротворенное. Он считал, что совершил неправильный поступок с добрыми намерениями. Он спокойно принял наказание, которое *заслужил*, как сам сказал мне, словно то было его право или привилегия. Но после многих дней и ночей раздумий я проклял Ананда. Проклял, чтобы выбросить из своей памяти, потому что во мне звучал голос — мой собственный или, может быть, голос моего отца, — говоривший, что я никогда не познаю умиротворения, никогда не достигну этого эдема души, когда принятие наказания, признание правильного и неправильного рассеивает беды, камнями засевающие бесплодное поле одинокого сердца.

Ночами мы вновь двигались на север, карабкаясь вверх, чтобы пересечь узкое ущелье Кусса в горах Хада. Путь в тридцать километров птичьего полета обернулся для нас почти ста пятьюдесятью километрами подъемов и спусков. Затем мы шли около пятидесяти километров по плоскогорью, и над нами простиралось бескрайнее небо. Мы пересекли реку Аргастан и три ее притока, достигнув Шахбадского ущелья. И здесь, когда мое сознание все еще душили мысли о правильном и неправильном, нас в первый раз обстреляли.

Приказание Кадера начать подъем в Шахбадское ущелье без остановки на привал спасло в тот холодный вечер много жизней, включая мою собственную. Мы выбились из сил после безрассудной гонки рысью через открытое ровное пространство. Все мы надеялись отдохнуть у входа в ущелье, но Кадер подгонял нас, требуя идти дальше колонной. Вот почему мы быстро продвигались вперед, когда раздались первые выстрелы. Я услышал звук — глухой стук металла, словно кто-то ударял куском медной трубы по пустому баку для бензина. По своей глупости я сперва никак не связал его в сознании с ружейной стрельбой и продолжал устало тащиться вперед, держа под уздцы лошадь. Затем пули стали ложиться ближе, со стуком врезаясь в тропу, в нашу колонну и в каменные стены вокруг нас. Люди карабкались по скалам в поисках укрытия. Я упал на землю, вдавливая лицо в пыль каменистой тропы, уговаривая себя, что на самом деле ничего не случилось, что я не видел, как разорвало спину человека, идущего впереди, и как он споткнулся, падая лицом вниз. Люди вокруг меня начали стрелять в ответ. И тогда, оцепенев от страха, судорожно вдыхая пыль, я понял, что наконец попал на войну.

Я мог бы так и остаться лежать лицом в грязь, с бешено колотящимся, словно передающим земле свой сейсмический ужас сердцем, если бы не моя лошадь. Я потерял поводья, и лошадь, испугавшись, встала на дыбы. В страхе, что она может затоптать меня, я кое-как поднялся и принялся ловить мотающиеся в воздухе поводья, желая вновь обрести над ней власть. Лошадь, до этого производившая впечатление вполне послушной, внезапно превратилась в самое буйное животное каравана. Она встала на дыбы и начала брыкаться, бить копытами и тащить меня назад. Потом стала кружиться, все время сужая круги, пытаясь выбрать удобный угол, чтобы половчее лягнуть меня. Она даже умудрилась укусить меня за руку через три слоя одежды, вызвав резкую боль.

Я бросил взгляд влево и вправо. Те, кто был ближе всех к ущелью, бежали к нему что было сил, не отпуская поводьев, в надежде укрыть себя и лошадей за выступами скал. Те, кто находился непосредственно передо мной и сзади, сумели как-то уложить своих лошадей и припали к земле рядом с ними. Только моя лошадь, вставшая на дыбы, была видна как на ладони. Не имея навыков наездника, чрезвычайно трудно заставить лошадь лечь в разгар боя. Другие животные ржали от страха, что еще сильнее пугало мою лошадь. Я же хотел спасти ее, заставить лечь на землю, чтобы она не была такой удобной мишенью, но и за себя боялся, конечно. Вражеский огонь хлестал по скалам надо мной и рядом, и при каждом оглушительном звуке я вздрагивал, как олень, коснувшийся колючей изгороди.

Странные испытываешь ощущения, ожидая попадания пули: наиболее похожее чувство, по-моему, это когда падаешь в пустоте и ждешь раскрытия парашюта. Во рту какой-то особый, ни на что не похожий вкус. Даже твоя кожа пахнет по-другому, а в глазах появляется жесткость, словно они сделаны из холодного металла. Стоило мне отпустить поводья, позволив лошади самой заботиться о себе, она грациозно выгнулась, следя за тем, как мои вытянутые руки опускаются и упираются ей в бок. Я распластался на земле, потащив за собой лошадь и используя ее раздутое брюхо как щит. Чтобы успокоить животное, я потянулся потрепать ее по загривку, и рука моя с хлюпаньем погрузилась в кровавую рану. Подняв голову, я увидел, что пули попали в лошадь дважды: одна — в верхнюю часть спины, другая — в живот. Каждый раз, когда грудь ее вздымалась при вздохе, потоки крови струились из ран, и лошадь плакала — другого слова я подобрать не могу: то действительно были слышны при вздохах прерывистые жалобные всхлипы. Я пригнул голову к ее гриве и обнял лошадь за шею.

Люди из нашего отряда сосредоточили свой огонь на гребне горы метрах в ста пятидесяти от нас. Крепко прижимаясь к земле, я выглянул из-за гривы и увидел, как поднимаются и перелетают через отдаленный гребень горы клубы пыли вслед за пулями, попадающими в землю.

А потом все закончилось. Я слышал, как Кадер кричит на трех языках, чтобы прекратили стрелять. Долгие минуты мы ждали в тишине, нарушаемой лишь стонами, всхлипами и стенаниями. Поблизости послышался хруст камней, я поднял глаза и увидел, что ко мне бежит, низко пригнувшись, Халед Ансари.

— Ты в порядке, Лин?

— Да, — ответил я, в первый раз за все это время подумав, не задело ли и меня. Ощупав руки и ноги, я сказал: — Похоже, я цел. По-прежнему состою из одного куска. Но они подстрелили мою лошадь. Она...

— Я считаю людей! — прервал он меня, подняв вверх обе ладони, чтобы успокоить и заставить замолчать. — Кадер послал меня узнать, все ли у тебя в порядке, и пересчитать людей. Я скоро вернусь. Оставайся на месте, не двигайся.

— Но она...

— Она скоро подохнет! — прошипел он, но тут же голос его смягчился. — С ней все кончено, Лин. О ней позаботятся. Она не одна такая: Хабиб их всех пристрелит. Просто оставайся здесь и не высовывай головы. Я вернусь.

Он побежал дальше вдоль колонны, пригнувшись, то и дело останавливаясь. Моя лошадь тяжело дышала, всхлипывая при каждом третьем или четвертом затрудненном вздохе. Кровь текла медленно, но непрерывно. Из раны на брюхе сочилась темная жидкость, даже более темная, чем кровь. Я попытался успокоить ее, поглаживая шею, и тут понял, что не удосужился дать ей имя. Позволить ей умереть без имени показалось мне вопиюще жестоким. Я порылся в памяти, и, когда вытащил сеть из ее сине-черных глубин, в ней было имя — сверкающее и точное.

— Я хочу назвать тебя Клер, — прошептал я на ухо кобыле. — Она была красивой девушкой. Всегда следила, чтобы я хорошо выглядел, куда бы мы ни шли. Когда я был с ней, всегда казалось: я знаю, что делаю. Я так ее по-настоящему и не полюбил, а потом она ушла от меня в самый последний раз. Однажды она сказала, что я интересуюсь всем, но ничем не увлекаюсь всерьез. И она была права. Совершенно права.

Я лепетал словно в бреду, так и не оправившись от шока. Теперь-то симптомы мне известны: приходилось видеть других людей, впервые попавших под обстрел. Лишь немногие из них точно знали, что делать: их оружие начинало стрелять еще до того, как тело переставало инстинктивно пригибаться или перекатываться. Других охватывал неудержимый смех. Некоторые плакали, звали маму, жену или взывали к своему богу. Некоторые надолго замолкали, внутренне съеживались настолько, что это пугало даже друзей. А некоторые говорили без умолку, как я с умирающей лошадью.

Когда Хабиб добрался до меня, перебегая с места на место зигзагами и поскальзываясь, он обнаружил, что я продолжаю разговаривать с кобылой, пригнувшись к ее уху. Он внимательно осмотрел ее, пройдясь руками по ранам и прощупав густо пронизанную венами шкуру, — не застряли ли там пули. Достав из футляра длинный нож с собачьим зубом на острие, он поднес его к горлу лошади и остановился. Его безумные глаза встретились с моими. Золотые солнечные отблески окружали зрачки, так что казалось, будто глаза пульсируют и вращаются. Они были большими, и безумие переполняло их, словно готово было взорваться в мозгу и вырваться наружу. Но при этом он был достаточно разумен, чтобы осознать мою горестную беспомощность и предложить мне нож.

Возможно, мне следовало взять у него нож и убить мою лошадь самому. Наверно, именно так должен был поступить достойный этого звания сильный мужчина. Но я не смог. Я глядел на нож, на пульсирующее горло лошади и не смог сделать это. И покачал головой. Хабиб приблизил нож вплотную к горлу лошади и сделал ловкое, едва заметное движение запястьем. Лошадь вздрогнула, но дала себя успокоить. Когда Хабиб отвел нож от ее горла, кровь хлынула ей на грудь и влажную землю толчками, словно гонимая сокращениями сердечной мышцы. Напрягшаяся челюсть медленно отвалилась, глаза остекленели, и большое сердце перестало биться.

Я перевел взор с мертвых, добрых, бесстрашных глаз моей лошади на безумные глаза Хабиба. Тот момент, когда наши взгляды встретились, был настолько заряжен эмоциями, настолько сюрреалистически чужд той жизни, которую я знал, что моя рука непроизвольно скользнула вдоль тела к пистолету в кобуре. Хабиб осклабился обезьяньей улыбкой во весь рот — понять ее смысл было невозможно — и торопливо направился вдоль колонны к следующей раненой лошади.

— Ты в порядке?

— Ты в порядке?

— Ты в порядке?

— Что?

— Ты в порядке? — еще раз спросил Халед, тряся меня за одежду, пока я не взглянул ему в глаза.

— Да. Конечно.

Я сфокусировал взгляд на его лице, соображая, сколько времени я просидел вот так, уставившись на мертвую лошадь, держа руку на ее разрезанном горле. Посмотрел на небо над головой. Приближалась ночь.

— Насколько велики потери?

— Мы потеряли одного человека, Маджида, из этих мест.

— Я видел. Он шел как раз передо мной. Пули вскрыли его, как консервный нож банку. Проклятье! Как быстро это случилось! Только что он был жив, и вдруг его спина буквально разверзлась, и он повалился, как срубленная марионетка. Наверно, он умер еще до того, как его колени коснулись земли, настолько быстро все произошло!

— Ты уверен, что с тобой все в порядке? — спросил Халед, когда я замолчал, чтобы перевести дыхание.

— Конечно в порядке, черт меня побери! — огрызнулся я, и в этом вырвавшемся в сердцах восклицании явно прозвучал австралийский акцент.

Блеск глаз Халеда вызвал у меня новый приступ раздражения. Я почти кричал на него, но, увидев в его взгляде тепло и участие, рассмеялся. Он тоже облегченно рассмеялся.

— И мне станет намного лучше, — продолжил я, — если ты перестанешь меня расспрашивать. Я просто... чересчур разговорчив, вот и все. Дай мне прийти в себя. Господи! С одной стороны от меня только что убили человека, с другой — мою лошадь. Уж и не знаю, заколдовали меня или просто повезло...

— Тебе повезло, — поспешно ответил Халед серьезным тоном, хотя глаза его смеялись. — Неприятная ситуация, но могло быть и хуже.

— Хуже?

— Они не использовали тяжелого оружия — минометов, пулеметов. Если бы они у них были, то пустили бы их в ход, и было бы гораздо хуже. Скорее всего, это был небольшой патруль, возможно не русские, а афганцы, стрелявшие, чтобы испытать нас или просто наудачу. Так или иначе, три человека ранены, мы потеряли четырех лошадей.

— Где раненые?

— Впереди, в ущелье. Не хочешь ли взглянуть на них вместе со мной?

— Конечно-конечно. Помоги мне разобраться со сбруей.

Мы выдернули седло и поводья из-под мертвой лошади и торопливо направились к колонне, выстроившейся у входа в узкое ущелье. Раненые лежали под прикрытием склона горы. Рядом стоял Кадер, внимательно и хмуро глядя на плоскогорье за моей спиной. Ахмед Задех аккуратно, но поспешно снимал одежду с одного из раненых. Я взглянул на небо: темнело.

У одного была сломана рука (на него упала подстреленная лошадь) — открытый перелом предплечья у запястья. Кость надо было вправлять — она выпирала под устрашающе неестественным углом, но кожа нигде не была прорвана. Когда Ахмед Задех снял рубашку со второго раненого, мы увидели, что в него попали дважды. Обе пули застряли в теле слишком глубоко, чтобы извлечь их без серьезной хирургической операции. Одна попала в верхнюю часть груди, раздробив ключицу, другая засела в животе, оставив широкую и, несомненно, смертельную рану от бока до бока. Третий — крестьянин по имени Сиддики — получил тяжелое ранение черепа. Лошадь сбросила его на скалы, и он ударился верхней частью головы, возле самой макушки. Рана кровоточила, на голове была хорошо заметная трещина. Мои пальцы скользнули по краю разлома кости, липкому от крови. Череп раскололся на три больших куска. Один из них держался настолько слабо, что я понимал: стоит мне немного потянуть, и он останется в моей руке. Единственное, что не давало черепу развалиться на части, — спутанные волосы Сиддики. У основания черепа, там, где голова соединяется с шеей, образовался большой отек. Он был без сознания, и у меня возникло сильное сомнение, что он когда-нибудь откроет глаза снова.

Я еще раз взглянул на небо. Дневной свет уходил, у меня почти не оставалось времени. Мне нужно было сделать выбор, принять решение: помочь одному человеку выжить, позволив умереть другому. Я не был врачом и никогда раньше не попадал под обстрел. Но эта работа досталась мне, наверно, потому, что я знал немного больше, чем остальные, и хотел сделать ее. Было холодно, я сильно замерз. Стоя на коленях в липкой, вязкой крови, я ощущал, как она пропитывает мои брюки. Когда я поднял глаза, чтобы взглянуть на Кадера, он кивнул, словно читая мои мысли. Испытывая тошноту от страха и чувства вины, я накрыл Сиддики одеялом, чтобы он не мерз, и подошел к человеку со сломанной рукой.

Рядом со мной Халед раскинул обширную походную аптечку. Я бросил на землю к ногам Ахмеда Задеха флакон с антибиотиком, антисептический раствор, бинты и ножницы, отдал короткие распоряжения, как очищать и перевязывать раны, и, пока Ахмед занялся пулевыми ранениями, переключил все свое внимание на сломанную руку. Человек что-то возбужденно говорил. Его лицо было мне хорошо знакомо. Он обладал особым талантом собирать в стадо непослушных коз, и я часто видел, как эти импульсивные создания без всякого понукания бродят за ним по нашему лагерю.

— Что он сказал? Я не понял.

— Он спросил, будет ли рука болеть, — пробормотал Халед, стараясь сохранить ободряюще нейтральное выражение на лице и спокойствие в голосе.

— Однажды и со мной случилось нечто похожее, так что мне хорошо известно, как она болит. А болит она, братец, так сильно, что лучше убрать его оружие подальше.

— Понятно, — сказал Халед, — чтоб тебя...

Он широко улыбнулся и, опустившись на землю рядом с раненым, деликатно высвободил автомат Калашникова из его рук, а потом убрал его подальше. Стало совсем темно, и тогда пятеро друзей раненого прижали его к земле, а я дергал и выкручивал его раздробленную руку до тех пор, пока она не стала походить на прямую, здоровую конечность, которой некогда была, но никогда уже больше не будет.

— *И-и Аллах! И-и Аллах!* — выкрикивал он снова и снова сквозь стиснутые зубы.

Когда сломанное место было зафиксировано жесткими пластиковыми шинами и забинтовано, когда мы слегка залатали пулевые раны другого моджахеда, я поспешно обмотал бинтом голову так и не пришедшего в себя Сиддики, и мы не мешкая вошли в узкое ущелье. Груз был распределен между всеми уцелевшими лошадьми. Человек с пулевыми ранениями ехал верхом, поддерживаемый друзьями с обеих сторон. Сиддики был привязан ремнями к одной из вьючных лошадей, так же как и тело Маджида, убитого при нападении. Остальные шли пешком.

Подъем был крутым, но коротким. Тяжело дыша в разреженном воздухе и дрожа от холода, пронизывающего до самых костей, я вместе с остальными толкал и тащил упирающихся лошадей. Никто ни разу не пожаловался, не проронил ни слова недовольства. Один из подъемов оказался необычайно крутым, и я наконец остановился, хватая ртом воздух, чтобы немного передохнуть. Двое мужчин впереди меня обернулись и, увидев, что я остановился, соскользнули вниз по тропе ко мне, теряя драгоценные, уже завоеванные метры. Широко улыбаясь и ободряюще хлопая меня по плечу, они помогли затащить лошадь на склон, а потом побежали помогать тем, кто ушел вперед.

— Эти афганцы, может быть, и не лучшие люди на свете, чтобы жить вместе с ними, но, безусловно, лучшие люди на свете, чтобы умереть вместе с ними! — выдохнул Ахмед Задех, с трудом карабкаясь по тропе впереди меня.

После пяти часов подъема мы достигли места назначения — лагеря моджахедов в горах Шахр-и-Сафа, защищенного от нападения с воздуха огромным выступом скалы. Земля под ним была вырыта — образовалась обширная пещера, ведущая к целой сети других пещер. Несколько меньших по размеру замаскированных бункеров окружали пещеру кольцом, достигавшим края плоского шероховатого горного плато.

Кадер скомандовал остановиться. Светила полная луна. Отрядный разведчик Хабиб предупредил о нашем прибытии, и моджахеды уже с нетерпением ждали нас и наш груз. Мне, в центр колонны, передали, что Кадер ждет меня, и я потрусил вперед.

— Мы поедем в лагерь по этой тропе — Халед, Ахмед, Назир, Махмуд и еще несколько человек. Кто сейчас в лагере, мы точно не знаем. Нападение в Шахбадском ущелье подсказывает мне, что Асматулла Ачхакзай опять переметнулся на сторону русских. В течение трех лет он был хозяином этого ущелья, и ничто не должно было угрожать нам здесь. Хабиб сказал, что те, кто сейчас в лагере, настроены дружелюбно, что это наши люди, ждущие нас. Но они остаются в укрытии и не выйдут нас поприветствовать. Будет лучше, если наш американец поедет вместе с нами в голове колонны, вслед за мной. Я не могу тебе приказать сделать это, только попросить. Поедешь с нами?

— Да, — ответил я, надеясь, что это слово звучит в его ушах тверже, чем в моих.

— Хорошо. Назир и остальные уже приготовили лошадей. Мы выезжаем незамедлительно.

Назир вывел вперед несколько лошадей, и мы устало вскарабкались в седла. Должно быть, Кадер устал куда больше, чем я; ему приходилось бороться с гораздо более серьезными болями и телесными недугами, но он сидел в седле прямо, твердой рукой сжимая у бедра бело-зеленое знамя. Подражая ему, я старался держаться так же прямо и слегка наподдал каблуками лошадь. Наша маленькая колонна медленно тронулась с места в серебристом лунном свете, таком сильном, что он отбрасывал неясные тени на серые стены скал.

Южный подход к лагерю шел вверх по узкой каменистой тропе, грациозно и плавно изогнутой справа налево. Слева от тропы был крутой обрыв высотой метров тридцать, на дне — обломки валунов. Справа — голый камень отвесной стены. Когда мы проехали по тропе примерно половину пути под пристальным наблюдением как наших людей, так и находящихся в лагере моджахедов, мое правое бедро свела судорога, вскоре ставшая средоточием пронизывающей боли. Чем больше я старался ее игнорировать, тем мучительнее она становилась. Стремясь ослабить нагрузку на бедро, я вытащил правую ногу из стремени и попытался ее вытянуть. Перенеся весь свой вес на левую ногу, я немного привстал в седле. Но неожиданно мой башмак выскользнул из стремени, левая нога потеряла точку опоры, и я почувствовал, что выпадаю из седла в сторону глубокого каменистого оврага.

Повинуясь инстинкту самосохранения, я судорожно изогнулся, сумев уцепиться за шею лошади руками и, раскачиваясь, обхватить ее свободной правой ногой. Еще через мгновение я висел головой вниз, обвив лошадь за шею. Я крикнул, чтобы она остановилась, но лошадь продолжала тащиться дальше по узкой тропе. Я не мог разжать руки: тропка была узкой, а обрыв крутым, и я понимал, что сорвусь вниз, если ослаблю хватку. А лошадь никак не желала останавливаться. Так я и висел вниз головой, обвивая ее шею руками и ногами, в то время как ее голова тихо покачивалась рядом с моей.

Сначала я услышал смех людей из нашего отряда: неловкий, неуверенный, задыхающийся смех, от которого потом несколько дней болят ребра. Смех, который может убить вас, если вы не сумеете сделать следующий судорожный вздох. А потом я услышал, как смеются моджахеды в лагере, и вывернул голову, чтобы увидеть Кадера, обернувшегося в седле и смеющегося так же безудержно, как и остальные. А потом я и сам начал смеяться, а когда смех ослабил руки, которыми я обнимал лошадь, начался новый приступ смеха. Когда же я выдавил, задыхаясь: «Тпру! Стой!», «*Банд каро!*»[1] — смех достиг своего апогея.

Вот так я и въехал в лагерь моджахедов. Вокруг меня сразу же сгрудились люди, помогая отцепить наконец руки от лошадиной шеи и ставя на ноги. Вся наша колонна проследовала по узкой тропе в лагерь, все тянули руки, чтобы похлопать меня по спине и плечам. Видя подобную фамильярность, моджахеды присоединились к общему ритуалу, так что прошло не менее пятнадцати минут, прежде чем я смог сесть и дать отдых своим превратившимся в желе ногам.

— Заставить тебя ехать вслед за ним — не лучшая идея Кадера, — сказал Халед Ансари. Он соскользнул с валуна и присел рядом со мной, опершись спиной о камень. — Но разрази меня гром, парень, если ты не стал чертовски популярен, проделав подобный трюк! Это, бесспорно, самое смешное, что они видели за всю свою жизнь.

— Ради бога! — выдавил я из себя последний рефлексивный смешок. — Я проехал верхом через сотню гор, пересек десяток рек, по большей части в темноте, — целый месяц все было нормально. А в лагерь вкатился, вися на шее своей лошади, словно какая-то чертова мартышка.

— Не начинай все сначала! — захлебывался от смеха Халед, держась за бока.

Я посмеялся вместе с ним, но, хотя безропотно принимал все насмешки, был так измучен, что смеяться уже не хотелось. Взглянув направо, я увидел, что наших раненых укладывают в брезентовый шатер камуфляжного цвета. В его тени люди снимали груз с лошадей и перетаскивали в пещеру. А позади цепочки работающих людей куда-то вглубь, в темноту, Хабиб тащил что-то длинное и тяжелое.

— Что... — начал я, еще не до конца подавив смех. — Что здесь делает Хабиб?

Халед был начеку и мгновенно вскочил. Я последовал его примеру. Мы помчались к группе скал, образующих один из кра-

---

[1] «Остановите машину!» (*хинди*)

ев плоского горного плато, и, обогнув ее, увидели Хабиба, стоящего на коленях над телом какого-то человека. Это был Сиддики. Пока всеобщее внимание было приковано к долгожданным, завораживающим тюкам с грузом, Хабиб вытащил находящегося в бессознательном состоянии человека из-под брезентового навеса. Когда мы уже подбегали, Хабиб воткнул в шею лежащего свой длинный нож и слегка повернул его. Ноги Сиддики дернулись, задрожали, и он затих. Хабиб убрал нож и повернулся, чтобы взглянуть на нас. Казалось, ужас и гнев на наших лицах еще больше разожгли безумный блеск в его глазах. Он осклабился.

— Кадер! — закричал Халед. Лицо его было бледным, как залитый лунным светом камень вокруг нас. — Кадербхай! *Идхар-ао!* Иди сюда!

Я услышал ответный крик откуда-то снизу, но не сдвинулся с места. Мои глаза были устремлены на Хабиба. Он повернулся в мою сторону, перенеся ногу через тело убитого и встав на корточки, словно собирался прыгнуть на меня. Ухмылка маньяка застыла на его лице, но глаза потемнели — в них появился то ли страх, то ли лукавство. Он быстро повернул голову и наклонил ее каким-то причудливым образом, словно прислушиваясь с мрачной напряженностью к слабому далекому звуку в ночи. Но я не слышал ничего, кроме шума лагеря подо мной и негромкого завывания ветра в ущельях, оврагах, на тайных тропах. И в этот миг весь Афганистан — его земля, его горы — увиделся мне ландшафтом безумия Хабиба, таким же заброшенным, лишенным красок, привлекательности, нежности. Я почувствовал, что попал в ловушку — в каменный лабиринт охваченного галлюцинацией сознания.

Пока Хабиб прислушивался, по-звериному напряженно припав к земле, отвернув от меня лицо, я расстегнул свою кобуру, вытащил пистолет. Тяжело дыша, я автоматически выполнял все указания Кадера, не сознавая, что делаю: снял предохранитель, загнал патрон в ствол, оттянув пружину возврата, и взвел курок. Поднятый мной шум заставил Хабиба повернуться ко мне лицом. Он посмотрел на пистолет, направленный ему в грудь. Посмотрел в мои глаза, медленно, как-то даже вяло переводя взгляд. Длинный нож он по-прежнему держал в руке. Не знаю, что он увидел на моем лице в лунном свете, — думаю, ничего хорошего оно не выражало. Я уже принял решение: если он хоть на миллиметр сдвинется в мою сторону, я нажму на спуск столько раз, сколько потребуется, чтобы прикончить его.

Его усмешка растянулась в улыбку, по крайней мере казалось, что он смеется: рот двигался, голова тряслась, но звука не было. А его глаза, полностью игнорируя Халеда, пристально глядели на меня, передавая через мои глаза некое послание. И тогда я услышал его, услышал его голос. «Видишь? — говорили мне его глаза. — Я прав, не доверяя никому из вас... Вы хотите меня убить... Вы все... Хотите, чтобы я был мертв... Ладно... Я не возражаю... Даю вам разрешение... Я хочу, чтобы вы сделали это...»

И тут мы услышали звук шагов за спиной. Подпрыгнув от испуга, мы с Халедом резко обернулись и увидели, что к нам бегут Кадер, Назир и Ахмед Задех. Когда мы оглянулись, Хабиб исчез.

— Что случилось? — спросил Кадер.

— Это Хабиб, — ответил Халед, высматривая в темноте следы безумца. — Он сумасшедший... Совсем сошел с ума... Он убил Сиддики... приволок его сюда и перерезал глотку.

— Где он? — спросил Назир сердито.

— Не знаю, — сказал Халед, покачав головой. — Ты видел, как он ушел, Лин?

— Нет. Я обернулся к Кадеру вместе с тобой, а когда посмотрел назад, он исчез. Думаю, скорее всего, он прыгнул в овраг.

— Он не мог прыгнуть, — нахмурился Халед. — Там глубина ярдов пятьдесят. Он не мог туда прыгнуть.

Абдель Кадер стоял на коленях у тела убитого, шепча молитвы, подняв вверх сложенные вместе ладони.

— Мы можем поискать его завтра. — Ахмед положил руку на плечо Халеда, чтобы успокоить его. Он посмотрел вверх, на ночное небо. — Не много еще осталось лунного света для работы. У нас уйма дел. Не беспокойтесь. Если он еще здесь, завтра мы найдем его. А если не найдем... если он ушел... может быть, это не самый худший выход для нас?

— Надо выставить охрану, чтобы не прозевать его ночью, — распорядился Халед. — И это должны быть наши люди, хорошо знающие Хабиба, а не здешние моджахеды.

— *Oui*, — согласился Задех.

— Я не хочу, чтобы они застрелили его, надо избежать этого, если можно, — продолжал Халед. — Но и не хочу, чтобы рисковали понапрасну. Проверьте все, что ему принадлежит: лошадь, мешок. Посмотрите, какое оружие и взрывчатку он мог взять с собой. Я не слишком присматривался раньше, но, мне кажется, он носит что-то под курткой. Проклятье, ну мы и влипли!

— Не беспокойся, — пробормотал Задех, снова положив руку на плечо Халеда.

— Ничего не могу с собой поделать, — твердил свое палестинец, вглядываясь в тьму. — Начало чертовски плохое. Думаю, он где-то поблизости, смотрит сейчас на нас.

Когда Кадер закончил молиться, мы отнесли тело Сиддики назад в шатер, завернули в кусок ткани и оставили до утра, когда можно будет совершить обряд похорон. Поработав еще несколько часов, мы бок о бок улеглись в пещере на ночь. Храп стоял оглушительный, измученные люди беспокойно ворочались во сне, но я не мог уснуть по другой причине. Перед моими глазами все время стояло то не освещенное луной место, где в густой тьме исчез Хабиб. Халед был прав: эта война Кадера пошла наперекосяк с самого начала, и в моем бодрствующем сознании эхом отзывались эти слова: «Плохое начало...»

Я пытался мысленно сосредоточиться на прекрасных звездах, сиявших на черном небе в ту роковую ночь, но никак не мог: каждый раз ловил себя на том, что вглядываюсь в темный край плато. И так же внезапно, как без лишних слов осознаем мы, что любовь ушла или что друг фальшивый и не любит тебя вовсе, я понял: война Кадера закончится для всех нас еще хуже, чем началась.

ГЛАВА 34

Вот уже два месяца мы жили вместе с партизанами-моджахедами в пещерах горного кряжа Шахр-и-Сафа. То было во многом трудное время, но наша горная твердыня ни разу не попадала под прямой огонь, и мы находились в относительной безопасности. Лагерь был всего в каких-то пятидесяти километрах птичьего полета от Кандагара, в двадцати километрах от главного шоссе, ведущего на Кабул, и примерно в пятидесяти километрах к юго-востоку от Аргандабской плотины. Русские захватили Кандагар, но с трудом удерживали южную столицу: она периодически подвергалась осаде. Центр города обстреливался ракетами, а бои, которые вели моджахеды на окраинах, постоянно уносили все новые и новые человеческие жизни. Главное шоссе контролировалось несколькими хорошо вооруженными отрядами партизан. Колонны русских танков и грузовиков были вынуждены каждый месяц прорываться через заслоны, чтобы доставить в Кандагар продовольствие и боеприпасы. Отряды Афганской регулярной армии, верные марионеточному правительству в Кабуле, защищали стратегически важную Аргандабскую плотину, но частые нападения на дамбу ставили под угрозу их контроль над этим важным объектом. Таким образом, мы оказались приблизительно в центре триады зон вооруженного противостояния, каждая из которых постоянно требовала все новых людей и вооружений. Горная гряда Шахр-и-Сафа не давала врагам никаких стратегических преимуществ, поэтому наши хорошо замаскированные пещеры в горах находились вне зоны непосредственных боевых действий.

За эти недели наступила суровая зима. Дул порывистый ветер, налетали снежные шквалы, и наша многослойная пятнистая униформа постоянно промокала. Холодный туман стлался в горах, иногда часами висел без движения, белый и непроницаемый для взгляда, как замерзшее стекло. Земля всегда была покрыта грязью или льдом. Каменные стены пещер, где мы жили, казалось, дрожали от холода, наполняя пространство ледяным звоном.

Часть груза Кадера состояла из ручного инструмента и деталей машин. В первые же дни после приезда мы организовали две мастерские, которые все эти медленно тянущиеся зимние недели активно работали. У нас был небольшой токарный станок с револьверной головкой, который мы прикрутили болтами к самодельному верстаку. Станок работал от дизельного двигателя. Моджахеды были уверены, что врага в пределах слышимости нет, но все же мы глушили шум двигателя, укутывая его джутовой мешковиной, оставляя лишь отверстия для воздуха и выхода отработанных газов. Тот же двигатель приводил в действие шлифовальный круг и скоростное сверло.

Имея это оборудование, мы могли ремонтировать оружие, а иногда приспосабливать его для разных новых целей. После самолетов и танков самым эффективным боевым оружием в Афганистане оказались русские восьмидесятидвухмиллиметровые минометы. Партизаны их покупали, похищали или захватывали в рукопашном бою, нередко жертвуя своими жизнями. И тогда это оружие обращалось против русских, которые ввезли его в страну, чтобы завоевать ее. В наших мастерских минометы разбирали, ремонтировали и упаковывали в вощеные мешки для использования в районах боевых действий, иногда таких отдаленных, как Зарандж на западе и Кундуз на севере.

Помимо пассатижей для патронов и обжимных щипцов, боеприпасов и взрывчатых веществ, груз Кадера включал также новые детали для автоматов Калашникова, купленные на Пешаварском базаре. Русский АК был сконструирован в сороковые годы Михаилом Калашниковым в ответ на германские оружейные новинки. В конце Второй мировой войны немецкие армейские генералы, вопреки недвусмысленным распоряжениям Адольфа Гитлера, настояли на производстве штурмового автоматического оружия. Инженер-оружейник Хуго Шмайссер, используя более раннюю русскую концепцию, разработал короткоствольное легкое оружие, выстреливающее магазин из тридцати патронов с фактической скоростью более ста выстрелов в минуту. На Гитлера это произвело такое впечатление, что он назвал ранее запрещенное им оружие *Sturmgewehr* — штурмовая винтовка — и приказал немедленно наладить его интенсивное производство. Это был запоздалый шаг, не усиливший всерьез военной мощи нацистов, но штурмовой автомат Шмайссера определил целое направление автоматического оружия до конца века.

АК-47 — наиболее известное и распространенное из нового штурмового оружия, действующее за счет отвода части движущихся газов, образуемых выстреливаемым патроном, в цилиндр над стволом. Газ приводит в движение поршень, который возвращает затвор назад к пружине и взводит курок для следующего патрона. Автомат весит около пяти килограммов, оснащен рожком на тридцать патронов калибра 7,62 миллиметра, которые выстреливает со скоростью семьсот метров в секунду и эффективной дальностью более трехсот метров. Он производит более сотни выстрелов в минуту в автоматическом режиме и около сорока — в полуавтоматическом.

Это оружие имеет свои ограничения, и моджахеды не преминули объяснить мне, в чем они. Низкая дульная скорость тяжелой пули калибра 7,62 миллиметра определяет параболическую траекторию, и требуется сложная регулировка, чтобы поразить цель на расстоянии трехсот метров и более. Вспышка на выходе пули из ствола АК такая яркая, особенно у новой, семьдесят четвертой серии, что ослепляет ночью автоматчика и выдает его позицию. Ствол быстро перегревается — настолько, что к нему невозможно прикоснуться. Иногда патрон в патроннике перегревается так, что взрывается, поражая лицо стрелка. Это объясняет, почему многие партизаны во время боя держат автомат подальше от себя или над головой.

Тем не менее это оружие прекрасно действует после полного погружения в воду, грязь или снег для охлаждения и остается самой эффективной и надежной машиной, когда-либо изобретенной для убийства. В первые четыре десятилетия после создания АК их было произведено пятьдесят миллионов, больше, чем какого-либо иного огнестрельного оружия в мире. «Калашников» во всех его модификациях — излюбленное боевое оружие революционеров, солдат регулярной армии, наемников и гангстеров.

Вначале АК-47 изготавливались из кованой и прокатанной стали. АК-74, производимые в семидесятые годы, собирались из штампованных металлических частей. Некоторые из старых афганских бойцов отвергали новое оружие с патроном меньшего калибра — 5,45 миллиметра — и магазином из оранжевого пластика, предпочитая основательность АК-47. Молодые бойцы нередко выбирали «семьдесят четвертую» модель, отвергая более тяжелое оружие как устаревшее. АК производились в Египте, Сирии, России и Китае. Хотя они, по существу, идентичны, одну модель часто предпочитают другой, и торговля оружием, даже одного вида, идет успешно и интенсивно.

Мастерские Кадера ремонтировали и переоборудовали АК всех серий, модифицируя их согласно требованиям, и были весьма популярны: афганцы проявляли ненасытное желание узнать как можно больше об оружии и получить новые навыки владения им. То не было любопытство, порожденное неистовством и жестокостью, — то была простая необходимость знать, как обращаться с оружием в стране, в которую вторгались Александр Великий, гунны, саки, скифы, монголы, Моголы, Сефевиды, англичане, русские и многие другие. Мужчины, даже когда не изучали оружие и не помогали тем, кто работал, собирались в мастерских, чтобы выпить чая, приготовленного на спиртовках, выкурить сигарету и поговорить о своих любимых.

Целых два месяца я каждый день работал с ними: плавил свинец и другие металлы в маленькой кузнице, помогал собирать кусочки древесины для растопки, носил воду из ключа на дне ближайшего оврага. С трудом пробираясь сквозь снег, выкапывал новые отхожие ямы и тщательно маскировал их, скрывая от посторонних глаз, когда они переполнялись. Я вытачивал на револьверном станке новые детали и расплавлял спиралевидные металлические стружки для очередной партии. По утрам я ухаживал за лошадьми, которых держали в другой пещере, ниже. Когда наступала моя очередь доить коз, я сбивал из молока масло и помогал готовить лепешки *нан*.

Если нужно было позаботиться о ком-то, кто порезался, содрал кожу или растянул лодыжку, я раскладывал походную аптечку и старался помочь им.

Я выучил припевы нескольких песен, и вечерами, когда гасили костры, мы садились, тесно прижавшись друг к другу, чтобы было теплее, и я тихо пел вместе с остальными. Я слушал истории, которые они шепотом рассказывали в темноте, — переводили их для меня Халед, Махмуд и Назир. Каждый день, когда мужчины молились, я вместе с ними опускался в тишине на колени. А лежа ночами, я слышал их дыхание, храп, погружался в столь привычные солдатам запахи — древесного дыма, ружейного масла, дешевого сандалового мыла, мочи, дерьма, пота, насквозь пропитавшего немытые волосы людей и лошадей, жидких мазей и мягчительных средств для сёдел, тмина и кориандра, мятной зубной пасты, чая, табака и сотни других — и грезил вместе с ними о доме и о тех, кого мы страстно желали увидеть снова.

Шел к концу второй месяц нашей миссии. Последнее оружие было отремонтировано и усовершенствовано, а припасы, которые мы привезли с собой, подходили к концу. И тогда Кадербхай отдал приказ готовиться к долгой дороге домой. Он планировал направиться окольным путем на запад, к Кандагару, в сторону, противоположную границе с Пакистаном, чтобы доставить своей семье несколько лошадей. После этого мы должны были, оставив при себе лишь походные вещмешки и легкое оружие, идти ночами, пока не пересечем пакистанскую границу и не окажемся в безопасности.

— Лошади почти навьючены, — отрапортовал я Кадеру, собрав собственные пожитки. — Халед и Назир вернутся, когда все будет готово. Просили дать вам знать.

Мы находились на сглаженной горной вершине, откуда как на ладони были видны долины и голая равнина, простирающаяся от подножия гор до самого горизонта в сторону Кандагара. В первый раз мутная пелена рассеялась настолько, что мы могли охватить взором всю панораму. К востоку от нас скапливались темные, плотные облака, предвещавшие дождь и снег, воздух был холодным и влажным, но в тот миг перед нами открывался весь мир до самого конца, и наши глаза были переполнены этой красотой.

— В ноябре тысяча восемьсот семьдесят восьмого года, в тот же месяц, когда двинулись в путь мы, англичане прошли через Хайберское ущелье — началась вторая англо-афганская война, — сказал Кадер, не обращая внимания на мое сообщение или, возможно, по-своему отвечая на него.

Он пристально вглядывался в туманную рябь на горизонте — дым и огни далекого Кандагара. Я знал, что эта мерцающая пелена, возможно, от взрывов ракет, пущенных на город людьми, некогда бывшими в нем учителями и торговцами. В ходе войны против русских захватчиков они стали сущими дьяволами в изгнании, поливающими огнем свои дома, лавки и школы.

— Через Хайберское ущелье среди прочих прошел и один из самых почитаемых, храбрых и жестоких воинов Британской империи. Его звали Робертс, лорд Фредерик Робертс[1]. Он захватил Кабул и установил там жестокие порядки военного времени. Однажды за день были казнены восемьдесят семь афганских солдат — их повесили на площади. Дома и рынки были уничтожены, деревни сожжены, сотни афганцев убиты. В июне афганский принц Айюб-хан провозгласил джихад, чтобы изгнать англичан. Он вышел из Герата с десятитысячным войском. То был мой предок, он принадлежал к моей семье, и многие мои родственники входили в его армию.

Кадер замолчал и взглянул на меня, его золотистые глаза блестели под седыми бровями цвета серебра. Глаза улыбались, но челюсть была неподвижна, а губы сжаты так сильно, что их края побелели. По-видимому убедившись, что я его слушаю, он взглянул на тлеющий горизонт и заговорил вновь:

— Британскому офицеру по имени Берроуз, назначенному комендантом Кандагара, тогда было шестьдесят три года, как раз столько, сколько мне сейчас. Его отряд, состоявший из полутора

---

[1] *Фредерик Слай Робертс* (1832–1914) — британский военачальник.

тысяч британских и индийских солдат, вышел походным маршем из Кандагара. Они встретились с принцем Айюбом близ места под названием Майванд. Оно видно отсюда, где мы сидим, когда погода достаточно хороша. Во время битвы обе армии стреляли из пушек, убивая сотни людей самым ужасным образом. Сходясь один на один, палили из ружей с такого близкого расстояния, что пули, пробивая тело человека, попадали в следующего. Англичане потеряли половину своих солдат, афганцы — две с половиной тысячи, но они выиграли битву, и британцы были вынуждены отступить к Кандагару. Принц Айюб незамедлительно окружил город, и осада Кандагара началась.

На продуваемой ветром скалистой вершине стоял пронизывающий холод, несмотря на необычайно яркое сияние солнца. Я чувствовал, как немеют ноги, мне страстно хотелось встать и потопать ими, но я боялся помешать Кадеру. Вместо этого я зажег две сигареты и передал одну ему. Он принял ее, подняв бровь в знак благодарности, и, прежде чем продолжить, выпустил два длинных клуба дыма.

— Лорд Робертс... Впрочем, должен отвлечься. Знаешь, Лин, у моего первого учителя, моего дорогого эсквайра Маккензи, была присказка: «Как у дядюшки Бобса». Он все время ее повторял, и я тоже стал ее использовать, подражая его манере речи. И вот однажды он сказал мне, что эта присказка происходит от прозвища лорда Фредерика Робертса. Оказывается, этот человек, сотнями убивавший афганцев, был так добр к своим английским солдатам, что они называли его «дядюшка Бобс» и говорили, что под его началом все будет хорошо, «как у дядюшки Бобса». Никогда раньше не употреблял этого выражения после его рассказа. И еще очень странная вещь: мой дорогой эсквайр Маккензи был внуком человека, воевавшего в армии лорда Робертса. Его дедушка и мои родственники воевали друг против друга во второй англо-афганской войне. Вот почему эсквайра Маккензи так завораживала история моей страны, вот почему он так много знал о тех войнах. Благодарение Аллаху, у меня был такой друг и такой наставник в ту пору, когда жили еще люди, носившие шрамы сражений той войны, на которой погиб его дед и мой тоже.

Он вновь замолчал. Мы прислушивались к завываниям ветра, ощущая покусывание первых снежинок принесенного им нового снегопада, — то был пронизывающий ветер, дующий со стороны далекого Бамиана и несущий снег, лед и морозный воздух с гор до самого Кандагара.

— И вот лорд Робертс вышел из Кабула с десятитысячным войском, чтобы снять осаду с Кандагара. Две трети его армии составляли индийские солдаты — эти сипаи были хорошими воинами. Роберте повел их из Кабула в Кандагар, пройдя расстояние триста миль за двадцать два дня, — куда более длинный путь, чем проделали мы из Чамана до этих мест, а у нас, как ты знаешь, ушел на это месяц — с хорошими лошадьми и с помощью населения деревень, что встречались нам по дороге. А они шли через покрытые льдом горы и выжженную солнцем пустыню, а через двадцать дней этого невероятного, адского марша выдержали великую битву против армии принца Айюб-хана и победили. Робертс спас англичан, осажденных в городе, и с того дня стал фельдмаршалом, под началом которого были все солдаты Британской империи. Его всегда называли Робертсом Кандагарским.

— Принц Айюб был убит?

— Нет. Он бежал, и тогда англичане посадили на трон его близкого родственника Абдула Рахман-хана. Он тоже был моим предком и управлял страной столь мудро и умело, что британцы не имели подлинной власти в Афганистане. Ситуация была точно такой же, как раньше, — до того как великий воин и великий убийца «дядюшка Бобс» проделал путь через Хайберское ущелье, чтобы начать эту войну. И вот к чему я это все говорю: мы сейчас сидим здесь и смотрим на мой горящий город. Кандагар — ключ к Афганистану. Кабул — сердце, но Кандагар — душа нации: тот, кто владеет Кандагаром, владеет всем Афганистаном. Когда русских заставят уйти из моего города, они проиграют войну. Но не раньше.

— Ненавижу это все, — вздохнул я, внутренне убежденный, что новая война ничего не изменит: войны вообще, по существу, ничего не меняют.

«Самые глубокие раны оставляет мир, а не война», — размышлял я. Помню, я подумал тогда, что это умная фраза и что стоит ввернуть ее когда-нибудь при случае в разговор. Тот день я запомнил в деталях: каждое слово и все эти глупые, напрасные, неосторожные мысли, словно судьба только сейчас бросила их мне в лицо.

— Ненавижу это все, — повторил я, — и рад, что мы сегодня отправляемся домой.

— С кем ты здесь дружишь? — спросил Кадер.

Вопрос меня удивил: я не мог понять, зачем он задан. Видя, что я озадачен, даже изумлен, он задал его снова:

— Кто твои друзья из тех, с кем ты познакомился здесь, в горах?

— Ну, наверно, Халед и Назир...

— Значит, Назир теперь твой друг?

— Да, друг, — рассмеялся я. — И Ахмед Задех мне нравится. И Махмуд Мелбаф, иранец. А еще Сулейман и Джалалад — дикий ребенок. И Захер Расул, крестьянин.

Кадер кивал, пока я перечислял своих друзей, но никаких комментариев не последовало, и я почувствовал, что могу продолжать:

— Они все хорошие люди, я так думаю. Все, кто здесь. Но те, кого я назвал... у меня с ними самые лучшие отношения. Вы это хотели узнать?

— Какое задание из тех, что приходится здесь выполнять, твое любимое? — спросил он, меняя предмет разговора столь же быстро и неожиданно, как это мог бы сделать его тучный друг Абдул Гани.

— Любимое... Может показаться бредом, никогда не думал, что скажу такое, но, наверно, самая любимая моя работа — ухаживать за лошадьми.

Он не смог сдержать смех. Я был почему-то уверен, что он думает о той ночи, когда я въехал в лагерь, свисая с шеи моей лошади.

— Признаю, — усмехнулся я, — что не являюсь лучшим в мире наездником.

Он рассмеялся еще громче.

— Но я стал скучать по лошадям, когда после приезда сюда вы приказали устроить конюшню в нижней пещере. Смешно, но я привык, что они рядом, и мне всегда становится легче на душе, когда я спускаюсь вниз, чтобы навестить их — почистить и покормить.

— Понимаю, — пробормотал он, пристально глядя мне в глаза. — Скажи, а когда другие молятся, а ты к ним присоединяешься — иногда я вижу, как ты стоишь на коленях на некотором расстоянии позади всех, — какие слова ты произносишь? Молитвы?

— На самом деле я ничего не говорю, — хмуро ответил я, зажигая еще две сигареты не потому, что хотел курить, а чтобы отвлечься и немного согреть пальцы.

— Если ты не говоришь, о чем при этом думаешь? — спросил он, принимая у меня вторую сигарету, после того как выбросил окурок первой.

— Я не могу назвать это молитвой. Думаю главным образом о людях. О своей матери, дочери. Об Абдулле... и Прабакере, своем умершем друге, — я вам о нем рассказывал. Вспоминаю друзей, людей, которых люблю.

— Ты думаешь о матери. А об отце?

— Нет.

Я ответил поспешно, возможно слишком быстро, чувствуя, как идут мгновения, а он продолжает наблюдать за мной.

— Твой отец жив, Лин?

— Наверно. Впрочем, не уверен. И меня ничуть не волнует, жив он или мертв.

— Тебя должна волновать судьба твоего отца, — заявил он, отводя взгляд.

Я воспринял это как снисходительное увещевание — он ничего не знал о моем отце и о моих отношениях с ним. Я был тогда настолько поглощен своими обидами — старыми и новыми, — что не почувствовал боли в его голосе. Тогда я не осознал, как понимаю сейчас, что и он ведь тоже находящийся в изгнании сын и говорит о своем горе тоже.

— Вы для меня больше отец, чем он, — сказал я, и, хотя то были искренние слова и я открывал ему свою душу, сказанное мною прозвучало мрачно, почти злобно.

— Не говори так! — свирепо оборвал он меня.

Первый раз в моем присутствии он был близок к проявлению гнева, и я непроизвольно вздрогнул от этой внезапной горячности. Но выражение его лица быстро смягчилось, и он положил руку мне на плечо:

— А как насчет снов? О чем ты видишь здесь сны?

— Я редко их вижу, — ответил я, изо всех сил пытаясь что-то вспомнить. — Странная вещь: меня давно мучат кошмары, еще с тех пор, когда я бежал из тюрьмы. Вижу жуткие сны: как меня ловят или я с кем-то дерусь, не давая себя поймать. Но с тех пор как мы очутились здесь — уж не знаю, разреженный воздух тому причиной, или я так устаю и замерзаю, когда ложусь спать, или же мысли мои настолько заняты этой войной, — кошмары прошли. Здесь их не было. А пара хороших снов мне приснилась.

— Продолжай.

Я не хотел продолжать: сны были о Карле.

— Просто... счастливые сны о любви.

— Хорошо, — пробормотал он, кивнув несколько раз и убирая руку с моего плеча. Казалось, он удовлетворен моим ответом, но выражение лица было печальным, почти мрачным. — У меня тоже здесь были сны. Мне снился пророк. Нам, мусульманам, запрещено рассказывать кому-нибудь свои сны о пророке. Когда они снятся нам, это очень хорошо, просто замечательно — такое нередко случается с правоверными, но мы не должны рассказывать, что видели во сне.

— Почему? — спросил я, дрожа от холода.

— Нам строго запрещено описывать черты лица или говорить о нем так, словно ты его видел. Таково было желание самого пророка: ни один мужчина, ни одна женщина не должны ему поклоняться, только перед Аллахом допустимо демонстрировать свое религиозное рвение. Вот почему нет никаких изображений пророка — ни рисунков, ни картин, ни статуй. Но я действительно видел его во сне. И я не очень хороший мусульманин, потому что рассказываю тебе об этом. Он шел где-то пешком, а я проехал мимо на своей прекрасной, дивной белой лошади, и, хотя я не видел его лица, я знал, что это он. И я спешился и отдал ему лошадь. Мои глаза в знак уважения все время были опущены. Но в конце концов я поднял их, чтобы увидеть, как он уезжает прочь в лучах заходящего солнца. Вот такой сон я видел.

Он выглядел спокойным, но я знал его достаточно хорошо, чтобы заметить уныние в глубине его глаз. И там было еще нечто новое и необычное. Мне потребовалось несколько мгновений, чтобы это осознать: страх. Абдель Кадер-хан был напуган, и я ощутил, как бегут мурашки по моей собственной напрягшейся коже. Смириться с этим было трудно: до сих пор я искренне верил, что Кадербхай ничего не боится. Взволнованный и обеспокоенный, я поспешил сменить тему разговора:

— Кадерджи, извините, что говорю о другом, но я хотел бы задать вам вопрос. Я много думал о том, что вы однажды сказали. Вы говорили, что жизнь, сознание и все такое прочее — порождение света от Большого взрыва. Значит ли это, что свет и есть Бог?

— Нет, — ответил он, и эта внезапно охватившая его пугающая депрессия уже не отражалась на его лице, ее прогнала ласковая улыбка. — Я не думаю, что свет — это Бог. Думаю, можно сказать, и это звучит разумно, что свет — язык Бога. Посредством света Бог разговаривает со Вселенной и с нами.

Я поздравил себя с удачной сменой направления беседы. Стал топать ногами и шлепать себя по бокам, чтобы разогнать застоявшуюся кровь. Кадер последовал моему примеру, и мы отправились назад к лагерю, растирая замерзшие руки.

— Если говорить о свете, то этот свет какой-то странный, — говорил я, выдыхая клубы пара. — Солнце сияет, но оно холодное. В нем нет тепла, и ты ощущаешь себя так, словно попал в мертвую зону между холодным солнцем и еще более холодной тенью.

— «Мы выброшены на берег в переплетении мерцаний...» — процитировал Кадер, и я так поспешно обернулся к нему, что ощутил резкую боль в шее.

— Что вы сказали?

— Это цитата, — ответил Кадер после паузы, понимая, насколько это важно для меня. — Строчка из стихотворения.

Я вытащил из кармана бумажник, порылся в нем и извлек сложенный листок бумаги, настолько измятый и истертый, что, когда я развернул его, места на сгибах оказались порванными. То было стихотворение Карлы, переписанное мною из ее дневника двумя годами раньше, когда я пришел в ее жилище с Тариком в «ночь диких псов». С тех пор я носил его с собой. В тюрьме на Артур-роуд полицейские офицеры отобрали у меня эту страничку и разорвали на мелкие кусочки. Когда Викрам выкупил меня из тюрьмы, дав взятку, я записал стихотворение Карлы еще раз, по памяти, и всегда имел его при себе.

— Это стихотворение, — взволнованно заговорил я, держа перед собой превратившийся в лохмотья, трепещущий на ветру листок так, чтобы он мог его видеть, — было написано женщиной по имени Карла Саарнен. Той самой, что вы послали вместе с Назиром к Гуптаджи, чтобы вытащить меня оттуда. Я удивлен, что вы знаете его. Просто невероятно.

— Нет, Лин, — спокойно ответил он. — Это стихотворение было написано суфийским поэтом по имени Садик-хан[1]. Я знаю многие его стихи наизусть: он мой любимый поэт и любимый поэт Карлы.

Его слова леденили мое сердце.

— Любимый поэт Карлы?

— Думаю, что да.

— А насколько... насколько близко вы знаете Карлу?

— Я знаю ее очень хорошо.

— А я думал... думал, вы познакомились с Карлой, когда вытащили меня от Гупты. Она сказала, то есть мне показалось, что она сказала, будто увидела вас впервые именно тогда.

— Нет, Лин, это неверно. Я давно знаю Карлу, она на меня работает. Во всяком случае, она работает на Абдула Гани, а тот работает на меня. Но она должна была рассказать тебе об этом, разве не так? Неужели ты не знал? Я очень удивлен. Был уверен, что Карла говорила тебе. И уж конечно, я говорил с ней о тебе много раз.

В моем мозгу, как в темном овраге, куда с ревом падают звонкие струи воды, — сплошной шум и черный страх. Что там говорила Карла, когда мы лежали рядом, борясь со сном, во время эпидемии холеры? «А потом я оказалась однажды в самолете, где встретила индийского бизнесмена, и с тех пор моя жизнь изменилась навсегда...» Был ли это Абдул Гани? Его ли она имела в виду? Почему я не расспросил Карлу подробнее о ее работе? Почему она ничего мне не рассказала? И что она делала для Абдула Гани?

— А какую работу она делает для вас, для Абдула?

— Разную. Она многое умеет.

— Я знаю, что она умеет! — сердито огрызнулся я. — Какую работу она выполняет для вас?

— Помимо всего прочего, — Кадер проговорил это медленно и отчетливо, — она находит полезных, способных иностранцев вроде тебя. Людей, которые могли бы работать на нас, если бы в том возникла нужда.

---

[1] *Садик-хан* (1861–1917) — персидский поэт.

— Что?! — выдохнул я.

Это, по сути, не было вопросом. Я чувствовал себя так, словно частицы моего существа — замерзшие куски моего лица и сердца падают, разбиваясь, вокруг меня.

Он вновь заговорил, но я резко оборвал его:

— Вы хотите сказать, что она завербовала меня для вас?

— Да. И я очень рад, что она это сделала.

Внутренний холод внезапно разлился по телу, побежал по жилам, и даже глаза теперь были словно из снега. Кадер продолжал идти, но, заметив, что я стою на месте, тоже остановился. Он все еще улыбался, когда повернулся ко мне. В это мгновение к нам подошел Халед Ансари, громко хлопая в ладоши.

— Кадер! Лин! — приветствовал он нас со своей обычной грустной полуулыбкой, которая так мне нравилась. — Я принял решение. Хорошенько подумал, Кадерджи, как вы и советовали, и решил остаться. По крайней мере, на какое-то время. Прошлой ночью здесь был Хабиб — часовые видели его. За последние две недели он совершил столько безумств на дороге в Кандагар — с русскими пленными и даже с некоторыми пленными афганцами... Ужасная мерзость... Я, вообще-то, не очень впечатлителен, но все это так жутко, люди так напуганы, что собираются что-то с ним делать — скорее всего, просто застрелить, когда увидят. Нужно, говорят, охотиться на него, как на дикого зверя. Я должен... Я должен попытаться как-то помочь ему. Хочу остаться, разыскать его и уговорить вернуться в Пакистан со мной. Так что отправляйтесь сегодня ночью без меня, а я подойду недели через две. Вот и все, пожалуй, что я хотел сказать.

— А как насчет той ночи, когда я повстречал вас и Абдуллу? — спросил я сквозь зубы, стиснутые от холода и леденящего страха, который, как приступы боли, судорогой пронизывал все мое существо.

— Ты забыл, — ответил Кадер-хан.

Голос его стал строгим, лицо потемнело и выражало не меньшую решимость, чем мое. В тот момент мне и в голову не пришло, что он тоже чувствует себя обманутым и преданным. Я не вспоминал о Карачи и рейдах полиции, забыл о предателе из его окружения, близком ему человеке, который пытался устроить все так, чтобы его, и меня, и всех нас схватили, а то и убили. Я не хотел видеть в его угрюмой отчужденности ничего, кроме жестокого равнодушия к моим чувствам.

— Ты впервые встретил Абдуллу задолго до той ночи, когда познакомился со мной, — произнес Кадер-хан. — Это было в монастыре Стоячих монахов, верно? Он находился там в тот день, чтобы присматривать за Карлой. Она не слишком хорошо тебя знала, не была уверена, что тебе можно доверять, тем более в этом незнакомом ей месте. Карле нужен был человек, который мог бы ей помочь, если у тебя возникнут... дурные намерения.

— Он был ее телохранителем, — пробормотал я, подумав: «Она мне не доверяла...»

— Да, Лин, и очень хорошим. Насколько я понял, тогда возникла какая-то серьезная угроза и Абдулла что-то сделал, чтобы спасти Карлу и, возможно, тебя. Это так? Работа Абдуллы состояла как раз в том, чтобы защищать моих людей. Вот почему я послал его вслед за тобой, когда ты вместе с моим племянником Тариком отправился в джхопадпатти. И уже в первую ночь он помог тебе отбиться от диких псов, верно? И все то время, когда Тарик был с тобой, Абдулла был рядом с вами, о чем я и просил его.

Я не слушал его. Мозг мой посылал яростные стрелы воспоминаний, и они со свистом неслись в прошлое. Я искал Карлу, ту Карлу, которую знал и любил, но каждый момент с ней, прокрученный в памяти, грозил выдать некий тайный смысл и ее ложь. Я вспомнил свою первую встречу с Карлой, то мгновение, когда она протянула руку, чтобы остановить меня: я чуть не попал под автобус. Это случилось на Артур-Бандер-роуд, на углу близ Козуэй, недалеко от «Индийской гостиницы», в самом сердце зоны туристического бизнеса. Может быть, она поджидала там иностранцев вроде меня, ведя охоту за полезными рекрутами, которые могли бы работать на Кадера, когда ему это понадобится? Несомненно, так оно и было. Я и сам немного промышлял почти тем же самым, когда жил в трущобах, — слонялся в тех же местах, высматривая только что прилетевших иностранцев, которым нужно было поменять деньги или купить чарас.

К нам подошел Назир. В нескольких шагах от него лицом ко мне стояли Ахмед Задех, Кадербхай и Халед. Назир с мрачным видом обозревал небо с юга на север, высчитывая минуты, когда на нас обрушится снежная буря. Все вещи, собранные на обратную дорогу, были дважды проверены и упакованы, и ему не терпелось поскорее отправиться в путь.

— А как насчет вашей помощи с «клиникой»? — спросил я, испытывая тошноту и зная, что, стоит мне разомкнуть колени и расслабить ноги, они подогнутся, и я упаду.

Кадер молчал, и я повторил вопрос:

— Как насчет «клиники»? Почему вы помогли мне с ней? Было ли это частью плана? Того плана?

Широкое плато продувалось ледяным ветром, который хлестал нам в лицо с сокрушительной силой и пронизывал до костей. Небо быстро темнело, грязно-серая волна облаков перевалила через горы и покатилась в сторону далекой равнины и еле мерцающего, словно он умирал, города.

— Ты здесь хорошо поработал, — сказал он, вместо ответа.

— Я вас не об этом спрашивал.

— Мне кажется, сейчас не время говорить о таких вещах, Лин.

— Самое время, — настаивал я.

— Существуют некоторые обстоятельства, которые ты не сможешь понять, — заявил он, словно уже много раз думал об этом.

— Так хотя бы расскажите о них.

— Ладно. Медикаменты, которые мы доставили в этот лагерь, антибиотики, что мы привезли на эту войну, — все это от прокаженных Ранджита.

— О господи! — простонал я.

— Я воспользовался предоставленной мне возможностью, тем странным фактом, что ты — одинокий иностранец без всяких связей с посольством — открыл «клинику» в принадлежащей мне трущобе. То был редкий шанс испытать медикаменты на людях из джхопадпатти. Ты ведь понимаешь: я должен был убедиться в их годности, прежде чем везти на войну.

— Ради бога, Кадер! — зарычал я.

— Мне пришлось...

— Только гребаный маньяк мог это сделать!

— Полегче, Лин! — рявкнул за моей спиной Халед; остальные стояли в напряженном ожидании рядом с Кадером, словно опасались, что я могу на него наброситься. — Ты перешел всякие границы!

— Перешел границы! — выпалил я, захлебываясь от возбуждения, чувствуя, как стучат мои зубы, и пытаясь заставить повиноваться себе онемевшие руки и ноги. — Я перешел ваши сраные границы! Он использует людей в трущобах как подопытных кроликов или лабораторных крыс, мать его, чтобы испытать свои антибиотики, использует меня, дурит людей именно потому, что они поверили мне, а я, видите ли, перехожу границы!

— Но ведь никто не пострадал! — крикнул Халед мне в спину. — Все медикаменты оказались годными, люди чувствовали себя хорошо. Ты сделал свою работу как следует.

— Надо уйти с этого холода и все обговорить, — поспешно вставил Ахмед Задех, надеясь добиться примирения. — Кадер, прежде чем отправляться в путь, надо подождать, пока не пройдет эта снежная буря. Уйдем в укрытие.

— Ты должен понять, — твердо сказал Кадер, не обращая на него внимания. — Это было решение военного времени: двадцатью людьми рискуют, чтобы спасти тысячу, а тысячью — ради спасения миллиона. И ты должен мне поверить: мы знали, что медикаменты хорошие. Вероятность того, что от прокаженных Ранджита будут поставлены некачественные лекарства, была крайне мала. Мы были почти абсолютно уверены, что медикаменты неопасны, когда передавали их тебе.

— Расскажите мне о Сапне. — Вот наконец и вышел наружу мой самый глубокий страх, связанный с ним и вызванный близостью к нему. — Это тоже ваша работа?

— Я не Сапна. Но ответственность за эти убийства падает и на меня. Сапна убивал для меня — вот в чем причина, и, если хочешь знать всю правду, я получил большую выгоду от кровавой работы Сапны. Из-за того, что Сапна существовал, из-за страха перед ним и потому, что я взял на себя обязательство разыскать и остановить его, политики и полиция позволили мне провезти винтовки и другое оружие через Бомбей в Карачи и Квету и дальше — на эту войну. Кровь тех, кого убил Сапна, — смазка для наших колес. И я сделаю это снова: использую его преступления и совершу собственными руками новые убийства, если это поможет нашему делу. У нас, Лин, у всех, кто здесь, есть общее дело. И мы будем сражаться и жить и, возможно, умрем за него. Если мы выиграем эту битву, изменится весь ход истории, отныне и навсегда, в этом месте и во всех будущих битвах. Вот в чем наше дело: изменить весь мир. А в чем заключается твое дело? В чем твое дело, Лин?

В воздухе уже кружились первые снежинки, и я так замерз, что дрожал, буквально трясясь от холода, так что стучали зубы.

— А как насчет... как насчет мадам Жу... когда Карла заставляла меня притворяться, что я американец. Это была ее идея или часть вашего плана?

— Нет. Карла ведет собственную войну против Жу, у нее свои резоны. Но я одобрил ее план использовать тебя, чтобы вызволить из Дворца ее подругу. Хотелось посмотреть, сумеешь ли ты сделать это. У меня уже тогда возникла идея, что когда-нибудь ты станешь моим американцем в Афганистане. И ты, Лин, справился как надо. Не многие сумели бы совладать с Жу в ее собственном Дворце.

— И последнее, Кадер, — выдавил я. — Когда я попал в тюрьму... имели ли вы к этому какое-то отношение?

Нависло тяжелое молчание, мертвая тишина, нарушаемая лишь дыханием и оставляющая в памяти след более глубокий, чем самый резкий звук.

— Нет, — наконец ответил он. — Но, по правде сказать, я мог бы вытащить тебя оттуда уже через неделю, если бы захотел. Я почти сразу же узнал о твоем аресте, и помочь тебе было в моей власти, но я этого не сделал, хотя и мог.

Я посмотрел на Назира и Ахмеда Задеха: они спокойно встретили мой взгляд. Халед Ансари ответил мне гримасой, в которой соединились страдание и сердитый вызов, — кожа на лице натянулась, и рассекающий его надвое зазубренный шрам выделился еще резче.

Они все знали. Знали, что Кадер оставил меня там. Ладно, Кадер мне ничего не был должен. Не он посадил меня в тюрьму, и он вовсе не был обязан вызволять меня оттуда. Но в конце концов он это сделал — вытащил меня и тем самым спас мне жизнь. Допустим, я заслужил, чтобы меня так сильно били, но ведь и другие люди приняли побои из-за меня, пытаясь передать ему мое послание. И если бы мы даже сумели это сделать, Кадер проигнорировал бы полученное сообщение и оставил меня в тюрьме до тех пор, пока сам не был бы готов действовать. Ладно, поделом мне, пусть мои надежды были пустыми, несбыточными. Но если вы убедите человека в том, что его упования тщетны, что он надеялся напрасно, — вы убьете его веру, убьете ту светлую сторону его существа, которой необходимо, чтобы ее любили.

— Вы хотели быть уверены, что я... проникнусь к вам благодарностью. Поэтому оставили меня там. Причина в этом?

— Нет, Лин. Просто тебе не повезло, таков был твой рок — *кисмет* — в тот момент. У меня была договоренность с мадам Жу: она помогала нам встречаться с политиками, а также заслужить благосклонность одного пакистанского генерала — она водила с ним знакомство. Но на самом деле он был особым клиентом Карлы: именно она в первый раз привела этого генерала к мадам Жу. Контакт с ним представлял для меня огромную ценность: генерал играл чрезвычайно важную роль в моих планах. А мадам Жу настолько возненавидела тебя, что лишь твое заключение в тюрьму могло ее удовлетворить. Она хотела, чтобы тебя там убили. Но в тот же день, когда моя работа была закончена, я послал за тобой Викрама, твоего друга. Ты должен мне поверить: я никогда не хотел тебе зла. Я люблю тебя. Я...

Внезапно он замолчал, потому что я положил руку на бедро, где была кобура. Халед, Ахмед и Назир мгновенно напряглись, но они не могли добраться до меня одним прыжком и знали это.

— Если вы, Кадер, сейчас не уйдете прочь, клянусь Богом, Богом клянусь, нам обоим не жить. Мне не важно, что случится со мной, — только бы никогда больше не видеть вас, не говорить с вами, не слышать вас.

Назир сделал медленный, почти неосознанный шаг и встал перед Кадером, закрыв его, как щитом, своим телом.

— Клянусь Богом, Кадер: сейчас мне не слишком важно, буду я жив или умру.

— Но мы выходим на Чаман, когда снегопад закончится, — сказал Кадер, и это был единственный раз, когда я услышал, что он запинается и голос его дрожит.

— Я хочу сказать, что не иду с вами. Я останусь здесь и буду добираться сам. Или вообще здесь останусь — не имеет значения. Просто проваливайте к черту... с глаз долой. Меня тошнит от одного вашего вида!

Он еще мгновение стоял на месте, и я, подхваченный холодной колышащейся волной ярости и отвращения, испытывал сильное желание выхватить пистолет и выстрелить в него.

— Ты должен знать, — наконец сказал он, — если я и делал что-то дурное — единственно ради правильных целей. Никогда не подвергал тебя более серьезным испытаниям, чем ты мог бы, по моему разумению, выдержать. И тебе следует знать, что я всегда относился к тебе как к своему другу, как к любимому сыну.

— А вам следует знать вот что, — отвечал я, чувствуя, как сгущается снег на моих волосах и плечах, — я ненавижу вас, Кадер, всем сердцем. Вся ваша мудрость сводится вот к чему: вы питаете души людей ненавистью. Вы спрашивали, в чем мое кредо. Единственный мотив моих действий — собственная свобода. В настоящий момент это значит — навсегда освободиться от вас.

Лицо Кадера закоченело от холода, и распознать его выражение было невозможно: снег облепил усы и бороду. Но его золотистые глаза блестели сквозь серо-белую мглу: старая любовь еще не ушла из них. Потом он повернулся и ушел. За ним последовали остальные, и я остался один среди бурана. Замерзшая рука дрожала на кобуре. Я расстегнул ее, вытащил пистолет Стечкина и взвел курок быстро и умело, как он учил меня. Я держал его в руке дулом вниз.

Проходили минуты — убийственные минуты, когда я мог бы погнаться за ним и прикончить его и умереть сам. Я попытался бросить пистолет на землю, но он не выпадал из моих ледяных пальцев. Попробовал высвободить пистолет левой рукой, но пальцы так свело, что я оставил эти попытки. И в кружащемся куполе белого снега, в который превратился мир вокруг меня, я поднял руки навстречу этому белому ливню, как однажды поднял их навстречу теплому дождю в деревне Прабакера. Я был один.

Когда я взобрался на стену тюрьмы много лет назад, мне казалось, что это стена края света. Соскользнув с нее вниз, к свободе, я потерял весь мир, который знал, и всю любовь, которую он вмещал. В Бомбее я попытался, сам того не понимая, создать новый мир любви, напоминающий и даже заменяющий прежний. Кадер был моим отцом, Прабакер и Абдулла — братьями, Карла — возлюбленной. А потом они исчезли один за другим. Исчез и этот мир.

И внезапно в голову мне пришла ясная мысль, непрошеная, всплывшая в сознании, как строчки стихотворения. Я понял теперь, почему Халед Ансари был столь решительно настроен помочь Хабибу. Я отчетливо осознал, чтó на самом деле пытается сделать Халед. «Он пытается спасти себя», — повторил я несколько раз, ощущая, как дрожат эти слова на моих онемевших губах, но слыша их у себя в голове. А отыскав и произнеся эти слова, я уже знал, что не могу ненавидеть Кадера и Карлу.

Не знаю, почему мои чувства изменились так внезапно и так кардинально. Может быть, причиной этого был пистолет в моей руке: та власть, которую он давал, — отнять жизнь у человека или помиловать его, — а также некие глубинные инстинкты, не позволившие мне пустить его в ход. Возможно, все объяснялось тем, что я потерял Кадербхая: ведь когда он уходил от меня, понимание того, что все кончено, было в моей крови — я ощущал запах этой крови в густом белом воздухе, чувствовал ее вкус во рту. Не знаю, по какой причине, но перемены эти пролились на меня муссонным дождем, не оставив и следа от того вихря убийственной ненависти, что владел мною несколькими мгновениями ранее.

Я все еще был зол на себя за то, что отдал Кадеру так много сыновней любви, и за то, что вопреки всем доводам здравого рассудка домогался его любви. Я был зол на него за то, что он относился ко мне как к бросовому материалу, нужному лишь для достижения собственных целей. И я был в ярости из-за того, что он отнял единственное в моей жизни — работу лекаря в трущобах, — что могло бы искупить мои грехи, хотя бы только в моем сознании, и уравновесить все совершенное мною зло. Но даже это малое добро было осквернено и замарано. Гнев внутри меня был силен и тяжел, как базальтовая плита, и я знал, что потребуются годы, чтобы он ослаб, и все же я не мог ненавидеть Кадера и Карлу.

Они лгали мне и предавали меня, оставляя рваные раны там, где было мое доверие к ним, и я не желал больше их любить, уважать или восхищаться ими, но все же продолжал их любить. У меня не было выбора, и я отчетливо это понимал, стоя здесь, посреди белой снежной пустыни. Любовь нельзя убить. Ее не убьешь даже ненавистью. Можно задушить внутри себя влюбленность, нежность и даже влечение. Ты можешь убить все это или превратить в прочно застывшее свинцовое сожаление, но саму любовь ты все равно не убьешь. Любовь — это страстный поиск истины, иной, чем твоя собственная, и стоит тебе один раз ее почувствовать, не обманывая себя, во всей полноте, и она останется навсегда. Каждый акт любви, каждый момент, когда сердце обращается к ней, — это часть вселенского добра, часть Бога или того, что мы называем Богом, а уж Он-то не умрет никогда.

Потом, когда небо расчистилось, я, стоя немного поодаль от Халеда, наблюдал, как покидают лагерь Кадербхай, Назир и их спутники со своими лошадьми. Великий-хан, главарь мафии, мой отец, сидел в седле, выпрямив спину, держа в руке штандарт, обернутый вокруг древка. Он не оглянулся ни разу.

Решение отделиться от Кадербхая и остаться с Халедом в лагере усилило мои опасения: я был гораздо более уязвим без хана, чем в его компании. Наблюдая за его отъездом, вполне разумно было предположить, что я не сумею пробраться назад в Пакистан. Я даже непроизвольно повторял про себя эти слова: «Я не сумею... Я не сумею...»

Но чувство, которое я испытывал, когда мой повелитель Абдель Кадер-хан уезжал в поглощающем свет снегу, не было страхом. Я принимал свою судьбу и даже приветствовал ее. «Наконец-то, — думал я, — получу то, что заслужил». И это каким-то образом вносило в мои мысли чистоту и ясность. Вместо страха пришла надежда, что Кадер будет жить. Все прошло и закончилось, и я не хотел больше его видеть, но, когда я смотрел, как он въезжает в эту долину белых теней, надеялся, что он останется в живых. Я молился об этом. Молился, думая о нем с глубокой печалью, и любил его. Да, я любил его.

ГЛАВА 35

Мужчины ведут войны, преследуя какую-то выгоду или отстаивая свои принципы, но сражаются они за землю и женщин. Рано или поздно прочие причины и побудительные мотивы тонут в крови и утрачивают свой смысл. Смерть и выживание оказываются в конце концов решающими факторами, вытесняя все остальные. Рано или поздно выживание становится единственной логикой, а смерть — единственным, что можно услышать и увидеть. И когда лучшие друзья кричат, умирая, а люди теряют рассудок, обезумев от боли и ярости в этом кровавом аду, а вся законность, справедливость и красота этого мира отбрасываются прочь вместе с оторванными руками, ногами и головами братьев, отцов и сыновей, решимость защитить свою землю и женщин — вот что заставляет людей сражаться и умирать год за годом.

Вы поймете это, слушая их разговоры перед боем. Они говорят о доме, о женщинах и о любви. Вы поймете, что это правда, глядя, как они умирают. Если человек в свои последние мгновения перед смертью лежит на земле, он тянет руку, чтобы зажать в ней ее горстку. Если умирающий еще в состоянии сделать это, он поднимет голову, чтобы взглянуть на горы, на долину или равнину. Если его дом далеко, он думает и говорит о нем. Рассказывает о своей деревне или городе, в котором вырос. В конце имеет значение только земля. И в свой последний миг человек не будет кричать о своих принципах — он, взывая к Богу, прошепчет или выкрикнет также имя сестры или дочери, возлюбленной или матери. Конец — зеркальное отражение начала. В конце вспоминают женщину и родной город.

Через три дня после ухода Кадербхая из лагеря, через три дня после того, как на моих глазах уезжал он верхом прочь от нас сквозь мягкий падающий снег, часовые с наблюдательного поста на южной, кандагарской стороне лагеря прокричали, что приближаются люди. Мы устремились к южному посту, увидели неясные очертания двух или трех человеческих фигур, карабкающихся по крутому склону, и разом потянулись к своим биноклям. Я различил человека, медленно ползущего на коленях вверх и тянущего за собой еще двух. Вглядевшись пристальнее, я узнал эти мощные плечи, кривые ноги и характерную серо-синюю форму. Передав бинокль Халеду Ансари, я перебрался через край склона и побежал, поскальзываясь, вниз.

— Это Назир! — закричал я. — Похоже, это Назир!

Я добрался до него одним из первых. Он лежал лицом вниз, тяжело дыша, толкая ногами снег в поисках точки опоры, крепко вцепившись у ворота в одежду двоих мужчин. Он тащил их, лежащих на спине, по одному в каждой руке. Было невозможно догадаться, какой путь он проделал, но, по-видимому, дорога была дальней и шла по большей части вверх. Левой рукой Назир держал Ахмеда Задеха, живого, но, вероятно, тяжело раненного, правой — Абделя Кадер-хана. Тот был мертв.

Чтобы разжать пальцы Назира, потребовались усилия трех человек. Он настолько замерз и выбился из сил, что не мог говорить. Рот его открывался и закрывался, но из горла раздавался лишь долгий прерывистый хрип. Двое моджахедов схватили его и поволокли в лагерь. Я стащил одежду с Кадера, открыв грудь в надежде вернуть его к жизни, но, потрогав тело, убедился, что кожа холодна как лед. Он был мертв уже много часов, вероятно больше суток, — совсем закоченел. Руки и ноги немного согнуты, пальцы сжаты, однако лицо под тонкой пеленой снега было безмятежным и чистым. Глаза и рот закрыты, словно он спал мирным сном: смерть так мало изменила его, что сердце отказывалось верить, что Кадера больше нет.

Когда Халед Ансари потряс меня за плечо, я словно очнулся ото сна, хотя знал, что бодрствую с того самого момента, когда часовые впервые подали сигнал тревоги. Я стоял на коленях в снегу рядом с телом Кадера, прижимая руками к груди его красивую голову, но совершенно не помнил, как я там очутился. Ахмеда Задеха унесли в лагерь. Мы с Халедом и Махмудом донесли тело Кадера, временами таща его волоком, до большой пещеры.

Я подошел к группе из трех человек, склонившихся над Ахмедом Задехом. Одежда алжирца затвердела на груди от замерзшей крови. Мы срезáли ее по кусочкам, и, когда добрались до рваных кровавых ран на теле, он открыл глаза и посмотрел на нас.

— Я ранен, — сказал он по-французски, потом по-арабски и, наконец, по-английски.

— Да, дружище, — ответил я, встретив его взгляд, попытался улыбнуться, но губы словно застыли, улыбка получилась вымученной и вряд ли хоть немного его утешила.

Ран обнаружилось не меньше трех, впрочем сказать наверняка было трудно. Через живот шла ужасная открытая глубокая рана, по-видимому от осколков мины. Скорее всего, кусок металла застрял где-то около позвоночника. Раны зияли также в паху и на бедре. Трудно было оценить тяжесть повреждений, нанесенных его внутренним органам. Сильно пахло мочой и испражнениями. Просто чудо, что он еще не умер, но ему оставалось жить считаные часы, а то и минуты, и я был бессилен.

— Дела очень плохи?

— Да, дружище, — ответил я, и мой голос дрогнул — не смог справиться с собой. — Ничем не могу тебе помочь.

Как я теперь жалею, что сказал это! В списке сотен поступков, которые я совершил за всю мою грешную жизнь и о которых потом сожалел, и слов, которых не надо было произносить, этот приступ откровенности стоит в самом верху, на одном из первых мест. Я не учел, до какой степени привязывала Ахмеда к жизни надежда, что его спасут. А услышав мои слова, он словно провалился в черное озеро. Он резко побледнел, кожа, упругость которой поддерживало лишь напряжение воли, одрябла. Я хотел приготовить для него инъекцию морфия, но, понимая, что он умирает, не мог овладеть собой и оторвать от его руки свою.

Глаза раненого прояснились, и он обвел взглядом стены пещеры, словно видел их в первый раз. Махмуд и Халед стояли с одной стороны от него, я опустился на колени с другой. Он посмотрел на нас, его глаза вылезали из орбит от страха — то был беспредельный ужас человека, осознавшего, что Провидение отступилось от него и смерть уже внутри, расширяя свои владения, разбухая и заполняя принадлежащее ему некогда жизненное пространство. Это выражение лица я хорошо узнал в последующие недели и годы. Но тогда, в тот день, оно было для меня внове, и я почувствовал, как кожу черепа стягивает страх сродни тому, что испытывал он.

— Надо было брать ослов, — отрывисто сказал Ахмед.

— Что?

— Кадеру надо было использовать ослов. Я ему говорил с самого начала. Ты ведь слышал. Вы все меня слышали.

— Да, дружище.

— Ослы... для такой работы. Я вырос в горах. Я знаю горы.

— Да, дружище.

— Надо было брать ослов.

— Да, — повторил я, не зная, что еще сказать.

— Но он слишком горд, Кадер Хан. Он хотел почувствовать... момент... возвращение героя... для своего народа. Он хотел привести им лошадей... много прекрасных лошадей.

Он замолчал, задыхаясь; из раны в животе слышалось бурчание, перемещавшееся вверх, в область груди. Струйка темной жидкости, крови с желчью, стекала из носа и уголка рта. Но он, казалось, этого не замечал.

— Он повел нас на смерть только для того, чтобы подарить лошадей своему народу. Только для этого мы возвращались в Пакистан неверным, окольным путем. — Ахмед со стоном закрыл глаза, но очень быстро открыл их снова. — Если бы не эти лошади... мы бы пошли на восток, к границе, прямо к границе. Это было для него... предметом гордости, понимаете?

Я обменялся взглядом с Халедом и Махмудом. Халед тут же перевел глаза на умирающего друга. Махмуд не отводил глаз, пока мы не кивнули друг другу. Жест был такой трудноуловимый, что сторонний наблюдатель его бы просто не заметил, но мы оба знали, о чем подумали и с чем согласились, подтвердив это легким кивком. Да, все верно: именно гордость стала причиной конца этого незаурядного человека. И каким бы странным это ни могло показаться, но только тогда, осознав крах этой гордости, я начал по-настоящему понимать, что Кадербхай умер, и ощутил зияющую пустоту, оставшуюся после его смерти.

Ахмед еще говорил какое-то время: назвал свою деревню и объяснил, как туда добраться из ближайшего города, рассказал об отце и матери, о братьях и сестрах. Он хотел, чтобы мы им сообщили, что он умирал с мыслями о них. И он думал о них, этот храбрый, веселый алжирец, который всегда имел такой вид, словно ищет друга в толпе незнакомцев, — он умер со словами любви к матери на устах. А с последним дыханием с его языка сорвалось имя Бога.

Мы промерзли до костей, оставаясь в полной неподвижности, пока Ахмед умирал. Другие взяли на себя хлопоты омыть его тело согласно ритуалам мусульманского погребения. Вместе с Халедом и Махмудом я зашел посмотреть, как дела у Назира. Он не был ранен, а лишь изнурен до полного опустошения — его сон напоминал состояние человека, впавшего в кому: рот открыт, глаза закрыты неплотно, так что видны белки. Тело его было теплым, — казалось, он приходит в себя после выпавшего на его долю тяжкого испытания. Мы оставили его и подошли к телу нашего мертвого хана.

Единственная пуля вошла в бок Кадера пониже ребер и, по-видимому, дошла до самого сердца. Наружу она не вышла: с левой стороны груди были большие сгустки крови и гематома. Пуля, выпущенная из русского АК-74, имела в те годы полый наконечник. Стальная сердцевина пули была утяжелена в задней части, что заставляло ее кувыркаться. Она крушила и разрывала тело, вместо того чтобы просто пронзить его. Подобные средства поражения были запрещены по международным законам, но почти каждый афганец, убитый в бою, имел на теле страшные раны от этих варварских пуль. То же произошло и с нашим ханом: зияющая рваная рана в боку, а на груди кровоподтек, заканчивающийся сине-черным лотосом над сердцем.

Зная, что Назир сам захочет подготовить тело Кадербхая к погребению, мы завернули хана в одеяла и оставили в неглубоком рве, который вырыли в снегу у входа в пещеру. Едва мы закончили свою работу, как раздался дребезжащий свист, похожий на птичий щебет, заставивший нас вскочить. Мы в страхе и растерянности уставились друг на друга. Сильный взрыв со вспышкой оранжевого цвета сотряс землю под нами, повалил грязно-серый дым. Мина упала в сотне метров от нас, в дальнем конце лагеря, но в воздухе вокруг уже стоял отвратительный запах и клубился дым. Потом разорвался второй снаряд, за ним третий. Мы бросились ко входу в пещеру и оказались в извивающемся, как осьминог, скопище людей, успевших спрятаться раньше нас. Мы в ужасе вжимались друг в друга руками, ногами и головами, сидя на корточках, в то время как минометы разрывали каменистую почву, словно папье-маше.

Дела, и без того скверные, с этого дня пошли все хуже и хуже. После обстрела мы обследовали его черный точечный пунктир и воронку посреди лагеря. Два человека были убиты: один из них — Карим, которому я вправлял сломанную руку в ночь, предшествовавшую нашему прибытию в лагерь. Еще двое были настолько тяжело ранены, что у нас не оставалось никаких сомнений: они скоро умрут. Бóльшая часть запасов, главную ценность среди которых представляли собой бочки с топливом для генератора и печей, была уничтожена. Мы лишились почти всего топлива и всей воды, моя походная аптечка обгорела и была вся черная. Все, что осталось после уборки мусора, снесли в большую пещеру. Люди молчали, испуганные и озабоченные, — у них были на то причины.

Пока другие занимались всем этим, я позаботился о раненых. Одному из них оторвало ступню с частью ноги ниже колена, в шее и предплечье застряли осколки. Ему было восемнадцать, он присоединился к отряду вместе со своим старшим братом за полгода до нашего прибытия. Его брат был убит во время нападения на сторожевой отряд русских близ Кандагара. А теперь умирал и этот мальчишка. Я извлек из его тела осколки металла при помощи длинных щипчиков из нержавеющей стали и плоскогубцев, которые нашел среди инструментов.

Я мало что сумел сделать с изуродованной ногой мальчика: очистил рану и удалил столько осколков раздробленной кости, сколько смог выдернуть плоскогубцами. Мальчишка пронзительно кричал, от напряжения на моей коже выступил маслянистый пот, и я весь дрожал на холодном ветру. Наложил швы на висящую клочьями плоть там, где сохранилась чистая, твердая кожа, но закрыть зияющую рану полностью было невозможно. Большой кусок кости выпирал из комковатого мяса. Я подумал, что надо бы подрезать ее пилой, сформировав более аккуратную культю, но не был уверен, что сумею сделать это правильно, боялся, не станет ли рана от этого еще хуже. Я не был уверен... А когда не уверен в том, что делаешь, сколько лишней мучительной боли можно причинить... В конце я засыпал рану порошком антибиотика и перебинтовал ее.

У второго раненого разорвавшаяся мина изуродовала лицо и горло. Он лишился глаз, большей части носа и рта и немного напоминал прокаженных Ранджита, но раны были свежими и кровавыми, зубы выбиты — так что уродство прокаженных казалось незначительным по сравнению с этими увечьями. Я удалил металлические осколки из горла, глаз и кожи черепа. Горло пострадало очень сильно, и, хотя он дышал сравнительно ровно, я понимал, что его состояние будет ухудшаться. Обработав раны, я вколол обоим раненым пенициллин и по ампуле морфия.

Самой большой проблемой было возмещение потери крови. Никто из опрошенных мной за последние недели моджахедов не знал своей или чьей-то еще группы крови, поэтому я не мог произвести проверку совместимости и создать запас донорской крови. Поскольку моя собственная группа крови, нулевая, универсальна для донорства, мое тело было единственным источником крови для переливаний, и я стал для всего отряда ходячим банком крови.

Тело человека содержит около шести литров крови. Обычно донор дает пол-литра за сеанс, то есть менее одной десятой от общего количества. Я отдавал немного более полулитра каждому раненому, используя капельницы для внутривенного вливания, которые привез с собой Кадер как часть контрабандного груза. Прокалывая вены раненых бойцов иглами, которые, вместо того чтобы храниться в герметично запаянных пакетиках, лежали навалом в контейнерах, я гадал, не попали ли они к нам от Ранджита и его прокаженных. Переливания отняли у меня почти двадцать процентов крови. Это было слишком много: я испытывал головокружение и легкую тошноту, не будучи вполне уверен, подлинные это симптомы или всего лишь проделки охватившего меня скользкого страха. Я знал, что какое-то время не смогу больше давать кровь, и безнадежность ситуации буквально давила меня, вызывая в груди приступы острой боли.

Меня не учили выполнять эту страшную, грязную работу. Курс оказания первой помощи, прослушанный мной в молодости, обширный сам по себе, не включал сведений о ранах, полученных в бою. И та практика, которую я получил в своей трущобной «клинике», мало чем могла мне быть полезной здесь, в горах. Прежде всего я полагался на заложенный во мне инстинкт — помогать и исцелять, — который позволял мне спасать перебравших дозу героина наркоманов в моем родном городе целую жизнь тому назад. Во многом, конечно, мною, как и Халедом в его заботе о злобном безумце Хабибе, руководило тайное побуждение — помочь, спасти и тем самым исцелить самого себя. И хотя этого было мало, явно недостаточно, ничего иного в моем распоряжении не было, и я старался сделать все, что от меня зависело, сдерживая крик, позывы к рвоте, пряча свой страх, а потом оттирал руки снегом.

Когда Назир более или менее оправился, он настоял на похоронах Абделя Кадер-хана в строгом соответствии с мусульманским ритуалом. И пока они продолжались, он не ел и не выпил даже стакана воды. Я наблюдал, как Халед, Махмуд и Назир чистили одежду, вместе молились, а потом готовили тело Кадербхая к погребению. Его бело-зеленый штандарт был утерян, но один из моджахедов пожертвовал на саван свой собственный флаг. На простом белом фоне была начертана фраза:

Ла иллаха иль Аллах.
(Нет Бога, кроме Аллаха.)

Мой взгляд вновь и вновь останавливался на Махмуде Мелбафе, иранце, бывшем с нами еще с той памятной поездки на такси в Карачи. Его спокойное, сильное лицо светилось такой любовью к умершему, такой преданностью, что я подумал: с большей нежностью и кротостью он не мог бы хоронить даже собственного ребенка. Именно в эти минуты я начал испытывать к нему дружескую привязанность.

В конце церемонии, поймав взгляд Назира, я опустил глаза, уставившись в мерзлую землю. Назир пребывал в пустыне скорби, печали и стыда: ведь он жил, чтобы служить Кадер-хану и защищать его. Но хан был мертв, а он жив, хуже того — даже не ранен. Сама его жизнь, само его существование в этом мире казались ему предательством, каждое биение сердца — изменой. И это горе, этот упадок всех сил стали причиной весьма серьезной болезни. Назир потерял не меньше десяти килограммов веса, щеки его впали, под глазами появились темные впадины, губы потрескались и шелушились. Я внимательно осмотрел его руки и ноги и был обеспокоен: они еще не полностью восстановили свой естественный цвет и тепло. Вероятно, он обморозил их, когда полз по снегу.

Было, однако, одно обстоятельство, которое придавало в то время смысл его жизни, но тогда я этого не знал. Кадербхай сделал последнее распоряжение, дал последнее задание, которое Назир должен был выполнить в случае смерти своего господина при осуществлении афганской миссии. Кадер назвал имя человека, которого Назир должен был убить. И тот исполнял его волю уже одним только фактом своего существования, тем, что он остался жить, чтобы совершить заказанное ему убийство. Именно это поддерживало его, став навязчивой идеей. Именно это, и только это, было теперь его жизнью. В те холодные недели, что последовали за похоронами, я ничего не знал об этом и всерьез опасался, не повредится ли рассудком этот сильный преданный человек.

Халеда Ансари смерть Кадера изменила не менее глубоко, чем Назира, хотя это и не так бросалось в глаза. Многие из нас были настолько потрясены случившимся, что полностью погрузились в унылую гущу повседневной рутины, Халед же, напротив, стал более деятельным и энергичным. Если я часто ловил себя на том, что все еще ошеломлен, убит горем и плыву по течению сладостно-горьких размышлений о человеке, которого мы любили и потеряли, Халед каждый день принимал на себя все новые и новые обязанности и всегда был поглощен делом. Как ветеран нескольких войн, он стал теперь консультантом командира моджахедов Сулеймана Шахбади — прежде этим занимался Кадербхай. Палестинец словно священнодействовал. Во всем, что он делал, проявлялись его страстность, неутомимость и рассудительность. Эти качества и раньше были характерны для Халеда — человека неизменно пылкого и непреклонного, — но после смерти Кадера появились еще и оптимизм, и воля к победе, которых я прежде не замечал. Он подолгу молился, первым созывая людей на молитву и последним поднимаясь с коленей с промерзшего камня.

Сулейман Шахбади, самый старший афганец из нашего отряда, насчитывавшего двадцать человек, включая раненых, был когда-то *кандидаром* — лидером общины, в которую входила группа деревень близ Газни. До Кабула оттуда оставалось еще треть пути. Ему было пятьдесят два года, пять из которых он воевал, приобретя опыт всех видов боя — от осады до партизанских стычек и решающих сражений. Ахмад-шах Масуд, неофициальный вождь всенародной войны против русских, лично назначил Сулеймана командующим отрядами, действующими южнее Кандагара. Все бойцы нашего этнически разношерстного войска относились к Масуду с благоговением, которое, без преувеличения, можно было назвать любовью. А поскольку Сулейман получил свои полномочия непосредственно от Масуда, Панджшерского Льва, отношение к нему было не менее почтительным.

Когда Назир оправился настолько, чтобы дать полный отчет о происшедшем, дня через три после того, как мы нашли его в снегу, Сулейман Шахбади созвал собрание. Это был низкорослый человек с большими руками и ногами и печальным выражением лица. Его обширный лоб пересекало семь глубоких морщин, подобных бороздам, проделанным землепашцем. Внушительный, свернутый спиралью белый тюрбан покрывал его лысую голову. Темная с проседью борода окаймляла рот и подбородок. Уши были слегка заострены, что придавало ему немного забавный вид. Это было особенно заметно на фоне белого тюрбана и в сочетании с широким ртом намекало на то, что ему, возможно, некогда был присущ грубоватый юмор. Но тогда, в горах, в его глазах отражалась невыразимая грусть, застарелая печаль, не способная вылиться слезами. Его лицо вызывало симпатию, но препятствовало дружеским проявлениям, и, хотя он производил впечатление мудрого, храброго и доброго человека, печаль его была так глубока, что никто не отваживался на излишнюю фамильярность.

Если не считать четверых часовых на постах вокруг лагеря и двоих раненых, в пещеру послушать Сулеймана пришли четырнадцать человек. Было холодно, около нуля, и мы сели поближе друг к другу, чтобы согреться.

Я жалел, что не был достаточно прилежен, изучая дари и пушту во время долгого пребывания в Квете. Люди на собрании говорили попеременно на обоих этих языках. Махмуд Мелбаф переводил с дари на арабский для Халеда, который трансформировал арабский в английский, сначала оборотясь налево, чтобы выслушать Махмуда, а затем — направо, чтобы передать шепотом его слова мне. То был долгий, медленный процесс; я был удивлен и чувствовал неловкость из-за того, что все присутствующие терпеливо ждали, пока каждую фразу не переведут для меня. Популярное в Европе и Америке карикатурное изображение жителей Афганистана как кровожадных дикарей — самих афганцев это описание приводило в восторг — вступало в противоречие с реальностью при каждом непосредственном контакте с ними: афганцы были со мной неизменно дружественны, честны, великодушны и безупречно вежливы. Я ни разу не открыл рта на этом первом собрании и на тех, что последовали вслед за ним, и все же эти люди посвящали меня в каждое сказанное ими слово.

Рассказ Назира о гибели нашего хана вызвал серьезную тревогу. Когда Кадер ушел из лагеря, с ним были двадцать шесть человек, все верховые и вьючные лошади, и маршрут, казалось, не предвещал опасности. На второй день пути, когда до родной деревни Кадербхая оставалось идти еще сутки, их остановили. По-видимому, предстояла обычная выплата дани лидеру местного клана.

На этой встрече им были заданы неприятные вопросы о Хабибе Абдур-Рахмане. Два месяца, прошедшие после того, как он покинул нас, убив несчастного Сиддики, Хабиб вел единоличную террористическую войну на новом для себя фронте — горном кряже Шахр-и-Сафа. Сначала замучил до смерти русского офицера, потом, применяя ту же меру правосудия, как он его понимал, убивал афганских военных и даже тех моджахедов, которых считал недостаточно надежными. Молва об этих ужасах повергла в панический страх всю округу. О Хабибе говорили, что он привидение, шайтан, а то и великий Сатана собственной персоной, который явился, чтобы разрывать тела людей и снимать с них маски, отделяя человеческие лица от черепов. То, что раньше представляло собой относительно спокойный коридор между районами боевых действий, внезапно превратилось в опасную зону, где разгневанные, до смерти напуганные вооруженные люди были преисполнены решимости найти и убить этого демона Хабиба.

Осознав, что он попал в силки, расставленные для поимки Хабиба, и почувствовав враждебность задержавших его людей, Кадербхай все же пытался мирно расстаться с ними. Отдав четырех лошадей в качестве выкупа, он собрал своих людей в путь. Они уже почти покинули эту враждебную местность, когда в небольшом ущелье прогремели первые выстрелы. Ожесточенный бой шел около получаса, и, когда он закончился, Назир насчитал в колонне Кадера восемнадцать трупов. Некоторых убили, пока они лежали раненными, — у них были перерезаны глотки. Назир и Ахмед Задех уцелели только потому, что попали в месиво лошадиных и человеческих тел и казались мертвыми.

Одна из лошадей пережила эту бойню, получив серьезное ранение. Назир сумел поставить животное на ноги, привязал к его спине мертвого Кадера и умирающего Ахмеда. Лошадь с трудом брела сквозь снег день и половину ночи, а потом рухнула и умерла почти в трех километрах от нашего лагеря. После этого Назир тащил по снегу оба тела, пока мы его не обнаружили. Он не имел ни малейшего понятия, что приключилось с теми людьми Кадера, которых он недосчитался: то ли они сбежали, то ли были взяты в плен. Одно он мог сказать наверняка: на убитых врагах он видел форму афганской армии и какую-то новую русскую экипировку.

Сулейман и Халед Ансари предполагали, что минометная атака на наши позиции была связана с боем, унесшим жизнь Абделя Кадера. Возможно, отряд афганской армии перегруппировался и шел по следам Назира или воспользовался информацией, выбитой из пленных. Сулейман допускал, что последуют новые атаки, но сомневался в возможности полномасштабного фронтального штурма наших позиций. Подобное нападение могло стоить многих жизней и не достичь поставленной цели. Если афганское армейское подразделение поддерживали русские, то при достаточно хорошей видимости могла последовать атака вертолетов. Так или иначе, потери у нас были неизбежны, а в конечном счете мы могли потерять и весь свой лагерь.

После долгого обсуждения всех немногих оставшихся у нас вариантов Сулейман решил предпринять две контратаки с использованием наших собственных минометов. Для этого нам требовалась достоверная информация о вражеских позициях и их боеспособности. Сулейман уже давал инструкции молодому кочевнику-хазарейцу по имени Джалалад, собираясь отправить его в разведку, но вдруг застыл как вкопанный, глядя на вход в пещеру. Мы повернулись и замерли, разинув рты: в отверстии входа, в овальной рамке света возник силуэт какого-то дикого, одетого в лохмотья человека. Это был Хабиб. Он загадочным образом проскользнул в лагерь, не замеченный часовыми, что было нелегкой задачей, и теперь стоял в паре шагов от нас. Я схватился за оружие, и, к моей радости, не только я один.

Халед рванулся к нему с такой широкой радостной улыбкой, что я вознегодовал на него и Хабиба, эту улыбку вызвавшего. Втащив безумца в пещеру, Халед усадил его рядом с ошарашенным Сулейманом. А потом Хабиб заговорил, совершенно спокойно и внятно.

Он сказал, что видел вражеские позиции и оценил их надежность. Хабиб наблюдал минометный обстрел нашего лагеря, а затем подполз к расположению неприятеля так близко, что слышал, как они обсуждали, что готовить на обед. Он брался показать нам места с хорошим обзором, откуда мы могли бы нанести удар из минометов по вражескому лагерю и уничтожить его. Хабиб дал нам понять, что тех, кто не будет убит сразу, придется отдать ему. Такова была его цена.

Предложение Хабиба обсуждалось открыто, в его присутствии. Одних беспокоило, что мы отдаем себя в руки того самого безумца, чьи чудовищные злодеяния привели войну в нашу пещеру. Если мы свяжемся с Хабибом, говорили они, это не принесет удачи: зло, воплощенное в нем, сулит нам несчастье. Других волновало, что мы убьем так много афганцев, солдат регулярной армии.

Одним из странных противоречий этой войны было явное нежелание афганцев воевать друг с другом и искреннее сожаление о каждом погибшем. История разделения и вражды кланов и этнических группировок в Афганистане насчитывала так много лет, что, наверно, никто, кроме Хабиба, не питал особой ненависти к афганцам, воевавшим на стороне русских. Подлинную ненависть, если она вообще существовала, вызывала только афганская разновидность КГБ, известная как ХАД. Предавший свой народ Наджибулла[1], который в конечном счете захватил власть и назначил себя правителем страны, долгие годы возглавлял эту пользующуюся дурной славой полицию, ответственную за многие неописуемые злодеяния. Не было в Афганистане такого бойца сопротивления, который не мечтал бы протащить Наджибуллу на веревке и вздернуть на виселицу. К солдатам и офицерам афганской армии было иное отношение: многие из них состояли в родстве с моджахедами или были мобилизованы и вынуждены подчиняться приказу, чтобы выжить. Кроме того, партизаны часто получали от военнослужащих Афганской регулярной армии жизненно важную информацию о передвижениях русских войск и о целях предстоящих ударов. В этой войне, по существу, невозможно было победить без их тайной помощи. И конечно же, неожиданный минометный обстрел двух позиций афганской армии, разведанных Хабибом, привел бы к многочисленным жертвам.

В результате долгой дискуссии пришли к решению вступить в бой. Наша ситуация была столь опасной, что мы не имели другого выбора: следовало контратаковать противника и сбросить его с возвышенности.

План казался хорошим и должен был сработать, но, как часто случалось на этой войне, принес только хаос и смерть. Четверо часовых должны были охранять лагерь, а я остался ухаживать за ранеными. Четырнадцать человек из ударной группы были разделены на две команды: Халед и Хабиб вели первую, Сулейман — вторую. Следуя указаниям Хабиба, минометы были установлены примерно в километре от вражеского лагеря — расстоянии, намного меньшем максимального диапазона эффективного поражения. Обстрел начался сразу после рассвета и продолжался в течение получаса. Войдя в разрушенный лагерь, ударная группа обнаружила тела восьми афганских солдат — некоторые из них были еще живы. Хабиб занялся выжившими. Не в силах смот-

---

[1] *Мохаммад Наджибулла* (1947–1996) — афганский военный чиновник, президент Афганистана в 1986–1992 гг.

реть на то, что позволено было ему делать, наши люди вернулись в свой лагерь, надеясь никогда больше не видеть этого безумца.

Не прошло и часа после их возвращения, как на наш лагерь обрушился ответный удар, сопровождаемый воем, свистом и глухими разрывами. Когда смертоносная атака стихла, мы выползли из своих укрытий и услышали странный вибрирующий гул. Халед находился в нескольких метрах от меня. Я видел, как страх исказил его и без того изуродованное шрамом лицо. Он побежал к расщелине в каменной стене напротив пещеры, размахивая руками и призывая меня последовать его примеру. Я сделал было шаг в его сторону, но тут же застыл на месте: над лагерем, подобно гигантскому, чудовищному насекомому, поднялся русский вертолет. Невозможно описать, какими огромными и хищными кажутся эти машины, когда ты попадаешь под их огонь. Этот монстр — единственное, что ты видишь и осознаешь: несколько долгих мгновений кажется, что в мире нет ничего, кроме металла, шума и ужаса.

Появившись, вертолет открыл огонь по нам и сделал круг, словно сокол, высматривающий добычу. Две ракеты прочертили воздух, промчавшись в направлении пещеры. Они неслись с невероятной скоростью, гораздо быстрее, чем могли проследить их траекторию мои глаза. Я обернулся и увидел, как одна из ракет врезалась в скалу над входом в пещеру и взорвалась ливнем камня, дыма, огня и осколков металла. И сразу же вслед за ней вторая ракета влетела в отверстие пещеры и разорвалась внутри.

Всем телом я ощутил ударную волну: словно стоишь на краю бассейна и кто-то толкает тебя, упираясь ладонями. Я упал на спину, задыхаясь, хватая ртом воздух. Вход в пещеру находился как раз передо мной: там были раненые, там же прятались и все остальные. И они начали выбегать и выползать наружу, продираясь сквозь черный дым и пламя. Одним из этих людей был торговец-пуштун по имени Алеф. Кадербхай любил его за непочтительные, язвительные шутки, высмеивающие напыщенных мулл и афганских политиков. У него было вырвано мясо вдоль всей спины, одежда горела, обжигая голое вывороченное мясо. Отчетливо были видны тазовая кость и лопатка: они двигались в открытой ране, пока он полз.

Алеф кричал, взывая о помощи. Стиснув зубы, я собирался кинуться к нему, но вертолет появился вновь и дважды с ревом на большой скорости пронесся мимо, сужая круги, чтобы выбрать более удобный угол атаки. Затем с какой-то надменной беспечностью бесстрашно завис у края плато, служившего нам убежищем. Как только я шагнул вперед, вертолет выпустил в сторону пещеры еще две ракеты, а потом еще две. На мгновение вся внутренность пещеры оказалась освещенной взрывом, снег расплавился от катящегося по нему шара из пламени и раскаленных добела кусков металла. Один из осколков упал на расстоянии вытянутой руки от меня. Он шумно врезался в снег и несколько секунд сердито шипел. Я пополз туда, где прятался Халед, и, добравшись до скалы, втиснулся в узкую расщелину.

С вертолета открыли пулеметный огонь: пули вздымали снег на открытой площадке и, попадая в тела убитых и раненых, подбрасывали их. Потом я услышал звук иной тональности и понял, что кто-то из наших людей ведет ответный огонь по вертолету из ПК, одного из имевшихся у нас русских пулеметов. Вскоре последовала вторая длинная очередь из другого ПК. Уже двое наших людей вели огонь по вертолету. Моим единственным побуждением было спрятаться от этой эффективной машины для убийства, а эти двое не только раскрыли свое местонахождение безжалостному зверю, подставляя себя под его огонь, но и бросили ему вызов.

Где-то за моей спиной раздался крик, и мимо расщелины в скале, где я прятался, в сторону вертолета с шипением пронеслась ракета. Ее выпустил один из наших бойцов. Хотя она и не попала в вертолет, как и две последовавшие за ней ракеты, но ответный огонь уже нащупывал цель и убедил пилота: лучше убраться подобру-поздорову.

Наши люди громко закричали: «Аллах ху акбар! Аллах ху акбар! Аллах ху акбар!» Выбравшись из тисков каменной щели, мы с Халедом обнаружили, что уже четверо бойцов бегут вслед за вертолетом, стреляя в него. Вертолет стремительно удалялся, но за ним тянулась тоненькая струйка ржаво-черного дыма, а двигатель ревел надсадно, с лязгом.

Молодого человека, первым ответившего на огонь вертолета, звали Джалалад, он был кочевником-хазарейцем. Передав тяжелый ПК своему другу и схватив АК-74 с двойным магазином, он помчался на поиски вражеских солдат, возможно переползавших под прикрытием вертолета. Еще двое юношей побежали за ним, прыгая и оскальзываясь на покрытом снегом склоне.

Мы осмотрели лагерь, чтобы сосчитать оставшихся в живых. Перед нападением нас было двадцать, включая двух раненых, после этой атаки — одиннадцать: Джалалад и еще двое юношей — Джума и Ханиф, занятые поисками русских или солдат Афганской регулярной армии внутри нашего оборонительного периметра; Халед, Назир, очень молодой боец по имени Ала-уд-Дин, трое раненых, Сулейман и я. Мы потеряли девять человек — на одного больше, чем убили афганских солдат, обстреляв их из минометов.

Наши раненые были совсем плохи. Один из них получил такие тяжелые ожоги, что его пальцы слиплись вместе, подобно клешне краба, а лицо мало чем напоминало человеческое. Он дышал сквозь отверстие в красной коже лица. Возможно, эта дрожащая дыра была ртом, но полной уверенности в этом не было. Я прислушивался к его затрудненному дыханию, к этим царапающим, постепенно слабеющим звукам. Дав ему морфий, я перешел к следующему раненому — крестьянину из Газни по имени Захер Расул. Он часто приносил мне зеленый чай, когда я читал книгу или делал записи в своем дневнике. Доброжелательный скромный человек сорока двух лет, уже немолодой для страны, где средняя продолжительность жизни для мужчин составляла сорок пять лет. Снаряд оторвал ему руку и широко рассек грудь с правой стороны. Невозможно было выяснить, какие осколки металла или камня в его ранах. Он неустанно повторял *зикр* — зачин молитвы:

> Аллах велик.
> Аллах, прости меня.
> Аллах милосерден.
> Аллах, прости меня.

Махмуд Мелбаф затягивал жгут на рваном обрубке руки, немного ниже плеча. Когда он отпустил его, кровь брызнула на нас сильной теплой струей. Махмуд вновь затянул жгут. Я посмотрел ему в глаза.

— Артерия, — сказал я, раздавленный тяжестью предстоящей мне задачи.

— Под рукой. Ты видел?

— Да. Ее нужно зашить, зажать, что-то с ней сделать. Мы должны остановить кровь. Он и без того потерял ее слишком много.

Почерневшие, покрытые золой остатки полевой аптечки были сложены в кучку у моих коленей на кусок брезента. Я нашел иглу для зашивания ран, ржавые плоскогубцы и немного шелковой нити. Замерзший на покрытой снегом земле, закоченевшими голыми руками я принялся накладывать швы на артерию и участок вокруг нее, отчаянно пытаясь остановить струю горячей красной крови. Нить рвалась несколько раз. Мои оцепеневшие пальцы дрожали. Раненый был в сознании и испытывал ужасную боль. Он непрерывно кричал и стонал, но снова и снова возвращался к своей молитве.

Несмотря на пронизывающий холод, мои глаза заливал пот. Я сделал знак Махмуду убрать жгут. Кровь сочилась из-под швов. Ее поток намного ослабел, но я знал, что эта струйка все равно в конце концов убьет его. Я начал засовывать в рану комки бинта, чтобы потом наложить на нее давящую повязку, но Махмуд сильно сжал мои запястья своими испачканными кровью руками.

Я поднял глаза и увидел, что Захер Расул перестал молиться. Кровь уже не текла — он был мертв.

Я выбился из сил и никак не мог отдышаться. Внезапно я осознал, что не ел уже много часов и очень голоден. Подумав о голоде, еде, я впервые ощутил тошноту: ее теплая волна нахлынула на меня, и я потряс головой, чтобы от нее избавиться.

Возвратившись к обожженному, мы обнаружили, что он тоже умер. Я накрыл неподвижное тело, словно саваном, куском камуфляжного брезента. Мой последний взгляд на его обугленное, лишенное черт, почти расплавленное лицо был и благодарственной молитвой. Одно из мучительных откровений для военного медика — приходится молиться о смерти человека столь же горячо и почти так же часто, как и о его жизни. Третьим раненым был сам Махмуд Мелбаф. В его спине, шее и затылке застряли крошечные серо-черные осколки металла и чего-то похожего на расплавленную пластмассу. К счастью, брызги ее, как занозы, проникли лишь в верхние слои кожи. Тем не менее потребовалось около часа, чтобы избавиться от них. Я промыл ранки и присыпал их порошком антибиотика, перевязывая там, где это было возможно.

Мы проверили запасы провианта. Раньше у нас были две козы. Одна из них во время обстрела убежала, и мы никогда больше ее не видели, другую нашли забившейся в оканчивающееся тупиком углубление, образованное высокими скалистыми откосами.

Кроме этой козы, у нас не было никакой другой пищи. Мука сгорела вместе с рисом, перетопленным жидким маслом и сахаром — от них осталась одна сажа. Запасы топлива были полностью израсходованы. Стальные медицинские инструменты пострадали от прямого попадания: бóльшая их часть превратилась в бесполезную груду металла. Порывшись в обломках, я извлек оттуда некоторое количество антибиотиков, дезинфицирующих средств, мазей, бинтов, игл для зашивания ран, ниток, шприцев и ампул с морфием. У нас оставались патроны и немного лекарств, мы могли растопить снег и получить из него воду, но отсутствие еды вызывало серьезную тревогу.

Нас было девять человек. Сулейман и Халед решили, что надо покинуть лагерь. В другой горе, примерно в двенадцати часах ходу на восток, была другая пещера, которая, как мы надеялись, даст нам надежную защиту. Несомненно, русские поднимут в воздух новый вертолет — не позднее чем через несколько часов. Да и их солдаты где-то неподалеку.

— Каждый заполнит снегом две фляги и будет держать их на теле под одеждой во время перехода, — перевел для меня Халед распоряжение Сулеймана. — Мы возьмем с собой оружие, патроны, лекарства, одеяла, немного топлива, дров и козу. Ничего больше. В путь!

Мы вышли голодными и пребывали в этом состоянии еще четыре недели, сидя на корточках в новой горной пещере. Ханиф, один из юных друзей Джалалада, был мясником в своей родной деревне. Когда мы прибыли на место, он забил козу, освежевал ее, выпотрошил и разделил на четыре части. Из дров, которые мы захватили из разрушенного лагеря, разожгли костер, добавив немного спирта из лампы. Ни один кусочек мяса не пропал даром, за исключением таких частей тела животного, как ноги ниже коленного сустава, что считаются *харам*, то есть запрещенными для использования в пищу мусульманами. Тщательно прожаренное мясо было затем распределено на скудные суточные рационы. Мы хранили бóльшую часть мяса в импровизированном холодильнике, выдолбленном во льду на дне снежной ямы. А затем мы четыре недели грызли сухое мясо и, перекручиваемые изнутри голодом, мечтали о добавке.

Только за счет нашей дисциплины и дружеской взаимной поддержки мясо одной козы четыре недели не давало девятерым мужчинам умереть с голоду. Много раз мы пытались, выскользнув из лагеря, добраться до какой-нибудь из ближайших деревень, чтобы раздобыть немного еды, но все они были заняты вражескими войсками — целая горная гряда была окружена патрулями афганской армии под командованием русских. К зверствам Хабиба добавился поврежденный нами вертолет — все это вызвало яростную решимость русских и солдат Афганской регулярной армии покончить с нами. Отправившись однажды на поиски продовольствия, наши разведчики услышали объявление, эхом доносившееся из соседней деревни. Русский военный джип был оборудован громкоговорителем. Афганец говорил на пушту о нас как о бандитах и преступниках, уверяя, что создана специальная боевая группа для нашей поимки. За наши головы была назначена награда. Разведчики хотели было обстрелять джип, но подумали, что, возможно, это ловушка, чтобы выманить нас из укрытия, и речи охотников продолжали эхом отдаваться среди отвесных скал ущелья, как вой рыщущих стаей волков.

Очевидно имея ложную информацию или идя по кровавому следу, тянувшемуся за Хабибом, русские, базирующиеся в окрестных деревнях, сосредоточили свое внимание на другой горной гряде к северу от нас, где и вели поиски. Казалось, мы были в безопасности в своей отдаленной пещере, и нам ничего не оставалось, как ждать все эти четыре самые холодные в году недели. Нас загнали в капкан, и мы умирали от страха и голода, прятались, передвигаясь ползком по затененным участкам в дневное время, и жались друг к другу ночью, лишенные света и тепла. И так, невыносимо медленно, проходил один ледяной час за другим. Нож войны вырезал из наших душ все желания и надежды, единственное, что поддерживало нас, когда мы обхватывали себя руками, чтобы хоть как-то согреться, — была воля к жизни.

ГЛАВА

36

Я никак не мог привыкнуть к потере Кадербхая, отца моих грез. Бог свидетель, я своими руками помогал его хоронить, однако не горевал, не оплакивал его. Для подобной скорби мне не хватало убежденности: сердце не могло смириться с фактом его смерти. Я слишком сильно его любил, казалось мне в ту военную зиму, чтобы он ушел просто так: умер — и дело с концом. Если такая громада любви может просто исчезнуть в земле, не говорить больше, не улыбаться, тогда любовь — ничто. А в это я не мог поверить, пребывая в ожидании некоего неизбежного воздаяния. Тогда я не знал того, что знаю сейчас: любовь — улица с односторонним движением. Любовь, как и уважение, — это не то, что ты получаешь, а то, что ты отдаешь. Но, не зная этого в те горькие недели, не думая об этом, я отвернулся от этой появившейся в моей жизни пустоты на месте, где было столько любви и надежды, отказавшись испытывать тоску от этой потери. Я съежился внутри холодного, скрывающего все камуфляжа из снега и затененного камня. Жевал кусочки оставшегося козьего мяса, и каждая минута, заполненная биением сердца и голодом, уводила меня прочь от печали и осознания истины.

Разумеется, мы в конце концов исчерпали запас мяса. Было собрание, где обсуждались варианты дальнейших действий. Джалалад и другие юные моджахеды хотели бежать из этой западни, прорвавшись через неприятельские заслоны, и как можно быстрее уйти в пустынные места провинции Забуль, близ пакистанской границы. Сулейман и Халед неохотно согласились, что другого выхода нет, но настаивали на тщательном изучении диспозиции противника, чтобы наверняка выбрать место прорыва. С этой целью Сулейман послал юного Ханифа разведать местность вдоль сглаженной кривой, идущей с юго-запада на север и юго-восток от нашего укрытия. Он приказал молодому человеку вернуться не позднее чем через двадцать четыре часа и передвигаться только ночью.

Возвращения Ханифа мы ждали долго, голодные и замерзшие. Пили воду, но это лишь на несколько минут прерывало на-

707

ши мучения, а потом голод усиливался. Двадцать четыре часа растянулись до двух суток, пошли третьи, а о Ханифе не было ни слуху ни духу. Утром третьего дня мы пришли к заключению, что он мертв или захвачен в плен. Джума, погонщик верблюдов из крошечного таджикского анклава на юго-западе Афганистана, близ Ирана, вызвался отправиться на поиски Ханифа. Джума, темноволосый человек с тонкими чертами лица, ястребиным носом и чрезвычайно чувственным ртом, был близок к Ханифу и Джалаладу той близостью, которая неожиданно возникает между мужчинами на войне и в тюрьмах и редко выражается словами и жестами.

Таджикский клан погонщиков, к которому принадлежал Джума, занимаясь сопровождением торговых караванов, традиционно соперничал в этом с хазарейским племенем, откуда происходили Ханиф и Джалалад. Конкуренция между этими группами особенно усилилась в пору стремительной модернизации Афганистана. В 1920 году каждый третий афганец был кочевником. Через пару поколений, к 1970 году кочевниками оставались всего два процента населения. И хотя эти три молодых человека были соперниками, война тесно их сблизила, и они стали неразлучными друзьями. Их дружба окрепла в отупляюще скучные месяцы, нескончаемо тянущиеся между пиками боевых действий, и многократно была проверена в бою. В самом успешном для них сражении они, используя мины и гранаты, подорвали русский танк. Каждый из них носил на шее кожаный ремешок с маленьким кусочком металла, взятым из танка в качестве сувенира.

Когда Джума объявил, что пойдет искать Ханифа, мы все знали, что не сможем помешать ему. Устало вздохнув, Сулейман согласился отпустить его. Не желая дожидаться наступления ночи, Джума вскинул на плечо автомат и выполз из укрытия. Он, как и все мы, не ел уже три дня, но, когда в последний раз оглянулся, в его улыбке, обращенной к Джалаладу, были и сила, и мужество. Мы следили за тем, как удаляется его тонкая тень, перемещаясь по залитым солнцем снежным склонам под нами.

От постоянного голода мы мерзли еще сильнее. В ту длинную, тяжелую зиму снег в горах шел чуть ли не через день. Температура в дневные часы поднималась выше нуля, но с наступлением сумерек и до рассвета падала ниже нуля, и мы стучали зубами от холода. На морозе мои руки и ноги все время болели. Кожа на лице одеревенела и покрылась трещинами, как ноги крестьян в деревне Прабакера. Мы мочились на руки, чтобы избавиться от жалящего холода, и это помогало вернуть им чувствительность, хотя и ненадолго. Впрочем, даже помочиться было серьезной проблемой: во-первых, необходимость распахнуть одежду на морозе вызывала ужас, во-вторых, после того, как мочевой пузырь освобождался от теплой жидкости, становилось еще холоднее. Температура тела после потери этого тепла резко падала, и мы всегда старались отсрочить эту процедуру, терпели сколько могли.

Джума в тот вечер не вернулся. Мы не могли заснуть от холода и страха и сразу вскочили, когда в полночь во тьме раздался негромкий звук. Семь стволов было направлено на это место. Мы с изумлением глядели на лицо, неясно вырисовывающееся из темноты гораздо ближе к нам, чем можно было ожидать. То был Хабиб.

— Что ты здесь делаешь, брат мой? — мягко спросил его Халед на урду. — Ты сильно нас напугал.

— Они здесь, — ответил Хабиб вполне разумным, спокойным голосом.

Казалось, говорил какой-то другой, находящийся в другом месте человек или медиум, произносящий слова в трансе. Лицо его было грязным. Мы все давно не умывались и заросли бородой, но на лице Хабиба грязь лежала таким густым слоем и была столь отвратительна, что повергла нас в шок. Как гной из инфицированной раны, грязь, казалось, лезла наружу из пор его кожи.

— Они везде вокруг и уже идут сюда, — продолжал он, — чтобы схватить вас всех и убить, когда их соберется побольше, завтра или послезавтра. Скоро. Они знают, где вы. Они убьют вас всех. Теперь у вас только одна дорога, чтобы выбраться отсюда.

— Как ты нас разыскал, брат? — спросил Халед, и голос его был таким же спокойным и далеким, как у Хабиба.

— Я пришел с вами. Всегда находился рядом с вами. Разве вы меня не замечали?

— Видел ли ты где-нибудь моих друзей — Джуму и Ханифа? — спросил Джалалад.

Хабиб не ответил. Джалалад задал свой вопрос снова, более настойчиво:

— Ты видел их? Они в лагере русских? В плену у них?

Мы ждали ответа в тишине, наполненной страхом и отвратительным запахом разлагающейся плоти, исходившим от Хабиба. Казалось, он размышлял или прислушивался к чему-то, слышному только ему одному.

— Скажи мне, *бач-и-кака*, — мягко спросил Сулейман, используя слово, которым близкие родственники называют племянника, — что это значит: отсюда теперь только одна дорога?

— Они везде, — ответил Хабиб.

Ухмылка во весь рот и пристальный взгляд психически больного человека искажали черты его лица. Махмуд Мелбаф переводил, шепча мне прямо в ухо:

— У них недостаточно людей. Они заминировали все главные тропы, ведущие с гор. С севера, с востока, с запада — все заминировано. Только на юго-востоке путь свободен: они думают, что вы не будете пытаться уйти этой дорогой. Они оставили этот путь свободным, чтобы подняться сюда и схватить вас.

— Мы не можем идти этой дорогой, — прошептал Махмуд, когда Хабиб внезапно замолк. — Русские удерживают долину к юго-востоку от нас — это их путь на Кандагар. Они придут за нами именно оттуда. Если мы пойдем в этом направлении — все погибнем, и они знают это.

— Теперь они на юго-востоке. Но завтра, только один день, все они будут на дальней стороне горы, на северо-западе, — сказал Хабиб. Голос его по-прежнему был спокоен и невозмутим, но лицо искажала злобная гримаса горгульи, и этот контраст действовал нам на нервы. — Только немногие останутся, а все остальные будут ставить последние мины на северо-западном склоне, когда рассветет. Их там будет мало, и, если вы устремитесь на них, атакуете их, дадите им бой завтра на юго-востоке, вы сможете прорваться и уйти.

— Сколько их всего? — спросил Джалалад.

— Шестьдесят восемь человек. У них минометы, ракеты и шесть тяжелых пулеметов. Их слишком много, чтобы вы могли прокрасться мимо них ночью.

— Но ты ведь сумел прошмыгнуть, — сказал Джалалад с вызовом.

— Они не могли меня видеть, — так же невозмутимо ответил Хабиб. — Я для них невидим. Они не могут меня видеть, пока я не всажу им нож в горло.

— Это смешно! — прошипел Джалалад. — Они солдаты, и ты солдат. Если ты можешь проскользнуть мимо них незамеченным, мы тоже сумеем.

— А разве ваши люди возвратились? — спросил его Хабиб, впервые обращая свой взор маньяка на молодого бойца.

Джалалад раскрыл было рот, чтобы ответить, но слова словно утонули в маленьком бурлящем море его сердца. Он опустил глаза и покачал головой.

— Можешь ли ты войти в их лагерь, как я, чтобы тебя никто не видел и не слышал? — сказал Хабиб. — Если попытаешься прокрасться мимо них, ты умрешь, как это случилось с твоими друзьями. Ты не можешь пробраться мимо них. Я могу это сделать, а ты — нет.

— Но ты думаешь, что мы сумеем прорваться с боем? — Халед задал вопрос мягко, негромко, но мы почувствовали, насколько важен для него ответ.

— Сумеете. Это единственный путь. Я облазил все горы, подбирался к врагам так близко, что слышал, как они чешутся. Именно поэтому я сейчас здесь: пришел сказать вам, как спастись. Но за эту помощь я назначаю цену: всех, кого вы не убьете завтра, тех, кто выживет, вы отдадите мне.

— Хорошо-хорошо, — согласился Сулейман, стараясь успокоить его. — Давай, *бач-и-кака*, расскажи нам все, что знаешь. Мы хотим все узнать от тебя. Садись с нами и расскажи обо всем. Извини, но накормить тебя мы не сможем — нет еды.

— Еда есть, — перебил его Хабиб, указывая куда-то в тень на краю лагеря за нашими спинами. — Я чувствую запах пищи.

И верно, гниющее мясо мертвой козы — обрезки харама, запрещенного в пищу для мусульман, — лежало маленькой кучкой на раскисшем снегу. Несмотря на холод и снег, кусочки сырого мяса давно начали разлагаться. С такого расстояния мы не могли этого учуять, но Хабиб, как видно, мог.

Реплика безумца вызвала долгую дискуссию: допустимо или нет по религиозным канонам есть харам. Бойцы соблюдали предписания веры не слишком строго: молились ежедневно, но не в полном соответствии с требованием для шиитов молиться три раза и для суннитов — пять раз в день. Они были добрыми мусульманами, но не выставляли свою религиозность напоказ. Тем не менее во время войны, когда человек подвергается многочисленным опасностям, им меньше всего хотелось пойти против воли Аллаха. Они были моджахедами, вели священную войну и верили, что станут мучениками в момент своей смерти в бою и обеспечат себе тем самым место на небесах, где их будут ублажать прекрасные девы. Они не желали осквернять себя запрещенной пищей, когда райское блаженство, положенное мученикам, было так близко. Следует отдать дань крепости их веры: дискуссия о запретном мясе — хараме — даже не возникала, пока мы жили впроголодь целый месяц, а потом еще пять дней вообще ничего не ели.

Что касается меня, я признался Махмуду Мелбафу, что думал о выброшенном мясе почти постоянно в течение последних нескольких дней. Я не мусульманин, и это мясо для меня не запретно. Но я так тесно сжился с моджахедами, был рядом с ними столько тягостных недель, что связал с ними свою судьбу. Никогда бы не стал что-то есть, когда они голодали. Я мог бы пойти на это, только если бы они согласились разделить эту пищу со мной.

Решающее мнение по этому вопросу высказал Сулейман. Он напомнил, что есть харам — действительно грех для мусульманина, но еще больший грех — уморить себя до смерти, когда можно было бы употребить его в пищу. Мужчины решили, что мы сварим суп из гниющего мяса, прежде чем рассветет. Затем, подкрепив свои силы, мы используем информацию Хабиба, чтобы с боем вырваться из горного плена.

В те долгие дни, когда мы прятались и ждали, лишенные тепла и горячей пищи, мы развлекали и поддерживали друг друга, рассказывая разные истории. Вот и в эту последнюю ночь, после того как было уже выслушано не одно повествование, вновь настал мой черед. Несколько недель назад состоялся мой дебют: я поведал, как бежал из тюрьмы. Хотя моих товарищей шокировало признание, что я *гуна*, то есть грешник, и находился в заключении как преступник, рассказанное захватило их, и они задавали много вопросов, когда я закончил. Моя вторая история была посвящена «ночи убийц»: как мы с Абдуллой и Викрамом выследили нигерийских убийц, как сражались и победили их, а потом выставили из страны; как я охотился на Маурицио, который и был причиной всего этого, и избил его, даже хотел убить, но пощадил, о чем пожалел потом, когда он напал на Лизу Картер, и Улле пришлось убить его.

И эта история была воспринята с интересом, и, когда Махмуд Мелбаф занял место рядом со мной, чтобы переводить мою третью историю, я гадал, что могло бы увлечь их. Я мысленно перелистывал список героев: в нем было множество мужчин и женщин, начиная с моей матери, чье мужество и самопожертвование вдохновляли мои воспоминания. Но когда я заговорил, обнаружил, что рассказываю о Прабакере. Слова непрошеными шли из глубин моего сердца и звучали как некая безрассудная молитва.

Я рассказал, как Прабакер еще ребенком покинул свой эдем — деревню — и отправился в город; как он вернулся домой подростком вместе с диким уличным мальчишкой Раджу и другими друзьями, чтобы противостоять вооруженным бандитам; как Рукхмабаи, мать Прабакера, воодушевила деревенских мужчин; как юный Раджу палил из револьвера, идя навстречу хвастливому предводителю бандитов, пока тот не упал замертво; как любил Прабакер праздники, танцы и музыку; как он спас любимую женщину от эпидемии холеры и женился на ней; как умер на больничной койке, окруженный любовью скорбящих друзей и близких.

После того как Махмуд перевел мои последние слова, наступила продолжительная тишина: слушатели осмысляли мой рассказ. Я пытался убедить себя, что они тронуты историей моего друга не меньше, чем я, но тут посыпались вопросы.

— Так сколько коз было у них в этой деревне? — спросил Сулейман с мрачным видом.

— Он хочет знать, сколько коз... — начал переводить Махмуд.

— Понял-понял, — улыбнулся я. — Наверно, где-то около восьмидесяти, ну, может быть, сотня. Две-три козы в каждом дворе, но в некоторых было и шесть, и восемь.

ШАНТАРАМ

Эта информация вызвала дискуссию, сопровождаемую гулом и жестикуляцией, более оживленную и заинтересованную, чем любые политические и религиозные дебаты, периодически возникавшие среди моджахедов.

— Какого цвета были эти козы? — спросил Джалалад.

— Цвет, — объяснил Махмуд с серьезным видом. — Он хочет знать цвет коз.

— Ну, они были коричневыми и белыми, и несколько черных.

— То были большие козы, как в Иране? — переводил Махмуд для Сулеймана. — Или тощие, как в Пакистане?

— Ну, примерно такие, — предположил я, показав высоту в холке.

— Сколько молока, — спросил Назир, непроизвольно втянувшись в дискуссию, — получали они ежедневно от этих коз?

— Я не эксперт по козам...

— Постарайся, — настаивал Назир. — Постарайся вспомнить.

— Проклятье! Это просто случайный проблеск, но кажется, пару литров в день... — предположил я, беспомощно разведя руками.

— Этот твой друг... сколько он зарабатывал как таксист? — спросил Сулейман.

— У твоего друга были женщины до свадьбы? — поинтересовался Джалалад, вызвав всеобщий смех, — некоторые даже начали бросать в него камешки.

В таком же духе и продолжалось это собрание, затронув все интересовавшие его участников темы, пока наконец я, извинившись, не нашел относительно защищенное место, откуда мог бы внимательно разглядывать затянутое пеленой холодное, мглистое небо. Я пытался подавить страх, беспокойно шевелящийся в моем пустом брюхе и внезапно хватающий острыми когтями сердце, стиснутое, как в клетке, ребрами.

Завтра. Мы будем прорываться с боем. Никто не говорил об этом, но я знал: все думают, что завтра мы умрем. Уж слишком они веселы и спокойны. Казалось, что все напряжение и ужас последних недель исчезли теперь, когда принято решение сражаться. И это не было радостным облегчением людей, знающих, что они спасены. То было нечто увиденное мною в зеркале в тюремной камере, в ночь перед моим безрассудным побегом, и нечто увиденное в глазах человека, бежавшего вместе со мной. То было веселое оживление людей, рисковавших всем — своей жизнью и смертью, — поставивших все на карту. Наступит некий час следующего дня, и мы будем свободны или мертвы. Та же решимость, что толкнула меня на тюремную стену, вела теперь нас через горный хребет на вражеские автоматы: лучше умереть в бою,

713

чем, как крыса, в западне. Я бежал из тюрьмы на другой конец света, прошел через годы, чтобы оказаться в компании людей, точно так же, как я, ощущающих свободу и смерть.

И все же я боялся, что меня ранят, что пуля попадет в спину и я буду парализован, что меня схватят живым и будут мучить новые тюремщики в новой темнице. Мне пришло в голову, что Карла и Кадербхай могли бы сказать мне что-нибудь умное по поводу страха. Вспомнив о них, я понял, как далеки они были от этого мгновения, этой горы и от меня. Понял, что не нуждаюсь больше в их блестящих умах: они ничем не могли мне помочь. Вся мудрость мира не могла помешать моему животу стягиваться в узел от гнетущего страха. Когда знаешь, что идешь на смерть, разум не приносит утешения. Когда приходит конец, понимаешь тщету гения и пустоту ума. А утешение можно найти, если оно, конечно, посетит тебя, в той странной, холодной, как мрамор, смеси времени и места, ощущении, которое мы обычно и называем мудростью. Для меня в эту последнюю ночь перед боем то было звучание материнского голоса, то была жизнь и смерть моего друга Прабакера... Упокой тебя Бог, Прабакер. Я по-прежнему люблю тебя, и печаль, когда я думаю о тебе, входит в мое сердце и горит в моих глазах яркими звездами... Моим утешением на этой промерзшей горной гряде была память об улыбке на лице Прабакера и звучание голоса моей матери: «Что бы ты ни делал в жизни, делай это, не теряя мужества, и ты не сделаешь слишком много плохого...»

— Вот возьми, — сказал Халед, соскальзывая вниз, присаживаясь на корточки рядом со мной и протягивая мне один из двух окурков, зажатых в ладони.

— Господи Исусе! — воскликнул я, открыв рот от изумления. — Где ты их взял? Я-то думал, все выкурено еще на прошлой неделе!

— Так оно и есть, — сказал он, щелкая газовой зажигалкой. — Кроме этих двух. Я держал их для особого случая. Думаю, что он настал. У меня плохое предчувствие, Лин. Очень плохое. Сидит где-то внутри, и я не могу его вытряхнуть сегодня.

Впервые с того вечера, когда Кадер покинул нас, Халед сказал больше одного-двух необходимых слов. Мы работали и спали бок о бок каждый день и каждую ночь, но я почти никогда не встречался с ним глазами и так явно и холодно избегал разговора с ним, что и он молчал.

— Послушай, Халед... насчет Кадера и Карлы... не думай, я вовсе...

— Нет, — прервал он меня. — У тебя было множество причин, чтобы впасть в неистовство. Могу поставить себя на твое место. Всегда умел взглянуть на вещи глазами другого человека. К тебе несправедливо относились, и я сказал об этом Кадеру в ночь его отъезда. Ему следовало бы доверять тебе. Смешно, но человек, которому он доверял больше, чем кому-либо, единственный в мире человек, на которого он всецело полагался, оказался безумным убийцей, продававшим нас с потрохами.

Нью-йоркский акцент с арабским интонированием перекатывался через меня, подобно теплой пенящейся волне, и мне хотелось подойти и обнять его. Мне не хватало той уверенности, которую я всегда ощущал в звучании его голоса, и искреннего страдания на его изуродованном шрамом лице. Я был так рад вновь чувствовать его дружеское отношение, что не совсем уловил сказанное им о Кадербхае. Подумал, толком не осознав этого, что он говорит об Абдулле. Но он говорил не о нем, и шанс узнать всю правду в одном разговоре был потерян чуть ли не в сотый раз.

— Насколько хорошо ты знал Абдуллу? — спросил я.

— Достаточно близко, — ответил он, и легкую улыбку на его лице сменило выражение неодобрительного недоумения: «К чему, мол, ты клонишь?»

— Тебе он нравился?

— Не особенно.

— Почему?

— Абдулла ни во что не верил. Он был бунтарем без причины в мире, где не хватает тех, кто бунтует ради подлинных целей. Я не люблю людей, лишенных веры, и не доверяю им по-настоящему.

— В их число вхожу и я?

— Нет, — рассмеялся он. — Ты во многое веришь, поэтому я и люблю тебя. И Кадер тебя любил за это. Он ведь любил тебя, ты знаешь. Кадер даже говорил мне об этом пару раз.

— Во что же я верю? — спросил я, усмехнувшись.

— Ты веришь в людей, — поспешно ответил он. — Вся эта история с трущобной «клиникой», например. Твой вчерашний рассказ о той деревне. Если бы ты не верил в людей, давно бы позабыл всю эту чепуху. Твоя работа в трущобах, когда там началась холера, — на Кадера это произвело большое впечатление, да и на меня тоже. Черт побери, наверно, даже Карла верила в тебя какое-то время. Ты должен понять, Лин: если бы у Кадера был выбор, если бы существовала возможность сделать то, что он должен был сделать, как-то иначе, лучше, он бы выбрал именно ее. Все закончилось так, как и должно было. Никто не хотел выставить тебя на посмешище.

— Даже Карла? — спросил я, с наслаждением докуривая сигарету и гася ее о землю.

— Ну, Карла была на это способна, — сдался Халед, грустно улыбнувшись уголками рта. — На то она и Карла. Думаю, единственный мужчина, которого она не унижала, — Абдулла.

— Они были вместе? — спросил я, удивляясь сам себе, что не смог избежать укола ревности, заставившего меня нахмуриться и исказившего лицо недовольной гримасой.

— Ну, не то чтобы вместе, — спокойно ответил он, глядя мне прямо в глаза. — Но *я* был с ней. Мы жили одно время вместе.

— Ты... что?!

— Я жил с ней полгода.

— А что случилось дальше? — спросил я сквозь зубы, чувствуя себя ужасно глупо.

Я не имел права сердиться или ревновать. Никогда не расспрашивал Карлу о ее любовниках, но и она мне не задавала подобных вопросов.

— А ты разве не знаешь?

— Знал бы — не спрашивал.

— Она выбросила меня на свалку, — медленно проговорил он, — как раз незадолго до твоего появления.

— Проклятье!

— Да ладно, чего уж там... — улыбнулся Халед.

Мы замолчали: каждый из нас прокручивал в памяти ушедшие годы. Я вспомнил Абдуллу у прибрежной стены близ мечети Хаджи Али в ночь, когда я встретил его с Кадербхаем. Припомнил, что он сказал, будто какая-то женщина научила его умному изречению, которое он воспроизвел по-английски. По-видимому, это была Карла. Конечно Карла. И еще вспомнилась холодность Халеда при нашей первой встрече: я вдруг понял, как ему было больно тогда, — возможно, он именно меня считал виновным в этом. Теперь я хорошо представлял, чего ему стоило быть таким дружелюбным и добрым ко мне в начале нашего знакомства.

— Видишь ли, — вновь заговорил он через некоторое время, — тебе действительно нужно вести себя осторожно с Карлой. Знаешь, Лин, она очень рассержена — ее жестоко обидели. Над ней надругались, когда она была ребенком. Она немного не в себе. И еще: в Штатах, до приезда в Индию, она занималась чем-то таким, что страшно повлияло на ее психику.

— А чем она занималась?

— Не знаю. Чем-то серьезным. Никогда об этом не говорила, все только вокруг да около, ну, ты сам понимаешь. Думаю, что Кадербхай обо всем знал: он ведь первым встретил ее.

— И я ничего не знаю об этом, — сказал я, угнетенный мыслью, что так плохо осведомлен о женщине, которую долго любил. — Но почему... как ты думаешь, почему она никогда не говорила мне о Кадербхае? Я ведь давно знаю Карлу, мы оба работали на него, и она ни слова о нем не проронила. О нем говорил я, а она хранила полное молчание. Ни разу даже не упомянула его имени.

— Просто хранила ему верность, понимаешь? Не думаю, что это была какая-то интрига против тебя, Лин. Дело в том, что она ему невероятно предана, вернее, была невероятно предана. Скорее всего, воспринимала его как отца — ведь ее собственный отец умер, когда она была ребенком, да и отчим, когда она была совсем юной. Кадер появился в ее жизни как раз вовремя: спас ее и стал ей отцом.

— Так, говоришь, он первым встретил ее?

— Да, в самолете. Она рассказывала какую-то странную историю: будто она не помнила, как очутилась в самолете. Попала в беду: убегала от чего-то, что натворила. В течение нескольких дней пыталась сесть на несколько рейсов из разных аэропортов. А в том самолете летела в Сингапур из... Не помню откуда. У нее случился нервный срыв или что-то в этом роде — словом, крыша поехала. Единственное, что она помнила, — ту пещеру в Индии, где оказалась с Кадербхаем. А потом он оставил ее на попечение Ахмеда.

— О нем она мне рассказывала.

— Неужели? Она о нем редко говорит: этот парень ей нравился, он выхаживал ее почти полгода, пока она не оправилась. Он вроде как вернул ее назад, к свету. Они были весьма близки, — думаю, она относилась к нему как к брату.

— Ты был с ней... я хочу сказать, знал ли ты ее, когда его убили?

— Понятия не имел, что его убили, — нахмурился Халед, раскручивая в памяти клубок воспоминаний. — Знаю, что Карла считает, будто бы мадам Жу убила его и ту девчонку...

— Кристину.

— Да, Кристину. Но я ведь знал Ахмеда довольно хорошо. Очень милый был парень — простой, добрый, из тех, кто легко примет яд вместе с возлюбленной, как в романтическом фильме, если решит, что им не суждено быть вместе. Кадер воспринимал все это очень лично — ведь Ахмед был одним из его парней — и не сомневался, что Жу не имеет к смерти Ахмеда никакого отношения. Он снял с нее подозрения.

— Но Карла с ним не согласилась?

— Нет, она не купилась на это. Смерть Ахмеда переполнила ее чашу терпения. Она когда-нибудь говорила, что любит тебя?

Я колебался, отчасти из-за нежелания лишиться того небольшого преимущества, которое имел бы перед ним, если бы он поверил, что она произносила эти слова, отчасти из уважения к Карле, — в конце концов, это касалось только ее. И я ответил на вопрос: мне надо было знать, почему он задан.

— Нет.

— Очень плохо, — сказал он без всякого выражения. — Я думал, может быть, хоть ты сумеешь...

— Что?

— Сумеешь помочь ей выбраться из этого состояния. С этой женщиной случилось что-то ужасное, много всяких несчастий. А Кадер еще более усугубил ситуацию.

— Каким образом?

— Взял работать на себя. Спас ее, когда встретил, и защищал от того, чего она боялась там, в Штатах. Но потом она повстречала того человека, политика, и он всерьез увлекся ею. Кадеру был нужен этот парень, и он заставил Карлу на него работать. Думаю, это продолжается и сейчас.

— Что это за работа?

— Ты ведь знаешь, как она красива: зеленые глаза, белая-белая кожа...

— Да пропади все пропадом! — вздохнул я, вспоминая лекцию, прочитанную мне когда-то Кадером, — о доле преступления в грехе и греха в преступлении.

— Не знаю, о чем думал Кадер, — заключил сказанное Халед, задумчиво покачав головой. — Такая роль ей, мягко говоря, совсем не подходила. Он, наверно, не понимал, как это... разрушает ее. У нее словно все нутро вымерзло: как будто собственный отец заставляет ее заниматься этим дерьмом. Думаю, она так и не простила за это Кадера, но все равно была невероятно предана ему. Никогда не мог этого понять. Но все-таки мы с ней ладили: я видел, что происходит, и жалел ее. С течением времени одни обстоятельства влекли за собой другие, но я так и не сумел заглянуть ей в душу. И тебе это не удалось. Думаю, она никого туда не пустит. Никогда.

— Никогда — это долго.

— Ладно, ты все понимаешь. Просто я пытаюсь предупредить тебя. Не хочу, брат, чтобы тебе и дальше было больно. Мы и так много чего пережили. И чтобы *ей* было больно, тоже не хочу.

Он снова замолчал. Мы смотрели на скалы и мерзлую землю, избегая глядеть друг другу в глаза. Несколько минут мы еще сидели, дрожа от холода, потом Халед глубоко вздохнул и встал, хлопая себя по рукам и ногам, чтобы согреться. Я тоже встал, закоченев, топая онемевшими ногами. Мы уже готовы были разойтись, но Халед вдруг импульсивно рванулся ко мне, словно продираясь сквозь сплетение лоз, и с какой-то неистовой силой стиснул в объятиях. Голова его на мгновение по-детски нежно прильнула к моей.

Отстранившись, Халед отвел взгляд, и я не видел его глаз. Он пошел прочь, а я медленно брел за ним, обхватив руками грудь и зажав ладони под мышками. И только оставшись один, я вспомнил его слова: «У меня плохое предчувствие, Лин. Очень плохое...»

Я подумал, что надо поговорить с ним об этом, но в тот же момент откуда-то сбоку, из тени, передо мной возник Хабиб, и я в страхе отпрыгнул.

— ...Твою мать! — прошипел я. — Перестань пугать людей, Хабиб, черт тебя побери!

— Успокойся, все в порядке, — заверил меня Махмуд Мелбаф, подходя ко мне вслед за безумцем.

Хабиб что-то говорил, но так путано и быстро, что я не мог разобрать ни единого слова. Темные тяжелые мешки под его глазами оттягивали нижние веки, открывая бо́льшую часть белка, и от этого казалось, что глаза вылезают из орбит.

— Что?

— Все в порядке, — повторил Махмуд. — Он хочет сегодня говорить со всеми, с каждым из нас. Подошел ко мне и попросил перевести его слова для тебя на английский. Ты предпоследний — с Халедом он хочет говорить в последнюю очередь.

— И что он говорит?

Махмуд попросил его повторить для меня свои слова. Хабиб заговорил снова, в той же сверхбыстрой, невероятно энергичной манере, неотрывно глядя мне в глаза, словно ожидал, что из них вылезет враг или чудовищный зверь. Я встретил его взгляд, уставившись на него столь же пристально: мне приходилось быть запертым в камере с такими же склонными к насилию безумцами, и я знал, когда лучше отвести глаза.

— Он говорит, что сильные люди привлекают удачу на свою сторону, — перевел Махмуд.

— Что-что?

— Сильные люди... они создают удачу для себя.

— Сильные люди создают свою удачу? Он это хочет сказать?

— Да, именно так, — согласился Махмуд. — Сильный человек может создать себе удачу.

— Что он имеет в виду?

— Не знаю, — ответил Махмуд терпеливо, с улыбкой. — Он просто говорит это.

— Просто ходит и говорит это всем? — спросил я. — Что сильный человек создает себе удачу?

— Нет. Мне он сказал, что пророк, да пребудет мир с ним, прежде чем стать великим учителем, был великим солдатом. Джалаладу сказал, что звезды сияют, потому что они полны тайн. Каждому говорит разное. И очень торопится высказаться — для него это крайне важно. Я не понимаю его, Лин. Наверно, причина в том, что завтра утром нам предстоит бой.

— Может быть, что-то еще? — спросил я, заинтригованный этим разговором.

Махмуд спросил Хабиба, не хочет ли он сказать что-то еще. Пристально глядя мне в глаза, Хабиб затараторил на пушту и фарси.

— Он говорит только, что удача сама собой не приходит. Хочет, чтобы ты поверил ему. Повторяет снова, что сильный человек...

— Создает себе удачу, — закончил я за него. — Ну что ж, скажи ему, что я оценил по достоинству его слова.

Махмуд заговорил, и на несколько мгновений взгляд Хабиба стал жестче, словно он искал в моих глазах то, что я не мог ему дать: одобрение и отклик. Он повернулся и вприпрыжку побежал прочь, сгорбившись, почти припадая к земле, — эта его манера двигаться тревожила и пугала меня куда сильнее, чем явное, буквально прущее из его глаз безумие.

— И что он сейчас собирается делать? — спросил я, испытывая облегчение оттого, что он ушел.

— Думаю, разыщет Халеда, — ответил Махмуд.

— Ну и холод, черт побери! — выпалил я.

— Да и я замерз не меньше тебя. Весь день мечтаю, чтобы эти холода прекратились.

— Махмуд, ведь ты был в Бомбее вместе с Кадербхаем, когда мы пришли слушать Слепых певцов?

— Да, мы все встретились тогда в первый раз, и я впервые увидел тебя.

— Извини, я не познакомился с тобой той ночью, даже не заметил тебя там. Хочу спросить: как ты вообще сошелся с Кадербхаем?

Махмуд рассмеялся. Так редко можно было видеть, что он громко смеется, и я поймал себя на том, что улыбаюсь ему в ответ. Он сильно похудел за время нашей миссии — мы все исхудали. Кожа на лице, натянутая на высоких скулах и заостренном подбородке, была покрыта густой темной бородой. Глаза даже при холодном лунном свете казались шлифованной бронзой церковной чаши.

— Я стоял на улице в Бомбее, мы с моим другом улаживали какую-то проблему с паспортами. Вдруг на мое плечо легла чья-то рука. Оказалось — Абдулла. Сказал, что Кадер Хан хочет видеть меня. Едем к Кадеру в его машине, разговариваем — и вот я уже его человек.

— Почему он выбрал именно тебя? Что его заставило сделать это и почему ты сразу согласился работать на него?

Махмуд нахмурился, — казалось, ему впервые приходится обдумывать ответ на такой вопрос.

— Я был против шаха Пехлеви[1], — начал он. — САВАК, секретная полиция шаха, убила многих людей, а многих бросила в тюрьмы, где их пытали. Мои отец и мать были убиты в тюрьме за то, что боролись против шаха. Я тогда был маленьким мальчиком. Когда вырос, стал бороться против шаха. Дважды сидел в тюрьме. Два раза меня пытали, пропускали электричество через мое тело — было очень больно. Я сражался за революцию в Иране. Ее совершил аятолла Хомейни[2], он пришел к власти, а шах бежал в Америку. Но секретная полиция САВАК осталась на своем месте и теперь работает на Хомейни. Я опять попадаю в тюрьму, снова меня бьют и пытают электричеством. Те же люди, что и при шахе, точно те же тюремщики — только теперь они на службе у Хомейни. Все мои друзья погибли в тюрьме и на войне против Ирака, а я бежал оттуда и оказался в Бомбее. Занимался бизнесом на черном рынке вместе с другими иранцами. А потом Абдель Кадер-хан сделал меня одним из своих людей. За всю свою жизнь я встретил только одного большого человека. Это был Кадер. Теперь он мертв...

Махмуд с трудом выдавил последние слова, вытер слезы рукавом куртки.

Он говорил долго, и мы сильно замерзли, но все же мне хотелось расспросить его поподробнее. Мне надо было узнать все: заполнить пробелы между тем, что рассказывал Кадербхай, и теми секретами, что раскрыл мне Халед. Но в этот момент раздался пронзительно жалобный, полный ужаса вопль. Потом резко стих, словно нить звука была перерезана ножницами. Мы взглянули друг на друга и, повинуясь инстинкту, схватились за оружие.

— Сюда! — закричал Махмуд и побежал по скользкому талому снегу короткими осторожными, но быстрыми шагами.

Услышанный нами вопль привлек всеобщее внимание. Мимо нас пробежали Назир и Сулейман. Мы примчались к источнику звука одновременно с другими. И все застыли в молчании при виде Халеда Ансари, стоящего на коленях над телом Хабиба Абдур-Рахмана. Безумец лежал на спине. Он был мертв. Нож торчал в горле, которое каких-то несколько минут назад исторгало слова об удаче. Нож был всажен в шею и повернут точно так же, как сам Хабиб проделал это с нашими лошадьми и Сиддики. Но этот, воткнутый в грязное жилистое горло, как приток в русло реки, нож — мы не могли отвести от него глаз — не был ножом

---

[1] *Мохаммед Реза Пехлеви* (1919–1980) — шах Ирана с 1941 по 1979 г.

[2] *Рухолла Хомейни* (1902–1989) — аятолла, иранский политический и религиозный деятель, лидер антишахской революции 1979 г., духовный лидер Исламской Республики Иран.

Хабиба. Мы все хорошо знали этот нож с характерной, вырезанной из рога ручкой. Видели его сто раз — то был нож Халеда.

Назир и Сулейман подхватили Халеда под руки и осторожно подняли его с коленей. В первое мгновение он не сопротивлялся, но потом, не обращая на них внимания, вновь опустился на колени рядом с Хабибом. Грудь мертвеца была укутана шалью *патту*[1]. Халед стянул с бронежилета убитого два кусочка металла, висевшие на шее на кожаных ремешках. Джалалад рванулся вперед и схватил их. То были сувениры, взятые на память из танка, уничтоженного им вместе с Ханифом и Джумой, — кусочки металла, которые носили на шее его друзья.

Халед встал, повернулся и пошел прочь. Когда он проходил мимо, я положил руку ему на плечо и пошел рядом с ним. Сзади раздался яростный вой: Джалалад бил труп Хабиба прикладом автомата. Я взглянул через плечо и успел в последний раз увидеть безумные глаза Хабиба, до того как приклад разнес его лицо вдребезги. Странный каприз жалостливого сердца: оно печалилось по Хабибу. Я сам не раз хотел убить его и знал, что рад видеть его мертвым, но сердце мое было переполнено скорбью, словно Хабиб был моим другом. «Он был учителем», — вдруг вспомнил я. Самый неуправляемый и опасный человек, которого я когда-либо знал, был учителем детей, маленьких детей. Я не мог избавиться от этой мысли, словно в тот момент это была единственная истина, которая что-то значила.

И когда Джалалада наконец оттащили, от трупа не осталось ничего: только кровь и снег, и волосы, и раздробленные кости там, где были жизнь и истерзанный рассудок.

Халед вернулся в пещеру. Он что-то бормотал по-арабски; глаза его, видевшие то, чего не видели другие, блестели, придавая изуродованному шрамом лицу какую-то пугающую решимость.

Войдя в пещеру, Халед расстегнул ремень с висящей на нем флягой, и тот соскользнул на землю. Снял через голову патронташ, позволив упасть и ему. Потом стал рыться в карманах, вытряхивая их содержимое: фальшивые паспорта, деньги, письма, бумажник, оружие, драгоценности и даже мятые, с потрепанными углами фотографии его давно умерших близких.

— Что он говорит? — спросил я Махмуда в отчаянии.

Последний месяц я избегал взгляда Халеда, холодно отвергая знаки его дружеского участия. Внезапно мне стало страшно, что я теряю его, может быть уже потерял.

— Это Коран, — шепотом ответил Махмуд. — Он читает суры.

Халед вышел из пещеры и направился к краю плато, на котором был расположен наш лагерь. Я побежал, встал перед ним

---

[1] *Патту* — большая шерстяная шаль ярких расцветок, по краям которой проходит кайма с гималайскими узорами.

722

и оттолкнул обеими руками. Он позволил мне сделать это, а потом вновь пошел на меня. Обняв Халеда, я сумел оттащить его на несколько шагов. Он не сопротивлялся, глядя прямо перед собой, словно узрел нечто лишающее его рассудка, видимое только ему одному, читая нараспев завораживающе поэтичные стихи Корана. И когда я отпустил его, он снова двинулся вперед.

— Помогите! — закричал я. — Вы что, не видите? Он уходит! Уходит!

Махмуд, Назир и Сулейман подбежали к нам, но, вместо того чтобы помочь удержать Халеда, схватили меня за руки, позволив Халеду продолжать свой путь. Я вырвался и бросился, чтобы вновь остановить его. Кричал, бил по лицу, чтобы разбудить в нем чувство опасности. Он по-прежнему не сопротивлялся и ни на что не реагировал. Я чувствовал, как текут по моему холодному лицу горячие слезы, вызывая саднящую боль в растрескавшихся замерзших губах, как поднимаются в моей груди рыдания, подобно волнам, вновь и вновь набегающим на обкатанные ими скалы. Я удерживал Халеда, обхватив одной рукой за шею, другой — за талию.

Назир, даже исхудавший и ослабевший за эти недели, был слишком силен для меня. Его стальные руки сжали мои запястья и оторвали меня от Халеда. Махмуд и Сулейман помогали ему, а я пытался вырваться и схватить Халеда за куртку. А потом мы смотрели, как он уходит из лагеря в зиму, которая так или иначе разрушила или убила всех нас.

— Ты что, не видел? — спросил меня Махмуд, после того как ушел Халед. — Разве ты не видел его лица?

— Да видел, видел, — прорыдал я и побрел пошатываясь в сторону пещеры, чтобы рухнуть там и уединиться в темнице своего горя.

Долгие часы без сна пролежал я там, грязный, голодный и злой. Сердце мое было разбито — ни рук ни ног я не чувствовал, — мог бы умереть, настолько мне было плохо, но запах еды вернул меня к жизни. Мужчины решили сделать похлебку из остатков гниющего мяса и все это время варили его в котле, без устали выгоняя дым наружу и прикрывая пламя одеялами.

Суп был готов задолго до рассвета, и каждый отведал его, налив в миску, стакан или кружку. Однако вонь гниющего мяса оказалась непереносимой для наших пустых желудков — мы исторгли из себя проглоченную тошнотворную жидкость. Но голод обладает собственной волей, и воля эта гораздо древнее той, которую мы восхваляем и тешим в хоромах разума. Мы были слишком голодны, чтобы отвергнуть пищу, и с третьей, а кто и с пятой попытки заставили себя проглотить это отвратительное, вонючее варево. Горячий суп вызвал в наших пустых желудках столь резкую боль, словно наши животы были набиты рыболовными крючками, но и она прошла, и каждый влил в себя через силу еще три порции этого пойла и сжевал несколько кусочков похожего на резину гниющего мяса.

Следующие два часа мы поочередно бегали в скалы: пища с трудом продвигалась по нашим измученным голодом кишкам, то застревая там, то внезапно извергаясь наружу.

В конце концов мы справились с этим и, когда все молитвы были прочитаны и люди готовы, собрались у юго-восточной оконечности нашего лагеря, в том месте, где Хабиб рекомендовал нам прорывать окружение. Он уверял, что этот крутой склон — наш единственный шанс обрести свободу в бою, а поскольку он сам собирался принять участие в атаке, у нас не было оснований не последовать его совету.

Нас осталось шестеро: я и еще пять человек — Сулейман, Махмуд Мелбаф, Назир, Джалалад и юный Ала-уд-Дин, застенчивый двадцатилетний паренек с мальчишеской ухмылкой и зелеными потухшими глазами старика. Он поймал мой взгляд и ободряюще кивнул. Я улыбнулся ему в ответ, а он широко осклабился и закивал еще более энергично. Я отвел глаза: мне было стыдно за то, что за все эти тяжкие месяцы я ни разу не попытался завязать с ним разговор. Возможно, мы умрем вместе, а я ничего о нем не знаю. Абсолютно ничего.

Загорался рассвет. Гонимые ветром, быстро движущиеся над далекой равниной облака, окрашенные в малиновый цвет первыми огненными поцелуями утреннего солнца, были словно объяты пламенем. Мы пожали друг другу руки, обнялись, еще раз проверили оружие и посмотрели вниз на крутые склоны, ведущие в вечность.

Конец, когда он приходит, всегда наступает слишком быстро. Кожа на моем лице туго натянулась, напрягаемая мускулами шеи и челюсти, которым, в свою очередь, передалось напряжение плеч, рук, обмороженных пальцев, сжимающих, словно в последней агонии, оружие.

Сулейман дал команду. Внутри у меня что-то оборвалось, замкнулось и застыло, став твердым, как бесчувственная мерзлая земля под ногами. Я шагнул вниз, и мы начали спускаться по склону. День был великолепный, самый ясный за многие месяцы. Я вспомнил то, что пришло мне в голову несколько недель назад: в Афганистане как в тюрьме — в этой каменной клетке гор нет ни рассветов, ни закатов. Но в то утро был один из самых восхитительных рассветов в моей жизни. Когда крутой склон сменился более отлогим спуском, мы ускорили шаг, оставив за спиной последние пятна бледно-розового снега, и ступили на неровную серо-зеленую землю.

Первые разрывы, которые мы услышали, прогремели слишком далеко, чтобы напугать меня. «Ладно. Началось. Вот оно...» — пронеслось в моей голове, но это словно произнес кто-то другой — некий тренер, который готовил меня к моему концу. Затем разрывы послышались ближе, — похоже, вражеские минометы пристреливались.

Я взглянул на остальных — они бежали быстрее меня. Только Назир отставал. Я попытался ускорить бег, но занемевшие ноги были как деревянные: я видел, как они бегут, видел каждый их шаг, но я их не чувствовал. Огромным усилием воли я послал им сигнал: «Быстрее!» — и сигнал был принят.

Две мины взорвалось недалеко от меня. Я продолжал бежать, ожидая, что судьба вот-вот сыграет со мной убийственную шутку, а затем придет боль. Сердце колотилось в груди, дыхание сбилось, я с хрипом хватал ртом струйки холодного воздуха. Вражеских позиций я не видел. Дальность стрельбы миномета значительно превышает километр, но их обычно располагают ближе. А потом раздались первые очереди их и наших АК-74. Я знал, что враги близко, достаточно близко, чтобы убить нас и чтобы мы убили их.

И вновь я бросил взгляд на неровную землю передо мной в надежде отыскать укрытие — углубление или валун, выбрать самый безопасный путь. Слева, в сотне метров от меня, упал человек. Это был Джалалад, бежавший рядом с Назиром. Мина взорвалась как раз перед ним, разорвав в клочья его юное тело. Глядя под ноги, я прыгал через валуны и камни, спотыкался, но не падал. Я видел, как метрах в пятидесяти впереди меня Сулейман схватился за горло, пробежал несколько шагов, согнувшись вдвое, словно искал что-то на земле, упал лицом вниз и перевалился на бок. Лицо и горло Сулеймана были разорваны и залиты кровью. Я пытался его обежать, но земля была усеяна камнями, и мне пришлось на бегу перепрыгнуть через него.

И тут я увидел первые дульные вспышки вражеских автоматов. До них было далеко, не менее двухсот метров, — гораздо дальше, чем я предполагал. Слева, в каком-то шаге от меня, прошипела трассирующая пуля. «Нам не суждено прорваться. Мы не сможем...»

Их было не так много: только несколько автоматов вели огонь, но у них было достаточно времени, чтобы увидеть и расстрелять нас. «Они убьют нас всех». И вдруг шквал взрывов прокатился по неприятельским позициям. «Идиоты! Они накрыли своих!» — подумал я, и весь мир вокруг заполнился треском автоматов. Стреляли сразу отовсюду — это было похоже на фейерверк. Назир вскинул свой АК и выстрелил на бегу. Справа, впереди меня, там, где раньше был Сулейман, я увидел ведущего огонь Махмуда Мелбафа. Я поднял свое оружие и нажал курок.

Где-то очень близко раздался ужасный, леденящий кровь вопль. Внезапно я понял, что это мой крик, но не мог его остановить. И я бросил взгляд на людей, храбрых и красивых мужчин рядом со мной, бегущих навстречу огню, и да простит меня Бог за такие мысли и такие слова, но это был момент славы, если понимать славу как великолепный, доходящий до экстаза восторг. Такой должна быть любовь, если даже она греховна. Такой должна быть музыка, если она способна тебя убить. И с каждым шагом я взбирался все выше и выше на тюремную стену.

А потом мир внезапно стал беззвучным, как в морской глубине, ноги остановились, и горячая грязная земля вперемешку с песком взорвалась подо мной, забив мне глаза и рот. Что-то ударило меня по ногам — тяжелое, горячее, злое и острое. Я упал лицом вперед, словно, вбежав в темноту, наткнулся на ствол упавшего дерева. Выстрел из миномета. Металлические осколки. Оглушающая, словно удар, тишина. Горящая кожа. Слепящая земля. Яростные попытки вздохнуть. Все мое существо заполнил запах. То был запах моей смерти — пахло кровью, морской водой, сырой землей, золой сгоревшей древесины, — так пахнет твоя смерть за мгновение до того, как ты умрешь. Я ударился о землю с такой силой, что провалился сквозь нее в глубокую тьму, где не бывает снов. Падение было бесконечным. И никакого просвета, никакого просвета.

Часть пятая

37

Если слишком пристально вглядываться в холодный неживой глаз фотокамеры, она обязательно выставит тебя на посмешище. На черно-белой фотографии — так сказать, официальном групповом портрете отряда Кадера почти в полном составе — выпучившие глаза афганцы, пакистанцы и индийцы выглядели хмурыми и чопорными, какими они на самом деле не были. Глядя на этот снимок, трудно было представить, что они любили смеяться и часто улыбались. При этом никто из них, в отличие от меня, не смотрел прямо в объектив, все глаза были устремлены чуть выше или ниже или вбок. Только я взирал на себя с фотографии, которую держал в перебинтованной руке, вспоминая имена людей, столпившихся перед камерой.

Каменщик Маздур Гул, чье имя означает «рабочий». Его руки, десятилетиями обрабатывавшие гранит, навсегда остались бело-серыми... Дауд, который предпочитал, чтобы его называли на английский манер Дэвидом, и мечтал побывать когда-нибудь в великом Нью-Йорке и посетить там шикарный ресторан... Заманат, то есть «доверчивый». Он пытался скрыть под храброй улыбкой чувство неловкости оттого, что его семья голодает в Джалозаи, лагере для беженцев под Пешаваром... Хаджи Акбар, которому поручили быть доктором в отряде, поскольку ему довелось как-то пролежать целых два месяца в кабульском госпитале. Когда я прибыл в лагерь и согласился взять на себя его обязанности, он вознес хвалу Господу и исполнил ликующий танец афганских дервишей... Торговец-пуштун Алеф, ехидный насмешник, умерший в снегу с рваной раной в спине и в горящей одежде... Джума и Ханиф, два сорванца, зарезанные сумасшедшим Хабибом... Джалалад, их бесстрашный молодой друг, погибший во время последней атаки... Ала-уд-Дин, или, как привычнее для нас, Аладдин, которому удалось уцелеть... Сулейман Шахбади, человек с насупленными бровями и скорбным взглядом. Его застрелили, когда он вел нас на вражеские пулеметы.

А в центре вокруг Абделя Кадер-хана сгрудилась более тесная группа: алжирец Ахмед Задех, который умер, вцепившись одной рукой в промерзшую землю, а другой — в мой рукав... Халед Ансари, убивший обезумевшего Хабиба и ушедший сквозь снежный буран в неизвестность... Махмуд Мелбаф, вышедший из последнего боя целым и невредимым, как и Ала-уд-Дин... Назир, который вытащил меня из-под огня, не обращая внимания на собственные раны... И я. Я стоял позади Кадербхая, чуть левее, и вид у меня на фотографии был уверенный, решительный и хладнокровный. А еще говорят, что камера не лжет.

Меня спас Назир. Мина, разорвавшаяся около нас, когда мы бежали в атаку, вспорола воздух и оглушила меня. Ударной волной мне пробило левую барабанную перепонку. И в тот же миг горячий град минометных осколков пронесся мимо нас. Крупные не задели меня, но несколько мелких вонзилось в ноги ниже колен — пять в одну и три в другую. Еще два попало выше: в грудь и живот. Они прорвали всю мою многослойную одежду, плотный пояс с деньгами и даже ремни медицинской сумки, после чего проникли под кожу. И один кусочек металла влетел мне в лоб над левым глазом.

Все это была, по сути, металлическая крошка, самый крупный из осколков был размером с лицо Эйба Линкольна на американском пенсе. Но летели они с такой скоростью, что сразу подкосили меня. Сверху меня присыпало землей, из-за которой я ничего не видел и с трудом дышал. Падая, я едва успел отвернуть лицо в сторону, но, к сожалению, ударился о землю левым ухом, еще больше разорвав перепонку. Мир померк передо мной.

Назир, хотя тоже был ранен в ноги и руку, отволок меня в бессознательном состоянии в какой-то небольшой окопчик. Там он и сам свалился без сил, прикрывая меня своим телом, пока обстрел не прекратился. Когда он лежал, обнимая меня, какой-то шальной осколок вонзился сзади в его правое плечо. Если бы не он, осколок попал бы в меня и, возможно, убил бы. После того как все стихло, Назир перетащил меня на безопасное место.

— Это был Саид, да? — спросил Махмуд Мелбаф.

— Где?

— Это Саид снимал?

— А! Да, это был Кишмиш.

Мы оба вспомнили скромного юного пуштуна. Кадербхай воплощал для него все лучшие черты доблестного командира, юноша не спускал с него глаз, застенчиво опуская их, когда хан смотрел в его сторону. В детстве он перенес оспу, и лицо его было усыпано десятками круглых коричневых пятнышек. Он был любимцем всего отряда; бойцы дали ему прозвище Кишмиш, что означает «изюм». Он постеснялся фотографироваться вместе со всеми и предложил снять нас.

— Он был с Кадером, — пробормотал я.

— Да, до самого конца. Назир видел его тело рядом с убитым Кадером. Я думаю, он попросился бы пойти вместе с ним, даже если бы заранее знал, что они нарвутся на засаду и их убьют. Я думаю, он хотел так умереть. И не он один.

— Откуда у тебя эта фотография?

— У Халеда была пленка, помнишь? Он был единственный, кому Кадер разрешил взять с собой фотоаппарат. Когда он уходил от нас, он выкинул из карманов пленку вместе со всем остальным. Я подобрал ее и отдал на прошлой неделе проявить в лабораторию. Сегодня они дали мне фотографии. Я подумал, ты захочешь их посмотреть, прежде чем мы тронемся в путь.

— Куда?

— Надо выбираться отсюда. Как ты себя чувствуешь?

— Хорошо, — соврал я.

Я сел на походной койке и спустил ноги на пол. При этом в голенях вспыхнула такая резкая боль, что я не смог сдержать стон. Во лбу тоже застучало, отзываясь болью. Я пощупал неловкими перебинтованными культяпками рук тампон под повязкой, украшавшей мою голову наподобие тюрбана, и тут стало стрелять в левом ухе. Руки ломило, ноги в трех, если не в четырех парах носков жгло как огнем. Чувствовалась также ноющая боль в левом бедре, куда меня несколько месяцев назад лягнула лошадь, испугавшись пролетевших над нами истребителей. Бедро что-то долго не проходило, я боялся, что расщеплена кость. Вдобавок ко всему немела рука около локтя, после того как меня укусила в страхе моя собственная лошадь. Это также произошло несколько месяцев назад.

Сложившись пополам и опершись о бедро, я ощутил, как напряглись мышцы живота и ног. Я здорово похудел после голодовки в горах. Прямо отощал. С какой стороны ни посмотри, ничего хорошего. Я никуда не годился. Тут мое внимание приковали объемистые повязки на руках, и меня охватила паника.

— Что ты делаешь?! — вскричал Махмуд.

— Хочу отделаться от этих тряпок, — ответил я, пытаясь сорвать бинты зубами.

— Подожди, я тебе помогу.

Пока он медленно разматывал бинты, я чувствовал, как пот стекает с моих бровей по щекам. Когда повязки были наконец удалены, я уставился на изуродованные клешни, в которые превратились мои руки, и попробовал пошевелить ими, согнуть и разогнуть пальцы. От мороза кожа на костяшках растрескалась, и вид у этих сине-черных ран был отвратительный, но все пальцы до самых кончиков были на месте.

— Скажи спасибо Назиру, — пробормотал Махмуд, разглядывая растрескавшуюся, шелушившуюся кожу у меня на руках. — Врачи хотели отрезать тебе пальцы, но он не дал. Наставил на них свой «калашников» и твой пистолет и не отпустил, пока они не обработали все твои раны до единой, включая обмороженные участки на лице. Кстати, он просил отдать тебе пистолет. Вот он.

Махмуд вытащил моего «стечкина», завернутого в тряпье. Я попытался взять его, но пальцы не смогли удержать сверток.

— Давай я пока подержу его у себя, — предложил Махмуд, сухо улыбнувшись.

— А где он сам? — спросил я. Боль и головокружение еще не прошли, но с каждой минутой становились все меньше, силы возвращались ко мне.

— Да вон, — кивнул Махмуд в угол; обернувшись, я увидел Назира, спящего на такой же койке, как у меня. — Он отдыхает, но готов продолжить путь. Наши друзья могут прийти за нами в любой момент.

Я огляделся. Мы находились в большой палатке песчаного цвета. Пол был устлан соломой, на которой стояло десятка полтора складных походных коек. Между койками суетились несколько человек в просторных афганских шароварах с рубахами навыпуск и в длинных жилетах без рукавов; все детали их костюмов были одного и того же бледно-зеленого цвета. Они ухаживали за ранеными — обмахивали их соломенными веерами, умывали мыльной водой из ведер, выносили горшки и прочие отходы, выскальзывая из палатки сквозь узкую щель в парусиновом пологе, закрывавшем вход. Некоторые раненые стонали или громко жаловались на неизвестных мне языках. После нескольких месяцев на снежных вершинах Афганистана воздух на пакистанской равнине казался густым и тяжелым. В нем было перемешано столько разнообразных сильных запахов, что мой нос отказывался воспринимать их все и сконцентрировался лишь на одном, самом остром, — аромате индийского риса *басмати*[1], готовившегося где-то рядом с палаткой.

— Знаешь, старик, по правде говоря, я помираю от голода.

— Не волнуйся, скоро наедимся, — усмехнулся Махмуд.

— А мы где? Это Пакистан?

— Да, — засмеялся он опять. — Ты ничего не помнишь?

— Помню, как мы бежали, а они стреляли в нас... откуда-то издалека. У них повсюду были расставлены минометы... Помню, как меня ранило... — Я пощупал бинты, обматывавшие мои ноги

---

[1] *Басмати* — рис с длинными зернами белого или коричневого цвета.

толстым слоем от коленей до щиколоток. — Я упал... Потом вроде бы подъехал какой-то джип или грузовик. Это правда было?

— Да, они подобрали нас. Люди Масуда.

— Масуда?

— Да, самого Ахмад-шаха, Панджшерского Льва. Они атаковали плотину, захватили две главные дороги — на Кабул и на Кветту — и окружили Кандагар. Они и сейчас осаждают этот город и, думаю, не уйдут оттуда, пока война не закончится. Мы влезли в самую гущу военных действий.

— Они спасли нас...

— Ну... А что им еще оставалось делать? Спасибо хотя бы за это.

— Почему «хотя бы»?

— Потому что это они нас накрыли.

— Что?!

— Да, они. Когда мы стали спускаться с вершины, они приняли нас за противника и обстреляли из минометов.

— Наши друзья нас обстреляли?

— Да. Дело в том, что стрельба шла со всех сторон одновременно. Афганская армия тоже стреляла по нас, но достали нас, я думаю, минометы Масуда. Кстати, они же заставили афганцев и русских отступить. Я сам убил двоих, когда они бежали. У Масуда теперь есть «стингеры» — американцы дали им еще в апреле. Так что русские вертолеты больше не летают, моджахеды сбивают их повсюду. Будем надеяться, через два или три года война закончится, иншалла.

— Слушай, а какой сейчас месяц?

— Май.

— Сколько времени я здесь валяюсь?

— Четыре дня, Лин.

— Четыре дня... — Мне казалось, что прошла всего одна ночь, один долгий непрерывный сон. Я посмотрел через плечо на спящего Назира. — А с Назиром все в порядке?

— Ран у него тоже хватает, но он может двигаться. Поправится, иншалла. Он выносливый и упрямый, настоящий *шотор*![1] — рассмеялся Махмуд. — Если уж он на чем зациклится, то никто не заставит его свернуть с пути.

Я тоже засмеялся — впервые после пробуждения — и тут же схватился за голову, по которой словно молотом застучали.

— Да уж, я не стал бы даже пытаться.

— Я тоже, — согласился Махмуд. — Когда вас с Назиром ранило, мы с солдатами Масуда отнесли вас в автомобиль, хороший русский автомобиль. А потом переложили в грузовик, кото-

---

[1] *Шотор* — верблюд *(фарси)*.

рый ехал в Чаман. В Чамане пакистанские пограничники хотели отобрать у Назира оружие, но он дал им денег — из тех, что спрятаны у тебя на поясе, и они оставили ему автомат. Мы завернули тебя в одеяло и спрятали под двумя убитыми. Пограничникам мы сказали, что хотим похоронить их по доброму мусульманскому обычаю. Потом мы приехали в Кветту, в этот госпиталь. Тут они опять хотели отнять у Назира пушку, и пришлось дать им денег тоже. И еще они собирались отрезать тебе пальцы, из-за запаха.

Я поднес руки к носу и понюхал. Гнилостно-мертвенный запашок еще не выветрился. Он был слабым, но живо напомнил мне о сгнивших козлиных ногах, нашем последнем ужине в горах. Желудок мой выгнулся дугой, как кот перед дракой. Махмуд проворно схватил металлический таз и сунул его мне под нос. Меня вырвало черно-зеленой гадостью, и я беспомощно упал на колени.

Когда приступ прошел, я опять сел на койку и с благодарностью взял сигарету, которую Махмуд раскурил для меня.

— И что дальше? — спросил я.

— Где «дальше»?

— Что сделал Назир?

— А, Назир... Ну, он вытащил из-под полы свой «калашников», наставил на них и сказал, что всех перестреляет, если они начнут тебя резать. Они хотели позвать полицейских, которые дежурят в лагере, но Назир ведь стоял у выхода из палатки, и им было никак не пройти мимо него. А я стоял с другой стороны и прикрывал его сзади. Так что они просто подлечили и забинтовали тебя.

— Ничего себе госпиталь, если для того, чтобы тебя лечили, надо ставить афганца с автоматом.

— Да, — согласился Махмуд совершенно серьезно. — А потом они стали лечить Назира. После этого Назир лег отдыхать, потому что не спал двое суток и тоже получил достаточно ран.

— А они не позвали охрану, когда он лег спать?

— Нет. Здесь ведь все афганцы — доктора, раненые и охранники. Только полицейские — пакистанцы. Афганцы не любят пакистанских полицейских. У них всегда одни неприятности из-за них. У всех неприятности с пакистанской полицией. Поэтому они разрешили мне взять у Назира оружие, и я сижу охраняю его. И тебя. Но подожди-ка! Кажется, это наши.

Полог откинули, ослепив нас ярким солнечным светом, и в палатку вошли четыре человека. Это были ветераны Афганской войны, суровые люди, окинувшие меня таким взглядом, что возникало ощущение, будто они смотрят на меня сквозь прицел винтовки. Махмуд встал и прошептал им что-то. Двое из них разбудили Назира. Он спал глубоким сном, но взметнулся при первом же прикосновении и схватил будивших его за руки, чуть не повалив их. Однако, поняв по их лицам, что это друзья, он успокоился и тут же кинул взгляд на меня. Увидев, что я сижу на койке в полном сознании, он ухмыльнулся так широко, что на лице, никогда не улыбавшемся, это смотрелось даже несколько устрашающе.

Афганцы помогли ему подняться на ноги. Опираясь на их плечи, он заковылял к выходу. Двое других поддержали меня, когда я встал. Я попытался шагнуть, но ноги были слишком слабыми и не слушались меня. Все, на что я был способен, — волочить их пошатываясь. Не выдержав этого неприглядного зрелища, афганцы сложили руки крест-накрест, усадили меня на них и без труда приподняли.

Наше возвращение домой продолжалось шесть недель. Происходило это следующим образом. Несколько дней мы сидели затаясь в какой-нибудь палатке, хижине в трущобах или потайной комнате, затем делали рывок, быстро переместившись в другую палатку, хижину или комнату. Пакистанская политическая полиция беспощадно преследовала всех иностранцев, проникавших в Афганистан во время войны без их ведома. Нашим ангелом-хранителем в эти тревожные недели был Махмуд Мелбаф, а основную трудность представлял для него тот жгучий интерес, который проявляли к нашим похождениям беженцы и изгнанники, дававшие нам пристанище. Я покрасил волосы в черный цвет и почти не снимал темные очки, но, несмотря на все предосторожности, в трущобах и лагерях, где мы останавливались, обязательно находились люди, знающие, кто я такой. Слишком велик был соблазн рассказать об американском контрабандисте, сражавшемся на стороне моджахедов и раненном в бою. А рассказ, понятно, не мог не заинтересовать сотрудника любой полиции или разведки. И если бы они поймали меня, то очень скоро выяснили бы, что этот американец на самом деле — беглый австралийский преступник. Установление этого факта обеспечило бы многим высшим чинам дальнейшее повышение, а низшие с особым удовольствием разобрались бы со мной, прежде чем передать австралийским властям. Так что мы старались перемещаться почаще и побыстрее и разговаривать лишь с теми немногими, кому мы могли доверить свою судьбу.

Мало-помалу я узнал все подробности нашего сражения в горах и последующего спасения. Вершина, на которой мы находились, была окружена русскими и афганскими солдатами численностью около роты, по-видимому под командой капитана. Их послали на хребет Шахр-и-Сафа с заданием поймать и обезвредить Хабиба Абдур-Рахмана. За его арест было назначено огромное вознаграждение, но его злодеяния внушали всем такой ужас, что солдаты и без всякой награды мечтали разделаться с ним. Они были так загипнотизированы его свирепой ненавистью и так увлечены его поисками, что не заметили, как к ним скрытно приблизились воины Ахмад-шаха Масуда. Когда Хабиб сообщил нам, что русские и афганские подразделения минируют подступы к вершине, и мы пошли на прорыв, часовые в пустующем вражеском лагере открыли с перепугу беспорядочный огонь. Возможно, они решили, что их атакует сам Хабиб. Моджахеды, планировавшие захватить лагерь, очевидно, восприняли эту стрельбу как упреждающий удар со стороны русских, и это заставило их форсировать свое наступление. Взрывы в лагере, которые я видел, когда бежал в атаку, недоумевая, почему русская артиллерия бьет по своим, были на самом деле прямыми попаданиями минометов Масуда. Но не все их выстрелы были столь точны, и несколько снарядов, посланных нашими друзьями, накрыли нас.

Такова была подоплека того вдохновенного момента, который я в пылу сражения считал славным и героическим, — неточная стрельба наших союзников, напрасно унесшая столько жизней. В этом сражении не было ничего славного. И ни в каких сражениях не бывает. Бывают только храбрость, страх и любовь. Война же все это убивает одно за другим. Слава принадлежит Богу, в этом суть нашего мира. А служить Богу с автоматом в руках невозможно.

Когда мы полегли на том склоне, люди Масуда бросились в погоню за противником вокруг горы и столкнулись с ротой, минировавшей подходы к вершине. Завязался бой, а точнее сказать — резня. Из всей этой роты не осталось в живых ни одного человека. Вот уж порадовался бы Хабиб Абдур-Рахман, будь он еще жив. Я хорошо представлял себе его разинутый в беззвучной ухмылке рот и безумные от горя выпученные глаза, из которых прет ненависть.

Весь этот морозный день, до самой темноты, мы с Назиром дрожали от холода на снегу. Моджахеды вместе с уцелевшими бойцами нашей группы, разделавшись с врагом, вернулись, когда нас уже поглощали быстро удлинявшиеся закатные тени. Махмуд и Ала-уд-Дин принесли с пустынной вершины тела Сулеймана и Джалалада.

Люди Масуда, объединившись с отдельными отрядами Ачхакзая, контролировали дорогу на Чаман на всем ее протяжении — от перевала до линии обороны русских в пятидесяти километрах от Кандагара. Так что нас очень быстро и без помех эвакуировали в Чаман, а затем до блокпоста в Пакистане. Тот путь по горам, который мы проделали на лошадях за месяц, на грузовике занял у нас несколько часов. Многие, правда, ехали обратно мертвыми.

Назир успешно поправлялся и набирал вес. Раны на руке и на спине затянулись и не вызывали беспокойства, но на правом бедре, похоже, были повреждены связки между костями, мышцами и сухожилиями, и вся нога выше колена была бездвижна. Поэтому при ходьбе он хромал, делая шаг правой ногой не прямо, как все нормальные люди, а как-то боком.

Однако он не утратил бодрости духа и стремился как можно скорее вернуться в Бомбей. Его раздражало, что я слишком медленно выздоравливаю, и это, в свою очередь, стало действовать на нервы мне. Пару раз, когда он приставал ко мне со своими постоянными вопросами: «Ну как ты сегодня? Лучше? Мы можем ехать?» — я, не выдержав, огрызался. Я не знал тогда, что его ждет в Бомбее срочное дело, выполнение последней воли Кадербхая. Только эта стоявшая перед ним задача позволяла ему справиться с горем и стыдом из-за того, что он пережил своего хозяина. И с каждым днем промедление казалось ему все более невыносимым, а его мнимая халатность и невыполнение долга — все более непростительными.

Мне не давали покоя свои проблемы. Ноги заживали, обнажившаяся лобная кость обросла кожей, но сквозь продырявленную барабанную перепонку проникла инфекция, служившая источником непрерывной и нестерпимой боли. Стоило мне сделать глоток, произнести слово или услышать шум, и какой-то скорпион жалил меня, острая боль распространялась по нервам лица и шеи и проникала в мой лихорадочный мозг. Каждое движение или поворот головы наносил нокаутирующий удар. То же самое происходило, когда я делал глубокий вдох, кашлял или чихал. Пошевелившись во сне и задев ухом за подушку, я вскакивал с воплем, будившим всех в радиусе пятидесяти метров.

И наконец, после трех недель этой сводившей меня с ума пытки, в результате самолечения крупными дозами пенициллина и полоскания уха горячим антисептическим раствором рана зажила и боль ушла в прошлое, став воспоминанием, как и все в жизни, как тают в тумане оставленные позади береговые ориентиры.

Костяшки пальцев затянулись новой кожей. После глубокого обморожения ткани не восстанавливаются целиком никогда, так что это было еще одной незалеченной травмой, внедрившейся в мою плоть в те годы. Невзгоды, пережитые на снежной вершине Кадера, остались со мной навсегда в моих руках, и в холодные дни та же боль, какую я чувствовал, схватившись за автомат перед боем, возвращает меня в прошлое. В Пакистане, однако, было тепло, так что мои пальцы слушались меня — сгибались и разгибались. Они были готовы осуществить задуманный мною акт отмщения. Хотя я похудел после пережитых испытаний, тело мое стало жестче и выносливее, чем было в благополучные упитанные месяцы перед тем, как мы с Кадером отправились на его войну.

Назир и Махмуд решили, что до Бомбея надо добираться короткими перебежками, пересаживаясь с поезда на поезд. В Пакистане они запаслись небольшим арсеналом оружия, который хотели доставить в Бомбей контрабандой. Оружие упрятали в рулоны ткани и приставили к нему трех афганцев, бегло говоривших на хинди. Мы ехали в разных вагонах и не подходили к афганцам, хотя о нашем контрабандном грузе помнили все время. Сидя в купе первого класса, я вспомнил, с каким трудом мы переправляли оружие в Афганистан — и все для того, чтобы теперь переправлять его обратно. Нелепость этого заставила меня расхохотаться, но когда удивленные попутчики посмотрели на меня, то предпочли отвернуться.

Дорога до Бомбея заняла у нас два дня. Я путешествовал с британским паспортом, под тем же именем, под каким въезжал в Пакистан. Проставленный в паспорте срок моей визы истек, но я употребил все обаяние, на какое был способен, и последние доллары из выданных мне Кадером, и в результате как пакистанские, так и индийские таможенники пропустили меня не моргнув глазом. И вот через час после рассвета и спустя восемь месяцев после того, как мы покинули Бомбей, мы вновь окунулись в раскаленную атмосферу деятельного умопомешательства, царившую в моем обожаемом городе.

Назир и Махмуд скрытно наблюдали издали за разгрузкой нашего смертоносного багажа. Я пообещал Назиру встретиться с ним вечером в «Леопольде» и оставил их на вокзале.

Я упивался звуками и красками жизни, величаво текущей по улицам приморского мегаполиса. Но расслабляться было некогда. Денег у меня практически не осталось. Взяв такси, я отправился в Форт, в наш центр по сбору контрабандной валюты. Попросив водителя подождать меня, я поднялся на три пролета по узкой деревянной лестнице. «Я обычно поднимался здесь с Халедом...» — мелькнула у меня мысль, и я сжал зубы, чтобы унять резкую боль в сердце, как и не слишком приятное ощущение в раненых ногах. На площадке перед бухгалтерией с деловитым видом слонялись два наших бугая. Они знали меня, и мы обменялись рукопожатием и широкими улыбками.

— Как там Кадербхай? — спросил один из них.

Я посмотрел в его крепкое молодое лицо. Его звали Амир, это был храбрый и надежный гунда, преданный Кадер-хану. В первую секунду у меня мелькнула невероятная мысль, что он решил так пошутить по поводу гибели Кадера, и вспыхнуло желание заткнуть эту шутку ему в глотку, но я тут же понял, что он просто не знает. «Но как это может быть? — подумал я. — Почему они не знают?» Инстинкт подсказал мне, что лучше оставить вопрос без ответа. Я коротко улыбнулся Амиру и постучал в дверь.

На стук вышел приземистый лысеющий толстяк в белой фуфайке и набедренной повязке. Увидев меня, он схватил мою руку обеими своими и стал трясти. Это был Раджубхай, отвечавший за сбор и хранение всей валюты, которая находилась в распоряжении совета мафии. Он втащил меня в помещение и закрыл за нами дверь. Бухгалтерия была средоточием всей его жизни, как деловой, так и личной, — он проводил здесь двадцать часов из каждых двадцати четырех. Под фуфайкой у него был перекинут через плечо тонкий выцветший бело-розовый шнур — признак правоверного индуса, каких тоже было немало в мафии Абделя Кадера, по преимуществу состоявшей из мусульман.

— Линбаба! Счастлив видеть тебя! — воскликнул он. — *Кадербхай кахан хайн?* А где Кадербхай?

Тут уж я с трудом сохранил невозмутимый вид. Раджубхай был одним из высших чинов в мафии и присутствовал на заседаниях совета. Если уж он не знал о гибели Кадера, значит не знал никто в городе. А раз так, то, по-видимому, Махмуд и Назир постарались, чтобы эта новость не достигла ничьих ушей. Однако было непонятно, почему они не предупредили меня об этом. Как бы то ни было, я решил, что не стоит раскрывать их секрет.

— *Хам акела хайн,* — ответил я, улыбнувшись. — Я один.

Это не было ответом на его вопрос, и глаза Раджубхая сузились.

— *Акела...* — повторил он. — Один...

— Да, Раджубхай, — сказал я и поспешил сменить тему: — Ты мог бы дать мне прямо сейчас денег? Меня ждет внизу такси.

— Тебе нужны доллары?

— Доллары *нэхи. Сирф рупиа,* — ответил я. — Не доллары. Только рупии.

— Сколько тебе надо, Лин?

— *До-до-тин хазар.* Две-три тысячи, — ответил я, употребив жаргонное выражение, которое обычно подразумевало три.

— *Тин хазар!* — проворчал он по привычке, хотя сумма три тысячи рупий, внушительная для уличных дельцов или жителей трущоб, в этом царстве контрабандной валюты была смехотворной; у Раджубхая ежедневно скапливалось в сотни раз больше, и ему случалось выдавать мне в качестве зарплаты и комиссионных по шестьдесят-семьдесят тысяч. — *Абхи, бхайа, абхи!* Сейчас, брат мой, сейчас.

Он повернул голову к одному из своих помощников и вздернул одну бровь. Служащий тут же вручил Раджубхаю пачку использованных, но вполне приличных ассигнаций, тот передал ее мне. Я отсчитал две штуки и сунул их в карман рубашки, а остальные упрятал в более глубокий жилетный карман.

— *Шукрия, чача. Майн джата ху*, — улыбнулся я. — Спасибо, дядюшка. Я побежал.

— Лин! — остановил меня Раджубхай, схватив за рукав. —
Хамара бета Халед, кайса хайн? Как там наш сын Халед?

— Халеда нет с нами, — ответил я, стараясь не выдать своих
чувств голосом или выражением лица. — Он отправился в путешествие, *ятра*, и не знаю, когда мы теперь увидим его.

Я сбежал вниз, прыгая через ступеньку, и каждая, на которую
я приземлялся, отзывалась дрожью в моих икрах. Водитель тронул такси с места, я велел ему ехать в магазин одежды на Козуэй.
Одной из услад бомбейских сибаритов было наличие множества
магазинов с почти неограниченным ассортиментом относительно недорогой качественной одежды, которая постоянно обновля-
лась в соответствии с новыми веяниями индийской и зарубежной
моды. В лагере беженцев Махмуд Мелбаф дал мне длинный жилет серо-голубого цвета, белую рубашку и коричневые брюки из
грубой ткани. Для путешествия одежда вполне подходила, но в
Бомбее в ней было жарко, она выглядела странно и привлекала
внимание, так что мне надо было купить что-нибудь более современное, чтобы не выделяться в толпе. Я выбрал две пары черных джинсов с большими крепкими карманами, белую шелковую рубашку навыпуск и кроссовки — мои старые ботинки уже
никуда не годились. В примерочной я переоделся, пристегнув
к брючному ремню ножны с ножом и прикрыв их сверху рубашкой.

Стоя в очереди у кассы, я увидел в зеркале чье-то грубое,
ожесточившееся лицо и не сразу понял, что это я. Вспомнив снимок, сделанный Кишмишем, я пристально вгляделся в отражение.
Лицо в зеркале выражало холодное безразличие и угрюмую решимость, а в глазах, глядящих с фотографии, и намека ни на что
подобное не было. Я схватил темные очки и нацепил их на нос.
«Неужели я так изменился?» Я надеялся, что, после того как я
приму горячий душ и сбрею густую бороду, мой суровый облик
несколько смягчится. Однако суровость была не столько во внешности, сколько внутри меня, и я не был уверен, можно ли назвать
ее просто суровостью или стойкостью, или же это нечто более
жестокое.

Около «Леопольда» я расплатился с таксистом и помедлил
в толпе на тротуаре, глядя на широкие двери ресторана, где, по
сути, началось все связанное с Карлой и Кадербхаем. Входя в какую-либо дверь, мы делаем шаг как в пространстве, так и во времени. Каждая дверь ведет не только в данное помещение, но также в его прошлое и текущее нам навстречу будущее. Люди осознали это еще в древности, в своем праразуме и правообряжении.
И до сих пор в любом уголке земли, от Ирландии до Японии,

можно встретить человека, который с благоговением украшает вход в жилище. Поднявшись по ступенькам, я прикоснулся рукой к дверному косяку, а затем к груди около сердца, приветствуя судьбу и отдавая дань памяти умершим друзьям и врагам, входившим в зал вместе со мной.

Дидье Леви сидел на своем обычном месте, откуда ему было видно и публику в зале, и прохожих на улице. Он разговаривал с Кавитой Сингх, сидевшей спиной ко входу. Я направился к ним. Дидье поднял голову и увидел меня. Каждый из нас пытался прочитать в глазах другого его текущие потоком мысли, подобно прорицателям, разгадывающим магический смысл в разбросанных перед ними костях.

— Лин! — воскликнул он и, бросившись ко мне, обхватил меня руками и расцеловал в обе щеки.

— Как приятно видеть тебя снова, Дидье!

— Тьфу! — сплюнул он, вытирая губы ладонью. — Если эта борода — непременный атрибут воинов Аллаха, то благодарю Господа, или кто там есть, что Он сделал меня атеистом и трусом!

В копне его темных волос, спускавшихся до воротника, прибавилось, как мне показалось, седины. Бледно-голубые глаза еще больше покраснели и глядели чуть более устало. Но брови по-прежнему изгибались с нечестивым лукавством, а верхняя губа кривилась в игривой ухмылке, которую я так любил. Он был все тем же и все там же, и я сразу почувствовал, что я дома.

— Здравствуй, Лин! — сказала Кавита, отодвигая Дидье и обнимая меня.

Кавита была прекрасна и стройна. Густые темно-каштановые волосы были взбиты в художественном беспорядке и косо нависали над ясными глазами. Небрежное дружеское прикосновение ее руки к моей шее показалось мне настолько упоительным после афганского снега и крови, что я ощущаю его и теперь, спустя многие годы.

— Ну садись же, садись! — вскричал Дидье, жестом приказывая официанту принести выпивку. — *Merde*, мне говорили, что ты погиб, но я не верил этому! Ты не представляешь, как я рад тебя видеть! Ну, сегодня-то мы уж напьемся, *non*?

— Увы, — ответил я, сопротивляясь его попытке усадить меня силой. Разочарование в его глазах заставило меня сбавить решительный тон, хотя и не убавило решимости. — Еще не вечер, а у меня есть... одно важное дело.

— Ну хорошо, — вздохнул он. — Но уж один-то стаканчик ты обязан пропустить со мной. Покинуть меня, не дав мне возможности хотя бы чуточку развратить несгибаемого воина, — это было бы нарушением всяких приличий. В конце концов, какой смысл возрождаться из мертвых, если нельзя отметить это с друзьями?

— Ладно, — уступил я, улыбаясь, но продолжая стоять. — Но только одна порция виски, двойная. Это будет достаточно развратно?

— Ах, Лин, — ухмыльнулся он, — разве может быть в этом клейко-сладостном мире что-нибудь достаточно развратное?

— Было бы желание, может, что-нибудь и найдется. Надежда умирает последней.

— Святая правда, — согласился он, и мы оба рассмеялись.

— Я покидаю вас, — сказала Кавита, поцеловав меня в щеку. — Мне надо возвращаться на работу. Лин, давай как-нибудь встретимся в ближайшее время. У тебя такой восхитительный... дикий вид, *йаар*. Никогда не видела человека, который был бы так похож на ходячую легенду.

— Ну, насчет легенды не знаю, но парочкой историй я мог бы поделиться — не для печати, разумеется. На беседу за обедом хватит.

— Буду с нетерпением ждать, — ответила она, поглядев на меня долгим взглядом, отозвавшимся во мне сразу в нескольких местах. Отпустив меня, она с улыбкой обратилась к Дидье: — Надеюсь, Дидье, ты не утратишь своей задиристости и не впадешь в сентиментальность из-за того, что Лин вернулся, *йаар*. Задери кого-нибудь — ради меня.

Я проводил ее взглядом. Официант принес выпивку, и Дидье потребовал, чтобы я все-таки присел.

— Друг мой, стоя можно есть — если обстоятельства вынуждают, или заниматься сексом — если умеешь, но пить виски стоя невозможно. Это варварство. Разве что человек произносит при этом тост в честь чего-то очень возвышенного. А в остальных случаях тот, кто пьет виски стоя, — сущий дикарь, который ни перед чем не остановится.

Пришлось сесть. Дидье тут же поднял свой стакан, провозгласив:

— За тех, кто выжил!

— А за погибших? — спросил я, не трогая свою выпивку.

— И за погибших, — согласился он, дружески улыбнувшись.

Я чокнулся с ним и опрокинул в себя стакан.

— А теперь, — произнес он категорическим тоном, прогнав улыбку, — расскажи мне, что у тебя случилось.

— Начиная с какого момента? — усмехнулся я.

— Я имею в виду, что за проблема не дает тебе покоя в данный момент? У тебя такое решительное выражение лица, что это явно неспроста.

Я молча смотрел на него, втайне радуясь тому, что нахожусь в обществе человека, который читает мои мысли по выражению лица.

— Лин, у тебя очень озабоченный вид. Что тебя гложет? Поделись со мной. Если тебе так легче, начни с Афганистана.

— Кадер погиб, — ответил я бесстрастным тоном, разглядывая свой пустой стакан.

— Нет! — воскликнул Дидье с ужасом и негодованием.

— Увы, да.

— Нет, не может быть! Я знал бы об этом. Об этом говорил бы весь город!

— Я вместе с другими переносил его тело в наш лагерь и хоронил его. Он умер, Дидье. Они все умерли. Оттуда вернулись только трое: Назир, Махмуд и я.

— Абдель Кадер мертв... Невозможно поверить...

Лицо Дидье было мертвенно-бледным, челюсть отвисла, даже его глаза, казалось, поседели. Он обмяк, будто его пришибли, и стал клониться набок. Я испугался, что он свалится со стула или, чего доброго, его хватит удар.

— Не переживай так, — сказал я ему мягко. — Не хватает только, чтобы ты хлопнулся тут в обморок. Возьми себя в руки!

Он медленно поднял голову и подавленно посмотрел на меня:

— Некоторых вещей, Лин, просто не может быть. Я в Бомбее уже двенадцать, почти тринадцать лет, и всегда, все это время здесь правил Абдель Кадер-хан...

Он опять впал в прострацию, обуреваемый мыслями и чувствами, от которых его голова подергивалась, а нижняя губа дрожала. Мне все это не нравилось. Мне приходилось видеть людей в таком состоянии. В тюрьме заключенные, замкнувшись в своем стыде или страхе, умирали в одиночестве. Но это был длительный процесс, занимавший недели, месяцы, годы. Дидье же пал духом мгновенно и угасал буквально у меня на глазах.

Обойдя стол, я сел рядом с ним и обнял его за плечи.

— Дидье! — прошептал я ему хрипло. — Мне надо идти. Ты меня слышишь? Я хотел узнать насчет своих вещей, которые я оставил у тебя, пока отвыкал от наркотиков у Назира. Помнишь? Я отдал тебе мотоцикл, «энфилд», а также паспорт, деньги и еще кое-что. Они нужны мне сейчас. Это очень важно.

— Да, конечно, — ответил он, приходя в чувство и сердито двигая челюстями. — Все твои вещи в целости и сохранности. Не беспокойся.

— Они в твоей квартире на Меревезер-роуд?

— Что?

— Ради бога, Дидье! Очнись! Мне надо попасть к тебе домой, чтобы побриться, принять душ и собраться. Мне надо сделать одно важное дело. Ты мне нужен, старик. Не отталкивай меня, когда мне так нужна твоя помощь.

Поморгав, он посмотрел на меня со столь знакомой кривой ухмылкой.

— Как мне понимать твои слова?! — вопросил он с негодованием. — Дидье Леви никогда и никого не отталкивал! Разве что совсем рано утром. Ты же знаешь, Лин, как я ненавижу людей, пристающих со своими делами по утрам, — почти так же сильно, как копов. *Alors*, пошли!

В квартире Дидье я сбрил бороду, вымылся и переоделся. Дидье настоял на том, чтобы я съел омлет, и стал готовить его, пока я отыскивал в двух коробках со своими вещами оставленный мною денежный запас — около девяти тысяч долларов, — ключи от мотоцикла и свой лучший фальшивый паспорт. Документ был канадский, с просроченной фальшивой визой. Ее надо было срочно обновить. Если дело, которое я задумал, сорвется, мне понадобятся деньги и безупречный паспорт.

— И куда же ты теперь направляешься? — спросил Дидье, когда я покончил с едой и вымыл посуду под краном.

— Прежде всего внести кое-какие поправки в паспорт. А потом к мадам Жу.

— Куда?

— Надо расставить все точки над «i». Отдать старые долги. Халед передал мне... — Я запнулся. Упоминание этого имени смешало мои мысли, погрузило в белую метель эмоций, отголосок той снежной вьюги, сквозь которую Халед ушел в ночь. Усилием воли я подавил эмоции. — В Пакистане Халед передал мне твою записку. Спасибо тебе за нее. Но я все равно не понимаю, что за вожжа попала ей под хвост, почему она решила засадить меня в тюрьму. У меня не было с ней никаких личных счетов. Но теперь есть. После четырех месяцев на Артур-роуд они появились. Поэтому мне нужен мотоцикл. Не хочу брать такси. И нужно, чтобы паспорт был в порядке, если придется предъявлять его копам.

— Но разве ты не знаешь? Дворец мадам Жу разнесли неделю назад — нет, дней десять уже. Его атаковала толпа, подстрекаемая Шив Сеной. Они ворвались в здание, разгромили там все, а потом подожгли. Стены сохранились, некоторые лестницы и помещения наверху остались нетронутыми, но в целом особняк разрушен и никогда больше не будет функционировать. Его наверняка снесут. С Дворцом покончено, Лин, и с самой мадам тоже.

— Она убита? — спросил я сквозь зубы.

— Нет, жива. И говорят, по-прежнему во Дворце. Но лишилась всей своей власти. У нее ничего не осталось. Она сама — ничто, нищая. Ее слуги рыскают по городу в поисках хоть какой-нибудь еды для нее, а она тем временем сидит и ждет, пока ее Дворец не обрушится окончательно. С ней покончено, Лин.

— Еще не совсем.

Я направился к выходу, но он кинулся ко мне с таким несвойственным ему проворством, что я не мог сдержать улыбки.

— Лин, пожалуйста, одумайся! Давай посидим здесь, разопьем бутылочку-другую. А? Ты успокоишься, придешь в себя.

— Я и так достаточно спокоен, — ответил я, улыбаясь тому, что он так тревожится за меня. — Я не знаю, что именно я собираюсь сделать. Но мне надо покончить с этим раз и навсегда, Дидье. Я не могу просто оставить все как есть. Я хотел бы махнуть на это рукой, но не могу. В этом Дворце слишком многое... переплелось, что ли.

Мне и самому было не вполне понятно, что меня подстегивало, — явно не только желание отомстить. В этой клейкой сети, связавшей воедино мадам Жу, Кадербхая, Карлу и меня, запуталось столько постыдных секретов, тайн и предательств, что я никак не мог взглянуть на все это ясно и объяснить это моему другу.

— *Bien*, — вздохнул он, увидев по моему лицу, что меня не переубедить. — Если уж тебе непременно надо туда идти, я пойду с тобой.

— Это исключено... — начал я, но он прервал меня гневным жестом:

— Лин! Это я сообщил тебе о том, что она подвергла тебя всем этим... ужасам. И теперь я обязан пойти с тобой, потому что иначе на мне будет лежать ответственность за все, что случится. А ты же знаешь, друг мой, я ненавижу ответственность почти так же сильно, как копов.

ГЛАВА

38

Хуже пассажира, чем Дидье Леви, невозможно было придумать. Он так судорожно вцепился в меня, что трудно было управлять мотоциклом. Он взвывал всякий раз, когда мы приближались к какому-либо автомобилю, и визжал, когда мы обгоняли его. На крутых поворотах, где мотоцикл по всем законам физики клонился в сторону, Дидье начинал ёрзать и метаться, чтобы вернуть машину в вертикальное положение. Когда мы останавливались на перекрестках, он тут же со стоном спускал ноги на землю и вытягивал их, чтобы размять, а когда мы трогались с места, он не успевал подтянуть их и промахивался мимо подножки, так что его ноги какое-то время волочились вслед за мотоциклом. Если ему казалось, что едущая рядом машина слишком сблизилась с нами, он отпихивал ее ногой и грозил водителю кулаком. По моим прикидкам, за полчаса езды с Дидье по оживленной магистрали мотоциклист подвергается примерно такой же опасности, что и за месяц под пулями в Афганистане.

Я затормозил около нашей мастерской, где всегда трудились мои шри-ланкийские друзья Виллу и Кришна. Но мастерская выглядела странно. Двери были распахнуты, над ними висела новая вывеска. Заглянув внутрь, я увидел, что вместо фальшивых паспортов здесь теперь изготавливают цветочные гирлянды.

— Что-то не так? — спросил Дидье, когда я вернулся и нажал на стартер.

— Да. Они куда-то переехали. Придется заглянуть к Абдулу, чтобы выяснить.

— *Alors!* — обреченно воскликнул Дидье, обхватив меня так крепко, будто мы вдвоем спускались на одном парашюте. — Кошмар продолжается!

Спустя несколько минут я оставил его с мотоциклом возле особняка Абдула Гани. Охранник у входа узнал меня и поднял руку в шутливом салюте. Я всунул в другую бумажку в двадцать рупий, он открыл передо мной дверь, и я вошел в прохладный вестибюль, где меня встретили двое слуг. Они тоже хорошо знали меня и повели на второй этаж, дружески улыбаясь и жестами выражая свои эмоции, вызванные видом моих отросших волос и отощавшей фигуры. Один из них постучал в дверь большого кабинета Гани и приложил ухо к филенке в ожидании ответа.

— *Ао!* — крикнул Абдул. — Войдите!

Слуга вошел, закрыв дверь за собой, но через несколько секунд вернулся и, покачав мне головой, пригласил в комнату. Сияющее солнце врывалось в высокие арочные окна, отбрасывая зубья и когти теней на полированный пол. Абдул сидел в кресле с подголовником лицом к окну. Мне были видны только его пухлые руки, свисавшие, как сардельки в мясной лавке.

— Итак, это правда.

— Что — правда? — спросил я, обогнув кресло и встав перед ним.

Меня поразило, как постарел старый друг Кадера всего за девять месяцев. Густые волосы были наполовину седыми, наполовину белыми, на бровях лежал серебряный иней. От крыльев носа к углам рта и дальше по отвисшей челюсти спускались две глубокие складки. Губы, некогда непревзойденные по роскошной чувственности, растрескались, как у Назира на снежной вершине. Мешки под глазами свисали ниже скул и вызывали у меня дрожь, заставив вспомнить глаза сумасшедшего Хабиба. А глаза — его смеющиеся золотисто-янтарные глаза — были пусты, прежнее самодовольное хитроумие и бьющая через край жизнерадостность испарились.

— Ты и вправду вернулся, — ответил он со своим оксфорд-ским выговором. — А где Кадер?

С Гани нельзя было ограничиться уклончивым ответом.

— Он погиб, Абдул, — сказал я. — Он... его подстрелили рус-ские, когда он пытался доставить в свою родную деревню лоша-дей.

Абдул схватился за сердце и зарыдал, как ребенок, бормоча что-то невнятное и стеная. Крупные слезы потоком хлынули из его глаз. Взяв себя в руки, он посмотрел на меня, приоткрыв рот.

— Кто еще вернулся с тобой? — спросил он.

— Назир, Махмуд и еще мальчик по имени Ала-уд-Дин. Нас только четверо.

— А Халед? Где Халед?

— Он... ушел в самый последний вечер, когда был сильный буран, и больше мы его не видели. Наши говорили, что слышали где-то вдали выстрелы, но неизвестно, в него стреляли или нет. Так что я не знаю, что с ним случилось.

— Значит, это будет Назир... — пробормотал он.

Его опять стали сотрясать рыдания, он закрыл лицо своими мясистыми руками. Я смотрел на него, испытывая неловкость и не зная, что сказать или сделать. С того самого момента, когда я держал в руках тело Кадера на снежном горном склоне, я отка-зывался признать факт его смерти. Мой гнев на Кадер-хана еще не прошел, я загораживался им, как щитом, отодвигая скорбь и любовь к нему в самый дальний уголок сердца. Пока я был зол на него, я мог бороться со слезами и тоской и не расклеиваться, как Абдул. Пока я был зол, я мог сосредоточиться на своих делах, мог думать о Кришне и Виллу, о мастерской. Я хотел спросить Абдула о ней, но он заговорил первым:

— Кадер был, конечно, уникальный человек, но ты знаешь, во сколько нам обходилось то, что он взял на себя роль героя, ко-торого ведет рок? В миллионы. Мы потратили миллионы на эту его войну. Мы уже несколько лет так или иначе участвуем в ней. Может показаться, что это не такие уж большие деньги. Но это не так. Ни одна организация не может устоять, когда ее руководи-тель слепо идет, куда его ведет рок. А переубедить его было не-возможно. Невозможно было спасти его. Деньги для него ничего не значили. Как можно вести дела с человеком, который не пони-мает ценности денег? Деньги — это то, что объединяет всех ци-вилизованных людей, согласись. Если деньги ничего не значат, то нет и цивилизации. Нет ничего.

Его речь перешла в неразборчивое бормотание. Слезы ручья-ми стекали с его щек и падали сквозь солнечный свет на его ко-лени.

— Абдулбхай... — обратился я к нему, выждав некоторое время.

— А? Что?.. Уже? — воскликнул он.

В глазах его внезапно вспыхнул страх, нижняя губа скривилась с такой злобой, какой я никогда не видел в нем и даже не подозревал, что он на нее способен.

— Абдулбхай, где теперь работают Кришна и Виллу? На старом месте я их не нашел. Мне надо кое-что подправить в паспорте. Вы не скажете, куда перевели мастерскую?

Страх сжался в две маленькие точки, настороженно блестевшие в центре его глаз. На губах появилось некое подобие его обычной сластолюбивой улыбки; он поглядел на меня с какой-то жадной сосредоточенностью.

— Ну конечно, конечно, Лин! — усмехнулся он, утирая слезы ладонями. — Мастерская теперь здесь, в этом доме. Мы переоборудовали под нее подвальное помещение, мальчики и сейчас там работают. Туда можно попасть через люк в кухне. Икбал покажет тебе дорогу.

— Спасибо, — ответил я и, помолчав, добавил: — Мне сейчас надо идти... Но я еще зайду вечером или, по крайней мере, завтра, так что мы скоро увидимся.

— Иншалла, — ответил он тихо, опять уставившись в окно, — иншалла.

Я прошел на кухню, поднял тяжелую крышку люка и спустился по ступенькам в ярко освещенный подвал. Кришна и Виллу обрадовались мне и тут же взялись за мой паспорт. Мало что могло доставить им такое же удовольствие, как какая-нибудь сложная задачка по подделке паспорта, и они стали с воодушевлением обсуждать, как лучше с ней справиться.

Пока они работали, я осмотрел новую мастерскую. Это было большое помещение, оно явно превышало площадь, занимаемую домом Абдула Гани. Заполненное смотровыми камерами, печатными станками, фотокопировальными устройствами и шкафами для хранения материалов, оно тянулось метров на сорок в глубину. По-видимому, под мастерскую был использован также подвал соседнего дома. Возможно, Гани купил его для этой цели. А раз так, то должен был существовать еще один выход из подвала, ведущий в соседний дом. Я начал было искать его, но тут Кришна крикнул, что моя виза готова. Я решил вернуться сюда при первой возможности, чтобы как следует изучить планировку.

— Прости, что заставил тебя ждать так долго, — сказал я Дидье, вернувшись к мотоциклу. — Я не думал, что застряну здесь. Но зато виза готова, и мы можем двигать прямо к мадам Жу.

— Не спеши, Лин, — вздохнул Дидье, вцепившись в меня со свежими силами. — Акт отмщения, как и половой акт, должен производиться с чувством, с толком, с расстановкой.

— Карла? — спросил я его через плечо, лавируя в потоке несущегося металла.

— *Non*, мне кажется, это мое! — крикнул он в ответ. — Но... по правде говоря, я не уверен.

Мы оба рассмеялись, согретые воспоминанием о Карле.

Я припарковал мотоцикл на подъездной дорожке жилого дома в квартале от Дворца. Мы прошлись мимо него по противоположной стороне улицы, изучая обстановку. В целом фасад здания оставался в прежнем виде, но о нападении на него можно было догадаться по тому, что вход был заколочен досками, а окна закрыты металлическими и деревянными ставнями. Мы повернули обратно и еще раз прошли мимо Дворца, пытаясь определить, с какой стороны лучше проникнуть в него.

— Если она действительно здесь, а слуги доставляют ей еду из внешнего мира, то они явно пользуются каким-то другим входом, — заметил Дидье.

— Да, несомненно.

Неподалеку мы нашли проулок, пересекающийся с главной улицей и, очевидно, ведущий к задам дома. Он резко отличался от чистой, поддерживавшей достойный вид улицы своей загаженностью. Мы углубились в него, осторожно ступая между нечистотами и зловонными лужами, тщательно огибая кучи засаленного мусора непонятного происхождения. По страдальческой гримасе на лице Дидье можно было догадаться, что он подсчитывает, сколько стаканов виски ему понадобится выпить, чтобы избавиться от воспоминаний о вони, наполнявшей его ноздри. По обеим сторонам проулка тянулись кирпичные, каменные и бетонные заборы, уже несколько десятков лет соединенные в сплошную стену, поросшую мхом и вьющимися растениями.

Завернув за угол и пройдя несколько зданий, мы подошли к высокой каменной стене, ограждавшей Дворец. В стене имелась небольшая деревянная калитка, открывшаяся при первом прикосновении. Мы вошли в просторный двор, который когда-то был, несомненно, красив и уютен, пока не подвергся нападению толпы. Массивные глиняные горшки были опрокинуты и разбиты, росшие в них растения и цветы разбросаны по всему двору. Садовую мебель изрубили в щепки. Даже плитки, которыми был вымощен двор, во многих местах раскрошились, будто по ним колотили молотком.

Мы нашли почерневшую дверь, ведущую в дом. Она была не заперта и от толчка сразу отворилась с жалобным ржавым скрипом.

— Подожди меня здесь, — велел я Дидье тоном, не терпящим возражений. — Если кто-нибудь появится, постарайся его задержать или подай мне сигнал.

— Как скажешь, — вздохнул он. — Не пропадай надолго. Мне совсем не нравится торчать тут. *Bonne chance*.

Я вошел в здание. Дверь захлопнулась за мной, я очутился в темноте и пожалел, что не захватил с собой фонарик. Пол был усеян битой посудой, кастрюлями, горшками и прочей кухонной утварью, валявшейся среди обгоревших обломков мебели и обрушившихся балок. Выбравшись из кухни, я медленно направился по коридору в переднюю часть дома, миновав несколько комнат со следами пожара. В одной из них огонь постарался вовсю: от пола остались лишь обуглившиеся опорные балки, которые торчали наподобие ребер какого-то почившего гигантского животного.

Наконец я добрался до лестницы, по которой поднимался несколько лет назад с Карлой. Живописные обои с уильям-моррисовским орнаментом были подпалены и свисали клочьями с пузырящихся стеновых покрытий. Сама лестница тоже обгорела, вместо ковра под ногами были нитевидные скопления пепла и золы. Я стал осторожно подниматься, пробуя каждую ступеньку ногой, прежде чем ступить на нее. Одна из них обломилась-таки под моим весом, и я поспешил добраться до площадки второго этажа.

Тут тоже все было погружено во тьму, и я задержался, пока глаза не привыкли к ней и не стали видны прожженные в полу дыры. Некоторые части дома были основательно разрушены и деформированы огнем, другие сохранились в полной неприкосновенности и лишь усугубляли впечатление жуткой призрачности окружающего. Было такое ощущение, будто я нахожусь между сожженным прошлым и обгоревшим настоящим и моя память воссоздает отдельные фрагменты в том виде, какой они имели до пожара.

В одном месте моя нога провалилась сквозь пол, от которого осталась лишь тонкая поверхностная пленка, я отпрянул в сторону и налетел на стену. Стена, на вид такая же прочная, как и все остальные, оказалась фанерной перегородкой, оклеенной все теми же обоями, и не выдержала удара. Я почувствовал, что лечу вниз, и неуклюже замахал руками, пытаясь нащупать какую-нибудь опору. Однако летел я совсем недолго и, приземлившись вместе с обломками перегородки, догадался, что нахожусь в одном из тайных переходов Дворца.

Передо мной был узкий извилистый коридор, огибавший все внутренние помещения. В их стенах на разной высоте были вмонтированы металлические решетки — некоторые почти у самого пола, к другим надо было подниматься по лесенкам, огороженным перилами. Заглянув сквозь одну из этих решеток с ячейками в форме сердечка, я увидел растрескавшееся зеркало, обгоревшую обрушившуюся кровать и почерневшую тумбочку рядом с ней. Я представил себе мадам Жу, которая прячется здесь, затаив дыхание, и смотрит, смотрит...

Коридор все время петлял, в темноте я потерял ориентировку и не знал, с какой стороны фасад, а с какой — задняя часть здания. Неожиданно проход стал круто забирать вверх, оставив все смотровые решетки ниже, и я почувствовал под ногами какие-то ступеньки. Ощупью поднявшись по ним, я уперся в дверь. Она была такой маленькой и аккуратной, что могла бы служить входом в игрушечный дом. Я повернул ручку, дверца сразу же открылась, и я отшатнулся, ослепленный ярким светом.

Это было чердачное помещение. Свет поступал через ряд слуховых окон с цветными стеклами, расположенных выше наружных стен здания и сужавшихся кверху, как в часовне. Огонь достиг чердака, но почти не повредил его. Стены потемнели, на них виднелись черные полосы; пол в некоторых местах прогорел, обнажив многослойное перекрытие между этажами. Однако отдельные части помещения остались совершенно нетронутыми. Пол на этих участках был покрыт экзотическим ковром, мебель стояла целой и невредимой. А в кресле, напоминавшем трон, отгородившись от мира его жесткими ручками, сидела мадам Жу. На ее лице, искаженном гримасой, застыл безумный взгляд.

Приблизившись к ней, я понял, что злобный взгляд предназначен не мне. Она уставилась с ожесточением и ненавистью на какой-то момент в прошлом, на какое-то место, или человека, или событие, приковывавшее ее внимание так же прочно, как цепь удерживает дрессированного медведя. Лицо ее покрывал толстый слой косметики — маска, которая была такой неестественной и так грубо пыталась ввести окружающих в заблуждение, что выглядела даже не столько гротескно, сколько трагически. Напомаженный рот был гораздо шире ее собственного, небрежно подрисованные брови также были чрезмерно большими, нарумяненные щеки начинались выше скул. Из угла рта вытекала тонкая струйка слюны, капавшей ей на колени. Пары неразведенного рома обволакивали ее, смешиваясь с еще более отталкивающими запахами. Голову украшал парик в стиле помпадур с толстыми черными локонами. Он был скособочен и открывал редкие седые волосы. На ней был надет зеленый шелковый китайский халат *чонсам*, укутывавший шею почти до самого подбородка. Она сидела, положив скрещенные ноги на стоящий перед ней стул. Обутые в мягкие шелковые тапочки, они были крошечными, как у ребенка. Руки, такие же беспомощные и невыразительные, как и обвислый рот, лежали на коленях, словно обломки, выброшенные волной на пустынный берег.

Невозможно было определить ее возраст и национальность. Она могла быть испанкой, русской, в ней могла течь индийская, китайская или даже греческая кровь. Карла была права: когда-то она, несомненно, была красива — той красотой, которая складывается из суммы составляющих, не выражаясь в каких-либо определенных чертах, которая бросается в глаза, но не трогает сердце и превращается в уродство, если ее не подпитывают изнутри добрые чувства. В этот момент она не была красивой, она была уродливой. И Дидье оказался прав: она была побеждена и сломлена. Она дрейфовала по темным водам, которые вскоре должны были поглотить ее. Ее ум оцепенел и не вынашивал больше хитроумных и жестоких замыслов, в нем царила пустота.

Она не замечала меня, и я с удивлением осознал, что вместо злости и жажды отмщения испытываю стыд. Мне было стыдно, что я собирался сводить с ней счеты. Та часть меня, которая хотела... чего? неужели убить ее? — была сродни мадам Жу. Глядя на нее, я понял, что гляжу на себя самого — такого, каким мне суждено стать, если я не избавлюсь от мстительности. И еще я понял, что в течение всех тех недель в Пакистане, когда я возвращался к жизни, я хотел отомстить не только ей, но и себе, своему чувству вины за смерть Кадера. Я был его американцем, который должен был гарантировать ему защиту от врагов и бандитов с большой дороги. Мне казалось, что, если бы я был с ним, когда он отправился с лошадьми в свою деревню, его, возможно, даже не обстреляли бы.

Разумеется, это было глупо и, как обычно бывает с чувством вины, не вполне соответствовало истине. Назир сказал мне, что рядом с Кадером нашли несколько трупов в русской форме, с русским оружием. Мое присутствие там, скорее всего, ничего бы не изменило. Они схватили бы меня или убили, а Кадера ждал бы точно такой же конец. Однако то, что я почувствовал глубоко в сердце, увидев его припорошенное снегом мертвое лицо, не подчинялось рассудку. Я ощутил стыд и не мог стряхнуть его с себя. Но постепенно чувство вины и потери каким-то образом изменило меня. И вот теперь движимая ненавистью рука, собиравшаяся бросить камень отмщения, выпустила его. Мне казалось, что меня наполняет свет, что он приподнимает меня. И я почувствовал себя свободным — достаточно свободным, чтобы пожалеть мадам Жу и даже простить ее. И тут я услышал крик.

Крик был пронзительным, как визг свиньи, у меня от него ёкнуло сердце. Резко обернувшись, я увидел, что ко мне со всех ног несется Раджан, слуга-евнух мадам Жу. Он налетел на меня и обхватил руками. Я потерял равновесие, и мы, разбив стекло, едва не выпали из слухового окна. Я лежал на спине, свесившись с подоконника, надо мной было безумное лицо евнуха и карниз крыши под голубым небом. На темени и затылке я ощущал холодные ручейки крови, вытекавшей из порезов, оставленных битым стеклом. Пока мы боролись на подоконнике, острые осколки продолжали высыпаться из рамы, и я вертел головой, чтобы они не попали мне в глаза. Раджан, вцепившись в меня мертвой хваткой, как-то странно сучил и шаркал ногами, словно, упершись в стену, упрямо пытался бежать вперед. Я понял, что он старается вытолкнуть меня из окна, выбросившись вместе со мной. И это ему почти удалось. Я почувствовал, что мои ноги отрываются от пола и я смещаюсь под его натиском все дальше и дальше.

Я собрал все свои силы и, схватившись за оконную раму, с отчаянным рычанием втолкнул нас обоих обратно в помещение. Раджан упал, но тут же с удивительным проворством вскочил на ноги и снова кинулся на меня. Деваться мне было некуда, мы опять сцепились в смертельном объятии. Он схватил меня за горло, я пытался дотянуться левой рукой до его глаза. Ногти его были длинными и изогнутыми и прорвали кожу на моей шее. Закричав от боли, я схватил левой рукой его за ухо и, притянув его голову к себе, правой стал молотить его по лицу. После шестого или седьмого удара он вырвался от меня с наполовину оторванным ухом.

Отскочив от меня на шаг, он стоял, ловя ртом воздух и вперив в меня взгляд, полный ненависти, которая не знала страха и не слушала доводов рассудка. Кожа над одной из его сбритых бровей была надрезана, кровь заливала лицо, разорванная губа обнажала сломанный зуб. На голове тоже имелись многочисленные порезы, сделанные осколками стекла. Один глаз затек кровью, нос, похоже, был сломан. Всякий нормальный человек этим вполне удовлетворился бы. Но не Раджан.

С пронзительным и диким воплем он вновь устремился ко мне. Сделав шаг в сторону, я нанес ему правой рукой мощный удар сбоку по голове. Он стал падать, но схватился своей когтистой лапой за мою штанину и потянул меня за собой. Быстро вскарабкавшись на меня, как краб, он опять вцепился мне в шею и плечо.

Он был костляв, но высок и силен. Я так похудел на Кадеровой войне, что мы с Раджаном были примерно в одной весовой категории. Я катался вместе с ним по полу, но был не в состоянии сбросить его. Голову он плотно прижал к моей груди, чтобы я не мог ударить его по лицу. Я почувствовал у себя на шее его зубы; его длинные острые ногти опять глубоко врезались мне в кожу.

Я дотянулся до своего ножа и, вытащив его, воткнул в бедро Раджана. Он взвыл от боли, приподняв голову, и я ударил его ножом в основание шеи. Нож вошел глубоко, прорезав мягкие ткани и хрящ и задев кость. Раджан схватился за горло и откатился от меня к стене. Он был побежден, у него не осталось сил бороться со мной. Все было кончено.

И тут я услышал крик.

Обернувшись, я увидел, как прямо из дыры в полу с нижнего этажа на чердак выбирается Раджан, целый и невредимый. Лысая голова, бритые брови, подведенные глаза и длинные ногти-когти, выкрашенные в зеленый лягушачий цвет. Быстро повернув голову обратно, я убедился, что Раджан, с которым я дрался, по-прежнему лежит у стены, стеная. «Двойник! — подумал я ошарашенно. — Они близнецы. Почему же мне никто не сказал об этом?» Второй Раджан бросился на меня с хриплым воплем. В руках у него был нож.

Он замахнулся тонким изогнутым лезвием как саблей, собираясь воткнуть его мне в грудь. Увернувшись, я подскочил к нему и ударил его своим ножом сверху вниз, поранив плечо и руку. Но и он действовал быстро, успев нанести мне удар в руку ниже локтя. Из раны хлынула кровь; я в исступлении начал колотить Раджана кулаком правой руки, одновременно орудуя ножом, зажатым в левой. Но тут внезапно мой затылок пронзила темная кровавая боль. Быстро проскочив мимо второго Раджана, я обернулся и увидел первого в прилипшей к телу, пропитанной кровью рубашке, с большим деревянным обломком в руках. Голова моя кружилась от нанесенного удара, кровь текла из ран на голове, на шее, на плече и на руке. Близнецы взвыли опять, собираясь броситься на меня. Впервые с тех пор, как началась эта безумная схватка, во мне зародилось семя сомнения, которое стало быстро расти: «Все это может закончиться для меня плохо».

Выставив вперед ногу и держа наготове обе руки, я ухмыльнулся близнецам, подумав: «Ладно. Будь что будет». Они кинулись на меня с визгливыми причитаниями. Раджан занес над моей головой обломок дерева. Я заслонился от него левой рукой, и удар пришелся по плечу. В тот же миг я заехал левым кулаком ему по физиономии. Ноги его согнулись, он рухнул на пол. Тем временем его брат замахнулся ножом, целя мне в лицо. Я пригнулся, пытаясь увернуться, и нож задел мою голову выше шеи. Я тут же нанес ему ответный удар ножом в плечо, погрузив его по самую рукоятку. Я, правда, хотел воткнуть нож ему в грудь, но и это ранение оказалось очень эффективным — рука его сразу обвисла, как вытащенная из воды водоросль, и он, взвизгнув, в панике отшатнулся от меня.

Во мне разгорелся гнев, годами копившийся в тюрьмах и похороненный в неглубокой могиле, где он возмущенно бурлил, придавленный моим самообладанием. Кровь, стекавшая по моему лицу из ран и порезов на голове, была разжиженным гневом, который продуцировало мое сознание. Ненависть наполнила мои руки, плечи, спину неукротимой силой. Глядя на обоих Раджанов и на безумную старуху в кресле, я думал: «Надо убить их всех». Я втягивал воздух сквозь сжатые зубы и с рычанием выпускал его. «Я убью их всех», — стучало у меня в мозгу.

И тут я услышал, как кто-то окликает меня, отзывает от края пропасти, в которую кинулся Хабиб и многие другие.

— Лин! Где ты, Лин?

— Я здесь, Дидье, — крикнул я в ответ, — на чердаке! Ты совсем рядом. Ты слышишь меня?

— Да, слышу! — отозвался он. — Я иду!

— Только будь осторожен! — предупредил я его. — Тут двое парнишек, которые настроены... не слишком дружелюбно.

Было слышно, как он поднимается по ступенькам и ругается в темноте. Затем он открыл дверь и ступил на чердак. В руках он держал пистолет, и я был рад видеть его, как никогда. На лице его выразился ужас при виде трех наших окровавленных физиономий и неподвижной фигуры в кресле. Затем его губы сжались с угрюмой решимостью. И тут опять тишину прорезал крик.

Раджан Второй, с ножом, издал леденящий душу вопль и кинулся на Дидье, но мой друг не мешкая нажал на спуск, всадив нападавшему пулю в пах. Тот упал на бок, сложившись пополам и рыдая от боли. Другой Раджан ковыляя добрался до кресла-трона, в котором сидела его госпожа, и заслонил ее своим телом, с ненавистью глядя прямо в глаза Дидье. Дидье сделал шаг вперед, подняв пистолет и прицелившись в сердце Раджана. Он хмурился, но в светлых глазах были спокойствие и непререкаемая уверенность в своей правоте. Это был настоящий мужчина, стальной клинок, хранящийся в старых проржавевших ножнах. Дидье Леви, один из самых ловких и опасных людей в Бомбее.

— Я прикончу их? — спросил он недрогнувшим голосом.

— Нет.

— Нет? — выдохнул он, не отрывая глаз от Раджана. — Посмотри на себя. Посмотри, что они с тобой сделали. Ты должен пристрелить их, Лин.

— Нет.

— И ты не хочешь даже изувечить их?

— Нет.

— Оставлять их в живых опасно. Они слишком ненавидят тебя.

— Пускай, — буркнул я.

— Может быть, ты убьешь хотя бы одного из них, *non*?

— Нет.

— Хорошо. Тогда я застрелю их за тебя.

— Нет, — опять повторил я.

Я был благодарен ему вдвойне — за то, что он появился вовремя, чтобы не дать им убить меня, но еще больше за то, что он не дал мне убить их. Волны расслабляющего облегчения захлестывали меня, вымывая из моего раскаленного до кровавой красноты сознания остатки гнева и ярости. Последняя улыбка стыда вспыхнула и погасла у меня в глазах.

— Я не хочу убивать их, — сказал я. — И не хочу, чтобы ты убивал. Я вообще не собирался драться с ними — мне пришлось, потому что они сами напали на меня. Они всего лишь защищают ее. И я поступил бы так же на их месте, если бы любил ее. Они ничего не имеют против меня лично. Им до меня нет дела, они думают только о ней. Так что оставь их в покое.

— А что делать с ней?

— Ты был прав, — ответил я спокойно. — С ней покончено. Это труп. Мне надо было послушаться твоего совета и не ходить сюда. Просто... я хотел убедиться.

Я прикрыл рукой пистолет, который держал Дидье. Раджан передернулся и пригнулся, ожидая выстрела. Его брат, скуля от боли, стал отползать от нас вдоль стены. Я медленно опустил руку Дидье, пока пистолет не уставился дулом в пол. Раджан встретился со мной взглядом. В его глазах было удивление, страх сменился облегчением. Посмотрев на меня еще какой-то момент, он заковылял к своему брату.

Я развернулся и, пройдя тем же потайным коридором, вышел к обугленной лестнице. Дидье следовал за мной.

— С меня бутылка, Дидье, — ухмыльнулся я.

— Само собой, — отозвался он, и тут ступеньки обрушились под нами и мы полетели вместе с обломками дерева, пока не оказались этажом ниже.

Задыхаясь и кашляя в облаке пыли и пепла, я выкарабкался из-под Дидье и сел, привалившись спиной к стене. Шея у меня болела и не ворочалась, в руке, на которую я упал, были растянуты мышцы. В остальном все вроде бы было цело. Дидье, приземлившийся на меня, стонал и глухо ворчал.

— Неплохо полетали, — сказал я. — Ты как, в порядке?

— Теперь я уж точно вернусь и пристрелю ее, — пробормотал он.

Смеясь и прихрамывая, мы выбрались из руин Дворца и еще долго не могли успокоиться, отмываясь в ванной Дидье от грязи и залечивая раны. Дидье дал мне чистую рубашку и брюки. В его гардеробе имелось много модных и ярких тряпок, что было удивительно для человека, проводившего каждый вечер в «Леопольде» в своей замызганной и неприглядной униформе. Он объяснил, что эта одежда была по большей части оставлена его любовниками, которые так и не удосужились взять ее. Я сразу вспомнил, как Карла давала мне костюм своего бывшего любовника.

Мы вернулись в «Леопольд», заказали обильную закуску и продолжали веселиться. Дидье рассказывал о своих последних романтических злоключениях. В это время в дверях ресторана появился Викрам и, увидев меня, раскинул руки:

— Лин!

— Викрам!

Я поднялся, он налетел на меня и облапил. Держа меня за плечи, он окинул меня критическим взором и нахмурился при виде моей исполосованной физиономии.

— Блин! Кто тебя так отделал, старик? — спросил он.

На нем был, как всегда, черный костюм в ковбойском стиле, но намного скромнее, чем прежде. Тут явно поработала Летти, и результаты выглядели очень достойно, но я с удовлетворением отметил, что шляпа по-прежнему висит на шнурке у него за спиной.

— Видел бы тех двоих! — отозвался я, бросив взгляд на Дидье.

— Почему же ты не сообщил мне, что вернулся?

— Я приехал только сегодня и должен был уладить кое-какие формальности. А как Летти?

— Цветет и пахнет, *йаар*! — жизнерадостно откликнулся он, присаживаясь за наш столик. — Занялась этим мультихреномедийным проектом вместе с Карлой и ее новым бойфрендом. Начали они, надо сказать, многообещающе.

Я посмотрел на Дидье. Тот индифферентно пожал плечами, снимая с себя ответственность, и состроил зверскую рожу Викраму.

— Черт! Прости, старик! — воскликнул Викрам в замешательстве. — Я думал, ты знаешь. Я думал, Дидье уже рассказал тебе, *йаар*.

— Карла вернулась в Бомбей, — объяснил Дидье, утихомирив Викрама еще одним гневным взглядом. — У нее появился новый друг — бойфренд, по ее собственному выражению. Его имя Ранджит, но он предпочитает, чтобы его называли Джит.

— Неплохой парень, Лин. Думаю, он тебе понравится, — добавил Викрам, ободряюще улыбаясь.

— Ну знаешь, Викрам... — скривился Дидье.

— Все в порядке, друзья, — улыбнулся я им обоим и сделал знак официанту, чтобы он принес нам новую бутылку.

Когда она была доставлена и мы разлили алкоголь по стаканам, я поднял свой и провозгласил тост:

— За Карлу! Да родятся у нее десять дочерей, и пусть все они найдут достойных женихов.

— За Карлу! — присоединились к тосту Дидье с Викрамом, и, сдвинув стаканы, мы опустошили их.

Мы провозгласили уже третий тост — за любимую собачку Ранджита, — когда в шумной и беззаботной ресторанной обстановке вдруг появился Махмуд Мелбаф, из чьих глаз на меня глянула война на пустынной снежной вершине. Я поднялся навстречу ему.

— Что с тобой случилось? — тут же спросил он, глядя на мои свежие порезы.

— Да так, ерунда, — улыбнулся я.

— Кто это сделал? — настаивал он.

— Кое-какие разборки с прислужниками мадам Жу, — объяснил я, и он успокоился. — А ты с чем пожаловал?

— Назир сказал, что ты будешь, скорее всего, здесь, — прошептал он, озабоченно хмурясь. — Очень хорошо, что я тебя нашел. Назир велел тебе передать, чтобы ты несколько дней никуда не ходил и ничем не занимался. Разгорелась война между группировками. Борьба за власть после смерти Кадера. Так что не посещай пока никаких мест, связанных с нашим бизнесом. Это небезопасно.

— А почему так внезапно?

— Предатель Гани мертв, — ответил Махмуд ровным тоном, но глаза его смотрели жестко и решительно. — И его люди тоже.

— Гани?!

— Да. У тебя есть деньги?

— Да, конечно, — ответил я, думая об Абдуле Гани: «Он ведь из Пакистана. Наверное, в этом все дело. Очевидно, это он был связан с пакистанской тайной полицией. Ну да, конечно. Это он подстроил так, что нас чуть не схватили в Карачи. Это о нем говорил Халед в ночь перед сражением — об Абдуле Гани, а не об Абдулле...»

— У тебя есть надежное место, где ты можешь пересидеть?

— Место? Да, есть.

— Это хорошо, — сказал он, с чувством пожимая мне руку. — В таком случае встретимся здесь же через три дня в час, иншалла.

— Иншалла, — ответил я, и он вышел, ступая гордо и уверенно, с высоко поднятой красивой головой.

Я сел за столик, стараясь не смотреть в глаза друзьям, пока не почувствовал, что страх в моих собственных улегся.

— Что-то случилось? — спросил Дидье.

— Да так, ничего особенного, — соврал я с напускным безразличием. Я поднял свой стакан. — Так на чем мы остановились?

— На собачке Ранджита, — ухмыльнулся Викрам. — Но мне хотелось бы также включить в этот тост его лошадь, если вы не против.

— Но ведь мы не знаем, может, у него нет лошади, — возразил Дидье.

— Про собачку мы тоже не знаем, но пьем за нее. Итак, за собачку Ранджита!

— За собачку Ранджита! — присоединились к тосту мы с Дидье.

— И за его лошадь! — добавил Викрам. — И за лошадь его соседа.

— За лошадь соседа!

— И вообще за всех лошадей!

— И за всех любовников! — провозгласил Дидье.

— За всех любовников! — повторил я.

Но внезапно я почувствовал, что во мне самом любовь по какой-то причине и каким-то непонятным образом умерла. Я ощущал это очень отчетливо. Мое чувство к Карле не исчезло. Оно до сих пор со мной. Но ревности к незнакомцу по имени Ранджит, которая раньше непременно охватила бы меня, я не испытывал. Никакой злобы к нему, никакой обиды на Карлу. Сидя с друзьями в ресторане, я ничего не чувствовал, во мне была пустота, словно война, потеря Кадербхая и Халеда, встреча с мадам Жу и драка с ее телохранителями-близнецами впрыснули мне в сердце анестезирующее средство.

Боли в связи с предательством Абдула Гани я тоже не ощущал, это было скорее какое-то трепетное изумление — других слов я не могу подобрать — и под ним глухо пульсирующий фаталистический страх. Ибо уже тогда кровавое будущее, на которое нас обрекло его предательство, начало проникать в нашу жизнь, как неожиданное цветение погибшей от засухи красной розы, упавшей на бесплодную каменистую землю.

ГЛАВА
39

Через час после того, как я оставил Абдула Гани и направился к мадам Жу, Назир и три его ближайших помощника взломали дверь соседнего дома и прошли через все длинное подвальное помещение к люку, соединявшему его с особняком Гани. Когда я пробирался захламленным коридором полуразрушенного Дворца, Назир с помощниками, напялив на себя черные вязаные маски-капюшоны, распахнули люк и вылезли на кухню. Повара, рабочего со склада, двух слуг и двух шриланкийцев, Кришну и Виллу, они заперли в небольшом помещении в подвале. Когда я добрался до чердака и нашел там мадам Жу, Назир поднялся в большой кабинет Абдула и застал его сидящим в кресле и плачущим. Когда я отказался от мести и простил поверженного врага — мадам Жу, пускавшую слюни в своем кресле, — Назир отомстил за Кадер-хана и за себя самого, убив предателя.

Двое держали Абдула за руки. Третий заставил его поднять голову и открыть глаза. Назир снял маску и, глядя Абдулу в глаза, вонзил кинжал в его сердце. Абдул, по всей вероятности, знал, что они придут, и сидел, ожидая убийц. Тем не менее его крик, по их словам, прозвучал как зов, донесшийся из самых глубин преисподней.

Они скинули его тело на полированный пол. Когда я сражался с Раджаном и его братом на чердаке в другом конце города, Назир и его люди отрубили мясницкими топорами руки, ноги и голову Абдула и разбросали их по всему дому — точно так же, как по его приказу Сапна с подручными поступили с останками старого верного Маджида. Когда я вышел из Дворца, впервые за многие месяцы освободившись от грызущей мое сердце жажды отмщения, Назир выпустил Кришну с Виллу и слуг, которые не имели отношения к предательству, и направился со своими людьми на поиски сторонников Гани, чтобы расправиться с ними.

— Гани уже давно свернул на кривую дорожку, *йаар*, — перевел мне Санджай Кумар слова Назира с урду. — Он считал, что Кадер лишился ума, что у него навязчивая идея, ради осуществления которой он растратит все деньги мафии, потеряет власть и погубит все дело. Он считал, что Кадер уделяет слишком много внимания Афганской войне. И он знал, что Кадер планирует акции в Шри-Ланке и Нигерии. Абдул пытался отговорить Кадера от этих планов, но не смог убедить его и тогда стал совершать эти убийства от имени Сапны. Это он все организовал.

— Он один? — спросил я.

— Сначала, конечно, они придумали Сапну вместе с Кадером, чтобы заставить полицию и правительство действовать в их интересах.

— Каким образом?

— Гани решил, что для этого нужен общий враг, Сапна. Когда этот Сапна провозгласил себя королем воров и убийц, стал призывать людей к революции и кромсать богачей по всему городу, власти забеспокоились. Было неясно, кто стоит за этим. Мы обещали помочь им выловить Сапну, так что были с ними как бы заодно. Но Гани хотел повернуть это все против самого Кадера.

— Я не уверен, что он хотел этого с самого начала, — прервал своего друга Салман Мустан, задумчиво покачивая головой. — Я думаю, сначала он поддерживал Кадера, как всегда. Но из-за этой кровавой и, на мой взгляд, извращенной затеи с Сапной у него, наверное, крыша поехала.

— Ну, как бы то ни было, результаты были налицо, — пожал плечами Санджай. — Гани сколотил свою банду с Сапной и другими головорезами, которые подчинялись только ему. Они начали устранять людей, от которых Гани хотел избавиться, потому что они были его соперниками в бизнесе, — это точно. И все шло согласно его плану, *йаар*. Весь город стоит на ушах, гоняясь за этим Сапной, а старинные недруги Кадера из кожи вон лезут, чтобы помочь ему переправить оружие, взрывчатку и прочую контрабанду через Бомбей, так как надеются, что он поможет им разделаться с Сапной. План, конечно, безумный, но он работает, *йаар*. Но однажды к Абдулу приходит коп, которого зовут Патил. Ты знаешь его, Лин, — помощник инспектора Суреш Патил. Сучка еще та, *йаар*.

— Но башковитый коп, — добавил Салман с оттенком уважения в голосе.

— О да, башковитый. Так вот, эта башковитая сучка говорит Гани, что головорезы Сапны оставили на месте последнего убийства следы, которые указывают на участие мафии Кадера. У Гани, понятно, полные штаны, так как его заговор вот-вот раскроется. И ему приходит в голову идея, что надо пожертвовать кем-то из приближенных Кадера, — если молодчики Сапны искромсают кого-нибудь из членов совета мафии, то это собьет копов со следа, они подумают, что Сапна и вправду наш враг.

— Он выбрал Маджида, — продолжил Салман. — И его замысел удался. Расследованием убийства занимался этот Патил, его люди собирали останки Маджида, разбросанные по всему дому. Он знал, как близок Маджид к Кадербхаю. У папаши Патила — вот уж кто, кстати, действительно крутой коп — давние счеты с Кадербхаем, он самолично упек его когда-то за решетку, *йаар*...

— Кадербхай отсиживал срок? — спросил я, пожалев, что не спросил его об этом в свое время, — мы ведь немало говорили с ним о тюрьме.

— Ну да, — засмеялся Салман. — Ему даже удалось бежать с Артур-роуд.

— Ты меня разыгрываешь!

— А ты не знал этого, Лин?

— Нет.

— Это бесподобная история, — отозвался Салман, с чувством покрутив головой. — Попроси как-нибудь Назира, он тебе расскажет. Он помогал Кадеру устроить побег. Это была отчаянная парочка в те дни, Назир и Кадербхай, *йаар*.

Санджай в подтверждение этих слов от души шлепнул Назира по спине, попав по еще не вполне зажившей ране. Назир, однако, даже не поморщился. Он внимательно смотрел на меня. Меня впервые посвящали в дела мафии после смерти Абдула Гани и окончания двухнедельной междоусобной войны, унесшей жизни шести наших людей и полностью вернувшей бразды правления в руки Назира и других сторонников Кадера. Я встретил взгляд Назира и медленно кивнул ему. Его суровое, неулыбчивое лицо на миг смягчилось и снова стало таким же непроницаемым, как всегда.

— Бедный старина Маджид, — вздохнул Санджай. — Он стал жертвой этого долбаного отвлекающего маневра. Копы — эта сучка Патил со своей командой — и вправду решили, что мафия Кадербхая не имеет никакого отношения к Сапне, и стали искать его в других местах. Они знали, как Кадербхай любил Маджида. Гани сорвался с их крючка, и спустя какое-то время его банда снова стала развлекаться со своими топориками.

— А как отнесся к этому Кадер?

— К чему? — спросил Санджай.

— Он имеет в виду — к убийству Маджида, — пояснил Салман. — Да, Лин?

— Да.

Все трое посмотрели на меня с некоторой неуверенностью. На их лицах застыло угрюмое и чуть ли не возмущенное выражение, словно я задал какой-то бестактный вопрос. Но глаза их, в которых прятались секреты и ложь, были в то же время полны сожаления и печали.

— Кадер смирился с этим, — ответил Салман, и сердце у меня болезненно сжалось.

Мы сидели в «Мокамбо», ресторане с кофейным баром в районе Форта. Он блистал чистотой, обслуживали здесь на высшем уровне, обстановка была изысканной и богемной. Крупные бизнесмены, занимавшиеся коммерцией в этом районе, смешивались здесь с толпой гангстеров, модных адвокатов и знаменитостей из мира кино и быстро развивающегося телевидения. Мне нравился «Мокамбо», и я был рад, что Санджай избрал его местом встречи. Разделавшись с обильным, но не слишком обременительным для желудка ланчем, который завершился десертом *кульфи*[1], мы заказали по второй чашке кофе. Назир сидел слева от меня, спиной к углу и лицом к выходу из ресторана, рядом с ним расположился Санджай Кумар, с которым мы частенько бились на ринге во время тренировок. Теперь он пробился на самый верх и стал членом совета мафии, вернее, того, что осталось от совета Кадербхая. Это был крепко сбитый тридцатилетний гангстер — индиец из Бандры, с красивым лицом и крутым характером. Волосы его были уложены с помощью фена начесом, как у кинозвезды. Широко расставленные карие глаза, прятавшиеся под высоким лбом, смотрели с юмором и уверенностью. Нос его был крупным, подбородок мягко закруглялся, а рот в любой момент был готов растянуться в улыбке. У него часто вырывался непроизвольный смех, и это всегда был хороший смех, теплый и заразительный. Санджай обладал щедрой натурой и не позволял никому другому расплачиваться с официантами или барменами — не потому, что ему хотелось пустить пыль в глаза, как полагали некоторые, а из свойственной ему по природе склонности давать и делиться. Храбрости ему было не занимать, и в опасной ситуа-

---

[1] *Кульфи* — молочный десерт типа мороженого, но без воздушного наполнения.

ции на него можно было положиться с такой же уверенностью, как и в повседневных делах. Он легко нравился людям, и нравился мне, так что приходилось делать усилие, чтобы поверить: он был среди тех, кто отрубил Абдулу Гани руки, ноги и голову топориком.

Рядом с Санджаем был, как всегда, его закадычный друг Салман Мустан. Они были одногодками и вместе выросли в шумном густонаселенном районе Бандра. Говорили, что Салман был не по летам развитым ребенком и изумлял своих родителей-бедняков тем, что уже в начальной школе опережал одноклассников по всем предметам. Его успехи были тем более поразительны, что начиная с пяти лет он не менее двадцати часов в неделю работал вместе с отцом, ощипывая кур и занимаясь уборкой на птичьем дворе.

Я знал о нем немало как от третьих лиц, так и от него самого: он рассказывал о своей жизни время от времени в перерывах между тренировками в спортзале. Когда Салман заявил, что должен бросить школу и устроиться на работу, чтобы поддерживать семью, один из учителей, который был знаком с Абделем Кадерханом, попросил главаря мафии принять участие в судьбе мальчика, и Салман стал, как и мой консультант по медицинской практике в трущобах доктор Хамид, одним из протеже Кадербхая. Было решено, что Салман займется юриспруденцией, и Кадер устроил его в иезуитский колледж. Каждый день мальчик из трущоб надевал чистую белую форму и посещал занятия вместе с сыновьями богачей. Колледж давал хорошее образование: Салман свободно говорил по-английски, имел неплохие познания в естественных науках, истории, географии, литературе и искусстве. Но в мальчике бурлили непокорный дух и неуемная тяга к приключениям, с которыми не могли справиться даже сильные руки и крепкие трости воспитателей.

Пока Салман сражался с иезуитами, Санджай пристроился на работу в мафии Кадербхая. Он был курьером и таскал записки и контрабандные товары из одного опорного пункта мафии в другой. Однажды Санджая попытались ограбить гангстеры из соперничающей группировки. Он вступил с ними в драку и, хотя его ранили, сумел доставить Кадеру пакет с контрабандой. Рана была довольно серьезная, на ее лечение ушло два месяца. Салман винил себя в том, что не был в тот момент рядом со своим другом, тут же бросил школу и упросил Кадера взять его к себе, чтобы не расставаться с Санджаем. С тех пор они всегда вместе участвовали во всех акциях, организованных советом мафии.

В ту пору, когда они начинали, им было всего по шестнадцать лет, а незадолго до нашей встречи в «Мокамбо» обоим стукнуло тридцать. Неугомонные мальчишки стали серьезными мужчинами, которые осыпали своих родных материальными благами и держались с агрессивным апломбом. Они устроили выгодные браки для своих сестер, но сами так и не женились, хотя в Индии это считалось непатриотичным, если не святотатственным. Салман однажды признался мне, что они решили не заводить семью, так как у них обоих было предчувствие, что они умрут насильственной смертью в молодом возрасте. Эта перспектива не пугала и не огорчала их — они рассматривали ее как справедливую сделку с судьбой: они получали власть, увлекательную жизнь и благополучие их близких в обмен на высокую вероятность ранней встречи с ножом или пистолетом. И когда Назир и его друзья расправились со сторонниками Абдула Гани, Салман и Санджай вошли в состав совета мафии.

— Я думаю, Гани все-таки пытался предупредить Кадербхая о своих намерениях, — произнес Салман на чистом английском языке. — Он не случайно целый год капал всем на мозги, распространяя идею о роковом уделе героя, прежде чем сколотил свою банду.

— Да пошел он! — бросил Санджай. — Кто он был такой, чтобы предупреждать Кадербхая о чем бы то ни было? Кто он был такой, чтобы втягивать нас всех в это дерьмо с Патилом и убивать Маджида для того, чтобы выбраться из дерьма? А после всего этого он не моргнув глазом продал нас гребаным пакистанским копам, *йаар*. Да чтоб ему пусто было на том свете! Если бы можно было откопать его и убить еще раз, я сделал бы это сегодня же. А завтра еще раз, и так каждый день. У меня было бы такое хобби, блин.

— А кто все-таки был Сапной? — спросил я. — Кто был исполнителем всех этих убийств, задуманных Абдулом? Кадербхай сказал мне, после того как убили Абдуллу, что он разоблачил этого Сапну и уничтожил его. Но он не сказал, кто это был такой. И почему надо было уничтожать Сапну, если тот работал на мафию?

Оба молодых гангстера, хотя могли и сами ответить на этот вопрос, посмотрели на Назира, предоставив высказаться старшему. Санджай обратился к нему на урду. Назир ответил ему на том же языке, и я понял почти все, что он сказал, но дал Санджаю возможность перевести его слова.

— Его имя Джитендра, или Джитудада, как его обычно называют. Он гангстер из Дели. Гани переправил его сюда вместе с четырьмя другими бандитами и поселил в пятизвездочном отеле — платил за них целых два года! Ублюдок! Все время скулил, что Кадер тратит слишком много на войну и на моджахедов, а сам два года содержал этих психов в пятизвездочном отеле!

— Когда убили Абдуллу и все говорили, что с Сапной покончено, Джитудада с горя напился, — вставил Салман. — Он к тому времени уже два года орудовал под знаменами Сапны и немного тронулся на этой почве. Он сам уверовал в этот бред, который они проповедовали от имени Сапны.

— Дурацкое имя, Сапна, — бросил Санджай. — Это ведь женское имя, блин. Все равно что я стал бы называть себя какой-нибудь долбаной Люси или еще похуже. Не знаю, кем надо быть, чтобы придумать себе женское имя, *йаар*.

— Наверное, для этого надо убить одиннадцать человек и остаться безнаказанным, — отозвался Салман. — Так вот, когда прошел слух, что Сапна — то есть Абдулла — убит, Джитудада надрался и стал болтать на всех углах, что на самом деле это он Сапна. Как-то он был с дружками в «Президенте» и начал орать, что он знает, кто организовал все эти убийства и заплатил за них.

— Гребаный *ганду*, — проворчал Санджай, употребив жаргонный эквивалент слова «задница». — Все эти свихнувшиеся ублюдки просто не могут не трепать языком, *йаар*.

— Хорошо еще, что в баре были в основном иностранцы, которые не понимали, о чем он толкует. Там был также один из наших парней, который сказал этому Джитудаде, чтобы он не распускал язык, а тот стал размахивать пистолетом и кричать, что ему плевать на Абделя Кадер-хана, потому что у него на Кадера свои виды и он разделает его точно так же, как Маджида. Парень сразу же сообщил об этом Кадеру, и тот сам приехал туда вместе с Назиром, Халедом, Фаридом, Ахмедом Задехом, Эндрю Феррейрой и еще кое с кем из наших и расправился с этим психом.

— Черт, как жаль, что я пропустил это, — сокрушался Санджай. — У меня давно уже руки чесались прикончить этого подонка, особенно после того, как он убил Маджида. Но меня услали тогда с заданием в Гоа, так что Кадер сделал работу без меня.

— Они встретили Джитудаду с его дружками на автостоянке около отеля. Те стали сопротивляться, поднялась стрельба. Двоих наших ранили в этой схватке. Один из них был Хусейн — ты знаешь его, он теперь устроился счетоводом на причале Балларда. Ему оторвало руку выстрелом из двуствольного обреза в упор. Если бы Ахмед Задех не схватил его и не утащил в больницу, из Хусейна вся кровь бы вытекла на этой автостоянке. Всех четверых — Джитудаду и троих его дружков — пустили в расход. Кадербхай самолично сделал четыре контрольных выстрела в голову. Но одного типа из их банды не было на стоянке, и он смылся. Мы его так и не нашли. Сбежал в Дели, и следы его затерялись.

— Мне нравился Ахмед Задех, — тихо произнес, как высшую похвалу, Санджай, вздохнув по погибшему товарищу.

— Да, он был хорошим парнем, — согласился я, вспомнив Ахмеда, у которого всегда был такой вид, будто он высматривает друга в толпе. Он умер, держа меня за руку.

Назир продолжил рассказ, изрыгая слова угрожающим тоном, — можно было подумать, что он проклинает нас всех.

— Когда пакистанские копы устроили облаву на Кадербхая, — перевел Санджай, — то было ясно, что их навел Абдул Гани.

Я молча кивнул. Это действительно не мог быть никто другой. Абдул был родом из Пакистана, там у него сохранились обширные связи, в том числе в высших эшелонах. Он сам не раз говорил мне об этом. Я удивлялся, почему это сразу не пришло мне в голову, когда копы совершили налет на наш отель в Карачи. Очевидно, Абдул мне слишком нравился, чтобы вызвать подозрения. А еще вероятнее было, что мне льстило его внимание. Он был моим непосредственным боссом и не жалел времени и сил, чтобы наладить дружеские отношения со мной. И к тому же в тот момент мои мысли были заняты другим. Когда я сидел в мечети рядом с Халедом и Кадербхаем и слушал Слепых певцов, во мне зрело желание отомстить. Прочитав записку Дидье в желтом дрожащем свете храмовых светильников, я принял решение убить мадам Жу. Я помнил, что сразу после этого встретил взгляд Кадербхая, полный любви. Вероятно, эти два чувства — любовь и ненависть — помешали мне увидеть очевидное, догадаться о предательстве Гани. Но если я не сообразил этого, то, может быть, я что-то еще пропустил?

— Абдул Гани рассчитывал, что вы не выберетесь живыми из Пакистана — Кадербхай, Назир, Халед и ты, — сказал Салман. — Он полагал, что это очень хороший шанс покончить одним ударом со всеми членами совета, которые не были заодно с ним. Однако у Кадербхая тоже были друзья в Пакистане, и они предупредили его, так что вам удалось выскочить из ловушки. Я думаю, уже тогда Абдул понял, что его песенка спета. Но он не предпринял никаких мер. Наверное, он надеялся, что Кадера и всех остальных убьют на войне...

Назир, который терпеть не мог английского, прервал Салмана. Мне показалось, что я понял его слова, и я перевел их, вопросительно посмотрев на Санджая:

— Кадер велел Назиру держать в секрете правду об Абдуле Гани и, если с ним самим что-нибудь случится на войне, вернуться в Бомбей и отомстить предателю. Так?

— Да, — кивнул Санджай, — ты понял правильно. А после Гани мы должны были покончить и с остальными членами его банды. И теперь все они на том свете, кроме одного, который пока в Дели.

— И это подводит нас к главному, о чем мы хотели поговорить с тобой, — улыбнулся Салман.

Это была дружеская улыбка, хотя и неординарная, — улыбка усталого, сурового и не слишком счастливого человека. Его продолговатое лицо было перекошено: нос, сломанный много лет назад, сросся неправильно, в результате чего один глаз был ниже другого на целый сантиметр, рот тоже кривился с той стороны, где губа была когда-то сильно разбита кулаком. Короткие волосы были подстрижены правильной дугой над бровями и напоминали некий темный нимб, нахлобученный на слегка оттопыренные уши.

— Мы хотим, — сказал он, — чтобы ты взял на себя руководство паспортным бизнесом. Кришна и Виллу прямо-таки настаивают на этом. Они, по-моему, слегка...

— Да не слегка, а до смерти перепуганы, — прервал его Санджай. — Они были в трансе из-за этих убийств по всему Бомбею, а уж после того, как Гани изрубили на куски чуть ли не у них на глазах, они вообще ни живы ни мертвы. Сейчас все разборки закончились, мы победили, но они все равно трясутся. Мы не можем позволить себе потерять их, Лин. Мы хотим, чтобы ты поработал с ними и типа привел их в норму. Они нам уже плешь проели своими вопросами о тебе — ни с кем, кроме тебя, не согласны работать. Они влюбились в тебя, старик.

Я посмотрел на них, затем перевел взгляд на Назира. Если я понял их правильно, это было очень соблазнительное предложение. После победы группировки Кадера в совете произошло обновление состава. Официальным главой был объявлен Собхан Махмуд. Назир и Махмуд Мелбаф стали полноправными членами совета. Кроме них, в совет вошли Салман, Санджай, Фарид и еще трое уроженцев Бомбея. Эти шестеро говорили одинаково хорошо на хинди, маратхи и английском. Я был единственным известным им горой, говорившим на маратхи, и единственным, кого заковывали в кандалы на Артур-роуд. И я был одним из немногих, кто выжил, отправившись с Кадером на войну. Я им нравился. Они мне доверяли. Я был ценным кадром для них. Междоусобицы были позади. Они установили на подконтрольной им территории новый *Pax Mafia*[1], и опять можно было спокойно грести деньги лопатой. А деньги были мне нужны. В последнее время я жил на свои сбережения, и они подходили к концу.

— Что именно я должен буду делать? — спросил я Назира, хотя знал, что ответ мне даст Санджай.

— Ты будешь руководить изготовлением книжек, штампов, лицензий, кредитных карточек и всех прочих документов, — тут же ответил мне молодой гангстер. — Все это будет в твоем полном подчинении, у тебя будет такая же власть, какая была у Гани. Мы обеспечим тебя всем, что тебе понадобится. Никаких проблем, блин. Пять процентов прибыли от этого бизнеса будут твои. Если ты считаешь, что этого мало, назови свою цифру.

---

[1] Мафиозный мир (*лат.*).

— И ты всегда можешь посещать заседания совета — на правах наблюдателя, так сказать, — прибавил Салман. — Что ты на это скажешь?

— Надо перевести мастерскую из подвала Гани в какое-нибудь другое место, — ответил я спокойно. — У меня в этом подвале мурашки будут бегать по коже. Не удивляюсь, что Виллу с Кришной трясет там.

— Без проблем, — засмеялся Санджай, хлопнув ладонью по столу. — Мы и так собирались продать дом, братишка Лин. Этот хрен моржовый Гани приобрел и его, и соседний дом на имя своего шурина. Обычное дело, мы все так поступаем. Но эти домики стоят целые *кроры*![1] Это охренненые дворцы, баба. И вот когда мы настрогали и нарезали этого жирного ублюдка на кусочки, его шурин вдруг закусил удила и заявил, что не хочет предоставлять дома в наше распоряжение, что он обратится к адвокатам и полиции. Пришлось подвесить его над большой бочкой с кислотой, *йаар*. После этого он стал как шелковый, и ему уже не терпелось отдать нам эти дома. Мы послали Фарида подписать все необходимые бумаги. Но Фарид был вне себя оттого, что этот ублюдок выказал нам неуважение и заставил его возиться с этой бочкой. Фарид любит, чтобы все делалось в простоте, без ненужных сложностей. А развлечения с подвешиванием шуринов над бочками с кислотой ему не по нутру. Как он отозвался об этом, Салман?

— Он сказал, что это безвкусно.

— Вот-вот. Без всякого, на фиг, вкуса. Фарид любит, чтобы к нему относились уважительно, а нет — готов пристрелить обидчика на месте без лишних слов. Короче, Фарид разгневался на этого ублюдка за его несговорчивость и заставил его подписать бумагу, что он отдает нам и свой собственный дом. Так что в результате этот шурин ничего не получил, а у нас теперь три дома на продажу вместо одного.

— В разборках с недвижимостью всегда сплошная нервотрепка и море крови, — заключил Салман, криво усмехнувшись. — Надо поскорее взять это дело в свои руки. Мы собираемся приобрести одно из больших агентств. Фарид займется этим. А где ты хотел бы работать, Лин, если не в особняке Гани?

— Хорошо бы в Тардео. Где-нибудь недалеко от Хаджи Али.

— А почему именно в Тардео? — спросил Санджай.

— Я люблю этот район, там чисто и... спокойно. И потом, мне очень нравится мечеть. Она, можно сказать, будит во мне сентиментальные чувства.

— *Тхик хайн*, Лин, — согласился Салман. — Дам поручение Фариду подыскать что-нибудь подходящее. Какие еще будут пожелания?

---

[1] *Крор* — десять миллионов индийских или пакистанских рупий.

— Мне нужны будут два курьера — парни, которым я мог бы доверять. У меня есть двое на примете.

— Что за парни? — спросил Санджай.

— Вы их не знаете. Они не из мафии. Но на них можно положиться. Их зовут Джонни Сигар и Кишор. Я им доверяю целиком и полностью.

Санджай и Салман обменялись взглядами и посмотрели на Назира. Тот кивнул.

— Решено, — сказал Салман. — Что еще?

— Только одно. Я хочу, чтобы моя связь с советом шла через Назира. Если возникнут какие-либо проблемы, я хочу прежде всего обговорить их с Назиром.

Назир опять кивнул, и в глубине его глаз промелькнуло некое подобие улыбки.

Я обменялся со всеми троими рукопожатием, скрепляя наш уговор. Они проделали это с такой торжественностью, что мне стало смешно. В том, что они отнеслись к этому с необычайной серьезностью, а я с трудом сдержал крамольную улыбку, проявилось принципиальное различие между нами. Как бы мне ни нравились Салман, Санджай и другие — не говоря уже о Назире, которого я полюбил и которому был обязан жизнью, — для меня мафия была средством достижения цели, а никак не наоборот. Для них же мафия была семьей, неразрывно связывавшей их друг с другом каждую минуту их жизни вплоть до последнего вздоха. Значительность, с которой они обменивались рукопожатиями и взглядами, подчеркивала их взаимные родственные обязательства. Со мной было не так, и я знал, что они это понимают. Они приняли меня в свой круг и работали вместе со мной, белым чужеземцем, чокнутым горой, который пошел на войну вместе с Абделем Кадер-ханом, но они полагали, что рано или поздно я покину их и вернусь в свой мир, к своим близким.

Сам-то я не верил, что вернусь домой, я сжег за собой мосты. И с какой бы иронией я ни воспринимал эту церемонию моего посвящения, она в самом деле формально включала меня в ряды профессиональных преступников. До этого момента я совершал все преступления, находясь на службе у Кадер-хана. И хотя постороннему человеку это понять трудно, я могу со всей искренностью сказать, что в определенном смысле я совершал их из любви к нему. Конечно, прежде всего я вступил в мафию ради собственной безопасности, но, помимо всех прочих соображений, также и ради отцовской любви, которую я надеялся найти в нем. Когда Кадера не стало, я мог бы порвать с мафией, уехать куда-нибудь, заняться чем-либо другим. Но я не сделал этого. Я связал свою судьбу с ними и вступил в криминальное братство исключительно ради денег, власти и защиты, которые оно давало.

Добывая себе средства преступлениями, я был занят по горло, и благодаря этому мне в основном удавалось скрывать свои чувства от собственного сердца, догадывавшегося о них. После того вечера в «Мокамбо» все закрутилось очень быстро. В течение недели Фарид подыскал новое помещение для мастерской — двухэтажный особняк в двух шагах от плавающей мечети Хаджи Али, где прежде хранился архив одного из отделений бомбейского муниципалитета. Муниципалитет переехал в новое, современное и более просторное здание, выставив на продажу вместе с особняком всю старую мебель — скамейки, письменные столы, полки и шкафы для хранения документов. Все это годилось для нашей мастерской, и под моим руководством целая бригада рабочих наводила в помещениях чистоту и порядок и передвигала мебель, чтобы освободить место для нашего оборудования.

Как-то поздним вечером мы погрузили все наши станки и смотровые столы на крытый грузовик и перевезли их под покровом темноты на новое место. Когда грузовик остановился у двойных дверей главного входа, улица была необычайно пустынна, а вдали слышались звон колоколов и сигнал пожарной тревоги.

— Похоже, где-то большой пожар, — заметил я Санджаю, стоя рядом с разгружавшейся машиной.

Тот в ответ весело рассмеялся.

— Это Фарид развлекается, — объяснил мне Салман. — Мы поручили ему устроить пожар, чтобы он отвлек людей. Потому-то здесь такая пустота. Все побежали глазеть на пожар.

— А поджег он не что-нибудь, а конкурирующую с нами компанию, — смеялся Санджай. — Теперь наше агентство по недвижимости займет прочное место в городе: нашему основному конкуренту после сегодняшнего пожара придется прикрыть свою лавочку. Мы начнем свою работу завтра же недалеко отсюда. А ты со своими вещичками можешь спокойно въехать в этот особняк, не привлекая лишнего внимания. Так что Фарид одной спичкой убил сразу двух зайцев, *на*?

И вот под колокольный звон и завывание сирен в километре от нас, где огонь подсвечивал полуночное небо, рабочие перетащили все наше оборудование в новое помещение, и Виллу с Кришной почти сразу же приступили к работе.

За те месяцы, что я отсутствовал, Гани по моему совету занялся расширением ассортимента выпускаемой нами продукции и включил в него всевозможные сертификаты, допуски, дипломы, лицензии, аккредитивы, пропуска и прочие документы. Это была стремительно развивающаяся отрасль развивающейся экономики Бомбея, и зачастую мы работали до утра, чтобы удовлетворить спрос. При этом наш бизнес сам себя подпитывал: по мере того как лицензионные органы и прочие организации в борьбе с нашими подделками изощрялись в усложнении своей документации, мы за дополнительную плату тут же подделывали внесенные исправления.

— Это похоже на состязания Черной Королевы, — заметил я как-то Салману после того, как наша новая мастерская проработала в хорошем темпе шесть месяцев.

— *Лал ка Рани?* — переспросил он. — Черной Королевы?

— Ну да. Или на вечную борьбу между болезнетворными микроорганизмами и их хозяевами — человеческими телами. Я читал об этом, когда работал в «клинике» в джхопадпатти. Наши тела и вирусы, которые паразитируют на них, постоянно соревнуются друг с другом. Когда на теле человека поселяется какой-нибудь вирус, организм вырабатывает защиту против него. Вирус видоизменяется, чтобы преодолеть защитный механизм, а организм вырабатывает новый, и так продолжается без конца, как в состязании Черной Королевы. Это из книги «Алиса в Стране чудес».

— Ну да, я знаю, — отозвался Салман. — Мы проходили ее в школе. Но я так и не понял, в чем там суть.

— Этого никто не понимает, не волнуйся. Главное, что эта Черная Королева очень быстро бегает, но никуда не перемещается. Как она говорит Алисе, в их стране надо бежать со всех ног, чтобы остаться на том же месте[1]. Точно так же и мы бегаем наперегонки с разбросанными по всему свету банками и организациями, выдающими паспорта и лицензии. Они изменяют документы, чтобы избавиться от наших подделок, а мы подделываем их изменения. Они опять меняют технику изготовления документов, а мы приспосабливаемся и к ней. Так и гоняемся друг за другом, оставаясь на месте.

— Я думаю, ты не остаешься на месте, а очень быстро двигаешься вперед, — возразил Салман. — Ты отлично справляешься с этой работой, Лин. Эти документы — страшно выгодное дело. Сколько мы их ни выпускаем, людям все мало. И качество — высший класс. Ни один из тех, кого ты снабдил своими документами, нигде не прокололся, *йаар*. Мы, в общем-то, потому и пригласили тебя сегодня на ланч. У нас есть сюрприз для тебя. Я уверен, он тебе понравится. Мы хотим вознаградить тебя за ту большую работу, что ты делаешь, *йаар*.

Я не смотрел на него. Мы шли по проспекту Махатмы Ганди в сторону Регал-Сёркл. День был безоблачный и жаркий. То и дело дорогу нам преграждали покупатели, толпившиеся около лотков, и мы обходили их, шагая по мостовой, где непрерывным потоком двигались автомобили. Не смотрел я на Салмана потому, что успел за последние шесть месяцев достаточно хорошо изучить его, чтобы понимать, что он сам смущен, щедро осыпая меня похвалами. Салман был прирожденным лидером, но ему, как и мно-

---

[1] *Кэрролл Л.* Алиса в Зазеркалье, гл. 2.

гим людям, наделенным этим даром, было трудно заставить себя командовать и распоряжаться другими. По натуре он был застенчивым, скромным человеком, и это делало ему честь.

Летти как-то сказала, что ей кажется странным и несообразным то, что я отзываюсь о преступниках, убийцах и гангстерах как о людях, обладающих честью и достоинством. Но несообразность была в ее представлениях, а не в моих. Она путала честь с добродетельностью. Добродетельность определяется тем, *что* мы делаем, а честь — тем, *как* мы делаем это. Можно сражаться на войне, не поступаясь своей честью, — Женевская конвенция[1] для того и существует, — а мира можно добиться бесчестным путем. Достоинство — это, по существу, умение быть скромным. И гангстеры, как и полицейские, политики, солдаты или священники, являются хорошими профессионалами лишь в том случае, если они скромны.

— А знаешь, — бросил Салман, когда мы проходили мимо аркад университетского городка, — я рад, что твои друзья не согласились тогда работать у тебя курьерами.

Я нахмурился, шагая рядом с ним. Джонни Сигар и Кишор отказались от работы в паспортной мастерской, чем разочаровали меня и расстроили. Я был уверен, что они ухватятся за возможность заработать столько, сколько им и не снилось. Я никак не ожидал, что они воспримут мое предложение с таким грустным и даже оскорбленным видом, какой у них был, когда они поняли, что я предоставляю им ни больше ни меньше как редкий шанс участвовать вместе со мной в преступной деятельности. Мне и в голову не приходило, что они не захотят работать вместе с мафиози и на них.

Я хорошо помнил их замкнутые лица и обескураженные улыбки. Я отвернулся от них тогда, и в голове у меня, как удар по переносице, вспыхнул вопрос: «Неужели я потерял способность понимать порядочных людей?» Сейчас, шесть месяцев спустя, этот вопрос все еще не давал мне покоя, а ответ отражался в зеркальных витринах магазинов, мимо которых мы проходили.

— Если бы твои парни согласились, я не выделил бы тебе в помощь Фарида, — продолжил Салман. — А я страшно доволен, что сделал это. Он стал новым человеком, расслабился, он теперь просто счастлив. Он тебя любит, Лин.

— Я тоже люблю его, — тут же откликнулся я.

Это было правдой. Фарид нравился мне, и я был рад, что мы с ним подружились.

Фарид, застенчивый, но способный юноша, каким он был три года назад, когда я впервые увидел его на заседании совета ма-

---

[1] *Женевская конвенция* — международное соглашение о защите гражданского населения во время войны, принятое в 1949 г. в Женеве.

фии, превратился в жесткого, бесстрашного, сердитого мужчину, со всей страстью отдававшегося своему делу и беззаветно преданного друзьям. Когда Кишор и Джонни Сигар отвергли мое предложение, Салман выделил мне в помощники Фарида и Эндрю Феррейру. Эндрю был веселым, разговорчивым парнем, но он предпочитал компанию своих сверстников, и мы не особенно сблизились с ним. Фарид же охотно проводил со мной и дни и ночи; мы нашли с ним общий язык.

— Когда погиб Кадер и надо было покончить со сторонниками Гани, Фарид чуть совсем не свихнулся, — признался мне Салман. — Мы вынуждены были действовать очень жестко — ты помнишь — и делать много такого, что нам... несвойственно. В Фарида же словно бес вселился. В нашем деле иногда надо быть жестоким, никуда не денешься. Но если это начинает нравиться, то это проблема, *на*? Пришлось мне побеседовать с ним. «Фарид, — сказал я ему, — вовсе не обязательно сразу кромсать людей на куски. К этому надо прибегать только в самых крайних случаях». Но я его, похоже, не убедил и тогда решил отдать его тебе в помощники. И это дало результаты, *йаар*. Теперь, спустя шесть месяцев, он стал гораздо спокойнее. Я думаю, Лин, надо посылать к тебе всех, у кого крыша поехала, чтобы ты приводил их в чувство.

— Он винил себя в том, что не был вместе с Кадером, когда тот погиб, — сказал я, когда мы завернули за угол картинной галереи «Джехангир», с ее куполом.

Увидев зазор в потоке транспорта, мы стали пробираться через площадь к кинотеатру «Регал».

— Мы все винили себя в этом, — тихо отозвался Салман, когда мы добрались до кинотеатра.

Он не сообщил мне ничего нового в этой простой и короткой фразе, я и без него знал это. И между тем его слова отозвались в моем сердце как удар грома; скорбь, застывшая в нем глыбой льда, стала дрожать и сдвинулась с места. Вот уже почти год мой гнев на Кадербхая сдерживал ее, не давая прорваться. Все другие были раздавлены шоком или неистовствовали в отчаянии. Я же был в таком гневе, что моя скорбь накапливалась, оставаясь погребенной под толстым слоем снега на той вершине, где он погиб. Разумеется, я испытывал боль утраты с самого начала. Ненависти во мне не было, я по-прежнему любил его и продолжал любить в тот момент, когда мы с Салманом ждали наших друзей у кинотеатра. Но я не оплакивал его по-настоящему — так, как оплакивал Прабакера или даже Абдуллу. Однако слова Салмана — мол, мы все винили себя в том, что не были с Кадером, когда он погиб, — встряхнули мои замороженные чувства, выпустили их на свободу, и скорбь, как снежная лавина, начала медленно сползать с вершины и окутывать мое сердце.

— Мы, похоже, пришли слишком рано, — бросил Салман, и его прозаическое замечание заставило меня вздрогнуть и вернуться к действительности.

— Да...

— Они едут на машине, а мы пешком обогнали их.

— Мы хорошо прогулялись. Я люблю этот путь — от Козуэй до вокзала Виктории — и часто хожу здесь, особенно по ночам.

Салман посмотрел на меня, улыбаясь и чуть нахмурившись, отчего миндалевидный разрез его карих глаз стал выражен еще ярче.

— Ты вправду так любишь это место? — спросил он недоверчиво.

— Конечно! — ответил я чуть вызывающе. — Это не значит, что мне нравится здесь все. Есть много такого, что мне не нравится. Но я действительно люблю этот район. Я люблю Бомбей и, наверное, никогда не разлюблю его.

Он усмехнулся и отвел взгляд. Я постарался привести свои чувства в порядок, прогнать с лица беспокойство и сожаление. Но полностью мне это не удалось, печаль была сильнее меня.

Теперь я понимаю, что мучило меня тогда, какое чувство навалилось на меня, грозя навечно похоронить под собой. У Дидье даже было название для этого чувства: тоска убийцы, которая выжидает в засаде и внезапно набрасывается на тебя, не зная пощады. Я убедился на собственном опыте, что она может ждать годами, а затем, в самый счастливый день, вдруг сразить тебя без всякого видимого повода. Но тогда, спустя год после смерти Кадера, я не мог уяснить себе то мрачное настроение, которое бродило во мне, вызревая в скорбь, которую я так долго сдерживал. Не понимая этого чувства, я боролся с ним, поскольку человек всегда борется с болью или отчаянием. Но тоска убийцы неуязвима, она не подчиняется нашей воле. Этот враг крадется за тобой, угадывая каждый твой шаг прежде, чем ты сделаешь его. Этот враг — твое собственное скорбящее сердце, и, когда он наносит удар, от него нет защиты.

Салман опять повернулся ко мне; в его янтарных глазах мерцало раздумье.

— Когда мы преследовали подручных Гани, Фарид подражал Абдулле. Он очень любил его, как родного брата. Мне кажется, он стремился стать Абдуллой, думая, что нам нужен новый Абдулла, чтобы победить в этой схватке. Но такое ведь невозможно, согласись. Я старался объяснить ему это. Я всегда стараюсь объяснить это молодым парням, особенно тем, кто пытается подражать мне. Человек не может быть никем, кроме самого себя. Чем больше он хочет походить на кого-то другого, тем меньше от него толку. А, вот и наши.

Перед нами остановился белый «амбассадор», из него вышли Фарид, Санджай, Эндрю Феррейра и крутой бомбейский мусульманин по имени Амир. Мы обменялись рукопожатиями; автомобиль уехал.

— Давайте подождем, пока Фейсал не припаркует машину, — предложил Санджай.

Фейсала, который вместе с Амиром занимался рэкетом, навязывая свое покровительство богачам, действительно надо было подождать. Но Санджаю, кроме того, хотелось в этот погожий день покрасоваться вместе со всей нашей колоритной компанией перед проходящими мимо девушками, которые украдкой бросали на нас пылкие взгляды. Практически все вокруг понимали, что мы гунды, гангстеры. Мы были хорошо и модно одеты. У нас был бравый и уверенный вид. Мы были вооружены и очень опасны.

Из-за угла появился Фейсал, знаком дав понять, что машина на приколе. Вместе с ним мы шеренгой направились к «Тадж-Махалу» по широкой площади, заполненной народом. Но народ был нам не помеха, встречные расступались перед нами. Вслед нам поворачивались головы и шелестел шепот.

Поднявшись по белым мраморным ступеням, мы вошли в ресторан «Шамиана», расположенный на первом этаже. Двое официантов усадили нас за длинный, зарезервированный для нас стол у высокого окна, смотревшего во двор. Я сел в конце стола, поближе к выходу. Непонятная хандра, овладевшая мной под влиянием реплики Салмана, все усиливалась. Я специально занял место с краю, чтобы иметь возможность в любой момент уйти, не нарушая стройности рядов. Официанты приветствовали меня широкими улыбками, называя меня *гао-алай*, то есть крестьянин. Они хорошо знали меня — гору, умевшего говорить на маратхи, — и мы поболтали с ними немного на провинциальном наречии, которое я освоил в деревушке Сундер четыре года назад.

Подали еду, все с аппетитом принялись за нее. Я тоже был голоден, но кусок не лез мне в горло, и я лишь из вежливости ковырял вилкой в тарелке. Выпив две чашки кофе, я честно попытался принять участие в общем разговоре. Амир пересказывал содержание увиденного им накануне индийского боевика, в котором гангстеры изображались как злобные головорезы, а одинокий и безоружный герой легко побеждал их всех. Под дружный хохот собравшихся он описал во всех подробностях поставленные в фильме драки. Лицо и приплюснутая голова Амира были покрыты шрамами, над глазами нависали кустистые брови, а усы сидели на вздыбленной волне полной верхней губы, как широкая корма кашмирской баржи. Он был смешлив и любил рассказывать разные байки, его уверенный звучный голос приковывал внимание слушателей.

Его неразлучный спутник Фейсал был некогда чемпионом по боксу среди юниоров. В девятнадцать лет, после серии побед над другими профессионалами, он обнаружил, что его тренер присвоил и растратил все хранившиеся у него деньги, заработанные Фейсалом в схватках. Фейсал отыскал тренера, чтобы избить его, но остановился лишь тогда, когда тот перестал дышать. Ему присудили восьмилетний срок и навсегда дисквалифицировали как боксера. В тюрьме наивный несдержанный подросток превратился в хладнокровного и расчетливого молодого человека. Там его обнаружил один из помощников Кадера, выискивавший таланты, и последние три года заключения Фейсал считался кандидатом в мафиози. Выйдя на свободу, он в течение четырех лет был правой рукой Амира и основной ударной силой в его процветающем рэкете. Он действовал решительно и беспощадно, добиваясь цели любой ценой. С его идеальными утонченными чертами лица он выглядел бы, наверное, слащаво, если бы не сломанный приплюснутый нос и шрам, рассекавший левую бровь, которые придавали ему устрашающий вид.

Это была новая кровь, новые главари мафии, новые хозяева города: Санджай, ловкий киллер с внешностью кинозвезды; веселый Эндрю из Гоа, мечтавший занять место в совете мафии; седеющий ветеран и талантливый рассказчик Амир; хладнокровный молодой гангстер Фейсал, который задавал только один вопрос, когда его посылали на дело: «Палец, руку, ногу или шею?»; Фарид, прозванный Решателем за то, что бесстрашно брался за любые проблемы и улаживал их, а также растил шестерых младших братьев и сестер после того, как его родители погибли во время эпидемии в трущобах; и, наконец, Салман, уравновешенный и скромный бомбеец, прирожденный лидер, распоряжавшийся жизнью сотен товарищей, входивших в маленькую империю, которую он унаследовал и держал в руках силой своей личности.

Все они были моими друзьями. И больше чем друзьями — братьями по оружию. Мы были повязаны кровью — подчас нашей собственной — и нерушимыми обязательствами друг перед другом. Если я нуждался в них, то они приходили на помощь независимо от того, что я сделал и что просил сделать их. Если они нуждались во мне, я был в их полном распоряжении, без всяких колебаний и оговорок. Они знали, что всегда могут рассчитывать на меня. Они знали это с тех пор, как Кадер взял меня на свою войну и я пошел под пули вместе с ним. Точно так же и я знал, что могу рассчитывать на них. Когда мне надо было замести следы после убийства Маурицио, я обратился к Абдулле. А это очень надежный тест — попросить помощи, когда надо избавиться от трупа. Далеко не всякий выдержит его. Из тех, кто присутствовал за нашим столом, все прошли это испытание, некоторые по нескольку раз. Это были проверенные люди, как выражались у нас в австралийской тюрьме. Это была подходящая компания для меня, человека вне закона. Я никогда еще не был в такой безопасности — даже находясь под покровительством Кадербхая, — и я не должен был бы чувствовать себя одиноким.

Но я чувствовал себя одиноким — по двум причинам. Во-первых, это была их мафия, но не моя. Для всех них на первом месте была сама организация. Я же был предан в первую очередь людям, а не мафии, братьям, а не братству. Я работал на мафию, но был для них посторонним. Я посторонний по натуре. Никакой клуб, или сообщество, или идея никогда не были для меня важнее, чем люди, участвующие в этом.

Во-вторых, между нами было еще одно различие, настолько существенное, что дружеских отношений было недостаточно, чтобы преодолеть его. Я был единственным из всех сидевших за этим столом, кто никогда не убивал человека — ни хладнокровно, ни под влиянием аффекта. Даже Эндрю, при всем своем дружелюбии и говорливости, стрелял из «беретты» по загнанному в угол врагу — разрядил весь магазин в грудь одного из бандитов Абдула Гани, пока тот не умер дважды и трижды, как любил говорить Санджай.

И в тот момент эти различия между нами казались мне непреодолимыми, намного перевешивавшими те многочисленные навыки, склонности и стремления, которые нас объединяли. Пока мы сидели за этим длинным столом в «Тадж-Махале», я все больше удалялся от них, они становились все более чужими мне. Амир рассказывал свои истории, я кивал, улыбался и старательно смеялся вместе со всеми, но все глубже погружался в отчаяние. День, который начался вполне удачно и обещал быть не хуже других, пошел вкривь и вкось, столкнувшись с фразой Салмана. В зале было тепло, но я дрожал от холода. Я был голоден, но не мог есть. Я сидел среди друзей в большом, заполненном людьми ресторане, но я был одинок, как моджахед на горной вершине, несущий караул в ночь перед битвой.

И тут я увидел, что в зал входит Лиза Картер. Она остригла свои длинные белокурые волосы, и новая, короткая прическа очень шла к ее открытому миловидному лицу. Ее костюм — свободная блуза и шаровары — был ее любимого светло-голубого цвета; в густых волосах прятались такие же светло-голубые солнцезащитные очки. Она выглядела как существо, сотканное из света — из чистого белого света в голубой небесной вышине.

Я инстинктивно поднялся и, извинившись перед собратьями, направился к ней. Увидев меня, она распахнула навстречу мне руки; улыбка, осветившая ее лицо, была огромной, как надежда азартного игрока. Лиза сразу поняла, что со мной что-то не так. Она коснулась моего лица, проведя пальцами по шрамам, как слепой, читающий по выпуклым точкам, затем взяла меня под руку и вывела в фойе. Мы сели в дальнем углу.

— Не видела тебя бог знает сколько недель, — сказала она. — Что с тобой?

— Ничего, — соврал я. — Ты хотела поесть?

— Нет, просто выпить кофе. Я живу здесь, в одном из номеров в старом крыле с окнами на Ворота. Номер большой, а вид стоит миллионы долларов. Номер снят на три дня, пока Летти ведет переговоры с одним из известных продюсеров. Это любезность с его стороны, которую ей удалось из него выцарапать. Одним словом, киноиндустрия.

— И каковы успехи в этой отрасли?

— Грандиозные. Летти просто в восторге. Она договаривается со студиями и антрепренерами. У нее это лучше получается, чем у меня. С каждым разом она заключает все более выгодные контракты. А я занимаюсь туристами. И мне самой это больше нравится — встречаться и работать с ними.

— И еще тебе нравится, что в конце концов они уезжают, какими бы замечательными они ни были, да?

— Да, точно.

— А как Викрам? Я не видел его с тех пор, как встречался в последний раз с тобой и Летти.

— Скучает. Ты ж его знаешь. У него теперь слишком много свободного времени. Ему не хватает его каскадерских штучек. Они у него действительно здорово получались. Но Летти была сама не своя, когда он выпрыгивал на ходу из грузовиков и проламывался сквозь закрытые окна и прочие заграждения. Она страшно боялась за него и заставила бросить это дело.

— И чем же он занимается?

— Он у нас теперь большой начальник — что-то вроде исполнительного вице-президента компании, которую мы организовали — Летти, Кавита, Карла с Джитом и я. — Поколебавшись, она добавила: — Она спрашивала о тебе.

Я молча смотрел на нее.

— Карла, — пояснила она. — Она вроде бы хочет встретиться с тобой.

Я продолжал молчать и не без удовольствия наблюдал за тем, как разнообразные эмоции гоняются друг за другом на фоне мягкого ландшафта ее лица с безупречными чертами.

— А ты видел, как он выполняет свои трюки? — спросила она.

— Викрам?

— Да. Он проделал целую кучу разных трюков, пока Летти это не прикрыла.

— Да нет, я был слишком занят. Но мне хочется увидеться с ним.

— Так что же тебе мешает?

— Увижусь. Я слышал, он ошивается возле Колабского рынка, но я давно не заглядывал в «Леопольд». Я много работаю, даже по ночам, и просто... был занят.

— Я знаю, — мягко отозвалась она. — Может быть, даже слишком занят, Лин. Ты выглядишь не очень-то хорошо.

— Стараюсь поддерживать форму, — вздохнул я, принужденно посмеиваясь. — Через день хожу на бокс или карате. Куда уж больше.

— Ты же знаешь, что я не о том.

— Ну да, знаю... Слушай, я, наверно, тебя задерживаю...

— Нет.

— Точно? — спросил я с наигранной улыбкой.

— Я хочу задержать тебя еще на какое-то время, но только не здесь, а у себя в номере. Я закажу кофе прямо туда. Пошли.

Она была права: вид был исключительный. Паромы, перевозившие туристов на остров Элефанта и доставлявшие их обратно, гордо скользили по волнам. Сотни более мелких судов зарывались носом в воду и кланялись, как птицы, чистящие перышки, а гигантские грузовозы, прикованные якорями к горизонту, неподвижно маячили вдали, на границе спокойной воды залива. Под высокой каменной аркой Ворот в Индию и вокруг нее вились цветные гирлянды туристов.

Лиза сбросила туфли и села на кровать, скрестив ноги. Я примостился на краешке рядом с ней, с интересом разглядывая щербинки в полу. Мы молчали, слушая звуки, доносившиеся в комнату с морским ветерком. Занавески вздымались, как паруса, и в следующий момент с легким шуршанием опадали. Затем она сделала глубокий вдох и произнесла:

— Я считаю, что ты должен жить со мной.

— Хм... Это...

— Пожалуйста, выслушай! — прервала она меня, подняв ладони.

— Я просто не думаю...

— Ну пожалуйста!

— Хорошо, — улыбнулся я, устраиваясь на кровати более основательно и прислонившись к спинке.

— Я нашла неплохую квартиру. В Тардео. Я знаю, ты любишь Тардео. Я тоже люблю. И я уверена, что квартира тебе понравится, потому что мы оба любим такое жилье. И вообще, Лин, я хочу сказать, что нам с тобой нравятся одни и те же вещи. У нас много общего. Мы оба отказались от наркоты. А это не хрен собачий, ты сам знаешь. Это не многим удается. Но у нас с тобой это получилось — и у тебя и у меня, — и это потому, что мы с тобой похожи. Нам с тобой будет хорошо, Лин. Мы будем... хорошо жить.

— Видишь ли, Лиза... я не могу утверждать, что бросил наркотики.

— Ты бросил, Лин.

— Я не уверен, что никогда больше не притронусь к ним.

— Но тем более важно, чтобы кто-то был рядом, как ты не понимаешь? — умоляюще произнесла она, чуть не плача. — Я удержу тебя от них. Насчет себя я уверена, я их ненавижу. Если мы будем вместе, то будем присматривать друг за другом, вместе работать в Болливуде, вместе отдыхать.

— Понимаешь, есть обстоятельства...

— Если ты беспокоишься насчет австралийской полиции, то мы можем уехать куда-нибудь, где они тебя не найдут.

— Кто сказал тебе об этом? — спросил я, сохраняя непроницаемое выражение лица.

— Карла, — ответила она спокойно. — И тогда же она наказала мне заботиться о тебе.

— Карла велела тебе заботиться обо мне?

— Да.

— Когда?

— Давно уже. Я спросила ее как-то насчет тебя — как она к тебе относится и каковы ее планы в отношении тебя.

— Почему?

— Что «почему»?

— Почему ты спросила об этом? — произнес я медленно, накрыв ее руку своей.

— Потому что я влюбилась в тебя, дурак! — объяснила она, встретившись со мной взглядом и тут же отведя его. — Я и с Абдуллой-то сблизилась только для того, чтобы заставить тебя ревновать или, по крайней мере, заинтересоваться мной. И потом, он был твоим другом и так я могла чаще видеться с тобой.

— О господи! — вздохнул я. — Прости меня, Лиза.

— Ты имеешь в виду Карлу? — спросила она, наблюдая за тем, как трепещут на ветру занавески. — Ты все еще влюблен в нее?

— Нет.

— Но все еще любишь.

— Да.

— А... как насчет меня?

Я не ответил ей, потому что не хотел, чтобы она знала правду. Я и сам не хотел знать ее. Тишина сгущалась и разбухала, я уже кожей ощущал, как она наваливается на меня.

— У меня есть друг, скульптор, — сказала она наконец. — Его зовут Джейсон. Ты знаешь его?

— Нет, не помню, чтобы мы встречались.

— Он англичанин, и у него типично английский взгляд на вещи, не такой, как у нас — американцев, я имею в виду. У него большая студия в Джуху. Я иногда бываю там.

Она опять замолчала. Мы сидели, погружаясь поочередно то в прохладу, доносившуюся с морским бризом, то в жару, поднимавшуюся с улицы. Ее взгляд обволакивал меня, как краска стыда. Я смотрел на наши руки, сцепленные на постели.

— Когда я была у него в последний раз, он разрабатывал одну свою новую идею. Заполнял гипсом пустую упаковку — ну, знаешь, пузырчатый целлофан, в котором продают игрушки, или такие штуковины из пенопласта, которыми обкладывают телевизоры. Он называет эти емкости негативным пространством и использует их как формы для своих скульптур. У него уже сотни таких скульптур, изготовленных с помощью коробок для яиц, целлофановых упаковок для зубных щеток, наушников и тому подобного...

Я посмотрел на нее. В небесах ее глаз собирались маленькие грозы. Было видно, как губы формируют ее тайные мысли, готовясь высказать сокровенную правду.

— Я ходила по его студии, осматривая все эти белые скульптуры, и думала о том, что и сама я — такое же негативное пространство. Всегда была, всю свою жизнь. Всегда была формой, ожидавшей, что меня наполнит кто-нибудь или что-нибудь, какое-нибудь реальное чувство, которое придаст смысл моей жизни...

Когда я поцеловал ее, грозы, назревавшие в голубизне ее глаз, разразились в наших ртах, а слезы, струившиеся по ее пахнущей лимоном коже, были слаще меда, продуцируемого священными пчелами в жасминном саду храма Момбадеви. Я дал ей выплакаться за нас обоих. Я дал ей прожить всю жизнь и умереть за нас обоих в долгом, медленном повествовании, которое вели наши тела. Когда ее слезы прекратились, мы оба погрузились в неустойчивую текучую красоту, порожденную исключительно Лизой, ее храбрым сердцем, и воплощенную в правде ее любви и ее плоти. И это почти сработало.

Я собрался уходить, и мы опять поцеловались — добрые друзья, любовники, окончательно нашедшие друг друга в столкновениях и ласках тел, но еще не вполне излечившиеся, не вполне возрожденные. Еще не до конца.

— Ты все-таки не можешь забыть ее, да? — спросила она, стоя на ветерке у окна и завернувшись в купальную простыню.

— Просто у меня сегодня кошки скребут на сердце, Лиза. Сам не знаю почему. Столько всего было... Но это не имеет отношения к нам с тобой. У нас с тобой все было хорошо, во всяком случае мне было хорошо.

— Мне тоже. И все равно мне кажется, что ты о ней думаешь.

— Нет, я сказал тебе правду. Я больше не влюблен в нее. Что-то случилось со мной, когда я вернулся из Афганистана. А может быть, это случилось там. Что-то... закончилось.

— Я должна рассказать тебе кое-что, — пробормотала она и затем, повернувшись ко мне, заговорила громким и ясным голосом: — О ней. Я верю тому, что ты сказал, но я думаю, ты должен знать это, прежде чем решишь, что у вас с ней все кончено.

— Мне не требуется....

— Лин, подожди! Ты не понимаешь, ты не женщина. Но я уверена, что должна тебе сказать, потому что ты не сможешь решить это по справедливости, пока не будешь знать всей правды о ней, о том, что у нее в душе. Если, после того как я расскажу тебе, для тебя ничего не изменится, если ты будешь чувствовать то же самое, что и сейчас, тогда я буду уверена, что ты свободен.

— А если изменится?

— Ну, тогда, может быть, надо дать ей еще один шанс. Не знаю. Хочу только тебе сказать, что я толком не понимала Карлу до тех пор, пока она не рассказала мне об этом. А после этого я поняла ее. Поэтому я думаю, ты тоже должен знать. И если у нас с тобой что-нибудь получится, я хочу, чтобы не осталось никаких недомолвок, чтобы все было ясно — в прошлом, я имею в виду.

— Ну хорошо, — согласился я, садясь на стул около дверей. — Рассказывай.

Она, по-прежнему кутаясь в простыню, снова забралась на кровать, подтянув ноги и упершись подбородком в колени. Она изменилась, это бросалось в глаза. Ее движения были... более открытыми, что ли, а в глазах не было прежней жесткости, она сменилась какой-то чуть ли не томной раскованностью. Изменения были вызваны любовью, и этим они были прекрасны. Я подумал, не видит ли она что-нибудь подобное в моих глазах.

— Карла не рассказывала тебе, почему она уехала из Штатов? — спросила Лиза, зная, что Карла не рассказывала.

— Нет, — ответил я, решив не упоминать о намеке, который бросил Халед перед тем, как исчезнуть в снежной ночи.

— Ну да, она говорила, что не хочет рассказывать тебе. Я сказала, что это глупо, что ей надо раскрыться перед тобой. Но она уперлась — и ни в какую. Забавно, как все оборачивается, да? Тогда я хотела, чтобы она сказала тебе, так как думала, что это заставит тебя порвать с ней. А теперь сама говорю тебе об этом, думая, что это может дать ей еще один шанс, — если ты захочешь его дать. Ну, короче, Карла была вынуждена уехать из Штатов. Ей пришлось бежать, потому что она... убила человека.

Я засмеялся. Сначала у меня вырвался короткий смешок, но затем он неудержимо перерос в громкий хохот, согнувший меня пополам на стуле.

— Не вижу в этом ничего смешного, Лин, — нахмурилась Лиза.

— Нет, конечно, — выдавил я, борясь со смехом. — Само по себе это не смешно. Но дело в том, что... Черт! Если бы ты знала, сколько я мучился, не решаясь раскрыть перед ней свое испоганенное прошлое! Я говорил себе, что не имею права любить ее, будучи беглым арестантом. Согласись, это чертовски забавно.

Она смотрела на меня, покачиваясь на кровати, но не смеялась.

— Ну ладно, — хохотнул я в последний раз и взял себя в руки. — Я слушаю.

— Она подрабатывала нянькой в одном доме, — начала Лиза, и по ее тону было ясно, что она относится к этому очень серьезно, — хотя сама была еще совсем девчонкой. Этот тип был отцом ребенка.

— Об этом она рассказывала.

— Да? Тем лучше. Так вот, никто и пальцем не пошевельнул в связи с этим. Она была сама не своя. И однажды она добыла пистолет, пошла в этот дом, когда он был там один, и застрелила его. Она сказала, что выстрелила шесть раз — два раза в грудь и четыре в пах.

— Кому-нибудь было известно, что это она?

— Она точно не знает. Уверена только, что не оставила отпечатков и что никто не видел, как она выходила из дома. Она выкинула пистолет и как можно быстрее покинула страну. Она никогда не возвращалась туда и не знает, заведено на нее дело или нет.

Я откинулся на стуле и издал долгий вздох. Лиза внимательно наблюдала за мной, чуть прищурившись, — совсем как тогда, много лет назад, у Карлы.

— Хочешь еще что-нибудь рассказать в связи с этим?

— Нет, — покачала она головой, все так же пристально глядя на меня. — Это все.

— Хорошо, — вздохнул я и, проведя рукой по лицу, поднялся. Подойдя к Лизе, я встал на колени на кровать рядом с ней, приблизив к ней лицо. — Я рад, что ты рассказала мне это, Лиза. Это многое... проясняет, пожалуй. Но не меняет абсолютно ничего в моих чувствах. Я, конечно, готов помочь ей, если смогу, но не могу забыть того, что произошло между нами... и не могу простить. Я хотел бы, но не могу. Это очень упростило бы все. Любить человека, которого не можешь простить, — в этом нет ничего хорошего.

— Еще хуже любить человека, которого не можешь получить, — отозвалась она, и я поцеловал ее.

Я спустился в лифте в вестибюль. Кроме меня, в кабине никого не было, не считая множества моих отражений в зеркалах позади и по бокам. Все они были очень серьезны и молчаливы и избегали смотреть мне в глаза. Выйдя на улицу через стеклянные двери, я спустился по мраморным ступеням, пересек широкую площадку перед Воротами в Индию и остановился на набережной в тени прославленной арки, наблюдая за туристами, возвращавшимися на судах с морской прогулки и фотографировавшими друг друга на фоне набережной. «Интересно, — подумал я, — сколько из них счастливы, беззаботны и просто свободны? Сколько из них испытывают печаль? Сколько...»

И тут на меня нахлынула, окутав беспросветным мраком, скорбь, которой я так долго сопротивлялся. Я вдруг осознал, что уже давно стою сжав зубы и даже не могу разомкнуть их. На глаза мне попался уличный мальчишка, которого звали Мукул, — я хорошо его знал. Он беседовал с каким-то иностранцем лет двадцати. Стрельнув глазами по сторонам, он быстро передал туристу белый пакетик. Молодой человек был высок ростом, атлетически сложен и красив. Я очень хорошо изучил туристов и почти не сомневался, что это немецкий студент, к тому же наверняка лишь недавно приехавший в Бомбей. У него были деньги и сколько угодно возможностей потратить их. Он направился пружинящей походкой здорового человека к своим друзьям, унося в кармане отраву. Если она не убьет его в каком-нибудь отеле сразу же, то вползет в его жизнь, как вползла когда-то в мою, отравляя каждую секунду существования.

Мне было наплевать — на него, на себя, на весь мир. В тот момент я хотел только одного — этот белый порошок. Моя кожа вспомнила шелковую вспышку экстаза, лихорадку, обволакивающую тебя, как лишайник, и страх. Я так остро ощутил вкус и запах героина, что меня чуть не вырвало. Желание провалиться в забытье, не ведающее ни боли, ни вины, ни сожаления, клубилось во мне, вызывая дрожь во всем теле, от позвоночника до набухших вен на руках. Я жаждал золотого мгновения в длинной свинцовой героиновой ночи.

Поймав мой взгляд, Мукул улыбнулся по привычке, затем улыбка стала неуверенной. И тут он понял. У него был наметанный глаз. Он жил на улице и умел читать желания человека по его взгляду. Он опять улыбнулся, но уже по-другому. В этой улыбке было искушение: «У меня это есть... Прямо здесь... Хороший товар... Бери, не стесняйся» — и примесь торжествующего злорадства: «Ты ничем не лучше меня... Ты слабак... Рано или поздно ты будешь умолять меня об этом...»

День отмирал. Сверкающие бриллианты, рассыпанные по глади залива, побледнели, охваченные кроваво-красной слабостью. Я смотрел на Мукула, и пот застилал мне глаза. Челюсти сводило судорогой, губы тряслись от усилия отвергнуть предложение, не кивнуть, ничего не сказать. Внезапно послышался голос из прошлого: «Только один кивок, и все твои мучения закончатся...» Горестные слезы закипали во мне, такие же настойчивые, как волны прибоя, бившиеся о камень набережной. Но я не мог выплакать их, эти слезы, я тонул в печали, которая была больше, чем сердце, пытавшееся сдержать ее. Я ухватился руками за каменный хребет парапета, словно хотел вцепиться в сам город и спастись, приникнув к нему.

А Мукул... Мукул улыбался, обещая покой. Способов найти этот покой было много — можно было вдохнуть его, выкурив сигарету или рассыпав порошок на листе фольги, вытянуть из чиллума, впрыснуть в вену или просто съесть, проглотить, чувствуя, как наползающее онемение заглушает все всплески боли на нашей планете. И Мукул, читая мою агонию по глазам, как по замусоленным страницам грязной книги, стал придвигаться ко мне вдоль влажного парапета. Он знал, что делает. Он знал все.

Чья-то рука легла мне на плечо. Мукул вздрогнул, как будто его ударили, и попятился от меня; его мертвые глаза сократились в ничто, растворившись в золотом великолепии заходящего солнца. Я повернул голову и увидел перед собой лицо призрака. Это был призрак Абдуллы, моего Абдуллы, моего мертвого друга, попавшего в засаду и убитого копами столько мучительных месяцев назад... Волосы, длинные при жизни, были коротко подстрижены и распушены, как у кинозвезды. Вместо черной одежды он носил белую рубашку и серые брюки модного покроя. Эта одежда выглядела на нем странно, впрочем что взять с призрака. Но это был Абдулла Тахери, его призрак, красивый, как Омар Шариф в день своего тридцатилетия, смертельный, как подкрадывающаяся черная пантера, с глазами цвета песка на ладони за полчаса до захода солнца. Абдулла.

— Как приятно видеть тебя, братишка. Зайдем куда-нибудь, выпьем чая?

Всего-навсего.

— Да нет... Пожалуй, не стоит.

— Почему? — нахмурился он.

— Ну, хотя бы... — пробормотал я, закрывая рукой глаза от заходящего солнца, — хотя бы потому, что я не привык пить чай с призраками.

— Я не призрак, братишка.

— Ха!..

— Да нет же. Салман разве не сказал тебе?

— Салман?

— Да. Он хотел, чтобы мы встретились в ресторане и это был бы сюрприз для тебя.

— Да... Салман говорил что-то... насчет сюрприза.

— Сюрприз — это я, братишка, — улыбнулся он. — Ты должен был встретиться со мной. Но ты ушел куда-то. Все ждали тебя, но ты так и не вернулся, так что я пошел тебя искать. А теперь это уже не сюрприз даже, а прямо испуг.

— Не говори так! — воскликнул я, вспомнив фразу Прабакера про сюрприз и испуг и все еще не в силах прийти в себя.

— Почему?

— Не важно. Черт, Абдулла... это какое-то наваждение. Этого не может быть.

— Я вернулся, — произнес он спокойно, слегка нахмурившись. — Я снова в Бомбее. Меня расстреляли полицейские. Ты знаешь об этом.

Он говорил рассудительным тоном. Я не замечал ничего вокруг: ни увядающего неба над его головой, ни прохожих — ничего, кроме этого видения. Призрак приподнял рубашку, продемонстрировав мне множество шрамов, заживших и заживающих ран, темных колец, мазков и завитушек на коже.

— Смотри, братишка, — сказал Абдулла. — В меня попало много пуль, но я выжил. Наши друзья выкрали мое тело из полицейского участка и увезли меня сначала в Тхану, а через два месяца в Дели. Я целый год провалялся в больнице. Это была частная клиника недалеко от Дели. Мне сделали несколько операций. Это был не слишком хороший год, Лин. А потом понадобился еще почти год, чтобы я пришел в норму, *нушкур Алла*[1].

— Абдулла... — произнес я, обнимая его.

Тело было сильное. Теплое. Живое. Я крепко держал Абдуллу, сцепив руки за его спиной. Я чувствовал его ухо, прижатое к моему лицу, и запах мыла, исходящий от его кожи. Голос Абдуллы переходил из его груди прямо в мою, как эхо океанских волн, резонирующее в плотном влажном песке на берегу. Закрыв глаза и прильнув к нему, я плыл по темной воде тоски, с которой я жил все это время, — тоски по нему, по нам обоим. Сердце мое сжималось от страха, что я схожу с ума, что это лишь мое видение, кошмар наяву. Я цеплялся за него, пока он не высвободился мягко из моих объятий, продолжая держать меня за плечи.

— Все в порядке, Лин, — улыбнулся он. В его улыбке смешались любовь, ободрение и некоторое беспокойство, вызванное тем, что он читал в моих глазах. — Все в порядке.

— Ничего не в порядке! — проворчал я, отстраняясь от него. — Что за дела? Где ты был? Почему, черт побери, ты не сообщил мне?

— Я не мог.

— Чушь собачья! Как это — не мог? Что за глупости?

— Не мог, — повторил Абдулла, взъерошив пятерней волосы, и прищурился, укрощая меня твердым взглядом. — Помнишь, однажды мы ехали на мотоцикле и я увидел группу людей. Они были из Ирана. Я велел тебе подождать меня у мотоцикла, но ты пошел за мной, и мы подрались с этими людьми. Помнишь?

---

[1] Благодарение Аллаху (*урду*).

— Да.

— Это были мои враги. А также враги Кадер-хана. Они были связаны с тайной полицией Ирана, с новым САВАКом.

— Подожди... — прервал я его, нащупывая за спиной парапет, чтобы опереться на него. — Давай закурим.

Я раскрыл портсигар, предлагая ему сигарету.

— Ты уже забыл? — Абдулла расплылся в улыбке. — Я не курю сигарет, братишка. И тебе не советую. Я курю только гашиш. У меня есть немного. Не хочешь?

— Ну уж нет, — рассмеялся я, закуривая сигарету. — С призраками — никакой дури!

— У этих парней, с которыми мы дрались, были здесь кое-какие дела. В основном связанные с наркотой, но также с оружием и паспортами. И еще они шпионили за нами, за теми, кто бежал из Ирана от войны. Я тоже убежал во время войны с Ираком. Много тысяч иранцев перебрались сюда, в Индию, и много тысяч ненавидят аятоллу Хомейни. Эти шпионы работают на новый САВАК. Они боролись против Кадера из-за того, что он помогал нам и моджахедам в Афганистане. Ты в курсе этих дел, братишка?

Я был в курсе. Иранская диаспора в Бомбее была огромной, и я знал многих, кто бежал из Ирана, оставив родину и семью, и пытался выжить здесь. Некоторые из них вступили в местную мафию, другие сформировали собственные банды, которые подряжались выполнять мокрые дела, становившиеся с каждым днем все мокрее. Я знал, что иранская тайная полиция засылает своих шпионов в их ряды, которые следят за беглецами и тоже не боятся замочить руки.

— Да, продолжай, — сказал я, вдыхая сигаретный дым.

— Когда эти шпионы стали доносить на нас САВАКу, наши семьи в Иране очень пострадали. У многих полиция арестовала отцов, матерей, братьев. Они мучат людей в тюрьмах, пытают. Некоторые умерли там. Они замучили и изнасиловали мою сестру из-за того, что выведали обо мне. Они убили моего дядю, потому что семья не могла быстро собрать деньги, чтобы дать взятку. Когда я узнал об этом, то сказал Абделю Кадер-хану, что хочу оставить работу у него и сражаться с этими саваковскими ублюдками. Он попросил меня не уходить и сказал, что мы будем сражаться с ними вместе. Он пообещал мне, что поможет убить их всех.

— Кадербхай... — произнес я, продолжая дышать дымом.

— И мы с Фаридом нашли некоторых из них с помощью Кадера. Сначала их было девять. Мы нашли шестерых. С ними покончено. А трое осталось. И эти трое знали кое-что о нас — они знали, что в совете есть предатель, человек, очень близкий к Кадер-хану.

— Абдул Гани.

— Да, — сказал он и, отвернувшись, плюнул при упоминании этого имени. — Гани был из Пакистана, он имел много друзей в пакистанской тайной полиции, Ай-си-ай. Они тайно сотрудничают с новым иранским САВАКом, с ЦРУ и МОССАДом.

Я кивнул, вспомнив, как Абдул Гани сказал мне однажды: «Секретные службы всех государств сотрудничают друг с другом, Лин, и это их самый большой секрет».

— Так что пакистанская разведка поделилась с иранской своими сведениями о том, что происходит в совете Кадер-хана.

— Да, через Гани. В Иране были очень обеспокоены потерей шести своих ценных агентов. Их тела так и не нашли. Трое оставшихся вошли в контакт с Абдулом Гани. Он подсказал им, как заманить меня в ловушку. В это время, как ты помнишь, мы не знали, что Сапна работал исключительно на Гани и собирался выступить против нас. Кадер не знал этого, и я не знал. Если бы я знал, я бы собственноручно изрубил этого Сапну и его подонков на куски и кинул их в яму Хасана Обиквы. Но я этого не знал. Там, около Кроуфордского рынка, иранские шпионы сидели в засаде и, находясь недалеко от меня, стали стрелять по полицейским. Копы решили, что это я стрелял, и открыли ответный огонь. Я понял, что меня сейчас убьют, вытащил пистолеты и тоже начал стрелять. Остальное ты знаешь.

— Не все, — проворчал я, — совсем недостаточно. Я был там в тот вечер в толпе у полицейского участка. Толпа бесновалась. Все говорили, в тебя попало столько пуль, что твое лицо было не узнать.

— Ну, крови было много, но люди Кадера узнали меня. Они спровоцировали беспорядки в толпе, подобрались вместе с ней к полицейскому участку, схватили меня и увезли в больницу. Кадер послал туда машину с доктором Хамидом — помнишь его? — и они спасли меня.

— Я встретил там Халеда. Это он вытащил тебя оттуда?

— Нет — Фарид. Халед был в толпе и подстрекал ее.

— Решатель вывез тебя? — воскликнул я в изумлении оттого, что Фарид ничего не сказал мне об этом, когда мы несколько месяцев работали вместе. — Он все это время знал, где ты?

— Да, Лин. Если тебе надо поделиться с кем-то секретом, доверь его сердцу Фарида. Он мой брат теперь, лучший из всех после смерти Кадера. Не считая Назира, конечно. Не забывай об этом, Лин. Фарид лучший из всех них.

— А что было с тремя иранскими агентами после того, как тебя расстреляли? Кадер отомстил им?

— Нет. Когда Абдель Кадер уничтожил Сапну с его дружками, иранцы сбежали в Дели.

— Одному из бандитов Сапны удалось скрыться. Ты знаешь об этом?

— Да. Он тоже переехал в Дели. Когда я встал на ноги два месяца назад — еще не совсем поправился, но драться уже мог, — я стал искать этих четверых и нашел одного из иранцев. И прикончил его. Так что теперь их трое — двое шпионов из Ирана и один из банды Сапны.

— Ты знаешь, где они?

— Здесь, в городе.

— Ты уверен?

— Я уверен. Поэтому я сюда и вернулся. А сейчас, братишка, мы должны вернуться в отель. Салман и все другие ждут нас. Они хотят отпраздновать встречу и будут рады, что я нашел тебя. Они видели, как ты ушел несколько часов назад с красивой девушкой, и сказали мне, что я тебя не найду.

— Это была Лиза, — сказал я, невольно оглянувшись на окна спальни на втором этаже. — Ты... хочешь увидеться с ней?

— Нет, — улыбнулся Абдулла. — Я встретил другую девушку, Амину, двоюродную сестру Фарида. Она ухаживала за мной больше года. Мы собираемся пожениться.

— Иди ты! — вскричал я, потрясенный его намерением жениться чуть ли не больше, чем его чудесным возрождением.

— И ты тоже, — усмехнулся он, пихнув меня в бок. — Нам обоим пора идти, нас ждут. *Чало!*

— Ты иди вперед, — ответил я ему с такой же счастливой улыбкой, — а я скоро приду.

— Нет, пошли вместе.

— Мне нужно всего минуту, — настаивал я. — Через минуту я пойду за тобой.

Поколебавшись, он улыбнулся, кивнул и направился через арку к «Тадж-Махалу».

Вечер притушил огненное дневное сияние. Туман и пар заволокли горизонт, как будто небо у дальней стены мира растворялось, бесшумно шипя, в водах залива. Большинство судов и паромов были надежно зачалены за швартовочные столбы. Другие поднимались и опускались и снова поднимались с волнами, удерживаемые на месте якорными цепями. Прилив обрушивал высокие набухшие волны на камни набережной. Тут и там на приморском бульваре взметнувшиеся пенистые гребешки перелетали на последнем издыхании через парапет на белую пешеходную дорожку. Люди обегали их стороной или со смехом проскакивали сквозь фонтан брызг, возникший внезапно на их пути. В маленьких озерах моих глаз, крошечных серо-голубых океанах, волны слез также бились о стену, возведенную моей волей.

«Это ты послал его?» — мысленно спросил я мертвого хана, моего отца. Тоска убийцы подтолкнула меня к парапету, около которого мальчишки продавали героин. И тут, в самый последний момент, появился Абдулла. «Это ты спас меня?»

Заходящее солнце, этот зажженный в небе похоронный огонь, высушило мои глаза. Я смотрел, как последние отблески светло-вишневого и пурпурного цвета вспыхивают и блекнут в вечернем сапфире, отраженном океаном. Глядя на водную зыбь и рябь, я пытался втиснуть свои чувства в рамки мысли и факта. Каким-то странным, сверхъестественным образом я в один и тот же день, в один и тот же час вновь обрел Абдуллу и вновь потерял Кадербхая. И этот факт, это категоричное повеление судьбы заставило меня понять. Я потому не давал так долго воли своей скорби, что не мог его отпустить. В глубине души я так же крепко держался за него, как только что прижимал к груди Абдуллу. Душой я был все еще там, на вершине, стоял на коленях в снегу и обнимал его прекрасную голову.

Когда звезды одна за другой стали медленно появляться в молчаливой бесконечности неба, я перерубил последний швартов, удерживавший мою скорбь, и отдался на волю всевластного прилива судьбы. Я отпустил его. Я сказал прощальные священные слова: «Я тебя прощаю...»

И это было единственное правильное решение. Я разбил свое сердце о любовь моего отца, как разбивались волны подо мной, налетая грудью на каменную стену и истекая кровью на широкой белой дорожке.

ГЛАВА 40

Слово «мафия» зародилось на Сицилии и означает «хвастовство». И если вы спросите любого профессионала, живущего за счет преступлений, он скажет вам, что именно тщеславие и хвастовство нас в конце концов и губят. По-видимому, невозможно нарушить закон и не похвастаться этим кому-нибудь. По-видимому, невозможно жить вне закона и нисколько не гордиться этим. Без сомнения, последние месяцы существования старой мафии, того братства, которое Кадербхай создал, возглавлял и направлял, были насыщены тщеславием и хвастовством. И если быть предельно честным, то каждый из тех, кто обитал в нашем углу бомбейского криминального подполья, вынужден был бы признать, что это были последние месяцы, когда мы могли гордиться тем, что мы гангстеры.

Кадер-хана не было в живых уже почти два года, но основанный им совет мафии в своей повседневной деятельности по-прежнему руководствовался его принципами и его заповедями. Кадер ненавидел героин, не имел с ним дела и запрещал торговать им на подвластной ему территории, делая исключение лишь для наркоманов, безнадежно увязших в нем. Неменьшее отвращение вызывала у него проституция. Он считал, что она унижает женщин, развращает мужчин и разрушает общество. Сфера его влияния охватывала площадь в несколько квадратных километров со всеми находившимися на ней улицами, парками и строениями. Всякий, кто пытался в пределах этих владений промышлять проституцией или порнографией сколько-нибудь серьезно и открыто, рисковал понести заслуженное наказание. И новый совет, возглавляемый Салманом Мустаном, придерживался этих правил.

Номинальным главой мафии был старый Собхан Махмуд, но его одолевали болезни. За два года, прошедшие со смерти Кадера, он перенес два сердечных приступа и частично утратил способность двигаться и говорить. Было решено переселить его в особняк Кадера на побережье в Версове — тот самый, где я под присмотром Назира слезал с иглы. Совет обеспечил ему лучший медицинский уход, о нем заботились также его родные и слуги.

Назир занимался воспитанием племянника Кадера, юного Тарика, постепенно подготавливая его, с одобрения большинства членов совета, к роли главы мафии. Но пока что, несмотря на его происхождение, не по годам развитые ум и характер и необычайно серьезные манеры, — никто так не напоминал мне Халеда, как Тарик, с его суровой, сдержанной страстностью, — он был все-таки слишком мал, чтобы участвовать в заседаниях совета или даже присутствовать на них. Вместо этого Назир давал ему разнообразные поручения, и, выполняя их, мальчик постепенно знакомился с миром, которым ему, возможно, придется в будущем руководить. Так что фактически Салман Мустан возглавлял совет Кадербхая и всю мафию, был новым ханом. А Салман, по общему признанию, был предан Кадербхаю душой и телом. Он правил империей так, словно седовласый император был еще жив и ежедневно наставлял и направлял его при личных встречах.

Большинство членов мафии поддерживали Салмана безоговорочно. Они понимали принципы, на которых покоилась их деятельность, и ценили их. В нашем районе города слова «гунда» и «гангстер» не были оскорблением. Его жители знали, что наша мафия вычищает с улиц героин и распутство лучше всякой полиции. Полицейские все-таки не были застрахованы от подкупа. И Салман со своими мафиози также подкупал их — тех же копов, которым только что сунули взятку сутенеры или наркодельцы, — чтобы они не замечали, как наши парни расшибают о кирпичную стенку неуемного торговца героином или дробят пальцы распространителя порнографии кухонной толкушкой.

Старики одобрительно кивали, сравнивая относительное спокойствие на улицах нашего района с тем хаосом, который царил у соседей. Дети с восторгом взирали на молодых гангстеров, избирая того или иного в качестве любимого героя. Рестораны и бары сердечно приветствовали Салмана с друзьями как людей, помогающих поддерживать порядок и относительную пристойность в их заведениях. А количество доносчиков, добровольно работавших с полицией, — верный показатель популярности у населения или, наоборот, его недовольства — было здесь ниже, чем в любом другом месте неспокойного Бомбея. Мы были горды, мы придерживались строгих принципов и были почти такими людьми чести, какими себя считали.

И все же в наших рядах встречались ворчуны, слышались порой жалобы, а заседания совета иногда переходили в яростные споры относительно будущего мафии. Другие группировки наживались на торговле героином. Героиновые короли разъезжали по улицам в импортных автомобилях, щеголяли в самых дорогих и эксклюзивных заведениях сшитой на заказ модной одеждой и новинками электронной музыкальной аппаратуры. Что хуже, они использовали свои неистощимые доходы, взращенные на маковых полях, для вовлечения все новых и новых людей в свои махинации — наемников, которые защищали их интересы самыми грязными и жестокими средствами. Постепенно эти банды расширяли сферы своего влияния в ходе разборок с конкурентами, оставлявших после себя немало крутых парней убитыми и еще больше — раненными, а полицейские воскуряли фимиам в храмах по всему городу, благодаря Бога за то, что им удалось уцелеть.

Неменьшую прибыль приносил возникший недавно бездонный рынок махровой порнографии — импортных видеофильмов. Многие соперничающие с нами группировки на вырученные за порнографию деньги заводили целые арсеналы оружия — важнейший критерий могущества любого криминального сообщества. Некоторые из людей Салмана Мустана, завидуя богатству, накопленному этими группировками, и опасаясь их усиления и расширения сферы влияния, уговаривали его изменить принципы, которыми он руководствовался. И громче всех в этом хоре недовольных звучал голос Санджая, самого старого и самого близкого друга Салмана.

— Тебе надо встретиться с Чухой, — настойчиво произнес Санджай, когда мы вчетвером — Салман, Фарид, Санджай и я — сидели в маленьком кафе на Маулана-Азад-роуд, откуда, как мираж в пустыне, виднелась яркая зелень ипподрома Махалакшми[1].

Чухой, или Крысой, звали Ашока Чандрашекара, одного из влиятельных главарей мафии Валидлаллы.

---

[1] *Махалакшми* — Великая Лакшми *(хинди).*

— Я встречался с ублюдком, *йаар*, — вздохнул Салман. — Я вижусь с ним регулярно. Всякий раз, когда один из его парней посягает на нашу территорию, я встречаюсь с Чухой, чтобы уладить недоразумение. И когда кто-нибудь из наших парней вступает в драку с его людьми и задает им трепку, я тоже встречаюсь с ним. И тогда, когда он предлагает нам присоединиться к их мафии. Я слишком часто встречаюсь с Чухой, в том-то и беда.

Территория, опекаемая Валидлаллой, соседствовала с нашей. Отношения между нашими группировками были в целом уважительными, но далеко не сердечными. Валид, глава их мафии, был близким другом Кадербхая и вместе с ним основал существовавшую до сих пор систему мафиозных советов. Хотя, подобно Кадеру, Валид не переносил героина и порнографии, со временем ему пришлось начать торговать ими, однако он всеми силами старался избегать конфликтов с советом Салмана. Чуха, правая рука Валида, был крайне амбициозен и тяготился необходимостью подчиняться старому мафиози. Именно его амбиции приводили к спорам и даже стычкам между нами и вынуждали Салмана встречаться с Чухой на обедах, устраивавшихся в сугубо формальной обстановке на нейтральной территории — в люксе какого-нибудь пятизвездочного отеля.

— Но ты не беседовал с ним по душам, с глазу на глаз, насчет того, как нам сообща зашибить побольше бабок. Если бы ты обсудил это с ним, братишка, то увидел бы, что он говорит дельные вещи. Он наживает кроры на гараде. А этим ханурикам его только давай и давай. Ему доставляют его караванами, блин. А уж порнофильмы — это просто золотая жила, поверь мне. Это смертельный номер, *йаар*. Он делает по пятьсот копий каждого фильма и продает каждую по пятьсот рупий. Это два с половиной *лака*[1], Салман, только на одном фильме! Если бы можно было делать такие же деньги на убийствах, демографическая проблема в Индии была бы решена за какой-нибудь месяц! Ты просто обязан поговорить с ним об этом, братишка.

— Он мне не нравится, — заявил Салман. — Я не доверяю ему. Я думаю, в самое ближайшее время мне придется разделаться с этим подонком раз и навсегда. Это вряд ли будет подходящим началом для совместного бизнеса, *на*?

— Если до этого дойдет, я пристрелю его для тебя, братишка, со всем моим удовольствием. Но перед тем как прикончить его, мы можем вместе с ним сделать неплохие деньги.

— Я так не считаю.

Санджай оглядел собравшихся в поисках единомышленников и обратился за поддержкой ко мне:

— А ты что скажешь, Лин?

---

[1] *Лак* — сто тысяч рупий.

— Это не в моей компетенции, Санджу, — улыбнулся я в ответ на его озабоченный взгляд. — Такие вопросы решает совет.

— Именно поэтому я и спрашиваю тебя, Линбаба. Ты можешь выступить как независимый эксперт. Ты знаешь Чуху и знаешь, сколько денег в этом героиновом бизнесе. У него очень здравые идеи насчет денег, ты так не считаешь?

— *Аррей*, не спрашивай его! — вмешался Фарид. — Разве что ты хочешь услышать правду.

— Нет, пусть скажет, — настаивал Санджай. Глаза его разгорелись. Он любил меня и знал, что я люблю его тоже. — Скажи мне правду, Лин. Что ты думаешь о Чухе?

Я взглянул на Салмана, и он кивнул мне, как это мог бы сделать Кадер.

— Я думаю, что подонки вроде Чухи — это позор для всего криминального сообщества, — сказал я.

Салман и Фарид поперхнулись и, смеясь, полезли за платками, чтобы вытереть пролитый чай.

— Хорошо, — сказал Санджай, нахмурившись, но глаза его по-прежнему блестели. — Что именно тебе не нравится в нем?

Я опять посмотрел на Салмана. Тот ухмыльнулся мне, приподняв брови и воздев руки в жесте, означающем «я пас».

— Чуха вымогатель, — ответил я. — А я не люблю вымогателей.

— Что ты хочешь сказать?

— Он нападает на тех, кто не может дать ему отпор, и обирает их. У нас дома таких типов называют вымогателями, потому что они наживаются за счет беззащитных людей.

Санджай оглянулся на Фарида и Салмана с откровенным недоумением.

— Не вижу в этом ничего особенного, — заявил он.

— Я понимаю, что ты не видишь, как и большинство людей. И это нормально. Я не жду, что все будут думать так же, как я. Очень многие существуют таким образом. Я понимаю это, но это не значит, что это мне нравится. Мне встречались такие типы в тюрьме. Раз или два они хотели было обчистить меня, но напоролись на мой нож, и больше уже никто ко мне не приставал. В тюрьме такие вещи становятся известны очень быстро. Если попытаешься наехать на этого парня, получишь дырку в живете. Так что меня оставили в покое. И я презирал их за это. Если бы они не спасовали передо мной, я по-прежнему проделывал бы в них дырки, но с бóльшим уважением. Спросите здешнего официанта Сантоша, какого он мнения о Чухе. Тот завалился сюда с дружками на прошлой неделе и при расчете зажилил пятьдесят баксов.

На бомбейском жаргоне «баксом» называли не только доллары, но и рупии. Я знал, что Санджай обычно дает как раз пятьдесят баксов официантам и водителям такси в виде чаевых.

— Этот парень купается в золоте, если верить его словам, и при этом не стесняется нагреть честного трудягу, — сказал я. — Я не могу уважать его после этого. Да и ты, Санджай, в глубине души, я думаю, тоже. Я не собираюсь ничего предпринимать в связи с этим. Это не мое дело. Чуха наживается за счет того, что обирает людей, это понятно. Но если он попытается проделать это со мной, я пущу в ход нож, и сделаю это с удовольствием.

Последовало молчание. Санджай поджал губы, развел руками и обменялся взглядом с Салманом и Фаридом. Все трое расхохотались.

— Ты сам напросился! — смеялся Фарид.

— Ладно-ладно. Я зря спросил его, признаю. Лин — парень со сдвигом, и понятия у него сдвинутые. Он даже поперся вместе с Кадером в Афганистан! Не было смысла спрашивать этого чокнутого. Ты устроил эту «клинику» в джхопадпатти и не поимел с нее ни одной рупии. Напомни мне об этом, братишка, если мне вдруг захочется посоветоваться с тобой насчет организации какого-нибудь выгодного дела.

— И еще одно соображение, — продолжал я невозмутимо.

— О Бхагван! — воскликнул Санджай. — У него есть еще какие-то соображения!

— Если ты вспомнишь наш девиз, то, может быть, поймешь, о чем я толкую.

— Девиз? Какой еще, на хрен, девиз? — возмутился Санджай, вызвав еще один взрыв смеха у Салмана и Фарида.

— Ты знаешь, о чем я говорю. Валидлалла действует под девизом *«Пахили шахад, таб джулм»*, то есть «Сначала подмазать, потом наехать», — думаю, основную идею я перевел правильно. Не это ли они повторяют друг другу все время?

— Ну да, это их любимая присказка.

— А какой девиз у нас, девиз Кадера?

Все трое посмотрели друг на друга и улыбнулись.

— *«Сатч аур химмат»*, — произнес я, — «Правда и храбрость». Я знаю, многим нравится девиз Чухи. Они считают его мудрым и остроумным. Звучит круто. А мне нравится девиз Кадера.

На улице затарахтел мотоцикл. Выглянув из окна, я увидел, что возле кафе остановился Абдулла. Он помахал мне. Пора было уходить.

Я говорил то, что думал, то, что считал правильным. Но в глубине души я понимал, что доводы Санджая хотя и неправильнее моих, но сильнее. То, что происходило с Валидлаллой под нажимом Чухи, ожидало в будущем и другие группировки, и мы все понимали это. Валид формально еще возглавлял мафию, носившую его имя, но он был стар и болен. Он передал значительную часть своих полномочий молодому преемнику, и заправлял всем фактически Чуха. Чуха был ловок и агрессивен, он каждый месяц отвоевывал новые территории с помощью грубой силы или давления. Если Салман не пойдет на объединение с Валидлаллой, то рост влияния этой мафии рано или поздно обязательно приведет к открытому конфликту, к войне.

Я, конечно, надеялся, что победит Салман, но понимал, что в случае нашей победы нам достанется их территория вместе с их героином, проституцией и порнографией и мы неизбежно займемся этим. Слишком много денег в этом было. А лишние деньги похожи на политическую партию: они приносят столько же зла, сколько и добра, дают чрезмерную власть горстке людей, и чем больше ты с ними соприкасаешься, тем больше вымазываешься в грязи. Возможно, Салману удалось бы избежать столкновения с Чухой, а в случае столкновения он мог победить Чуху и стать им. «Судьба всегда предлагает тебе два альтернативных варианта, — сказал однажды Джордж Скорпион, — тот, который тебе следовало бы выбрать, и тот, который ты выбираешь».

— Но все это лишь разговоры, — бросил я, поднимаясь. — Я с вами, как бы все это ни обернулось. Увидимся позже.

Я вышел на улицу, а Санджай кричал мне вслед под общий смех:

— *Баинчуд!*[1] *Ганду!* Наговорил кучу гадостей и смылся. Вернись немедленно!

Абдулла ударил ногой по педали стартера.

— Не терпится на тренировку? — спросил я, садясь позади него. — Расслабься. К чему торопиться? Я все равно побью тебя.

Вот уже девять месяцев мы тренировались в маленьком, темном, пропахшем пóтом спортзале возле Ворот Элефанты на причале Балларда. Этот спортзал был оборудован Хусейном, членом мафии Кадера, потерявшим руку в битве с бандой Сапны, и предназначался исключительно для гангстеров. В зале были грузы, штанги и скамейки, мат для дзюдо и боксерский ринг. Запах человеческого пота, как свежего, так и пропитавшего кожаные перчатки, пояса и даже муфты на штангах, был таким едким, что щипало глаза, и спортзал был единственным местом в этом районе, которое обходили стороной крысы и тараканы. Стены и деревянный пол были в пятнах крови, а тренирующаяся здесь молодежь получала за неделю такое количество всевозможных травм, с каким вряд ли приходится иметь дело бригаде «скорой помощи» в жаркую субботнюю ночь.

— В другой раз, — рассмеялся Абдулла через плечо, вливаясь в быстрый транспортный поток. — Сегодня мы не будем биться. Сегодня я хочу сделать тебе сюрприз. Очень хороший сюрприз.

---

[1] Ублюдок! *(хинди)*

— Ты меня пугаешь! — крикнул я в ответ. — Что еще за сюрприз?

— Помнишь, я возил тебя к доктору Хамиду? Это тоже был сюрприз для тебя.

— Ну да, помню.

— Сегодняшний сюрприз намного лучше.

— Да? Это меня все-таки не очень успокаивает. Ты не можешь подробнее?

— А помнишь, как я послал тебе медведя, чтобы ты обнялся с ним?

— Ну еще бы! Могу ли я забыть Кано?

— Ну так вот. Этот сюрприз гораздо лучше того.

— Знаешь, между доктором и медведем довольно мало общего, так что это ни о чем мне не говорит, братишка! — надсаживался я, перекрикивая рев двигателя.

— Ха! — воскликнул он, остановившись на перекрестке. — Вот что я тебе скажу. Это такой хороший сюрприз, что ты простишь меня за то, что мучился, когда думал, будто я умер.

— Я и так простил тебя, Абдулла.

— Ни фига ты не простил, братишка. Ты так меня мордуешь на боксе и карате, что все мои бесчисленные раны вопят.

Это было неправдой, я обращался с ним осторожнее, чем он со мной. Хотя Абдулла быстро входил в норму, он так и не восстановил полностью сверхъестественные силу и ловкость, какими обладал до того, как его изрешетили пули полицейских. Когда он перед тренировкой снимал рубашку, было такое впечатление, что его кожу прижигали каленым железом или драли когтями дикие звери, так что я старался бить очень аккуратно. Но ему я в этом ни за что не признался бы.

— Ну ладно, — рассмеялся я, — если ты так ставишь вопрос, будем считать, что я не простил тебя!

— А после этого сюрприза ты простишь меня уже окончательно! — крикнул он. — Но хватит гадать о сюрпризе, скажи мне лучше, что ответил Салман Санджаю насчет этого ублюдка Чухи?

— Откуда ты знаешь, что мы говорили о Чухе?

— Во-первых, это было видно по лицу Салмана, а во-вторых, Санджай сказал мне сегодня утром, что хочет еще раз попытаться уговорить Салмана войти в союз с Чухой. Так вот я и спрашиваю, что Салман ему ответил?

— Ты и сам это знаешь, — ответил я спокойно, так как мы опять остановились на перекрестке.

— Да? *Нушкур Алла.*

— Ты так ненавидишь Чуху?

— Нет, я не ненавижу Чуху, — ответил он, трогаясь с места вместе с остальным транспортом. — Я просто хочу убить его.

Мы помолчали, вдыхая теплый ветер и наблюдая за развитием чернорыночных отношений на знакомых нам улицах. Сотни мелких и крупных сделок и афер совершались вокруг ежеминутно. Все они тоже были нам знакомы.

Когда мы застряли в пробке позади большого автобуса, я заметил на тротуаре Таджа Раджа, карманника, промышлявшего обычно возле Ворот в Индию. Много лет назад на него напали с мачете и чудом не снесли ему голову. После этого он говорил скрипучим шепотом, а голова его была так сильно свернута на сторону, что перевешивала всякий раз, когда он мотал ею, и он с трудом удерживал равновесие. Он работал в паре со своим другом Индрой, разыгрывая воровской трюк со столкновением и падением. Индра, прозванный Стихоплетом, почти все свои фразы рифмовал как стихотворные строфы. Получалось это у него здорово, и первые несколько строк всегда поражали слушателей своей красотой, но затем он неизменно сбивался на такую похабщину, что даже видавшие виды мужчины ёжились. Рассказывали, что однажды Индра вызвался читать стихи по микрофону во время празднества на Колабском рынке и спустя пару минут рынок был пуст, даже торговцы сбежали. Полицейские тоже растерялись, и, лишь когда Стихоплет остановился на минуту, чтобы перевести дух, они спохватились и прогнали его. Я был знаком с ними обоими и хорошо относился к ним, но старался держаться от них подальше. Автобус наконец с урчанием ожил и медленно тронулся с места, и в этот момент я увидел, как Индра, притворяясь слепым — не идеально, надо сказать, ему случалось исполнять это и получше, — налетел на иностранца, а Тадж Радж, изображая заботливого прохожего, помог им обоим удержаться на ногах, а туристу также — освободиться от отягощавшего его карман кошелька.

— А почему ты этого хочешь? — спросил я Абдуллу, когда нам удалось отцепиться от автобуса.

— Чего?

— Убить Чуху.

— Я знаю, что он встречался со шпионами из Ирана — якобы решал какие-то денежные дела. Санджай говорит, это был просто бизнес. Но я думаю, не только бизнес. Я думаю, что он в заговоре с ними против мафии Кадера, против нас. Поэтому я и хочу его убить, Лин.

— Понятно, — отозвался я, радуясь, что мой бесшабашный иранский друг разделяет мое недоверие к Чухе, но тревожась за него. — Только не делай ничего без меня, ладно?

Он лишь повернул чуть-чуть голову в мою сторону, продемонстрировав белые зубы в ухмылке.

— Я серьезно, Абдулла. Обещай мне!

— *Тхик хайн*, братишка! Ладно! — крикнул он мне в ответ. — Я позову тебя, когда придет время.

Он остановился около кофейни «Стрэнд», где я любил завтракать, и повел меня в направлении Колабского рынка.

— Тоже мне сюрприз! — бросил я. — Я тут бываю почти каждый день.

— Я знаю, — отозвался он, загадочно ухмыляясь. — И не я один.

— Это еще как понять?

— Скоро поймешь, братишка. А вот и твои друзья.

Около бакалейного прилавка на мешках, набитых чечевицей, восседали Викрам Патель и оба зодиакальных Джорджа, распивая чай из стаканов.

— Привет, старик! — крикнул мне Викрам. — Тащи мешок, устраивайся как дома.

Мы с Абдуллой обменялись со всей троицей рукопожатиями и сели на мешки. Джордж Скорпион дал знак разносчику чая принести нам еще два стакана. Мне часто приходилось работать с паспортами по ночам, так как Кришна и Виллу, с их растущими семьями и целым выводком детей, старались чередовать свои смены, чтобы пообщаться хоть немного со своими родными в дневное время. Кроме того, я выполнял и ряд других заданий Салмана и его совета, так что в «Леопольд» я заглядывал редко. Поэтому я старался как можно чаще встречаться с Викрамом и Джорджами на Колабском рынке, куда Викрам заходил почти ежедневно после ланча с Летти, благо его дом был в двух шагах. Он держал меня в курсе всех основных событий — у Дидье новый любовник, а Ранджит, новый бойфренд Карлы, пользуется все большей популярностью в кругу наших знакомых, — в то время как Джорджи рассказывали мне о том, что происходит на улицах Колабы.

— Мы тебя сегодня уж и не ждали, — заметил Викрам.

— Абдулла вызвался подвезти меня, но мы все время застревали в пробках. Правда, это оказалось не без пользы — я смог посмотреть из первых рядов партера представление, разыгранное Таджем Раджем и Индрой с одним из туристов.

— Он уже не тот, что раньше, наш Тадж Радж, — заметил Близнец, выговорив это имя с типичным южнолондонским акцентом. — Не хватает прежнего проворства. Нет той реакции, что была до этого злополучного события. И это естественно, не правда ли? После того как у тебя чуть не отхватили голову, она уже не может так быстро соображать.

— И в связи с этим, — прервал его Скорпион с благочестивой торжественностью, которая была хорошо нам известна и заранее вызывала панику, — нам всем следует склонить голову и вознести молитву. — Он наклонил голову, подавая пример.

Мы в отчаянии переглянулись. Спасения не было. Разбегаться было слишком рано, и Скорпион понимал это. Он не оставил нам выхода.

— Господь Всемогущий! — возопил Скорпион.

— О Господи! — вздохнул Близнец.

— И ты, Госпожа Богоматерь! — продолжал Скорпион. — Мы нижайше склоняемся перед вашим бесконечным небесным духом инь и ян и просим выслушать молитву пяти душ, которые вы ниспослали на землю, вселив временно в тела Скорпиона, Близнеца, Абдуллы, Викрама и Лина.

— Почему «временно»? — шепотом спросил у меня Викрам.

Я лишь пожал плечами.

— Пожалуйста, помоги нам, Господи! — распевал Скорпион, закрыв глаза и приподняв лицо, так что оно было обращено прямо к балкону четвертого этажа, где находился салон Виджая Премнатха, занимавшегося окраской волос и протыканием ушей. — Будь добр, наставь нас на путь истинный и не дай совершить ошибку. И начни, если Ты не возражаешь, с помощи в том маленьком деле, которое мы с Близнецом хотим провернуть сегодня вечером с бельгийской супружеской четой. Мне нет нужды рассказывать вам, Господин наш и Госпожа, как нелегко и опасно в Бомбее обеспечить клиента высококачественным кокаином. Но благодаря вашему благоволению нам удалось добыть десять граммов «снега» высшего класса, и если вы позволите мне выразить свое профессиональное восхищение — это был поистине ловкий трюк с вашей стороны, учитывая неблагоприятные погодные условия. Мы с Близнецом могли бы с толком потратить комиссионные с этой нынешней сделки и молимся, чтобы нас не ограбили, не побили, не искалечили и не убили, — если только все это не входит в ваши планы. Так что, Господи, пожалуйста, освети нам путь и наполни наши сердца любовью. Засим позволь нам временно откланяться, но мы будем, как всегда, на связи. Аминь.

— Аминь! — повторил Близнец, радуясь, что молитва оказалась намного короче обычных обращений Скорпиона к Небесам.

— Аминь! — повторил Викрам, утирая слезу кулаком.

— *Астагфирулла*, — пробормотал Абдулла. — Прости меня, Аллах.

— Как насчет того, чтобы перекусить? — жизнерадостно предложил Близнец. — Нет ничего лучше религиозной прелюдии, чтобы настроиться подобающим образом на плотские утехи, не правда ли?

В этот момент Абдулла наклонился к моему уху.

— Посмотри вон туда, только очень медленно! — проговорил он. — Видишь, вон там, за лотком с орехами, на углу? Это твой сюрприз, братишка. Видишь его?

Я увидел пригнувшуюся в тени навеса фигуру, наблюдавшую за нами.

— Он появляется здесь каждый день, — прошептал Абдулла. — И не только здесь, но и в других местах, где ты бываешь. Он следит за тобой. Следит и ждет.

— Викрам! — пробормотал я, желая получить еще чье-нибудь подтверждение того, что я увидел. — Посмотри! Вон там, на углу!

— На что посмотреть?

Заметив, что оказался в центре внимания, прячущийся человек попятился и пустился наутек, сильно прихрамывая, — похоже, у него была повреждена вся левая сторона тела.

— Ты видел его?

— Нет! Кого? — растерянно откликнулся Викрам, встав рядом со мной и вглядываясь в указанном мною направлении.

— Это Модена! — закричал я, бросаясь вдогонку за хромающим испанцем.

Я не оглядывался на Викрама, Абдуллу и зодиакальных Джорджей. Я не обратил внимания на оклик Викрама. Я не задумывался о том, что я делаю и почему преследую человека. У меня в голове была только одна мысль, один образ и одно слово. Модена...

Бежал он довольно быстро и к тому же хорошо знал эти места. Я нырял вслед за ним в замаскированные двери и едва заметные щели между зданиями, думая о том, что вряд ли во всем Бомбее найдется другой иностранец, помимо меня, который знает этот район так же хорошо, как Модена. Да и не многие индийцы могли сравниться в этом с ним — разве что жулики, воры и наркоманы. Он кидался в проломы в каменных стенах, проделанные для перехода с одной улицы на другую. Он внезапно исчезал за кирпичной оградой, которая оказывалась разрисованным холстом. Он сокращал путь, бросаясь под арки, где были устроены импровизированные торговые лотки, и пробирался сквозь лабиринты сушившихся на веревках разноцветных сари.

Но в конце концов он допустил промах. Он свернул в проулок, где жили бездомные и изгнанные из квартир многодетные семейства. Я знал это место. Около сотни мужчин, женщин и детей устроили себе жилище в этом закутке между двумя зданиями. Над головой они соорудили нечто вроде чердака, где по очереди спали, а все остальное время проводили внизу, в темном узком коридоре. Модена пробирался между группами стоящих и сидящих людей, кухонными плитками, душевыми кабинками и разостланными одеялами, на которых играли в карты. Затем, в конце этого коридора-проулка, он по ошибке выбрал тупик, окруженный высокими глухими стенами. В конце его, за углом одного из зданий, был еще один боковой тупичок, наглухо перекрытый сверху. Здесь была кромешная тьма, и мы пользовались иногда этим тупиком для совершения сделок с наркоторговцами, которым не доверяли, поскольку выход отсюда был только один. Я завернул за угол, отставая от него всего на несколько шагов, и остановился, переводя дыхание и вглядываясь в темноту. Я не видел его, но знал, что он здесь.

— Модена, — произнес я тихо в пространство, — это Лин. Не бойся, я... я просто хочу поговорить с тобой. Я положу сумку и раскурю пару сигарет, для тебя и для меня, ладно?

Я медленно положил сумку на землю, готовый к тому, что он попытается проскочить мимо меня, и достал две сигареты «биди» из пачки в кармане рубашки. Зажав их между третьим и четвертым пальцем толстыми концами внутрь, как делали все бедняки, я достал спички и поджег одну из них. Пока пламя плясало на концах сигарет, я вгляделся в глубину тупичка и увидел его. Он забился в самый темный угол. Когда спичка потухла, я протянул вперед руку с зажженной сигаретой. Прошла секунда, две, три, и я почувствовал, как его пальцы с удивительной осторожностью коснулись моих и взяли сигарету.

Мы курили молча, и в слабом красноватом свете сигареты я наконец смог хоть как-то разглядеть его лицо. Это был жуткий гротеск. Маурицио так его изрезал и искромсал, что на него страшно было смотреть. Я заметил насмешливую улыбку, появившуюся в глазах Модены, когда он увидел ужас в моих. Сколько раз, подумал я, видел он этот ужас в глазах окружающих — эту белую безграничную жуть, которую они испытывали, представляя себя на его месте, его страдания в своей душе? Сколько раз он видел людей, содрогающихся, как я, и невольно отшатывающихся от его шрамов, как от открытых заразных гнойников? Сколько раз люди спрашивали себя: «Что же он сделал, чтобы понести такое наказание?»

Стилет Маурицио разрезал кожу под обоими глазами, и от нижних век вниз тянулись длинные клиновидные шрамы, словно отталкивающие издевательские следы, оставленные слезами. Раны на нижних веках, не зажившие до конца, зияли, как красные вместилища агонии, и открывали все глазное яблоко. Крылья носа и перегородка были рассечены до кости. Кожа на крыльях наросла неровными складками, в центре же разрез был слишком глубоким, и здесь осталась дыра, которая расширялась с каждым выдохом, как у свиного пятачка. Множество шрамов виднелось также вокруг глаз, на щеках и на лбу, образуя в совокупности рисунок, похожий на растопыренную человеческую пятерню. Можно было подумать, что Маурицио задался целью содрать всю кожу с этого лица. Под одеждой также наверняка было на что посмотреть: Модена с трудом двигал левой рукой и ногой, словно локтевой, плечевой и коленный суставы закаменели вокруг так и не закрывшихся ран.

Он был чудовищно изувечен, с такой расчетливой жестокостью, что я буквально онемел, не находя слов. С удивлением я увидел, что рот не был поврежден, и подивился прихоти судьбы, оставившей столь прекрасно вылепленные чувственные губы нетронутыми, но затем вспомнил, что Маурицио заткнул ему рот кляпом, лишь время от времени вынимая его, когда требовал ответа на свои вопросы. И эти гладкие безупречные губы, затягивавшиеся сигаретой, казались мне самой страшной раной из всех.

Мы в молчании докурили сигареты до конца. Тем временем глаза мои привыкли к темноте, и я обратил внимание на то, каким маленьким он стал, как скрючили его травмы на левой стороне тела. Я нависал над ним как башня. Подняв сумку, я сделал шаг назад, к свету, и кивком пригласил его за собой.

— *Гарам чай пио?* — спросил я. — Выпьем горячего чая?

— *Тхик хайн*, — ответил он. — Давай.

Миновав проулок с бездомными, мы нашли чайную, куда заходили между сменами рабочие с соседней мукомольни и пекарни. Несколько мужчин, сидевших на скамейке, подвинулись, освобождая нам место. Они были с ног до головы покрыты мукой и выглядели не то как отдыхающие призраки, не то как ожившие гипсовые статуи. Их глаза, испытывавшие постоянное раздражение из-за муки, были красными, как угли под печами, в которых они выпекали хлеб. Влажные рты, тянувшие чай с блюдец, напоминали черных пиявок, шевелящихся на фоне мертвенной белизны. Они уставились на нас с обычным для индийцев откровенным любопытством, но стоило Модене поднять зияющие раны своих глаз, как они отводили взгляд.

— Зря я побежал от тебя, — тихо произнес он, разглядывая свои руки, сложенные на коленях.

Я ждал, что он скажет что-нибудь еще, но он плотно сомкнул губы в полугримасе и громко дышал расширяющейся носовой дырой.

— У тебя... все в порядке? — спросил я, когда нам подали чай.

— *Джарур*, — ответил он, слегка улыбнувшись. — Конечно. А у тебя?

Я решил, что он иронизирует, и сердито посмотрел на него.

— Я не хотел тебя обидеть, — улыбнулся он.

Улыбка его выглядела очень странно — идеальная в изгибе губ, она деформировалась на безжизненных щеках и, оттягивая кожу вниз, обнажала страдание, скопившееся в углублениях нижних век.

— Я спрашиваю всерьез, потому что могу тебе помочь, если надо, — сказал он. — У меня есть деньги. Я ношу с собой десять тысяч рупий.

— Что-что?

— Я ношу с собой...

— Да-да, я понял тебя. — Хотя он говорил тихо, я посмотрел на мукомолов, боясь, как бы они не услышали его. — А почему ты следил за мной на рынке?

— Я часто слежу за тобой, почти каждый день. Я слежу также за Карлой, Лизой и Викрамом.

— Зачем?

— Чтобы через вас найти ее.

— Кого?

— Уллу. Когда она вернется. Она ведь не знает, где меня искать. Я больше не хожу в «Леопольд» и другие места, где мы вместе бывали. Она будет спрашивать обо мне у кого-нибудь из вас. И тогда я ее увижу, и мы будем вместе.

Он говорил с таким спокойствием и такой уверенностью, что это лишь подчеркивало абсурдность его слов. Как можно было верить, что Улла, которая оставила его, истекающего кровью, умирать, вернется к нему из Германии? И даже если она вернется, что, кроме ужаса, она испытает при виде его изуродованного лица, превратившегося в маску скорби?

— Улла... уехала в Германию, Модена.

— Я знаю, — улыбнулся он. — Я рад за нее.

— Она не вернется.

— О нет, — ответил он спокойно. — Она вернется. Она любит меня и приедет ко мне.

— Почему... — начал было я, но замолчал. — Чем ты занимаешься?

— У меня есть работа. Хорошая работа, хорошо платят. Мы работаем на пару с моим другом Рамешем. Я познакомился с ним, когда... после того, как это случилось со мной. Он ухаживал за мной. Мы с ним ходим в дома к богатым людям, когда у них рождается сын. Я надеваю свой костюм.

Он произнес последнее слово с нажимом и с такой кривой ухмылкой, что оно прозвучало зловеще. У меня даже волоски зашевелились на руках.

— Костюм? — переспросил я хрипло.

— Да. Я прицепляю длинный хвост и заостренные уши, на шею надеваю ожерелье из маленьких черепов. Я изображаю демона, злого духа. А Рамеш одевается как святой человек, садху, и прогоняет меня из дома. Но я крадусь обратно и притворяюсь, что хочу украсть младенца. Женщины в ужасе кричат, Рамеш опять прогоняет меня, я опять возвращаюсь, и так до тех пор, пока он окончательно не побеждает меня. Я делаю вид, что умираю, и убегаю. Люди платят неплохие деньги за это представление.

— Никогда не слышал о таком обычае.

— Мы с Рамешем сами это придумали. После того как мы выступили впервые и нам заплатили, другие тоже захотели, чтобы их малыша навсегда избавили от злого духа. Мы столько зарабатываем, что я даже снял квартиру — не купил, конечно, но заплатил за год вперед. Она маленькая, но уютная, в ней есть все, что нужно. Нам с Уллой будет в ней хорошо. Из окна видно морские волны. Улла очень любит море. Она всегда хотела жить рядом с морем.

Я глядел на Модену, пораженный не только его словами, но и тем, что он вообще говорил. Он был одним из самых неразговорчивых людей, каких я знал. Раньше мы с ним регулярно встречались в «Леопольде», и он неделями не произносил ни слова. А новый Модена, изуродованный и воскресший из мертвых, был говоруном. Правда, мне пришлось загнать его в темный угол, чтобы вызвать на разговор, но, нарушив молчание, он сразу стал удивительно болтлив. Слушая его и пытаясь приспособиться к этому деформированному и разговорчивому варианту Модены, я обратил внимание на особую мелодичность, которую придавал испанский акцент его речи, смешивавшей хинди с английским и создававшей какой-то новый гибрид, его собственный язык. Убаюканный его голосом, я спросил себя, не в этом ли разгадка таинственной связи между Уллой и Моденой. Возможно, они часами говорили друг с другом наедине и музыка слов объединяла их.

Модена неожиданно прервал чаепитие. Он встал, расплатился и вышел на улицу, где остановился, поджидая меня.

— Мне пора идти, — сказал он, нервно озираясь, затем поднял глаза на меня. — Рамеш караулит Уллу у «Президента». Это ее любимый отель, и когда она вернется, то обязательно остановится в нем. Она любит весь этот район, Бэк-Бей. А сегодня утром был самолет «Люфтганзы» из Германии. Возможно, она прилетела на нем.

— Ты после каждого рейса проверяешь, не приехала ли она?

— Да, но сам не захожу в отель. — Он поднял руку, словно собирался коснуться лица, но не коснулся, а пригладил короткие седеющие волосы. — Рамеш заходит вместо меня и смотрит, не остановилась ли у них Улла Фолькенберг. Когда-нибудь он увидит ее имя в списке. Она обязательно остановится там.

Он хотел уйти, но я помешал ему, положив руку ему на плечо:

— Слушай, Модена, не убегай больше от меня, ладно? Если тебе что-то понадобится, если я смогу что-нибудь для тебя сделать, дай мне знать. Договорились?

— Я не буду больше от тебя убегать, — произнес он торжественно. — Сегодня я убежал просто по привычке. Я всегда убегаю. А тебя я не боюсь. Ты мой друг.

Он отвернулся от меня, но я опять остановил его и, наклонившись к его уху, прошептал:

— Модена, не говори никому, что ты таскаешь с собой столько денег.

— Я никому и не говорил, кроме тебя, — заверил он меня со своей гримасой-улыбкой. — Даже Рамеш не знает. Он не знает даже, что у меня есть квартира. Он думает, что я трачу деньги, которые мы зарабатываем, на наркотики. А я не балуюсь наркотиками, Лин, ты знаешь. Никогда не баловался. Но пускай он так думает, я не пытаюсь его переубедить. А ты — другое дело, Лин. Ты мой друг. Тебе я могу сказать правду. Тебе я доверяю. Как я могу не доверять человеку, который убил самого дьявола.

— Какого дьявола?

— Я говорю о Маурицио, моем кровном враге.

— Но я не убивал Маурицио, — сказал я, глядя в красные пещеры его глаз.

Он заговорщически ухмыльнулся. При этом клиновидные шрамы потянули его нижние веки вниз, и зияющие провалы его глаз выглядели в слабом свете фонарей так жутко, что я едва не отшатнулся, когда он положил руку мне на грудь.

— Не беспокойся, Лин. Я никому не выдам этот секрет. Я рад, что ты убил его. И не только из-за себя. Я хорошо знал его. Я был его лучшим другом — единственным другом. Если бы он остался жить после того, что сделал со мной, — это значило бы, что нет предела злу. Человек губит свою душу, когда достигает предела зла. Я наблюдал за ним, когда он пытал меня и когда уходил в тот раз, и я знал, что он потерял свою душу. Он заплатил своей душой за то, что совершил... что делал со мной.

— Нет необходимости говорить об этом, Модена.

— Да нет, теперь об этом можно говорить. Маурицио боялся. Он всегда чего-нибудь боялся. Всю свою жизнь он провел в страхе перед... всем. И он был жестоким. Жестокость давала ему силу. Я видел много могущественных людей в своей жизни, и все они боялись и были жестоки, так что я знаю. Эта... смесь давала им силу над другими. А я не боялся и не был жестоким. И у меня не было силы. Я... знаешь, это было похоже на мое чувство к Улле — я был влюблен в силу Маурицио. А когда он покинул ту комнату и зашла Улла, я увидел страх в ее глазах. Он вселил в нее свой страх. Она была так напугана, увидев, что он сделал со мной, что просто убежала и оставила меня там. И когда я смотрел, как она уходит и закрывает за собой дверь...

Он запнулся и проглотил комок в горле; его полные губы дрожали. Я хотел остановить его, избавить от этого тяжкого воспоминания — и, может быть, избавить также себя самого. Но когда я открыл рот, Модена еще сильнее прижал руку к моей груди, запрещая мне говорить, и опять посмотрел мне в глаза:

— Тогда я впервые стал ненавидеть Маурицио. Мы, в Испании, стараемся избегать ненависти, потому что если возненавидим кого-нибудь, то всей душой и уже никогда не прощаем. А Маурицио я возненавидел и пожелал ему смерти, проклял его.

Не за то, что он сделал со мной, а за то, что он сделал с Уллой и что мог сделать в будущем, не имея души. Так что не беспокойся, Лин. Я никому не скажу, что это ты. Я очень рад, я очень благодарен тебе за то, что ты убил его.

Мой внутренний голос настаивал, что я должен сказать ему, как это произошло на самом деле. Он имел право узнать правду. И я к тому же хотел сказать это ему, какое-то чувство, которое я и сам не вполне понимал, — возможно, остатки гнева на Уллу или зависть к тому, что Модена так верит в нее, — побуждало меня выкрикнуть ему правду, встряхнуть его, причинить боль. Но я не мог этого сделать. Я не мог ни говорить, ни двигаться. И когда его глаза покраснели, когда в них стали медленно закипать слезы, излившиеся по желобам шрамов под его глазами, я лишь кивнул ему, не отводя взгляда, и ничего не сказал. Модена в ответ тоже медленно наклонил голову. Он, скорее всего, неправильно понял меня. А может быть, я неправильно понял его. Этого я никогда не узнаю.

«Молчание может ранить так же сильно, как удар плетью», — написал поэт Садик-хан. Но иногда оно может быть единственным способом высказать правду. Глядя, как Модена, прихрамывая, удаляется от меня, я знал, что минута молчания, когда его рука лежала у меня на груди, а его растерзанные плачущие глаза глядели прямо в мои, останется для нас обоих более ценной и, несмотря на недопонимание, более истинной, чем холодная, равнодушная правда каждого из нас поодиночке.

«И может быть, он прав, — думал я. — Может быть, его воспоминания об Улле и Маурицио — это как раз и есть истина». Без сомнения, он справился с болью, которую они ему причинили, куда лучше, чем я в свое время. Когда мой брак распался, оставив меня наедине с предательством и горечью, я стал искать спасения в наркотиках. Мне была невыносима мысль, что любовь погибла, а счастье так внезапно сгорело, оставив после себя лишь пепел отчаяния. Я пустил свою жизнь под откос, прихватив с собой множество невинных людей. А Модена трудился, копил деньги и ждал, когда любовь вернется. Я шел обратно, к Абдулле и другим друзьям, думая об этом — о том, как жил Модена после того, что с ним сделали, — и понял истину, которую, подобно Модене, должен был понимать с самого начала. И ведь это было очень просто, так просто, что понадобилось встряхнуть меня, показав такую большую боль, какую испытывал Модена, чтобы я прозрел. Он смог справиться с этой болью, потому что знал, что и сам отчасти виноват в случившемся. Я же вплоть до этого момента не хотел брать на себя ответственность за распад моей семьи и за ту боль, которую он вызвал. Поэтому я не мог справиться с ней.

Но теперь, окунувшись в пеструю шумную суету рынка, я смог сделать это. Я признал свою вину и почувствовал, как мое сердце раскрывается навстречу миру, освобожденное от груза страха, обиды и недоверия к себе. Я протиснулся между лотками, где велась оживленная торговля, и, подойдя к Абдулле, Викраму и Джорджам, я улыбался. Я ответил на их вопросы о Модене и поблагодарил Абдуллу за сюрприз. Он был прав — после этого я действительно простил ему все. И хотя я не мог найти слов, чтобы объяснить ему происшедшую во мне перемену, я думаю, он почувствовал, что я улыбаюсь ему уже по-другому и что это объясняется тем ощущением покоя, которое родилось во мне в этот день и начало медленно расти.

Покров прошлого скроен из обрезков наших чувств и прошит нитями, которые не всегда разглядишь. Чаще всего лучшее, что мы можем сделать, — завернуться в него, прикрыв себя, или тащить его за собой в нашем стремлении вперед. Но все имеет свою причину и свое назначение. Зарождение каждой жизни, каждой любви, каждого действия, чувства и мысли имеет свои основания и призвано сыграть определенную роль. И порой мы понимаем их. Иногда мы видим прошлое очень ясно, и связи между отдельными его частями предстают перед нами так четко, что каждый шов, скрепляющий их, приобретает смысл, и мы читаем послание, зашифрованное в нем. В любой жизни, как бы полно или, наоборот, убого она ни была прожита, нет ничего мудрее неудачи и нет ничего яснее печали. Страдание и поражение — наши враги, которых мы боимся и ненавидим, — добавляют нам капельку мудрости и потому имеют право на существование.

ГЛАВА

41

Деньги воняют. Пачка новых ассигнаций пахнет чернилами, кислотой и хлоркой, как полицейский участок, где берут отпечатки пальцев. Старые деньги, пропитанные надеждами и желаниями, имеют затхлый запах, как у засушенных цветов, слишком долго пролежавших между страницами дешевого романа. Если держать в помещении большое количество старых и новых денег — миллионы рупий, дважды пересчитанных и увязанных в пачки резинками, — они начинают смердеть. «Я обожаю деньги, — сказал однажды Дидье, — но не переношу их запаха. Чем больше я им радуюсь, тем тщательнее приходится после этого мыть руки». В бухгалтерии, куда стекалась вся выручка нашей мафии от обмена валюты, — душной пещере в районе Форта, где жаркие лампы светили достаточно ярко, чтобы обнаружить любую фальшивую купюру, а вентиляторы над головой кружились достаточно медленно, чтобы не сдувать бумажки со стола, — деньги пахли, как вымоченные в поту и выпачканные в кладбищенской грязи ботинки могильщика.

Через несколько недель после встречи с Моденой я выскочил из бухгалтерии Раджубхая, раскидал по сторонам дежуривших на площадке охранников — это была наша излюбленная игра — и с облегчением вдохнул относительно свежий воздух лестничной клетки. Когда я начал спускаться по ступенькам, меня окликнули, и, обернувшись, я увидел в дверях Раджубхая, главного счетовода мафии Кадера, точнее, мафии Салмана. Упитанный, лысеющий и коротконогий Раджубхай был, как всегда, в набедренной повязке и белой фуфайке. Он наполовину высунулся из дверей, потому что никогда не покидал помещения, пока не опечатывал дверь около полуночи. В глубине комнаты у него был оборудован персональный туалет, в дверях которого было вмонтировано зеркало одностороннего вида, чтобы он мог наблюдать за тем, что происходит во время его отсутствия. Он был счетоводом по призванию, лучшим в мафии, и к бухгалтерским книгам его приковывало не только сознание своего долга. За пределами бухгалтерии он был замкнутым, подозрительным и раздражительным сморщенным старикашкой. Но стоило ему войти сюда, как он на глазах расцветал, полнел и наливался уверенностью в себе. Можно было подумать, что это помещение оказывает физическое воздействие на его психику и всю жизнедеятельность: пока хоть часть его тела находилась здесь, вблизи от денег, ему сообщалась живительная энергия.

— Линбаба! — крикнула мне верхняя половина Раджубхая. — Ты не забыл про свадьбу? Придешь?

— Да, конечно, — улыбнулся я ему.

Я сбежал по трем маршам лестницы, не забыв помутузить охранников на каждом этаже. В конце переулка я обменялся улыбками еще с двумя, наблюдавшими за входной дверью. Я был в хороших отношениях с большинством молодых гангстеров. В бомбейском преступном мире водились и другие иностранцы — некий ирландец в мафиозном совете Бандры; свободный художник из Штатов, восходящая звезда наркобизнеса; голландец, сотрудничавший с бандами Кхара, и другие, — но в мафии Салмана я был единственным горой. В то время национальная гордость возрастала как новая виноградная лоза на выжженной постколониальной земле, и это были последние годы, когда иностранцы, похожие внешне и по звучанию на англичан, вызывали какой-то интерес и симпатию.

То, что Раджубхай пригласил меня на свадьбу дочери, было знаменательно: это означало, что я считаюсь в мафии своим. Я много месяцев работал в тесном контакте с Салманом, Санджаем, Фаридом, Раджубхаем и другими членами совета. Паспортный отдел, которым я руководил, давал половину всей нашей валютной выручки. Мои контакты с уличными дельцами также вносили немалый вклад в общую копилку в виде золота, наличных и прочих материальных благ. Через день мы с Салманом и Абдуллой боксировали в спортзале. Благодаря личному знакомству с Хасаном Обиквой я наладил прочные отношения с черным гетто. Эта связь была полезна — она привлекала к нам новых людей, расширяла рынки сбыта и увеличивала казну. По просьбе Назира я принял участие в переговорах с проживавшими в Бомбее афганскими беженцами. Мы заключили с ними соглашение о том, что племена, селившиеся на афгано-пакистанской границе и добившиеся относительной независимости, будут поставлять нам оружие. Я пользовался у друзей-гангстеров уважением и авторитетом и зарабатывал больше, чем мог потратить, однако лишь после того, как Раджубхай пригласил меня на свадьбу дочери, я мог сказать, что стал полноправным членом мафии. Он был одним из старейшин совета, и это приглашение служило чем-то вроде официального подтверждения, что я принят в узкий круг посвященных. Ты можешь работать с ними и на них и заслужить их высокую оценку, но одним из них ты становишься только тогда, когда тебя позвали к себе домой, чтобы ты мог поцеловать детишек.

Я пересек условную границу Форта и приближался к фонтану Флоры. Рядом со мной притормозило свободное такси, водитель энергично жестикулировал, приглашая меня. Я отмахнулся от него. Он продолжал медленно ехать рядом со мной и, не зная, что я говорю на хинди, высунулся из окна и разразился бранью в мой адрес:

— Эй, белая свинья, ты что, не видишь, что такси свободно? Что ты болтаешься по улицам в такую жару, как потерявшийся белый вонючий козел?

— *Кай пайджеи тум?* — спросил я на маратхи. — Чего тебе?

— *Кай пайджеи?* — переспросил он ошарашенно.

— Что с тобой? У тебя проблемы с языком? — продолжил я на бомбейском просторечном маратхи. — Ты не знаешь маратхи? Что ты делаешь тогда в нашем Бомбее? У тебя что, козлиные мозги в твоей свинячьей голове?

— *Аррей!* — ухмыльнулся он и перешел на английский: — Ты говоришь на маратхи, баба?

— *Гора черра, кала ман.* Белое лицо, темное сердце, — ответил я, похлопывая по соответствующим частям тела. Я перешел на хинди, использовав наиболее вежливую форму обращения, чтобы польстить ему. — Я белый снаружи, братишка, но внутри я индиец. Я просто гуляю в свое свободное время. Почему бы тебе не поискать иностранных туристов и не оставить бедных индийских долбогрёбов вроде меня в покое?

Расхохотавшись, таксист высунул руку из окна, дружески тряхнул мою и укатил.

Я продолжил свой путь по краю мостовой вдоль тротуара, где не было толкучки. Я глубоко дышал городским воздухом, пока запах бухгалтерии не выветрился из моих ноздрей. Я направлялся в «Леопольд», чтобы встретиться с Дидье. Мне хотелось пройтись по любимым местам. Работа на мафию забрасывала меня во все уголки и пригороды великого города: в Махалакшми и Малад, Коттон-Грин и Тхану, Санта-Крус и Андхери или в район озер, что по дороге к киногородку. Но полновластными хозяевами мы были лишь на длинном полуострове, который изгибался ятаганом вдоль залива от южного конца Марин-драйв до Центра мировой торговли. Именно этим полным жизни улицам, расположенным в пределах нескольких автобусных остановок от моря, я отдал свое сердце.

Зной выжигал из перегруженных мозгов все мысли, кроме тех, что прятались в самой глубине. Подобно многим бомбейцам, или мумбаитам, я тысячи раз ходил этим путем от фонтана Флоры до Козуэй и знал, где всегда дует прохладный бриз и где можно найти благодатную тень. Стоило мне побыть несколько секунд под прямыми лучами солнца, и я весь покрывался по́том — неизбежная при дневной прогулке крестильная купель, — а в тени и на ветерке я через минуту высыхал.

Лавируя между двигавшимся по мостовой транспортом и кишевшими на тротуаре покупателями, я думал о своем будущем. Парадоксально, но именно теперь, когда я был допущен в сокровенную сердцевину бомбейской жизни, мне, как никогда, захотелось уехать из города. Возможно, это было каким-то извращением моей натуры. Но одновременно я чувствовал и воздействие другой силы, противоположной. С одной стороны, многое из того, что я любил в Бомбее, воплощалось для меня в сердцах, умах и словах людей, живших здесь, — Карлы, Прабакера, Кадербхая, Халеда Ансари. Все они так или иначе покинули город, но повсюду — в каждом храме, на каждой улице или полоске берега — было живо постоянное меланхолическое воспоминание о них. С другой стороны, возникали новые источники любви и вдохновения, на полях, опустошенных потерями и разочарованиями, взрастали новые семена надежды. Я занимал прочное положение в высших эшелонах мафии Салмана. На студиях Болливуда, на телевидении и в других мультимедийных сферах открывались новые возможности, каждую неделю я получал предложения о сотрудничестве. У меня была хорошая квартира с видом на мечеть Хаджи Али и куча денег. И с каждой ночью мне все ближе и дороже становилась Лиза Картер.

Печаль, витавшая в моих любимых местах, побуждала меня покинуть город, а новые увлечения и открывающиеся перспективы притягивали к нему. И сейчас, идя этой долгой дорогой от фонтана Флоры к Козуэй, я никак не мог решиться. Как бы часто и глубоко я ни задумывался о злоключениях прошлого или горестях и обещаниях настоящего, мне не хватало уверенности, или доверия, или веры, чтобы выбрать свое будущее. Мне не хватало каких-то точных данных, какого-то неоспоримого факта или, может быть, отстраненного взгляда на свою жизнь, чтобы увидеть ее ясно. Я был уверен в своих поступках, но не понимал их. И вот я брел среди столпотворения туристов и покупателей, автомобилей, автобусов, мотоциклов, повозок и тележек и пустил свои мысли в свободное плавание по волнам уличной суеты и жары.

— Лин! — воскликнул Дидье, когда, войдя в «Леопольд», я приблизился к составленным вместе столикам, за которыми он сидел со всей компанией. — Ты с тренировки?

— Нет, просто гулял и размышлял. Тренировка для ума и что-то вроде лекарства для души.

— Ну, я подобным излечением занимаюсь ежедневно. Или, по крайней мере, еженощно. — Он сделал знак официанту принести выпивку. — Подвинься немного, Артуро, дай Лину сесть рядом со мной.

Артуро, молодой итальянец, сбежавший в Бомбей от каких-то неприятностей с неапольской полицией, был последним увлечением Дидье. Это был маленький изящный юноша с лицом, которому позавидовали бы многие девушки. Он почти не говорил по-английски и при всякой, даже самой дружеской, попытке заговорить с ним передергивался с раздраженной гримасой. В итоге друзья Дидье перестали обращать внимание на Артуро, решив, что Дидье очнется от этого наваждения через несколько недель или, максимум, месяцев.

— Ты разминулся с Карлой, — сказал Дидье. — Она будет огорчена. Она хотела...

— Знаю. Поговорить со мной.

Прибыла выпивка. Я чокнулся с Дидье и, чуть отпив из стакана, поставил его на стол.

За столом было несколько человек из болливудской толпы, сотрудничавших с Лизой, а также журналисты из компании Кавиты Сингх. Рядом с Дидье сидели Летти и Викрам. Они выглядели лучше и счастливее, чем когда-либо прежде. Несколько месяцев назад они купили новую квартиру в самом центре Колабы, около рынка. Эта покупка истощила их семейный бюджет и заставила даже занять деньги у родителей Викрама, но зато явилась залогом их веры друг в друга, как и в светлое будущее их становившегося на ноги кинобизнеса. Они пребывали в лихорадочном возбуждении в связи со всем этим.

Викрам радостно приветствовал меня и, поднявшись, обнял. Под нажимом Летти и по мере взросления его собственного вкуса залихватский костюм Викрама деталь за деталью исчезал, остались только черные ковбойские сапожки и серебряный пояс. Его любимая шляпа, с которой он был вынужден скрепя сердце расстаться, когда стал чаще бывать в залах заседаний больших компаний, чем в коралях с каскадерами, висела на крюке в моей квартире. Это была одна из самых больших ценностей, какими я владел.

Когда я наклонился, чтобы поцеловать Летти, она ухватилась за воротник моей рубашки и притянула меня поближе.

— Держите себя в руках, молодой человек, — пробормотала она загадочно, — держите себя в руках.

Рядом с Летти сидели Клифф де Суза и Чандра Мета. Как это бывает порой с близкими друзьями, они со временем, казалось, обменивались своей массой. Клифф слегка похудел, а Чандра ровно столько же прибавил в весе. Но чем дальше они расходились по внешним параметрам, тем больше сближались во всем остальном. Работая вместе по сорок часов без перерыва, они перенимали друг у друга жесты, мимику и манеру говорить и в конце концов так уподобились друг другу, что на съемочных площадках их стали называть Дядюшка Толстяк и Дядюшка Скелет.

Когда я подошел к ним, они одинаково подняли руки в радостном приветствии, хотя радовался каждый своему. Клифф де Суза страстно желал Кавиту Сингх, которую я ему как-то представил, и надеялся, что я могу поспособствовать их сближению. Я знал Кавиту достаточно давно и понимал, что никакая сила не может поспособствовать тому, что не будет полностью созвучно ее собственным желаниям и намерениям. Тем не менее она вроде бы относилась к Клиффу благосклонно, и у них было немало общего. Они оба приближались к тридцати и еще не обзавелись семьей. В те годы это было настолько необычно в зажиточных слоях индийского общества, что их родные неустанно пилили их, собираясь по праздникам, которых в календаре было хоть отбавляй. Они оба трудились в сфере массмедиа, гордились своей независимостью и пестовали свою художественную натуру. Оба были толерантны и инстинктивно стремились разобраться по справедливости во всяком возникающем конфликте интересов и выслушать доводы обеих сторон. И наконец, оба были привлекательны внешне. Совершенные формы и неотразимый обольстительный взгляд Кавиты служили прекрасным дополнением к поджарой угловатости Клиффа и его по-детски безыскусной кривой ухмылке.

Мне они оба были симпатичны, и я подумал, почему бы мне не выступить в роли свата. Я публично заявлял, что мне нравится де Суза, а наедине с Кавитой старался при всяком удобном случае представить его с выгодной стороны. Мне казалось, что у них есть неплохой шанс, и я всем сердцем желал им счастья.

Чандра Мета был рад мне прежде всего потому, что я служил для него самым близким и единственным дружественным звеном, связывающим его с черным рынком. Салман Мустан, подобно Кадербхаю, усматривал определенные преимущества в контактах с миром кино. Новые законы, принятые как на федеральном уровне, так и в штате, ужесточали правила денежного обращения, и отмывать «левые» деньги становилось все труднее. По многим причинам — и не в последнюю очередь благодаря неотразимому гламурному блеску киноиндустрии — политики, контролировавшие финансы и инвестиции, давали этой отрасли поблажку. Это были годы экономического бума, и болливудские фильмы переживали ренессанс, делались и популярнее, и качественнее. Они становились значительнее и лучше, расширялся их прокат во всем мире. Вместе с тем, однако, возрастал их бюджет, и традиционных источников финансирования не хватало. Поэтому многие постановщики, исходя из обоюдных интересов, образовывали странный симбиоз с мафиозными структурами, дававшими деньги на производство фильмов о мафии. Доходы от этих хитов использовались для новых преступлений, которые становились темой новых сценариев и новых фильмов, ставившихся на средства мафии.

Я тоже играл во всем этом свою роль — роль посредника между Чандрой Метой и Салманом Мустаном. Связь между ними была взаимовыгодной. Совет мафии вкладывал кроры, то есть десятки миллионов рупий, в кинопроизводство Меты и де Сузы и получал в итоге чистую прибыль. Тот первый контакт с Чандрой Метой, когда он попросил меня обменять рупии на доллары, потянул за собой целую цепочку внушительных договоров, за которые режиссер, обладавший не менее внушительной внешностью, с жадностью ухватился. Он разбогател и продолжал богатеть. Но люди, тратившие свои средства на его компанию, пугали его, а при встречах с ними он чувствовал исходивший от них запах недоверия. Поэтому при встречах со мной Чандра радостно улыбался и старался заманить меня в свои сети.

Я ничего не имел против. Мне нравились и Чандра Мета, и болливудские фильмы, и я позволял ему вовлечь себя в беспокойный мир его не чуждой расчета дружбы.

Соседкой Меты по столу была Лиза Картер. Ее густые белокурые волосы уже успели отрасти после стрижки и красиво обрамляли овальную камею ее лица. Ясные голубые глаза горели горячей решимостью. Загорелая кожа подчеркивала ее цветущий вид. Она чуть располнела, и, хотя сама этому ужасалась, я, как и все другие мужчины, лишь приветствовал это. В ее манерах появилось нечто абсолютно новое: теплая неторопливая мягкость улыбки, свободный заразительный смех и душевная легкость, которая искала и часто находила лучшее в людях. Я неделями и месяцами наблюдал за этой трансформацией и сначала полагал, что она порождена моей любовью к ней. Хотя мы никак не оформляли наши отношения и жили порознь, мы были любовниками и больше чем друзьями. Спустя некоторое время я понял, что я тут ни при чем, это была исключительно ее собственная заслуга. И еще я увидел, как глубок источник ее любви и насколько ее счастье и уверенность в себе зависят от возможности открыто разделить свое чувство с любимым. Любовь делала ее прекрасной. Ее глаза дарили людям чистое небо, ее улыбка — летнее утро.

Она поцеловала меня в щеку. Я вернул ей поцелуй, удивившись маленькой нахмуренной складке, появившейся при этом между ее бровями и отразившейся в васильковых глазах.

Следующими по кругу сидели два журналиста, Анвар и Дилип. Они были еще молоды, всего несколько лет назад вышли из колледжа, и печатали пока лишь анонимные корреспонденции в бомбейской ежедневной газете «Нундей». По вечерам в придворном кружке Дидье они обсуждали сенсационные новости таким тоном, словно играли в них важную роль или проводили самостоятельное журналистское расследование. Их энтузиазм, горячность и далекоидущие амбициозные планы покорили всю компанию, так что Кавита и Дидье порой поддразнивали их язвительными замечаниями. Молодые люди реагировали на это вполне благодушно, и их ответные реплики часто вызывали у присутствующих хохот.

Дилип был высоким блондином с миндалевидными глазами, родом из Пенджаба. Анвар, бомбеец в третьем поколении, был ниже ростом, темноволос и серьезен. «Свежая кровь», — с улыбкой отзывалась о них Летти. Когда я приехал в Бомбей, она говорила то же самое обо мне. Глядя на этих целеустремленных и полных жизни молодых людей, я подумал, что когда-то, еще до героина и всех преступлений, и я был таким же. Я был так же молод, счастлив и полон надежд. И теперь я радовался, глядя на них и сознавая, что они служат украшением и надеждой всей компании. Их присутствие в «Леопольде» было закономерно, как закономерно было и то, что здесь не было больше Маурицио и Уллы с Моденой и когда-нибудь не будет меня.

Обменявшись с молодыми журналистами рукопожатием, я подошел к их соседке Кавите Сингх. Она поднялась на ноги, чтобы потискать меня. Женщина тискает мужчину с такой дружеской симпатией, когда знает, что может ему доверять и что его сердце принадлежит другой. Даже у бомбейских иностранок подобное проявление чувств было редкостью, а у индийских женщин оно подразумевало интимные отношения, и я его почти никогда не наблюдал. Эти дружеские объятия Кавиты Сингх значили очень много. Я жил в Бомбее уже несколько лет, говорил с его жителями на хинди, маратхи и урду, общался с гангстерами, обитателями трущоб и болливудскими актерами, которые относились ко мне дружелюбно и иногда с уважением, но не многое заставляло меня, подобно этому жесту Кавиты, ощутить себя своим среди индийцев.

Я никогда не говорил ей, как важно для меня ее безоговорочное доверие. Слишком часто добрые чувства, которые я испытывал в те годы изгнанничества, оставались невысказанными, запертыми в тюремной камере моего сердца, с ее высокими стенами страха, зарешеченным окошком надежды и жесткой койкой стыда. Я высказываю эти чувства сейчас. Теперь я знаю, что, когда тебе выпадает светлый, полный любви момент, за него надо хвататься, о нем надо говорить, потому что он может не повториться. И если эти искренние и истинные чувства не озвучены, не прожиты, не переданы от сердца к сердцу, они чахнут и увядают в руке, которая тянется к ним с запоздалым воспоминанием.

В тот день, когда на город медленно опустилось серо-розовое вечернее покрывало, я ничего не сказал Кавите. Я стряхнул улыбку, вызванную ее добрым отношением, на пол, словно это была безделица, слепленная из раскрошенных камешков. Она взяла меня за руку и представила сидящему рядом с ней молодому человеку.

— Лин, ты, наверное, незнаком с Ранджитом, — сказала Кавита, когда он встал и мы обменялись рукопожатием. — Он... друг Карлы. Ранджит Чудри, это Лин.

Тут я понял, что означал призыв Летти держать себя в руках и откуда взялась складка на переносице Лизы.

— Зовите меня просто Джит, — сказал он с широкой, открытой улыбкой.

— Хорошо, — ответил я серьезным тоном. — Рад познакомиться с вами, Джит.

— И я очень рад, — отозвался он с закругленными мелодичными модуляциями, характерными для выпускников лучших бомбейских школ и университетов; этот выговор нравился мне больше всех других возможных звучаний английской речи. — Я много слышал о вас.

— *Ачха-а?* — непроизвольно отреагировал я так, как это сделал бы индиец моего возраста.

Буквально это слово переводится «хорошо», но в данном контексте и с таким произношением означает «в самом деле?».

— В самом деле, — рассмеялся он. — Карла часто говорит о вас. Вы для нее настоящий герой. Но это вы наверняка и без меня знаете.

— Забавно, — сказал я, желая проверить, так ли он искренен, как это казалось. — Она однажды сказала мне, что герои бывают только трех видов: мертвые, побежденные и сомнительные.

Запрокинув голову, он расхохотался, продемонстрировав безупречный ряд безупречных индийских зубов. Глядя мне в глаза, он в восхищении покачал головой.

«Он понимает ее шутки, — подумал я. — Он знает, что она любит словесную игру, и участвует в ней. И это одна из причин, по которым он ей нравится».

Остальные причины были еще более очевидны. Джит был среднего, то есть моего, роста, строен и гибок, с красивым открытым лицом. И это была не просто красота, складывавшаяся из отдельных привлекательных черт — высоких скул, большого лба, выразительных глаз цвета топаза, прямого носа, улыбающегося рта и крепкого подбородка, — это было лицо «лихого парня», как раньше любили говорить: яхтсмена, альпиниста, путешественника. Волосы его были коротко подстрижены, на лбу намечались залысины, но даже это шло ему, и казалось, что он добровольно избрал стиль с залысинами. Одежда, которую он носил, продавалась в самых дорогих магазинах города, куда я заходил с Санджаем, Эндрю, Фейсалом и другими мафиози. Вряд ли нашелся бы в Бомбее уважающий себя гангстер, который не кивнул бы с одобрением при виде костюма Ранджита.

В самом конце стола пристроилась Калпана Айер, работавшая первым помощником режиссера в кинокомпании Меты и де Сузы и одновременно готовившаяся стать самостоятельным режиссером. Она подмигнула мне, когда я направился к ней, миновав Ранджита.

— Подождите минутку! — остановил он меня вежливым тоном. — Я хотел поговорить с вами о ваших... рассказах.

Я бросил сердитый взгляд на Кавиту, она пожала плечами и отвела глаза.

— Кавита дала мне их прочитать, и вы знаете, мне кажется, что это отличные рассказы.

— Благодарю, — обронил я, сделав вторую попытку покинуть его.

— Нет, правда, я прочел их все и считаю, что они действительно хороши.

Мало что может с таким успехом поставить тебя в дурацкое положение, как спонтанная непритворная похвала со стороны человека, против которого ты настроился заранее, не имея на то серьезных оснований. Я почувствовал, как легкая краска стыда выступает у меня на щеках.

— Благодарю, — повторил я уже искренне. — Это очень лестно слышать, хотя Кавита и не должна была показывать их никому.

— Я знаю, — ответил он быстро. — Но мне как раз кажется, что вы должны их кому-нибудь показать. К сожалению, они не подходят для моей газеты по своему жанру и тематике, а для «Нундей», по-моему, вполне. И «Нундей» наверняка неплохо заплатит за них. Главный редактор газеты Анил — мой друг. Я знаю его вкусы и уверен, что ваши рассказы ему понравятся. Разумеется, без вашего разрешения я не стану отдавать их ему. Но я сказал ему, что прочитал их и что, на мой взгляд, они очень хороши, так что он хочет встретиться с вами. Я не сомневаюсь, вы найдете с ним общий язык. Это все, что я хотел сказать. Решать вам, но он будет рад видеть вас, а я желаю вам удачи.

Он сел, и я наконец получил возможность поздороваться по-человечески с Калпаной и занять свое место рядом с Дидье. Мои мысли крутились вокруг того, что сказал Ранджит, он же Джит, и я вполуха слушал Дидье, который объявил, что планирует поехать в Италию вместе с Артуро. Затем он добавил «на три месяца», и я подумал, что три месяца могут превратиться в три года и я потеряю его. Это была настолько нелепая мысль, что я тут же прогнал ее. Бомбей без Дидье — это все равно что Бомбей без... «Леопольда», без мечети Хаджи Али или Ворот в Индию. Это просто невозможно было себе представить.

Я окинул взглядом смеющихся, пьющих и болтающих друзей и, мысленно наполнив стакан, мысленно выпил за их успех и за исполнение их желаний, выразив свои чувства глазами. Затем я сосредоточил внимание на Ранджите, бойфренде Карлы. За последние месяцы я не поленился разузнать кое-что о нем. Он был вторым — и, говорили, самым любимым — из четверых сыновей Рампракаша Чудри, бывшего водителя грузовика, который сколотил состояние на поставках продуктов и прочих необходимых товаров в Бангладеш, когда приморские города этой страны пострадали от циклона. Сначала он осуществлял поставки по скромным тендерам, полученным у правительства, затем они переросли в крупномасштабные контракты с привлечением множества грузовиков, чартерных самолетов и морских судов. Объединившись с фирмой более широкого профиля, сочетавшей транспортные перевозки со средствами массовой коммуникации, он стал владельцем небольшой бомбейской газеты. Он передал газету Ранджиту, который первым как в отцовском, так и в материнском роду получил высшее коммерческое образование. Ранджит переименовал газету в «Дейли пост» и так успешно руководил ею вот уже восемь лет, что смог завести собственный независимый телеканал.

Он был богат, пользовался известностью и влиянием и с неослабным предпринимательским пылом занимался печатью, теле- и кинопроизводством — восходящая звезда на мультимедийном небосклоне. Ходили слухи о черной зависти, поселившейся в сердце его старшего брата Рахула, который был с юных лет привлечен к торговому бизнесу отца и не имел возможности получить образование в частной школе, как остальные отпрыски Рампракаша. Говорили и о беспутной жизни двух младших братьев Ранджита, об устраиваемых ими шумных сборищах, после которых приходилось давать немалые взятки, чтобы вытащить молодых людей из очередной передряги. Ранджит же абсолютно ни в чем предосудительном замечен не был, и, не считая периодической головной боли из-за братьев, жизнь его можно было считать безоблачной.

Он был, как выразилась Летти, аппетитной и соблазнительной поживой. За столом он больше слушал, чем говорил, больше улыбался, чем хмурился, не красовался перед публикой, был внимательным и тактичным, и я не мог не признать, что он во всех смыслах привлекателен. Но почему-то мне было жаль его. Несколько лет или даже месяцев назад этот «страшно симпатичный парень», как о нем все единодушно отзывались, заставил бы меня ревновать. Я возненавидел бы его. Но по отношению к Ранджиту Чудри я не испытывал ничего подобного. Вместо этого, впервые за все эти годы трезво глядя на Карлу и наши отношения с ней, я сочувствовал богатому и красивому медийному олигарху и желал ему удачи.

Примерно полчаса я беседовал через стол с Лизой и другими, как вдруг заметил Джонни Сигара, стоявшего в дверях и делавшего мне знаки. Я был рад представившемуся поводу выйти из-за стола, но перед этим потянул за рукав Дидье, заставив его повернуться ко мне.

— Послушай, если ты серьезно насчет поездки в Италию...

— Конечно серьезно! Я... — завелся он, но я прервал его:

— ...и если ты хочешь, чтобы в твое отсутствие за твоей квартирой присматривали, то у меня есть на примете двое ребят, которые для этого подходят.

— Что за ребята?

— Это Джорджи, — сказал я. — Зодиакальные Джорджи, Близнец и Скорпион.

Его эта идея не вдохновила.

— Но ведь эти Джорджи... как бы это сказать...

— Вполне надежны, — закончил я за него. — Честны, аккуратны, дружелюбны, храбры. А что самое главное в данных обстоятельствах, они совсем не хотят оставаться в твоей квартире хоть на минуту дольше, чем это нужно тебе. С меня семь потов сойдет, пока я уговорю их у тебя поселиться. Им нравится жить на улице. Мне придется сказать, что они окажут мне этим большую услугу, — тогда они, может быть, согласятся. Они будут охранять твою квартиру и наконец-то поживут хоть три месяца в приличном месте.

— Приличном? — с возмущением фыркнул Дидье. — Как только у тебя язык поворачивается так отзываться о моем доме? Да равного ему нет во всем Бомбее! И ты знаешь это, Лин. «Отличном», «превосходном» — это я понимаю. Но назвать его «приличным» — все равно что сказать, будто я живу в приличном уголке рыбного рынка и поливаю его каждое утро из шланга.

— Короче, как тебе мое предложение? — спросил я.

— Приличном! — негодовал он.

— Ох, забудь ты об этом! Мне пора идти.

— Ну что ж, возможно, в этом что-то есть. Я ничего не имею против Джорджей. Тот Джордж, что из Канады, Скорпион, даже говорит немного по-французски. Что есть, то есть. Да. Скажи им, что я не возражаю. Пусть они найдут меня, я оставлю им подробные инструкции.

Смеясь, я попрощался со всеми и направился к Джонни. Он нетерпеливо набросился на меня:

— Ты можешь пойти со мной прямо сейчас?

— Могу. Пойдем пешком или возьмем такси?

— Такси, наверно, будет лучше, Лин.

Пробравшись сквозь поток пешеходов, мы вышли на мостовую и остановили такси. Забираясь в автомобиль, я довольно улыбался. Вот уже сколько месяцев я думал о том, как мне помочь Джорджам более эффективно, нежели просто подсовывая им время от времени деньги. И итальянские каникулы Дидье давали мне такую возможность. Три месяца в его отличной и превосходной квартире, с хорошей домашней едой, без уличных тягот и неудобств, могли поправить их здоровье и продлить им жизнь на годы. К тому же Дидье, вспоминая о том, что его квартира отдана в распоряжение Джорджей, будет испытывать беспокойство, и его возвращение станет более вероятным и, может быть, более скорым.

— Говори, куда нам, — сказал я Джонни.

— Центр мировой торговли, — велел Джонни водителю и улыбнулся мне, но он явно был чем-то обеспокоен.

— Что там стряслось?

— Да так... небольшая проблема в джхопадпатти.

— Понял, — ответил я, зная, что не услышу от него ничего путного, пока он сам не решит объяснить мне, в чем дело. — Как сынишка?

— Замечательно, — расплылся в улыбке Джонни. — Он с такой силой хватается за мой палец! Он будет большим и сильным, это точно, — больше меня. И сын Прабакера и Парвати, сестры моей Ситы, тоже очень красивый ребенок. Он очень похож на Прабакера... и улыбается так же.

Мне было слишком тяжело говорить о моем погибшем друге.

— А как Сита? И девочки? — спросил я.

— Прекрасно, Лин, у них все хорошо.

— Будь осторожен, Джонни, — предупредил я его. — Прошло всего три года, а у тебя уже трое. Не успеешь оглянуться, как превратишься в старого толстяка, по которому будет ползать куча детишек.

— Это заманчивая перспектива, — вздохнул он блаженно.

— А с работой что? Зарабатываешь достаточно?

— Да, Лин, тут тоже все в порядке. Все платят налоги и ругаются при этом. Дела у меня идут хорошо, и мы с Ситой решили купить соседнюю хижину и сделать один большой дом из двух.

— Вот здорово! Представляю, какой отличный дом получится.

Мы помолчали, затем Джонни обратился ко мне с озабоченным, почти мученическим видом:

— Лин, в тот раз, когда ты предложил мне работать с тобой, а я отказался...

— Все нормально, Джонни, не бери в голову.

— Ничего не нормально. Я должен был сказать тебе «да», согласиться на эту работу.

— Значит, дела идут не так успешно, как ты сказал? — спросил я, не понимая, в чем проблема. — Тебе нужны деньги?

— Нет-нет, у меня все замечательно. Но если бы я был вместе с тобой, ты, может быть, не занимался бы все эти месяцы черным бизнесом вместе с гундами.

— Да нет, Джонни...

— Я ругаю себя каждый день, Лин, — сказал он со страдальческой гримасой. — Наверное, ты попросил меня тогда об этом, потому что тебе нужен был друг рядом. А я оказался плохим другом. Я каждый день переживаю из-за этого. Прости меня, Лин.

— Послушай, Джонни, ты не понимаешь. Я не очень-то горжусь тем, чем занимаюсь, но и не стыжусь этого. А тебе было стыдно браться за такую работу. И это естественно. Я уважаю тебя за это, восхищаюсь тобой. Ты очень хороший друг, Джонни.

— Нет, — пробурчал он, опустив глаза.

— Да, — настаивал я. — Я люблю тебя, Джонни.

— Лин! — воскликнул он внезапно в крайнем волнении. — Пожалуйста, будь осторожнее с этими гундами. Пожалуйста!

Я успокаивающе улыбнулся ему.

— Послушай! — не выдержал я. — Может, ты скажешь мне наконец, с чем связана наша поездка?

— С медведями, — ответил он.

— С медведями?

— Да. Точнее, с одним медведем, Кано. Ты помнишь его?

— Ну еще бы! — сказал я. — Старый греховодник! Что с ним случилось? Опять попал за решетку?

— Нет-нет, Лин. Он не в тюрьме.

— Ну слава богу. По крайней мере, он не рецидивист.

— Понимаешь... Дело в том, что он сбежал из тюрьмы...

— Блин!

— ...и теперь он беглый медведь, и назначена награда за его голову или, может, за лапу — что удастся поймать.

— Кано в бегах?!

— Да. Его даже вывесили с надписью «Разыскивается».

— Что они вывесили?

— Его фотографию, — объяснял Джонни терпеливо. — Его сфотографировали вместе с дрессировщиками, когда во второй раз арестовали. А теперь они взяли эту фотографию и вывесили с объявлением о розыске.

— Да кто «они»?

— Правительство штата, Главное полицейское управление Махараштры, Управление пограничной службы и Департамент природоохранной политики.

— Боже всемогущий! Что же такое он наделал? Убил кого-нибудь?

— Нет, не убил. Произошла такая история. Природоохранный департамент завел новую политику, чтобы защищать танцующих медведей от жестокости. Они же не знают, что дрессировщики Кано так любят его — как их большого брата — и никогда не обидят и что он тоже любит их. Политика есть политика. Эти природоохранные деятели поймали Кано и посадили в звериную тюрьму. И он ужасно плакал по своим синим дрессировщикам. А синие дрессировщики были снаружи тюрьмы и тоже плакали по нему. И два охранника очень расстроились из-за этого плача. Они пошли и стали бить синих дрессировщиков дубинками. Они здорово всыпали им. А Кано увидел, что его дрессировщиков бьют, и потерял все свое самообладание. Он сломал решетку и удрал из тюрьмы. А когда синие дрессировщики это увидели, это придало им сил, они побили этих природоохранных типов и убежали вместе с Кано. Теперь они прячутся в нашем джхопадпатти, как раз в том доме, где ты жил. И надо как-то вывезти их из города, чтобы их не поймали. Наша проблема — перевезти Кано из джхопадпатти в Нариман-Пойнт. Там стоит грузовик, и водитель согласился увезти Кано и его дрессировщиков.

— М-да, задачка не из легких, — пробормотал я. — Если всюду развесили объявления об их розыске... Черт!

— Ты поможешь нам, Лин? Нам жалко этого медведя. Любовь — это очень особенная вещь. Раз у этих двух людей такая большая любовь, пусть даже к медведю, то ее надо поддержать, правда?

— Так-то оно так...

— Ну так что? Ты поможешь?

— Ну разумеется, я буду рад помочь, если смогу. А ты в свою очередь не сделаешь одну вещь для меня?

— Конечно, Лин. Все что хочешь.

— Достань, если получится, одно из этих объявлений о розыске с фотографией медведя и дрессировщиков, ладно? Я хотел бы сохранить его на память.

— На память?

— Да. Это долго объяснять... Не надо искать специально, просто, если увидишь, возьми для меня, ладно? У вас есть какие-нибудь идеи насчет спасения их?

Мы остановились возле трущоб. Закат погас, на побледневшем небе появились первые звездочки. Вопящие и бесчинствующие ватаги ребятишек стали разбредаться по своим хижинам, где дымили в остывающем воздухе плитки, на которых готовили ужин.

— Нам пришла в голову идея, — говорил Джонни, пока мы быстро шли знакомыми закоулками, обмениваясь приветствиями со встречными, — что надо переодеть медведя в кого-нибудь другого, чтобы его не узнали.

— Не знаю... — протянул я с сомнением. — Он ведь очень большой, насколько я помню.

— Сначала мы надели на него шляпу и пиджак и даже прицепили к нему зонтик, чтобы он был похож на парня, работающего в конторе.

— Ну и как, был он похож на такого парня?

— Да не очень, — ответил Джонни совершенно серьезно. — Он был похож на медведя, на которого надели пиджак.

— Иди ты!

— Правда-правда. Так что теперь мы думаем надеть на него такую большую магометанскую одежду — ну, знаешь, какую носят в Афганистане. Она закрывает все туловище, и в ней только несколько дырок, чтобы высунуть голову, смотреть и дышать.

— Бурка?

— Вот-вот. Ребята пошли на Мохаммед-Али-роуд, чтобы купить самую большую бурку, какая там есть. Они должны были уже... Ага! Они вернулись. Теперь мы можем примерить бурку на медведя и посмотреть, что получится.

Мы подошли к группе людей, стоявших около хижины, в которой я жил и работал почти два года. Среди них было человек десять мужчин, столько же женщин и детей. И хотя я покинул джхопадпатти, убежденный, что не смогу больше жить здесь, меня всегда охватывали приятные воспоминания, когда я видел маленькую скромную лачугу. Она приводила в ужас иностранцев, которых я изредка приводил сюда, и даже некоторых индийцев, навещавших меня, — Кавиту, Викрама. Им казалось невероятным, что я добровольно прожил здесь столько времени. Они не знали, что всякий раз, попадая сюда, я испытывал желание махнуть на все рукой и отдаться течению бедной и непритязательной, но зато пронизанной любовью и уважением жизни, слиться с морем человеческих сердец. Они не могли понять меня, когда я говорил о чистоте жизни в трущобах, — они видели вокруг только грязь и убожество. Но им не довелось жить здесь и убедиться, что для того, чтобы сохранить себя в этой юдоли надежды и печали, люди должны быть абсолютно, феноменально честны. Источником их чистоты служило то, что они были честны прежде всего перед самими собой.

Когда я увидел свой старый и любимый дом, мое бесчестное сердце в очередной раз всколыхнулось. Я присоединился к собравшимся около него людям и вытаращил глаза при виде огромной, закутанной в какую-то хламиду фигуры. Голубовато-серая женская бурка полностью укрывала стоящего на задних лапах медведя. Он возвышался над окружающими на целую голову, и я невольно спросил себя, каковы же должны быть габариты женщины, для которой это одеяние предназначалось.

— Святой блин! — вырвалось у меня.

Бесформенная фигура сделала несколько неуклюжих шагов и, покачнувшись, опрокинула табурет и горшок с водой.

— Ну и что, — рассудительно произнес Джитендра. — Просто это очень высокая, толстая и неловкая женщина.

Тем временем медведь опустился на все четыре лапы и заковылял дальше, глухо и недовольно рыча.

— Или это низкая, толстая и... рычащая женщина, — продолжал Джитендра.

— Черт побери, где ты видел рычащих женщин? — возмутился Джонни Сигар.

— Ну не знаю... — защищался Джитендра. — Я только хочу помочь...

— Если вы отпустите медведя в таком виде, он снова попадет прямиком в тюрьму, — заметил я.

— Может, опять попробовать шляпу с пиджаком? — предложил Джозеф. — Только надо взять пиджак другого фасона.

— Вряд ли тут фасон виноват, — вздохнул я. — Как я понял, вам надо незаметно доставить медведя в Нариман-Пойнт, чтобы полиция вас не остановила?

— Да, Линбаба, — ответил Джозеф.

Казим Али Хусейн уехал на шесть месяцев со всей семьей отдохнуть в своей родной деревне и оставил вместо себя Джозефа. Человек, жестоко избивший в пьяном виде свою жену и наказанный за это всеми жителями джхопадпатти, стал теперь их лидером. За годы, прошедшие после злополучного инцидента, он забросил алкоголь, вернул любовь жены и завоевал уважение соседей. Джозеф участвовал во всех заседаниях совета поселка и различных комитетов и занимался общественно полезным трудом усерднее кого бы то ни было. Он совершенно изменился, вел трезвый образ жизни и так отдавался служению на общее благо, что, когда Казим Али назвал его в качестве своего временного заместителя, других кандидатов никто не стал предлагать.

— Около Нариман-Пойнта стоит грузовик, — продолжал Джозеф. — Водитель говорит, что возьмет Кано и дрессировщиков и отвезет их в Уттар-Прадеш, недалеко от Непала. Там, под Горакхпуром, их родина. Но сюда он боится ехать и хочет, чтобы мы привезли медведя к нему. Но как это сделать, Линбаба? Как отвезти туда такого большого медведя? Полицейский патруль сразу увидит его и арестует. И нас арестуют тоже — за то, что мы помогаем беглому медведю. И что тогда? Поэтому мы решили замаскировать его.

— *Кановале кахан хай?* — спросил я. — А где дрессировщики Кано?

— Здесь, баба, — ответил Джитендра, подталкивая ко мне двух дрессировщиков.

Они смыли с себя синюю краску, покрывавшую обычно их тела, и сняли все серебряные украшения. Длинные локоны и косички они упрятали под тюрбаны и надели простые белые рубахи и брюки. Лишенные украшений и экзотической окраски, они стали меньше и незаметнее и не выглядели больше фантастическими существами, порождением сверхъестественного духа.

— Кано может сидеть на тележке? — спросил я дрессировщиков.

— Да, баба! — с гордостью отвечали они.

— И сколько времени может он просидеть на ней?

— Час просидит, баба, если мы будем стоять рядом и говорить с ним. Может быть, и больше часа, если не захочет пописать. Но он всегда говорит нам, когда хочет это сделать.

— А он усидит на тележке, если мы будем ее катить?

Они стали обсуждать этот вопрос, а я тем временем объяснил окружающим, что имею в виду небольшую тележку, на которой торговцы развозят в поселке фрукты, овощи и другие продукты. Когда такую тележку разыскали и привезли, дрессировщики возбужденно замотали головой и подтвердили, что Кано согласится сидеть на ней. Они добавили, что на всякий случай можно привязать медведя к тележке веревками и он не будет возражать против этого, если ему объяснят, что это необходимо. После этого они спросили меня, что я задумал.

— По дороге сюда мы с Джонни прошли мимо мастерской старого Ракешбабы, — сказал я. — В мастерской горел свет, и я увидел много разобранных скульптур Ганеша[1]. Некоторые из них очень большие. Они сделаны из папье-маше, а внутри полые и потому не тяжелые. Я думаю, ими можно закрыть голову Кано и его туловище, когда он будет сидеть. Их можно украсить шелковыми ленточками и повесить сверху гирлянды цветов.

— Значит, ты хочешь... — пробормотал Джитендра.

— Замаскировать Кано под Ганеша, — закончил за него Джонни, — и повезти его на тележке прямо по улице до самого Нариман-Пойнта, как будто это культ Ганпатти. Ты это здорово придумал, Лин!

— Но Ганеш Чатуртхи закончился, Линбаба, — возразил Джозеф, имея в виду, что праздничные процессии больше не таскают по всему городу сотни фигур Ганеша размером от двух-трех десятков сантиметров до десяти метров, чтобы отвезти их на пляж Чаупатти и скинуть в море в присутствии миллионной толпы зрителей. — Я сам был в толпе на Чаупатти, но это было на прошлой неделе.

— Знаю, я тоже был там. Поэтому эта идея и пришла мне в голову. Мне кажется, это не страшно, что праздник закончился. Лично я не удивился бы, увидев Ганеша на тележке в любое время года. А вы разве удивились бы?

Ганеш был, пожалуй, самым популярным из всех индуистских богов, и я очень сомневался, что кому-нибудь придет в голову останавливать и обыскивать процессию, везущую его фигуру.

— Я думаю, Линбаба прав, — проговорил Джитендра. — Никто ничего не скажет против Ганеша. Он ведь все-таки бог преодоления препятствий.

Бог с головой слона был известен как Великий разрешитель проблем, помогающий справиться с трудностями. В беде люди обращали к нему свои молитвы, подобно тому как молятся Иисусу христиане. По совместительству Ганеш был также покровителем писателей.

— Довезти Ганеша до Нариман-Пойнта не проблема, — сказала жена Джозефа Мария. — Проблема в том, чтобы одеть Кано Ганешем. Он и платье-то не хотел надевать.

---

[1] *Ганеш,* или Ганеша — одна из главных фигур индуистского пантеона, бог с головой слона. Поклонение Ганешу называют культом Ганпатти. Во время Ганеш Чатуртхи, ежегодного празднества в день рождения Ганеша, по улицам возят его скульптурные изображения.

— Платье ему не понравилось, потому что он мужчина, — растолковал ей один из дрессировщиков. — Он очень чувствительный в таких делах.

— А против Ганеша он не будет возражать, — добавил его друг. — Я уверен, что это покажется ему хорошим развлечением. По правде говоря, он даже слишком любит покрасоваться перед публикой. Это один из двух главных его недостатков. Второй — что он заигрывает с девушками.

Он говорил очень быстро на хинди, и я решил, что ослышался.

— Что он делает? — спросил я Джонни.

— Заигрывает, — ответил он. — С девушками.

— Заигрывает с девушками? Господи, что он имеет в виду?

— Не знаю точно, но думаю...

— Ладно-ладно, оставим это, — прервал я его. — Не стоит объяснять.

Я бросил взгляд на заинтересованные лица окружающих, подивившись и позавидовав тому, что эти люди способны так близко принимать к сердцу проблемы двух бродячих циркачей и их медведя. Когда я покинул трущобы, поселившись в более богатом и комфортабельном мире, мне стало не хватать этого духа взаимной поддержки, готовности не колеблясь оказать соседу помощь. С этим не могла сравниться даже солидарность крестьян в деревне Прабакера. Я больше нигде не сталкивался с таким отношением людей друг к другу, такой заботой о ближнем — разве что за высокими стенами материнской любви. И после того как я проникся этой атмосферой, живя среди этих убогих, гордых и проклятых богом хижин, я повсюду искал ее.

— Ничего другого я не могу придумать, — опять вздохнул я. — Если мы просто закроем его тряпьем, фруктами или еще чем-нибудь, он будет возиться и шуметь, и его услышат. А если мы оденем его как Ганеша, то сможем петь и плясать вокруг него и будем шуметь сами сколько понадобится. И тогда копы вряд ли остановят нас. Как ты думаешь, Джонни?

— Мне очень нравится этот план! — восторженно откликнулся он. — Я думаю, он замечательный. Надо попробовать.

— И мне он тоже нравится! — с горящими глазами воскликнул Джитендра. — Но знаете, нам надо торопиться — грузовик, наверно, будет ждать еще час или два, не дольше.

Все остальные согласно покивали: сын Джитендры Сатиш и Мария, Фарук и Рагхурам, которых Казим Али в наказание за драку связал когда-то за щиколотки, Айюб и Сиддхартха, которые заведовали маленькой «клиникой» после того, как я оставил трущобы. Джозеф тоже улыбнулся и дал свое согласие. И вот в сгущающихся сумерках мы всей толпой вместе с ковылявшим на четырех лапах Кано направились к большой мастерской Ракешбабы.

Старый скульптор удивленно вздернул седые брови, когда мы ввалились к нему, но решил не обращать на нас внимания и продолжал шлифовать и полировать деталь двухметрового фибергласового фриза с фигурами индуистского пантеона. Он работал за длинным столом, сколоченным из толстых досок, которые были уложены на двух верстаках. Стол, как и пол вокруг босых ног скульптора, был усеян опилками, стружками и ошметками папье-маше. Детали отливок и лепных фигур — головы, конечности и пышные круглые животы — были расставлены по всей мастерской среди плит, рельефных изображений, статуй и разнообразных заготовок.

Нам не сразу удалось уговорить Ракешбабу. Он славился вздорным характером и сначала решил, что мы разыгрываем его, желая посмеяться над ним и над богами. В конце концов его убедили три довода. Первым было страстное обращение дрессировщиков к заступничеству Ганеша, Великого разрешителя проблем. Слоноголовое божество, как выяснилось, было любимым персонажем скульптора из всех почитаемых индусами небожителей. Вторым доводом стало брошенное Джонни замечание, что, очевидно, эта задача старику не по плечу. Ракешбаба завопил, что может замаскировать под Ганеша сам «Тадж-Махал», если будет нужно, а уж медведь по сравнению с ним — это сущий пустяк для такого всемирно признанного мастера, каким он является. Но решающую роль сыграл сам Кано. Устав ждать на улице, он вломился в мастерскую и улегся на спину рядом с Ракешбабой, задрав кверху все четыре лапы. Брюзжащий старик тут же превратился в хихикающего, квохчущего ребенка, стал щекотать медвежий живот и играть с его болтающимися в воздухе лапами.

Наконец он выпрямился и выгнал из мастерской всех, кроме медведя и дрессировщиков. В помещение вкатили деревянную тележку, после чего скульптор задернул вход тростниковой циновкой.

Мы в нетерпении ждали на улице, болтая о том о сем. Сиддхартха сказал, что поселок выдержал последний сезон дождей без существенного ущерба, серьезных заболеваний тоже не было. Казим Али Хусейн увез семью в расширенном составе в свою родную деревню в штате Карнатака, чтобы отпраздновать там рождение четвертого внука. Он пребывал в добром здравии и хорошем расположении духа, заверили меня все собравшиеся. Джитендра, похоже, оправился от потрясения, вызванного смертью жены, насколько это было возможно, хотя и дал обет никогда больше не жениться. Способность нормально работать, молиться и смеяться вернулась к нему. Его сын Сатиш, который после смерти матери был замкнут и задирист, преодолел свою необщительность и был помолвлен с девушкой, которую знал с тех пор, как делал первые шаги по закоулкам джхопадпатти. Молодые люди были еще слишком молоды, чтобы жениться, но с нетерпением предвкушали этот момент, и надежда на счастливое будущее служила бальзамом для сердца Джитендры. И все присутствующие, каждый на свой лад, высказали похвалу возродившемуся к жизни Джозефу, который стоял, скромно потупив глаза и лишь время от времени поднимая их, чтобы обменяться смущенной улыбкой с Марией.

Наконец Ракешбаба откинул тростниковый полог и пригласил нас в мастерскую. Мы зашли в помещение, залитое золотистым светом лампы. При виде законченной скульптуры по всей толпе прошелестел шорох — одни втянули воздух от изумления, другие выдохнули его. Кано был не просто замаскирован под Ганеша — он чудесным образом трансформировался. Голова медведя была спрятана под слоновьей, она покоилась на круглом розовом животике, к которому были приделаны руки. Волны светло-голубого шелка скрывали нижнюю часть туловища. Гирлянды цветов устилали тележку и обматывали шею, заполняя зазор между туловищем и головой.

— Господи, неужели Кано действительно там, внутри? — спросил Джитендра.

При звуке его голоса медведь повернул голову, и перед нами предстал живой бог Ганеш, глядевший на нас нарисованными глазами. Это было, конечно, движение животного, непохожее на человеческое. Все присутствующие, не исключая и меня, заморгали в удивлении и страхе. Дети испуганно отпрянули, ухватившись за ноги и руки взрослых.

— Бхагва-а-ан... — протянул Джитендра.

— Да-а... — согласился Джонни Сигар. — Что скажешь, Лин?

— Не дай бог увидеть такое по пьянке, — отозвался я.

Ганеш тем временем запрокинул голову и издал протяжный басовитый стон. Я опомнился и сказал:

— Ну что мы стоим, поехали.

В сопровождении группы поддержки мы выкатили тележку на транспортную магистраль. Миновав Центр мировой торговли и выехав на бульвар, ведущий в район Бэк-Бей, мы с некоторой неуверенностью затянули песню. Но шаги наши постепенно убыстрялись, пение становилось все громче. Многие, по-видимому, забыли, что перед ними контрабандный медведь, и отдавались песнопению с той же благочестивой проникновенностью, с какой они, несомненно, пели неделю назад во время Ганеш Чатуртхи. Тут мне показалось странным, что не видно бездомных собак. Я помнил, как они неистовствовали при первом визите Кано в трущобы. Я поделился своим недоумением с Джонни.

— *Аррей, кута нэхи*, — сказал я. — Странно, никаких собак.

Джонни, Нарайан, Али и некоторые другие, услышавшие мои слова, тут же уставились на меня с тревогой. И разумеется, не прошло и минуты, как из темноты слева от нас донесся пронзительный вой. На дорогу выбежала собака, с яростным лаем устремившаяся к нам. Это была тощая шелудивая дворняжка не больше крысы средних бомбейских размеров, но глотка у нее была развита достаточно хорошо, чтобы перелаять наши песнопения. Спустя две-три секунды несколько ее приятелей присоединились к ней, а затем еще и еще. Слева и справа поодиночке и группами выскакивали собаки с омерзительным визгом, воем и рычанием. С опаской косясь на их щелкающие челюсти, мы стали петь громче, чтобы заглушить это непотребство.

На подходе к Бэк-Бею мы миновали *майдан*, открытую площадку, где репетировала свой свадебный репертуар группа музыкантов в яркой, красной с желтым, униформе и цилиндрах с плюмажем из перьев. Они восприняли нашу процессию как удобную возможность потренироваться в исполнении музыки на марше, пристроились нам в хвост и вдохновенно, хотя и не вполне благозвучно, грянули мелодию популярного религиозного песнопения. Со всех сторон к нам потянулись обрадованные дети и набожные взрослые, привлеченные торжественным религиозным шествием, в какое превратилось наше скромное контрабандное мероприятие. Хор голосов достиг оглушительной мощности, а количество участвующих в нем перевалило за сотню.

Естественно, весь этот гром и дикий лай собак не могли оставить Кано равнодушным. Он стал ёрзать и вертеть головой. Мы как раз проходили мимо пешего патрульного отряда полицейских, и, украдкой наблюдая за ними, я видел, что они застыли на месте разинув рты, а их головы синхронно поворачиваются вслед нашей процессии, как у шеренги карнавальных манекенов с клоунскими физиономиями.

Наконец наша шумная разгульная толпа приблизилась к Нариман-Пойнту, и стала видна башня отеля «Оберой». Чувствуя, что мы никогда не избавимся от свадебного оркестра, если не принять мер, я подошел к их руководителю и, сунув ему в руку пачку купюр, попросил его отделиться от нас и свернуть вправо, по Марин-драйв. Он так и сделал, направившись по ярко освещенной набережной. Музыканты, очевидно ободренные своим успешным выступлением, забацали попурри из танцевальных хитов. Почти вся толпа, приплясывая, потянулась за оркестром. Собаки, которых мы выманили слишком далеко за пределы их привычного ареала, тоже отстали от нас, растворившись в тени, из которой ранее материализовались.

Мы же продолжали толкать свою тележку к пустынному месту на берегу, где нас ждал грузовик. Внезапно поблизости прозвучал автомобильный гудок. Я решил, что это полиция, и сердце у меня ёкнуло. Медленно повернувшись в ту сторону, я увидел автомобиль Салмана и рядом с ним Абдуллу, Салмана, Санджая и Фарида. Они находились на большой пустынной парковке, вымощенной булыжником.

— Джонни, вы доберетесь до грузовика без меня? — спросил я.

— Конечно, Лин. Тем более что мы уже почти пришли. Вон он стоит.

— Хорошо, тогда я останусь здесь. Увидимся завтра. Расскажешь мне, как все закончилось. И не забудь об объявлении для меня, ладно?

— Не бойся, не забуду, — засмеялся Джонни.

Я перешел дорогу к своим друзьям-гангстерам. Они как раз доедали ужин, купленный навынос в одном из фургонов на набережной. При моем приближении Фарид смахнул бумажные тарелки и салфетки с крыши автомобиля прямо на землю. Я, как всякий экологически озабоченный человек с Запада, почувствовал укол совести, но заглушил ее соображением, что все это подберут мусорщики, у которых иначе не будет ни работы, ни заработка.

— Какого рожна ты затесался в это шоу? — спросил Санджай, когда я обменялся приветствиями со всеми.

— Долго рассказывать, — усмехнулся я.

— Ганеш у вас просто устрашающий, — продолжал он. — Никогда не видел ничего подобного. Совсем как живой, блин. Мне показалось даже, что он шевелится. Прямо на колени хотелось бухнуться, честное слово. Придется воскурить Богу благовония, когда приду домой.

— Правда, Лин, что это все значит, *йаар*? — поддержал его Салман.

— Ну-у... — протянул я в отчаянии, понимая, что бесполезно пытаться дать вразумительное объяснение. — Нам надо было переправить контрабандой медведя из трущоб в это место, потому что у копов ордер на его арест. Они хотят посадить его в тюрьму.

— Что переправить контрабандой? — вежливо переспросил Фарид.

— Медведя.

— Медведя? Из чего?

— Да ни из чего. Живого медведя, который умеет танцевать.

— Ну, знаешь, Лин, — в восторге протянул Санджай, ковыряя спичкой в зубах, — не подозревал, что ты развлекаешься таким странным образом.

— Слушай, а это, случайно, не мой медведь? — заинтересовался Абдулла.

— Твой-твой, и не случайно. Если разобраться, это ты во всем виноват.

— Что значит «мой медведь»? — требовательно спросил Салман у Абдуллы.

— Ну, я его нанял для Лина и послал ему, давно уже.

— Зачем?

— Чтобы было с кем обниматься, — ответил Абдулла со смехом.

— Лучше не начинай, — предупредил я Абдуллу, сжав губы и делая страшные глаза.

— Алло, а вы не путаете медведей с женщинами? — спросил Санджай.

— Черт! — воскликнул Салман, глядя в сторону автомагистрали. — Фейсал с Назиром. И очень спешат. Похоже, какая-то проблема...

Рядом с нами остановился еще один «амбассадор» и спустя пару секунд другой. Из первого выскочили Фейсал и Амир, из второго — Назир с Эндрю Феррейрой. Еще один человек выбрался из первого автомобиля и задержался около него, высматривая что-то в той стороне, откуда они прибыли. Я узнал правильный профиль Махмуда Мелбафа. В машине Назира остался гангстер плотного сложения по имени Радж, рядом с ним сидел Тарик.

— Они уже здесь! — возбужденно бросил Фейсал, подойдя к нам. — Мы думали, что они будут только завтра, а они уже явились. Они только что встретились с Чухой и его парнями.

— Уже здесь? — переспросил Салман. — Сколько их?

— Кроме них, никого, — ответил Фейсал. — Остальные гуляют на свадьбе в Тхане. Если мы отправимся туда сейчас, то накроем их всех. Это прямо знак свыше. Лучше случая нам не представится. Надо спешить.

— Просто не могу в это поверить, — пробормотал Салман в пространство.

Мой желудок подпрыгнул и замер. Я прекрасно понимал, о чем они говорят и что это значит для всех нас. Уже несколько дней ходили слухи, что Чуха и его сторонники в мафии Валидлаллы, договорившись с оставшимся в живых подельником Сапны и двумя его родственниками — братом и шурином, планируют акцию против нашей группировки. Разгоралась война за передел территории, и Чуха рвался в бой.

Уцелевшие иранские шпионы и бывший подручный Гани, прослышав о трениях между двумя нашими мафиями, решили воспользоваться моментом и сыграть на жадности и амбициях Чухи. Они обещали ему привезти новое оружие и помочь в налаживании выгодных контактов с пакистанскими торговцами героином. Они были, собственно говоря, перебежчиками: иранцы утратили связь с САВАКом, Абдула Гани больше не существовало. Их объединяла ненависть, они жаждали отмщения за гибель своих товарищей и, подобно Чухе, были полны решимости беспощадно разделаться с нами.

Ситуация уже давно была напряженной, и Салман даже успел внедрить нашего человека в банду Чухи. Это был Малыш Тони, гангстер из Гоа, никому не известный в Бомбее. Салман получил от него информацию о союзе Чухи с иранцами, которая побудила его действовать. И теперь, когда Фейсал сообщил о прибытии иранцев в дом Чухи, мы все заранее знали, какое решение примет Салман: немедленно дать бой. Покончить со всеми ними — бандой Гани, иранскими шпионами, Чухой — раз и навсегда. Захватить территорию, контролируемую Валидлаллой, вместе со всеми ее источниками дохода.

— Салман, мать твою, что тебе еще надо? — вскричал Санджай, сверкая глазами.

— А ты уверен на все сто процентов? — спросил Салман, нахмурившись, у Амира, старшего товарища Фейсала.

— На все сто процентов, — неторопливо подтвердил Амир, пригладив волосы на своей приплюснутой голове и подкрутив усы. — Я видел их своими глазами. Иранцы приехали полчаса назад, а выкормыш Абдула Гани с братьями сидят там с самого утра, ожидая их. Малыш Тони сразу поставил нас в известность, а в последнем сообщении добавил, что теперь все в сборе: Чуха, семейка из Дели и парни из Ирана. И теперь они собираются напасть на нас, не теряя времени даром, — может быть, уже завтра или, самое позднее, послезавтра. Чуха вызвал подкрепление из Дели и Калькутты. Они планируют атаковать нас сразу в нескольких точках, чтобы связать нам руки. Я еще раньше велел Тони быть в доме и дать нам сигнал, когда прибудут иранцы. Но мы наблюдали за домом и сами видели, как вошли какие-то люди, а вскоре на улице появился Тони и дал свой сигнал, закурив сигарету. Это те иранцы, что охотятся за Абдуллой. И теперь они собрались все вместе всего в двух минутах езды отсюда. Я понимаю, что мы еще не вполне готовы, но надо выступать немедля, Салман, в ближайшие пять минут.

— Сколько их всего? — спросил Салман.

— Во-первых, Чуха со своими дружками, — лениво протянул Амир. Его медленные и небрежные манеры подчеркивали, что он нисколько не волнуется, и, думаю, действовали на всех успокаивающе. — Их шестеро. Один из них, Ману, толковый гангстер. Вы знаете его. Он в одиночку справился с братьями Харшан, со всеми тремя. Его двоюродный брат Биччу тоже неплохой боец, его не зря прозвали Скорпионом. Остальные, включая самого Чуху, ничего особенного собой не представляют. Если прибавить троих из банды Сапны и двух иранцев, получится одиннадцать человек. Может быть, возьмутся откуда-нибудь еще один или два, но не больше. Хусейн наблюдает за домом и скажет, если прибудет кто-нибудь еще.

— Одиннадцать, — проговорил Салман, обдумывая ситуацию и избегая наших взглядов. — Нас тоже одиннадцать, точнее, двенадцать, включая Малыша Тони. Но двоих придется оставить на улице около дома, чтобы задержать копов, если они нагрянут. Я, конечно, сделаю отвлекающий звонок в полицию, но осторожность не помешает. К тому же к Чухе может прибыть подкрепление, поэтому снаружи люди нужны обязательно. В дом мы ворвемся силой, но я не хочу силой пробивать себе дорогу обратно. Хусейн уже дежурит там. Фейсал, ты останешься вместе с ним на улице и не будешь никого ни впускать, ни выпускать, кроме нас. Договорились?

— Без проблем, — кивнул молодой гунда.

— Соберите все оружие и отдайте Раджу, пусть проверит его.

— Я соберу, — откликнулся Фейсал и, взяв у всех имеющееся оружие, бросился к машине, где ждали Радж с Махмудом.

— И еще двоим придется спрятать где-то Тарика и охранять его, — продолжил Салман.

— Это Назир решил, что его надо привезти, — сказал Эндрю. — Он не хотел оставлять его без присмотра. Я говорил ему, что не стоит тащить мальчишку сюда, но вы же знаете, если Назиру придет что в голову, то это уже ничем оттуда не вышибешь.

— Пускай Назир отвезет Тарика в Версову к Собхану Махмуду, — объявил свое решение Салман. — Ты поможешь ему.

— Почему я? — взвился Эндрю. — Я что, совсем не буду участвовать в деле?

— Нужно, чтобы двое охраняли Собхана и мальчика, особенно мальчика. Назир был прав, нельзя оставлять его одного. Тарик — слишком большая приманка для наших врагов. Пока он жив, мы по-прежнему мафия Кадера. Если его убьют, это развяжет Чухе руки. То же самое и со старым Собханом. Их обоих надо упрятать в надежном месте.

— Но почему я должен все пропустить? Почему именно я? Пошли кого-нибудь другого, Салман.

— Ты будешь спорить со мной? — грозно скривил губы Салман.

— Нет, — раздраженно ответил Эндрю. — Я поеду с ними.

— Итого остается восемь человек. Мы с Санджаем, Абдулла, Амир, Радж, Малыш Тони, Фарид и Махмуд.

— Девять, — поправил я его. — Нас девять.

— Ты в этом не участвуешь, Лин, — спокойно отозвался Салман. — Ты поедешь к Раджубхаю, а затем к своим ребятам в мастерскую, чтобы предупредить их всех.

— Я не оставлю Абдуллу, — так же спокойно ответил я.

— Может, будет лучше, если Лин поедет к Назиру? — предложил Амир, близкий друг Эндрю.

— Один раз я уже оставил Абдуллу, и больше этого не повторится, — заявил я. — У меня такое чувство, что сама судьба не велит мне оставлять его, Салман. Я еду с вами. С Абдуллой, Махмудом Мелбафом и всеми остальными.

Салман, нахмурившись, задумчиво смотрел на меня. Мне пришла в голову глупая мысль, что его перекошенное лицо — один глаз ниже другого, сломанный нос свернут на сторону, шрам в углу рта — становится симметричным лишь тогда, когда он напряженно думает о чем-либо.

— Ладно, — согласился он наконец.

— Что за хрень?! — взорвался Эндрю. — *Он* пойдет на дело, а *я* буду нянькой при ребенке?

— Эндрю, не возникай, — примирительно произнес Фарид.

— Нет, я буду возникать, черт бы его побрал! Меня уже тошнит от этого сраного горы! Да, Кадер любил его, взял с собой в Афганистан, ну и что? Кадера больше нет, его время кончилось.

— Угомонись, парень, — попытался урезонить его Амир.

— Угомониться?! Да маздал я Кадера вместе с его го́рой!

— Думай, что говоришь, — процедил я сквозь зубы.

— Думать? Я могу придумать и лучше, — воинственно задрал подбородок Эндрю. — Я маздал твою сестренку. Как тебе это понравится?

— Увы, у меня нет сестренки, — ответил я ровным тоном.

Несколько человек рассмеялись.

— Тогда я отмандырю твою маму, — прорычал он, — и у тебя появится сестренка!

— Ну хватит! — рявкнул я в ответ, принимая боевую стойку. — Выставляй свои грабли!

Бог знает к чему это привело бы. Я не был первоклассным бойцом, но драться умел и мог нанести парочку чувствительных ударов. И в те годы я не постеснялся бы пустить в ход нож, если бы меня загнали в угол. С Эндрю, однако, лучше было не связываться, а уж с пушкой у него в руках — это был дохлый номер. Амир встал рядом с Эндрю, за его правым плечом, готовый оказать ему поддержку, и тут же Абдулла занял симметричную позицию рядом со мной. Запахло жареным. Но Эндрю не принял вызова. Прошло пять секунд, десять, пятнадцать, и стало ясно, что он не готов дать волю кулакам, в отличие от языка.

Напряженную обстановку разрядил Назир. Вклинившись между нами, он схватил Эндрю одной рукой за запястье, другой за шиворот. Я знал эту хватку афганского медведя. Чтобы освободиться, Эндрю пришлось бы убить его. Назир бросил на меня совершенно непостижимый взгляд, в котором было и порицание, и гордость, и гнев, и восхищение, затем подтащил Эндрю к автомобилю, швырнул его на водительское сиденье, а сам сел сзади с Тариком. Эндрю завел двигатель и, развернувшись, рванул прочь, в сторону Марин-драйв, меча из-под колес песок и гравий. В последний момент я успел разглядеть лицо Тарика за стеклом. Оно было бледным, и только в глазах, как в следах дикого зверя на снегу, можно было прочесть намек на его чувства и мысли.

— *Май джата ху*. Я еду, — повторил я еще раз.

Все рассмеялись — то ли из-за горячности, с какой я это произнес, то ли из-за категоричной краткости самой фразы.

— Мы это уже поняли, Лин, — сказал Салман. — Мы это усвоили, *на*? Я поставлю тебя вместе с Абдуллой с задней стороны дома. Там есть проулок — ты его знаешь, Абдулла, — который упирается одним концом в главную улицу, а другим — в соседние дома. Позади дома есть также небольшой дворик, в него выходят два окна с решетками и небольшая дверь, к ней надо спуститься на две ступеньки. Вы вдвоем будете караулить этот вход. Если в доме у нас все пойдет как надо, то кто-нибудь из них, возможно, захочет смыться через эту дверь, так что будьте готовы задержать их во дворе. Остальные войдут вместе со мной через главный вход. Что там с оружием, Фейсал?

— Семь стволов. Два обреза, два автоматических пистолета, три револьвера.

— Дай мне один из пистолетов, — велел Салман. — Абдулла, ты возьмешь второй, на двоих с Лином. Обрезы не стоит тащить в дом — там слишком тесно, мало ли кого дробь зацепит. Они останутся на улице перед домом — для прикрытия, если оно понадобится. Так что возьми один из них, Фейсал, а другой дай Хусейну. Когда мы все закончим, то выйдем через двор, так что сметайте все, что лезет в дом или из него. Три оставшихся ствола возьмут Фарид, Амир и Махмуд. Радж, тебе придется обойтись. Все ясно?

Все закивали и замотали головой.

— Вы знаете, что у нас есть возможность подключить еще тридцать человек с тридцатью стволами. Но мы можем и не дождаться их — мало ли что. Мы и так уже потратили на сборы пятнадцать минут. Если мы ударим сейчас, то застанем их врасплох, и есть шанс, что ни один из них не уйдет. Надо завершить дело сегодня же и покончить с ними навсегда. Но я оставляю это на ваше усмотрение. Если вы считаете, что нас слишком мало, я не хочу принуждать вас. Так что, идем сейчас или будем ждать подкрепления?

Один за другим все кратко высказали свое решение, и почти у всех прозвучало слово *аби*, «сейчас». Салман кивнул и, закрыв глаза, пробормотал краткую молитву на арабском языке. Затем он поднял голову, и это был другой человек. Он был готов действовать. В его глазах сверкали ненависть и яростная решимость убивать, которую он до сих пор сдерживал.

— *Сатч аур химмат*, — произнес он, поглядев всем по очереди в глаза. — Правда и храбрость.

— *Сатч аур химмат*, — ответил каждый из нас.

Не говоря больше ни слова, все разобрали оружие, расселись по машинам и стартовали в направлении фешенебельной Сердар-Патель-роуд. Спустя несколько минут, не успев привести свои мысли в порядок и почти не отдавая себе отчета в том, что делаю, я уже крался вместе с Абдуллой узким проулком в такой густой темноте, что чувствовал, как расширяются мои зрачки. Мы перелезли через деревянный заборчик и оказались во дворе вражеского дома.

С минуту мы постояли, сверив наши фосфоресцирующие часы, давая глазам привыкнуть к темноте и напряженно прислушиваясь. Абдулла что-то прошептал, и я чуть не подпрыгнул от неожиданности.

— Никого, — прошелестел он, словно шерстяное одеяло прошуршало. — Никого ни здесь, ни вокруг.

— Вроде все тихо, — едва слышно проскрежетал я в ответ.

Страх сдавливал мне горло. Ни в окнах, ни за маленькой синей дверью света не было.

— Видишь, я сдержал обещание, — прошептал Абдулла.

— Что? — не понял я.

— Ты взял с меня слово, что я возьму тебя с собой, когда пойду убивать Чуху.

— А, да, — ответил я, чувствуя, что сердце мое стучит гораздо чаще, чем должно стучать у здорового человека. — Мы часто ведем себя неосторожно.

— Я буду осторожен, братишка.

— Я имею в виду — это я был неосторожен, когда требовал этого.

— Я попробую открыть эту дверь, — проговорил он мне в ухо. — Если она откроется, я зайду в дом.

— Что-что?!

— Ты оставайся здесь, около двери.

— Как это?!

— Оставайся здесь и...

— Мы оба должны быть здесь! — прошипел я.

— Я знаю, — сказал он, подкрадываясь к двери без единого звука, как леопард.

Я последовал за ним, но это больше напоминало неуверенную походку кота, пробудившегося от долгого сна. Абдулла спустился на две ступеньки, открыл дверь и проскользнул внутрь, как тень птицы, камнем падающей с небес. Он бесшумно закрыл дверь за собой.

Оставшись один, я вытащил из ножен на заднице свой нож и зажал его в правой руке лезвием вниз. Вглядываясь в темноту, я сосредоточился на частоте своего сердцебиения, стараясь мышечными усилиями и внушением уменьшить ее. Спустя некоторое время мне это удалось. Я почувствовал, что сердце стало биться реже, и успокоился; в голове у меня была только одна мысль. Она выражалась фразой, которую произнес как-то Кадербхай, а я часто вспоминал: «Совершил зло из лучших побуждений». Повторяя про себя эти слова в пугающей темноте, я знал, что эта схватка с Чухой и борьба между группировками за власть — лишь повторение того, что происходит всегда и повсюду, и это всегда зло.

Салман и другие, точно так же как Чуха и головорезы Сапны, как и все гангстеры вообще, убеждали себя, что главенство в их маленьких империях делает их королями, что их силовые методы делают их сильными. Но они не были такими, не могли быть. Я вдруг ясно понял это, словно решил наконец долго не дававшуюся математическую задачу. Единственное королевство, которое делает человека королем, — это царство его души. Единственная сила, которая имеет какой-то реальный смысл, — это сила, способная улучшить мир. И только такие люди, как Казим Али Хусейн или Джонни Сигар, были подлинными королями и обладали подлинной силой.

Я чувствовал себя как на иголках и дрожал от страха. Прижав ухо к двери, я пытался услышать Абдуллу или кого-нибудь другого. Страх, который я испытывал, не был страхом смерти. Я не боялся умереть. Я боялся, что меня изувечат и я не смогу ходить или видеть или не смогу убежать и меня схватят. Больше всего я боялся именно этого — что меня схватят и опять запрут в клетке. И я молился о том, чтобы не остаться беспомощным калекой. «Пусть уж лучше все случится здесь, — молил я. — Дай мне пройти через это, уцелеть, сбереги меня, Господи, или убей прямо здесь...»

Откуда они взялись, ума не приложу. Я не слышал ни звука. Две тени набросились на меня и прижали к двери. Я инстинктивно выбросил вперед руку с ножом, но сделал это недостаточно быстро.

— *Чаку! Чаку!* — крикнул один из них. — Нож!

Второй схватил меня за горло, не давая шевельнуться. Он был очень высокий и очень сильный. В это время его товарищ пытался отнять у меня нож. Но он был не так высок и силен, и это ему не удалось. Тут из темноты вынырнул третий, и все вместе они заломили мне руку и вырвали нож.

— *Гора каун хай?* — спросил тот, что появился последним. — Что это за белый?

— *Баинчуд! Малум нэхи*, — ответил верзила, державший меня за горло. — Какой-то ублюдок! Не знаю.

Он в полном недоумении вытаращил глаза на иностранца, подслушивавшего под дверью, да к тому же с ножом.

— *Каун хай тум?* — спросил он чуть ли не дружелюбно. — Кто ты такой?

Я не ответил. Я думал только о том, что должен предупредить Абдуллу. Я не мог понять, как им удалось приблизиться совершенно беззвучно. Очевидно, петли на калитке были хорошо смазаны. Или их обувь была на очень мягкой подошве. Или еще что-нибудь. Они обыскивали меня, а я все думал, как бы дать знак Абдулле.

Я резко дернулся, словно намереваясь вырваться от них. Моя уловка сработала. Все трое заорали на меня, и три пары рук грохнули меня о дверь. Один из тех, что были помельче, прижал к двери мою левую руку, второй — правую. Пока я боролся с ними, мне удалось трижды лягнуть дверь ногой. «Он должен был слышать удары, — думал я. — Все в порядке... Я его предупредил... Он догадается...»

— *Каун хай тум?* Кто ты такой? — продолжал допытываться верзила.

Он убрал одну руку с моего горла и, сжав кулак, угрожающе поднес его к самому моему лицу.

Я по-прежнему ничего не отвечал. Их руки припечатали меня к двери не хуже наручников.

Верзила ударил меня кулаком. Мне удалось отвернуть голову, и удар пришелся в челюсть. Не знаю, то ли его пальцы были в кольцах, то ли у него был кастет, но я почувствовал прикосновение металла, и кость у меня треснула.

— Что ты здесь делаешь? Кто ты такой? — спросил он уже по-английски.

Я молчал, и кулак трижды врезался мне в лицо. «Это мне знакомо... — крутилось у меня в голове. — Это мне знакомо». Я опять был в австралийской тюрьме, в карцере с его кулаками, ботинками и дубинками. «Это мне знакомо».

Он сделал паузу, выжидая, не заговорю ли я. Двое его друзей, казавшиеся коротышками рядом с ним, ухмыльнулись ему, затем мне.

— *Аур*, — сказал один из них. — Еще. Наподдай ему.

Верзила отступил на шаг и начал неторопливо, расчетливо и профессионально обрабатывать кулаками мой корпус. Мне казалось, что весь воздух выходит из меня и вместе с ним моя жизнь. Он прошелся по моему телу снизу вверх, пока опять не добрался до горла и лица. Я погружался в темную воду, в которой тонут нокаутированные боксеры. Это был конец.

Я был не в обиде на них. Я сам оплошал — позволил им подкрасться ко мне, может быть даже подойти не таясь. Я пришел сюда, чтобы драться, и не должен был дремать. А я напортачил, я сам был во всем виноват. Единственное, чего я хотел, — предупредить Абдуллу. Я опять пнул дверь, но довольно слабо.

Внезапно я провалился в кромешную тьму, и вместе со мной провалился весь мир. Растянувшись на полу, я услышал крики и понял, что Абдулла резко распахнул дверь, чтобы мы все влетели навстречу ему. Прозвучало два выстрела, промелькнуло две вспышки. Затем вдруг все осветилось, и, моргая залитыми кровью глазами, я увидел, что открылась какая-то внутренняя дверь и к нам бегут люди. Раздалось еще три выстрела, верзила рухнул на меня, я выбрался из-под него и увидел совсем рядом свой нож, блестевший на земле за дверью.

Я схватил нож как раз в тот момент, когда один из коротышек перелезал через меня, пытаясь выбраться наружу. Я, не задумываясь, всадил нож ему в бедро. Он закричал, а я, рванувшись к нему, полоснул ножом по его лицу под глазами.

Удивительно, как мало надо чужой крови (если получится много, еще лучше), чтобы впрыснуть в тебя адреналин, придающий силы и убивающий боль в свежих ранах. Дрожа от ярости, я обернулся и увидел, что на Абдуллу наседают сразу двое. На полу валялось несколько тел — сколько именно, я не считал. Выстрелы трещали и гремели по всему дому. Со всех сторон неслись крики и стоны. В комнате пахло кровью, мочой и дерьмом. Кого-то ранили в живот. Я надеялся, что не меня. Моя левая рука машинально ощупала тело, чтобы убедиться в этом.

Абдулла между тем бился с двумя противниками. Они колотили, ломали и кусали друг друга. Я пополз в их сторону, но тут чья-то рука схватила меня за ногу и потянула обратно. Это была очень сильная рука. Верзила.

Я был уверен, что его застрелили, но на его рубашке и штанах не было крови. Он тащил меня, как черепаху, запутавшуюся в сетях. Когда он подтащил меня к себе, я занес нож, чтобы пырнуть его, но он опередил меня, влепив свой кулак мне в пах с правой стороны. Убийственный прямой удар у него не получился, но мне и такого хватило. Я сжался в комок от невыносимой боли и откатился в сторону. Опираясь о меня, он встал на ноги пошатываясь. Меня стало рвать желчью, и тут я увидел, что он направляется к Абдулле.

Этого я не мог допустить. Слишком много раз мое сердце переворачивалось, когда я представлял себе его одинокую смерть в кольце вооруженных копов. Я отбросил боль ногами и, скользя и барахтаясь в кровавой судорожной борьбе с самим собой, вскочил на ноги и всадил нож в спину верзилы. Удар пришелся высоко, прямо под лопатку. Я почувствовал, как дрогнула кость под лезвием, сместив его ближе к плечу. Он действительно был силен. Загарпуненный ножом, он проволок меня два шага за собой и лишь потом согнулся и упал. Я свалился на него сверху и, подняв голову, увидел, как Абдулла запускает пальцы в глаза противнику. Голова человека была запрокинута на колене Абдуллы; вот челюсть выскочила из суставов, а шея разломилась пополам как щепка.

Кто-то опять потащил меня к выходу. Я отбивался, но сильные руки мягко отобрали у меня нож. Затем я услышал знакомый голос, голос Махмуда, и понял, что опасность позади.

— Лин, пошли, — произнес иранец так спокойно и деловито, словно никакого побоища и не было.

— Дай мне револьвер, — потребовал я.

— Нет, Лин. Все кончено.

— Где Абдулла? — спросил я, когда Махмуд вывел меня во двор.

— Он занят, — ответил Махмуд; в доме слышались крики, которые один за другим затихали, как птицы, умолкающие в ночи, что обволакивает спокойную гладь озера. — Ты можешь держаться на ногах? Можешь идти? Нам надо сваливать отсюда.

— Да, черт побери, могу.

У калитки нас нагнала цепочка наших. Фейсал и Хусейн несли кого-то. Фарид и Малыш Тони тащили другого. Последним шел Санджай. Он нес на себе чье-то тело, перекинув его через плечо, и, прижимая его к себе, рыдал.

— Мы потеряли Салмана, — сказал Махмуд. — И Раджа. Амир серьезно ранен, но жив.

Салман. Последний голос разума в совете Кадера. Последний человек Кадера. Ковыляя к автомобилю, я опять чувствовал, что жизнь покидает меня, — как тогда, когда меня избивали, прижав к дверям. Все было кончено. Со смертью Салмана старый совет перестал существовать. Все переменилось. Я посмотрел на тех, кто был со мной в автомобиле, — Махмуда, Фарида, раненого Амира. Они победили. Подручных Сапны больше не осталось. Глава в книге жизни и смерти, начавшаяся с появления Сапны и предательства Абдула Гани, была завершена. За Кадера отомстили. Иранские шпионы, враги Абдуллы, тоже замолкли навсегда, как этот залитый кровью дом. Банда Чухи перестала существовать. Война за территорию была позади. Колесо совершило полный оборот, и ничто больше не будет таким, как прежде. Они победили, но они плакали. Все до одного.

Я откинул голову на спинку сиденья. Ночь летела вместе с нами за окнами автомобиля по световому туннелю, ведущему от обещания к молитве. Медленно, опечаленно кулак, совершивший все, что мы делали, разжался, раскрыв когтистую ладонь того, чем мы стали. Гнев остыл, превратившись в грусть, как это всегда бывает и как должно быть. И ничто из того, к чему мы стремились в прошлой жизни, всего час назад, не было исполнено такой надежды и смысла, как одна-единственная упавшая слеза.

— Что? — спросил Махмуд, приблизив свое лицо к моему. — Что ты сказал?

— Надеюсь, что с этим медведем все закончилось благополучно, — пробормотал я разбитыми губами, и мой уязвленный дух стал затихать, уступая место сну, который пробирался по извилинам моего скорбящего мозга, как утренний туман в лесных дебрях. — Надеюсь, что с медведем все в порядке.

ГЛАВА 42

Солнце вдребезги разбивалось о воду, и его сверкающие, как хрусталь, осколки пускали во все стороны солнечные зайчики, которые плясали на волнах, кативших по мениску залива. Огненные птицы кружили стаями на фоне предзакатного неба, и все как одна плавно разворачивались в полете, напоминая полощущие на ветру шелковые знамена. Стоя возле низкой стены мечети Хаджи Али, я наблюдал за тем, как пилигримы и местные правоверные мусульмане переходят с беломраморного острова на берег по плоским камням перешейка. Они знали, что скоро прилив затопит дорожку и тогда добраться до берега можно будет только на лодке. Кающиеся грешники или поминающие близких прихожане накидали в воду цветы, унесенные в море отливом, и теперь эти яркие или увядшие бело-серые гирлянды возвращались с поднимающейся водой и усеивали перешеек любовью, тоской и желаниями, которые тысячи разбитых сердец поверяли океану каждый отмериваемый волнами день.

А мы, преступные братья, пришли к святилищу, чтобы, как полагается, почтить память нашего друга Салмана Мустана и помолиться за упокой его души. Мы впервые собрались все вместе после той ночи, когда его убили. Несколько недель мы прятались по углам, залечивая раны. Пресса, разумеется, бушевала. Слова «резня» и «кровавая бойня» заполняли полосы бомбейских газет так же густо, как тюремщик мажет маслом свою булочку. Звучали абстрактные призывы к правосудию и требования безжалостно покарать виновных. Бомбейская полиция, несомненно, могла арестовать виновных. Она прекрасно понимала, кто оставил кучи трупов в доме Чухи. Но существовали четыре очень веские причины, по которым полицейские предпочли не принимать решительных мер, — причины гораздо более убедительные для них, нежели показное негодование прессы.

Во-первых, ни по соседству, ни тем более в самом доме, ни в каком-либо другом уголке Бомбея не нашлось желающих давать показания против нас, даже негласно. Во-вторых, была окончательно уничтожена банда Сапны, что полицейские и сами сделали бы с удовольствием. В-третьих, бандиты из группировки Чухи убили несколько месяцев назад полицейского, когда он брал их наркоторговую точку у фонтана Флоры. Преступление считалось нераскрытым, потому что у копов не было доказательств. Но они знали, чьих рук это дело. Кровопролитие в доме Чухи было той расправой с Крысой и его дружками, которую они сами хотели бы учинить и рано или поздно учинили бы, если бы Салман их не опередил. И наконец, в-четвертых, миллионы рупий, экспроприированных из казны Чухи и щедрым потоком изливавшихся на судейские ладони, вынуждали полицейских лишь беспомощно пожимать плечами.

В конфиденциальной беседе копы сказали Санджаю, новому главе бывшего совета Кадер-хана, что досье на него заведено и что, осуществив эту акцию, он исчерпал отпущенный ему лимит безнаказанных громких дел. Они хотели спокойствия — и, понятно, стабильных доходов — и предупредили, что, если он не будет держать своих людей в узде, они сделают это за него. «И кстати, — добавили они, приняв подношение в десять тысяч рупий, прежде чем выпихнуть его пинком под зад на улицу, — у вас там ошивается этот Абдулла. Мы не хотели бы видеть его в Бомбее. Он однажды уже умер здесь и умрет еще раз, уже окончательно, если не уберется куда подальше».

Спустя какое-то время мы выбрались из своих нор и вернулись к прерванной работе в «мафии Санджая», как это теперь называлось. Я покинул временное убежище в Гоа, и мы с Кришной и Виллу возобновили свою деятельность в паспортной мастерской. Получив приглашение явиться в мечеть Хаджи Али, я прибыл туда на своем «энфилде» и вместе с Абдуллой и Махмудом Мелбафом прошел по перешейку.

В наше распоряжение предоставили один из множества балкончиков, расположенных по периметру мечети. Первым затягивал молитву Махмуд, стоявший на коленях впереди всех лицом к Мекке. Ветер трепал его белую рубашку, и он говорил от лица всех собравшихся:

> Слава Тебе, наш Господь, Повелитель Вселенной,
> милостивый и великодушный
> Судия на Страшном суде.
> Тебе одному мы поклоняемся
> и к Тебе одному обращаемся за помощью.
> Направь нас на путь истинный...

Фарид, Абдулла, Амир, Фейсал и Назир — мусульманское ядро совета — преклонили колена позади Махмуда. Санджай был индусом, Эндрю христианином. Они стояли вместе со мной в некотором отдалении от основной группы. Я склонил голову и сложил руки перед собой. Я знал слова молитвы и простейшие правила ритуала — как надо стоять при молитве, как кланяться. Если бы я присоединился к Махмуду и другим, они были бы рады этому, но я не мог заставить себя сделать это. Я не мог так легко забыть о своих преступлениях и отдаться молитве, у них же это получалось инстинктивно. Я обращался про себя к Салману, желая ему найти покой, где бы он ни находился, но я слишком остро ощущал темноту в своем сердце, чтобы обратиться к Богу. Я чувствовал себя самозванцем, чужаком на этом островке религиозного поклонения, погруженном в золотисто-сиреневый вечерний свет. И слова, произносимые Махмудом, казалось, относились непосредственно ко мне, к моей поруганной чести и поблекшей гордости: «Те, кто навлек Твой гнев...», «Те, кто сбился с пути...»

После молитвы мы, согласно обычаю, обнялись друг с другом и направились вслед за Махмудом к берегу по тропинке. Мы все молились, каждый по-своему, и все оплакивали Салмана, но мы были не похожи на группу богомольцев, посетивших святилище. На нас были модные костюмы и темные очки, у всех, кроме меня, имелись при себе часы престижной марки, золотые кольца, цепи и браслеты, стоимость которых превышала годовой заработок процветающего контрабандиста. И мы шли, сознавая свою значительность, той пританцовывающей походкой, какой ходят все гангстеры, когда они вооружены и готовы вступить в схватку. У нас был настолько колоритный и угрожающий вид, что приходилось чуть ли не силой всовывать пачки банкнот профессиональным нищим на перешейке.

Три автомобиля ждали у парапета примерно в том месте, где мы стояли с Абдуллой в ту ночь, когда я познакомился с Кадербхаем. Позади них был припаркован мой «энфилд».

— Поехали с нами на обед, — радушно пригласил меня Санджай.

Было бы, конечно, неплохо отвлечься от грустных мыслей после траурной церемонии, тем более что меню включало наркотики и симпатичных непритязательных девушек. Я был благодарен за приглашение, но отклонил его:

— Спасибо, но мне надо встретиться с одним человеком.

— *Аррей*, приводи ее с собой, — предложил Саджай.

— Понимаешь, у нас серьезный разговор... Так что увидимся позже.

Абдулла и Назир пошли проводить меня до мотоцикла. Не успели мы сделать двух шагов, как нас нагнал Эндрю.

— Лин, — проговорил он быстро и нервно, — я хочу поговорить с тобой... насчет того, что произошло тогда на автостоянке... Я хочу сказать... что я сожалею... Ну, в общем, я прошу у тебя прощения, *йаар*.

— Да ладно, все в порядке.

— Нет, не в порядке.

Он взял меня за локоть и отвел в сторону, где нас не могли услышать.

— Я не сожалею о том, что сказал о Кадербхае. Он, конечно, был наш босс и все такое, и ты, я знаю... ну, вроде как любил его.

— Ну да, вроде.

— И все равно я не сожалею о том, что сказал. Понимаешь, со всеми своими благочестивыми речами Кадербхай не помешал Гани и его бандитам изрубить Маджида на куски, чтобы сбить копов со следа. А ведь Маджид был вроде бы его старым другом.

— Да, но...

— И потом, все эти его принципы и правила все равно были без толку. К нам перешли от Чухи все его источники дохода. Санджай поручил мне заниматься девушками и видеофильмами, а Фейсал с Амиром будут руководить торговлей гарадом. Они, как и я, вошли в состав нового совета. Мы заработаем на этом охренные деньги. Дни Кадербхая прошли, они позади.

Я посмотрел в светло-карие глаза Эндрю и тяжело вздохнул. После той ночи на автостоянке я испытывал неприязнь к нему. Я не мог забыть произнесенных им слов, которые чуть не привели к драке. И то, что он сказал сейчас, еще больше разозлило меня. Если бы мы только что не поминали нашего общего друга, я съездил бы ему по физиономии.

— Знаешь, Эндрю, — ответил я ему без улыбки, — не могу сказать, чтобы это твое извинение так уж меня утешило.

— Это было не извинение, Лин, — растерянно отозвался он. — Извиниться я хочу за то, что сказал о твоей матери. Об этом я очень сожалею, поверь. Прости меня, пожалуйста. Это было очень низко — говорить так о твоей матери, да и вообще о чьей-нибудь. Ты был бы в своем праве, *йаар*, если бы врезал мне за это. Матери — это святое, *йаар*, и я уверен, что твоя мать очень достойная женщина. Так что, в общем, прими мои извинения, пожалуйста.

— Ладно, все в порядке, — сказал я и протянул ему руку.

Он схватил ее обеими своими и с чувством встряхнул.

Мы с Назиром и Абдуллой подошли к моему мотоциклу. Абдулла был необычайно молчалив. Его молчание повисло между нами как зловещая угроза.

— Ты сегодня уезжаешь в Дели? — спросил я.

— Да, в полночь.

— Я провожу тебя в аэропорт?

— Спасибо, лучше не надо. Я проскользну незаметно для полицейских, а если ты будешь со мной, они обратят на нас внимание. Но мы, может быть, увидимся в Дели. И потом, есть работа в Шри-Ланке. Я хочу сделать ее вместе с тобой.

— Не знаю, старик... — сдержанно ответил я. — Там ведь война, в Шри-Ланке.

— Нет такого места, где не было бы войны, и нет человека, которому не пришлось бы воевать, — сказал он, и я подумал, что это, пожалуй, самая глубокая мысль, какую он когда-либо высказывал. — Все, что мы можем сделать, — это выбрать, на чьей стороне драться. Такова жизнь.

— Хм... Надеюсь, что она не вся в этом, братишка. Но, черт, может быть, ты и прав.

— Я думаю, ты мог бы поехать туда со мной, — продолжал он настойчиво, хотя и было видно, что это ему нелегко. — Это будет последняя работа, какую мы сделаем для Кадербхая.

— Для Кадербхая?

— Кадер Хан попросил меня сделать это для него, когда из Шри-Ланки придет... сигнал. И теперь сигнал пришел.

— Слушай, братишка, я не понимаю, о чем ты говоришь, — сказал я как можно мягче. — Объясни толком, что ты имеешь в виду. Что за сигнал?

Обратившись к Назиру, Абдулла быстро заговорил с ним на урду. Тот несколько раз кивнул и сказал что-то насчет имен — вроде бы что не надо упоминать имен. Затем Назир широко, дружески улыбнулся мне.

— В Шри-Ланке идет война, — объяснил Абдулла. — «Тамильские тигры» сражаются с регулярной армией. «Тигры» — это индусы. Еще там есть сингальцы, которые буддисты. И рядом с ними живут тамильские мусульмане, которые ни с кем не воюют, — у них нет ни оружия, ни армии. Все их убивают, и никто не защищает их. Им нужны паспорта и деньги. Мы поедем, чтобы помочь им.

— Кадербхай задумал это дело, — сказал Назир. — Должны поехать трое: Абдулла, я и один гора, то есть ты. Всего трое.

Я был его должником. Сам Назир ни за что не стал бы напоминать мне об этом и не обиделся бы, если бы я отказался ехать с ним. Мы слишком многое пережили вместе. Но я был обязан ему своей жизнью, и отказать было очень трудно. К тому же в широкой улыбке, которой он одарил меня, столь редкой для него, было что-то мудрое, душевное и щедрое. Как будто он предлагал мне нечто большее, чем просто общую работу, которая позволит мне вернуть ему долг. Он винил себя в смерти Кадера и знал, что я тоже чувствую себя виноватым и стыжусь того, что не выполнил своей роли защитника-американца. «Он дает мне шанс, —

подумал я, переводя взгляд с него на Абдуллу и обратно. — Он дает мне возможность поставить точку в этом деле».

— А когда вы собираетесь туда? — спросил я.

— Скоро, братишка, — засмеялся Абдулла. — Через несколько месяцев, не позже. Я сейчас еду в Дели и пришлю за тобой кого-нибудь, когда наступит время. Через два-три месяца.

Внутренний голос — даже не голос, а шепот, чье эхо раздавалось у меня в ушах, как свист камешков, пущенных по гладкой поверхности озера, предупреждал меня: «Не езди... Он убийца, киллер... Не делай этого... Оставь их прямо сейчас». Шепот был, безусловно, прав, абсолютно прав. Хотелось бы мне сказать, что я долго колебался, но я принял решение в считаные секунды.

— Договорились. Через два-три месяца, — произнес я, протянув Абдулле руку.

Он взял ее двумя своими и пожал.

Я посмотрел Назиру в глаза и сказал с улыбкой:

— Мы сделаем это для Кадера. Мы завершим его дело.

Челюсти Назира крепко сжались, мышцы щек напряглись, оттянув уголки рта вниз. Опустив глаза, он мрачно разглядывал свои ноги в сандалиях, словно это были непослушные марионетки. Затем он вдруг бросился на меня и обхватил руками, сцепив их у меня за спиной и чуть не раздавив мою грудную клетку. Это был мощный борцовский захват — объятия человека, чье тело умело выразить то, что чувствовало сердце, разве что в танце. Он оборвал свои объятия так же резко и неловко, разъяв руки и оттолкнув меня своей грудью. Не говоря ни слова, он только качал головой и дрожал, как будто купался в мелкой воде и мимо него только что проплыла акула. Назир быстро взглянул на меня покрасневшими глазами, и наполнявшая их теплота стремилась преодолеть угрюмость перевернутой подковы его рта, предвещавшей несчастье. И я знал, что, если когда-либо в разговоре с ним упомяну этот момент, я потеряю его дружбу навсегда.

Я завел свой «энфилд» и, оттолкнувшись ногами от мостовой, направил его в сторону Нана-Чоука и Колабы.

— *Сатч аур химмат!* — крикнул мне вслед Абдулла.

Я кивнул и помахал ему в ответ, но не мог заставить себя повторить наш девиз. Я не был уверен, что в моем решении поехать с ними в Шри-Ланку было так уж много правды и храбрости. С этими чувствами я оставил их позади, всех их, и отдался теплому вечернему ветру и ритму уличного движения.

Кроваво-красная луна поднималась из моря, когда я выехал на шоссе, ведущее к Нариман-Пойнту. Я остановил мотоцикл около киоска с прохладительными напитками, навесил замок и отдал ключи продавцу, моему старому другу по трущобам. Повернувшись к луне спиной, я пошел тропинкой по песчаной береговой дуге, где рыбаки часто чинили свои сети и лодки. В этот вечер на причале Сассуна устраивали праздник, и почти все, жившие в хижинах на берегу, отправились туда. Дорожка, по которой я шел, была пустынна.

И тут я увидел ее. Она сидела на борту старой рыбачьей лодки, почти целиком засыпанной песком, из которого торчал в основном лишь нос. На ней были длинное платье шальвар-камиз и свободные панталоны. Подтянув к себе колени и упершись подбородком в сложенные руки, она задумчиво глядела на темные волны.

— Вот за это ты мне и нравишься, — сказал я, присаживаясь на леер лодки рядом с ней.

— Привет, Лин, — улыбнулась она. Ее зеленые глаза были темными, как вода залива. — Рада видеть тебя. Я уж думала, ты не придешь.

— Еще немного, и я вообще не знал бы, что ты хочешь встретиться со мной. Мне повезло, что я увидел Дидье в последний момент перед его отъездом и он сказал мне.

— Когда судьба устает ждать, остается надеяться только на везение, — проговорила она.

— Ох уж эти твои фразочки! — рассмеялся я.

— Старые привычки живучи, — усмехнулась она, — и еще больше лживы.

Ее взгляд обшарил мое лицо, словно ища знакомые ориентиры, за которые можно было бы зацепиться. Улыбка ее медленно угасла.

— Мне будет не хватать Дидье.

— Мне тоже, — отозвался я, думая, что он в этот момент, по всей вероятности, уже летит в Италию. — Но вряд ли он надолго задержится там.

— Почему?

— Я поселил в его квартире зодиакальных Джорджей, чтобы они за ней присматривали.

— Ох, ничего себе! — Она даже зажмурилась.

— Да. Уж если это не заставит его вернуться как можно скорее, то, боюсь, он застрянет там навечно. Ты ведь знаешь, как он любит свою квартиру.

Она не ответила, взгляд ее был серьезен и сосредоточен.

— Халед вернулся в Индию, — бросила она ровным тоном, наблюдая за выражением моих глаз.

— Где он?

— В Дели, точнее, около Дели.

— Когда он вернулся?

— Сообщение пришло два дня назад. Я проверила, и похоже, это он.

— Какое сообщение?

Она перевела взгляд на море и испустила долгий медленный вздох.

— У Джита есть доступ ко всем телеграфным линиям. По одной из них пришло сообщение о новом духовном лидере по имени Халед Ансари, который пришел пешком из Афганистана, собрав по пути толпы последователей. Я попросила Джита проверить сообщение, его люди послали запрос с описанием внешности Халеда, и все совпадает.

— Ну, слава богу! Слава богу!

— Да, пожалуй... — пробормотала она.

Намек на прежнее озорство и таинственность промелькнул в ее глазах.

— Значит, ты уверена, что это он?

— Да, настолько, чтобы поехать к нему, — ответила она, опять посмотрев на меня.

— Ты знаешь точно, где он находится сейчас?

— Нет, но знаю, куда он направляется.

— И куда же?

— В Варанаси. Там живет Идрис, учитель Кадербхая. Он уже очень стар, но все еще преподает.

— Учитель Кадербхая? — воскликнул я, пораженный тем, что за все сотни часов, в течение которых я вел философские беседы с Кадербхаем, он ни разу не упомянул этого имени.

— Да. Я встречалась с ним однажды, сразу после приезда в Индию. У меня было... не знаю даже, как это назвать... нервное расстройство, наверное. Я летела в Сингапур и даже не помнила, как попала на самолет. Совершенно расклеилась. Кадер был на том же самолете. Он обнял меня, и я все ему рассказала... все, до конца. Следующее, что я помню, — это пещера со статуей Будды и рядом этот Идрис, учитель Кадера.

Она помолчала, мысленно перенесясь в прошлое, затем, встряхнувшись, вернулась к действительности.

— Я думаю, Халед хочет увидеться с Идрисом. Он всегда мечтал встретиться со старым гуру — это у него было прямо навязчивой идеей. Не знаю, почему он не встретился с ним раньше, но думаю, что собирается сделать это теперь. Может быть, он уже там. Он все время расспрашивал меня о нем. Это от Идриса Кадер впервые услышал о теории разрешения и...

— Какой теории?

— Разрешения. Кадер так ее называл и говорил, что знает ее от Идриса. У Кадера это было философией жизни — учение о том, что вся Вселенная непрерывно стремится...

— К усложнению, — закончил я за нее. — Я знаю, он часто говорил со мной об этом. Но не называл это теорией разрешения и никогда не упоминал Идриса.

— Странно. Он очень любил Идриса, тот был для него кем-то вроде духовного отца. Однажды он назвал его учителем всех учителей. И я знаю, что он хотел отойти от дел и поселиться в Варанаси, где-нибудь недалеко от Идриса. Так что именно туда я поеду, чтобы найти Халеда.

— Когда поедешь?

— Завтра.

— Ясно... — протянул я. — Это... это как-то связано с тем, что было... у вас с Халедом раньше?

— Знаешь, Лин, иногда ты бываешь просто невыносим.

Я резко поднял голову, но ничего не сказал на это.

— Ты знаешь, что Улла тоже вернулась? — спросила она, помолчав.

— Нет. Когда? Ты видела ее?

— Я получила от нее записку. Она остановилась в «Президенте» и хотела встретиться со мной.

— И ты пошла?

— Нет, я не хотела, — задумчиво ответила она. — А ты пошел бы, если бы она пригласила тебя?

— Да, наверное, — ответил я, глядя на залив, где лунный свет играл на гребешках волн, извивавшихся, как змеи. — Но не ради нее, а ради Модены. Я видел его недавно. Он по-прежнему сходит по ней с ума.

— Я видела его сегодня, — отозвалась она спокойным тоном.

— Сегодня?

— Да, как раз перед тем, как прийти сюда. Он был у нее. Я пошла в «Президент», прямо в ее номер. Там был один парень, Рамеш...

— Это его друг. Модена говорил о нем.

— Да. Этот Рамеш открыл мне дверь, я вошла и увидела Уллу, которая сидела на постели, прислонившись спиной к стене. А Модена лежал у нее на коленях, пристроив голову на ее плече, с этим своим лицом...

— Да, я знаю. Жуткое зрелище.

— Эта сцена была какой-то совершенно невероятной. Она потрясла меня. Сама не знаю почему. Улла сказала, что отец оставил ей в наследство кучу денег, — ее родители были ведь очень богатыми, практически хозяевами того города, где она родилась. Но когда она пристрастилась к наркотикам, они выгнали ее без гроша в кармане. Несколько лет она не получала от них ничего, пока ее отец не умер. А теперь, унаследовав все эти деньги, она решила вернуться сюда и найти Модену. Она сказала, что чувствовала себя виноватой перед ним, ее замучила совесть. Ну и она нашла Модену — он ждал ее. Когда я увидела их вместе, это напомнило мне сцену из какого-то романа...

— Вот черт, а он ведь знал, что так и будет, — тихо заметил я. — Он говорил, что она обязательно вернется, и она вернулась. Я тогда ему не поверил, думал, это просто безумные мечты.

— Это было похоже на «Пьету» Микеланджело — знаешь? Точно та же поза. Это выглядело очень странно и порядком встряхнуло меня. Бывают вещи настолько непостижимые, что они даже бесят тебя.

— А чего она хотела?

— В смысле?

— Почему она пригласила тебя?

— А, понимаю твой вопрос, — сказала она, криво улыбнувшись. — Улле всегда надо что-то конкретное.

Она посмотрела на меня. Я приподнял одну бровь, но ничего не сказал.

— Она хотела, чтобы я достала паспорт для Модены. Он здесь живет уже много лет и давным-давно просрочил свою визу. А у испанской полиции он на крючке. Ему нужен паспорт на другое имя, чтобы вернуться в Европу. Он может сойти за итальянца или португальца.

— Предоставь это мне, — спокойно отозвался я, поняв наконец, почему она захотела встретиться со мной. — Я завтра же займусь этим. Я знаю, где найти его, чтобы получить его фотографии и все, что понадобится. С его внешностью чужую фотографию на таможне не предъявишь. Я улажу все это.

— Спасибо, — ответила она, глядя на меня с такой страстной интенсивностью, что сердце у меня стало колотиться о грудную клетку.

«Очень глупая ошибка, — сказал однажды Дидье, — оставаться наедине с человеком, которого ты любил, хотя и не следовало бы».

— Что ты делаешь сейчас, Лин? — спросила она.

— Сижу тут, на берегу, рядом с тобой, — пошутил я.

— Я имею в виду — вообще. У тебя дела в Бомбее?

— А что?

— Я хотела спросить тебя... Ты не поехал бы со мной искать Халеда?

Я от души расхохотался, но она меня не поддержала.

— Знаешь, мне только что сделали предложение получше этого.

— Получше? — протянула она. — Какое же?

— Поехать на войну в Шри-Ланку.

Она сжала губы, приготовившись дать резкий ответ, но я поднял руки, сдаваясь, и добавил:

— Я шучу, Карла. Не лезь в бутылку. Мне действительно сделали такое предложение, но я не знаю... Ну, ты понимаешь.

Она расслабилась и улыбнулась:

— Да. Я просто отвыкла от твоих шуточек.

— А почему ты решила пригласить меня сейчас?

— А почему бы нет?

— Это не ответ, Карла.

— Ладно, — вздохнула она, взглянув на меня, и опустила взгляд на песчаные узоры, которые плел морской бриз. — Наверное... наверное, я хотела попробовать, не получится ли у нас что-нибудь вроде того, что было в Гоа.

— А как же Джит? — спросил я, не поддаваясь на провокацию. — И как он относится к тому, что ты отправляешься на поиски Халеда?

— Мы живем каждый сам по себе, делаем что хотим и ездим куда хотим.

— Довольно... беспечное заявление, — заметил я, с трудом подыскав слово, которое не звучало бы оскорбительно. — Дидье сказал, что Джит сделал тебе предложение.

— Ну да, — ответила она спокойно.

— И?..

— И что?

— И ты собираешься принять его предложение? Ты выйдешь за него?

— Да, думаю, выйду.

— Почему?

— А почему бы и нет?

— Ты повторяешься.

— Прости, — вздохнула она с усталой улыбкой. — Я действительно привыкла в последнее время совсем к другому обществу. Ты спрашиваешь, почему я выхожу за Джита? Он хороший парень, молодой, здоровый и богатый. Черт, я думаю, что потрачу его деньги с большим толком, чем он.

— Иначе говоря, ты готова умереть от любви к нему.

Она засмеялась, но потом, внезапно посерьезнев, повернулась ко мне. Глаза ее в бледном лунном свете были как листья кувшинок после дождя; ее длинные волосы чернели, как камни в лесной реке, и при прикосновении к ним казалось, что ты пропускаешь сквозь пальцы саму ночь; губы, мягкие, как лепестки камелии, были согреты секретным шепотом, а свет зажигал на них сверкающие звезды. Она была прекрасна. Я любил ее. Я все еще любил ее — сильно, упрямо, но в сердце у меня был холод. Та беспомощная, мечтательная любовь, которая воспаряла к небесам и проваливалась в бездну, прошла. И в этот миг... холодного обожания — наверное, так это следовало назвать — я почувствовал, что власть, которую она надо мной имела, тоже ушла в прошлое. Или даже больше: эта ее власть, ее сила перешла в меня, стала моей силой. Все козыри были у меня на руках. И мне захотелось узнать

наконец всю правду. Я не был согласен безропотно принять просто как данность все, что было между нами. Я хотел знать все.

— Почему ты не сказала мне, Карла?

Она мучительно вздохнула и, вытянув ноги, зарылась ступнями в песок. Наблюдая за тем, как он маленькими каскадами
обтекает ее ноги, она монотонно проговорила, как будто сочиня-
ла письмо ко мне — или, может быть, вспоминала когда-то написанное, но так и не отправленное.

— Я знала, что ты спросишь меня об этом, и, наверное, поэтому так долго не хотела встречаться с тобой. Я спрашивала людей
о тебе и не пряталась, но до сегодняшнего дня не предпринимала
никаких шагов, чтобы встретиться, потому что знала, что ты за-
дашь этот вопрос.

— Если тебе это как-то поможет ответить, — прервал я ее, —
то могу сказать, что я знаю: это ты сожгла Дворец мадам Жу.

— Это Гани тебе сказал?

— Гани? Нет. Я сам догадался.

— Гани устроил это для меня. Это был последний раз, когда
я говорила с ним.

— Я в последний раз говорил с ним за час до его смерти.

— Он ничего не сказал тебе о ней? — спросила она, очевидно
надеясь, что хоть что-то ей не надо рассказывать самой.

— О мадам Жу? Нет, ни слова.

— Мне он много чего рассказал... О том, что я не знала. Наверное, это его рассказы довели меня до точки. Он сказал, что она
послала Раджана следить за тобой и навела на тебя копов после
того, как он сообщил ей, что мы занимались с тобой любовью.
Я всегда ненавидела ее, но это было той каплей, которая переполнила чашу терпения... Она не могла допустить, чтобы у нас
с тобой все получилось, чтобы мне было хорошо. Гани был обязан мне кое-чем, я напомнила ему об этом, и он организовал беспорядки. Пожар был что надо. Я сама участвовала в поджоге.

Она замолчала, сжав зубы и глядя на свои ноги в песке. В глазах ее отражались дальние огоньки. Я представил себе, как должны были выглядеть эти глаза, когда в них горело пламя того пожара.

— О том, что случилось в Штатах, я тоже знаю, — сказал я,
выдержав паузу.

Она быстро подняла голову и внимательно посмотрела на
меня.

— Лиза, — сказала она.

Я не ответил. Она тут же поняла, как это умеют женщины,
все, чего никак не могла знать, и улыбнулась:

— Это хорошо: Лиза и ты. Ты с Лизой. Это... замечательно.

На моем лице не отразилось ничего, и ее улыбка растаяла; она
опять опустила взгляд на песок.

— Тебе приходилось убивать человека, Лин?

— Когда именно? — спросил я, гадая, что она имеет в виду: Афганистан или наше недавнее сражение с Чухой.

— Когда-нибудь?

— Нет.

— Я рада, — громко выдохнула она. — Хорошо бы...

Она опять замолчала. Издали до нас доносились шум праздника, радостный смех, перекрывавший рев духового оркестра. Рядом с нами музыка океана лилась потоком на податливый берег, а пальмы у нас над головой трепетали на освежающем ветру.

— Когда я пришла туда... в его дом, в его комнату, он стоял и улыбался мне. Он был рад видеть меня. И на какую-то секунду я отказалась от задуманного, мне показалось, что все прошло. Но тут я увидела в его улыбке... нечто грязное. Он сказал: «Я знал, что тебе захочется прийти еще раз...» — что-то вроде этого. И он стал проверять, закрыты ли двери и окна, чтобы нас не накрыли...

— Не надо, Карла...

— Когда он увидел пистолет, стало совсем плохо, потому что он начал... не молить о пощаде, нет, а просить прощения. И мне было ясно: он прекрасно понимал, что сделал со мной, какое зло мне причинил. Это было нестерпимо. А потом он умер. Крови было не так уж много — я думала, будет гораздо больше. Может быть, добавилось потом. А больше я ничего не помню до тех пор, пока не очнулась в самолете рядом с Кадером.

Она успокоилась. Я подобрал свернутую спиралью раковину, заостренную на конце. Я сжимал ее в кулаке, пока наконечник не проткнул мне кожу, и тогда отбросил на песчаную рябь у воды. Подняв голову, я увидел, что она смотрит на меня, сосредоточенно нахмурившись.

— Что ты хочешь знать? — спросила она напрямую.

— Почему ты никогда не говорила мне о Кадербхае?

— Тебе нужна голая правда?

— Разумеется.

— Я не могла тебе доверять, — сказала она, не глядя на меня. — Нет, не так. Я не знала, могу ли я тебе доверять. Но теперь, пожалуй, знаю: я могла довериться тебе с самого начала.

— Понятно, — произнес я, не разжимая губ.

— Я пыталась сказать тебе. Пыталась удержать тебя в Гоа — ты же помнишь.

— Все было бы иначе... — бросил я, но затем вздохнул, точно так же как она, и сказал спокойнее: — Все могло быть иначе, если бы ты сказала, что работаешь на него, что ты завербовала меня для него.

— Я тогда убежала... уехала в Гоа, потому что мне стало тошно. Дело в том, что эта затея с Сапной была моей. Ты знал это?

— Нет! О господи, Карла...

Глаза ее сузились, когда она увидела жесткое и разочарованное выражение моего лица.

— Не убийства, разумеется, — добавила Карла. Ее, по-видимому, шокировало то, что я счел ее способной замышлять кровавые злодеяния. — Это Гани повернул все таким образом. Для того чтобы переправлять контрабанду в Бомбей и из Бомбея, им нужна была помощь людей, которые не хотели ее предоставлять. Моя идея заключалась в том, чтобы придумать общего врага, Сапну, и заставить всех сообща бороться с ним. Сапна должен был лишь расклеивать листовки, писать граффити, взрывать на пустырях бомбы — пусть все думают, что появился опасный народный вожак. Но Гани считал, что этого недостаточно, что людей надо запугать, и начались все эти убийства...

— И тогда ты уехала в Гоа.

— Да. Знаешь, где я впервые услышала об убийствах, о том, как Гани извратил мою идею? В вашей Небесной деревне, куда ты водил меня на ланч. Твои друзья говорили об этом. Я была потрясена. Я пыталась остановить это, но все было бесполезно. И тут Кадер вдруг сказал мне, что ты в тюрьме и тебе придется оставаться там, пока он не добьется от мадам Жу того, что ему надо. И тогда же он велел мне... поработать с одним молодым пакистанским генералом. Мы уже встречались с ним по делам, и я ему нравилась. И я... работала с ним, пока это надо было Кадеру, а ты был в тюрьме. Потом я просто бросила все это. С меня было довольно.

— Но потом ты вернулась к нему.

— Я пыталась уговорить тебя остаться в Гоа со мной.

— Почему?

— Что значит «почему»? — Она нахмурилась; вопрос, казалось, раздражал ее.

— Почему ты пыталась уговорить меня остаться?

— Разве это не очевидно?

— Нет. Извини, но не очевидно. Ты любила меня, Карла? Я не имею в виду — так, как я тебя, но хоть сколько-нибудь? Ты любила меня хоть немного?

— Ты мне нравился.

— Ну да, ну да...

— Но это правда! Ты мне нравился больше, чем кто-либо другой. Для меня это совсем немало, Лин.

Я молчал, сжав зубы и отвернувшись. Выждав несколько секунд, она продолжила:

— Я не могла сказать тебе о Кадере, Лин. Не могла. Это было бы все равно что предать его.

— Ну да, а предать меня — это запросто...

— Черт побери, Лин, это не было предательством, все было по-другому. Если бы ты остался со мной в Гоа, мы вместе вышли бы из игры, но даже тогда я не могла бы сказать тебе. Да и какое это имеет теперь значение? Ты не захотел остаться со мной, и я думала, что никогда больше тебя не увижу. А потом Кадер прислал мне известие, что ты убиваешь себя героином в притоне у Гупты и что я нужна ему, чтобы вытащить тебя оттуда. Поэтому я вернулась и опять стала работать на него.

— И все-таки я не понимаю, Карла.

— Чего ты не понимаешь?

— Сколько времени ты работала на него и на Гани до того, как началась эта заварушка с Сапной?

— Года четыре.

— Значит, ты должна была видеть немало из того, что творилось, — или, по крайней мере, слышать об этом. Ты неизвестно ради чего работала на бомбейскую мафию или, точнее, на эту гребаную группировку, точно так же как и я. Ты ведь знала, что они убивают людей, знала еще до того, как Гани свихнулся на этой своей расчлененке. Почему же после всего этого на тебя так подействовали убийства, которые совершал Сапна? Вот чего я не понимаю.

Она пристально изучала меня. Я знал, что она достаточно умна и прекрасно видит, почему я бомбардирую ее этими вопросами. И хотя я старался замаскировать свою недоверчивость, усеянную колючками ригористического осуждения, я понимал, что она почувствовала это в моем тоне. Когда я закончил свою вопросительно-обвинительную речь, она хотела ответить мне сразу же, но помедлила, словно решила изменить свой ответ.

— Ты полагаешь, — произнесла она наконец, хмурясь с некоторым удивлением, — что я тогда уехала в Гоа, потому что... ну, раскаивалась, что ли, в том, что я делала и в чем участвовала?

— А ты не раскаивалась?

— Нет. Я раскаивалась и раскаиваюсь до сих пор, но совсем не в этом. Я уехала потому, что не испытывала никаких чувств в связи с убийствами, которые совершал Сапна. Меня поначалу ошеломило то, что Гани повернул это таким образом. Я была против этого. Я считала, что это глупо и только принесет нам лишние неприятности. Я пыталась уговорить Кадера отказаться от этой затеи. Но я ничего не чувствовала, даже когда они убили Маджида. А ведь знаешь, я любила старика. Он был в некотором смысле лучше их всех. Но я ничего не чувствовала, когда он умер, точно так же как я ничего не чувствовала, когда Кадер сказал, что ему приходится держать тебя в тюрьме, где тебя избивают. Ты мне нравился больше всех, кого я знала, но я не страдала из-за этого, не испытывала никаких сожалений. Я как бы понимала, что это необходимо и просто обстоятельства сложились так неудачно, что это случилось с тобой. Но я ничего не чувствовала, и именно это заставило меня бросить все.

— А как же в Гоа? Ты же не можешь сказать, что и там ничего не чувствовала?

— Да, конечно. Я верила, что ты найдешь меня, и когда ты нашел — это было... чудесно. Я начала думать: «Вот что это такое... вот о чем все они говорят...» Но ты не захотел остаться там, тебе обязательно надо было вернуться — вернуться к нему. И я понимала, что он хочет, чтобы ты вернулся, ты ему, может быть, даже нужен. Я не могла сказать тебе всей правды о нем, потому что была в долгу перед ним и не знала, можно ли тебе доверять. И мне пришлось тебя отпустить. А когда ты уехал, я не чувствовала ничего. Абсолютно ничего. Я не раскаивалась в том, что я делала. Я раскаивалась, и раскаиваюсь по-прежнему, только в том, что не сожалею об этом, и именно поэтому я хочу поехать к Халеду и Идрису. Я абсолютно холодна внутри, Лин. Нет, мне нравятся многие люди и многие вещи, но я не люблю их, я даже себя не люблю. Я равнодушна ко всему и ко всем. А самое странное, Лин, что я и не хочу, чтобы было по-другому.

Итак, теперь я знал все — всю правду и все подробности, которые я так хотел узнать с тех пор, как на мертвой снежной вершине Кадер сказал мне о Карле. По-видимому, я хотел отомстить ей, заставив ее рассказать о том, что она делала и почему, и ожидал, что ее рассказ принесет мне освобождение и успокоение, что я почувствую прилив сил. Но ничего такого я не чувствовал. Я ощущал пустоту — ту пустоту, которая полна печали, но не отчаяния, которая заставляет нас жалеть, но не разбивает сердце, которая, может быть, ущербна, но от этого только яснее и чище. И вдруг я понял, что это за пустота и как она называется. Мы постоянно пользуемся этим словом, не сознавая, что оно содержит в себе целую вселенную покоя. Это слово — свобода.

Я протянул руку и коснулся ее щеки.

— Не знаю, многого ли стоит мое прощение, — сказал я, — но я прощаю тебя, Карла, я прощаю тебя и люблю тебя, и всегда буду любить.

Наши губы встретились и слились, как сталкиваются и сливаются волны в водовороте бушующего моря. Я чувствовал, что я свободен, что я выпал наконец из любви, которая раскрылась внутри меня, как чашечка лотоса. Мы вместе падали вдоль ее длинных черных волос в полости рыбачьей лодки, затонувшей в теплом песке.

Когда наши губы разошлись, в ее зеленых, как море, глазах вспыхнули звезды, проникшие в них с нашим поцелуем. Целая эпоха страстной тоски по любви переливалась из этих глаз в мои. Целая эпоха страсти переливалась из моих серых глаз в ее. Все жгучее желание плоти, изголодавшееся по надежде, текло потоком из глаз в глаза: наша первая встреча, остроумные беседы в «Леопольде», приют Стоячих монахов, Небесная деревня, холера, шествие крыс, секреты, которые она обессиленно поведала мне на грани сна, песнь в лодке под Воротами в Индию, гроза, сделавшая нас любовниками, радость и уединение в Гоа и наша любовь, отражавшаяся тенями в стекле, в последнюю ночь перед войной.

Все слова и умные мысли остались позади, когда я проводил ее до стоянки такси. Я еще раз поцеловал ее. Долгим прощальным поцелуем. Она улыбнулась мне. Улыбка была дружеская, прекрасная, почти лучшая ее улыбка. Я смотрел, как красные огни мутнеют, растворяются и исчезают в глубине ночи.

Оставшись один на непривычно пустой улице, я направился за мотоциклом к трущобам Прабакера — я называл их трущобами Прабакера, и такими они будут для меня всегда. Моя тень скакала туда-сюда у каждого фонаря, сначала волоча нога за ногу позади, затем внезапно выпрыгивая передо мной. Песни океана остались в стороне. Дорога пошла по касательной от береговой дуги, углубившись в широкие, обсаженные деревьями улицы нового полуострова, который был отвоеван у моря разрастающимся городом, громоздившим камень на камень и кирпич на кирпич.

На улицу выплеснулись звуки праздника. Праздничная программа закончилась, люди возвращались домой. Бесшабашные мальчишки на большой скорости лавировали на велосипедах среди пешеходов, но задевали разве что кончик рукава. Невообразимо прекрасные девушки в ярких сари скользили меж взглядов молодых парней, надушивших свои рубашки и свою кожу сандаловым мылом. Детишки спали на плечах родителей, их безвольные руки и ноги болтались, как невысохшее белье на веревке. Кто-то затянул любовную песнь, и десяток голосов подхватывал припев к каждому куплету. Все мужчины и все женщины, направлявшиеся в свои хижины в трущобах или комфортабельные квартиры, улыбались, слушая наивные романтические слова.

Три парня, певшие недалеко от меня, увидели, что я улыбаюсь, и вопросительно подняли кверху ладони. Я тоже поднял руки и затянул вместе со всеми припев, удивив и обрадовав их. Они обняли за плечи странного незнакомца, и мы вместе потащили наши соединенные песней души к непобедимым руинам трущоб. «Каждый из живущих на земле людей, — сказала когда-то Карла, — был индийцем по крайней мере в одной из своих прошлых жизней». И я смеялся при мысли о ней.

Я не знал, как буду жить дальше, после того как отдам долг афганскому медведю Назиру. Я как-то говорил ему о том, что чувствую себя виноватым в гибели Кадера, и он ответил: «Хорошая винтовка, хорошая лошадь, хорошая битва, добрые друзья — что может быть лучше для великого хана в момент смерти?» И в какой-то степени это было применимо и ко мне. То, что я собирался рискнуть жизнью ради доброго дела в компании добрых друзей, было правильно, пусть и не вполне объяснимо, и было мне по душе.

Мне еще многому предстояло научиться из того, что Кадер хотел мне преподать. Я знал, что в Бомбее живет его учитель физики, о котором он говорил мне в Афганистане. А другой учитель, Идрис, жил в Варанаси. Если я вернусь из поездки в Шри-Ланку, меня будет ждать целый мир еще не открытых духовных радостей.

А пока я занимал достаточно прочное положение в мафии Санджая. Работа была, деньги были, была даже некоторая власть. Длинная рука австралийского закона еще не нащупала меня. У меня были друзья по работе, друзья в «Леопольде» и в трущобах. И возможно, был даже шанс найти любовь.

Дойдя до своего мотоцикла, я не стал садиться на него и продолжил путь пешком. Какой-то инстинкт потянул меня в трущобы, а может быть, виновато было полнолуние. Узкие улочки, перекрученные артерии борьбы и надежд, были близки и привычны мне, внушали спокойную уверенность, и я поражался тому, что воспринимал их поначалу со страхом. Я брел без всякого плана и цели от улыбки к улыбке, в смешанных запахах кухонь и банного мыла, стойл для животных и керосиновых ламп, сандалового дерева и благовоний, устремлявшихся ввысь в тысяче маленьких домашних храмов.

На одном из углов я столкнулся со встречным. Мы подняли головы, чтобы извиниться, и тут же узнали друг друга. Это был Махеш, молодой воришка, который так помог мне в полицейском участке Колабы и на Артур-роуд и которого я с помощью Викрама вытащил из тюрьмы.

— Линбаба! — воскликнул он, схватив меня за руку. — Как я рад тебя видеть! Что привело тебя сюда?

— Да просто зашел посмотреть, как тут что, — ответил я, смеясь вместе с ним. — А ты что здесь делаешь? Выглядишь ты классно. Как у тебя дела?

— Без проблем, баба! *Билкул фит, хайн!* Я в лучшей форме!

— Может, выпьем чая?

— Спасибо, баба, не могу. Я опаздываю на собрание.

— *Ачха-а?* — отозвался я. — В самом деле?

Наклонившись ко мне, он прошептал:

— Это секрет, но тебе я могу его доверить, Линбаба. Мы встречаемся с парнями из команды Сапны, короля воров.

— Что?!

— Да, — прошептал он. — Эти парни лично знают Сапну. Они разговаривают с ним почти каждый день.

— Но это невозможно! — сказал я.

— Почему, Линбаба? Они его друзья. И мы вместе собираем армию — армию бедняков. Мы покажем этим мусульманам, кто настоящий хозяин в Махараштре! Этот Сапна убил главаря мафии Абдула Гани в его собственном доме и разбросал по всей квартире куски его тела. Это был хороший урок для мусульман. Теперь они будут бояться нас. Но мне надо идти. Мы увидим с тобой друг друга скоро, да? Счастливо, Линбаба!

Он нырнул в один из проулков. Я продолжил свой путь, но настроение у меня резко изменилось. Я почувствовал себя одновременно растерянным, сердитым и одиноким. И тут мой город, мой Бомбей, протянул мне, как всегда, свою руку, придавая сил и уверенности. Я увидел толпу почитателей Голубых Сестер, собравшуюся около их новой большой хижины. Люди в задних рядах стояли, а те, кто был ближе, сидели или преклонили колена в освещенном полукруге у порога. А в дверях, окруженные ореолом лившегося из хижины света и голубым дымом благовоний, стояли сами сестры. Они были безмятежны и излучали такое сострадание и такое возвышенное спокойствие, что в моем сердце, как и в сердцах всех глядевших на них мужчин и женщин, проснулась любовь к ним.

В этот момент кто-то потянул меня за рукав, и, обернувшись, я увидел призрак, состоявший из гигантской улыбки с прикрепленным к ней маленьким человечком. Я заключил призрак в объятия, а затем, наклонившись, коснулся его ноги, как в Индии принято приветствовать отца и мать. Это был Кишан, отец Прабакера. Он объяснил, что они с Рукхмабаи приехали в город, чтобы отдохнуть и повидать Парвати.

— Ай-ай-ай, Шантарам! — упрекнул он меня, когда я обратился к нему на хинди. — Ты разве забыл свой прекрасный маратхи?

— Прости, отец! — рассмеялся я, тут же перейдя на маратхи. — Я так рад тебя видеть, что сам не знаю, что говорю. А где Рукхмабаи?

— Пошли! — сказал он и, взяв меня за руку, как маленького мальчика, повел закоулками.

Мы подошли к группе хижин, окружавших чайную Кумара. Среди них была и моя. Перед хижинами стояли Джонни Сигар, Джитендра, Казим Али Хусейн и жена Джозефа Мария.

— А мы как раз вспоминали тебя! — воскликнул Джонни, когда я поздоровался со всеми. — Мы говорили о том, что твоя хижина опять освободилась, а также о пожаре, который был в тот день, когда ты переехал сюда. Это был большой пожар, да?

— Да, — согласился я, вспомнив Раджу и других, погибших в огне.

— Шантарам! — прозвучал сварливый голос у меня за спиной. — Ты стал такой важной персоной, что даже не хочешь поздороваться со своей необразованной деревенской мамой?

Я поспешно обернулся и хотел коснуться ноги Рукхмабаи, но она не позволила мне сделать это и протянула обе руки. Она постарела, и ее ласковая улыбка была печальной. Горе посеребрило черную гриву ее волос. Когда-то я видел, как они упали, словно умирающая тень, но теперь они снова отрастали, становились длинными. Сколотые на затылке, они вздымались густой волной как символ живой надежды.

Рядом стояла женщина в белом платье вдовы, и с ней маленький мальчик. Парвати с сыном. Он вцепился ручонками в ее сари, чтобы не упасть. Поздоровавшись с Парвати, я посмотрел на мальчика, и челюсть у меня чуть не отвисла. Я обратил изумленный взгляд к окружающим, и они закивали мне с таким же изумлением. Малыш был точной копией Прабакера, человека, которого мы любили больше всех на свете. Он улыбнулся мне, и это была все та же огромная, объемлющая весь мир улыбка на маленьком, абсолютно круглом лице.

— *Бэби диджийе?* — спросил я. — Можно взять его на руки?

Парвати кивнула, я протянул малышу руки, и он охотно пошел ко мне.

— Как его зовут? — спросил я, подняв мальчика в воздух и любуясь его улыбкой.

— Прабу, — ответила Парвати. — Мы назвали его Прабакером.

— Прабу, — велела внуку Рукхмабаи, — поцелуй дядю Шантарама.

Мальчик быстро поцеловал меня в щеку и затем импульсивно обхватил за шею и стиснул ее своими крошечными ручками. Я тоже обнял его и прижал к сердцу.

— А знаешь, Шанту, — сказал Кишан, похлопав себя по животику и заполнив улыбкой весь мир, — твой дом свободен. Мы все здесь. Ты можешь сегодня переночевать с нами.

Джонни Сигар ухмыльнулся мне. Полная луна отражалась в его глазах, а крупные белые зубы мерцали, как жемчуг.

— Но только учти, — сказал он, — если ты останешься, то сегодня вечером соберется народ отпраздновать это событие, а утром ты увидишь перед своей хижиной дли-и-инную очередь пациентов.

Я отдал малыша Парвати и провел рукой по его лицу и волосам. Глядя на окружающих, слушая поднимающуюся со всех сторон дышащую, смеющуюся, несдающуюся музыку трущоб, я вспомнил одно из любимых изречений Кадербхая, которое он повторял мне не раз: «Каждый удар человеческого сердца — это целая вселенная возможностей». И мне показалось, что теперь я до конца усвоил смысл, заложенный в этой фразе. Он хотел внушить мне, что воля каждого человека способна преобразить его судьбу. Я всегда считал судьбу чем-то данным раз и навсегда, закрепленным за человеком с рождения, таким же неизменным, как звездный круговорот. Но неожиданно я понял, что жизнь на самом деле гораздо причудливее и прекраснее. Истина в том, что, в каких бы обстоятельствах ты ни оказался, каким бы счастливым или несчастным ты ни был, ты можешь полностью изменить свою жизнь одной мыслью или одним поступком, если они исполнены любви.

— Боюсь, что я отвык спать на земле, — ответил я, улыбаясь Рукхмабаи.

— Я дам тебе свою кровать, — предложил Кишан.

— Нет, ни в коем случае! — запротестовал я.

— Да, обязательно! — настаивал Кишан и, взяв свою койку, стоявшую у стены их хижины, перенес ее к моей.

Я хотел помешать ему, но Джонни, Джитендра и все прочие стали бороться со мной, заставляя подчиниться, и наш смех улетел в растворяющую время вечность моря.

Из этого и состоит наша жизнь. Мы делаем один шаг, затем другой. Поднимаем глаза навстречу улыбке или оскалу окружающего мира. Думаем. Действуем. Чувствуем. Добавляем свои скромные усилия к приливам и отливам добра и зла, затопляющим планету и вновь отступающим. Несем сквозь мрак свой крест в надежду следующей ночи. Бросаем наши храбрые сердца в обещание нового дня. С любовью — страстным поиском истины вне самих себя — и с надеждой — чистым невыразимым желанием быть спасенными. Ибо пока судьба ждет нас, наша жизнь продолжается. Боже, спаси нас. Боже, прости нас. Жизнь продолжается.

ОГЛАВЛЕНИЕ

ЧАСТЬ ПЕРВАЯ 9

ЧАСТЬ ВТОРАЯ 167

ЧАСТЬ ТРЕТЬЯ 329

ЧАСТЬ ЧЕТВЕРТАЯ 503

ЧАСТЬ ПЯТАЯ 727

Литературно-художественное издание

ГРЕГОРИ ДЭВИД РОБЕРТС

ШАНТАРАМ

Редактор Александр Гузман
Художественный редактор Илья Кучма
Технический редактор Татьяна Раткевич
Компьютерная верстка Михаила Львова
Корректор Ирина Киселева

Главный редактор Александр Жикаренцев

Подписано в печать 22.08.2019. Формат издания 60 × 100 $^1/_{16}$.
Печать офсетная. Тираж 15 000 экз. Усл. печ. л. 59,94. Заказ № 7225.

Знак информационной продукции
(Федеральный закон № 436-ФЗ от 29.12.2010 г.): **18+**

ООО «Издательская Группа „Азбука-Аттикус“» —
обладатель товарного знака АЗБУКА®
115093, г. Москва, ул. Павловская, д. 7, эт. 2, пом. III, ком. № 1
Филиал ООО «Издательская Группа „Азбука-Аттикус“»
в Санкт-Петербурге
191123, г. Санкт-Петербург, Воскресенская наб., д. 12, лит. А
ЧП «Издательство „Махаон-Украина“»
Тел./факс: (044) 490-99-01. E-mail: sale@machaon.kiev.ua
Отпечатано в филиале «Тульская типография» ООО «УК» «ИРМА».
300026, г. Тула, пр. Ленина, 109

ПО ВОПРОСАМ РАСПРОСТРАНЕНИЯ ОБРАЩАЙТЕСЬ:

В Москве:
ООО «Издательская Группа „Азбука-Аттикус“»
Тел.: (495) 933-76-01, факс: (495) 933-76-19
E-mail: sales@atticus-group.ru; info@azbooka-m.ru

В Санкт-Петербурге:
Филиал ООО «Издательская Группа „Азбука-Аттикус“»
Тел.: (812) 327-04-55, факс: (812) 327-01-60
E-mail: trade@azbooka.spb.ru

В Киеве:
ЧП «Издательство „Махаон-Украина“»
Тел./факс: (044) 490-99-01. E-mail: sale@machaon.kiev.ua

Информация о новинках и планах на сайтах:
www.azbooka.ru, www.atticus-group.ru

Информация по вопросам приема рукописей и творческого сотрудничества
размещена по адресу: www.azbooka.ru/new_authors/

Y-ABB-6359-32-R